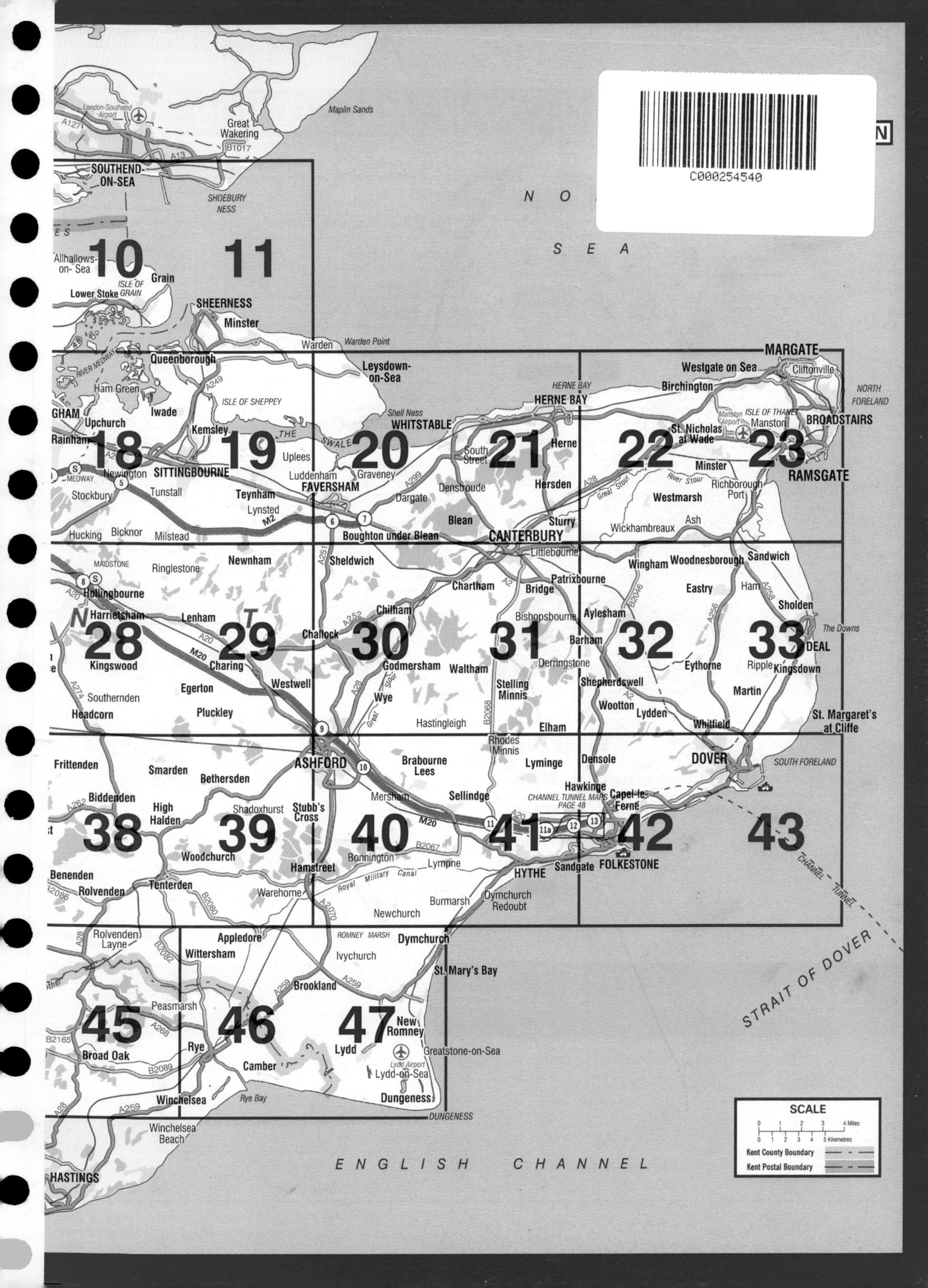

C000254540
Maplin Sands
London-Southend Airport
Great Wakering
A127
A13
B1017
SOUTHEND-ON-SEA
SHOEBURY NESS
N O
S E A
10
11
Allhallows-on-Sea
ISLE OF GRAIN
Grain
Lower Stoke
SHEERNESS
Minster
Warden
Warden Point
RIVER MEDWAY
Queenborough
Leysdown-on-Sea
Ham Green
A249
ISLE OF SHEPPEY
Iwade
Shell Ness
GHAM
Upchurch
Kemsley
WHITSTABLE
HERNE BAY
MARGATE
Westgate on Sea
Cliftonville
Birchington
NORTH FORELAND
ISLE OF THANET
Manston Airport
Manston
BROADSTAIRS
St. Nicholas at Wade
Rainham
18
19
THE SWALE
20
21
22
23
Newington
SITTINGBOURNE
Uplees
Luddenham
Graveney
South Street
Herne
Minster
RAMSGATE
MEDWAY
Stockbury
Tunstall
Teynham
FAVERSHAM
A299
Denstroude
Hersden
A28
Great Stour
River Stour
Richborough Port
Westmarsh
Lynsted
Dargate
M2
Blean
Sturry
Ash
Hucking
Bicknor
Milstead
Boughton under Blean
CANTERBURY
Wickhambreaux
Littlebourne
MAIDSTONE
Ringlestone
Newnham
A251
Sheldwich
Wingham
Woodnesborough
Sandwich
Hollingbourne
Chartham
A2
Bridge
Patrixbourne
Eastry
Ham
A258
B2046
Sholden
Harrietsham
Lenham
A252
Chilham
Bishopsbourne
Aylesham
A256
The Downs
28
29
Challock
30
31
Barham
32
33
DEAL
A20
M20
Kingswood
Charing
Godmersham
Waltham
Derringstone
Eythorne
Ripple
Kingsdown
A274
Southernden
Egerton
Westwell
Great Stour
Wye
Stelling Minnis
Shepherdswell
Martin
Headcorn
Pluckley
B2068
Wootton
Lydden
Hastingleigh
Elham
Whitfield
St. Margaret's at Cliffe
Rhodes Minnis
Frittenden
Smarden
ASHFORD
Brabourne Lees
Lyminge
Densole
DOVER
SOUTH FORELAND
Bethersden
Hawkinge
Capel-le-Ferne
Biddenden
A262
High Halden
Shadoxhurst
Stubb's Cross
Mersham
Sellindge
CHANNEL TUNNEL MAPS PAGE 48
38
39
40
41
42
43
Woodchurch
Bonnington
B2067
Lympne
HYTHE
Sandgate
FOLKESTONE
Benenden
Hamstreet
Royal Military Canal
CHANNEL TUNNEL
Rolvenden
Tenterden
B2086
B2080
Warehorne
Burmarsh
Dymchurch Redoubt
A2070
Newchurch
Rolvenden Layne
Appledore
ROMNEY MARSH
Dymchurch
A28
B2082
Wittersham
Ivychurch
St. Mary's Bay
STRAIT OF DOVER
A259
Brookland
Peasmarsh
45
46
47
New Romney
A268
B2165
Rye
Lydd
Greatstone-on-Sea
Broad Oak
Camber
Lydd Airport
Lydd-on-Sea
B2089
Winchelsea
Rye Bay
Dungeness
A259
DUNGENESS
Winchelsea Beach
ENGLISH CHANNEL
HASTINGS
SCALE
0 1 2 3 4 Miles
0 1 2 3 4 5 Kilometres
Kent County Boundary
Kent Postal Boundary

REFERENCE TO COUNTY MAP SECTION

Motorway	M2
Motorway Junction Numbers	
Unlimited Interchange **4** Limited Interchange **3**	
Motorway Service Area	(S) MEDWAY
Mileages - between Motorway Junctions	4
Primary Route	A2
North & South Circular Roads	
Primary Route Destination	DOVER
A Road	A274
B Road	B2162
Dual Carriageway	
Red Route (Priority Clearway)	
Primary Route	
North & South Circular Roads	
A Road	
One Way Road	
(Motorway, Primary Route & A Road only - Traffic flow indicated by heavy line on driver's left)	
Tunnel	
Major Road Under Construction	
Major Road Proposed	
Junction Name	KESTON MARK
Toll	TOLL
Ferry	

Railway	
Level Crossing and Tunnel	
Railway Station	SEVENOAKS
Underground Station	ROTHERHITHE
D.L.R. Station	SOUTH QUAY
Local Authority Boundary	
Posttown Boundary	
Postcode Boundary within Posttown	
Map Continuation	
for County Mapping (Blue Pages)	5
to Street Mapping (Red Pages)	89 or 223
Airport	LONDON - BIGGIN HILL
Airport Runway	
Built-up Area	
National Grid Reference	580
Place of Interest	• Chartwell
River or Canal	

Sporting Venues

Cricket		Stadium	
Football		Horse Racing	
Golf Course		Motor Racing	
18 Hole 9 Hole		Rugby	
		Tennis	

Tourist Information Centre

Open all year ![i]   Open Summer only ![i]

Viewpoint	180°	360°

Wood, Park, Cemetery, Etc.

SCALE   1 Inch to 1 Mile

0   ½   1   2 Miles
0   1   2   3 Kilometres

1:63,360

The following features are shown only in those areas of Kent not covered by Street Mapping (Red Pages)

Building	☐	**Hospital**	H
Car Park - selected	P	**Police Station**	▲
Church or Chapel	†	**Post Office**	★
Fire Station	■	**Toilet** with facilities for the Disabled	

Atlas of
A-Z KENT

CONTENTS

Copyright of Geographers' A-Z Map Company Ltd.

Head Office : Fairfield Road, Borough Green, Sevenoaks, Kent TN15 8PP Telephone: 01732-781000
Showrooms : 44 Gray's Inn Road, London, WC1X 8HX Telephone: 020-7440 9500

© **1998 Edition 1 2000 Edition 1A** (Part Revision)

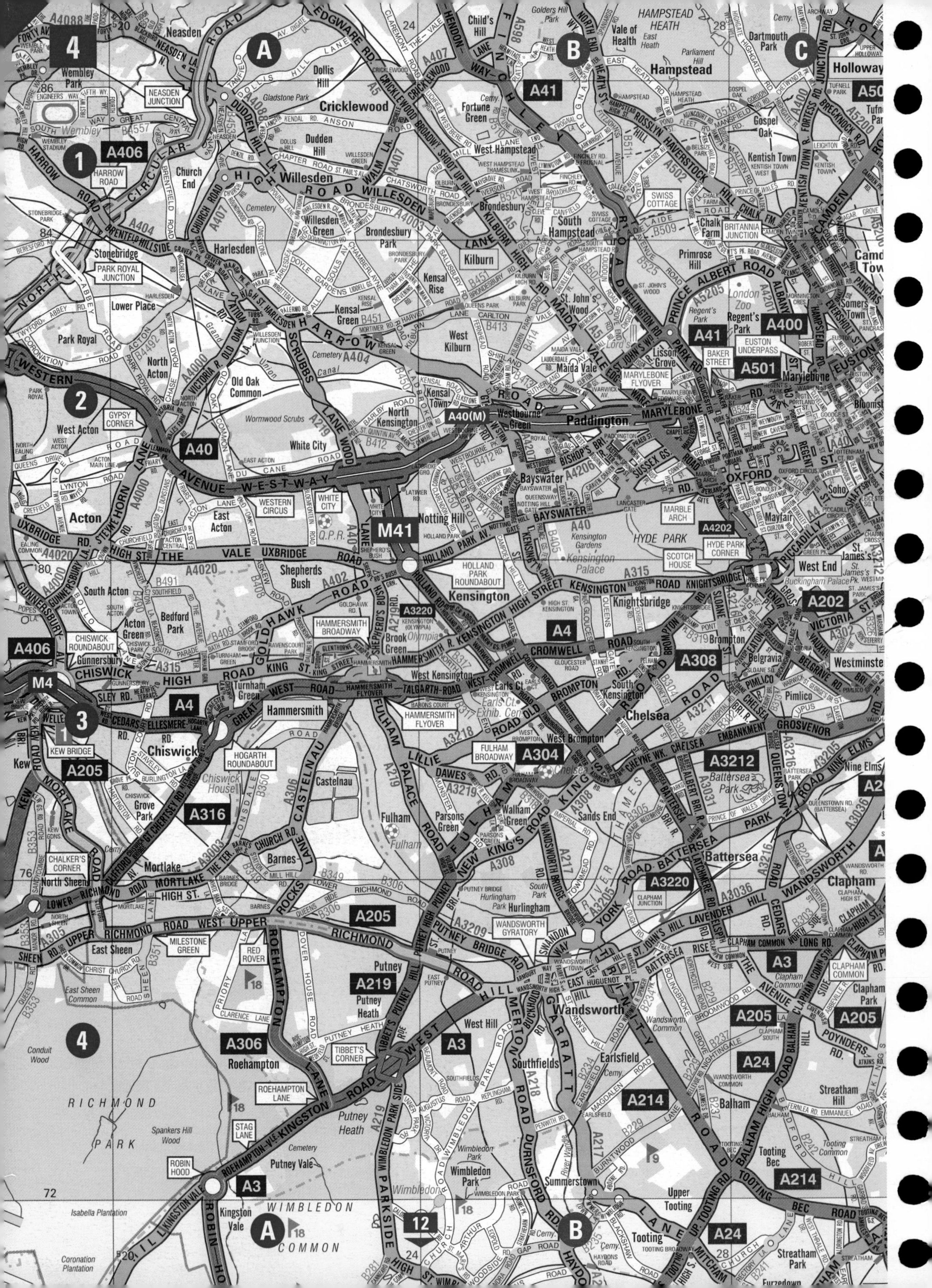
A
B
C
1
2
3
4
Neasden
Wembley Park
Dollis Hill
Cricklewood
Child's Hill
Golders Hill Park
HAMPSTEAD HEATH
Vale of Health
Hampstead
Dartmouth Park
Holloway
NEASDEN JUNCTION
Gladstone Park
Dudden Hill
Fortune Green
West Hampstead
Gospel Oak
Kentish Town
A406
HARROW ROAD
Church End
Willesden
Cemetery
Willesden Green
Brondesbury Park
Brondesbury
South Hampstead
SWISS COTTAGE
Chalk Farm
BRITANNIA JUNCTION
Stonebridge
PARK ROYAL JUNCTION
Harlesden
Kilburn
Primrose Hill
London Zoo
Regent's Park
Lower Place
Kensal Rise
Kensal Green
St. John's Wood
Park Royal
North Acton
West Kilburn
Maida Vale
Lord's
Lisson Grove
BAKER STREET
EUSTON UNDERPASS
Marylebone
A41
A400
A501
Old Oak Common
MARYLEBONE FLYOVER
Kensal Town
North Kensington
Westbourne Green
Paddington
GYPSY CORNER
West Acton
Wormwood Scrubs
White City
A40(M)
A40
Bayswater
OXFORD
Soho
WHITE CITY
WESTERN CIRCUS
MARBLE ARCH
Acton
East Acton
Q.P.R.
M41
Notting Hill
Kensington Gardens
HYDE PARK
Mayfair
A4202
HYDE PARK CORNER
SCOTCH HOUSE
Kensington Palace
West End
Buckingham Palace
St. James's
Shepherds Bush
HOLLAND PARK ROUNDABOUT
Kensington
Knightsbridge
A315
A202
South Acton
Bedford Park
Acton Green
HAMMERSMITH BROADWAY
Brook Green
Olympia
A3220
A4
Brompton
Belgravia
Westminster
A406
CHISWICK ROUNDABOUT
Gunnersbury
West Kensington
A308
M4
Turnham Green
Hammersmith
HAMMERSMITH FLYOVER
Earls Ct. Exhib. Cen.
South Kensington
Chelsea
Pimlico
Chiswick
HOGARTH ROUNDABOUT
FULHAM BROADWAY
A304
West Brompton
A3212
Nine Elms
Kew
KEW BRIDGE
A205
Chiswick House
Castelnau
Battersea Park
Grove Park
A316
Fulham
Parsons Green
Walham Green
Sands End
CHALKER'S CORNER
Mortlake
Barnes
Battersea
North Sheen
Clapham
A3220
Hurlingham Park
Hurlingham
CLAPHAM JUNCTION
East Sheen
MILESTONE GREEN
RED ROVER
A205
WANDSWORTH GYRATORY
A3
CLAPHAM COMMON
East Sheen Common
Putney
A219
Putney Heath
Wandsworth
Wandsworth Common
Clapham Common
Clapham Park
A205
Conduit Wood
A306
Roehampton
TIBBET'S CORNER
West Hill
Southfields
Earlsfield
A24
ROEHAMPTON LANE
A214
Balham
Streatham Hill
RICHMOND PARK
Spankers Hill Wood
STAG LANE
Putney Heath
Cemetery
Putney Vale
Wimbledon Park
Tooting Bec
Tooting Common
ROBIN HOOD
Summerstown
A214
Upper Tooting
A3
Wimbledon
WIMBLEDON COMMON
Isabella Plantation
Kingston Vale
12
Tooting
A24
Streatham Park
Coronation Plantation
Furzedown

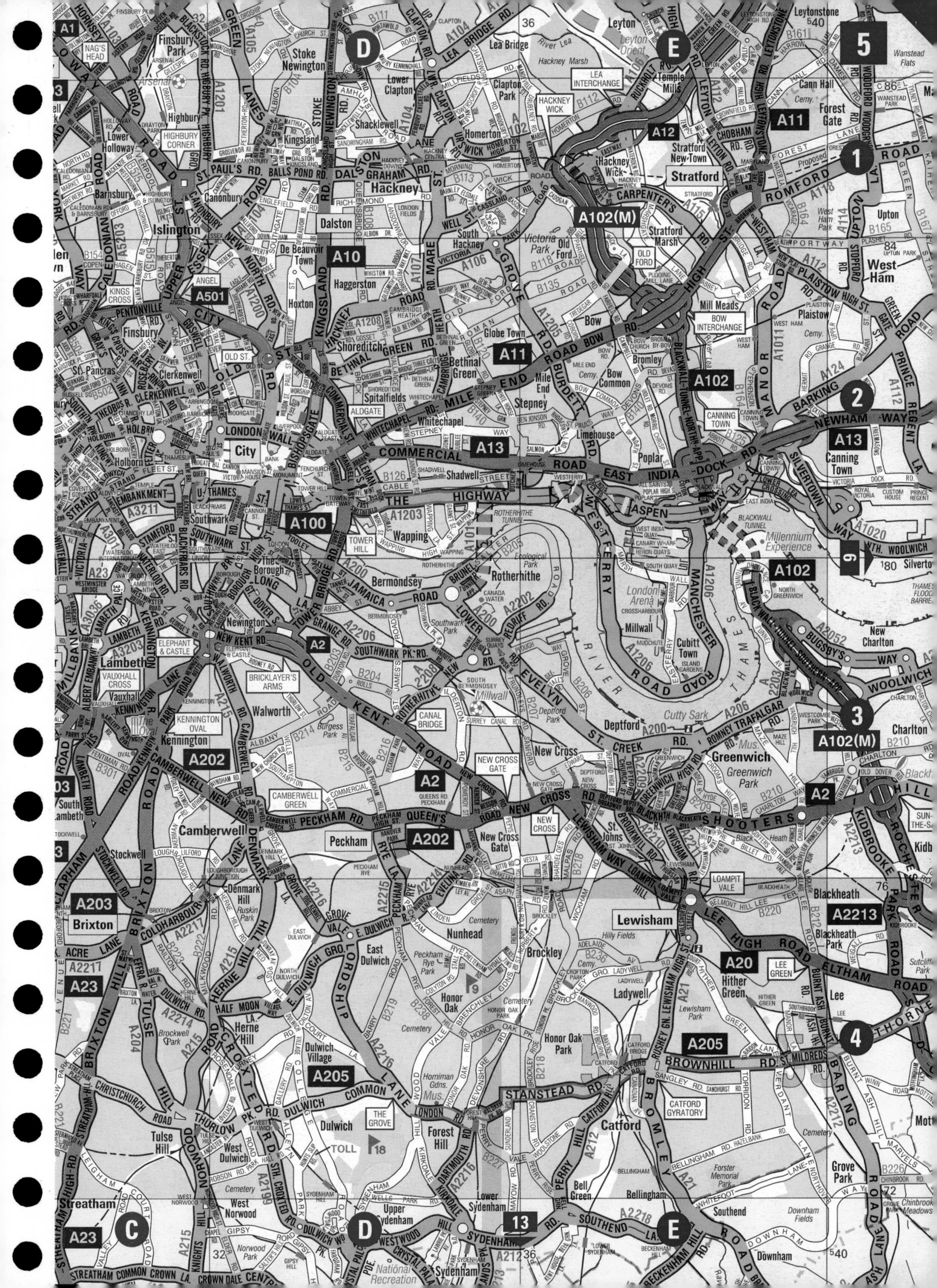
Leyton
Leytonstone
Lea Bridge
Hackney Marsh
LEA INTERCHANGE
Temple Mills
Stoke Newington
Finsbury Park
Lower Clapton
Clapton Park
HACKNEY WICK
Highbury
Lower Holloway
HIGHBURY CORNER
Shacklewell
Kingsland
Homerton
Hackney Wick
Stratford
Stratford New Town
Forest Gate
Barnsbury
Canonbury
Hackney
Dalston
A102(M)
Stratford Marsh
Upton
West Ham
Islington
De Beauvoir Town
South Hackney
Victoria Park
Old Ford
OLD FORD
ANGEL
A501
KINGS CROSS
Haggerston
Hoxton
A10
Globe Town
Bow
Mill Meads
BOW INTERCHANGE
Plaistow
Finsbury
Shoreditch
Bethnal Green
Spitalfields
Mile End
Bow Common
Bromley
A102
A11
St. Pancras
Clerkenwell
Holborn
London
City
ALDGATE
Whitechapel
Stepney
Limehouse
Poplar
CANNING TOWN
Canning Town
A13
Shadwell
Wapping
TOWER HILL
A100
Southwark
Rotherhithe
Bermondsey
Millennium Experience
A102
Silvertown
Lambeth
ELEPHANT & CASTLE
Newington
Walworth
London Arena
Millwall
Cubitt Town
New Charlton
Charlton
VAUXHALL CROSS
Vauxhall
BRICKLAYER'S ARMS
CANAL BRIDGE
KENNINGTON OVAL
Kennington
Deptford
Cutty Sark
Greenwich
Greenwich Park
A102(M)
A202
A2
NEW CROSS GATE
New Cross
CAMBERWELL GREEN
Camberwell
Peckham
New Cross Gate
NEW CROSS
St. Johns
Stockwell
A203
Brixton
Denmark Hill
LOAMPIT VALE
Lewisham
Blackheath
Blackheath Park
A2213
East Dulwich
Nunhead
Brockley
Ladywell
A20
LEE GREEN
Hither Green
Lee
A23
Honor Oak
Herne Hill
Honor Oak Park
A205
Dulwich Village
Catford
CATFORD GYRATORY
Dulwich
THE GROVE
Forest Hill
Tulse Hill
West Dulwich
Grove Park
Bell Green
Bellingham
Lower Sydenham
West Norwood
Upper Sydenham
Streatham
Southend
Downham
Sydenham
C
D
E
1
2
3
4
13

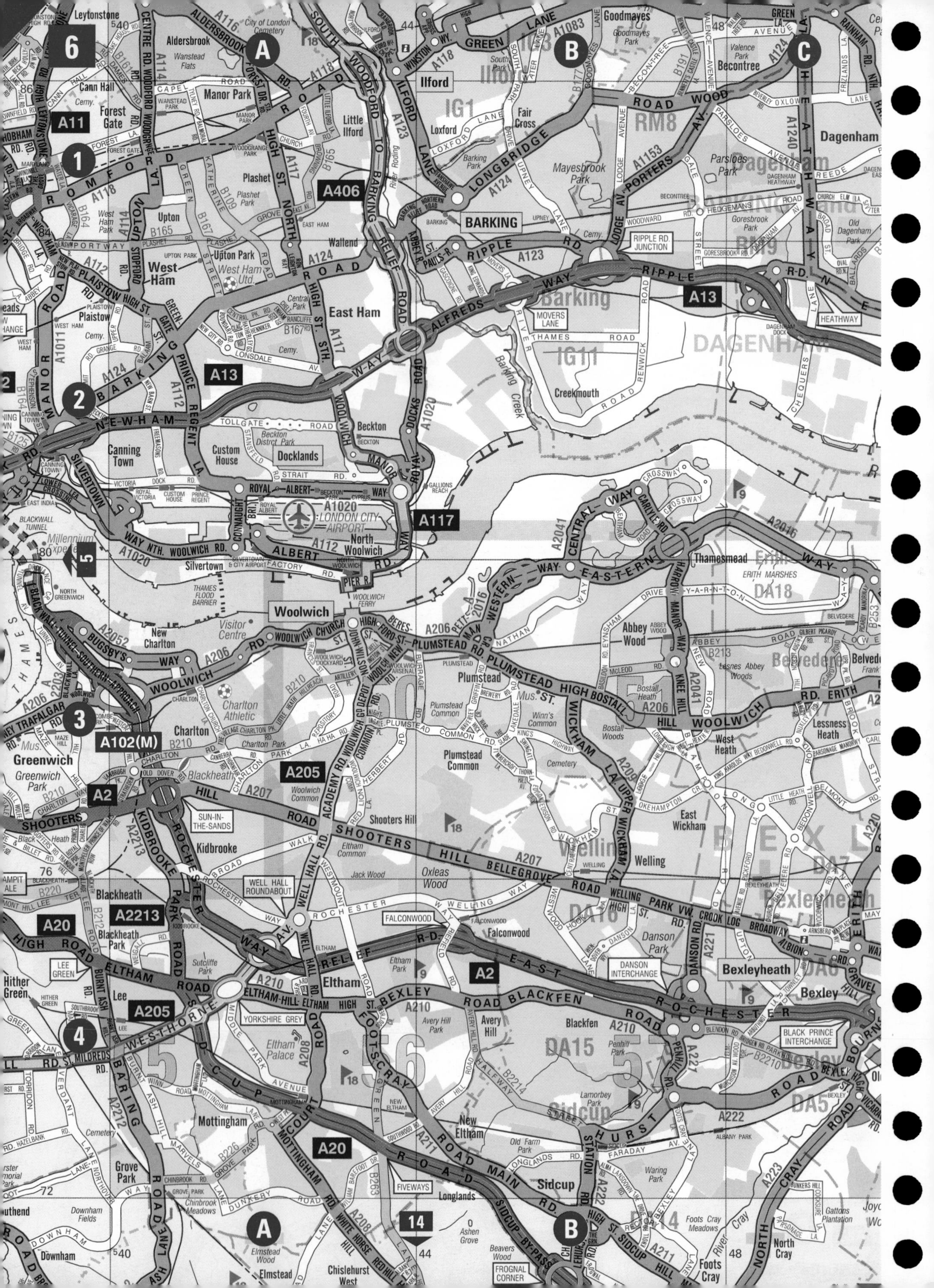

6
Leytonstone
540
Aldersbrook
A
City of London Cemetery
Wanstead Flats
Cann Hall
Cemy.
Forest Gate
A11
Manor Park
Little Ilford
Ilford
Goodmayes
Goodmayes Park
B
South Park
IG1
Loxford
Fair Cross
C
Becontree
Valence Park
RM8
Dagenham
Parsloes Park
1
ROMFORD ROAD
Plashet
Plashet Park
West Ham Park
Upton
A406
Barking Park
Mayesbrook Park
BARKING
Goresbrook Park
Old Dagenham Park
Upton Park
West Ham
West Ham Utd.
Wallend
RIPPLE RD. JUNCTION
A13
Plaistow
Cemy.
Central Park
East Ham
Barking
MOVERS LANE
IG11
DAGENHAM
HEATHWAY
2
Barking Creek
Creekmouth
Canning Town
Beckton
Beckton District Park
Custom House
Docklands
A117
A1020
LONDON CITY AIRPORT
North Woolwich
Silvertown
THAMES FLOOD BARRIER
5
Woolwich
WOOLWICH FERRY
New Charlton
Visitor Centre
Thamesmead
ERITH MARSHES
DA18
Abbey Wood
Lesnes Abbey Woods
Belvedere
Plumstead
Plumstead Common
Winn's Common
Bostall Heath
Bostall Woods
Lessness Heath
West Heath
3
Charlton
Charlton Athletic
Charlton Park
A102(M)
Greenwich
Greenwich Park
Blackheath
A2
SUN-IN-THE-SANDS
A205
Woolwich Common
Shooters Hill
Kidbrooke
East Wickham
Welling
Jack Wood
Oxleas Wood
Eltham Common
WELL HALL ROUNDABOUT
76
Blackheath
A2213
A20
Blackheath Park
FALCONWOOD
Falconwood
DA16
Danson Park
DANSON INTERCHANGE
Bexleyheath
DA7
DA6
Bexley
LEE GREEN
Sutcliffe Park
Eltham Park
Eltham
Hither Green
Lee
YORKSHIRE GREY
Avery Hill Park
Avery Hill
Blackfen
DA15
Penhill Park
BLACK PRINCE INTERCHANGE
4
Eltham Palace
Lamorbey Park
Sidcup
DA5
Mottingham
New Eltham
Old Farm Park
ALBANY PARK
Cemetery
Grove Park
A20
Waring Park
72
FIVEWAYS
Longlands
Sidcup
Chinbrook Meadows
Downham Fields
14
Ashen Grove
A
B
Foots Cray Meadows
Gattons Plantation
Downham
540
Elmstead Wood
Elmstead
44
Beavers Wood
FROGNAL CORNER
Chislehurst West
Foots Cray
North Cray
48

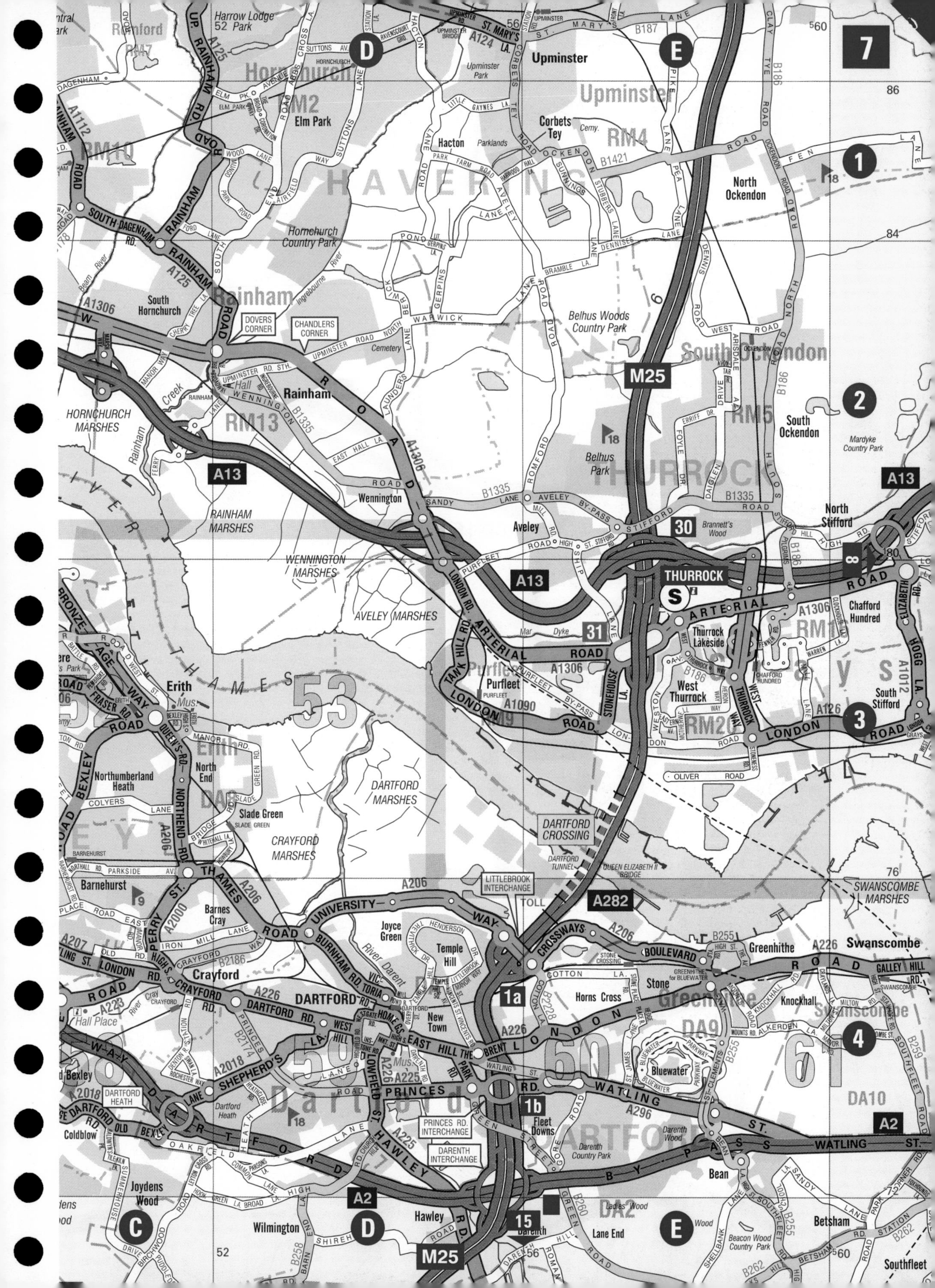

Upminster
Hornchurch
Elm Park
Hacton
Corbets Tey
North Ockendon
HAVERING
Hornchurch Country Park
Rainham
South Hornchurch
DOVERS CORNER
CHANDLERS CORNER
Belhus Woods Country Park
South Ockendon
M25
HORNCHURCH MARSHES
Belhus Park
THURROCK
Mardyke Country Park
A13
Wennington
Aveley
North Stifford
RAINHAM MARSHES
WENNINGTON MARSHES
THURROCK
AVELEY MARSHES
Chafford Hundred
Thurrock Lakeside
Purfleet
West Thurrock
South Stifford
Erith
Northumberland Heath
North End
Slade Green
DARTFORD MARSHES
CRAYFORD MARSHES
DARTFORD CROSSING
Barnehurst
Barnes Cray
LITTLEBROOK INTERCHANGE
SWANSCOMBE MARSHES
A282
Joyce Green
Temple Hill
Greenhithe
Swanscombe
Crayford
DARTFORD
New Town
Stone
Horns Cross
Knockhall
Hall Place
Bexley
DARTFORD HEATH
Dartford Heath
Bluewater
Dartford
Fleet Downs
Darenth Wood
Darenth Country Park
PRINCES RD. INTERCHANGE
DARENTH INTERCHANGE
Coldblow
Bean
Joydens Wood
Wilmington
Hawley
Lane End
Beacon Wood Country Park
Betsham
Southfleet
A2

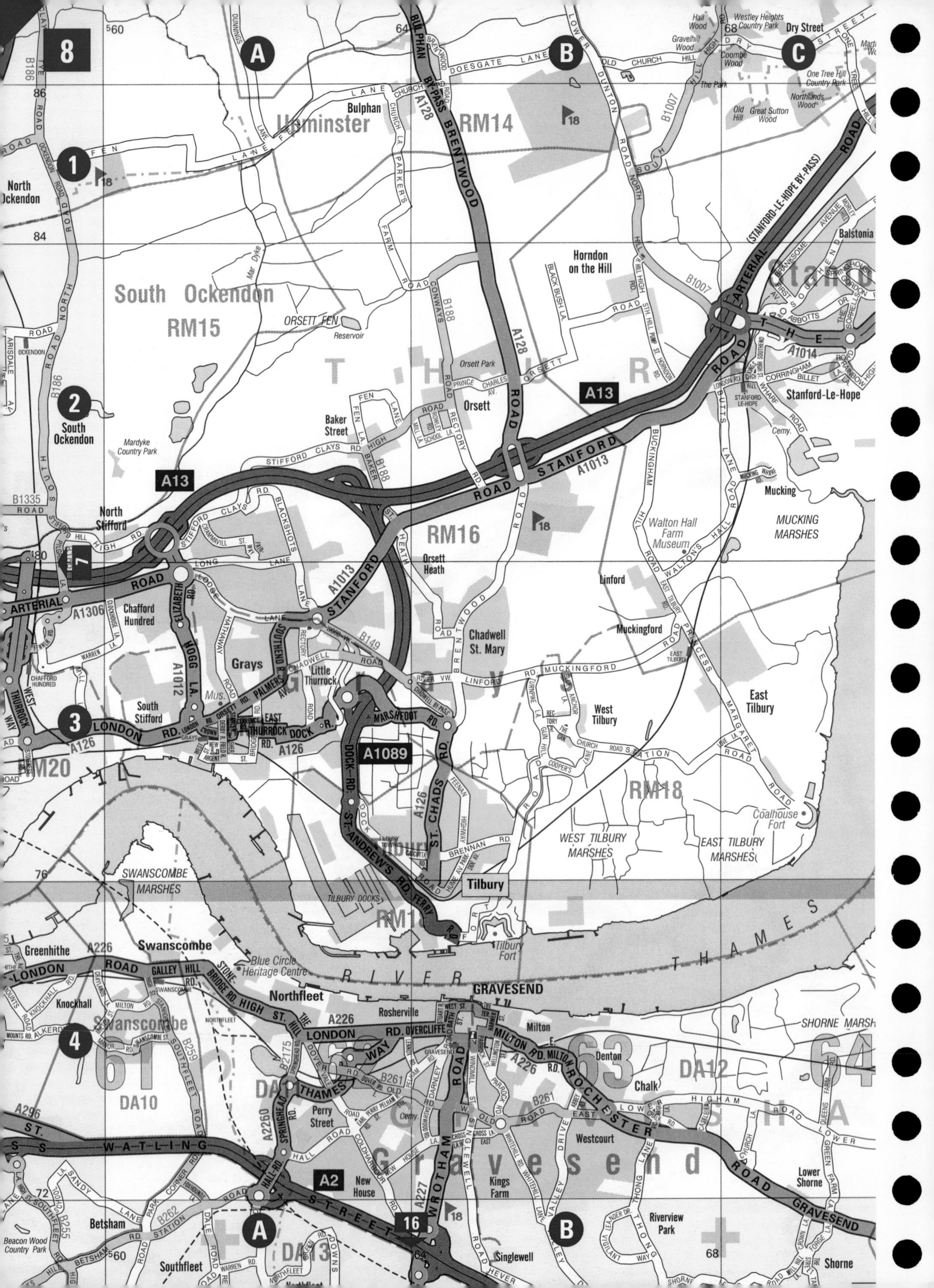

8
A
B
C
1
2
3
4
Bulphan
Upminster
RM14
Dry Street
Westley Heights Country Park
Hall Wood
Gravelhill Wood
Coombe Wood
One Tree Hill Country Park
Northlands Wood
Old Hill
Great Sutton Wood
The Park
North Ockendon
South Ockendon
RM15
ORSETT FEN
Reservoir
Horndon on the Hill
Orsett Park
Orsett
Baker Street
Mardyke Country Park
Mar Dyke
A13
A128
A1013
A1014
A1012
A1306
A126
A1089
A226
A2
A227
A2260
A296
B186
B188
B149
B1007
B1335
B2175
B259
B261
B262
B255
North Stifford
RM16
Orsett Heath
Chadwell St. Mary
Linford
Muckingford
Walton Hall Farm Museum
MUCKING MARSHES
Mucking
Stanford-Le-Hope
Balstonia
Chafford Hundred
Grays
Little Thurrock
South Stifford
West Tilbury
East Tilbury
RM18
RM20
Coalhouse Fort
WEST TILBURY MARSHES
EAST TILBURY MARSHES
Tilbury
TILBURY DOCKS
Tilbury Fort
SWANSCOMBE MARSHES
RIVER THAMES
Greenhithe
Swanscombe
Blue Circle Heritage Centre
Northfleet
GRAVESEND
Rosherville
Milton
SHORNE MARSH
Knockhall
Denton
DA10
DA11
DA12
DA13
61
62
63
64
Chalk
Perry Street
Westcourt
Lower Shorne
Gravesend
New House
Kings Farm
Riverview Park
Betsham
Beacon Wood Country Park
Southfleet
Singlewell
Shorne
WATLING STREET
7
16
560
64
68
86
84
80
76
72

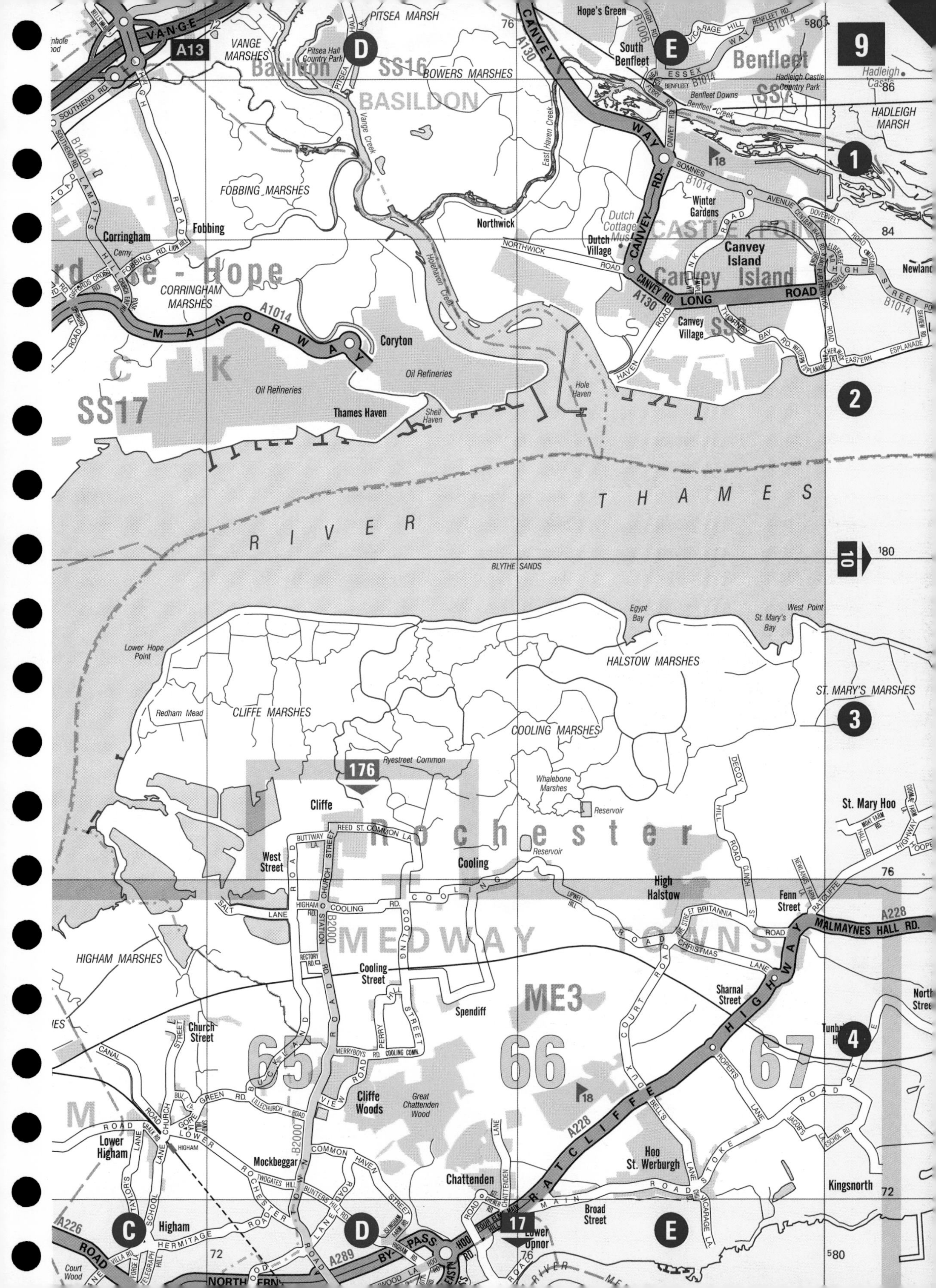

A13
VANGE
VANGE MARSHES
Pitsea Hall Country Park
PITSEA MARSH
BOWERS MARSHES
BASILDON
SS16
Hope's Green
South Benfleet
Benfleet
Hadleigh Castle Country Park
HADLEIGH MARSH
Benfleet Downs
FOBBING MARSHES
Fobbing
Corringham
Northwick
Winter Gardens
Dutch Cottage Mus.
Dutch Village
CASTLE POINT
Canvey Island
CANVEY WAY
LONG ROAD
Canvey Village
CORRINGHAM MARSHES
MANORWAY
A1014
Coryton
Oil Refineries
Thames Haven
Shell Haven
Hole Haven
SS17
RIVER THAMES
BLYTHE SANDS
Lower Hope Point
Egypt Bay
St. Mary's Bay
West Point
HALSTOW MARSHES
ST. MARY'S MARSHES
Redham Mead
CLIFFE MARSHES
COOLING MARSHES
Ryestreet Common
176
Whalebone Marshes
Reservoir
Cliffe
Rochester
West Street
Cooling
High Halstow
St. Mary Hoo
Fenn Street
MALMAYNES HALL RD.
A228
MEDWAY TOWNS
HIGHAM MARSHES
Cooling Street
Sharnal Street
ME3
Spendiff
Church Street
65
66
67
Cliffe Woods
Great Chattenden Wood
Lower Higham
Mockbeggar
Hoo St. Werburgh
Chattenden
Kingsnorth
Broad Street
Higham
Lower Upnor
17
A226
A289
RATCLIFFE HIGHWAY
10

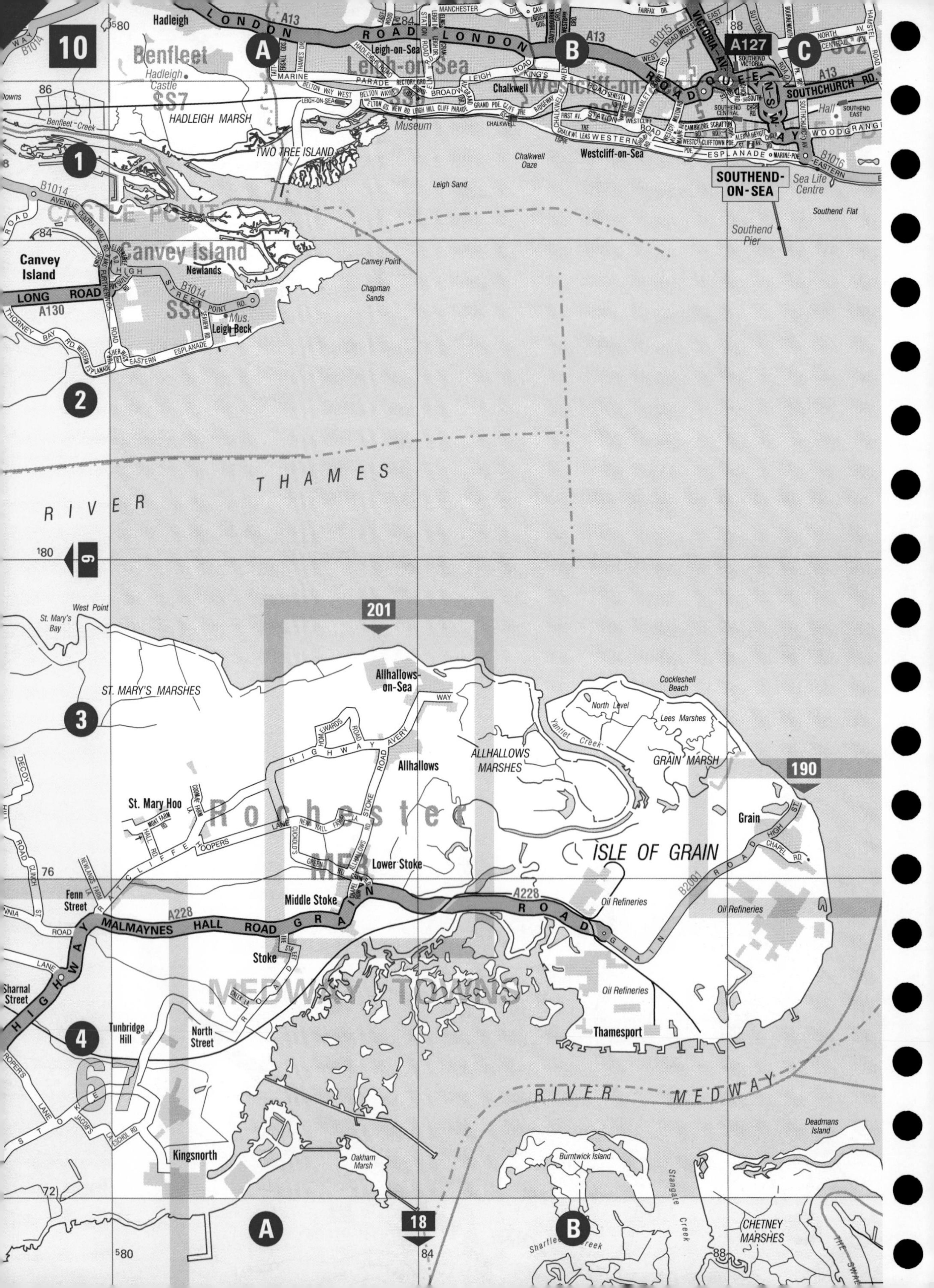

10
Hadleigh
Benfleet
Hadleigh Castle
SS7
HADLEIGH MARSH
LONDON ROAD
A13
Leigh-on-Sea
SS9
Chalkwell
Westcliff-on-Sea
SOUTHCHURCH RD.
A127
SOUTHEND-ON-SEA
Sea Life Centre
Southend Pier
Southend Flat
Chalkwell Oaze
Leigh Sand
Museum
TWO TREE ISLAND
CASTLE POINT
Canvey Island
Newlands
SS8
Leigh Beck
LONG ROAD
A130
B1014
Canvey Point
Chapman Sands
RIVER THAMES
West Point
St. Mary's Bay
ST. MARY'S MARSHES
Allhallows-on-Sea
Allhallows
ALLHALLOWS MARSHES
Cockleshell Beach
North Level
Lees Marshes
GRAIN MARSH
Yantlet Creek
St. Mary Hoo
Rochester
ME3
Lower Stoke
Middle Stoke
Stoke
Grain
ISLE OF GRAIN
Oil Refineries
A228
MALMAYNES HALL ROAD
GRAIN ROAD
B2001
Thamesport
Fenn Street
Sharnal Street
Tunbridge Hill
North Street
MEDWAY TOWNS
Kingsnorth
RIVER MEDWAY
Oakham Marsh
Burntwick Island
Deadmans Island
Stangate Creek
CHETNEY MARSHES
201
190
18
9

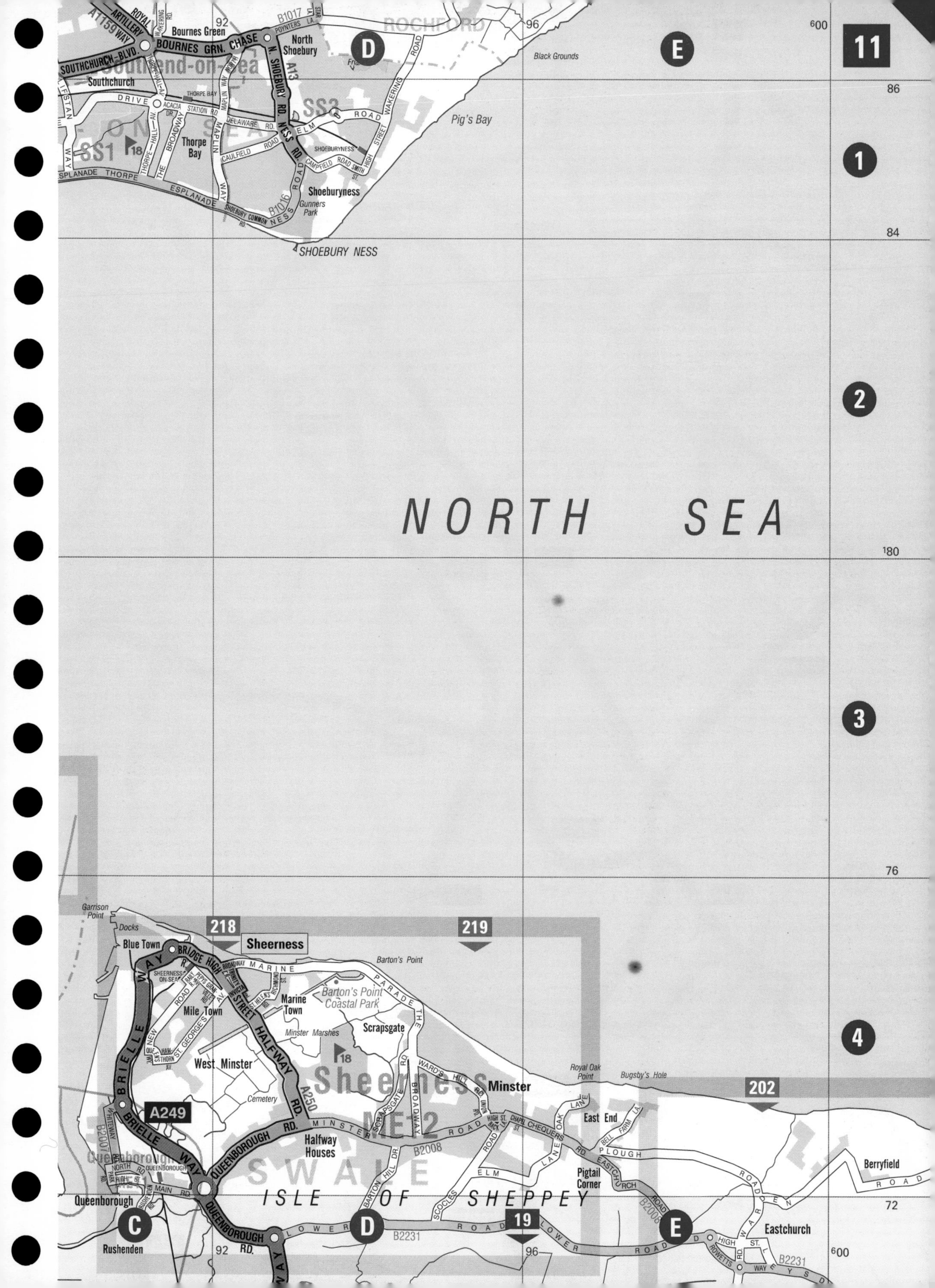

NORTH SEA
Southend-on-Sea
Southchurch
Bournes Green
North Shoebury
Thorpe Bay
Shoeburyness
Gunners Park
SHOEBURY NESS
Pig's Bay
Black Grounds
ROCHFORD
SS1
SS3
Sheerness
Blue Town
Mile Town
Marine Town
Barton's Point
Barton's Point Coastal Park
Minster Marshes
Scrapsgate
West Minster
Minster
Royal Oak Point
Bugsby's Hole
East End
Halfway Houses
Queenborough
Rushenden
Pigtail Corner
Eastchurch
Berryfield
ISLE OF SHEPPEY
SWALE
ME12
Garrison Point
Docks
Cemetery
A249
A250
A13
B1016
B1017
B2008
B2231
B2007
218
219
202
19
D
E
C
1
2
3
4

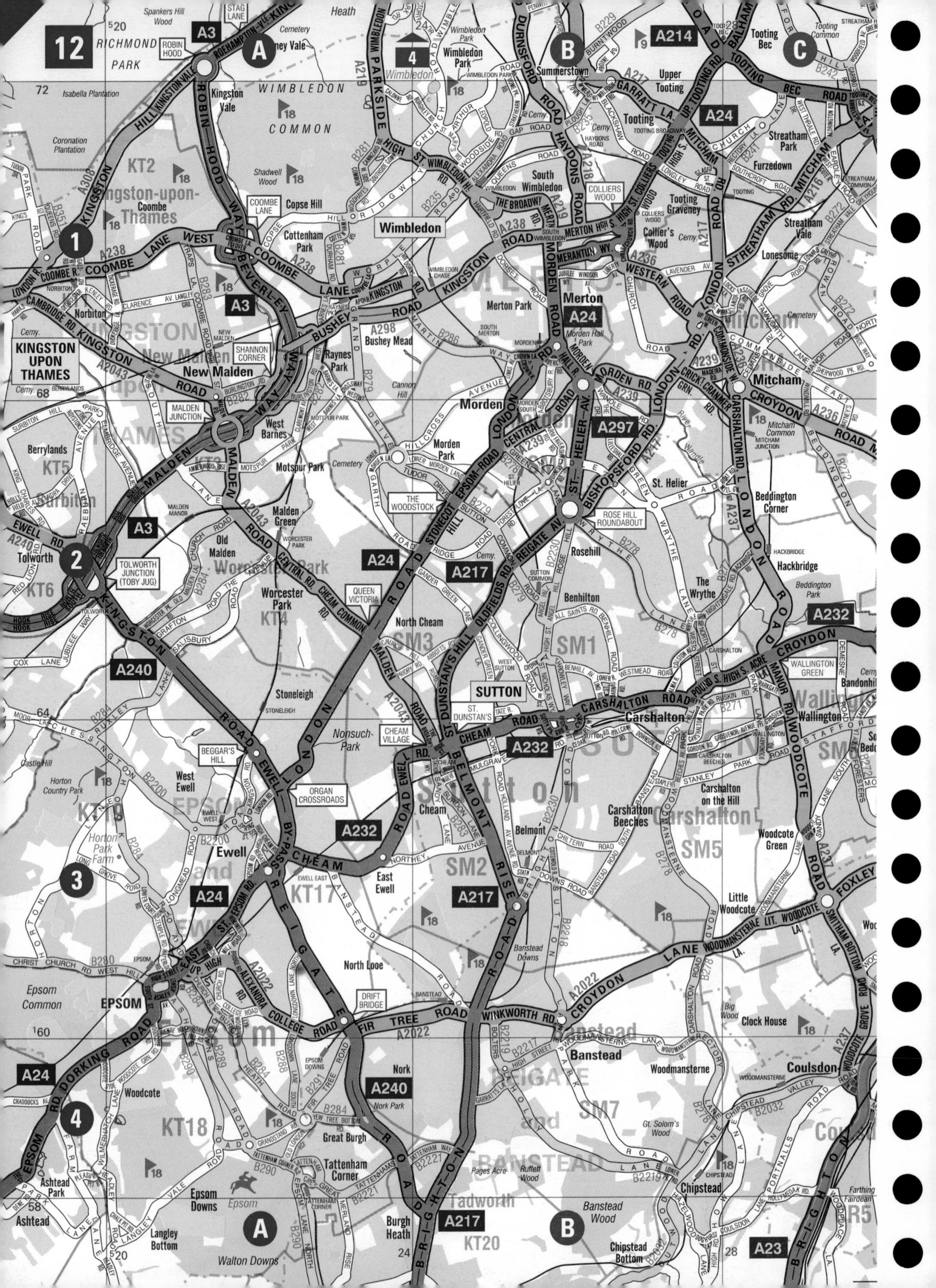
12
RICHMOND PARK
A
B
C
1
2
3
4
Wimbledon
WIMBLEDON COMMON
Kingston Vale
Kingston-upon-Thames
KINGSTON UPON THAMES
Coombe
Norbiton
New Malden
Berrylands
Surbiton
Tolworth
TOLWORTH JUNCTION (TOBY JUG)
MALDEN JUNCTION
SHANNON CORNER
Copse Hill
Cottenham Park
Raynes Park
Bushey Mead
West Barnes
Motspur Park
Morden
Morden Park
Merton
Merton Park
South Merton
South Wimbledon
Summerstown
Upper Tooting
Tooting
Tooting Bec
Tooting Graveney
Collier's Wood
COLLIERS WOOD
Streatham Park
Streatham Vale
Furzedown
Lonesome
Mitcham
Mitcham Common
St. Helier
ROSE HILL ROUNDABOUT
Rosehill
Beddington Corner
Hackbridge
The Wrythe
Benhilton
SUTTON
Carshalton
Carshalton on the Hill
Carshalton Beeches
Wallington
Woodcote Green
Little Woodcote
North Cheam
Cheam
CHEAM VILLAGE
Worcester Park
Old Malden
Malden Green
QUEEN VICTORIA
Stoneleigh
Nonsuch Park
East Ewell
Ewell
West Ewell
ORGAN CROSSROADS
BEGGAR'S HILL
Horton Country Park
Epsom Common
EPSOM
Woodcote
Ashtead Park
Ashtead
Langley Bottom
Epsom Downs
Walton Downs
Tattenham Corner
Great Burgh
Nork
Burgh Heath
Belmont
Banstead Downs
Banstead
North Looe
DRIFT BRIDGE
Woodmansterne
Clock House
Coulsdon
Chipstead
Chipstead Bottom
Banstead Wood
Tadworth
Pages Acre
Ruffett Wood
Gt. Solom's Wood
KT2
KT3
KT4
KT5
KT6
KT17
KT18
KT20
SM1
SM2
SM3
SM5
SM7
A3
A24
A214
A217
A232
A240
A297
A23
A238
A298
A2043
A239
A236
A2022
A219
A218
A216
A237
A308
KINGSTON BY-PASS
EPSOM ROAD
LONDON ROAD
REIGATE ROAD
BRIGHTON ROAD
CROYDON ROAD
CARSHALTON ROAD
CHEAM ROAD
FIR TREE ROAD
COLLEGE ROAD
WINKWORTH RD.
DORKING ROAD
MALDEN WAY
BEVERLEY WAY
ROBIN HOOD WAY
COOMBE LANE WEST
KINGSTON ROAD
MORDEN ROAD
WESTERN ROAD
STREATHAM ROAD
MITCHAM ROAD
TOOTING BEC ROAD
GARRATT LA.
DURNSFORD ROAD
HAYDONS ROAD
PARKSIDE
WOODCOTE ROAD
CENTRAL RD.
BISHOPSFORD RD.
ST. HELIER AV.
BELMONT RISE
ST. DUNSTAN'S HILL
STONECOT HILL

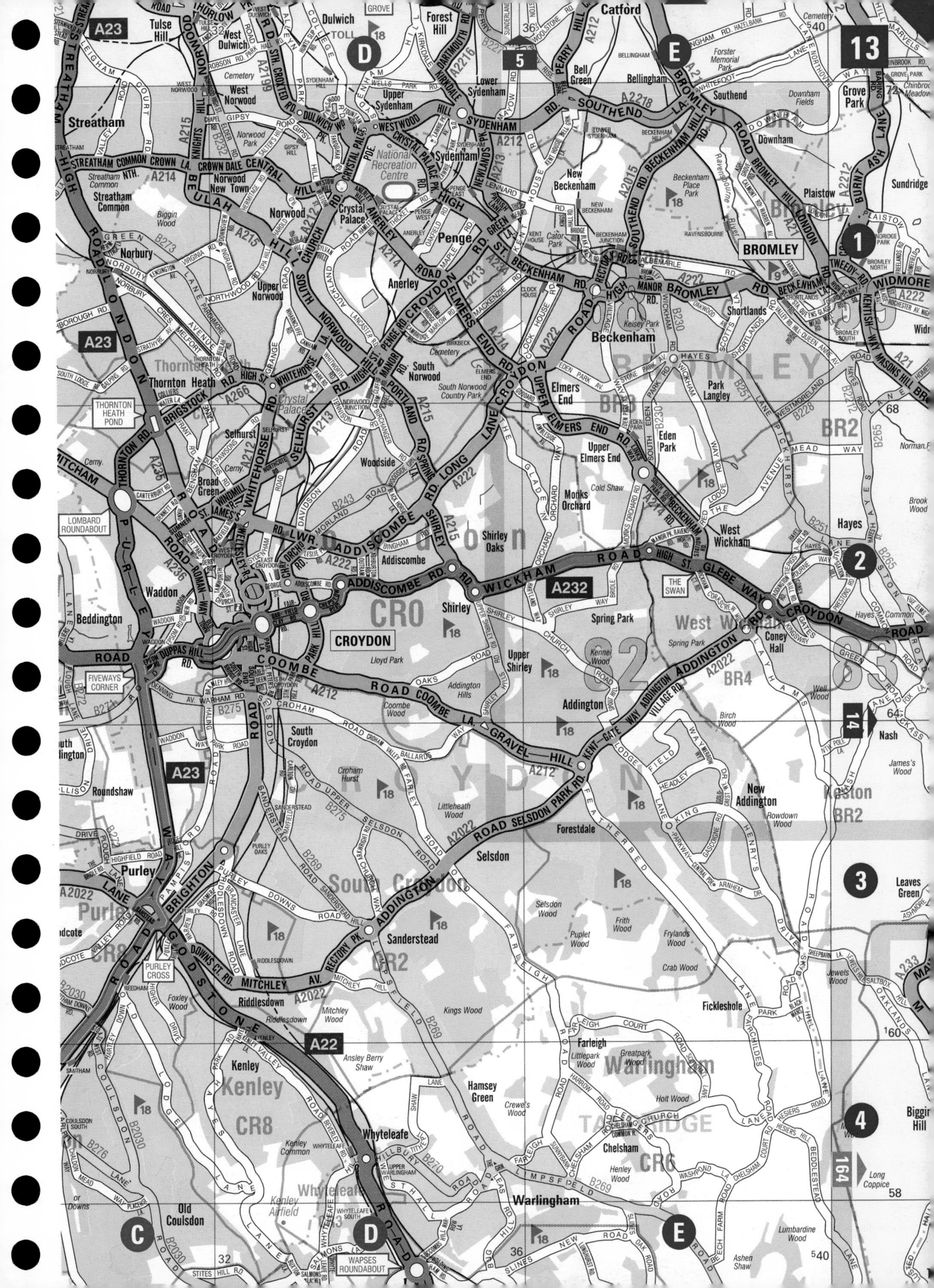

13
Tulse Hill
West Dulwich
Dulwich
Forest Hill
Catford
Streatham
West Norwood
Upper Sydenham
Lower Sydenham
Bell Green
Bellingham
Southend
Grove Park
Downham
Sydenham
Norwood New Town
Streatham Common
National Recreation Centre
Crystal Palace
Norwood
Penge
New Beckenham
Beckenham Place Park
Plaistow
Sundridge
BROMLEY
Norbury
Upper Norwood
Anerley
Beckenham
Shortlands
Thornton Heath
South Norwood
Elmers End
Park Langley
THORNTON HEATH POND
Selhurst
Woodside
Upper Elmers End
Eden Park
Broad Green
Monks Orchard
LOMBARD ROUNDABOUT
Shirley Oaks
Hayes
West Wickham
Addiscombe
THE SWAN
Waddon
Beddington
Shirley
Spring Park
CROYDON
Coney Hall
FIVEWAYS CORNER
Upper Shirley
Addington
South Croydon
Roundshaw
New Addington
Keston
Forestdale
Selsdon
Purley
Sanderstead
Riddlesdown
PURLEY CROSS
Fickleshole
Farleigh
Kenley
Hamsey Green
Warlingham
Chelsham
Whyteleafe
Old Coulsdon
WAPSES ROUNDABOUT
Biggin Hill
Leaves Green
Nash
A23
A22
A232

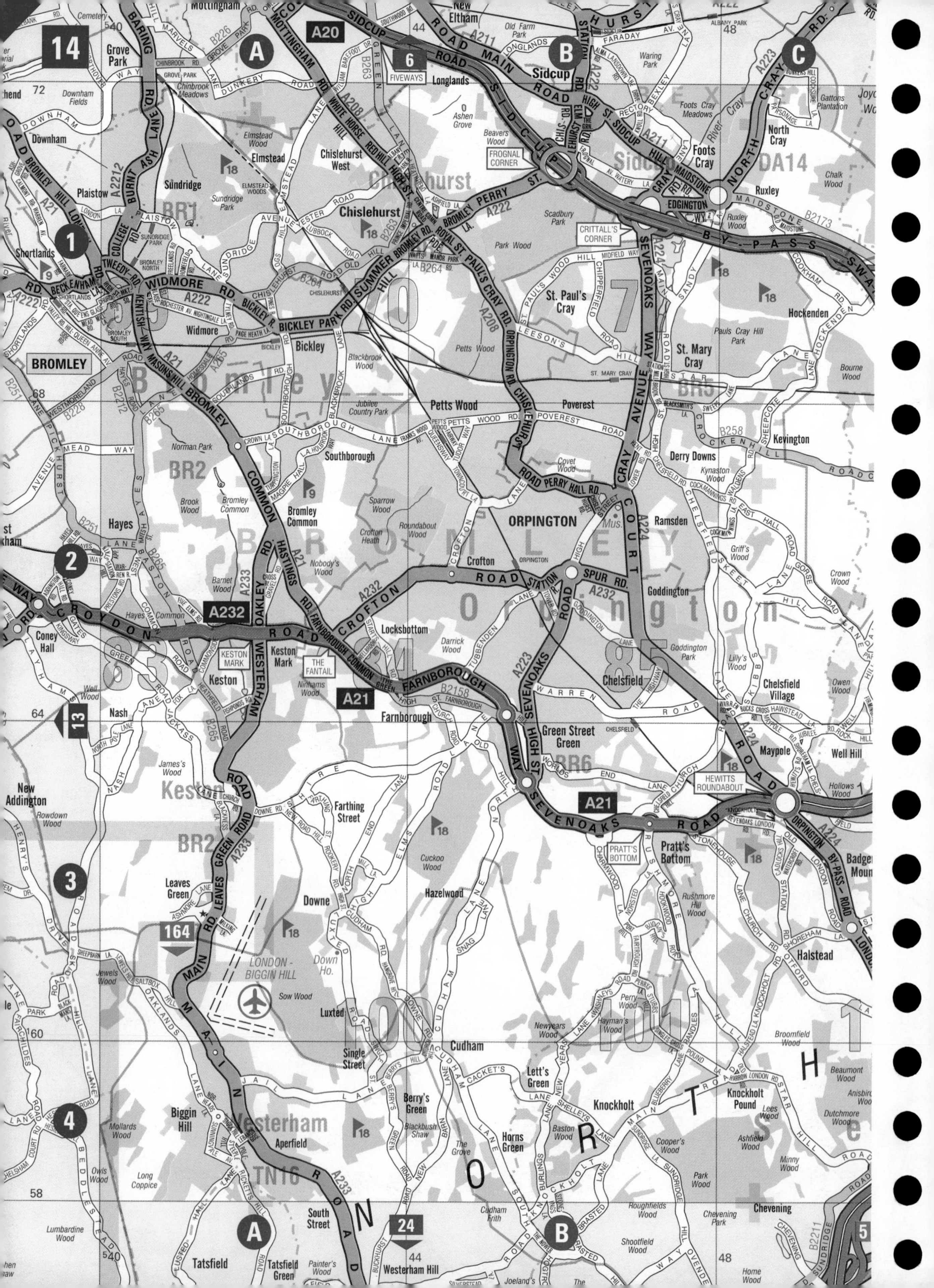

14
Mottingham
New Eltham
Grove Park
Sidcup
Foots Cray
North Cray
Downham
Longlands
Chislehurst West
Chislehurst
Elmstead
Sundridge
Plaistow
Shortlands
BROMLEY
Widmore
Bickley
St. Paul's Cray
St. Mary Cray
Ruxley
Hockenden
Petts Wood
Poverest
Kevington
Derry Downs
Southborough
Bromley Common
Hayes
ORPINGTON
Ramsden
Crofton
Goddington
Coney Hall
Keston
Keston Mark
Locksbottom
Chelsfield
Chelsfield Village
Nash
Farnborough
Green Street Green
Maypole
Well Hill
New Addington
Farthing Street
Leaves Green
Downe
Hazelwood
Pratt's Bottom
Halstead
Luxted
Cudham
Single Street
Biggin Hill
Berry's Green
Knockholt
Knockholt Pound
Lett's Green
Horns Green
Aperfield
Chevening
South Street
Tatsfield
Tatsfield Green
Westerham Hill
LONDON - BIGGIN HILL
A20
A21
A232
A233
A224
BR1
BR2
BR5
BR6
DA14
TN16
FIVEWAYS
FROGNAL CORNER
CRITTALL'S CORNER
KESTON MARK
THE FANTAIL
HEWITTS ROUNDABOUT
PRATT'S BOTTOM
6
13
164
24
NORTH DOWNS

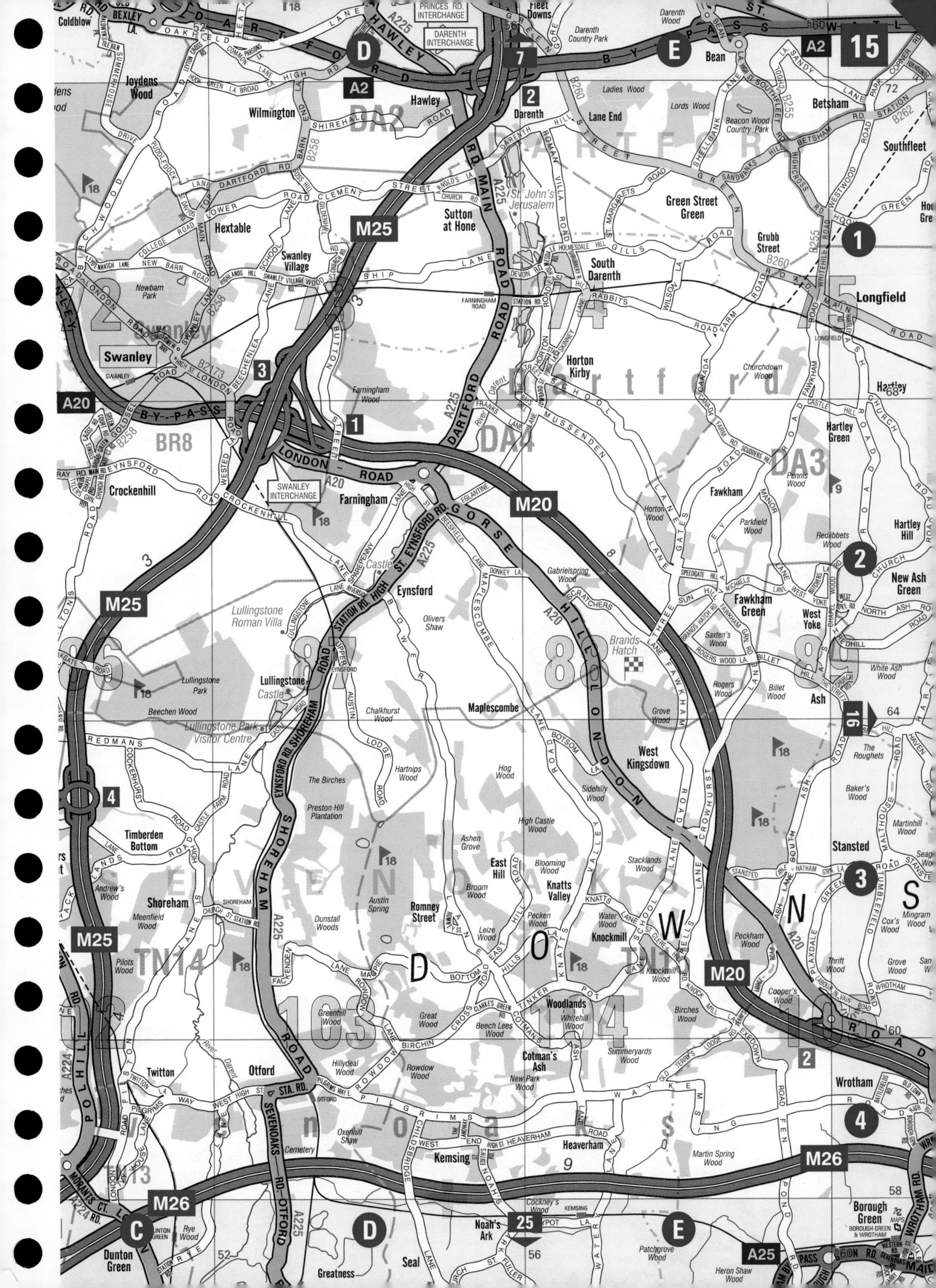
15
Coldblow
Bexley
Joydens Wood
Wilmington
Hawley
Darenth
Fleet Downs
Darenth Wood
Darenth Country Park
Bean
Betsham
Southfleet
Princes Rd. Interchange
Darenth Interchange
Dartford By-Pass
A2
DA2
Ladies Wood
Lords Wood
Lane End
Beacon Wood Country Park
Dartford
Green Street Green
Grubb Street
Hextable
Sutton at Hone
St. John's Jerusalem
Swanley Village
South Darenth
Longfield
Newbarn Park
Swanley
M25
Horton Kirby
Churchdown Wood
Hartley
Farningham Wood
A20
BR8
DA4
DA3
Hartley Green
Crockenhill
Swanley Interchange
Farningham
M20
Fawkham
Pennis Wood
Horton Wood
Parkfield Wood
Hartley Hill
Redlibbets Wood
Eynsford
Castle
Gabrielspring Wood
New Ash Green
Fawkham Green
West Yoke
Lullingstone Roman Villa
Olivers Shaw
Brands Hatch
Saxten's Wood
White Ash Wood
Lullingstone Park
Lullingstone Castle
Rogers Wood
Billet Wood
Ash
Beechen Wood
Chalkhurst Wood
Maplescombe
Grove Wood
Lullingstone Park Visitor Centre
West Kingsdown
The Roughets
Hartnips Wood
Hog Wood
The Birches
Sidehilly Wood
Baker's Wood
Preston Hill Plantation
High Castle Wood
Martinhill Wood
Timberden Bottom
Ashen Grove
Stansted
East Hill
Blooming Wood
Stacklands Wood
Andrew's Wood
Sevenoaks
Knatts Valley
Shoreham
Austin Spring
Broom Wood
Romney Street
Meenfield Wood
Dunstall Woods
Pecken Wood
Water Wood
Knockmill
Cox's Wood
Mingram Wood
Pilots Wood
TN14
Leize Wood
Downs
Knockmill Wood
Peckham Wood
Thrift Wood
Grove Wood
TN15
Cooper's Wood
Woodlands
Greenhill Wood
Great Wood
Whitehill Wood
Birches Wood
Beech Lees Wood
Summeryards Wood
Cotman's Ash
Twitton
Otford
Hillydeal Wood
Rowdow Wood
New Park Wood
Wrotham
Pilgrims Way
Oxenhill Shaw
Cemetery
Kemsing
Heaverham
Martin Spring Wood
M26
TN13
Cockney's Wood
Borough Green
Rye Wood
Noah's Ark
Dunton Green
Greatness
Seal
Patchgrove Wood
Heron Shaw Wood
A25
A224
A225
16
25
7

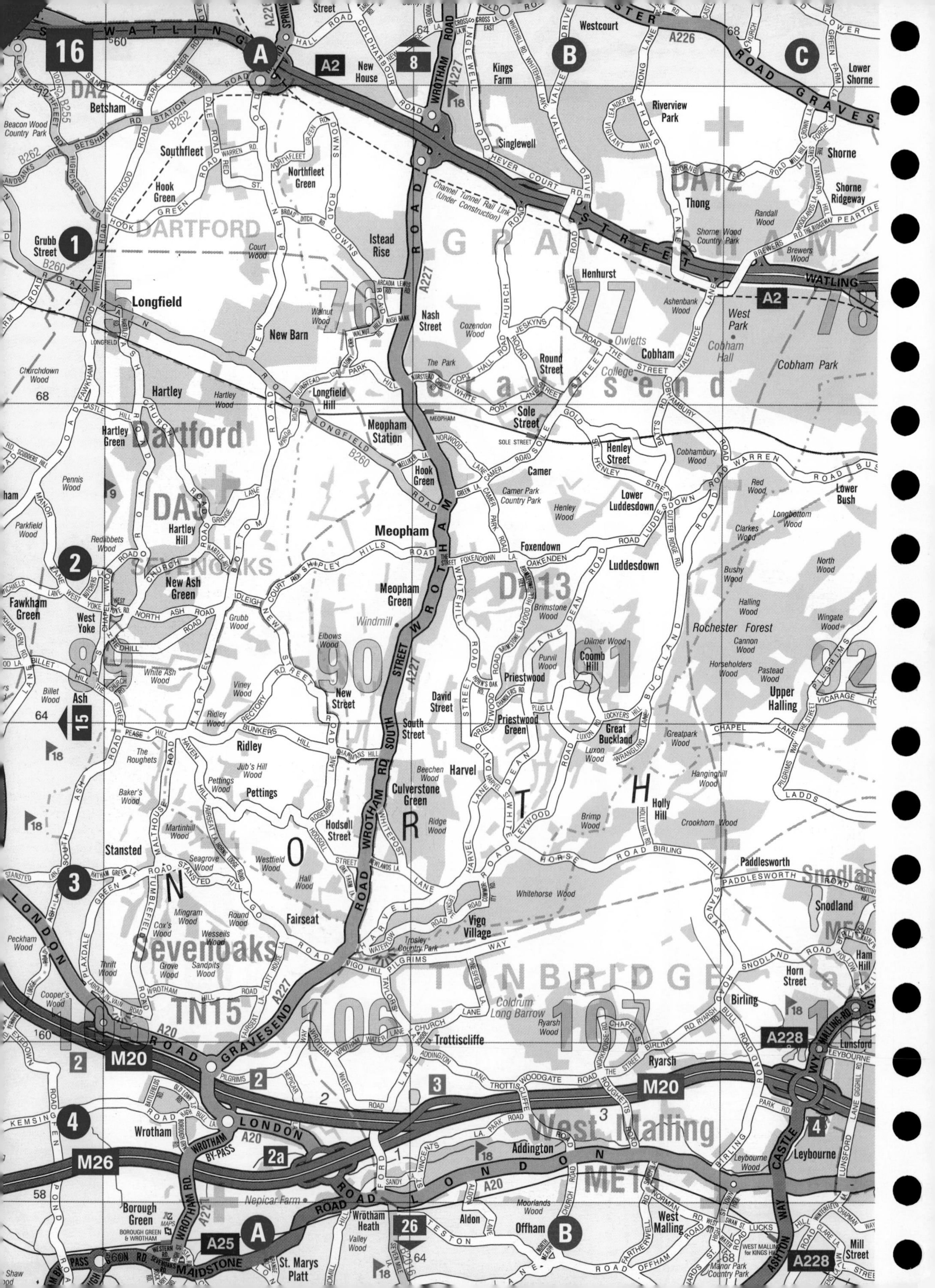

16
A
B
C
WATLING
A2
A226
A227
A228
A20
A25
M20
M26
B255
B262
B260
DA2
DA3
DA12
DA13
TN15
ME19
Betsham
Southfleet
Westcourt
New House
Kings Farm
Lower Shorne
Riverview Park
Shorne
Singlewell
Northfleet Green
Hook Green
Shorne Ridgeway
Thong
Randall Wood
Shorne Wood Country Park
Brewers Wood
Grubb Street
DARTFORD
Court Wood
Istead Rise
GRAVESHAM
Channel Tunnel Rail Link (Under Construction)
Henhurst
Ashenbank Wood
West Park
Longfield
Walnut Wood
Nash Street
Cozendon Wood
Owletts
Cobham
Cobham Hall
Cobham Park
New Barn
The Park
Round Street
College
Churchdown Wood
Hartley
Hartley Wood
Longfield Hill
Gravesend
Sole Street
Hartley Green
Dartford
Meopham Station
Henley Street
Cobhambury Wood
Pennis Wood
Hook Green
Camer
Red Wood
Lower Bush
Camer Park Country Park
Henley Wood
Lower Luddesdown
Longbottom Wood
Parkfield Wood
Hartley Hill
Meopham
Clarkes Wood
Redlibbets Wood
Foxendown
Luddesdown
North Wood
SEVENOAKS
New Ash Green
Bushy Wood
Fawkham Green
West Yoke
Meopham Green
Brimstone Wood
Halling Wood
Wingate Wood
Grubb Wood
Windmill
Rochester Forest
Elbows Wood
Dilmer Wood
Cannon Wood
Coomb Hill
Purvil Wood
Horseholders Wood
Pastead Wood
White Ash Wood
Viney Wood
Priestwood
Upper Halling
Billet Wood
Ash
New Street
David Street
Priestwood Green
Great Buckland
Ridley Wood
South Street
Greatpark Wood
Luxon Wood
Ridley
The Roughets
Jub's Hill Wood
Pettings Wood
Pettings
Beechen Wood
Harvel
Hanginghill Wood
Culverstone Green
Baker's Wood
Holly Hill
Crookhorn Wood
Ridge Wood
Brimp Wood
Martinhill Wood
Hodsoll Street
Stansted
Seagrove Wood
Westfield Wood
Paddlesworth
Snodland
Hall Wood
Whitehorse Wood
Mingram Wood
Round Wood
Fairseat
Vigo Village
Cox's Wood
Wesseils Wood
Peckham Wood
Sevenoaks
Trosley Country Park
Thrift Wood
Grove Wood
Sandpits Wood
TONBRIDGE
Horn Street
Ham Hill
Coldrum Long Barrow
Cooper's Wood
Birling
Ryarsh Wood
Trottiscliffe
Lunsford
Ryarsh
Wrotham
West Malling
Addington
Leybourne
Leybourne Wood
Nepicar Farm
Borough Green
Wrotham Heath
Aldon
Moorlands Wood
Offham
West Malling
Valley Wood
St. Marys Platt
Manor Park Country Park
Mill Street
Shaw
WROTHAM ROAD
LONDON ROAD
GRAVESEND ROAD
MAIDSTONE ROAD
PILGRIMS WAY
STREET
WATLING STREET
GRAVESEND ROAD

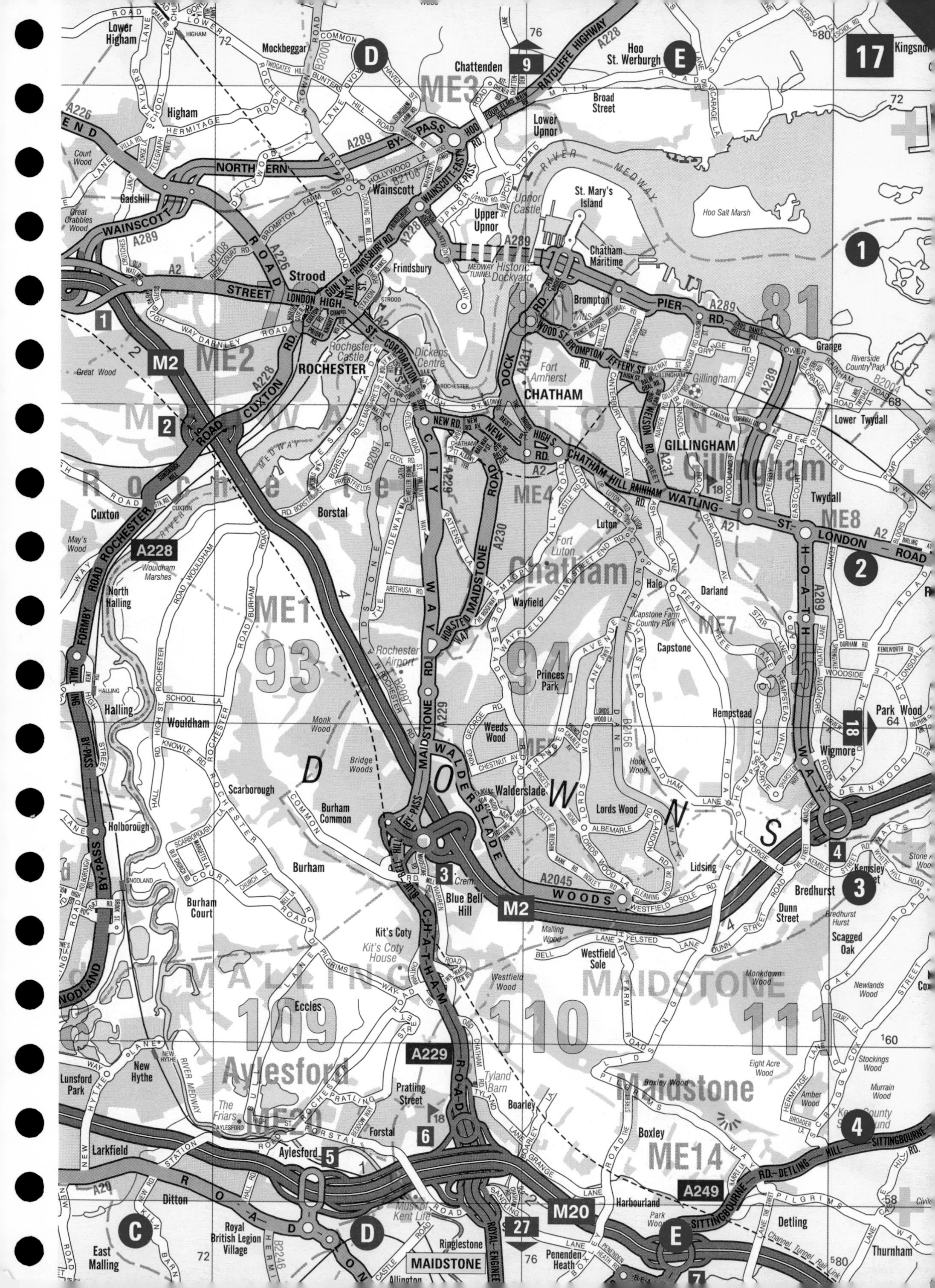

Lower Higham
Mockbeggar
D
Chattenden
9
Hoo St. Werburgh
E
Kingsnorth
ME3
RATCLIFFE HIGHWAY
A228
Broad Street
Higham
A226
A289
BY-PASS
Lower Upnor
Court Wood
NORTHERN
Wainscott
Gadshill
Great Crabbles Wood
WAINSCOTT
St. Mary's Island
RIVER MEDWAY
Hoo Salt Marsh
Upnor Castle
Upper Upnor
Chatham Maritime
Historic Dockyard
Strood
Frindsbury
MEDWAY TUNNEL
1
Brompton
PIER RD.
81
Grange
Riverside Country Park
M2
ME2
ROCHESTER
Rochester Castle
Dickens Centre
Fort Amherst
CHATHAM
Gillingham
GILLINGHAM
Lower Twydall
Great Wood
2
MEDWAY TOWNS
Rochester
Cuxton
Borstal
ME4
WATLING ST.
Twydall
ME8
LONDON ROAD
A2
May's Wood
A228
Wouldham Marshes
Luton
Fort Luton
Chatham
North Halling
ME1
Wayfield
Hale
Darland
Capstone Farm Country Park
ME7
Capstone
93
Rochester Airport
94
Princes Park
Halling
Wouldham
Monk Wood
Weeds Wood
Hempstead
Park Wood
18
Wigmore
Scarborough
D
O
W
N
S
Bridge Woods
Walderslade
Hook Wood
Burham Common
Lords Wood
Holborough
Burham
Lidsing
3
4
Bredhurst
Blue Bell Hill
M2
Dunn Street
Burham Court
A2045
WOODS
Bredhurst Hurst
Scagged Oak
Kit's Coty
Kit's Coty House
Malling Wood
Westfield Sole
Monkdown Wood
MALLING
MAIDSTONE
Westfield Wood
Newlands Wood
Eccles
109
110
111
A229
Aylesford
Eight Acre Wood
Stockings Wood
New Hythe
Lunsford Park
Tyland Barn
Pratling Street
Boarley
Maidstone
Boxley Wood
Murrain Wood
The Friars
ME20
Forstal
6
Boxley
Larkfield
Aylesford
5
ME14
4
A249
A20
Ditton
M20
Harbourland
Museum of Kent Life
27
Detling
C
D
E
Royal British Legion Village
East Malling
Ringlestone
MAIDSTONE
Penenden Heath
Thurnham
Channel Tunnel Rail Link
7
Allington
72
76
80

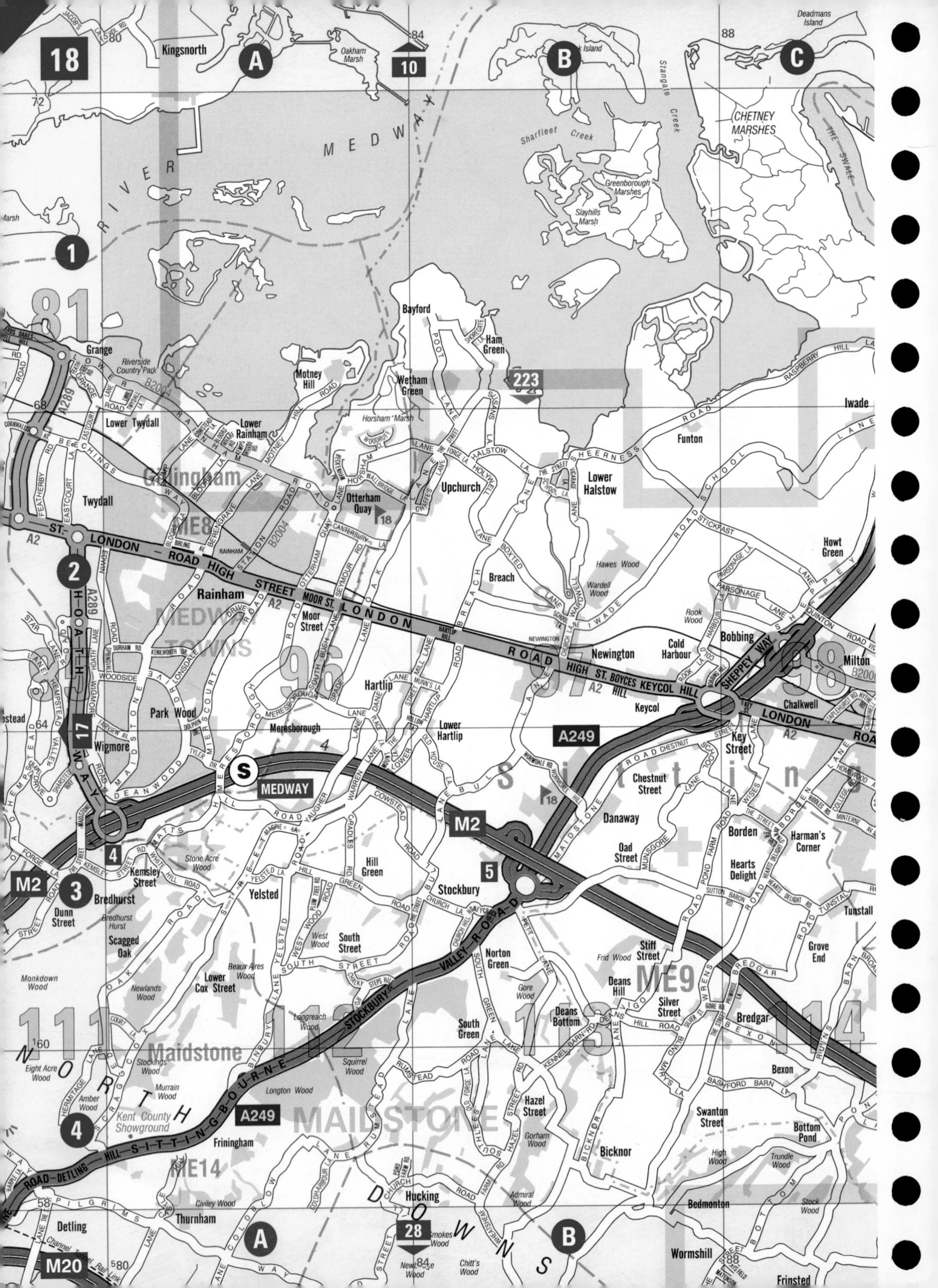

18
Kingsnorth
Oakham Marsh
10
Deadmans Island
Stangate Creek
CHETNEY MARSHES
THE SWALE
RIVER MEDWAY
Sharfleet Creek
Greenborough Marshes
Slayhills Marsh
Bayford
Ham Green
Grange
Riverside Country Park
Motney Hill
Wetham Green
223
Horsham Marsh
Lower Twydall
Lower Rainham
Gillingham
Upchurch
Lower Halstow
Funton
Iwade
Twydall
Otterham Quay
ME8
LONDON ROAD
HIGH STREET
MOOR ST.
Rainham
Breach
Hawes Wood
Wardell Wood
Howt Green
MEDWAY TOWNS
Moor Street
Rook Wood
Bobbing
Cold Harbour
Newington
SHEPPEY WAY
Milton
Hartlip
Keycol
Chalkwell
Park Wood
Meresborough
Lower Hartlip
A249
Key Street
Wigmore
MEDWAY
Chestnut Street
Sittingbourne
Danaway
M2
Borden
Harman's Corner
Stone Acre Wood
Kemsley Street
Hill Green
Oad Street
Hearts Delight
Bredhurst
Yelsted
Stockbury
Dunn Street
Bredhurst Hurst
Scagged Oak
West Wood
South Street
Norton Green
Frid Wood
Stiff Street
Tunstall
Grove End
Monkdown Wood
Beaux Aires Wood
Newlands Wood
Lower Cox Street
Longreach Wood
Gore Wood
Deans Hill
ME9
Silver Street
Bredgar
South Green
Deans Bottom
Maidstone
Eight Acre Wood
Stockings Wood
Squirrel Wood
Murrain Wood
Longton Wood
Amber Wood
Hazel Street
Bexon
Swanton Street
Kent County Showground
A249
MAIDSTONE
Fríningham
Gorham Wood
Bicknor
Bottom Pond
High Wood
Trundle Wood
ME14
Hucking
Admiral Wood
Bedmonton
Stock Wood
Detling
Civiley Wood
Thurnham
28
Smokes Wood
Wormshill
M20
Channel Tunnel Rail Link
Chitt's Wood
Frinsted
NORTH DOWNS

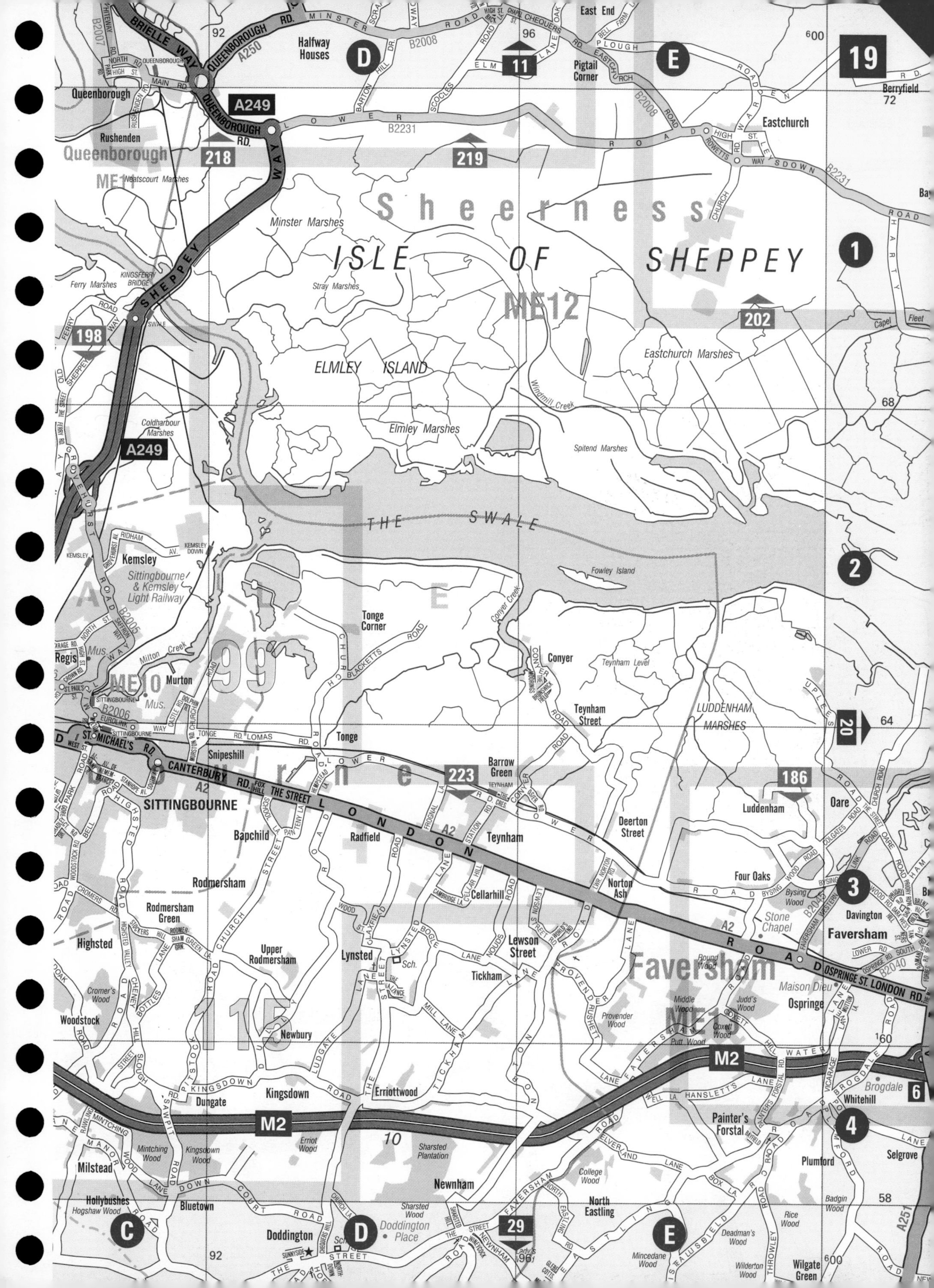

19
Halfway Houses
East End
Pigtail Corner
Queenborough
Rushenden
Berryfield
Eastchurch
Sheerness
ISLE OF SHEPPEY
ME11
ME12
Minster Marshes
Stray Marshes
Ferry Marshes
Kingsferry Bridge
ELMLEY ISLAND
Elmley Marshes
Eastchurch Marshes
Windmill Creek
Spitend Marshes
Coldharbour Marshes
THE SWALE
Fowley Island
Kemsley
Sittingbourne & Kemsley Light Railway
Tonge Corner
Conyer Creek
Conyer
Teynham Level
Teynham Street
LUDDENHAM MARSHES
Milton Creek
Murton
ME10
Regis
Tonge
Snipeshill
Barrow Green
SITTINGBOURNE
Bapchild
Radfield
Teynham
Luddenham
Oare
Deerton Street
Four Oaks
Norton Ash
Rodmersham
Rodmersham Green
Cellarhill
Davington
Faversham
Stone Chapel
Highsted
Upper Rodmersham
Lynsted
Lewson Street
Tickham
Round Wood
Maison Dieu
Ospringe
Middle Wood
Judd's Wood
Provender Wood
Cromer's Wood
Woodstock
Newbury
Coxett Wood
Putt Wood
ME13
Kingsdown
Erriottwood
Dungate
Whitehill
Brogdale
Painter's Forstal
Erriot Wood
Sharsted Plantation
Mintching Wood
Kingsdown Wood
Milstead
Plumford
Selgrove
College Wood
Newnham
Hollybushes
Hogshaw Wood
Bluetown
Sharsted Wood
Doddington Place
North Eastling
Badgin Wood
Rice Wood
Deadman's Wood
Doddington
Mincedane Wood
Wilderton Wood
Wilgate Green
A249
A250
A2
A251
M2
B2007
B2008
B2231
B2005
B2006
B2045
B2040
11
218
219
202
198
99
20
223
186
115
29
6
10
1
2
3
4
C
D
E
92
96
600
72
68
64
160
58

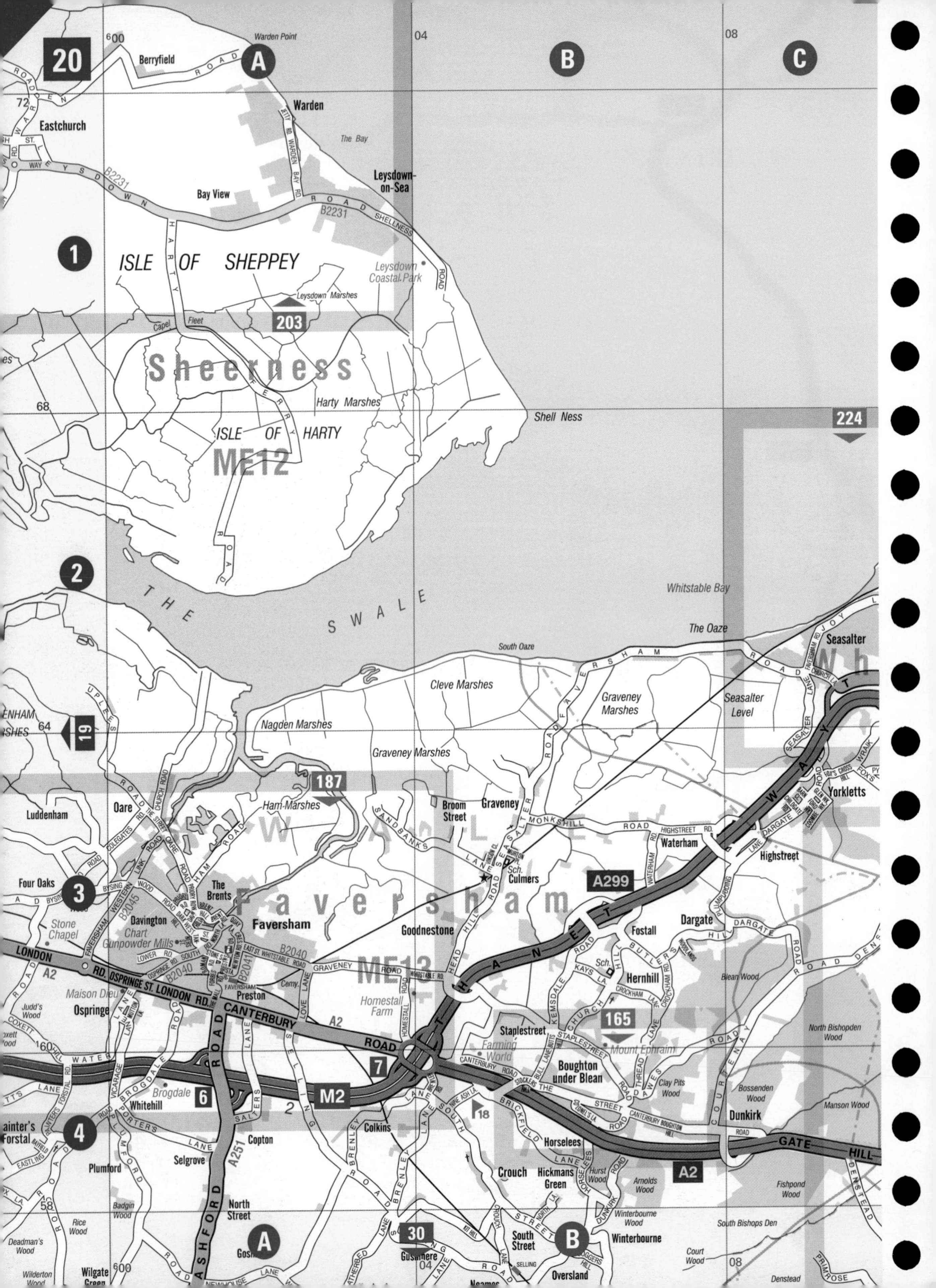

20
Warden Point
Berryfield
A
B
C
04
08
Eastchurch
Warden
The Bay
Leysdown-on-Sea
Bay View
B2231
1
ISLE OF SHEPPEY
Leysdown Coastal Park
Leysdown Marshes
203
Capel Fleet
Sheerness
Harty Marshes
ISLE OF HARTY
ME12
Shell Ness
224
2
THE SWALE
Whitstable Bay
The Oaze
South Oaze
Seasalter
Cleve Marshes
Graveney Marshes
Seasalter Level
Nagden Marshes
19
187
Ham Marshes
Broom Street
Graveney
Oare
Luddenham
Yorkletts
Waterham
Highstreet
Four Oaks
3
The Brents
Faversham
Culmers
A299
Stone Chapel
Davington
Chart Gunpowder Mills
Goodnestone
Fostall
Dargate
ME13
Hernhill
Maison Dieu
Preston
Ospringe
Judd's Wood
Homestall Farm
165
Blean Wood
North Bishopden Wood
Staplestreet
Mount Ephraim
Farming World
Boughton under Blean
Clay Pits Wood
Bossenden Wood
7
Brogdale
6
M2
Whitehill
Colkins
Dunkirk
Manson Wood
4
Copton
Horselees
A2
Plumford
Selgrove
Crouch
Hickmans Green
Hurst Wood
Arnolds Wood
Fishpond Wood
Badgin Wood
North Street
Winterbourne Wood
Rice Wood
South Bishops Den
Deadman's Wood
30
South Street
Winterbourne
Court Wood
Wilgate Green
Oversland
Denstead
A251
LONDON RD.
CANTERBURY ROAD

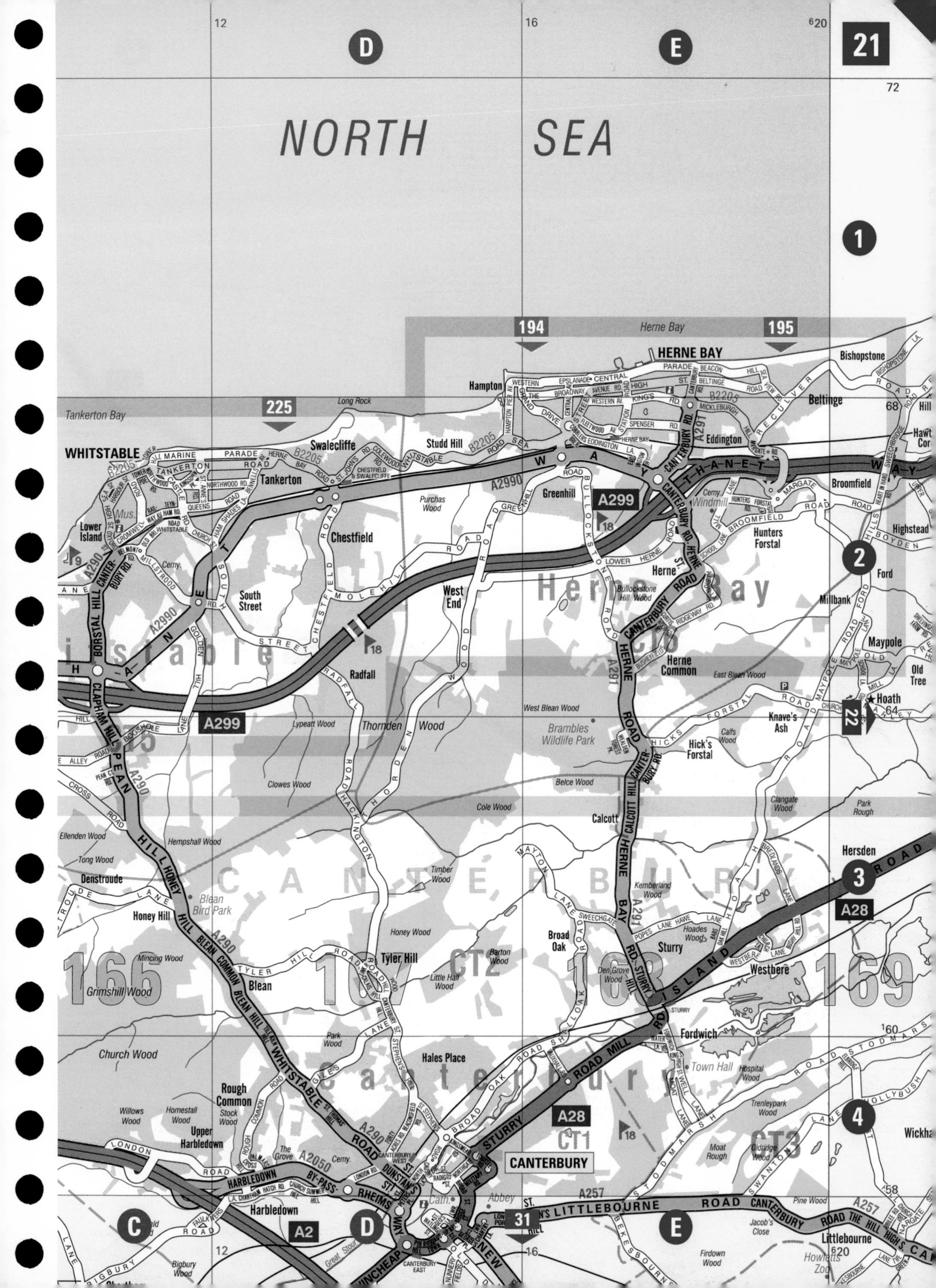
D
E
NORTH SEA
Herne Bay
194
195
225
HERNE BAY
Hampton
Bishopstone
Beltinge
Tankerton Bay
Long Rock
WHITSTABLE
Swalecliffe
Studd Hill
Tankerton
Eddington
Greenhill
Broomfield
Lower Island
Chestfield
Hunters Forstal
Highstead
Herne
Ford
South Street
West End
Millbank
Maypole
Radfall
Herne Common
Old Tree
Hoath
Thornden Wood
Knave's Ash
Hick's Forstal
West Blean Wood
East Blean Wood
Brambles Wildlife Park
Lypeatt Wood
Clowes Wood
Belce Wood
Cole Wood
Calcott
Clangate Wood
Park Rough
Hersden
Ellenden Wood
Hempshall Wood
Tong Wood
Denstroude
Timber Wood
CANTERBURY
Kemberland Wood
Honey Hill
Blean Bird Park
Honey Wood
Broad Oak
Sturry
Hoades Wood
Westbere
Mincing Wood
Tyler Hill
Barton Wood
Little Hall Wood
Den Grove Wood
Grimshill Wood
Blean
166
167
CT2
168
169
Fordwich
Church Wood
Park Wood
Hales Place
Town Hall
Hospital Wood
Rough Common
Trenleypark Wood
Willows Wood
Homestall Wood
Stock Wood
Upper Harbledown
The Grove
Cemy.
CT1
CT3
Moat Rough
Oldridge Wood
CANTERBURY
Harbledown
Cath.
Abbey
Pine Wood
Jacob's Close
Littlebourne
Wickham
C
A2
A28
A2050
A257
A290
A291
A299
A2990
B2205
THANET WAY
31
22
Bigbury Wood
Firdown Wood
Howletts Zoo
1
2
3
4
12
16
620
72
68
64
160
58

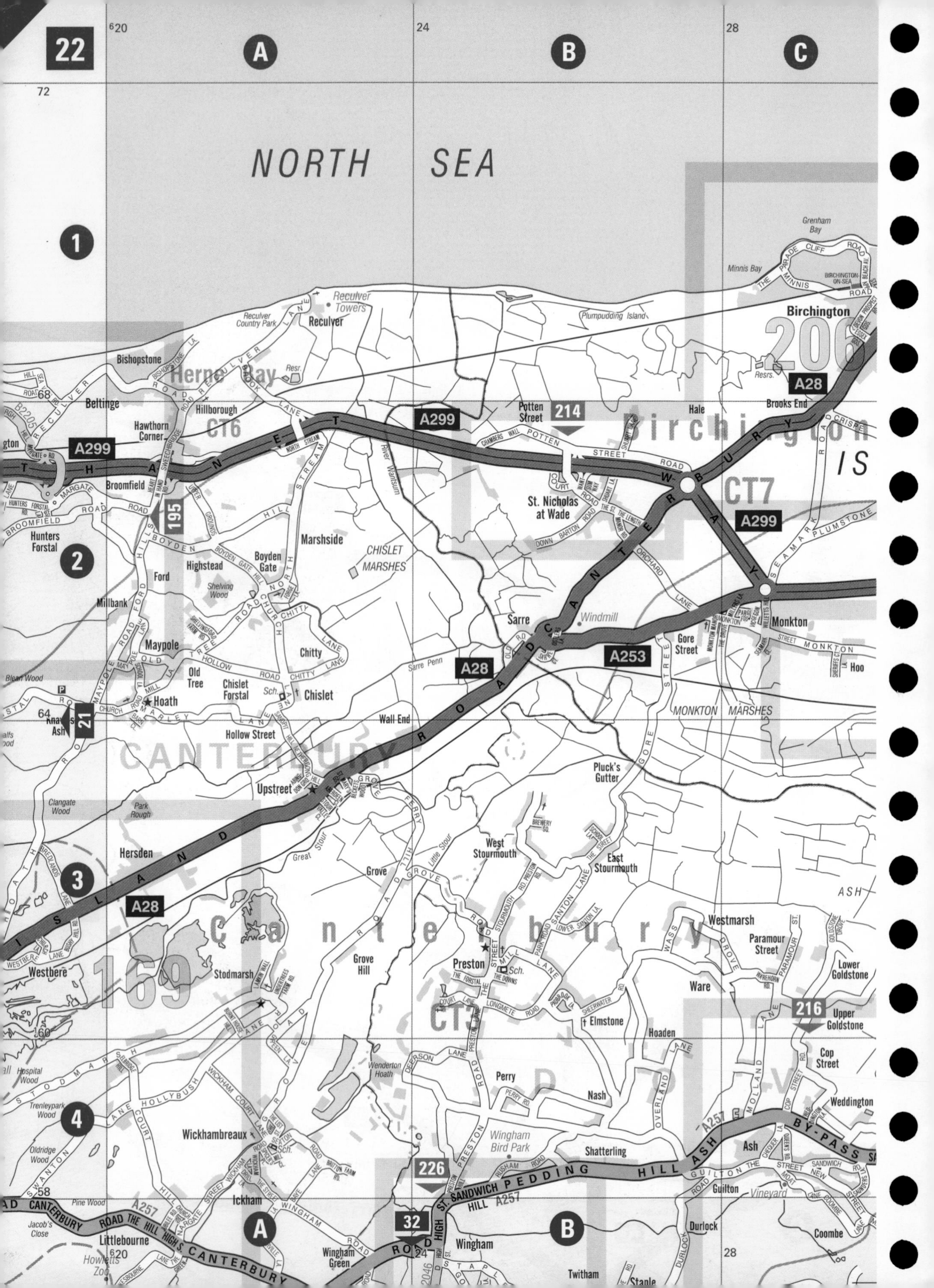
NORTH SEA
Reculver
Reculver Towers
Reculver Country Park
Herne Bay
Bishopstone
Beltinge
Hillborough
Hawthorn Corner
Broomfield
Hunters Forstal
Highstead
Ford
Boyden Gate
Marshside
CHISLET MARSHES
Shelving Wood
Millbank
Maypole
Old Tree
Chislet Forstal
Chislet
Hoath
Knaves Ash
Blean Wood
Hollow Street
Wall End
Chitty
CANTERBURY
Upstreet
Clangate Wood
Park Rough
Hersden
Westbere
Stodmarsh
Grove
Grove Hill
Preston
West Stourmouth
East Stourmouth
Pluck's Gutter
Westmarsh
Paramour Street
Lower Goldstone
Upper Goldstone
Ware
Elmstone
Hoaden
Cop Street
Weddington
Perry
Nash
Wenderton Hoath
Wingham Bird Park
Shatterling
Ash
Guilton
Vineyard
Wickhambreaux
Ickham
Littlebourne
Wingham
Wingham Green
Durlock
Twitham
Staple
Coombe
Trenleypark Wood
Oldridge Wood
Pine Wood
Jacob's Close
Howletts Zoo
Sarre
Windmill
Gore Street
Monkton
MONKTON MARSHES
St. Nicholas at Wade
Potten Street
Hale
Brooks End
Birchington
Minnis Bay
Grenham Bay
Plumpudding Island
Hoo
CT6
CT7
CT3
A299
A28
A253
A257
B2205
195
214
206
216
226
32
21
169
Canterbury
Dover
Birchington

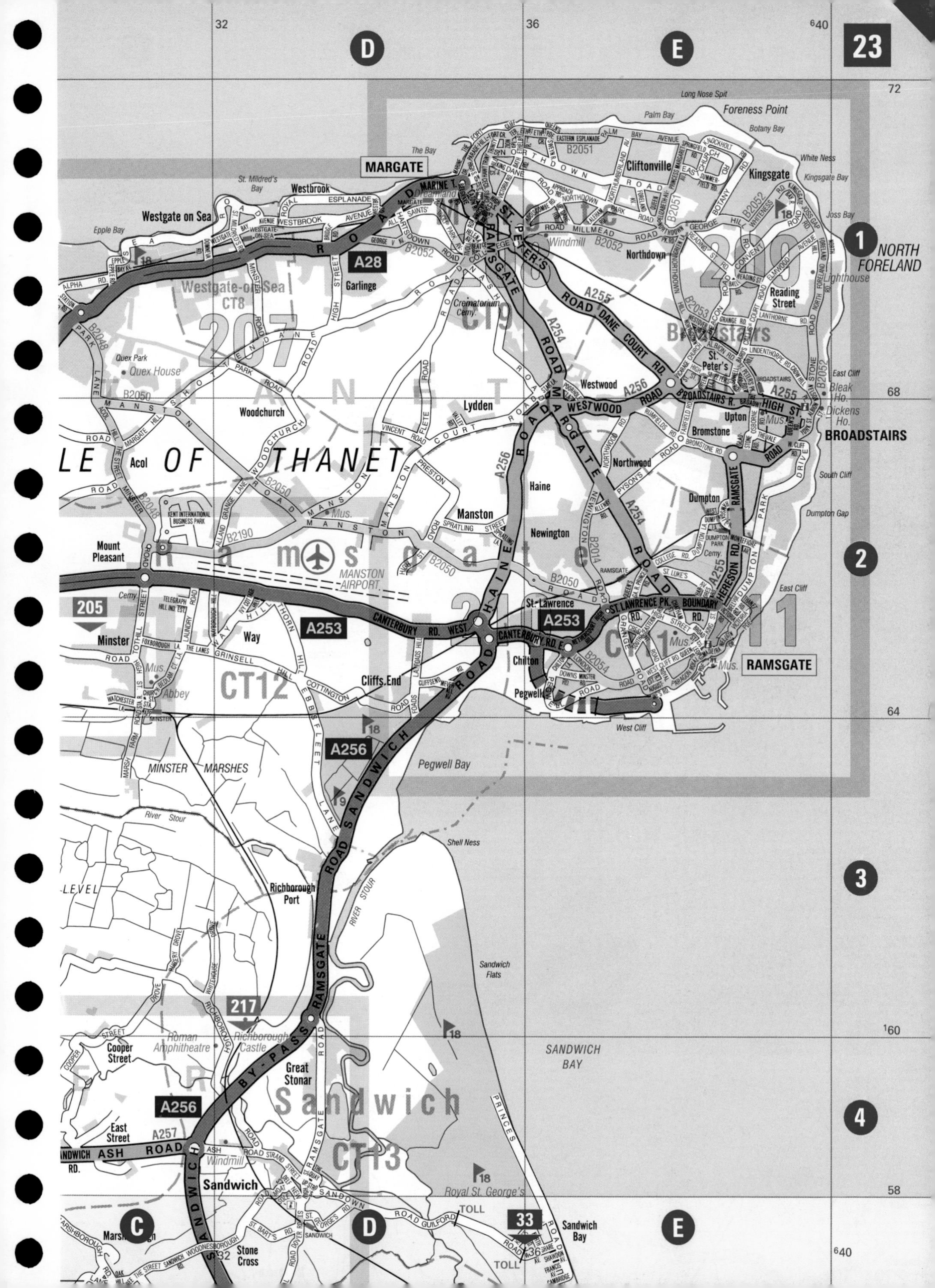
D
E
32
36
640
72
68
64
160
58
1
2
3
4
MARGATE
Westgate on Sea
Westbrook
Epple Bay
St. Mildred's Bay
The Bay
Long Nose Spit
Foreness Point
Palm Bay
Botany Bay
White Ness
Kingsgate Bay
Joss Bay
NORTH FORELAND
Lighthouse
Cliftonville
Kingsgate
Northdown
Reading Street
Windmill
Garlinge
Westgate-on-Sea
CT8
207
Crematorium Cemy.
CT9
St. Peter's
Broadstairs
Westwood
East Cliff
Bleak Ho.
Dickens Ho.
BROADSTAIRS
Upton
Bromstone
Northwood
South Cliff
Dumpton
Dumpton Gap
Quex Park
Quex House
Woodchurch
Lydden
Acol
ISLE OF THANET
Haine
Manston
Newington
Mount Pleasant
Ramsgate
MANSTON AIRPORT
205
Minster
Way
A253
A28
A254
A255
A256
Cliffs End
St. Lawrence
Chilton
Pegwell
CT11
CT12
Abbey
RAMSGATE
East Cliff
West Cliff
Pegwell Bay
MINSTER MARSHES
River Stour
Shell Ness
Richborough Port
RIVER STOUR
Sandwich Flats
217
Richborough Castle
Roman Amphitheatre
Cooper Street
Great Stonar
SANDWICH BAY
Sandwich
CT13
East Street
A256
A257
Windmill
Royal St. George's
TOLL
33
Sandwich Bay
Stone Cross
C
Marshborough

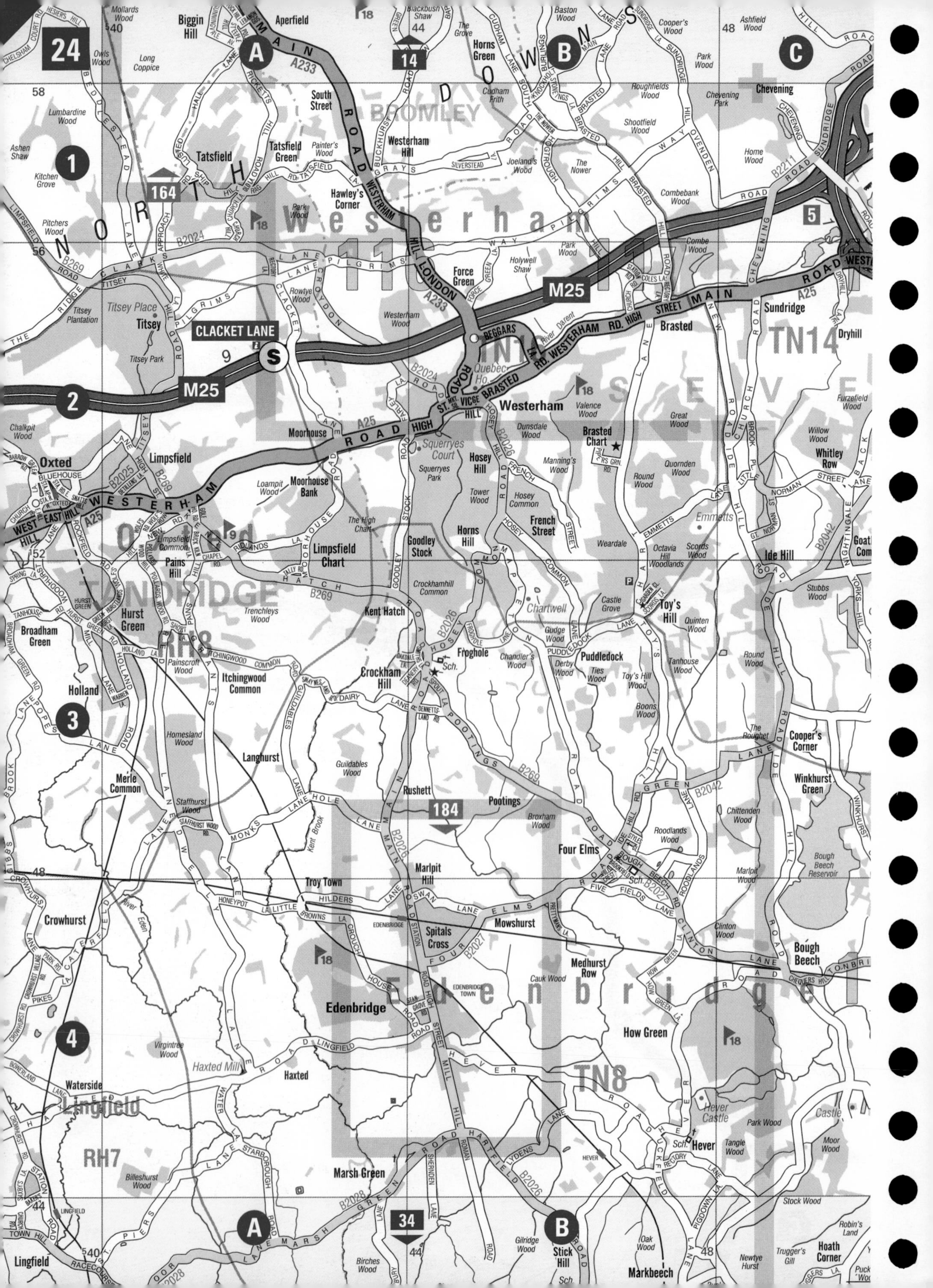

24
A
B
C
14
164
184
34
1
2
3
4
Biggin Hill
Aperfield
Tatsfield
Tatsfield Green
South Street
Westerham Hill
BROMLEY
Horns Green
Cudham Frith
Baston Wood
Chevening
Chevening Park
The Nower
Hawley's Corner
Westerham
CLACKET LANE
M25
A25
A233
Titsey
Titsey Place
Limpsfield
Oxted
Force Green
Beggars
Brasted
Brasted Chart
Sundridge
TN14
Dryhill
Moorhouse
Moorhouse Bank
Squerryes Court
Hosey Hill
French Street
Limpsfield Chart
Goodley Stock
Horns Hill
Ide Hill
Toy's Hill
Emmetts
Chartwell
Crockham Hill
Froghole
Kent Hatch
Hurst Green
TANDRIDGE
RH8
Pains Hill
Broadham Green
Holland
Itchingwood Common
Crowhurst
Merle Common
Langhurst
Rushett
Pootings
Four Elms
Marlpit Hill
Troy Town
Spitals Cross
Mowshurst
Edenbridge
Medhurst Row
How Green
Bough Beech
Bough Beech Reservoir
Cooper's Corner
Winkhurst Green
TN8
Hever
Hever Castle
Haxted
Waterside
Lingfield
RH7
Marsh Green
Stick Hill
Markbeech
Hoath Corner

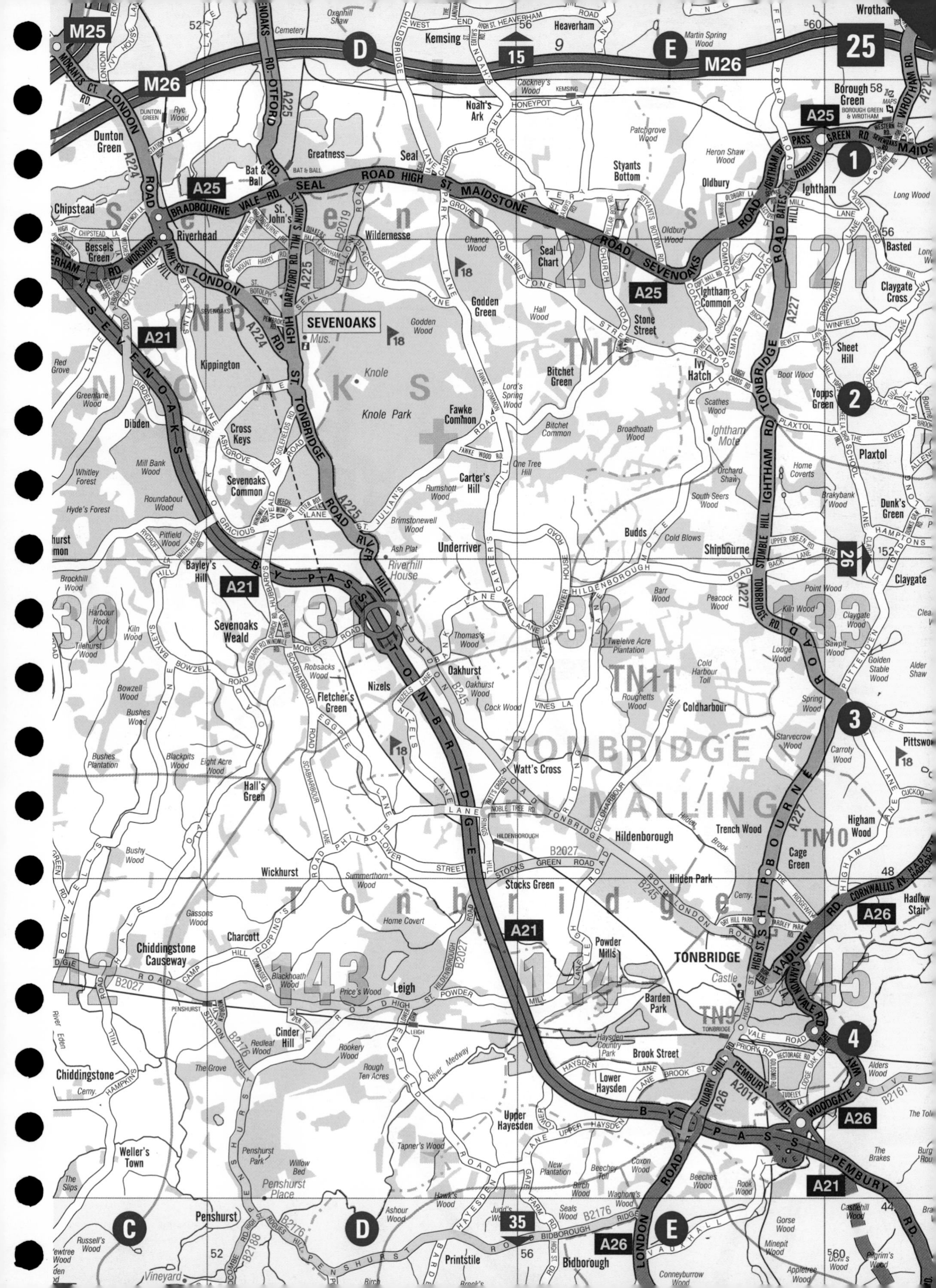

M25
M26
A25
A21
A26
A225
A224
A227
B2019
B2027
B2042
B245
B2176
B2188
B2161
A2014
D
E
C
1
2
3
4
15
25
26
35
52
56
560
58
48
44
152
9
Wrotham
Kemsing
Heaverham
Oxenhill Shaw
Cemetery
Martin Spring Wood
Borough Green
Cockney's Wood
Noah's Ark
Dunton Green
Rye Wood
Greatness
Seal
Patchgrove Wood
Heron Shaw Wood
Styants Bottom
Oldbury
Ightham
Long Wood
Bat & Ball
Chipstead
St. John's
Riverhead
Wildernesse
Bessels Green
Chance Wood
Seal Chart
Oldbury Wood
Basted
Claygate Cross
Hall Wood
Stone Street
Ightham Common
Godden Green
Godden Wood
SEVENOAKS
Mus.
Kippington
Knole
Knole Park
Fawke Common
Bitchet Green
Bitchet Common
Ivy Hatch
Sheet Hill
Boot Wood
Yopps Green
Red Grove
Greenlane Wood
Dibden
Cross Keys
Lord's Spring Wood
Scathes Wood
Broadhoath Wood
Ightham Mote
Plaxtol
Whitley Forest
Mill Bank Wood
Sevenoaks Common
Roundabout Wood
Hyde's Forest
One Tree Hill
Carter's Hill
Rumshott Wood
Orchard Shaw
Home Coverts
Brakybank Wood
Dunk's Green
South Seers Wood
Brimstonewell Wood
Pitfield Wood
Ash Plat
Underriver
Budds
Cold Blows
Shipbourne
Claygate
Riverhill House
Bayley's Hill
Brockhill Wood
Harbour Hook
Kiln Wood
Tilehurst Wood
Sevenoaks Weald
Barr Wood
Peacock Wood
Point Wood
Kiln Wood
Claygate Wood
Thomas's Wood
Twelelve Acre Plantation
Lodge Wood
Sawpit Wood
Golden Stable Wood
Alder Shaw
Robsacks Wood
Oakhurst
Oakhurst Wood
Nizels
Fletcher's Green
Cold Harbour Toll
Roughetts Wood
Coldharbour
Spring Wood
Bowzell Wood
Bushes Wood
Cock Wood
Starvecrow Wood
Carroty Wood
Pittswood
Bushes Plantation
Blackpits Wood
Eight Acre Wood
Watt's Cross
TONBRIDGE
MALLING
Hall's Green
Trench Wood
Higham Wood
Hildenborough
Bushy Wood
Wickhurst
Cage Green
Summerthorn Wood
Stocks Green
Hilden Park
Hadlow Stair
Gassons Wood
Home Covert
Charcott
Chiddingstone Causeway
Powder Mills
Castle
Blackhoath Wood
Price's Wood
Leigh
Barden Park
Penshurst
Cinder Hill
Redleaf Wood
Rookery Wood
Rough Ten Acres
River Medway
Haysden Country Park
Brook Street
Alders Wood
River Eden
The Grove
Chiddingstone
Lower Haysden
Upper Hayesden
Tapner's Wood
The Toll
Weller's Town
Penshurst Park
Willow Bed
New Plantation
Beechey Toll
Coxon Wood
Beeches Wood
The Brakes
The Slips
Penshurst Place
Birch Wood
Waghorn's Wood
Rook Wood
Ashour Wood
Hawk's Wood
Judd's Wood
Seals Wood
Castlehill Wood
Gorse Wood
Russell's Wood
Minepit Wood
Printstile
Bidborough
Vineyard
Conneyburrow Wood
Appletree Wood
Devil's Wood
Pilgrim's Wood
TN9
TN10
TN11
TN13
TN15
Sevenoaks
Tonbridge
BY-PASS
LONDON ROAD
TONBRIDGE ROAD
SEVENOAKS ROAD
MAIDSTONE ROAD
SHIPBOURNE ROAD
PEMBURY RD.

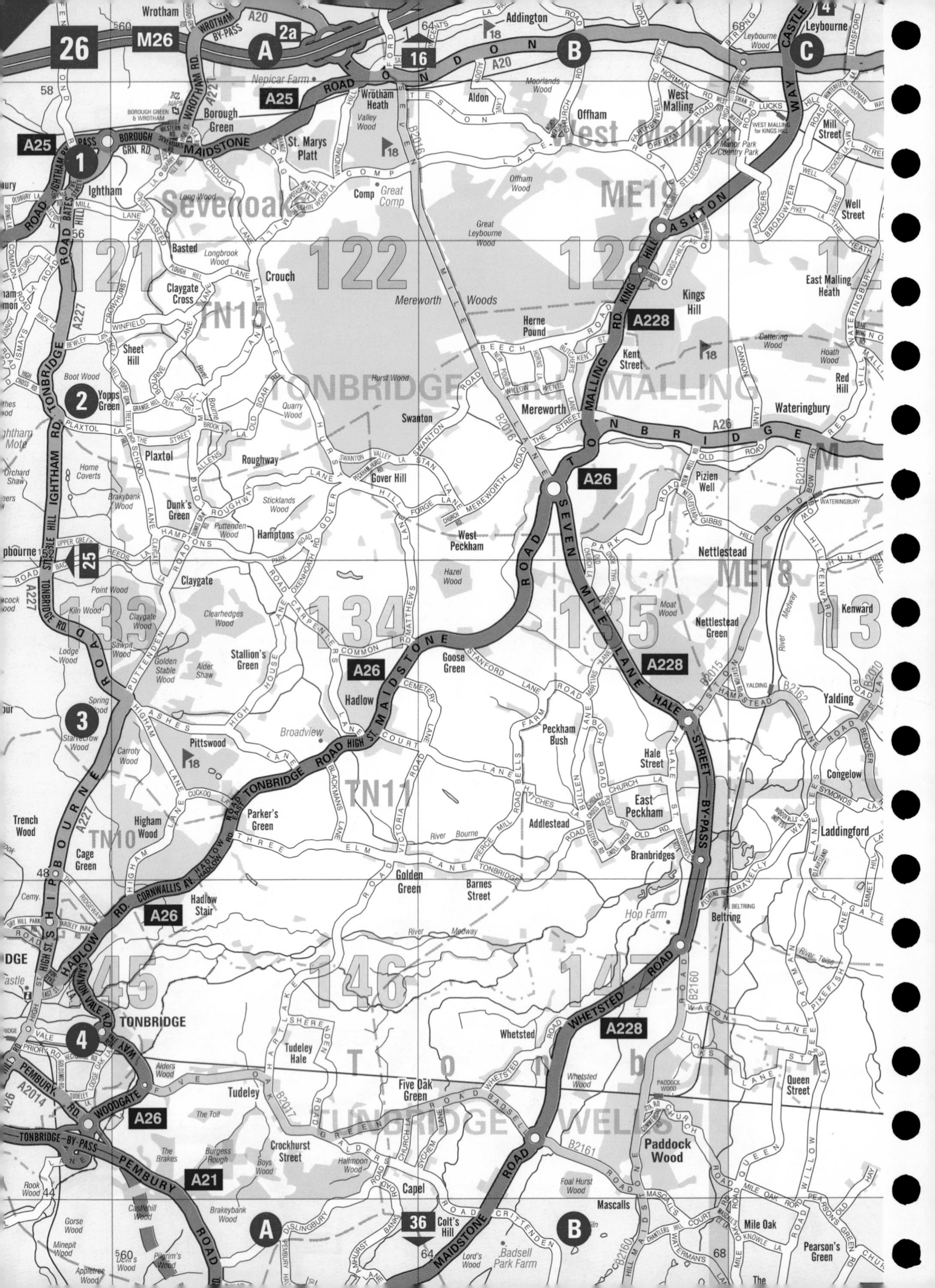

M26
A20
A25
A26
A227
A228
A21
A2014
B2016
B2017
B2015
B2160
B2161
B2162
B2010
2a
16
25
36
4
Wrotham
Wrotham Heath
Borough Green
Ightham
Sevenoaks
St. Marys Platt
Comp
Great Comp
Addington
Aldon
Offham
West Malling
Leybourne
Leybourne Wood
Mill Street
Well Street
East Malling Heath
ME19
Basted
Crouch
Claygate Cross
TN15
Mereworth Woods
Great Leybourne Wood
Kings Hill
Herne Pound
Kent Street
Sheet Hill
Yopps Green
TONBRIDGE and MALLING
Mereworth
Wateringbury
Red Hill
Swanton
Plaxtol
Roughway
Gover Hill
Dunk's Green
Hamptons
West Peckham
Pizien Well
Nettlestead
ME18
Claygate
Hazel Wood
Nettlestead Green
Kenward
Stallion's Green
Goose Green
Hadlow
Yalding
Pittswood
Broadview
Peckham Bush
Hale Street
Congelow
TN11
Parker's Green
Higham Wood
Addlestead
East Peckham
Branbridges
Laddingford
TN10
Trench Wood
Cage Green
Golden Green
Barnes Street
Hadlow Stair
Hop Farm
Beltring
River Medway
River Bourne
River Teise
TONBRIDGE
Whetsted
Tudeley Hale
Tudeley
Five Oak Green
Queen Street
Tunbridge Wells
Paddock Wood
Crockhurst Street
Capel
Mascalls
Mile Oak
Colt's Hill
Badsell Park Farm
Pearson's Green
121
122
123
133
134
135
145
146
147

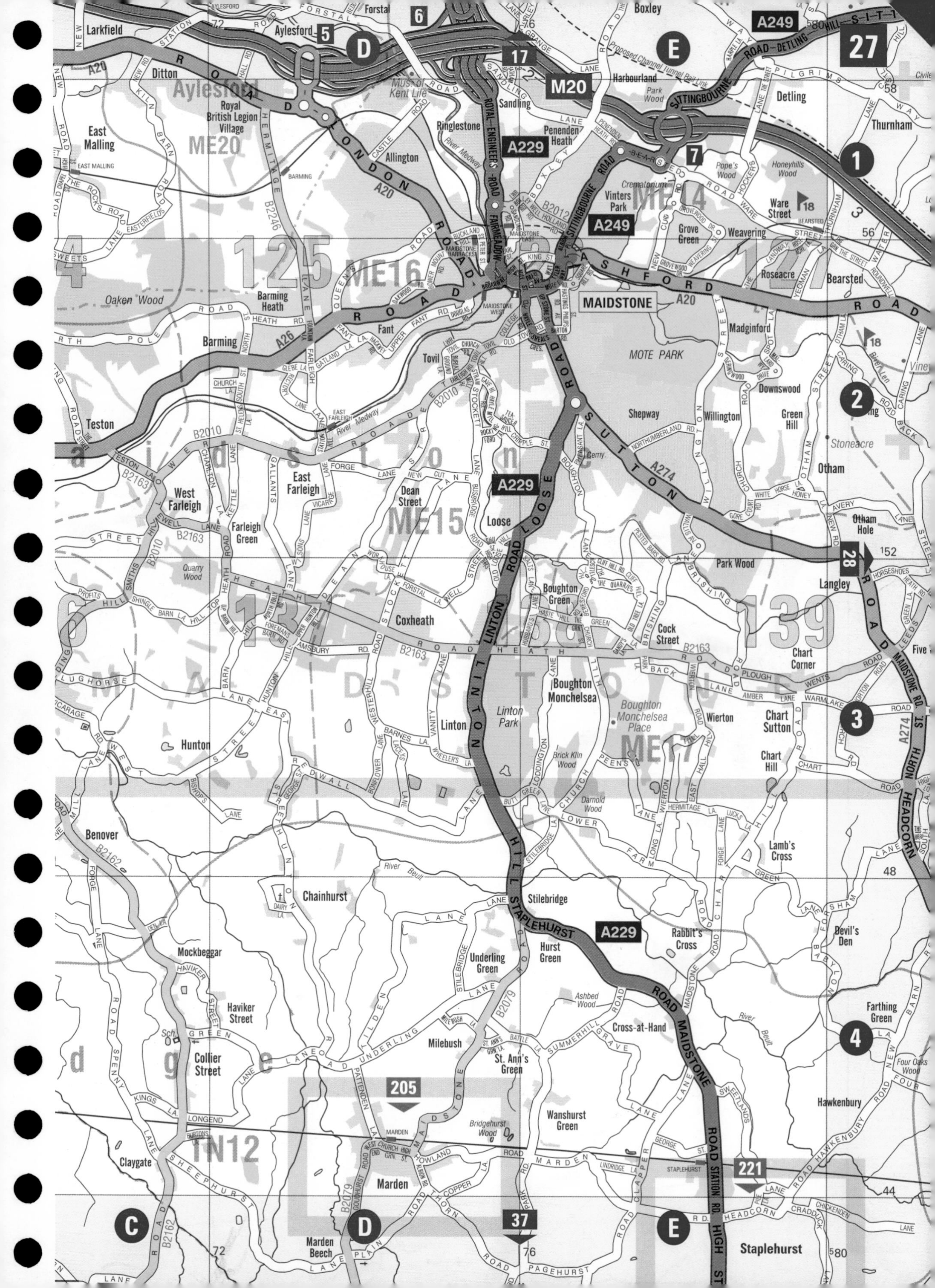

27
Larkfield
Aylesford
Forstal
Boxley
A249
D
E
5
6
17
M20
A20
Ditton
Aylesford
Royal British Legion Village
Museum of Kent Life
Sandling
Harbourland
Park Wood
Detling
Thurnham
Proposed Channel Tunnel Rail Link
East Malling
ME20
Ringlestone
Allington
Penenden Heath
A229
7
1
Pope's Wood
Honeyhills Wood
River Medway
Vinters Park
Crematorium
ME14
Ware Street
Weavering
Grove Green
Bearsted
B2246
B2012
A249
125
ME16
Barming Heath
Oaken Wood
Roseacre
Bearsted
MAIDSTONE
A20
Fant
Barming
A26
Madginford
MOTE PARK
Tovil
B2010
Downswood
2
Teston
Shepway
Willington
Green Hill
Stoneacre
A274
Otham
East Farleigh
West Farleigh
Dean Street
Farleigh Green
ME15
Loose
A229
Otham Hole
28
Quarry Wood
Park Wood
Langley
Boughton Green
Coxheath
Cock Street
B2163
Chart Corner
Boughton Monchelsea
Linton
Linton Park
Boughton Monchelsea Place
Hunton
Wierton
Chart Sutton
3
Chart Hill
ME17
Brick Kiln Wood
Darnold Wood
Benover
B2162
Lamb's Cross
River Beult
Chainhurst
Stilebridge
A229
Rabbit's Cross
Devil's Den
Mockbeggar
Underling Green
Hurst Green
Haviker Street
Ashbed Wood
Cross-at-Hand
Farthing Green
4
Collier Street
Milebush
St. Ann's Green
B2079
Four Oaks Wood
205
Hawkenbury
Bridgehurst Wood
Wanshurst Green
TN12
Claygate
Marden
221
37
C
D
E
Marden Beech
Staplehurst
72
76
580

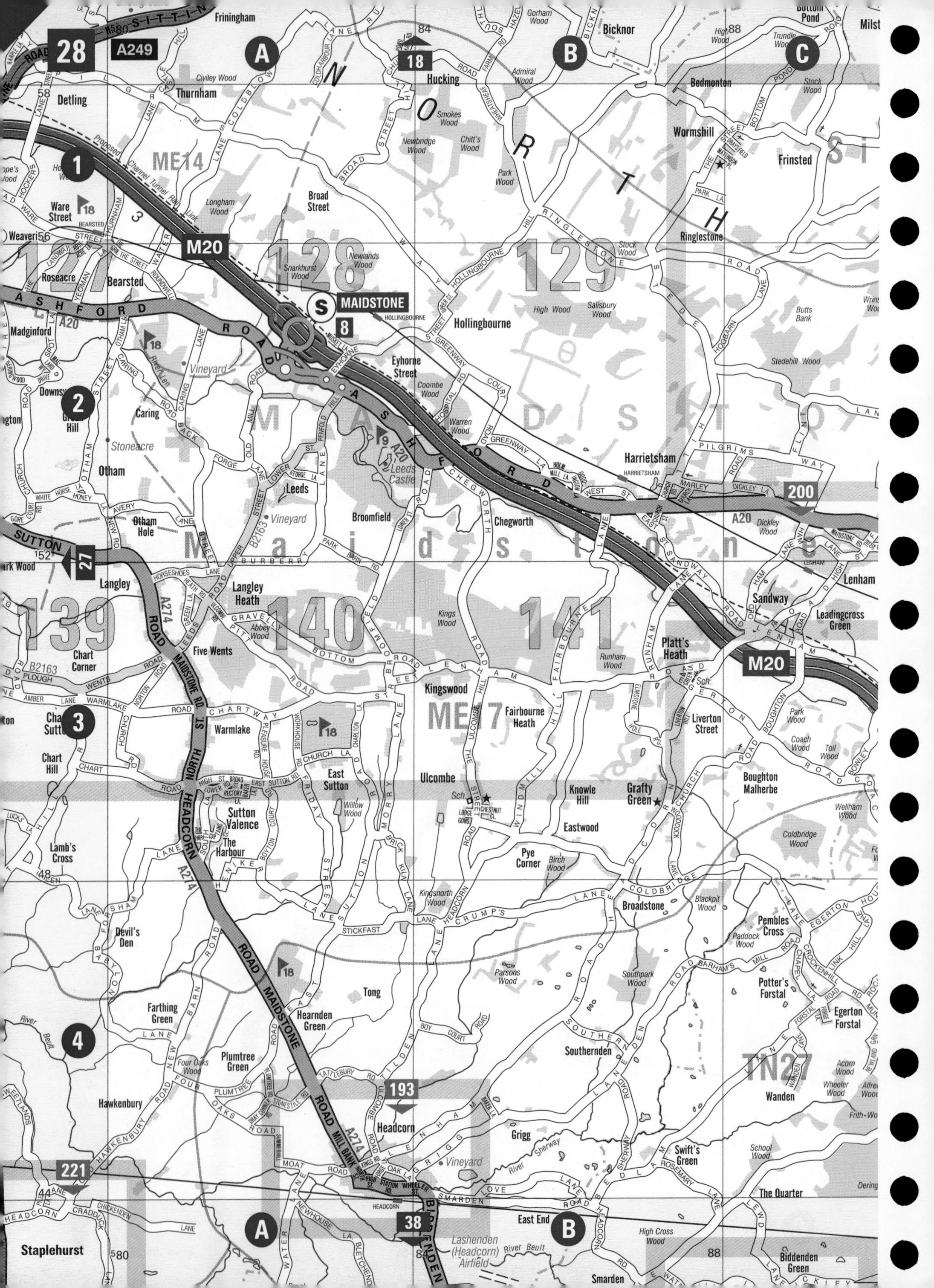
A249
A
B
C
18
84
88
Frinningham
Detling
Thurnham
Civiley Wood
Hucking
Gorham Wood
Bicknor
High Wood
Trundle Wood
Bottom Pond
Admiral Wood
Bedmonton
Stock Wood
Smokes Wood
Newbridge Wood
Chitt's Wood
Wormshill
Frinsted
Park Wood
ME14
Ware Street
Longham Wood
Broad Street
Ringlestone
Stock Wood
Weavering
M20
Newlands Wood
Snarkhurst Wood
127
128
129
Roseacre
Bearsted
MAIDSTONE
8
HOLLINGBOURNE
Hollingbourne
High Wood
Salisbury Wood
Butts Bank
Madginford
A20
Stedehill Wood
Vineyard
Eyhorne Street
Coombe Wood
Downswood
Caring
Warren Wood
Otham
Stoneacre
Leeds
Leeds Castle
Harrietsham
HARRIETSHAM
200
Broomfield
Chegworth
Dickley Wood
Otham Hole
SUTTON
27
Langley
Langley Heath
Lenham
Sandway
Leadingcross Green
Kings Wood
139
140
141
Abbey Wood
Five Wents
Chart Corner
Platt's Heath
Runham Wood
M20
Kingswood
Fairbourne Heath
ME17
Warmlake
Liverton Street
Park Wood
Chart Hill
East Sutton
Ulcombe
Knowle Hill
Grafty Green
Boughton Malherbe
Coach Wood
Toll Wood
Willow Wood
Sutton Valence
The Harbour
Eastwood
Wellham Wood
Coldbridge Wood
Lamb's Cross
Pye Corner
Birch Wood
Kingsnorth Wood
Broadstone
Blackpit Wood
Pembles Cross
Devil's Den
Paddock Wood
Parsons Wood
Southpark Wood
Potter's Forstal
Tong
Egerton Forstal
Farthing Green
Hearnden Green
River Beult
Southernden
Four Oaks Wood
Plumtree Green
TN27
Acorn Wood
Wheeler Wood
Hawkenbury
193
Headcorn
Grigg
Wanden
Vineyard
River Sherway
Swift's Green
School Wood
221
The Quarter
HEADCORN
East End
38
Staplehurst
Lashenden (Headcorn) Airfield
High Cross Wood
Biddenden Green
Smarden
580

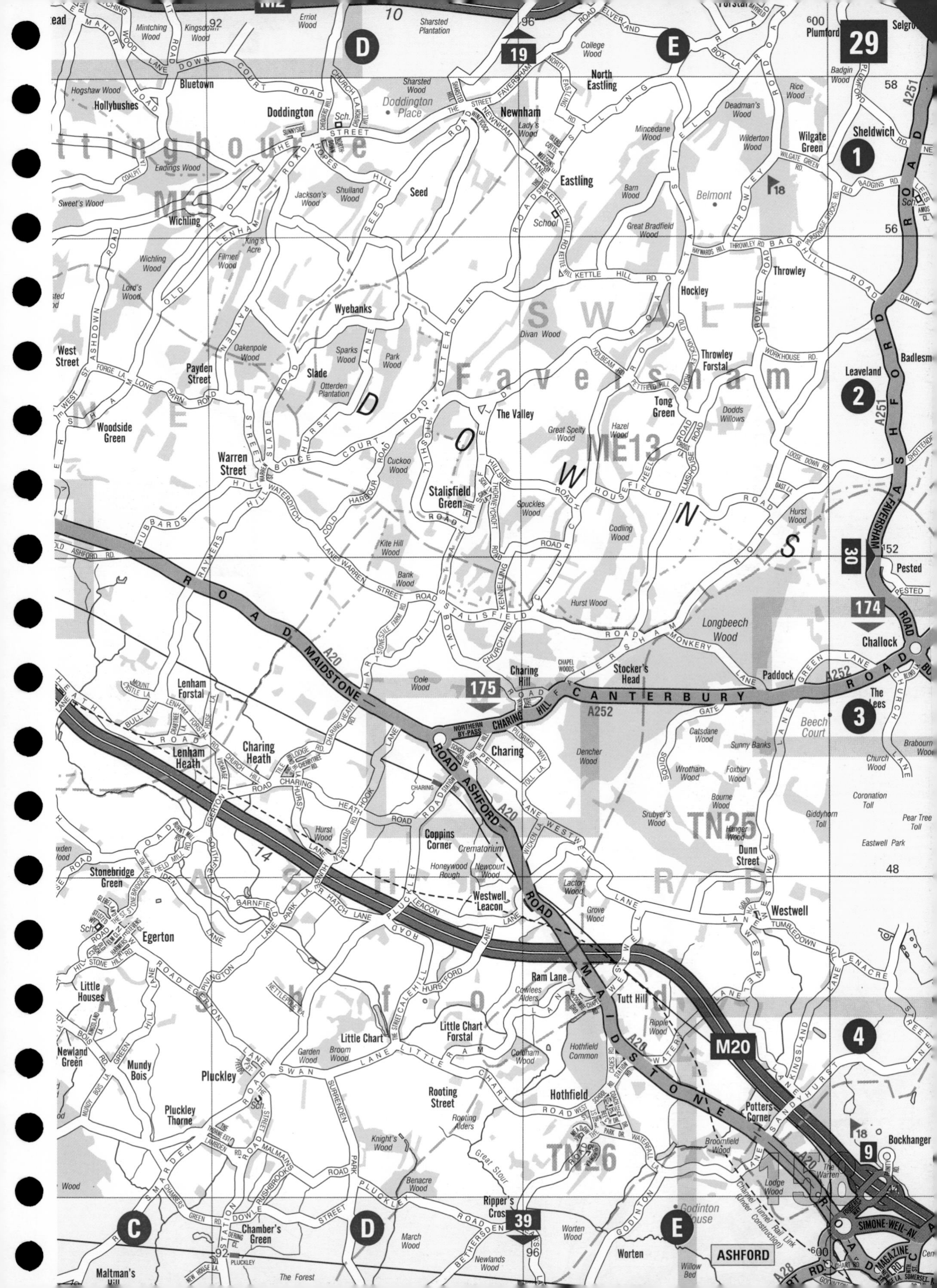
29
D
E
19
Doddington
Newnham
North Eastling
Eastling
Bluetown
Hollybushes
Wichling
ME9
Seed
Sheldwich
Wilgate Green
Belmont
Throwley
Hockley
Throwley Forstal
Tong Green
Leaveland
Badlesmere
Wyebanks
Slade
Payden Street
West Street
Woodside Green
Warren Street
The Valley
Stalisfield Green
SWALE
Faversham
DOWNS
ME13
Pested
Challock
Paddock
Stocker's Head
Charing Hill
Lenham Forstal
Lenham Heath
Charing Heath
Charing
The Lees
Beech Court
TN25
Coppins Corner
Dunn Street
Westwell
Stonebridge Green
Westwell Leacon
Egerton
Ram Lane
Tutt Hill
Little Houses
Little Chart
Little Chart Forstal
Newland Green
Mundy Bois
Pluckley
Pluckley Thorne
Rooting Street
Hothfield
Potters Corner
Bockhanger
TN26
Ripper's Cross
Chamber's Green
Worten
Maltman's Hill
ASHFORD
M20
A20
A251
A252
MAIDSTONE ROAD
CANTERBURY ROAD
ASHFORD ROAD
FAVERSHAM ROAD
174
175
30
39
9
1
2
3
4
C

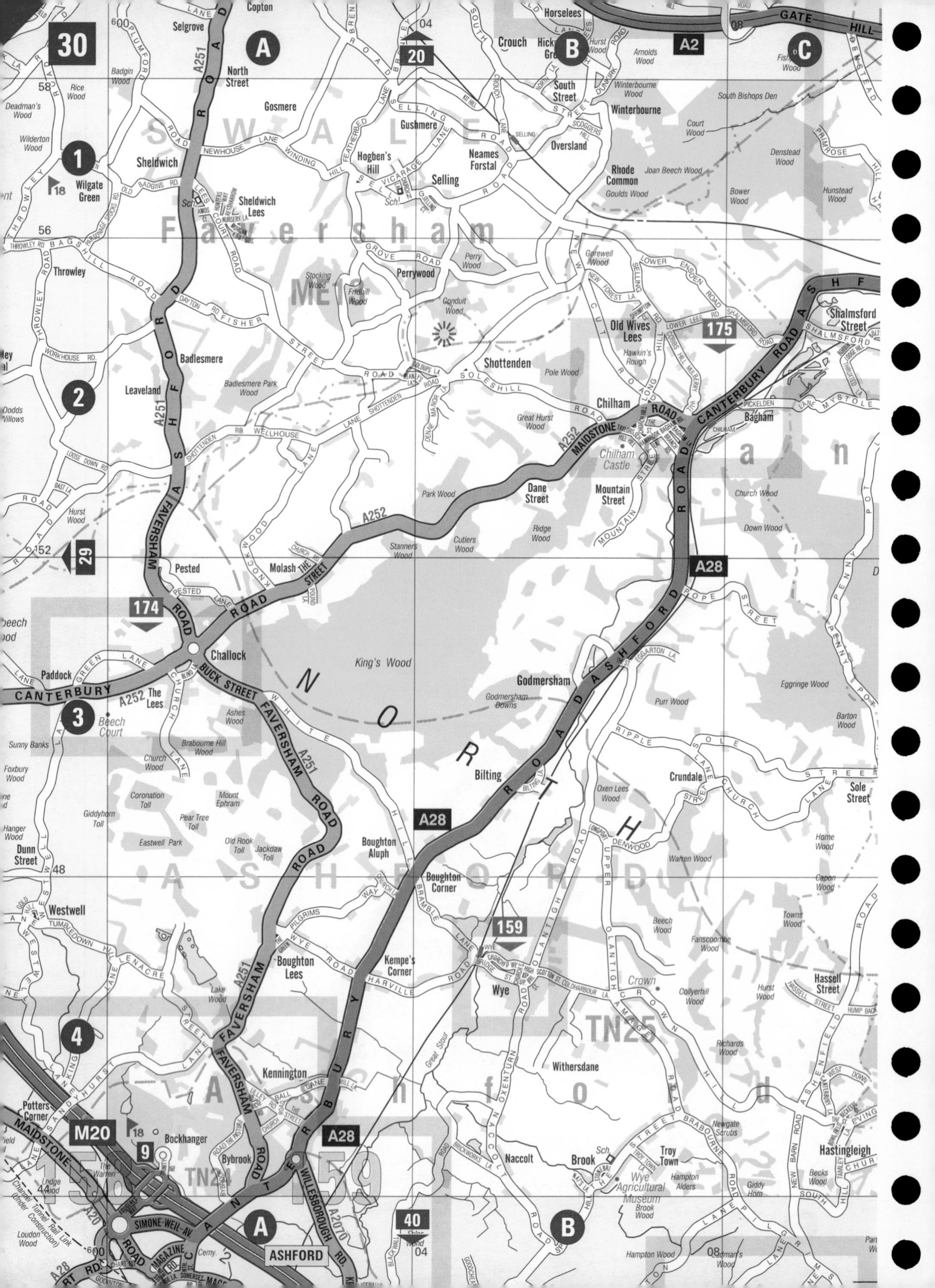
A
B
C
1
2
3
4
20
29
40
174
175
159
A2
A28
A251
A252
A2070
M20
Copton
Selgrove
North Street
Horselees
Crouch
South Street
Winterbourne
Winterbourne Wood
Arnolds Wood
South Bishops Den
Court Wood
Gosmere
Gushmere
Hogben's Hill
Neames Forstal
Oversland
Selling
Sheldwich
Sheldwich Lees
Wilgate Green
Rice Wood
Deadman's Wood
Wilderton Wood
Badgin Wood
Rhode Common
Joan Beech Wood
Goulds Wood
Denstead Wood
Bower Wood
Hunstead Wood
Faversham
Throwley
Perrywood
Perry Wood
Stocking Wood
Fridhill Wood
Conduit Wood
Gorewell Wood
ME13
Old Wives Lees
Hawkin's Rough
Shalmsford Street
Shottenden
Pole Wood
Badlesmere
Badlesmere Park Wood
Leaveland
Dodds Willows
Chilham
Bagham
Great Hurst Wood
Chilham Castle
Dane Street
Mountain Street
Park Wood
Church Wood
Hurst Wood
Ridge Wood
Down Wood
Stanners Wood
Cutlers Wood
Pested
Molash
Challock
Paddock
The Lees
Beech Court
King's Wood
Godmersham
Godmersham Downs
Purr Wood
Eggringe Wood
Barton Wood
Sunny Banks
Foxbury Wood
Ashes Wood
Brabourne Hill Wood
Church Wood
Coronation Toll
Mount Ephram
Giddyhorn Toll
Pear Tree Toll
Eastwell Park
Old Rook Toll
Jackdaw Toll
Bilting
Oxen Lees Wood
Crundale
Sole Street
Hanger Wood
Dunn Street
Boughton Aluph
Home Wood
Warren Wood
Capon Wood
Boughton Corner
Westwell
Beech Wood
Towns Wood
Fanscoombe Wood
Boughton Lees
Kempe's Corner
Wye
Crown
Collyerhill Wood
Hurst Wood
Hassell Street
Lake Wood
TN25
Richards Wood
Withersdane
Kennington
Potters Corner
Bockhanger
Bybrook
TN24
Newgate Scrubs
Naccolt
Brook
Troy Town
Hastingleigh
Wye Agricultural Museum
Hampton Alders
Brook Wood
Giddy Horn
Becks Wood
Loudon Wood
Hampton Wood
ASHFORD
Great Stour
NORTH DOWNS
SWALE
ASHFORD
CANTERBURY ROAD
MAIDSTONE ROAD
ASHFORD ROAD
FAVERSHAM ROAD
BUCK STREET
WHITE HILL
SIMONE-WEIL-AV.
MAIDSTONE
Channel Tunnel Rail Link (Under Construction)
GATE HILL
158
159

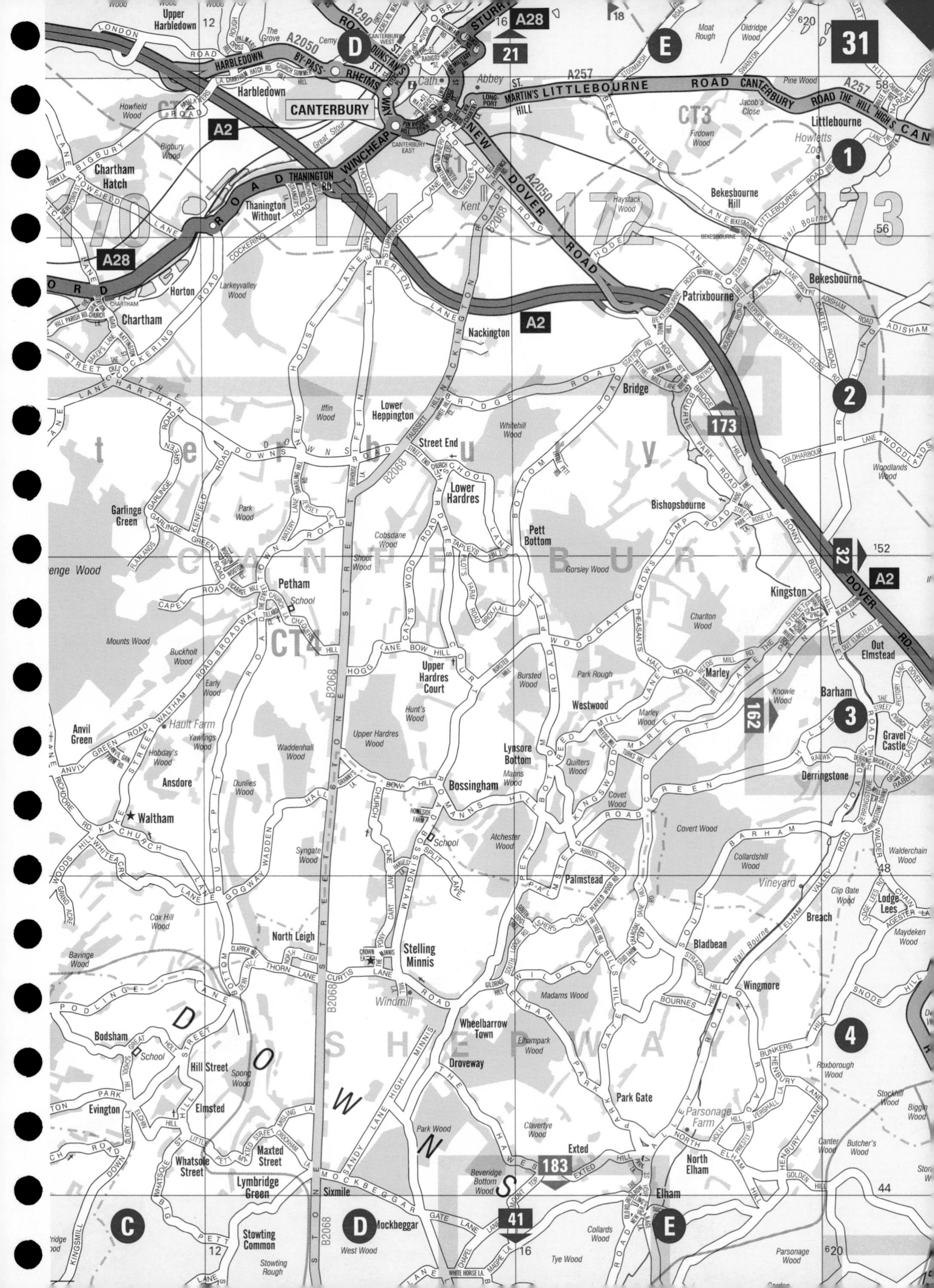
CANTERBURY
Upper Harbledown
Harbledown
Howfield Wood
Bigbury Wood
Chartham Hatch
Thanington Without
Horton
Larkeyvalley Wood
Chartham
A2
A28
A2050
A257
A290
B2068
CT3
CT4
Littlebourne
Howletts Zoo
Bekesbourne Hill
Bekesbourne
Patrixbourne
Nackington
Bridge
Lower Heppington
Iffin Wood
Whitehill Wood
Street End
Lower Hardres
Bishopsbourne
Woodlands Wood
Garlinge Green
Park Wood
Cobsdane Wood
Shoot Wood
Pett Bottom
Gorsley Wood
Kingston
Petham
Charlton Wood
Out Elmstead
Mounts Wood
Buckholt Wood
Early Wood
Upper Hardres Court
Bursted Wood
Park Rough
Marley
Barham
Knowle Wood
Hunt's Wood
Westwood
Marley Wood
Anvil Green
Hault Farm
Yawlings Wood
Hobday's Wood
Waddenhall Wood
Upper Hardres Wood
Lynsore Bottom
Quilters Wood
Gravel Castle
Derringstone
Ansdore
Dunlies Wood
Bossingham
Manns Wood
Covet Wood
Waltham
Atchester Wood
Covert Wood
Syngate Wood
Collardshill Wood
Walderchain Wood
Palmstead
Vineyard
Clip Gate Wood
Lodge Lees
Breach
Cox Hill Wood
Maydeken Wood
North Leigh
Stelling Minnis
Bladbean
Bavinge Wood
Wingmore
Windmill
Madams Wood
Bodsham
Hill Street
Wheelbarrow Town
Spong Wood
Elhampark Wood
Droveway
Roxborough Wood
Evington
Elmsted
Park Gate
Stockhill Wood
Park Wood
Parsonage Farm
Claverlye Wood
Whatsole Street
Maxted Street
Exted
North Elham
Canter Wood
Butcher's Wood
Lymbridge Green
Beveridge Bottom Wood
Sixmile
Elham
Mockbeggar
Stowting Common
Collards Wood
West Wood
Stowting Rough
Tye Wood
Parsonage Wood
170
171
172
173
CANTERBURY
SHEPWAY
DOWNS
21
173
162
183
41
32
C
D
E
1
2
3
4

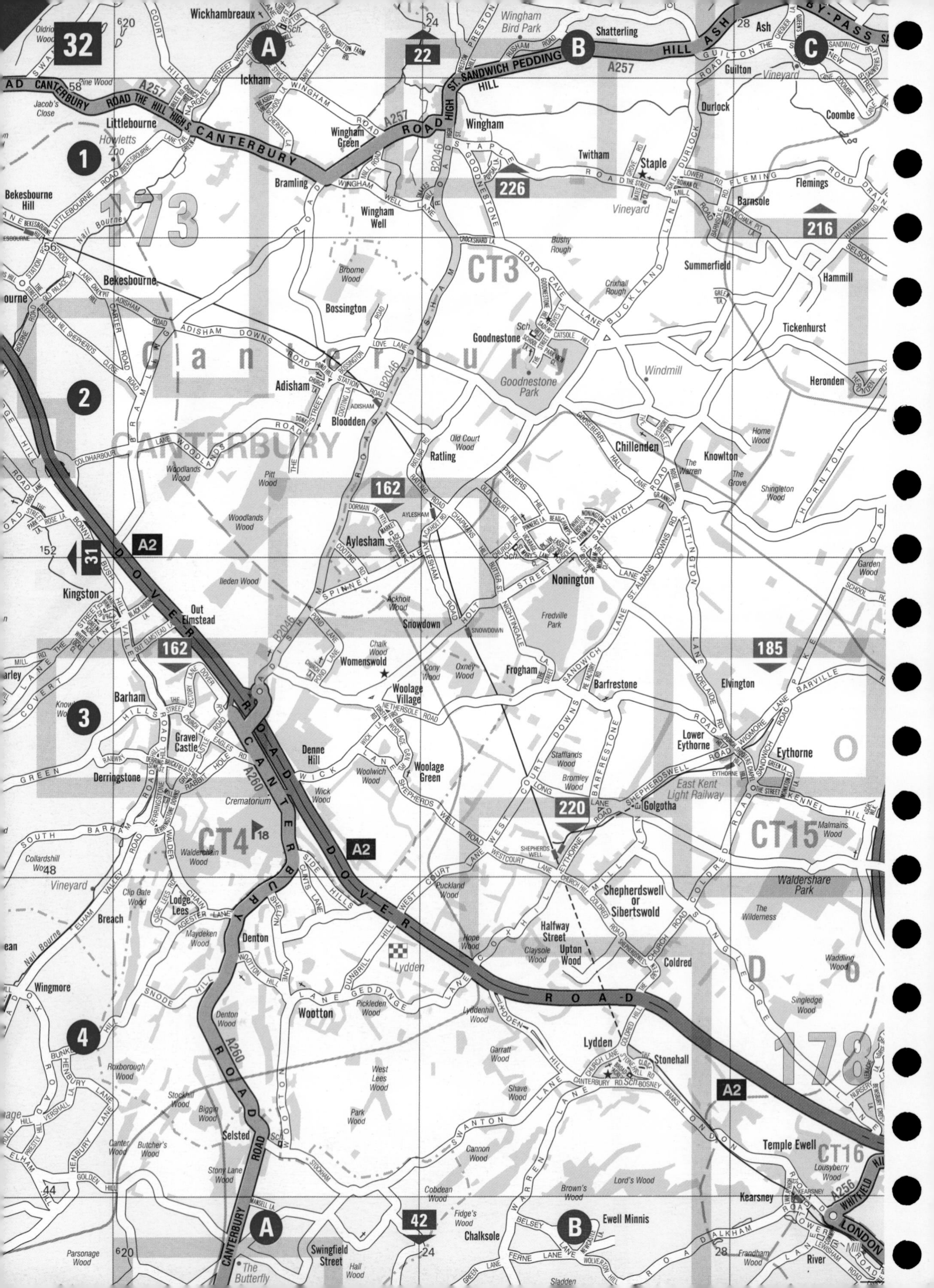

A
B
C
1
2
3
4
22
226
216
162
31
185
220
42
173
178
CT3
CT4
CT15
CT16
Canterbury
CANTERBURY
Wickhambreaux
Wingham Bird Park
Shatterling
Ash
Ickham
Littlebourne
Howletts Zoo
Bekesbourne Hill
Bekesbourne
Wingham Green
Wingham
Bramling
Wingham Well
Twitham
Staple
Flemings
Barnsole
Gulton
Durlock
Coombe
Vineyard
Summerfield
Hammill
Tickenhurst
Heronden
Broome Wood
Bossington
Goodnestone
Goodnestone Park
Windmill
Bushy Rough
Crixhall Rough
Adisham
Bloodden
Ratling
Old Court Wood
Chillenden
Knowlton
The Warren
The Grove
Home Wood
Shingleton Wood
Woodlands Wood
Pitt Wood
Aylesham
Nonington
Fredville Park
Kingston
Out Elmstead
Ileden Wood
Ackholt Wood
Snowdown
Chalk Wood
Womenswold
Cony Wood
Oxney Wood
Woolage Village
Frogham
Barfrestone
Elvington
Garden Wood
Barham
Gravel Castle
Derringstone
Denne Hill
Woolage Green
Woolwich Wood
Wick Wood
Lower Eythorne
Eythorne
Stafflands Wood
Bromley Wood
East Kent Light Railway
Golgotha
Malmains Wood
Crematorium
Walderchain Wood
Collardshill Wood
Puckland Wood
Shepherdswell or Sibertswold
Waldershare Park
The Wilderness
Clip Gate Wood
Lodge Lees
Breach
Maydeken Wood
Denton
Hope Wood
Halfway Street
Claysole Wood
Upton Wood
Coldred
Waddling Wood
Lydden
Wingmore
Wootton
Pickleden Wood
Lyddenhill Wood
Singledge Wood
Denton Wood
Garratt Wood
Stonehall
Roxborough Wood
West Lees Wood
Shave Wood
Stockhill Wood
Biggin Wood
Park Wood
Selsted
Canter Wood
Butcher's Wood
Cannon Wood
Temple Ewell
Lousyberry Wood
Stony Lane Wood
Lord's Wood
Kearsney
Cobdean Wood
Brown's Wood
Fidge's Wood
Chalksole
Ewell Minnis
Parsonage Wood
Swingfield Street
Hall Wood
The Butterfly
Frandham Wood
River
Sladden
A257
A2
A260
A256
B2046
CANTERBURY ROAD
DOVER ROAD

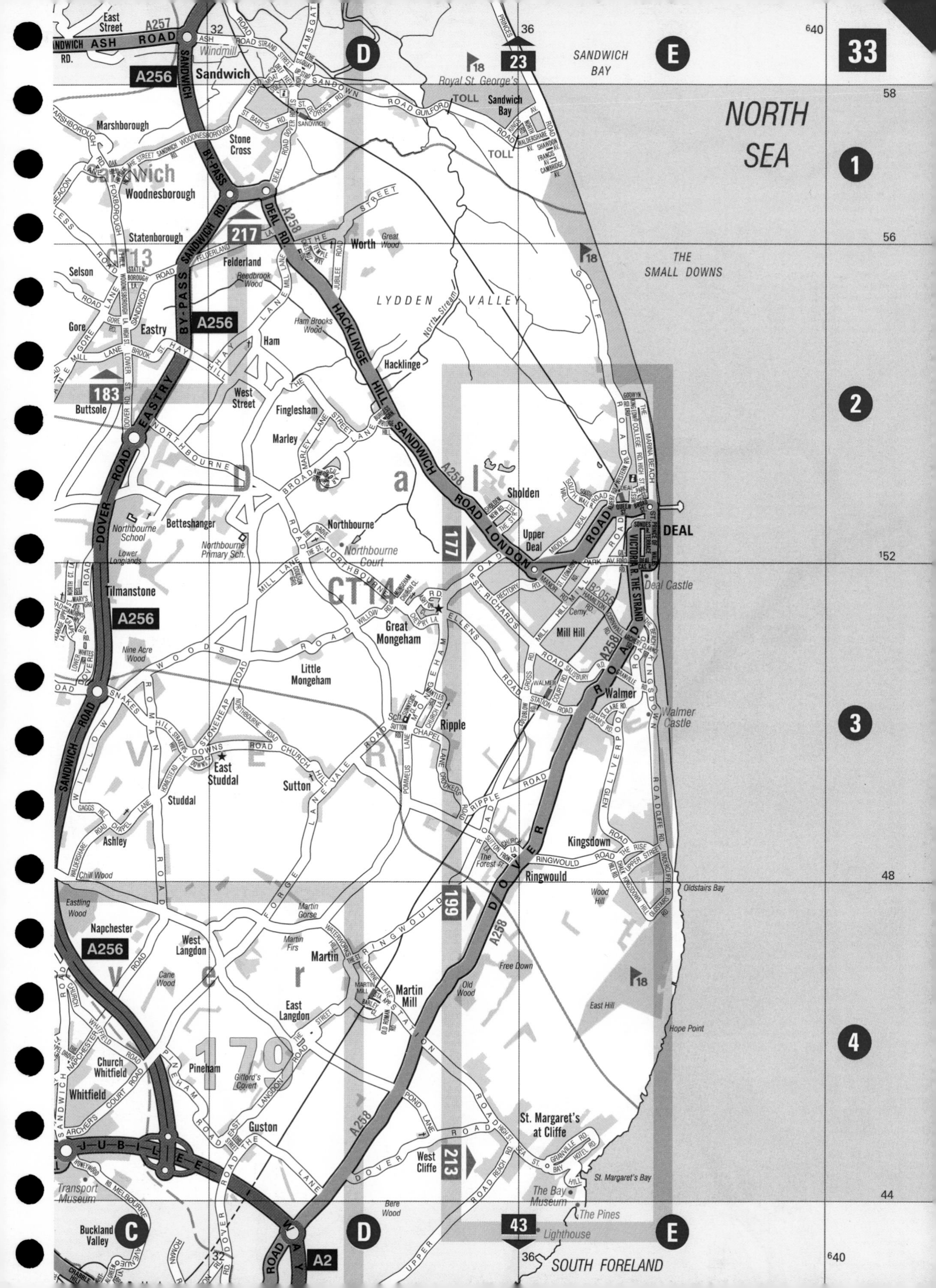
NORTH SEA
SANDWICH BAY
THE SMALL DOWNS
Sandwich
Sandwich Bay
Royal St. George's
Marshborough
Stone Cross
Woodnesborough
Statenborough
Felderland
Worth
Selson
Gore
Eastry
Ham
Hacklinge
LYDDEN VALLEY
Buttsole
West Street
Finglesham
Marley
Betteshanger
Northbourne
Sholden
Upper Deal
DEAL
Deal Castle
Tilmanstone
Great Mongeham
Little Mongeham
Mill Hill
Walmer
Walmer Castle
Ripple
East Studdal
Studdal
Sutton
Ashley
Kingsdown
Ringwould
Oldstairs Bay
Napchester
West Langdon
Martin
Martin Mill
East Langdon
Free Down
East Hill
Hope Point
Church Whitfield
Whitfield
Pineham
Guston
St. Margaret's at Cliffe
West Cliffe
St. Margaret's Bay
The Bay Museum
The Pines
Lighthouse
SOUTH FORELAND
Transport Museum
Buckland Valley
Bere Wood
CT13
CT14
A256
A258
A257
A2
B2056
HACKLINGE HILL
SANDWICH ROAD
LONDON ROAD
DOVER ROAD
JUBILEE WAY
VICTORIA R. THE STRAND
1
2
3
4
C
D
E
23
217
183
177
199
213
43
179
58
56
52
48
44
640
32
36

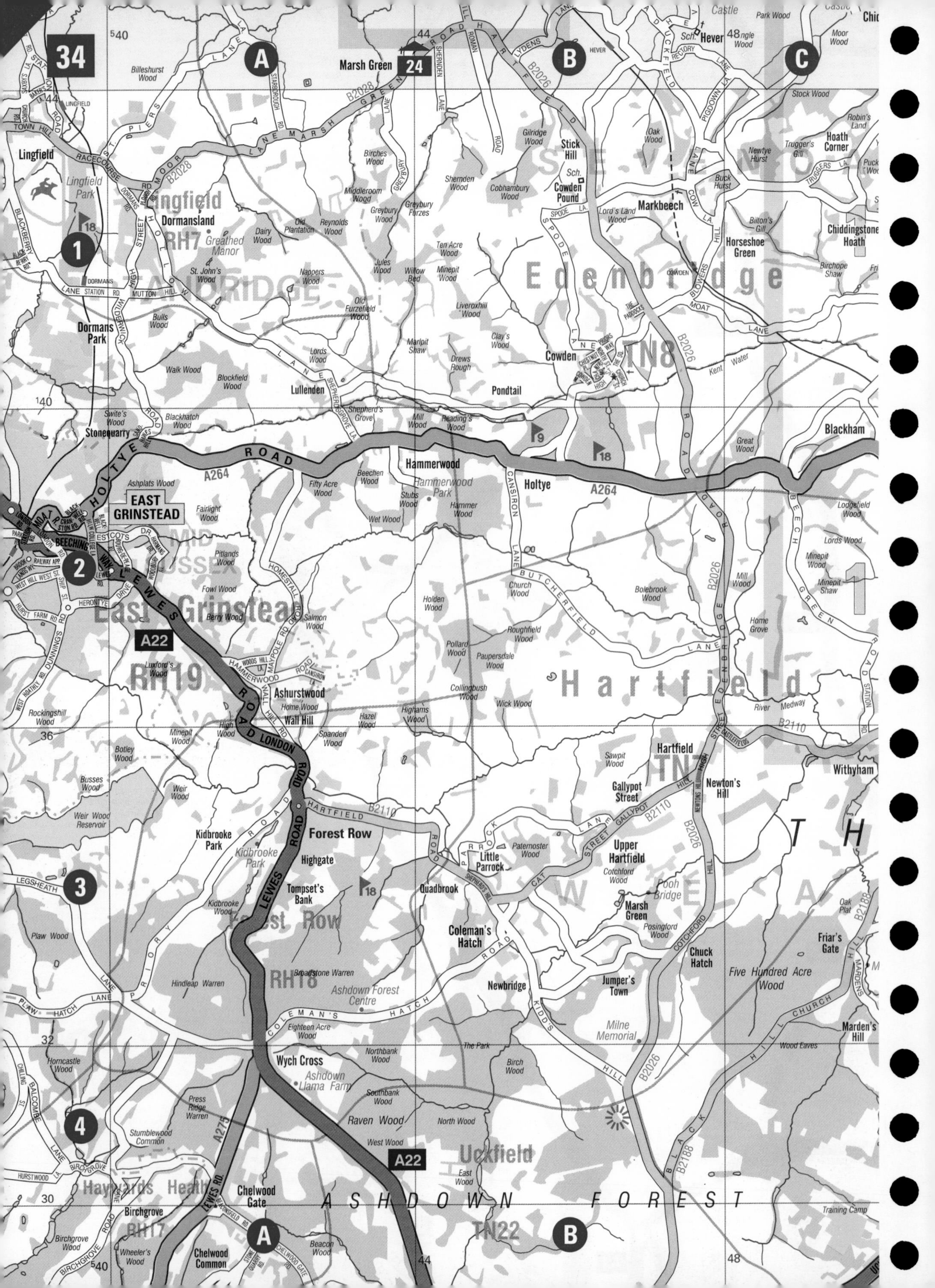
34
A
B
C
Marsh Green
Hever
Lingfield
Dormansland
Edenbridge
Markbeech
Cowden
Cowden Pound
Stick Hill
Chiddingstone Hoath
Hoath Corner
Horseshoe Green
Dormans Park
Lullenden
Pondtail
Blackham
Stonequarry
Hammerwood
Holtye
EAST GRINSTEAD
East Grinstead
Ashurstwood
Wall Hill
Hartfield
Withyham
Gallypot Street
Newton's Hill
Upper Hartfield
Forest Row
Highgate
Tompset's Bank
Quadbrook
Little Parrock
Marsh Green
Coleman's Hatch
Chuck Hatch
Friar's Gate
Newbridge
Jumper's Town
Wych Cross
Kidbrooke Park
Chelwood Gate
Chelwood Common
Birchgrove
Marden's Hill
ASHDOWN FOREST
A264
A22
A275
B2026
B2028
B2110
B2188
RH7
RH19
RH18
RH17
TN8
TN7
TN22

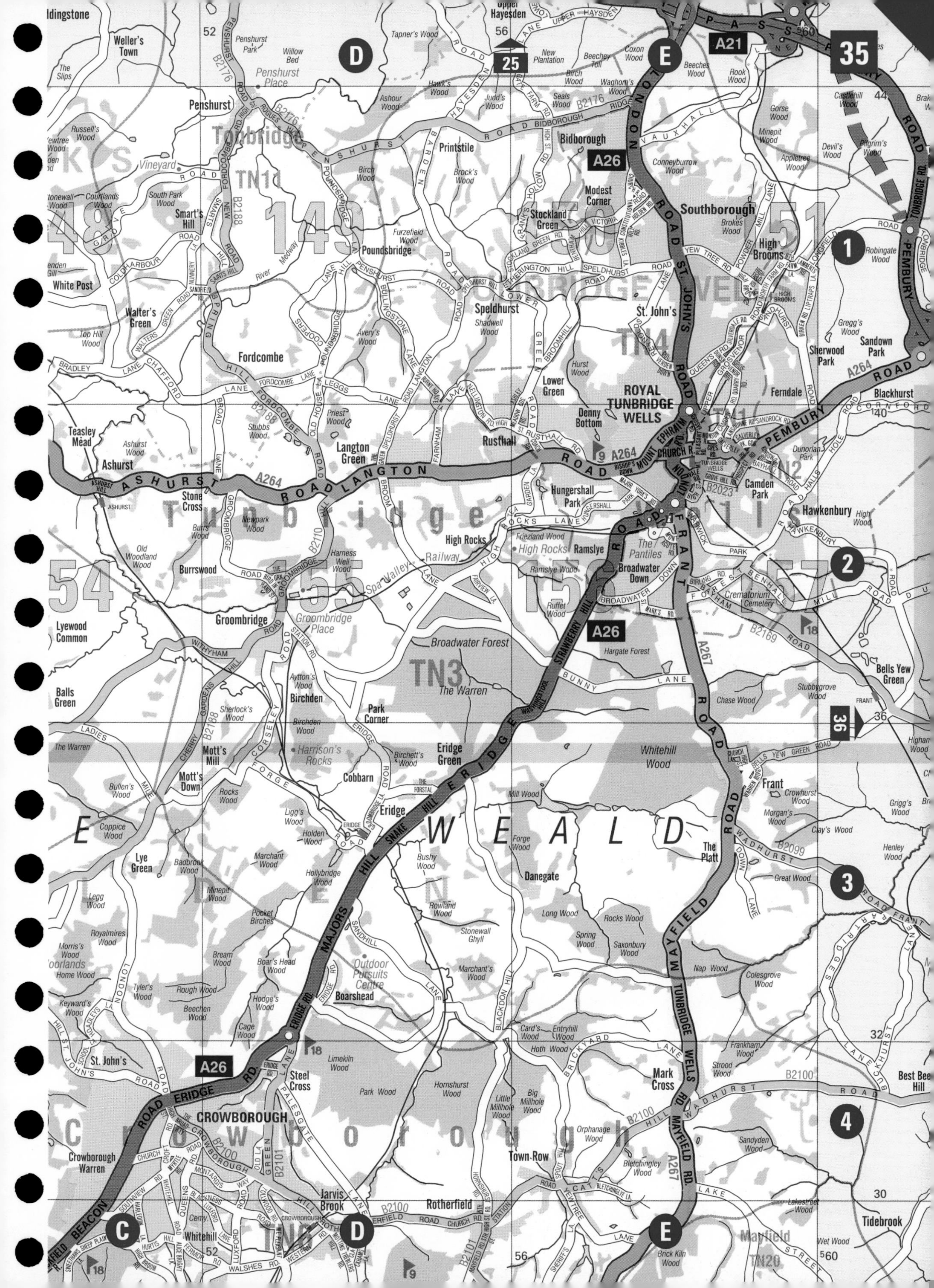

35
25
36
D
E
C
1
2
3
4
148
149
150
151
154
155
156
157
52
56
560
44
40
36
32
30
Weller's Town
The Slips
Penshurst Park
Willow Bed
Penshurst Place
Penshurst
Tonbridge
Russell's Wood
Vineyard
TN11
Courtlands Wood
South Park Wood
Smart's Hill
White Post
Walter's Green
Top Hill Wood
Fordcombe
Teasley Mead
Ashurst Wood
Ashurst
Stone Cross
Tunbridge Wells
Newpark Wood
Burrs Wood
Old Woodland Wood
Burrswood
Groombridge
Groombridge Place
Lyewood Common
Balls Green
Sherlock's Wood
The Warren
Mott's Mill
Mott's Down
Bullen's Wood
Rocks Wood
Coppice Wood
Lye Green
Badbrook Wood
Marchant Wood
Legg Wood
Minepit Wood
Pocket Birches
Royalmires Wood
Morris's Wood
Home Wood
Bream Wood
Boar's Head Wood
Tyler's Wood
Rough Wood
Keyward's Wood
Hodge's Wood
Beechen Wood
Cage Wood
St. John's
Crowborough
Crowborough Warren
Whitehill
Cemy
Jarvis Brook
Steel Cross
Limekiln Wood
Park Wood
Rotherfield
Tapner's Wood
Upper Hayesden
New Plantation
Beechey Toll
Coxon Wood
Hawk's Wood
Ashour Wood
Judd's Wood
Birch Wood
Seals Wood
Waghorn's Wood
Printstile
Brock's Wood
Bidborough
Modest Corner
Stockland Green
Furzefield Wood
Poundsbridge
River Medway
Speldhurst
Shadwell Wood
Avery's Wood
Priest Wood
Stubbs Wood
Langton Green
Rusthall
Lower Green
Denny Bottom
Hurst Wood
Hungershall Park
High Rocks
Harness Well Wood
Spa Valley Railway
Frezland Wood
Ramslye
Ramslye Wood
Ruffet Wood
The Pantiles
Broadwater Down
Broadwater Forest
Hargate Forest
TN3
The Warren
Aytton's Wood
Birchden
Birchden Wood
Park Corner
Harrison's Rocks
Birchett's Wood
Eridge Green
Cobbarn
Eridge
Ligg's Wood
Holden Wood
Hollybridge Wood
Bushy Wood
Mill Wood
Forge Wood
Danegate
Rowland Wood
Long Wood
Stonewall Ghyll
Outdoor Pursuits Centre
Marchant's Wood
Boarshead
Card's Wood
Entryhill Wood
Hoth Wood
Hornshurst Wood
Little Millhole Wood
Big Millhole Wood
Orphanage Wood
Town Row
Bletchingley Wood
Mark Cross
Brick Kiln Wood
Mayfield
TN20
TN6
WEALD
Whitehill Wood
Chase Wood
Rocks Wood
Spring Wood
Saxonbury Wood
Nap Wood
The Platt
Beeches Wood
Rook Wood
Southborough
Brokes Wood
Conneyburrow Wood
Minepit Wood
Gorse Wood
Castlehill Wood
Devil's Wood
Pilgrim's Wood
Appletree Wood
High Brooms
Robingate Wood
St. John's
TN4
TN1
TN2
ROYAL TUNBRIDGE WELLS
Gregg's Wood
Sherwood Park
Sandown Park
Ferndale
Blackhurst
Dunorlan Park
Camden Park
Hawkenbury
High Wood
Crematorium Cemetery
Bells Yew Green
Stubbygrove Wood
Frant
Crowhurst Wood
Morgan's Wood
Clay's Wood
Grigg's Wood
Henley Wood
Great Wood
Colesgrove Wood
Frankham Wood
Strood Wood
Sandyden Wood
Lakestreet Wood
Wet Wood
Tidebrook
Best Beech Hill
A21
A26
A264
A267
B2176
B2188
B2110
B2023
B2169
B2099
B2100
B2101
LONDON ROAD
ST. JOHN'S ROAD
VAUXHALL LANE
PENSHURST ROAD
BIDBOROUGH RIDGE
ASHURST ROAD
LANGTON ROAD
MOUNT EPHRAIM
PEMBURY ROAD
FRANT ROAD
STRAWBERRY HILL
WASHINGSTOOL HILL
ERIDGE HILL
SNAKE HILL
MAJORS HILL
ERIDGE RD.
BEACON ROAD
TUNBRIDGE WELLS RD.
MAYFIELD RD.
WADHURST ROAD
BUNNY LANE
TONBRIDGE RD.

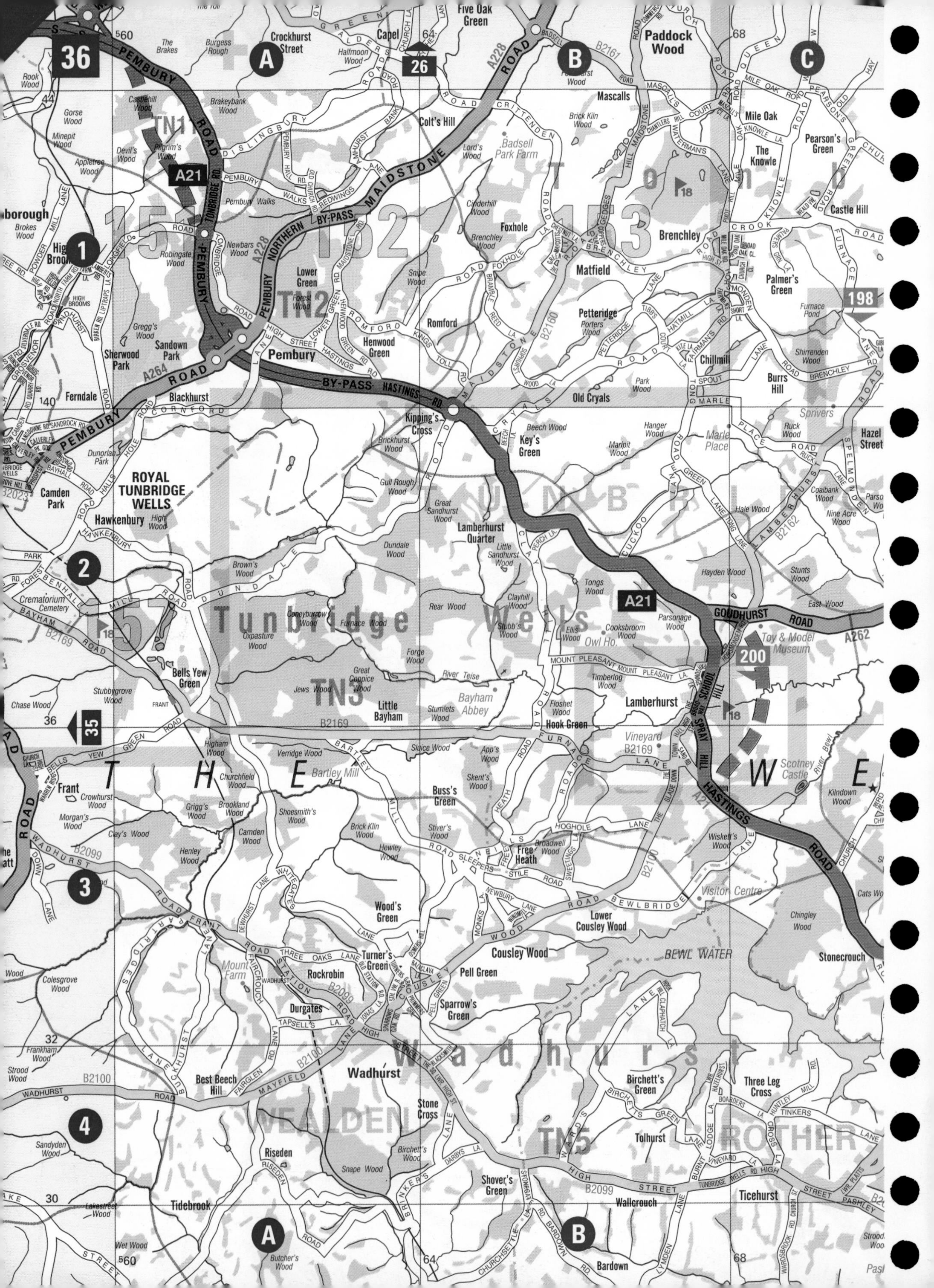
36
A
B
C
26
Crockhurst Street
Capel
Five Oak Green
Paddock Wood
Burgess Rough
The Brakes
Halfmoon Wood
Rook Wood
Gorse Wood
Minepit Wood
Appletree Wood
Castlehill Wood
Pilgrim's Wood
Devil's Wood
Brakeybank Wood
Colt's Hill
Mascalls
Brick Kiln Wood
Badsell Park Farm
Lord's Wood
Mile Oak
Pearson's Green
The Knowle
Castle Hill
Brencheley
Matfield
Foxhole
Cinderhill Wood
Brenchley Wood
Palmer's Green
Furnace Pond
198
Pembury Walks
Newbars Wood
Robingate Wood
Lower Green
Forest Wood
Snipe Wood
Romford
Henwood Green
Pembury
Petteridge
Porters Wood
Chillmill
Burrs Hill
Shirrenden Wood
Park Wood
Old Cryals
Sprivers
Hazel Street
High Brooms
Brokes Wood
Gregg's Wood
Sherwood Park
Sandown Park
Ferndale
Blackhurst
Dunorlan Park
Camden Park
ROYAL TUNBRIDGE WELLS
Hawkenbury
High Wood
Kipping's Cross
Brickhurst Wood
Beech Wood
Key's Green
Hanger Wood
Marlpit Wood
Marle Place
Ruck Wood
Gull Rough Wood
Great Sandhurst Wood
Lamberhurst Quarter
Hale Wood
Coalbank Wood
Nine Acre Wood
Dundale Wood
Little Sandhurst Wood
Hayden Wood
Stunts Wood
Brown's Wood
Tongs Wood
East Wood
Crematorium Cemetery
Coneyburrow Wood
Furnace Wood
Rear Wood
Clayhill Wood
Stubb's Wood
Ellis Wood
Owl Ho.
Cooksbroom Wood
Parsonage Wood
Toy & Model Museum
Tunbridge Wells
A21
A228
A264
A262
B2160
B2161
B2162
B2169
B2099
B2100
Oxpasture Wood
Forge Wood
Great Coppice Wood
River Teise
Bayham Abbey
Jews Wood
TN1
TN2
TN3
TN5
TN11
Little Bayham
Stumlets Wood
Floshet Wood
Hook Green
Timberlog Wood
Lamberhurst
200
Bells Yew Green
Stubbygrove Wood
Chase Wood
35
Higham Wood
Verridge Wood
Sluice Wood
App's Wood
Vineyard
Scotney Castle
River Bewl
Frant
Churchfield Wood
Bartley Mill
Skent's Wood
Kilndown Wood
Crowhurst Wood
Morgan's Wood
Grigg's Wood
Brookland Wood
Shoesmith's Wood
Buss's Green
Clay's Wood
Camden Wood
Brick Kiln Wood
Stiver's Wood
Free Heath
Broadwell Wood
Wiskett's Wood
Henley Wood
Hewley Wood
Visitor Centre
Chingley Wood
Cats Wood
Wood's Green
Lower Cousley Wood
Cousley Wood
BEWL WATER
Stonecrouch
Mount Farm
Rockrobin
Turner's Green
Pell Green
Colesgrove Wood
Durgates
Sparrow's Green
Frankham Wood
Strood Wood
Best Beech Hill
Wadhurst
Birchett's Green
Three Leg Cross
Stone Cross
WEALDEN
ROTHER
Sandyden Wood
Riseden
Birchett's Wood
Snape Wood
Tolhurst
Shover's Green
Wallcrouch
Ticehurst
Tidebrook
Lakestreet Wood
Wet Wood
Butcher's Wood
Bardown
1
2
3
4
560
64
68
140
36
32
30
44
PEMBURY ROAD
MAIDSTONE ROAD
NORTHERN BY-PASS
HASTINGS ROAD
BY-PASS
GOUDHURST ROAD
MOUNT PLEASANT
SCHOOL HILL
SPRAY HILL
BAYHAM ROAD
HIGH STREET
WADHURST ROAD
MAYFIELD LANE
BEWLBRIDGE ROAD
FRANT ROAD

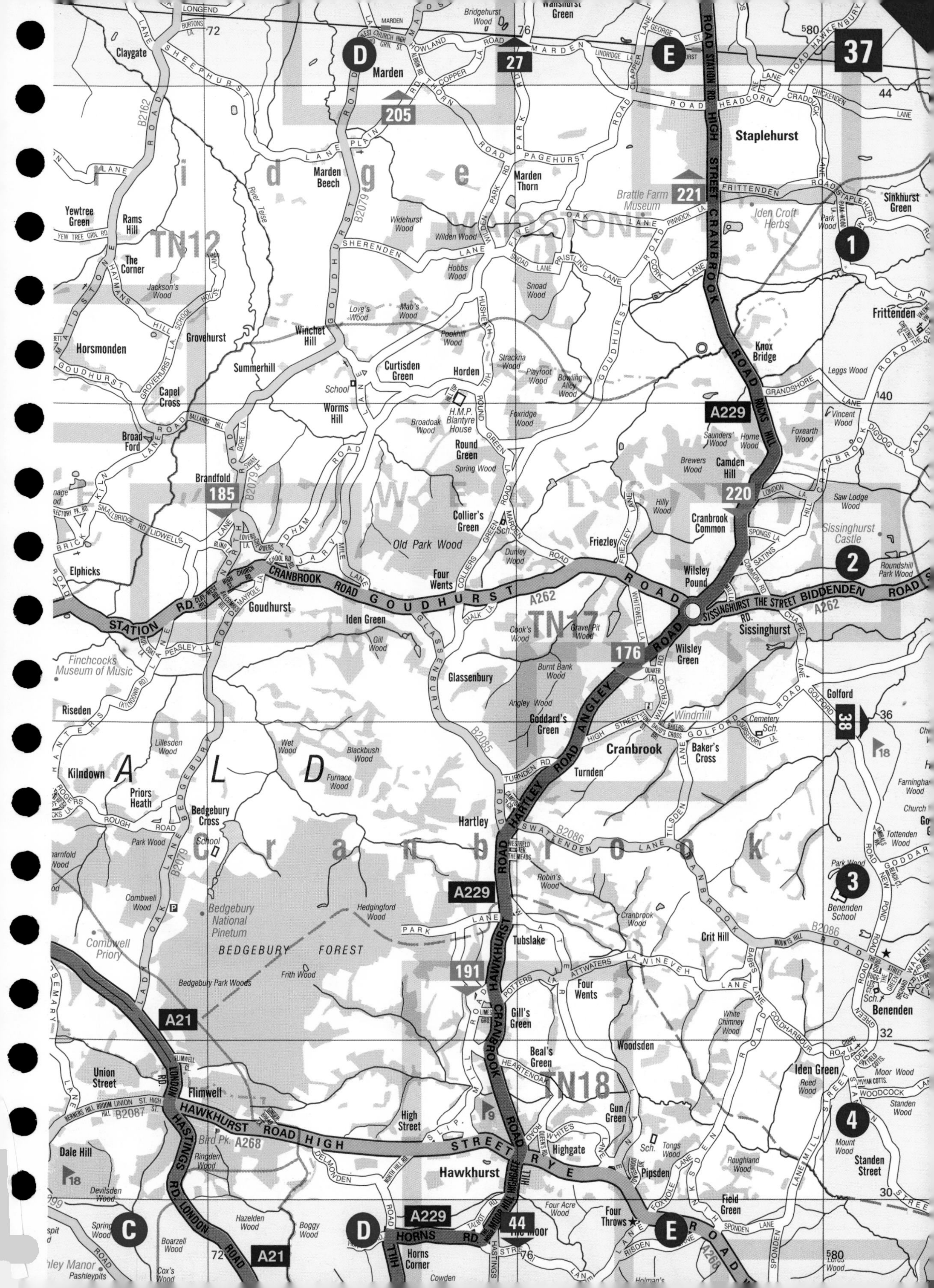

Claygate
Marden
Bridgehurst Wood
Staplehurst
Marden Beech
Marden Thorn
Brattle Farm Museum
Iden Croft Herbs
Sinkhurst Green
Yewtree Green
Rams Hill
TN12
The Corner
Jackson's Wood
Widehurst Wood
Wilden Wood
MAIDSTONE
Park Wood
Hobbs Wood
Snoad Wood
Frittenden
Horsmonden
Grovehurst
Love's Wood
Mab's Wood
Winchet Hill
Pookhill Wood
Knox Bridge
Summerhill
Curtisden Green
Horden
Strackna Wood
Playfoot Wood
Bowling Alley Wood
Leggs Wood
Capel Cross
School
Worms Hill
H.M.P. Blantyre House
Foxridge Wood
Broadoak Wood
Vincent Wood
Broad Ford
Round Green
Saunders' Wood
Home Wood
Foxearth Wood
Spring Wood
Brewers Wood
Camden Hill
Brandfold
Hilly Wood
Saw Lodge Wood
Collier's Green
Cranbrook Common
Sissinghurst Castle
Old Park Wood
Friezley
Elphicks
Dunley Wood
Four Wents
Wilsley Pound
Roundshill Park Wood
Goudhurst
Iden Green
TN17
Sissinghurst
Cook's Wood
Gravel Pit Wood
Gill Wood
Wilsley Green
Finchcocks Museum of Music
Glassenbury
Burnt Bank Wood
Golford
Riseden
Angley Wood
Windmill
Goddard's Green
Cemetery
Lillesden Wood
Wet Wood
Blackbush Wood
Cranbrook
Baker's Cross
Kilndown
Furnace Wood
Turnden
Priors Heath
Bedgebury Cross
Hartley
Farninghan Wood
Park Wood
Tottenden Wood
Robin's Wood
Combwell Wood
Bedgebury National Pinetum
Hedgingford Wood
Benenden School
Cranbrook Wood
Combwell Priory
BEDGEBURY FOREST
Tubslake
Crit Hill
Bedgebury Park Woods
Frith Wood
Four Wents
Benenden
Gill's Green
White Chimney Wood
Woodsden
Beal's Green
Union Street
TN18
Iden Green
Reed Wood
Moor Wood
Flimwell
Standen Wood
Gun Green
High Street
Bird Pk.
Dale Hill
Ringden Wood
Highgate
Tongs Wood
Mount Wood
Hawkhurst
Pipsden
Roughland Wood
Standen Street
Devilsden Wood
Four Acre Wood
Four Throws
Field Green
Spring Wood
Hazelden Wood
Boggy Wood
The Moor
Boarzell Wood
Horns Corner
Cox's Wood
Pashleypits
Cowden
A229
A262
A21
A268
B2079
B2085
B2086
B2087
B2162
STATION RD.
CRANBROOK ROAD GOUDHURST ROAD
SISSINGHURST THE STREET BIDDENDEN ROAD
HAWKHURST ROAD HIGH STREET RYE
HARTLEY ROAD ANGLEY ROAD
HIGH STREET CRANBROOK ROAD STATION RD.
205
221
185
220
176
191
27
44
38
C
D
E
1
2
3
4
72
76
580
44
40
36
32
30

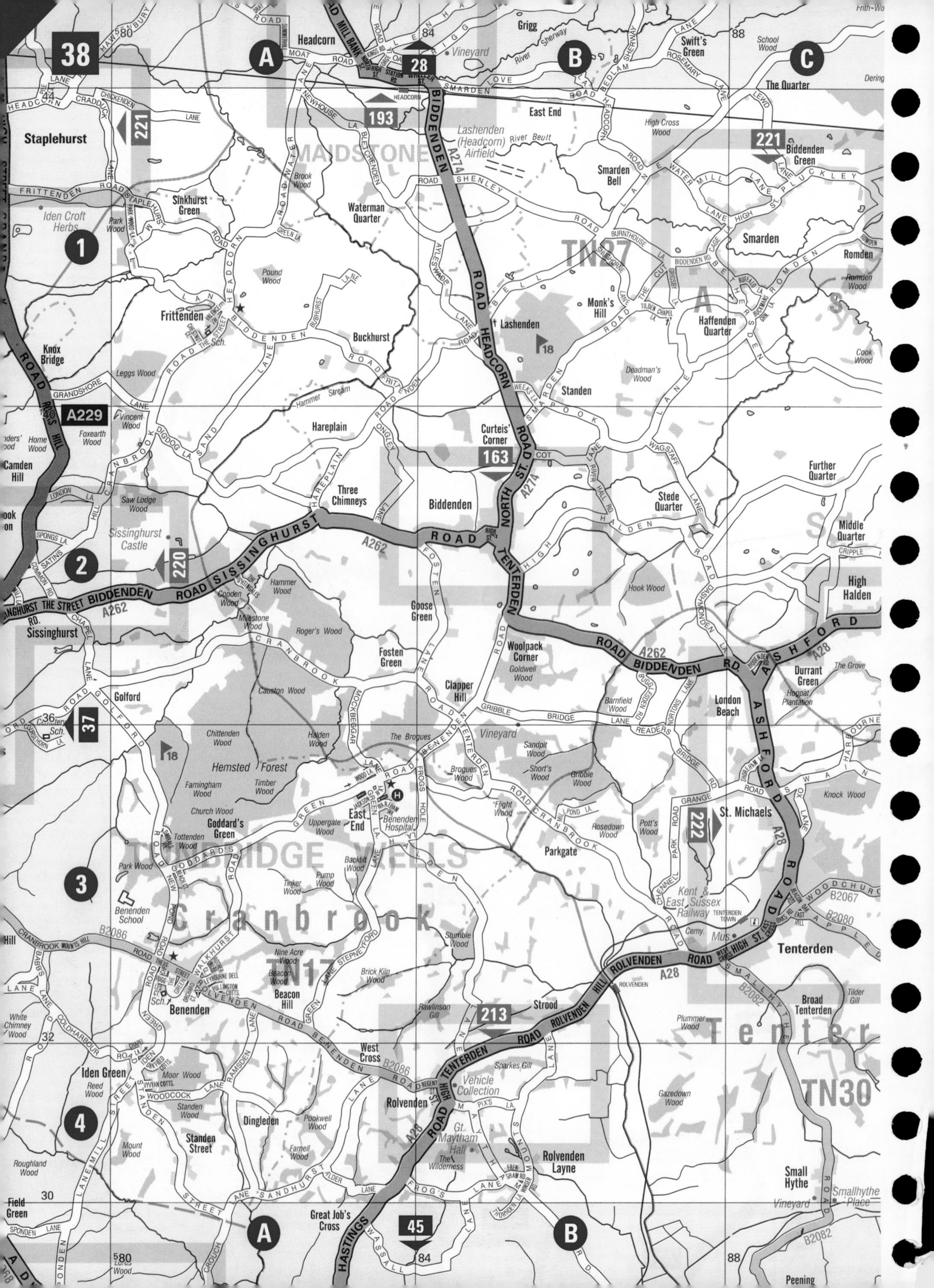

38
A
B
C
1
2
3
4
28
193
221
163
220
37
222
213
45
A229
A274
A262
A28
B2086
B2067
B2080
B2082
TN27
TN17
TN30
MAIDSTONE
TUNBRIDGE WELLS
Cranbrook
Tenter
Headcorn
Staplehurst
Grigg
Vineyard
Swift's Green
School Wood
The Quarter
East End
High Cross Wood
Lashenden (Headcorn) Airfield
River Beult
Biddenden Green
Smarden Bell
Sinkhurst Green
Iden Croft Herbs
Park Wood
Brook Wood
Waterman Quarter
Smarden
Romden
Romden Wood
Pound Wood
Frittenden
Buckhurst
Lashenden
Monk's Hill
Haffenden Quarter
Knox Bridge
Leggs Wood
Deadman's Wood
Cook Wood
Standen
Hammer Stream
Hareplain
Curteis' Corner
Vincent Wood
Foxearth Wood
Home Wood
Camden Hill
Further Quarter
Saw Lodge Wood
Three Chimneys
Biddenden
Stede Quarter
Middle Quarter
Sissinghurst Castle
Hammer Wood
Copden Wood
Goose Green
Hook Wood
High Halden
Sissinghurst
Milestone Wood
Roger's Wood
Woolpack Corner
Goldwell Wood
Fosten Green
Durrant Green
The Grove
Hoppat Plantation
Golford
Causton Wood
Clapper Hill
Barnfield Wood
London Beach
Chittenden Wood
Halden Wood
The Brogues
Vineyard
Sandpit Wood
Hemsted Forest
Timber Wood
Farningham Wood
Short's Wood
Brogues Wood
Gribble Wood
Knock Wood
Church Wood
Flight Wood
Uppergate Wood
East End
Benenden Hospital
Rosedown Wood
Pott's Wood
St. Michaels
Goddard's Green
Tottenden Wood
Parkgate
Park Wood
Backlit Wood
Pump Wood
Tinker Wood
Benenden School
Kent & East Sussex Railway
Tenterden Town
Cemy.
Mus.
Tenterden
Stumble Wood
Nine Acre Wood
Brick Kiln Wood
Beacon Wood
Beacon Hill
Benenden
Rolvenden
Rawlinson Gill
Strood
Broad Tenterden
Tilder Gill
White Chimney Wood
Plummer Wood
West Cross
Sparkes Gill
Iden Green
Reed Wood
Moor Wood
Vehicle Collection
Standen Wood
Gazedown Wood
Dingleden
Pookwell Wood
Gt. Maytham Hall
The Wilderness
Mount Wood
Standen Street
Farnell Wood
Rolvenden Layne
Roughland Wood
Small Hythe
Smallhythe Place
Field Green
Great Job's Cross
Peening
BIDDENDEN ROAD
HEADCORN ROAD
NORTH ST.
TENTERDEN ROAD
SISSINGHURST ROAD
ASHFORD ROAD
ROLVENDEN ROAD
HASTINGS ROAD
HIGH ST.
CRANBROOK ROAD
BENENDEN ROAD
ROLVENDEN HILL
TENTERDEN HIGH
FRITTENDEN ROAD
SMARDEN ROAD
GOLFORD ROAD
FROGS HOLE
SANDHURST LANE
80
84
88
36
32
30

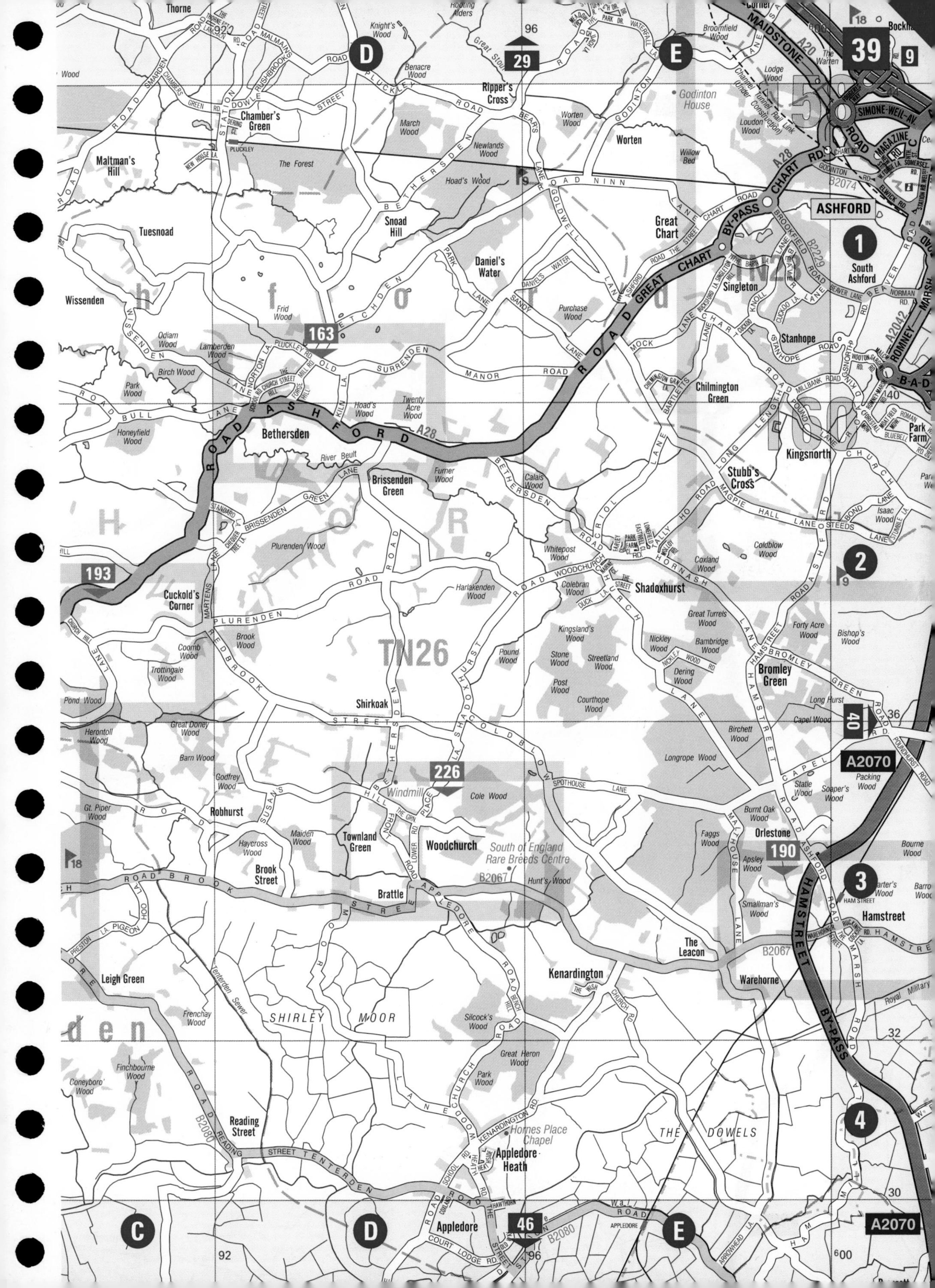

Bethersden
Shadoxhurst
Woodchurch
Kenardington
Appledore
Hamstreet
Orlestone
Kingsnorth
Great Chart
Singleton
Chilmington Green
Stubb's Cross
Bromley Green
Brissenden Green
Shirkoak
Robhurst
Townland Green
Brook Street
Brattle
Warehorne
The Leacon
Leigh Green
Reading Street
Appledore Heath
Tuesnoad
Wissenden
Maltman's Hill
Chamber's Green
Snoad Hill
Daniel's Water
Worten
Ripper's Cross
Cuckold's Corner
ASHFORD
South Ashford
Stanhope
Park Farm
TN26
SHIRLEY MOOR
THE DOWELS
South of England Rare Breeds Centre
Hornes Place Chapel
Godinton House
A28
A2070
B2067
B2080
B2074
B2229
A2042
A20
39

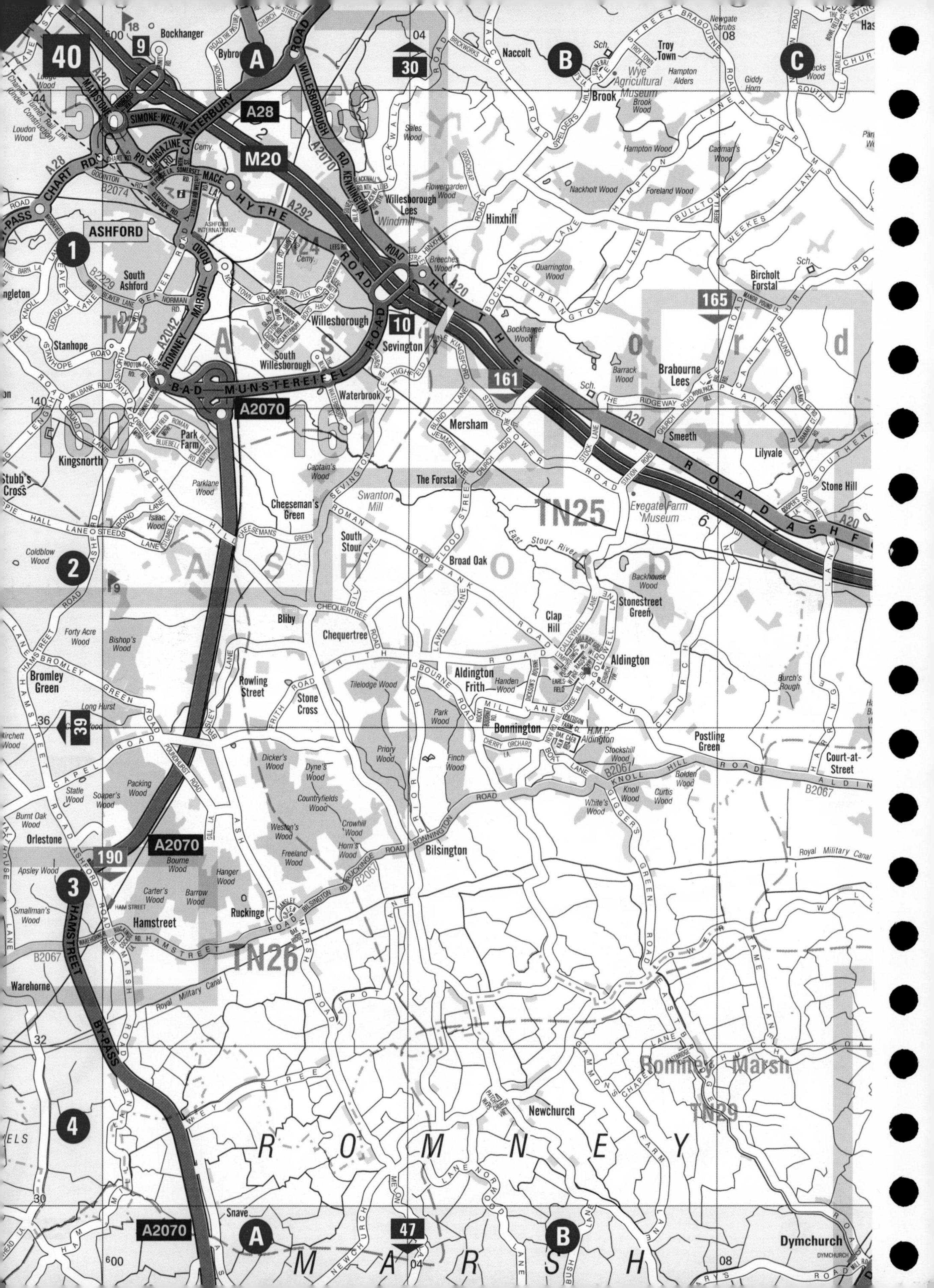
Bockhanger
Bybrook
Naccolt
Troy Town
Wye Agricultural Museum
Brook
Hampton Alders
Newgate Scrubs
Giddy Horn
Loudon Wood
Sales Wood
Brook Wood
Hampton Wood
Cadman's Wood
Nackholt Wood
Foreland Wood
Flowergarden Wood
ASHFORD
Willesborough Lees
Windmill
Hinxhill
Ashford International
South Ashford
Breeches Wood
Quarrington Wood
Bircholt Forstal
Willesborough
Stanhope
Sevington
Bockhanger Wood
South Willesborough
Waterbrook
Barrack Wood
Brabourne Lees
Smeeth
Lilyvale
Kingsnorth
Park Farm
Mersham
Captain's Wood
The Forstal
Swanton Mill
Stone Hill
Stubb's Cross
Parklane Wood
Cheeseman's Green
Evegate Farm Museum
TN23
TN24
TN25
TN26
TN29
Isaac Wood
Coldblow Wood
South Stour
Broad Oak
East Stour River
Backhouse Wood
Stonestreet Green
Clap Hill
Bliby
Chequertree
Forty Acre Wood
Bishop's Wood
Aldington
Bromley Green
Rowling Street
Tilelodge Wood
Aldington Frith
Handen Wood
Burch's Rough
Stone Cross
Long Hurst
Park Wood
Bonnington
H.M.P. Aldington
Postling Green
Court-at-Street
Priory Wood
Finch Wood
Stockshill Wood
Dicker's Wood
Dyne's Wood
Bolden Wood
Packing Wood
Statle Wood
Soaper's Wood
Countryfields Wood
Knoll Wood
Curtis Wood
White's Wood
Burnt Oak Wood
Orlestone
Weston's Wood
Crowhill Wood
Bilsington
Royal Military Canal
Apsley Wood
Bourne Wood
Horn's Wood
Freeland Wood
Hanger Wood
Carter's Wood
Barrow Wood
Smallman's Wood
Hamstreet
Ruckinge
Warehorne
Romney Marsh
Newchurch
ROMNEY MARSH
Snave
Dymchurch
M20
A20
A28
A292
A2042
A2070
B2067
B2074
B2229
30
39
47
161
165
190
A
B
C
1
2
3
4

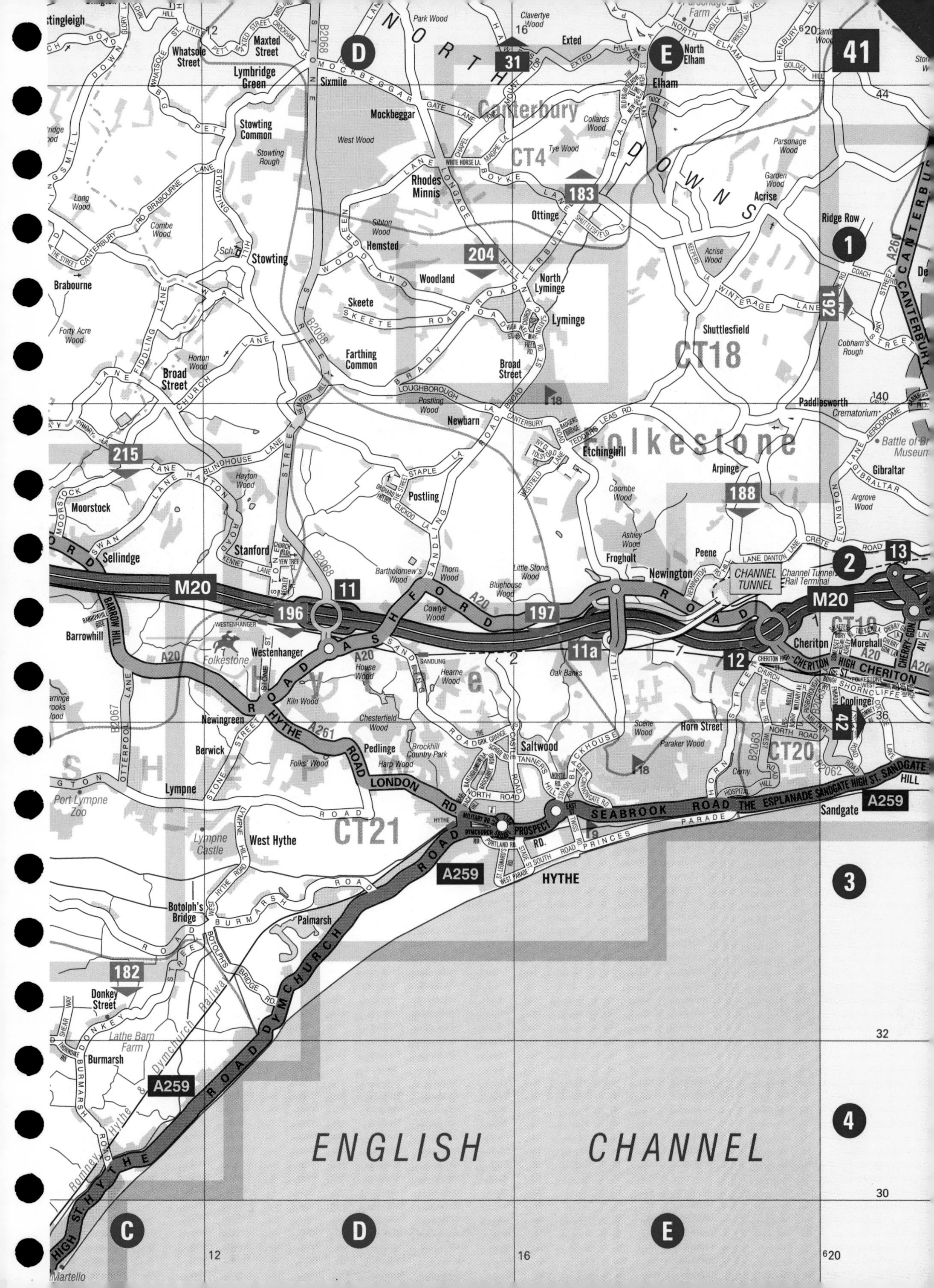
41
31
183
204
215
188
192
196
197
11
11a
12
13
42
182
D
E
C
1
2
3
4
Whatsole Street
Maxted Street
Lymbridge Green
Sixmile
Mockbeggar
Exted
North Elham
Elham
Canterbury
CT4
Stowting Common
Stowting Rough
West Wood
Tye Wood
Collards Wood
Parsonage Wood
Garden Wood
Acrise
Rhodes Minnis
Ottinge
Ridge Row
Long Wood
Combe Wood
Sibton Wood
Hemsted
Stowting
Brabourne
Acrise Wood
Woodland
North Lyminge
Lyminge
Skeete
Shuttlesfield
Forty Acre Wood
Farthing Common
Broad Street
CT18
Cobham's Rough
Horton Wood
Postling Wood
Newbarn
Paddlesworth
Crematorium
Folkestone
Etchinghill
Arpinge
Battle of Britain Museum
Gibraltar
Hayton Wood
Postling
Coombe Wood
Argrove Wood
Moorstock
Ashley Wood
Peene
Stanford
Sellindge
Frogholt
Newington
CHANNEL TUNNEL
Channel Tunnel Rail Terminal
Bartholomew's Wood
Thorn Wood
Little Stone Wood
Bluehouse Wood
M20
Cowtye Wood
Barrowhill
Westenhanger
Folkestone
Cheriton
Morehall
CT19
House Wood
Hearne Wood
Oak Banks
Kiln Wood
Coolinge
Chesterfield Wood
Scene Wood
Horn Street
Newingreen
Pedlinge
Brockhill Country Park
Saltwood
Paraker Wood
Berwick
Harp Wood
CT20
Folks' Wood
Lympne
Port Lympne Zoo
Sandgate
A259
A261
A20
A260
B2068
B2067
B2063
B2062
CT21
Lympne Castle
West Hythe
HYTHE
Botolph's Bridge
Palmarsh
Donkey Street
Lathe Barn Farm
Burmarsh
ENGLISH CHANNEL
Martello
NORTH DOWNS
ASHFORD ROAD
HYTHE ROAD
LONDON ROAD
SEABROOK ROAD
THE ESPLANADE
SANDGATE HIGH ST.
PRINCES PARADE
DYMCHURCH ROAD
HIGH ST. HYTHE ROAD
STONE STREET
Romney, Hythe & Dymchurch Railway
12
16
20
30
32
36
44
140

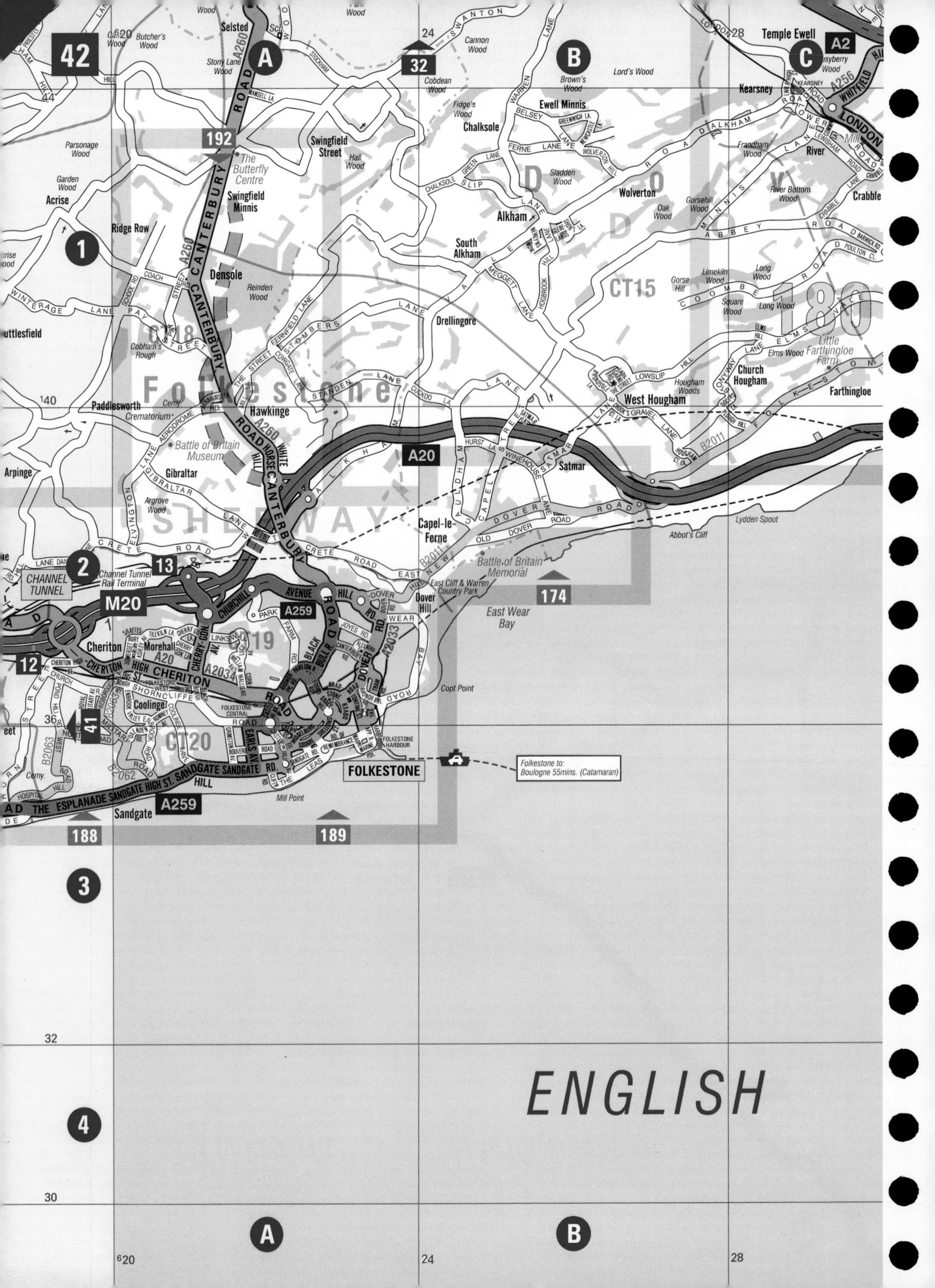
42
A
B
C
1
2
3
4
Selsted
Temple Ewell
Kearsney
River
Crabble
Ewell Minnis
Chalksole
Swingfield Street
Swingfield Minnis
The Butterfly Centre
Acrise
Ridge Row
Densole
Alkham
South Alkham
Wolverton
Drellingore
Hawkinge
Paddlesworth
Folkestone Crematorium
Battle of Britain Museum
Gibraltar
Arpinge
West Hougham
Church Hougham
Farthingloe
Satmar
Capel-le-Ferne
Battle of Britain Memorial
East Cliff & Warren Country Park
Dover Hill
East Wear Bay
Abbot's Cliff
Lydden Spout
Copt Point
Channel Tunnel Rail Terminal
CHANNEL TUNNEL
Cheriton
Morehall
Coolinge
Sandgate
Mill Point
FOLKESTONE
Folkestone to: Boulogne 55mins. (Catamaran)
CT15
CT18
CT19
CT20
M20
A20
A259
A260
A2
A256
A2033
A2034
B2011
B2063
192
32
174
188
189
41
180
13
12
Folkestone
SHEPWAY
DOVER
ENGLISH

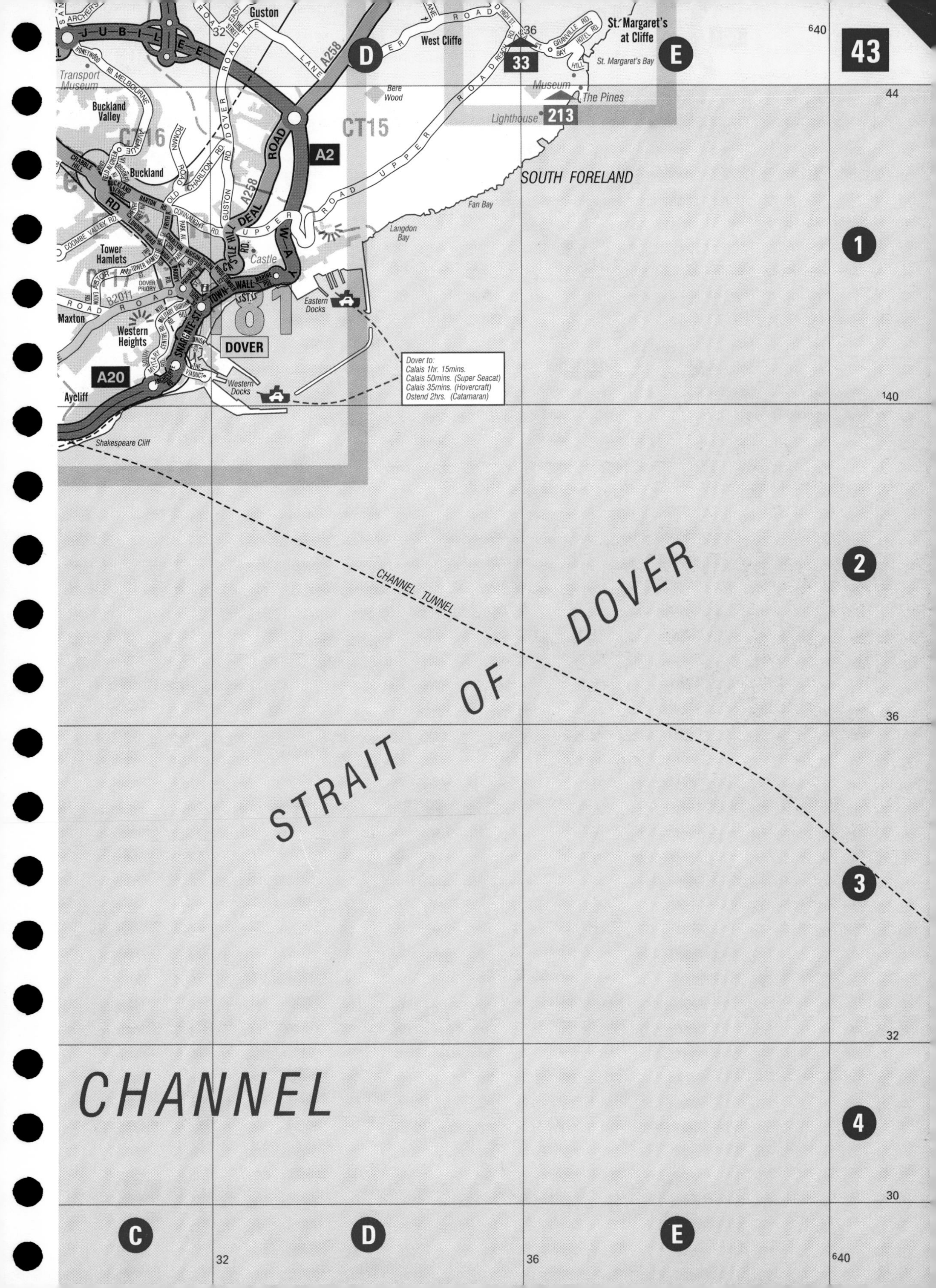

Guston

D West Cliffe

St. Margaret's at Cliffe E

St. Margaret's Bay

33

Museum

213 The Pines

Lighthouse

Transport Museum

Buckland Valley

CT16

Buckland

CT15

A2

Bere Wood

ROMAN ROAD

MELBOURNE RD

CHARLTON RD

GUSTON RD

A258

DEAL

A258

ROAD

DOVER

ROAD

UPPER

UPPER ROAD

SOUTH FORELAND

Fan Bay

Langdon Bay

Tower Hamlets

RD.

Castle

CASTLE HILL

Western Heights

B2011

DOVER PRIORY

TOWN WALL

MARINE PDE

Maxton

DOVER

81

Eastern Docks

A20

Aycliff

Western Docks

SNARGATE ST.

VIADUCT

Shakespeare Cliff

Dover to:
Calais 1hr. 15mins.
Calais 50mins. (Super Seacat)
Calais 35mins. (Hovercraft)
Ostend 2hrs. (Catamaran)

CHANNEL TUNNEL

STRAIT OF DOVER

CHANNEL

1

2

3

4

640

140

36

32

30

C

D

E

32

36

640

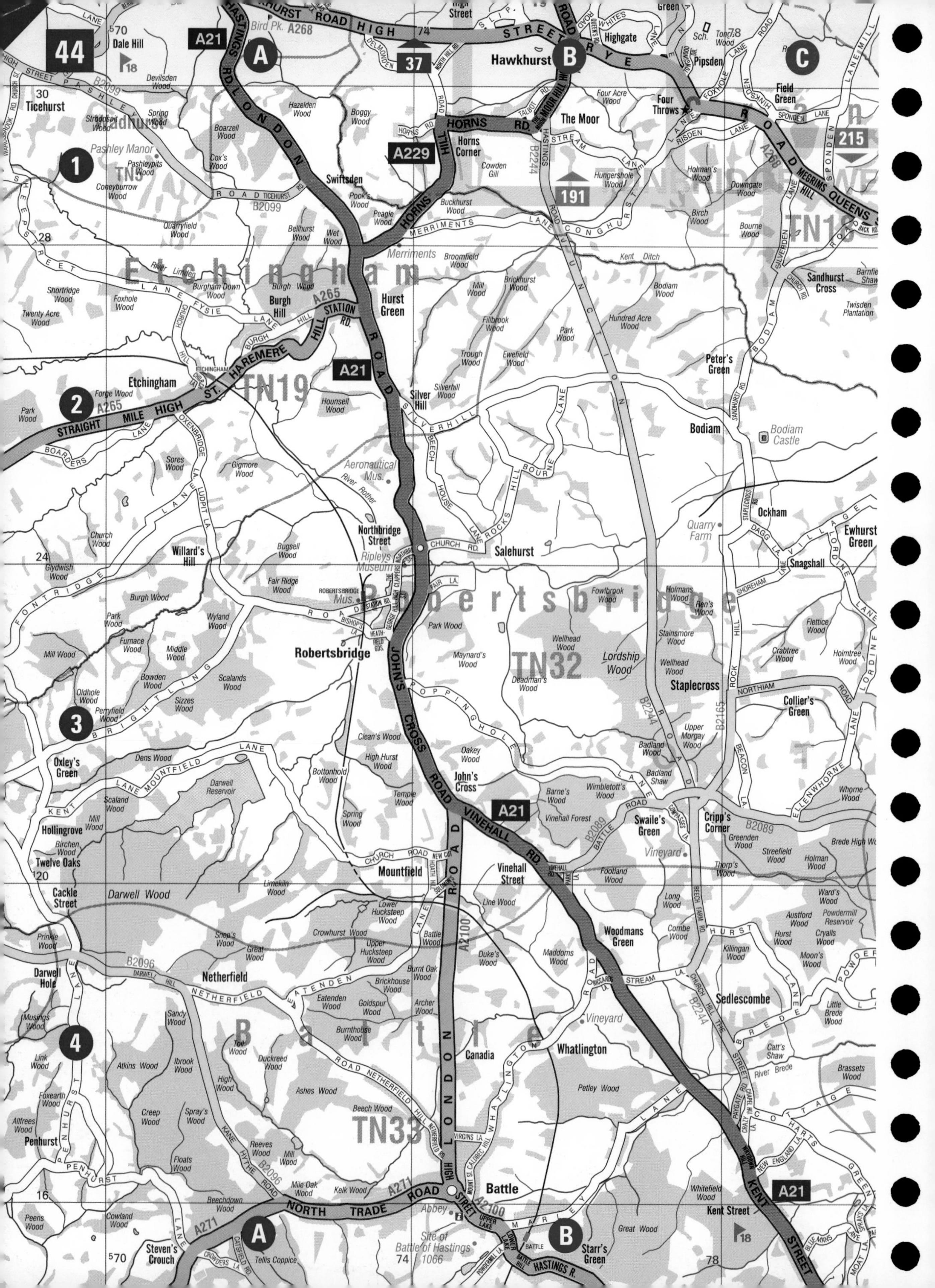

44
A21
A
B
C
37
215
191
Dale Hill
Ticehurst
Bird Pk.
A268
Street
Highgate
Hawkhurst
Pipsden
Tong Wood
Sch.
Devilsden Wood
Stroodspit Wood
Spring Wood
Hazelden Wood
Boggy Wood
Four Acre Wood
Four Throws
The Moor
Field Green
Boarzell Wood
Cox's Wood
Pashley Manor
Pashleypits Wood
Coneyburrow Wood
Horns Corner
Cowden Gill
Swiftsden
Pook's Wood
Peagle Wood
Buckhurst Wood
Hungershole Wood
Holman's Wood
Downgate Wood
Birch Wood
Bourne Wood
TN18
TN5
A229
B2099
B2244
Quarryfield Wood
Bellhurst Wood
Wet Wood
Merriments
Broomfield Wood
Kent Ditch
Etchingham
River Limden
Burgham Down Wood
Burgh Wood
Burgh Hill
Shortridge Wood
Foxhole Wood
Twenty Acre Wood
Hurst Green
Mill Wood
Brickhurst Wood
Bodiam Wood
Sandhurst Cross
Barnfield Shaw
Twisden Plantation
Fillbrook Wood
Hundred Acre Wood
Park Wood
Trough Wood
Ewefield Wood
Peter's Green
A265
TN19
Forge Wood
Park Wood
Hounsell Wood
Silver Hill
Silverhill Wood
Bodiam
Bodiam Castle
Sores Wood
Gigmore Wood
Aeronautical Mus.
River Rother
Ockham
Quarry Farm
Church Wood
Northbridge Street
Willard's Hill
Bugsell Wood
Ripleys Museum
Salehurst
Ewhurst Green
Snagshall
Glydwish Wood
Fair Ridge Wood
Robertsbridge
Burgh Wood
Park Wood
Wyland Wood
Fowlbrook Wood
Holmans Wood
Ren's Wood
Stainsmore Wood
Flettice Wood
Mill Wood
Furnace Wood
Middle Wood
Park Wood
Maynard's Wood
Wellhead Wood
TN32
Lordship Wood
Wellhead Wood
Crabtree Wood
Holmtree Wood
Bowden Wood
Scalands Wood
Deadman's Wood
Staplecross
Collier's Green
Oldhole Wood
Perryfield Wood
Sizzes Wood
Clean's Wood
Upper Morgay Wood
Badland Wood
Badland Shaw
B2165
Oxley's Green
Dens Wood
High Hurst Wood
Oakey Wood
Darwell Reservoir
Bottonhold Wood
John's Cross
Barne's Wood
Wimbletott's Wood
Cripp's Corner
Whorne Wood
Scaland Wood
Temple Wood
Vinehall Forest
Swaile's Green
B2089
Hollingrove
Mill Wood
Spring Wood
Greenden Wood
Streefield Wood
Holman Wood
Brede High Wood
Birchen Wood
Twelve Oaks
Vineyard
Thorp's Wood
Mountfield
Vinehall Street
Footland Wood
Cackle Street
Darwell Wood
Limekiln Wood
Line Wood
Long Wood
Ward's Wood
Lower Hucksteep Wood
Austford Wood
Powdermill Reservoir
Prinkle Wood
Shep's Wood
Crowhurst Wood
Battle Wood
Woodmans Green
Combe Wood
Hurst Wood
Cryalls Wood
Great Wood
Upper Hucksteep Wood
Duke's Wood
Maddoms Wood
Killingan Wood
Moon's Wood
B2096
Darwell Hole
Netherfield
Burnt Oak Wood
Brickhouse Wood
Eatenden Wood
Goldspur Wood
Archer Wood
Sedlescombe
Little Brede Wood
Vineyard
Musings Wood
Sandy Wood
Burnthouse Wood
Battle
Toll Wood
Link Wood
Duckreed Wood
Canadia
Whatlington
Catt's Shaw
River Brede
Brassets Wood
Atkins Wood
Ibrook Wood
High Wood
Ashes Wood
Petley Wood
Foxearth Wood
Creep Wood
Spray's Wood
Beech Wood
Allfrees Wood
Penhurst
TN33
Reeves Wood
Mill Wood
Floats Wood
A2100
A271
Mile Oak Wood
Kelk Wood
Battle
Whitefield Wood
Beechdown Wood
Abbey
Kent Street
Peens Wood
Cowland Wood
Site of Battle of Hastings 1066
Great Wood
Steven's Crouch
Tellis Coppice
Starr's Green
570
74
78
30
28
24
120
16

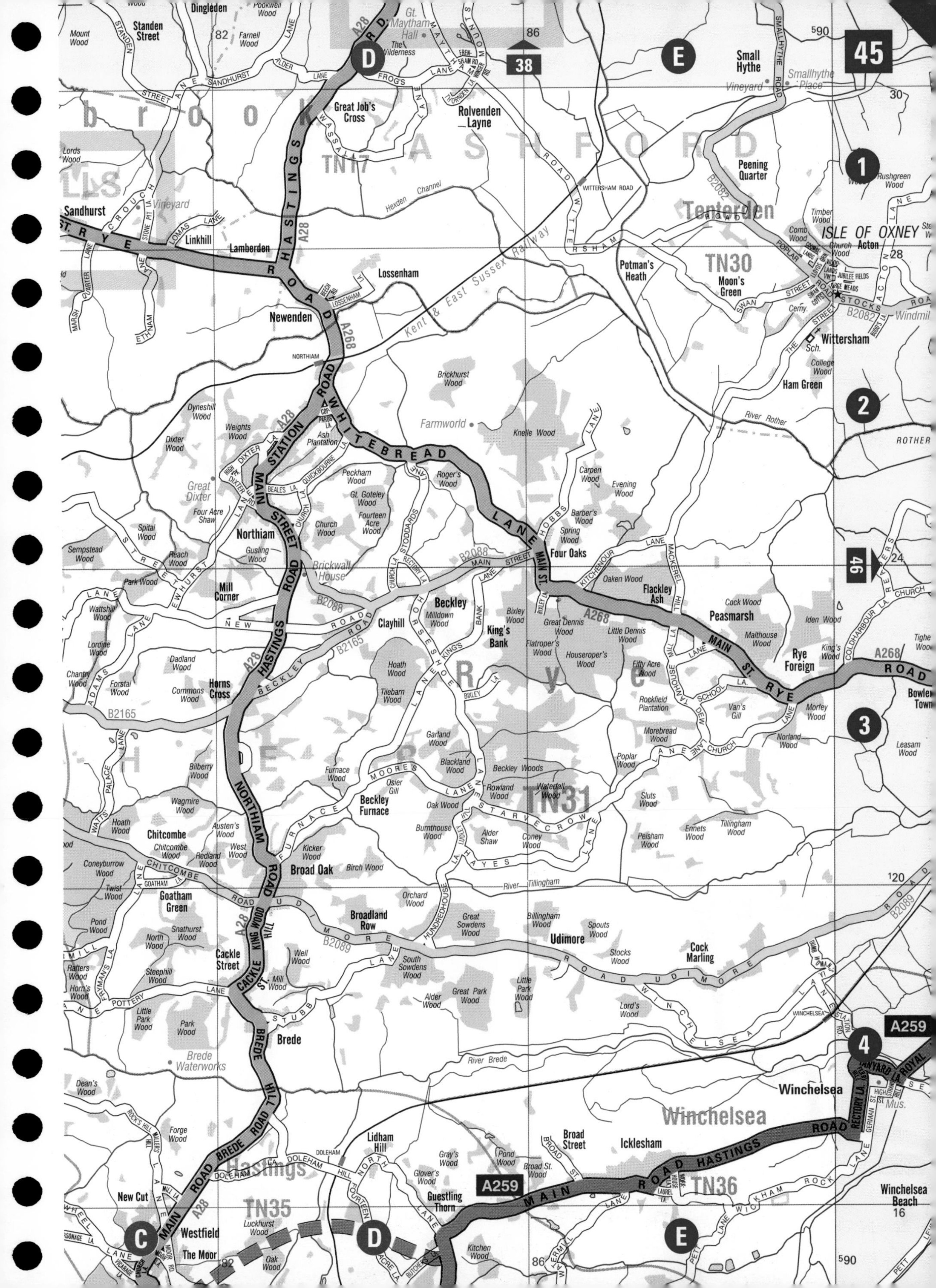
Dingleden
Standen Street
Mount Wood
Farnell Wood
Gt. Maytham Hall
The Wilderness
38
Small Hythe
Smallhythe Place
Vineyard
Great Job's Cross
Rolvenden Layne
TN17
ASHFORD
Peening Quarter
Tenterden
Rushgreen Wood
Sandhurst
Linkhill
Lamberden
Hexden Channel
Kent & East Sussex Railway
ISLE OF OXNEY
Acton
TN30
Potman's Heath
Moon's Green
Lossenham
Newenden
Wittersham
College Wood
Ham Green
Brickhurst Wood
Farmworld
Knelle Wood
River Rother
Dyneshill Wood
Weights Wood
Dixter Wood
Ash Plantation
Great Dixter
Peckham Wood
Gt. Goteley Wood
Roger's Wood
Carpen Wood
Evening Wood
Barber's Wood
Spring Wood
Fourteen Acre Wood
Church Wood
Four Acre Shaw
Spital Wood
Northiam
Sempstead Wood
Reach Wood
Gusling Wood
Brickwall House
Four Oaks
Oaken Wood
Flackley Ash
Cock Wood
Peasmarsh
Iden Wood
Park Wood
Mill Corner
Wattshill Wood
Beckley
Milldown Wood
Bixley Wood
King's Bank
Clayhill
Great Dennis Wood
Little Dennis Wood
Malthouse Wood
Lordine Wood
Flatroper's Wood
Houseroper's Wood
Fifty Acre Wood
Rye Foreign
King's Wood
Dadland Wood
Hoath Wood
Tilebarn Wood
Horns Cross
Commons Wood
Forstal Wood
Chantry Wood
Rockfield Plantation
Van's Gill
Morfey Wood
Bowler Town
Garland Wood
Morebread Wood
Norland Wood
Leasam Wood
Bilberry Wood
Blackland Wood
Beckley Woods
Poplar Wood
Furnace Wood
Osier Gill
Beckley Furnace
Rowland Wood
Waterfall Wood
TN31
Sluts Wood
Wagmire Wood
Oak Wood
Burnthouse Wood
Alder Shaw
Coney Wood
Ennets Wood
Tillingham Wood
Pelsham Wood
Hoath Wood
Chitcombe
Austen's Wood
West Wood
Chitcombe Wood
Redland Wood
Kicker Wood
Coneyburrow Wood
Broad Oak
Birch Wood
Twist Wood
River Tillingham
Goatham Green
Orchard Wood
Broadland Row
Great Sowdens Wood
Billingham Wood
Spouts Wood
Pond Wood
North Wood
Snathurst Wood
Udimore
Cackle Street
Well Wood
South Sowdens Wood
Stocks Wood
Cock Marling
Ratters Wood
Horn's Wood
Steephill Wood
Mill Wood
Little Park Wood
Alder Wood
Great Park Wood
Little Park Wood
Lord's Wood
Little Park Wood
Park Wood
Brede
Brede Waterworks
River Brede
Dean's Wood
Winchelsea
Mus.
Forge Wood
Lidham Hill
Gray's Wood
Pond Wood
Broad St. Wood
Broad Street
Icklesham
Hastings
Glover's Wood
Guestling Thorn
TN36
TN35
New Cut
Winchelsea Beach
Luckhurst Wood
Westfield
The Moor
Oak Wood
Kitchen Wood
A28
A268
A259
B2082
B2088
B2165
B2089
HASTINGS ROAD
WHITEBREAD LANE
MAIN STREET
STATION ROAD
NORTHIAM ROAD
BREDE HILL
BREDE ROAD
MAIN ROAD
UDIMORE ROAD
RYE ROAD
MAIN ST.
HASTINGS ROAD
46
1
2
3
4
D
E
C
590
30
28
24
120
16
82
86

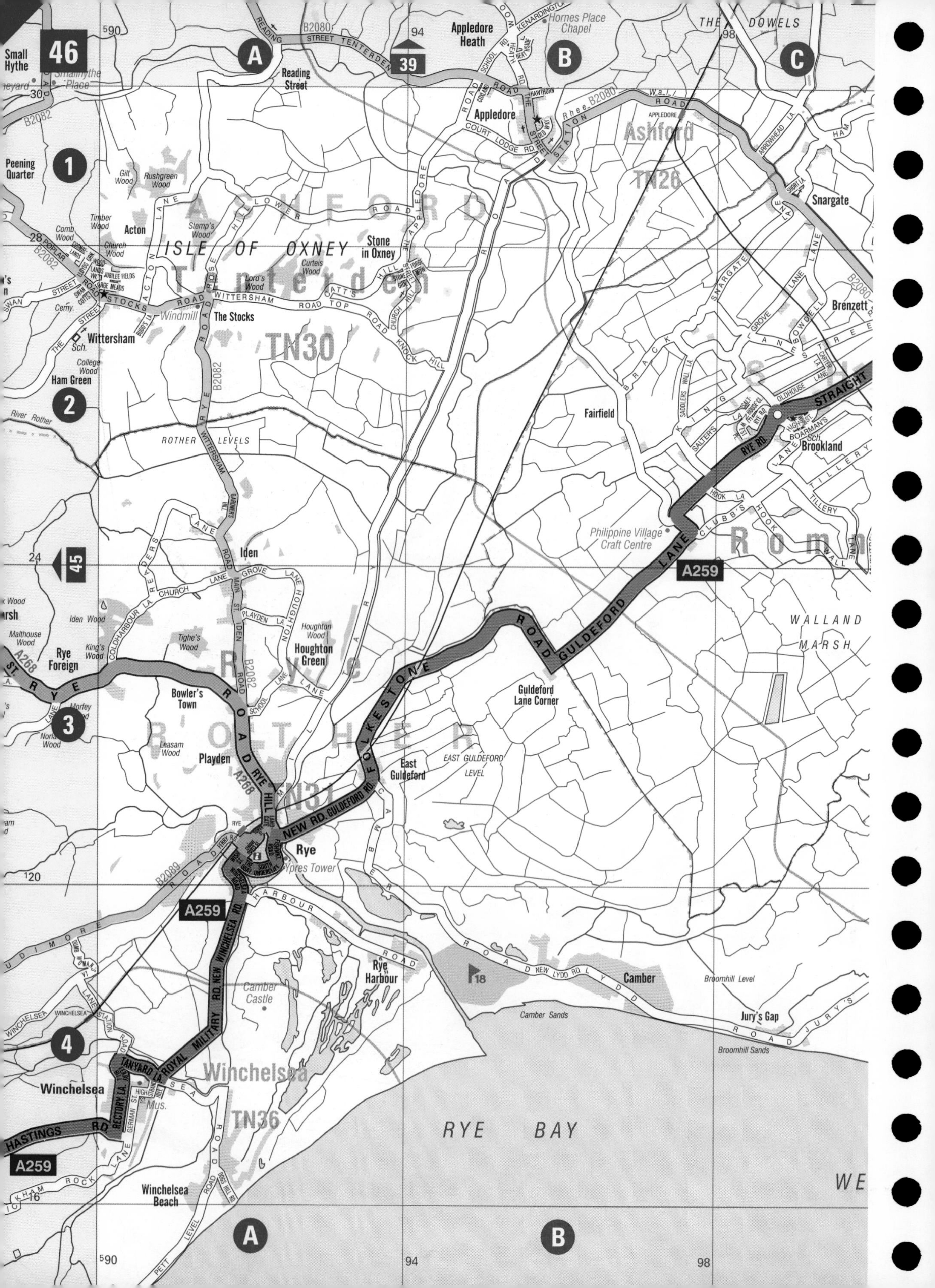
Small Hythe
Appledore Heath
Reading Street
Appledore
Hornes Place Chapel
THE DOWELS
Ashford
TN26
Snargate
Peening Quarter
Acton
ISLE OF OXNEY
Stone in Oxney
Tenterden
The Stocks
Wittersham
TN30
Ham Green
Brenzett
Fairfield
Brookland
River Rother
ROTHER LEVELS
Philippine Village Craft Centre
Iden
A259
WALLAND MARSH
Rye Foreign
Houghton Green
Bowler's Town
Guldeford Lane Corner
Playden
East Guldeford
EAST GULDEFORD LEVEL
TN31
Rye
Ypres Tower
A259
Rye Harbour
Camber Castle
Camber
Broomhill Level
Camber Sands
Jury's Gap
Broomhill Sands
Winchelsea
TN36
RYE BAY
A259
Winchelsea Beach
39
45
A
B
C
1
2
3
4
590
94
98

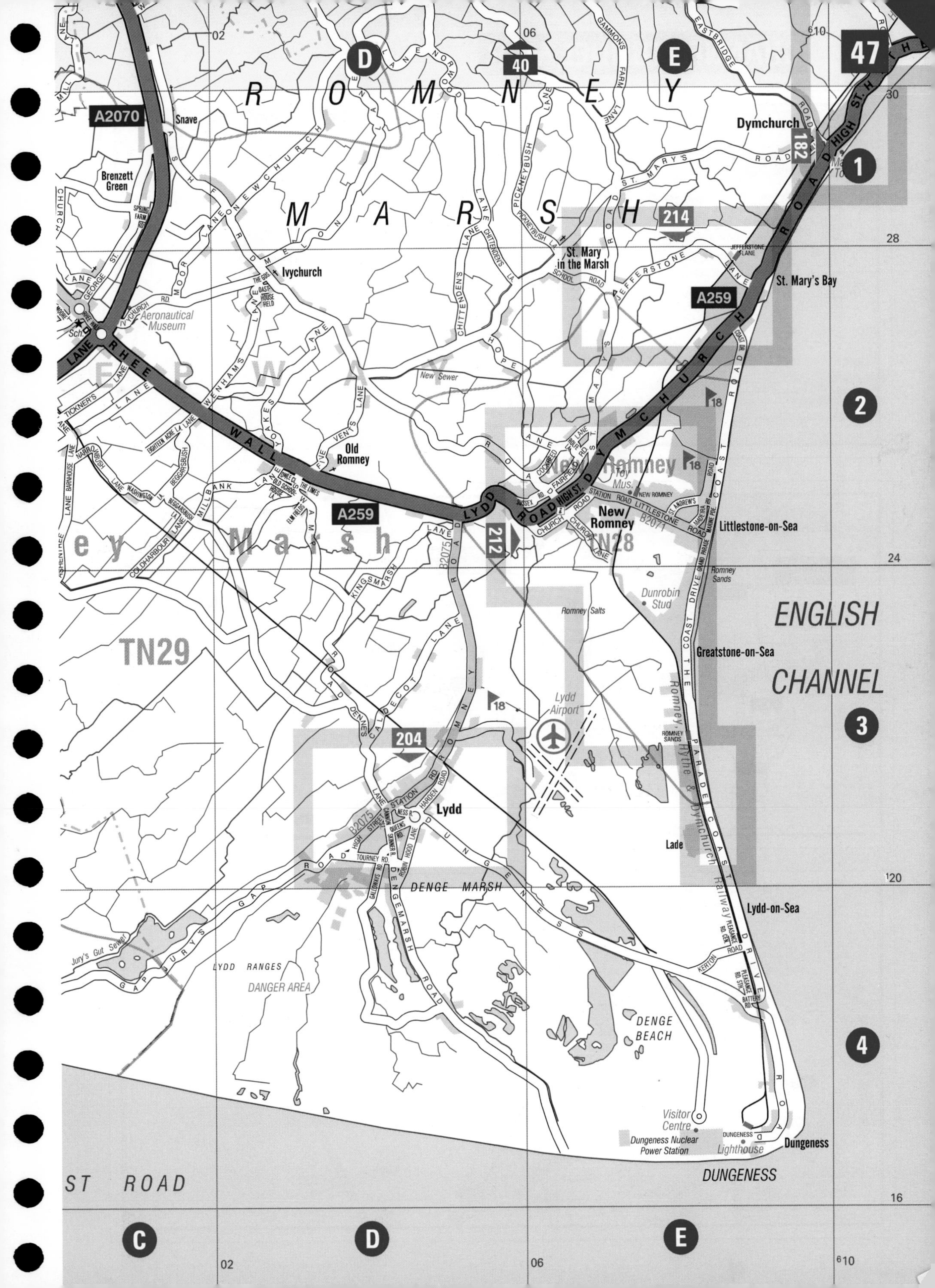

ROMNEY MARSH
Snave
Brenzett Green
Ivychurch
Aeronautical Museum
Old Romney
St. Mary in the Marsh
Dymchurch
St. Mary's Bay
New Romney
TN28
Littlestone-on-Sea
Romney Sands
Dunrobin Stud
Romney Salts
Greatstone-on-Sea
ENGLISH CHANNEL
Lydd Airport
Lydd
Lade
Lydd-on-Sea
TN29
DENGE MARSH
LYDD RANGES
DANGER AREA
DENGE BEACH
Visitor Centre
Dungeness Nuclear Power Station
Lighthouse
Dungeness
DUNGENESS
Romney, Hythe & Dymchurch Railway
A2070
A259
B2075
B2071
40
182
214
212
204
C
D
E
1
2
3
4

CHANNEL TUNNEL MAP

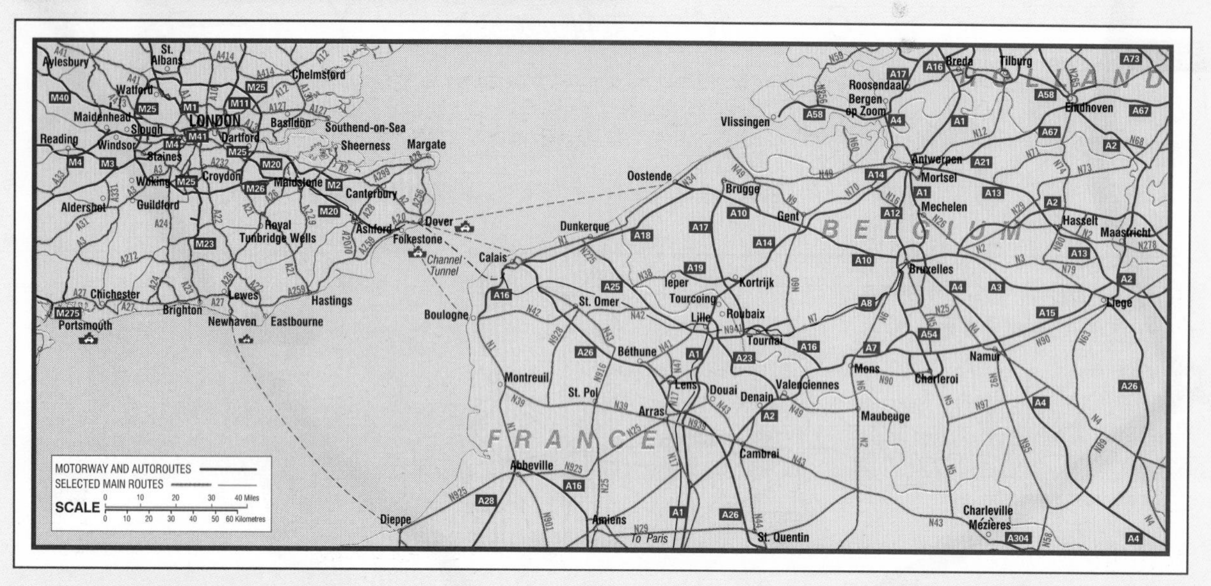
Aylesbury
St. Albans
Watford
Chelmsford
Maidenhead
Slough
LONDON
Dartford
Basildon
Southend-on-Sea
Sheerness
Margate
Reading
Windsor
Staines
Woking
Croydon
Maidstone
Canterbury
Aldershot
Guildford
Royal Tunbridge Wells
Ashford
Dover
Folkestone
Channel Tunnel
Calais
Chichester
Portsmouth
Brighton
Lewes
Newhaven
Eastbourne
Hastings
Boulogne
Dieppe
Abbeville
Amiens
To Paris
Montreuil
St. Pol
Arras
St. Omer
Béthune
Lens
Douai
Denain
Valenciennes
Cambrai
St. Quentin
Dunkerque
Oostende
Brugge
Gent
Vlissingen
Roosendaal
Bergen op Zoom
Breda
Tilburg
Eindhoven
Antwerpen
Mortsel
Mechelen
Hasselt
Maastricht
Bruxelles
Liege
Namur
Charleroi
Mons
Maubeuge
Charleville Mezieres
Ieper
Kortrijk
Tourcoing
Roubaix
Lille
Tournai
FRANCE
BELGIUM
MOTORWAY AND AUTOROUTES
SELECTED MAIN ROUTES
SCALE
0 10 20 30 40 Miles
0 10 20 30 40 50 60 Kilometres

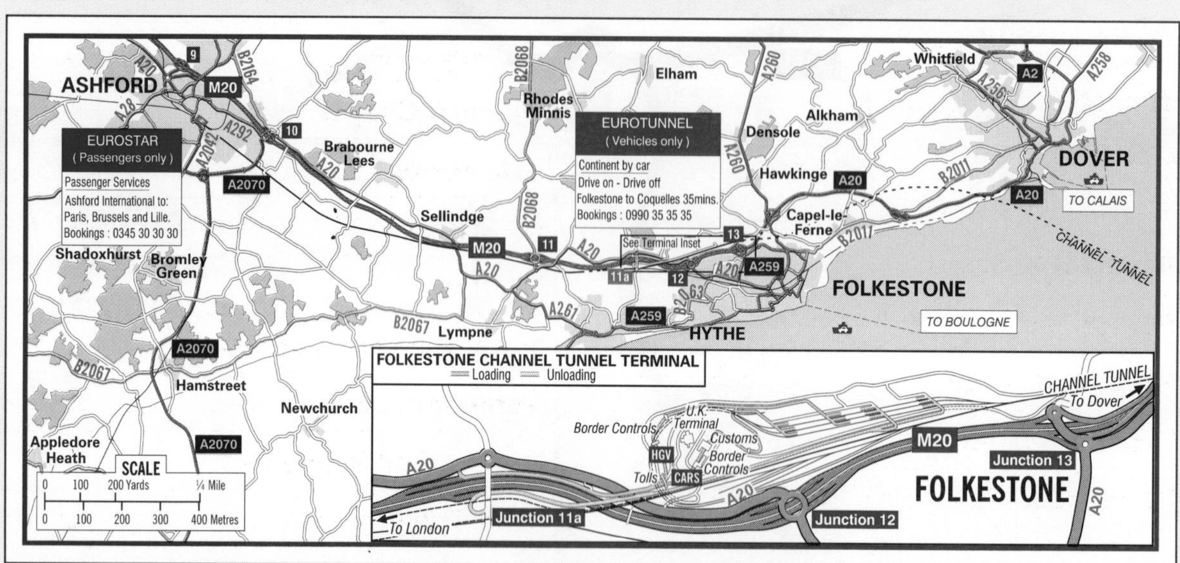
ASHFORD
M20
EUROSTAR
(Passengers only)
Passenger Services
Ashford International to:
Paris, Brussels and Lille.
Bookings : 0345 30 30 30
Brabourne Lees
Rhodes Minnis
Elham
EUROTUNNEL
(Vehicles only)
Continent by car
Drive on - Drive off
Folkestone to Coquelles 35mins.
Bookings : 0990 35 35 35
Whitfield
Alkham
Densole
Hawkinge
Capel-le-Ferne
DOVER
TO CALAIS
CHANNEL TUNNEL
Sellindge
See Terminal Inset
FOLKESTONE
TO BOULOGNE
HYTHE
Lympne
Shadoxhurst
Bromley Green
Hamstreet
Newchurch
Appledore Heath
SCALE
0 100 200 Yards ¼ Mile
0 100 200 300 400 Metres
FOLKESTONE CHANNEL TUNNEL TERMINAL
Loading
Unloading
CHANNEL TUNNEL
To Dover
U.K. Terminal
Border Controls
Customs
Border Controls
HGV
Tolls
CARS
Junction 13
Junction 12
Junction 11a
To London
FOLKESTONE

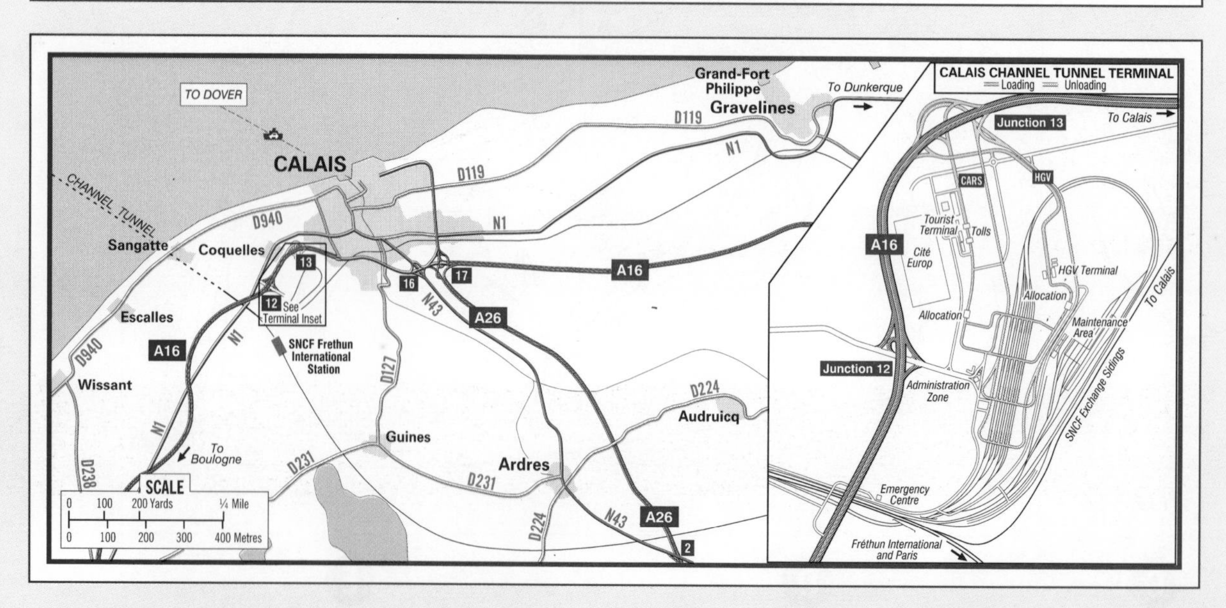
TO DOVER
Grand-Fort Philippe
Gravelines
To Dunkerque
CALAIS
CHANNEL TUNNEL
Sangatte
Coquelles
See Terminal Inset
Escalles
SNCF Frethun International Station
Wissant
To Boulogne
Guines
Ardres
Audruicq
SCALE
0 100 200 Yards ¼ Mile
0 100 200 300 400 Metres
CALAIS CHANNEL TUNNEL TERMINAL
Loading
Unloading
Junction 13
To Calais
CARS
HGV
Tourist Terminal
Tolls
Cité Europ
HGV Terminal
Allocation
Maintenance Area
Junction 12
Administration Zone
SNCF Exchange Sidings
Emergency Centre
Fréthun International and Paris

REFERENCE TO STREET MAP SECTION

Motorway	M2
A Road	A2
Under Construction	
Proposed	
B Road	B2068
Dual Carriageway	
Tunnel	A299
One Way Street Traffic flow on A Roads is indicated by a heavy line on the driver's left	→
Junction Names	SWANLEY INTERCHANGE
Pedestrianized Road	
Restricted Access	
Track and Footpath	
Residential Walkway	
Railway	Tunnel / Level Crossing / Station
Croydon Tramlink The Boarding of Tramlink trains at stations may be limited to a single direction, indicated by the arrow.	Tunnel / Station
Built Up Area	HIGH STREET

Local Authority Boundary	
Posttown Boundary	
Postcode Boundary Within Posttown	
Map Continuation For Street Mapping (Red Pages)	110
Map Continuation To County Mapping (Blue Pages)	20
Car Park Selected	P
Church or Chapel	†
Cycle Route	🚲
Fire Station	■
Hospital	H
House Numbers A & B Roads only	51 19 22 48
Information Centre	i
National Grid Reference	35
Police Station	▲
Post Office	★
Toilet	▽
With Facilities for the Disabled	♿
Viewpoint	180°
	360°

SCALE approx. 3 Inches to 1 Mile

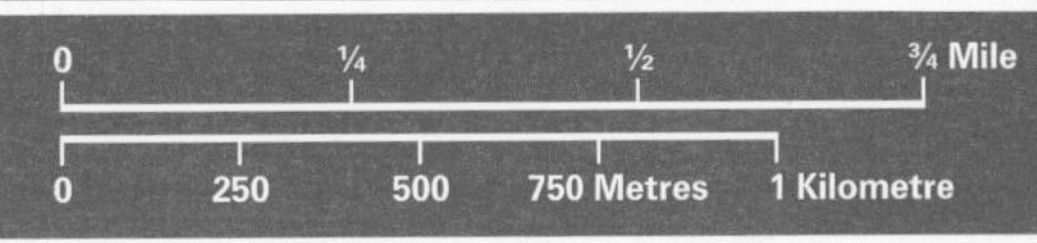

1:20,267

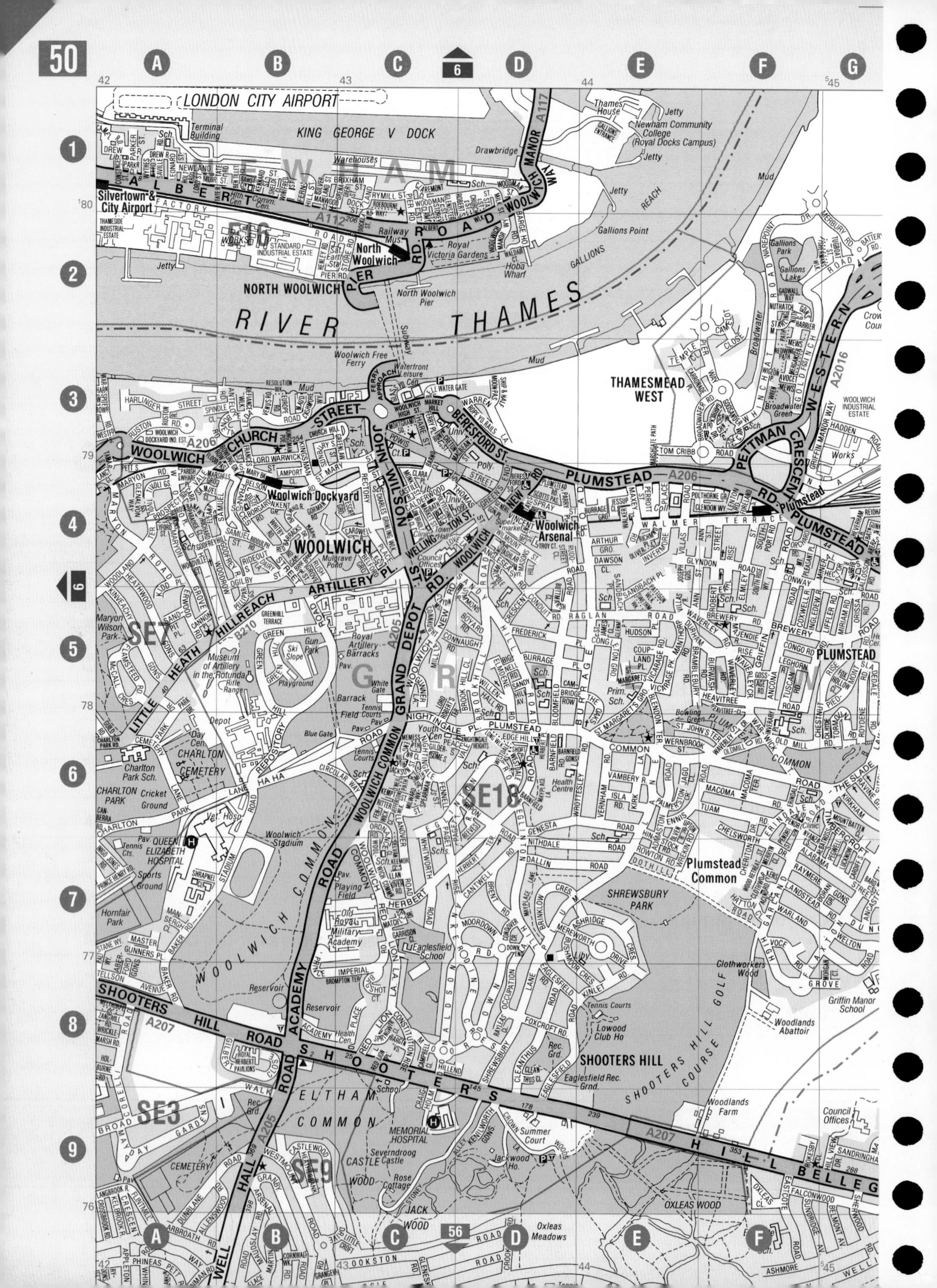
LONDON CITY AIRPORT
Terminal Building
KING GEORGE V DOCK
NEWHAM
Silvertown & City Airport
ALBERT ROAD
A112
Railway Mus.
North Woolwich
Royal Victoria Gardens
Hoba Wharf
NORTH WOOLWICH
North Woolwich Pier
RIVER THAMES
Woolwich Free Ferry
Waterfront Leisure Cen.
Thames House
Newham Community College (Royal Docks Campus)
Jetty
Drawbridge
Gallions Point
GALLIONS REACH
Mud
THAMESMEAD WEST
Gallions Park
Gallions Lake
Broadwater Green
WOOLWICH INDUSTRIAL ESTATE
WESTERN WAY
A2016
PETTMAN CRESCENT
WOOLWICH CHURCH STREET
A206
Woolwich Dockyard
WOOLWICH
Woolwich Arsenal
BERESFORD ST.
PLUMSTEAD RD.
Plumstead
PLUMSTEAD
JOHN WILSON ST.
GRAND DEPOT RD.
A205
ARTILLERY PL.
HILLREACH
B210
Maryon Wilson Park
SE7
Royal Artillery Barracks
Museum of Artillery in the Rotunda
Gun Park
Ski Slope
Barrack Field
CHARLTON CEMETERY
Charlton Park Sch.
CHARLTON PARK
QUEEN ELIZABETH HOSPITAL
Woolwich Stadium
WOOLWICH COMMON
Old Royal Military Academy
Eaglesfield School
SE18
PLUMSTEAD COMMON
Plumstead Common
SHREWSBURY PARK
SHOOTERS HILL
Lowood Club Ho
Eaglesfield Rec. Grnd.
SHOOTERS HILL GOLF COURSE
Clothworkers Wood
Woodlands Abattoir
Griffin Manor School
Woodlands Farm
Council Offices
SHOOTERS HILL ROAD
A207
SE3
ELTHAM COMMON
MEMORIAL HOSPITAL
Severndroog Castle
CASTLE WOOD
Rose Cottage
Summer Court
Jackwood Ho.
JACK WOOD
OXLEAS WOOD
Oxleas Meadows
SE9
HALL
WELL

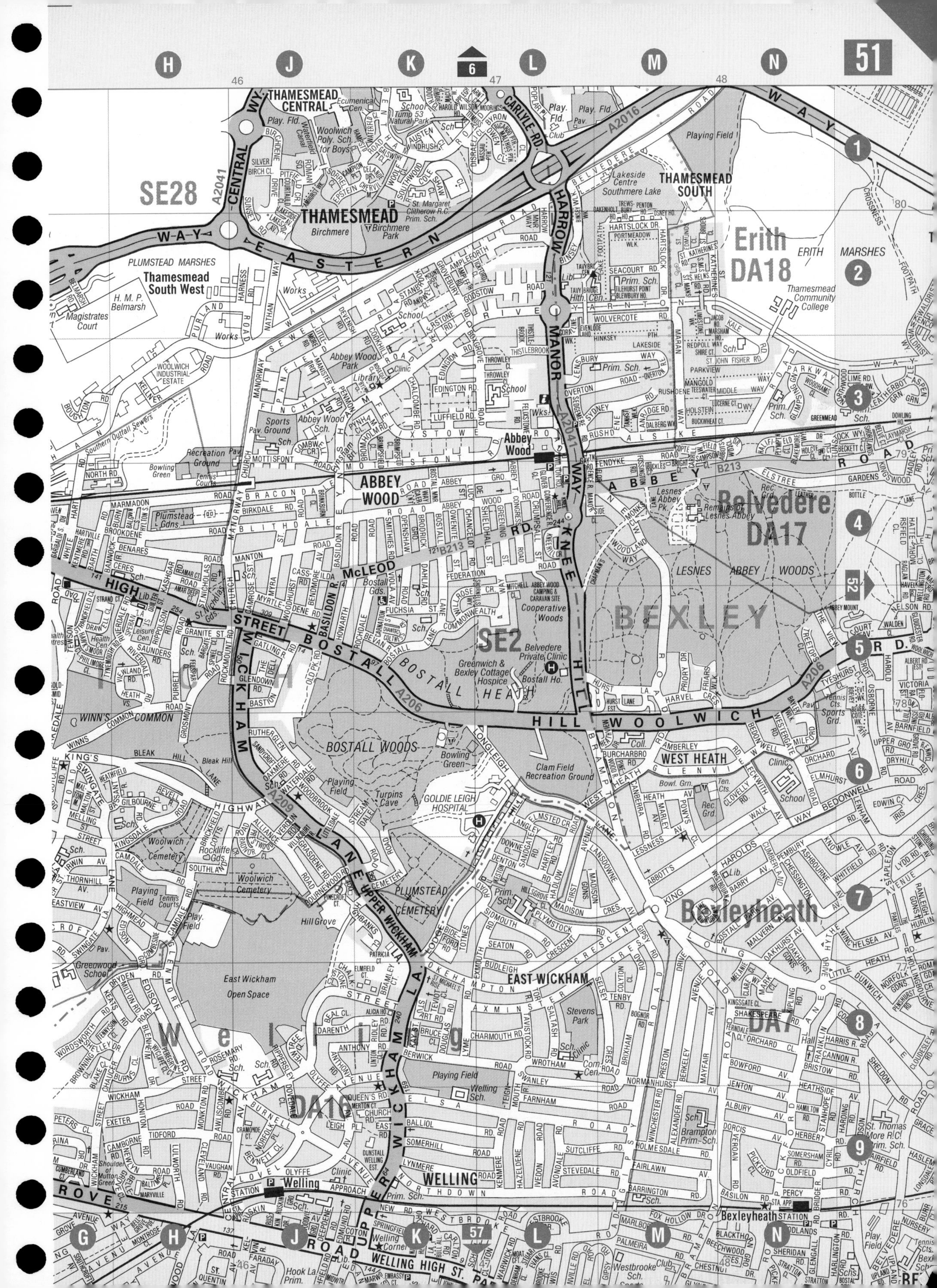
H
J
K
6
L
M
N
46
47
48
THAMESMEAD CENTRAL
SE28
THAMESMEAD
Birchmere
Birchmere Park
THAMESMEAD SOUTH
Erith DA18
ERITH
MARSHES
PLUMSTEAD MARSHES
Thamesmead South West
H. M. P. Belmarsh
Magistrates Court
WOOLWICH INDUSTRIAL ESTATE
Thamesmead Community College
Abbey Wood Park
Abbey Wood
ABBEY WOOD
EASTERN WAY
HARROW MANOR WAY
A2016
A2041
A206
A209
B213
ABBEY ROAD
Belvedere DA17
Remains of Lesnes Abbey
LESNES ABBEY WOODS
BEXLEY
52
SE2
Belvedere Private Clinic
Greenwich & Bexley Cottage Hospice
Bostall Ho.
BOSTALL HEATH
BOSTALL HILL
WOOLWICH ROAD
Cooperative Woods
ABBEY WOOD CAMPING & CARAVAN SITE
HIGH STREET
McLEOD RD.
Plumstead Gdns.
WINN'S COMMON
BOSTALL WOODS
Clam Field Recreation Ground
WEST HEATH
GOLDIE LEIGH HOSPITAL
Turpins Cave
Woolwich Cemetery
PLUMSTEAD CEMETERY
Hill Grove
East Wickham Open Space
EAST WICKHAM
Stevens Park
Bexleyheath
DA7
Welling
DA16
WELLING
Welling Corner
WELLING HIGH ST.
Bexleyheath STATION
Greenwood School
Brampton Prim. Sch.
St. Thomas More R.C. Prim. Sch.
1
2
3
4
5
6
7
8
9
G
H
J
K
57
L
M
N

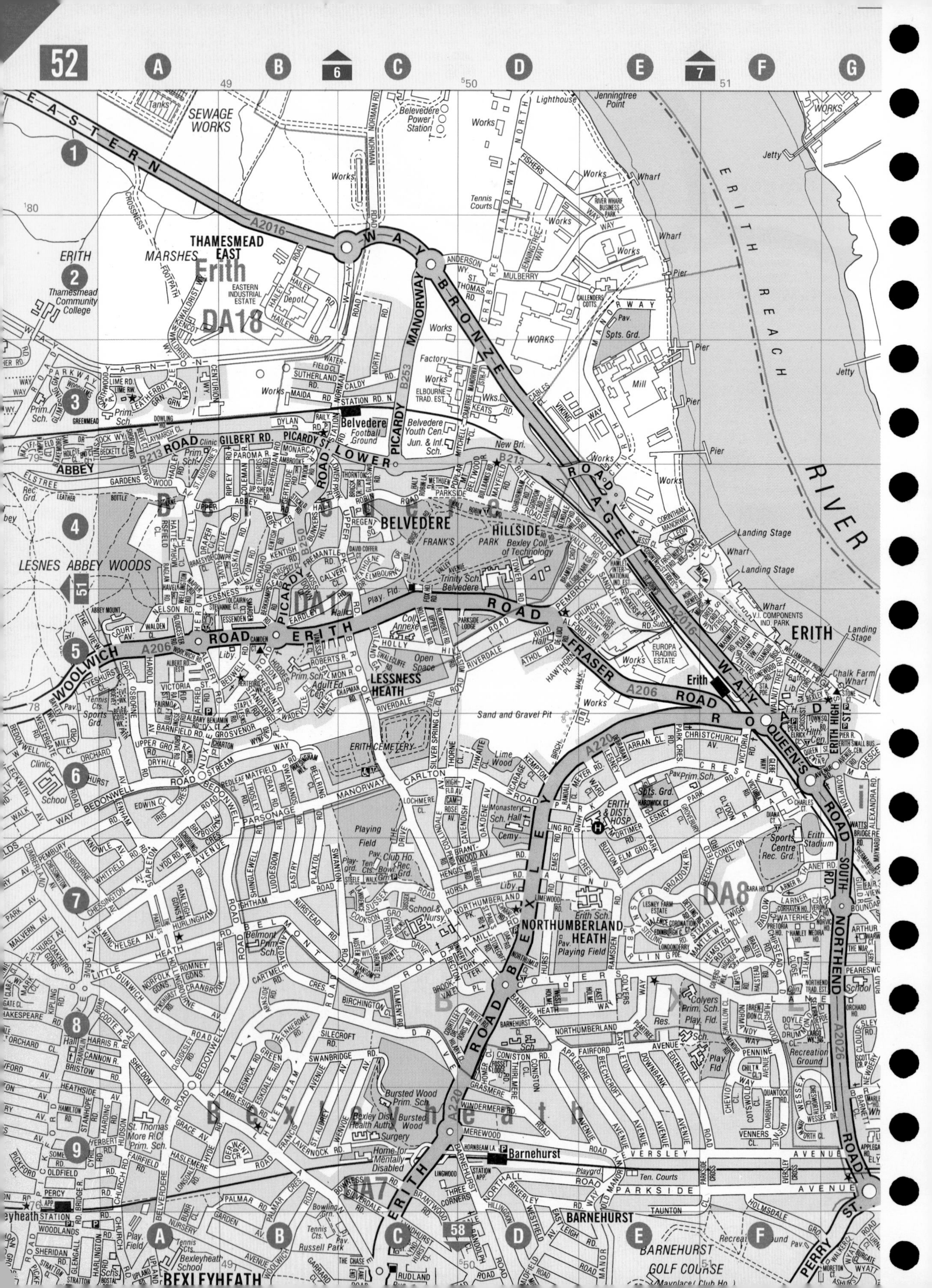

A
B
6
C
D
E
7
F
G
49
50
51
80
79
78
76
EASTERN WAY
A2016
SEWAGE WORKS
Tanks
Belvedere Power Station
Lighthouse
Jenningtree Point
WORKS
Jetty
THAMESMEAD EAST
MARSHES
ERITH
Erith
Thamesmead Community College
EASTERN INDUSTRIAL ESTATE
DA18
BRONZE AGE WAY
MANORWAY
NORMAN ROAD
PICARDY MANORWAY
B253
RIVER WHARF BUSINESS PARK
Wharf
Pier
ERITH REACH
RIVER
Spts. Grd.
Mill
CALLENDERS COTTS.
ELBOURNE TRAD. EST.
Belvedere Football Ground
Belvedere Youth Cen.
Jun. & Inf. Sch.
Belvedere
YARNTON WAY
ABBEY ROAD
GILBERT RD.
PICARDY ST.
LOWER ROAD
B213
New Bri.
BELVEDERE
HILLSIDE
FRANK'S PARK
Bexley Coll. of Technology
Trinity Sch. Belvedere
Landing Stage
Wharf
V.I. COMPONENTS IND. PARK
ERITH
LESNES ABBEY WOODS
51
B250
DA17
ERITH ROAD
WOOLWICH ROAD
A206
FRASER ROAD
Coll. Annexe
Open Space
LESSNESS HEATH
EUROPA TRADING ESTATE
Erith
Chalk Farm Wharf
Sand and Gravel Pit
ERITH CEMETERY
Lime Wood
A220
QUEEN'S ROAD
Playing Field
ERITH & DIST. HOSP
Sports Centre Rec. Grd.
Erith Stadium
DA8
NORTHUMBERLAND HEATH
Erith Sch.
Pav. Playing Field
Colyers Prim. Sch.
Play. Fld.
Recreation Ground
NORTHEND ROAD
A2026
BEXLEY ROAD
Belmont Prim. Sch.
Bursted Wood Prim. Sch.
Bexley Dist. Health Auth.
Home for Mentally Disabled
St. Thomas More R.C. Prim. Sch.
Bexleyheath
ERITH ROAD
Barnehurst
EVERSLEY AVENUE
PARKSIDE AVENUE
Ten. Courts
BARNEHURST
BARNEHURST GOLF COURSE
Bexleyheath School
Russell Park
BEXLEYHEATH
58
PERRY ST.

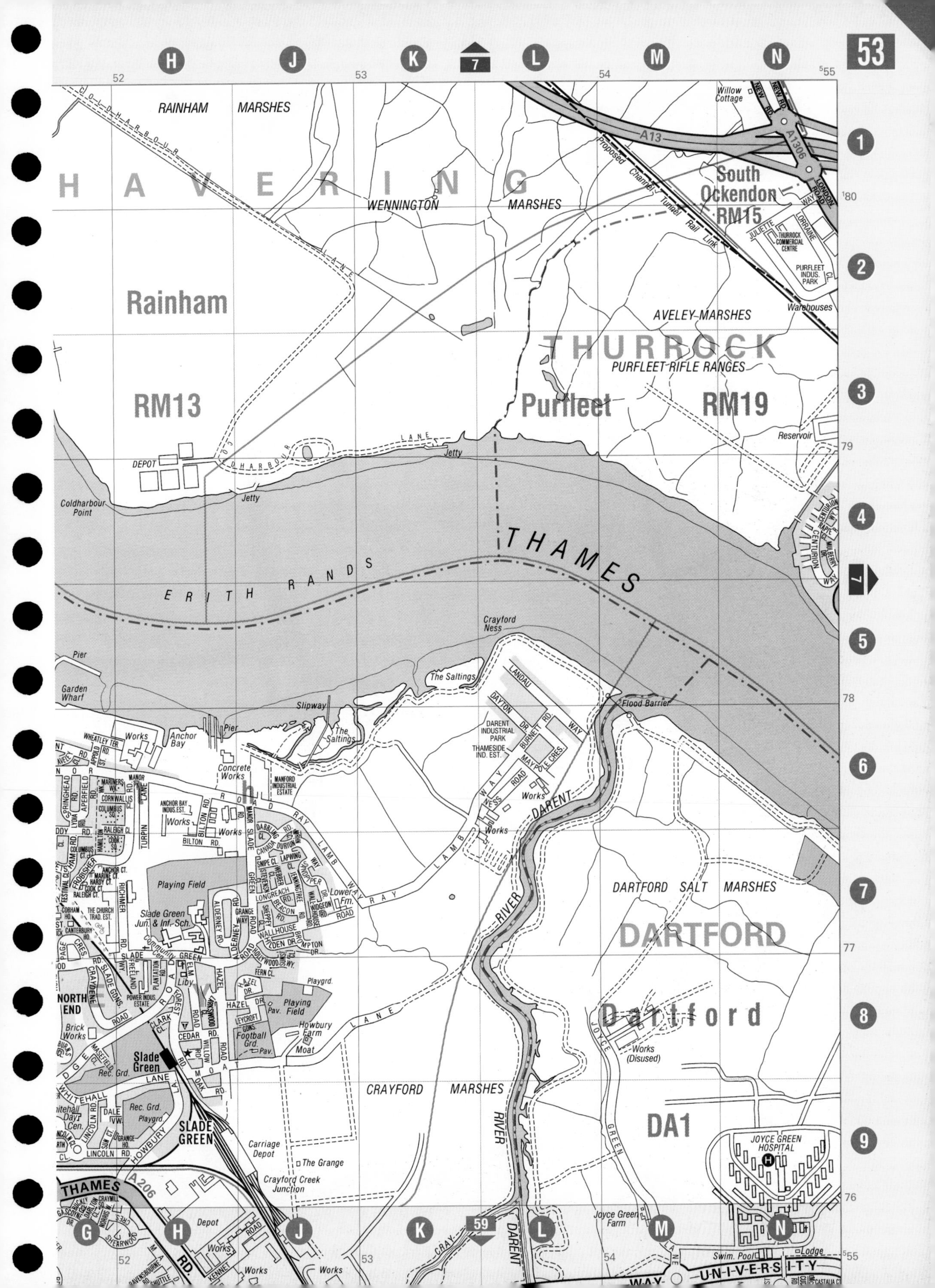

RAINHAM MARSHES
HAVERING
WENNINGTON
MARSHES
South Ockendon
RM15
Rainham
AVELEY MARSHES
THURROCK
PURFLEET RIFLE RANGES
RM13
Purfleet
RM19
THAMES
ERITH RANDS
Crayford Ness
The Saltings
Flood Barrier
DARENT INDUSTRIAL PARK
THAMESIDE IND. EST.
DARTFORD SALT MARSHES
DARTFORD
Dartford
CRAYFORD MARSHES
DA1
JOYCE GREEN HOSPITAL
Slade Green
SLADE GREEN
NORTH END
Playing Field
Carriage Depot
The Grange
Crayford Creek Junction
Joyce Green Farm
A13
A1306
A206

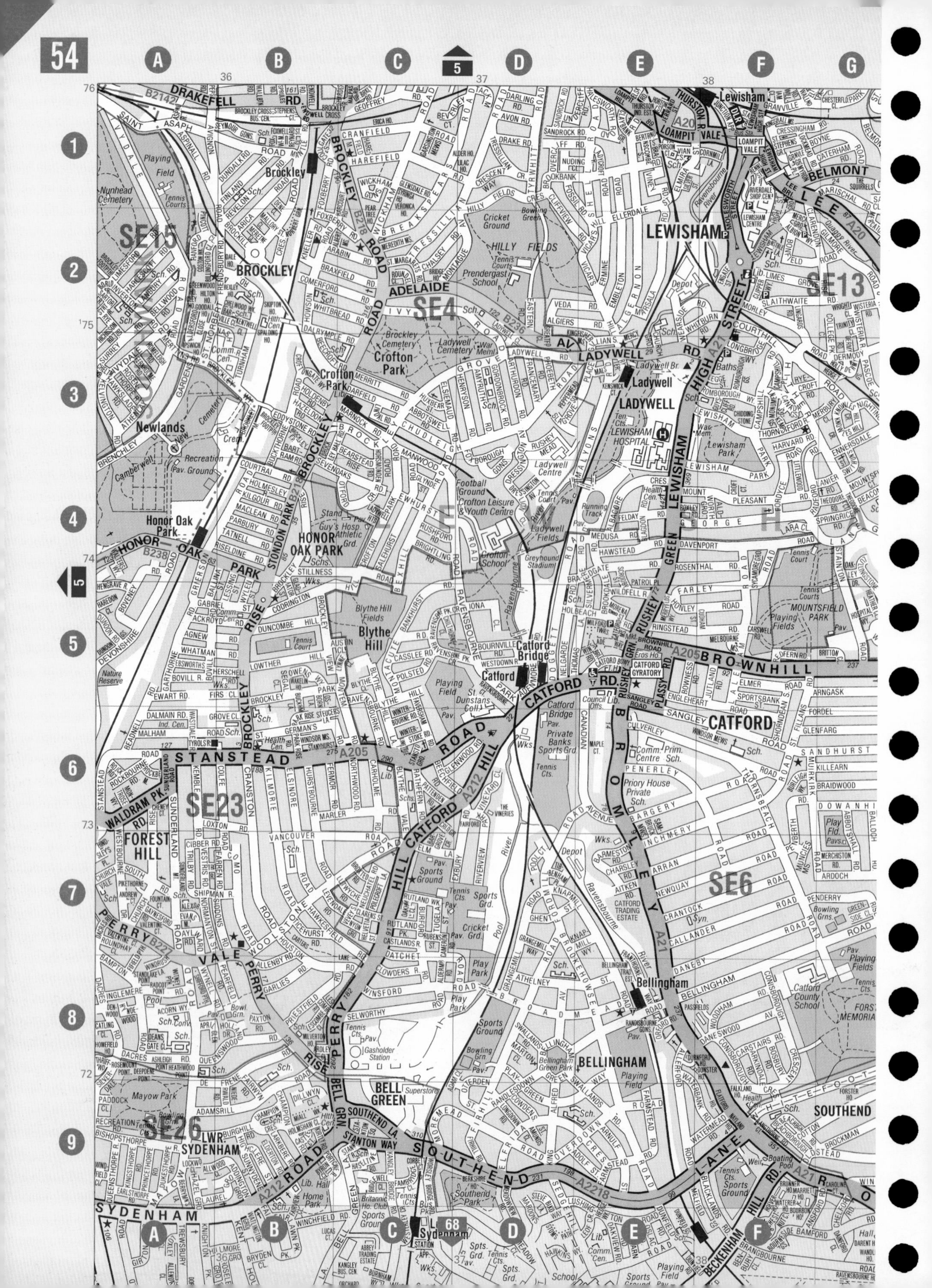

A
B
C
5
D
E
F
G
DRAKEFELL RD.
Lewisham
LOAMPIT VALE
BELMONT
Brockley
Playing Field
Nunhead Cemetery
SE15
BROCKLEY
BROCKLEY ROAD
LEWISHAM
LEE
SE13
ADELAIDE
SE4
Hilly Fields
Cricket Ground
Prendergast School
Brockley Cemetery
Ladywell Cemetery
Crofton Park
LADYWELL
Ladywell
LEWISHAM HOSPITAL
Lewisham Park
Newlands
Recreation Ground
Camberwell Cemetery
Honor Oak Park
HONOR OAK PARK
Guy's Hosp. Athletic Grd.
Football Ground
Crofton Leisure & Youth Centre
Ladywell Fields
Crofton School
Greyhound Stadium
LEWISHAM HIGH STREET
RUSHEY GREEN
MOUNTSFIELD PARK
Playing Fields
Blythe Hill Fields
Blythe Hill
Catford Bridge
Catford
CATFORD RD.
CATFORD GYRATORY
BROWNHILL
CATFORD
Nature Reserve
STANSTEAD ROAD
SE23
FOREST HILL
Priory House Private Sch.
BROMLEY ROAD
SE6
CATFORD TRADING ESTATE
Sports Ground
PERRY VALE
PERRY RISE
Bellingham
BELLINGHAM
Playing Field
Catford County School
Gasholder Station
BELL GREEN
Superstore
Mayow Park
SE26
LWR. SYDENHAM
SOUTHEND LANE
SOUTHEND
SYDENHAM
Sydenham
68
BECKENHAM HILL RD.

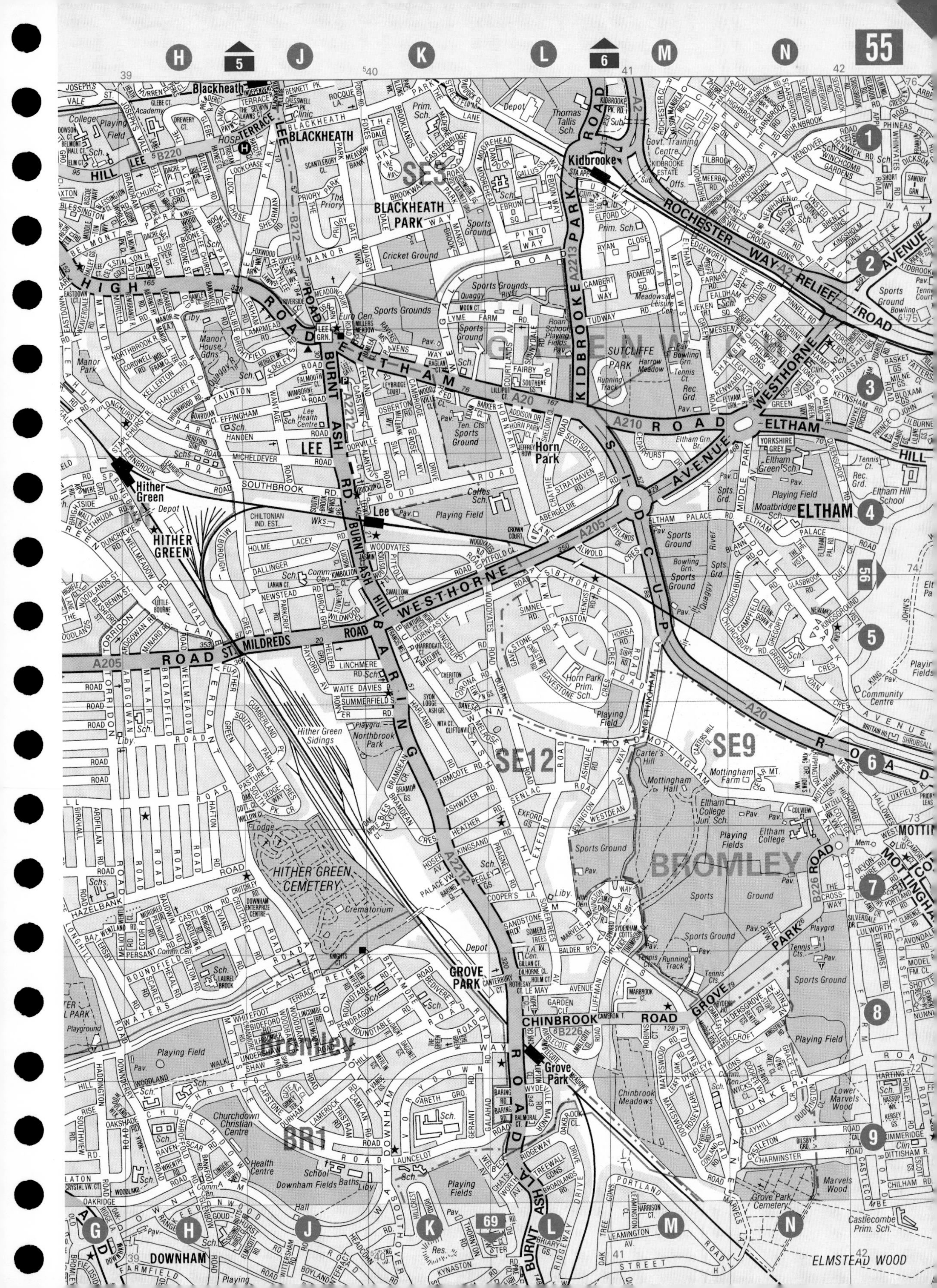
H
5
J
K
L
6
M
N
Blackheath
BLACKHEATH
SE3
BLACKHEATH PARK
Kidbrooke
Thomas Tallis Sch.
ROCHESTER WAY
A2 RELIEF ROAD
Cricket Ground
Sports Grounds
HIGH ROAD
LEE
Manor House Gdns
Manor Park
BURNT ASH RD.
ELTHAM ROAD
A20
A210
KIDBROOKE PARK ROAD
A2213
GREENWICH
SUTCLIFFE PARK
Horn Park
ELTHAM
Eltham Hill School
WESTHORNE AVENUE
SIDCUP ROAD
Hither Green
HITHER GREEN
Lee
ST. MILDREDS ROAD
A205
BARING ROAD
A2212
Hither Green Sidings
Northbrook Park
SE12
SE9
Mottingham Hall
Eltham College
BROMLEY
HITHER GREEN CEMETERY
Crematorium
GROVE PARK
CHINBROOK ROAD
Grove Park
Chinbrook Meadows
Bromley
Churchdown Christian Centre
BR1
Downham Fields
DOWNHAM
Lower Marvels Wood
Marvels Wood
Grove Park Cemetery
Castlecombe Prim. Sch.
ELMSTEAD WOOD
G
H
J
K
69
L
M
N
1
2
3
4
5
6
7
8
9
56

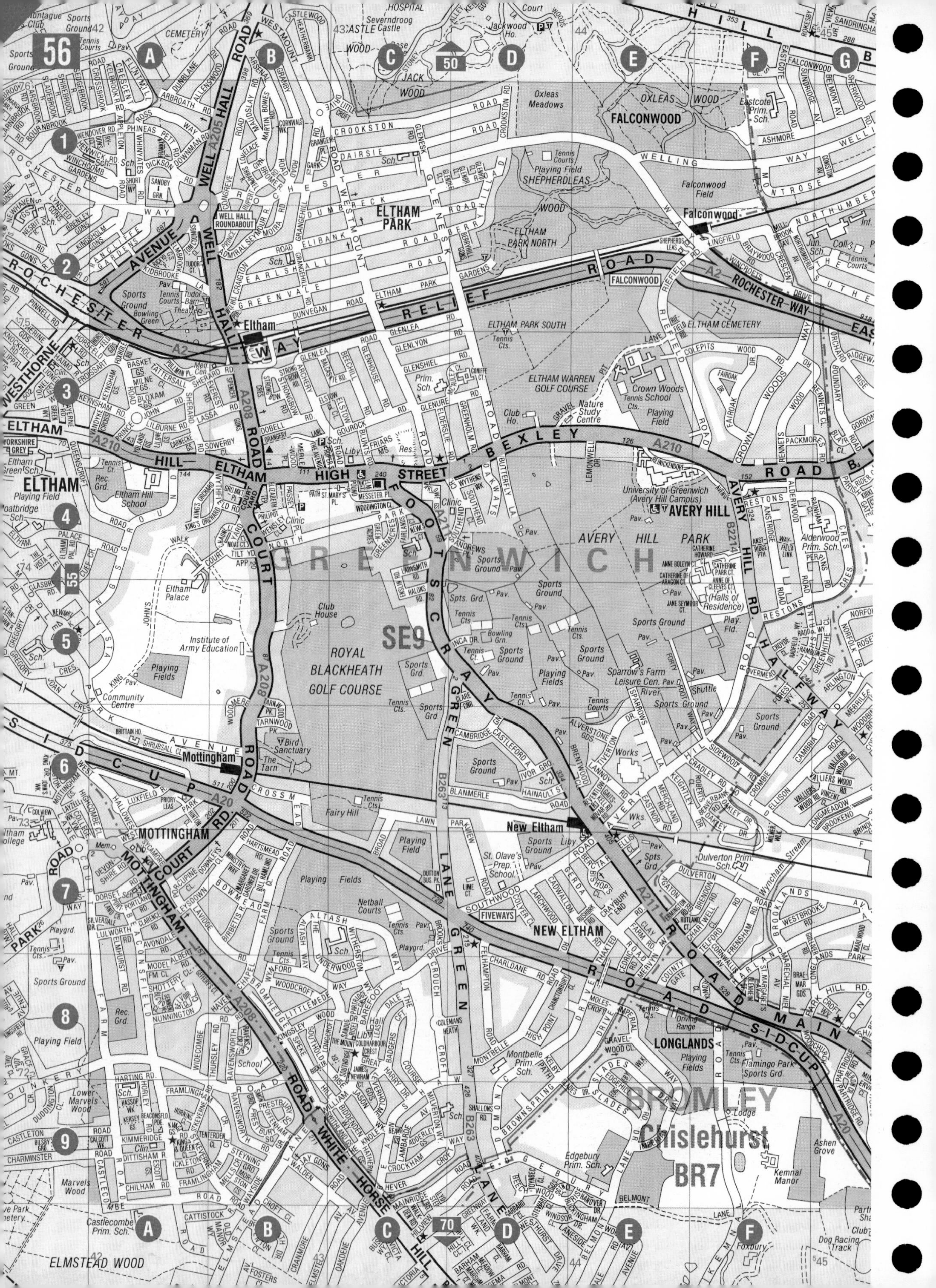

56
ELTHAM
ELTHAM PARK
ELTHAM PARK NORTH
ELTHAM PARK SOUTH
FALCONWOOD
Falconwood
Falconwood Field
Oxleas Meadows
OXLEAS WOOD
SHEPHERDLEAS WOOD
JACK WOOD
Severndroog Castle
ELTHAM CEMETERY
CEMETERY
ELTHAM WARREN GOLF COURSE
Crown Woods School
University of Greenwich (Avery Hill Campus)
AVERY HILL
AVERY HILL PARK
Alderwood Prim. Sch.
Eltham Hill School
Eltham Palace
Institute of Army Education
ROYAL BLACKHEATH GOLF COURSE
SE9
GREENWICH
Bird Sanctuary
The Tarn
Mottingham
MOTTINGHAM
Fairy Hill
New Eltham
NEW ELTHAM
St. Olave's Prep. School
Sparrow's Farm Leisure Cen.
Dulverton Prim. Sch.
LONGLANDS
Flamingo Park Sports Grd.
Montbelle Prim. Sch.
Edgebury Prim. Sch.
BROMLEY
Chislehurst
BR7
Kemnal Manor
Ashen Grove
Dog Racing Track
Foxbury
Lower Marvels Wood
Marvels Wood
Castlecombe Prim. Sch.
ELMSTEAD WOOD
ROCHESTER WAY
ROCHESTER WAY RELIEF ROAD
WELL HALL ROAD
ELTHAM HIGH STREET
BEXLEY ROAD
ELTHAM HILL
COURT ROAD
FOOTSCRAY ROAD
SIDCUP ROAD
WHITE HORSE HILL
AVERY HILL RD.
HALFWAY STREET
A2
A20
A205
A208
A210
A211
B263
B2214
50
55
70

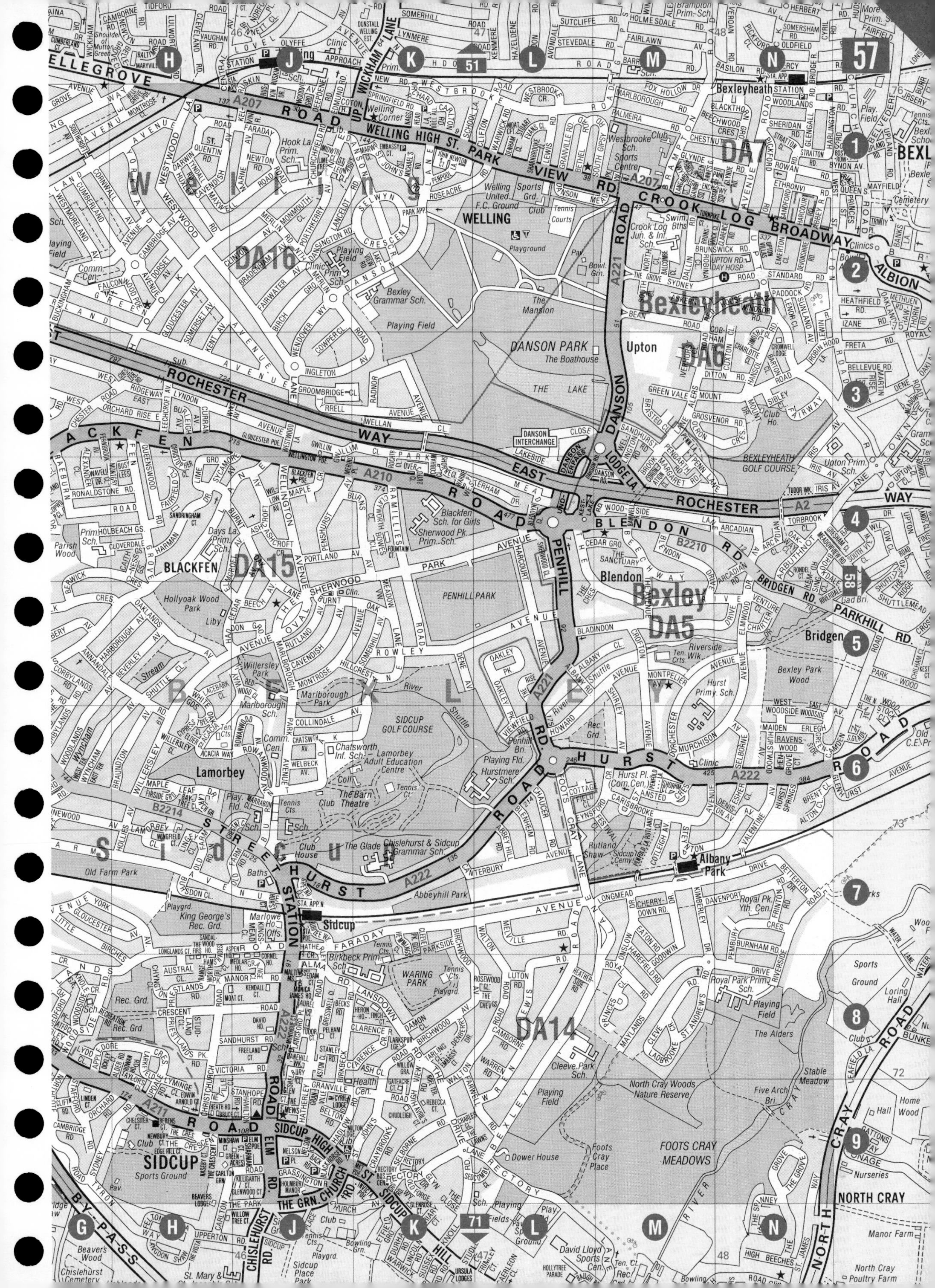

57
Welling
WELLING
DA16
DA15
DA14
DA7
DA6
DA5
Bexleyheath
Bexleyheath Station
Bexley
Sidcup
SIDCUP
Blackfen
BLACKFEN
Lamorbey
Upton
Blendon
Bridgen
NORTH CRAY
WELLING HIGH ST.
PARK VIEW RD.
CROOK LOG
BROADWAY
ROCHESTER WAY
EAST ROCHESTER WAY
BLACKFEN ROAD
DANSON ROAD
PENHILL ROAD
HURST ROAD
STATION ROAD
SIDCUP HIGH ST.
BLENDON RD.
BRIDGEN RD.
PARKHILL RD.
NORTH CRAY ROAD
DANSON PARK
The Boathouse
THE LAKE
The Mansion
DANSON INTERCHANGE
BEXLEYHEATH GOLF COURSE
PENHILL PARK
SIDCUP GOLF COURSE
Hollyoak Wood Park
Bexley Park Wood
Old Farm Park
King George's Rec. Grd.
Abbeyhill Park
WARING PARK
North Cray Woods Nature Reserve
FOOTS CRAY MEADOWS
Foots Cray Place
Dower House
Albany Park
Sidcup
Bexley Grammar Sch.
Blackfen Sch. for Girls
Chislehurst & Sidcup Grammar Sch.
Cleeve Park Sch.
Royal Park Prim. Sch.
Sidcup Place Park
David Lloyd Sports Cen.
North Cray Poultry Farm
Manor Farm
Five Arch Bri.
The Alders
Stable Meadow
Loring Hall
Home Wood
A207
A221
A2
A210
A222
A211
B2214
B2210
G
H
J
K
L
M
N
1
2
3
4
5
6
7
8
9
46
47
48
51
58
71

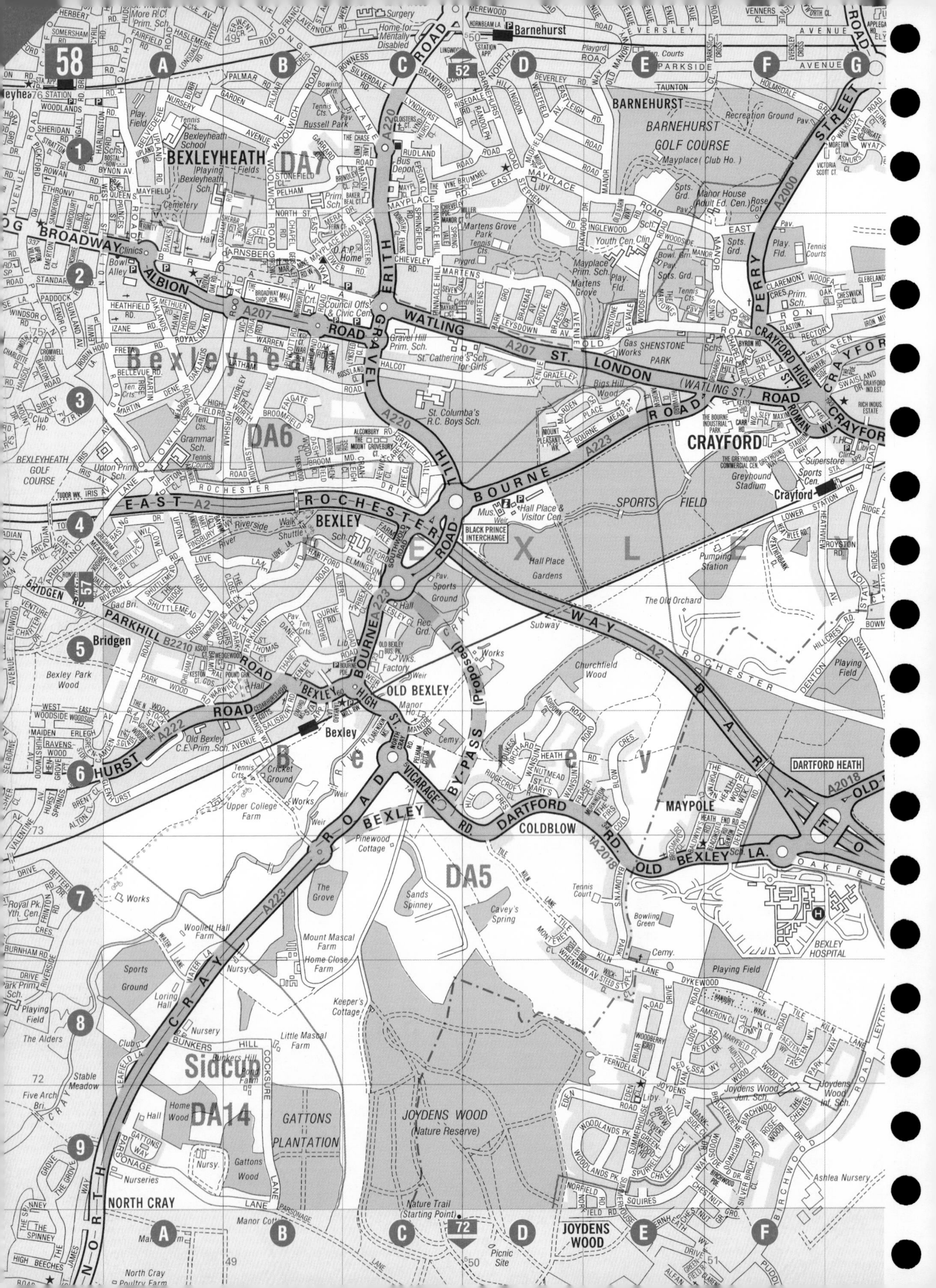
Barnehurst
52
BARNEHURST
BARNEHURST GOLF COURSE
Mayplace (Club Ho.)
Recreation Ground
Manor House (Adult Ed. Cen.)
BEXLEYHEATH
DA7
Bexleyheath
Russell Park
Bus Depot
Martens Grove Park
Mayplace Prim. Sch.
BROADWAY
ALBION
WATLING
ROAD
GRAVEL
HILL
ERITH
A220
A207
A2
A223
A222
A2000
A2018
B2210
LONDON
(WATLING ST.)
CRAYFORD
Crayford
Greyhound Stadium
Gravel Hill Prim. Sch.
St. Catherine's Sch. for Girls
St. Columba's R.C. Boys Sch.
DA6
Grammar Sch.
Upton Prim. Sch.
BEXLEYHEATH GOLF COURSE
EAST
ROCHESTER
WAY
BOURNE
BLACK PRINCE INTERCHANGE
Hall Place & Visitor Cen.
Hall Place Gardens
SPORTS FIELD
BEXLEY
Pumping Station
The Old Orchard
Bridgen
Bexley Park Wood
57
OLD BEXLEY
Bexley
Old Bexley C.E. Prim. Sch.
Cricket Ground
Upper College Farm
Churchfield Wood
BY-PASS
(Proposed)
DARTFORD HEATH
MAYPOLE
COLDBLOW
DARTFORD
DA5
Pinewood Cottage
The Grove
Sands Spinney
Cavey's Spring
Mount Mascal Farm
Home Close Farm
Woollett Hall Farm
Sports Ground
Loring Hall
Keeper's Cottage
Little Mascal Farm
BEXLEY HOSPITAL
Playing Field
Sidcup
DA14
GATTONS PLANTATION
Gattons Wood
JOYDENS WOOD (Nature Reserve)
Joydens Wood Jun. Sch.
Joydens Wood Inf. Sch.
Ashlea Nursery
NORTH CRAY
Nature Trail (Starting Point)
72
Picnic Site
JOYDENS WOOD
North Cray Poultry Farm
The Alders
Stable Meadow
Five Arch Bri.
CRAY
NORTH CRAY ROAD
A
B
C
D
E
F
G
1
2
3
4
5
6
7
8
9
49
50
51
72
73
74
75
76

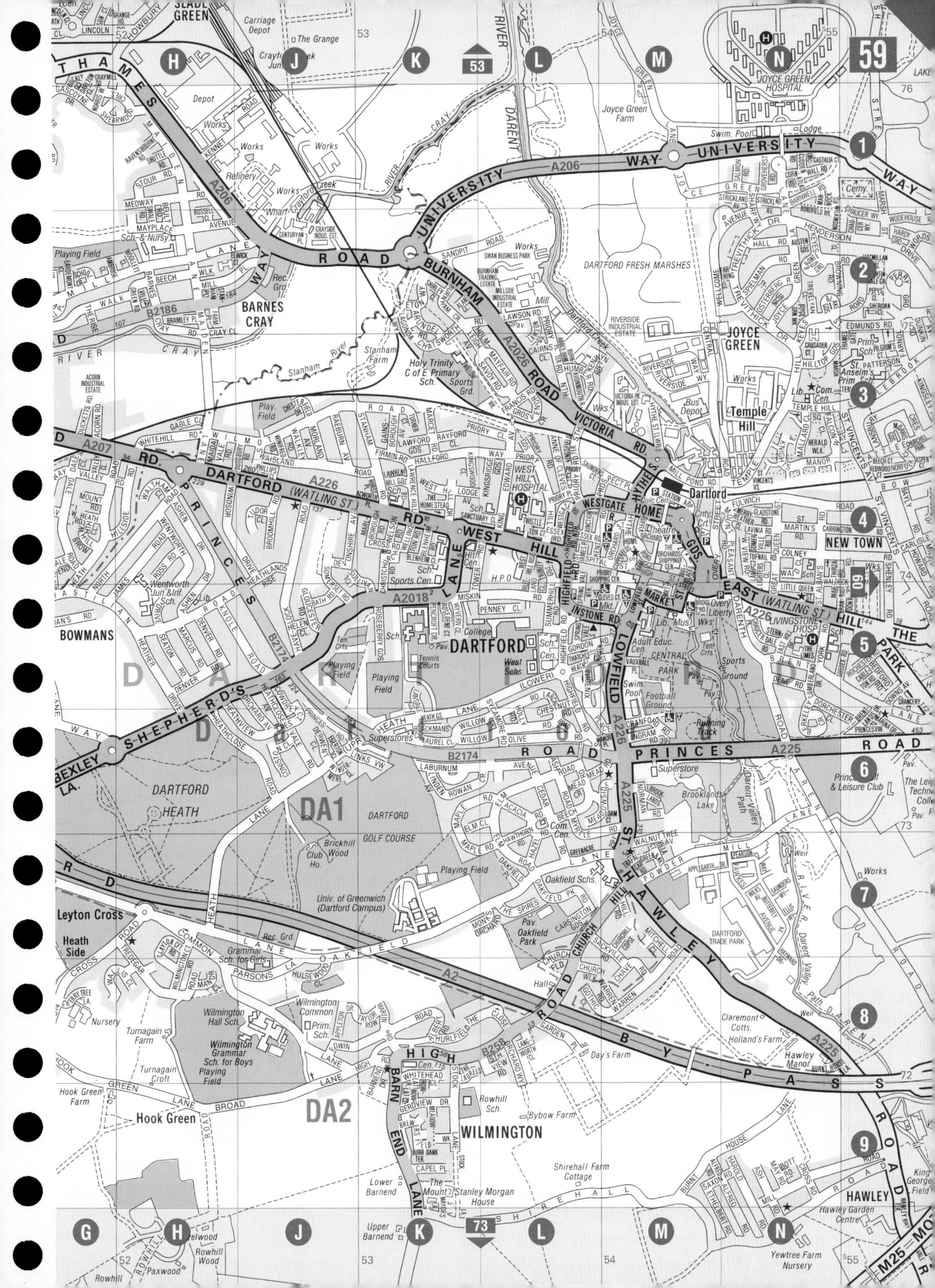

59
53
73
60
SLADE GREEN
Carriage Depot
The Grange
Crayford Creek Junc.
JOYCE GREEN HOSPITAL
Joyce Green Farm
UNIVERSITY WAY
A206
Depot
Works
Refinery
Wharf
Crayford Creek
CRAYSIDE INDUS. EST.
ROAD
BURNHAM ROAD
A2026
SANDPIT ROAD
SWAN BUSINESS PARK
BURNHAM TRADING ESTATE
MILLSIDE INDUSTRIAL ESTATE
DARTFORD FRESH MARSHES
RIVERSIDE INDUSTRIAL ESTATE
JOYCE GREEN
Temple Hill
Bus Depot
Dartford Creek
River Darent
River Cray
BARNES CRAY
Playing Field
B2186
ACORN INDUSTRIAL ESTATE
Stanham Farm
Stanham River
Holy Trinity C of E Primary Sch.
Sports Grd.
VICTORIA PK. INDUS. EST.
VICTORIA RD.
A207
DARTFORD RD.
A226
DARTFORD (WATLING ST.) RD.
WEST HILL
WEST HILL HOSPITAL
PRINCES
Wentworth Jun.&Inf. Sch.
BOWMANS
Dartford
STATION APP.
HOME GDS.
NEW TOWN
ORCHARDS SHOPPING CEN.
PRIORY SHOPPING CEN.
EAST HILL
A2018
LANE
Sports Cen.
H.P.O.
MARKET ST.
INSTONE RD.
Overy Liberty
LIVINGSTONE HOSP.
THE PARK
DARTFORD
College
Tennis Courts
West Schs.
CENTRAL PARK
Sports Ground
Football Ground
Swim. Pool
Running Track
LOWFIELD
SHEPHERD'S LANE
BEXLEY LA.
B2174
HEATH LANE
Superstores
PRINCES ROAD
A225
Superstore
Brooklands Lake
Darent Valley Path
Princes Golf & Leisure Club
DARTFORD HEATH
DA1
DARTFORD GOLF COURSE
Brickhill Wood
Club Ho.
Playing Field
Oakfield Schs.
Univ. of Greenwich (Dartford Campus)
HAWLEY RD.
DARTFORD TRADE PARK
Leyton Cross
Heath Side
Grammar Sch. for Girls
Oakfield Park
CHURCH ROAD
A2
BY PASS
Wilmington Hall Sch.
Wilmington Common
Prim. Sch.
Turnagain Farm
Turnagain Croft
Wilmington Grammar Sch. for Boys
Playing Field
Nursery
HIGH RD.
B258
Day's Farm
Claremont Cotts.
Holland's Farm
Hawley Manor
Hook Green Farm
Hook Green
DA2
Rowhill Sch.
Bybow Farm
WILMINGTON
BARN END LANE
Shirehall Farm Cottage
SHIREHALL ROAD
Lower Barnend
The Mount
Stanley Morgan House
Upper Barnend
HAWLEY
Hawley Garden Centre
Yewtree Farm Nursery
Rowhill Wood
Paxwood
Rowhill
M25
G H J K L M N
1 2 3 4 5 6 7 8 9

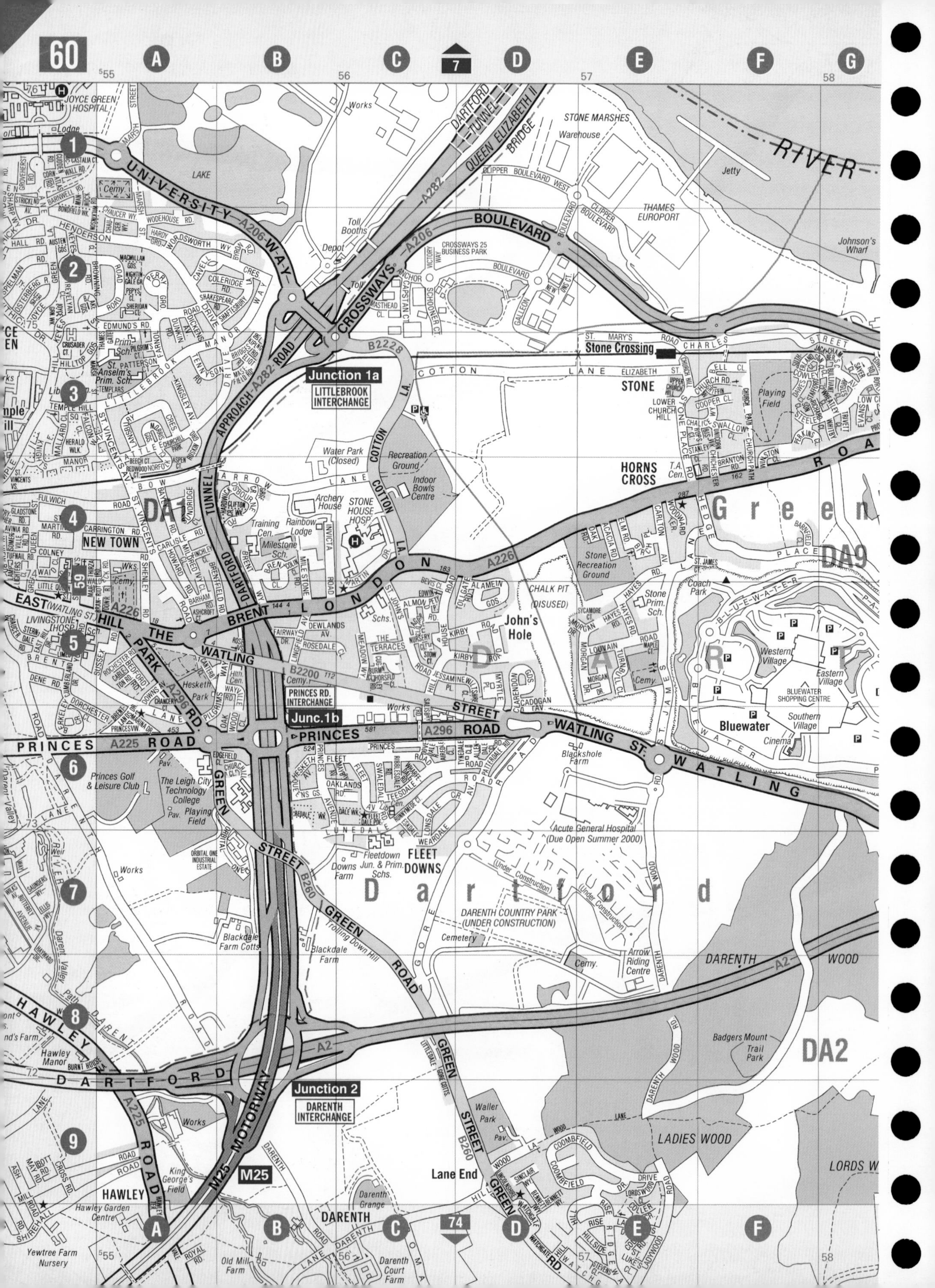
A
B
C
7
D
E
F
G
55
56
57
58
1
2
3
4
5
6
7
8
9
JOYCE GREEN HOSPITAL
UNIVERSITY WAY
A206
LAKE
DARTFORD TUNNEL
QUEEN ELIZABETH II BRIDGE
A282
STONE MARSHES
Warehouse
RIVER
Jetty
CLIPPER BOULEVARD WEST
THAMES EUROPORT
Johnson's Wharf
BOULEVARD
CROSSWAYS 25 BUSINESS PARK
Toll Booths
Depot
Works
CROSSWAYS
APPROACH A282 ROAD
B2228
ST. MARY'S ROAD
CHARLES STREET
Stone Crossing
Junction 1a
LITTLEBROOK INTERCHANGE
COTTON LANE
ELIZABETH ST.
STONE
LOWER CHURCH HILL
Playing Field
HORNS CROSS
T.A. Cen.
Water Park (Closed)
Recreation Ground
Indoor Bowls Centre
Archery House
STONE HOUSE HOSP.
Training Cen.
Rainbow Lodge
Milestone Sch.
DA1
NEW TOWN
TEMPLE HILL
St. Anselm's Prim. Sch.
LITTLEBROOK MANOR WAY
TUNNEL
DARTFORD
LONDON
A226
Green
DA9
PLACE
Stone Recreation Ground
CHALK PIT (DISUSED)
John's Hole
Stone Prim. Sch.
Coach Park
BLUEWATER
Western Village
Eastern Village
BLUEWATER SHOPPING CENTRE
Bluewater
Southern Village
Cinema
EAST HILL
THE
BRENT
WATLING
A226
PARK
Hesketh Park
B2200
PRINCES RD. INTERCHANGE
Junc.1b
PRINCES
A296 ROAD
WATLING ST.
STREET
WATLING
PRINCES A225 ROAD
Princes Golf & Leisure Club
The Leigh City Technology College
Playing Field
GREEN
Blackshole Farm
Acute General Hospital (Due Open Summer 2000)
ORBITAL ONE INDUSTRIAL ESTATE
STREET
B260
Fleetdown Jun. & Prim. Schs.
FLEET DOWNS
Downs Farm
Dartford
Works
Blackdale Farm Cotts
Blackdale Farm
Trolling Down Hill
GREEN ROAD
DARENTH COUNTRY PARK (UNDER CONSTRUCTION)
(Under Construction)
Cemetery
Cemy.
Arrow Riding Centre
DARENTH
WOOD
A2
HAWLEY
DARTFORD
Hawley Manor
Junction 2
DARENTH INTERCHANGE
MOTORWAY
M25
Badgers Mount Trail Park
DA2
LADIES WOOD
LORDS W
Waller Park
Lane End
Works
King George's Field
A225 ROAD
HAWLEY
Hawley Garden Centre
Yewtree Farm Nursery
Darenth Grange
DARENTH
74
Old Mill Farm
Darenth Court Farm

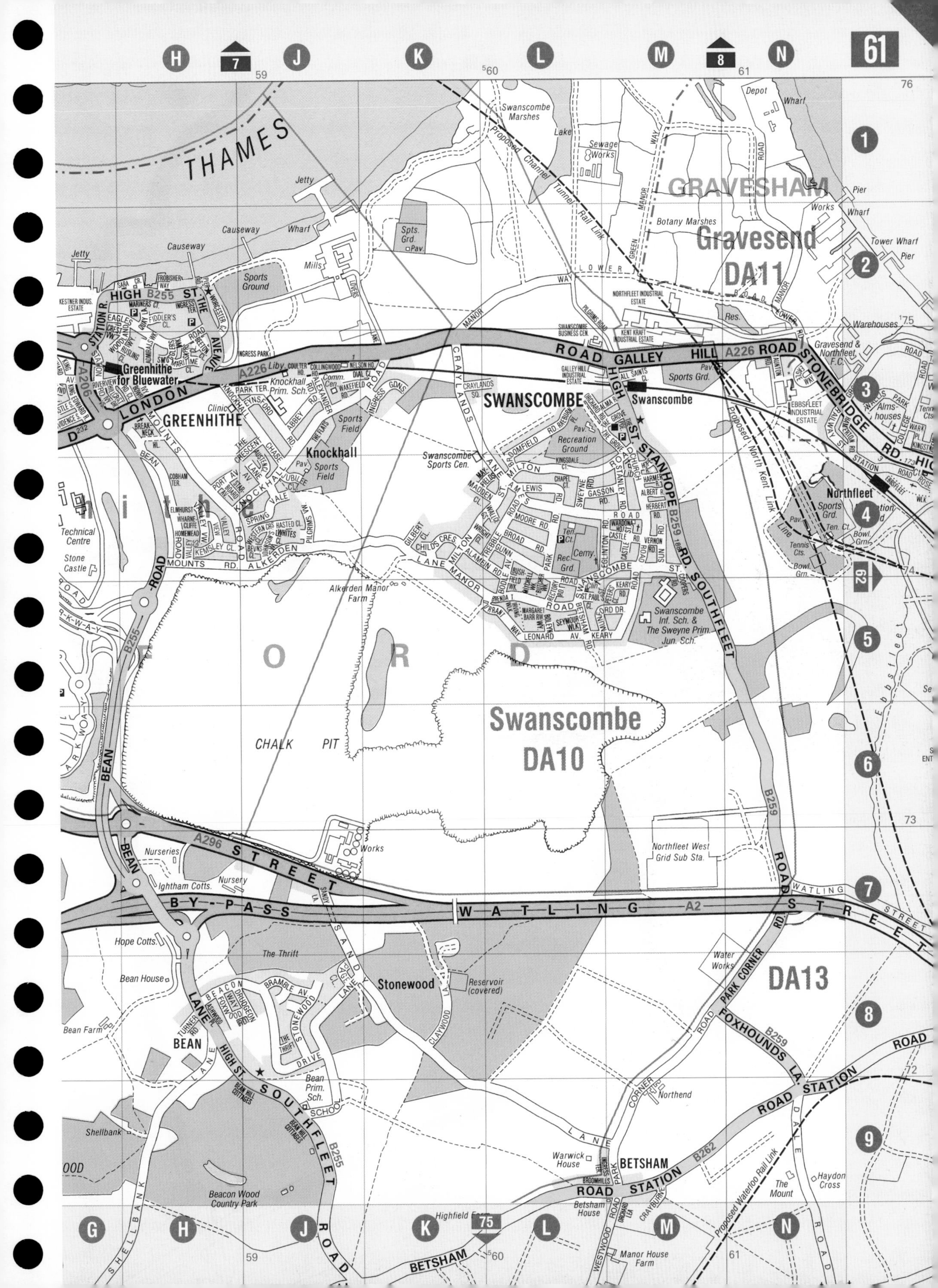
THAMES
GRAVESHAM
Gravesend
DA11
SWANSCOMBE
GREENHITHE
Knockhall
Swanscombe
DA10
CHALK PIT
Swanscombe Marshes
Botany Marshes
Northfleet
Stonewood
BEAN
BETSHAM
DA13
Greenhithe for Bluewater
LONDON ROAD
GALLEY HILL ROAD
A226
STONEBRIDGE RD.
HIGH ST.
STANHOPE RD.
SOUTHFLEET RD.
B259
A296
WATLING STREET
A2
BY-PASS
BEAN ROAD
B255
STATION ROAD
B262
FOXHOUNDS LA.
PARK CORNER ROAD
Swanscombe Sports Cen.
Recreation Ground
Sports Ground
Sports Field
Technical Centre
Stone Castle
Alkerden Manor Farm
Northfleet West Grid Sub Sta.
Water Works
Reservoir (covered)
Bean House
Bean Farm
Shellbank
Beacon Wood Country Park
Hope Cotts.
Ightham Cotts.
Nurseries
Nursery
The Thrift
Warwick House
Betsham House
Manor House Farm
Highfield Farm
Northend
The Mount
Haydon Cross
Proposed Channel Tunnel Rail Link
Proposed North Kent Link
Proposed Waterloo Rail Link
Gravesend & Northfleet F.C.
Swanscombe Inf. Sch. & The Sweyne Prim. Jun. Sch.
Bean Prim. Sch.
Knockhall Prim. Sch.
Ebbsfleet
Jetty
Causeway
Wharf
Tower Wharf
Pier
Depot
Works
Sewage Works
Lake
Mills
Warehouses
Almshouses
H
J
K
L
M
N
G
7
8
62
75
59
60
61
76
75
74
73
72
1
2
3
4
5
6
7
8
9

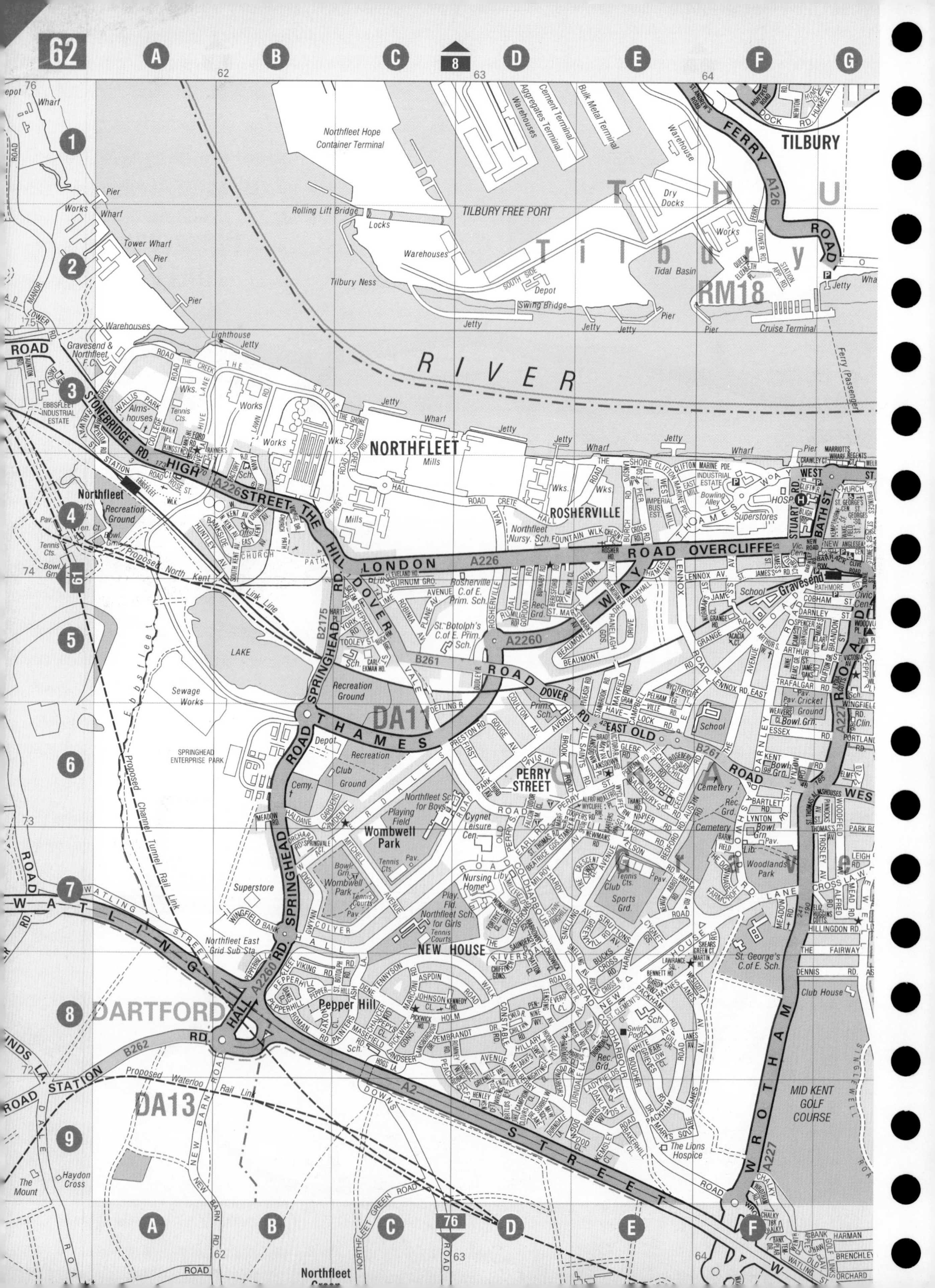
A
B
C
8
D
E
F
G
1
2
3
4
5
6
7
8
9
TILBURY
Northfleet Hope Container Terminal
Aggregates Terminal
Cement Terminal
Bulk Metal Terminal
Warehouses
Warehouse
Rolling Lift Bridge
Locks
TILBURY FREE PORT
Dry Docks
Works
Wharf
Pier
Tower Wharf
Tilbury
Tidal Basin
RM18
Tilbury Ness
Depot
Swing Bridge
Jetty
Cruise Terminal
Ferry (Passenger)
Lighthouse
Gravesend & Northfleet F.C.
RIVER
EBBSFLEET INDUSTRIAL ESTATE
STONEBRIDGE RD.
HIGH STREET
A226
THE HILL
NORTHFLEET
Mills
Alms-houses
Tennis Cts.
Northfleet
Recreation Ground
ROSHERVILLE
Superstores
Bowling Alley
INDUSTRIAL ESTATE
WEST
LONDON ROAD
OVERCLIFFE
Gravesend
Rosherville C.of E. Prim. Sch.
St. Botolph's C.of E. Prim. Sch.
DOVER ROAD
B261
A2260
B2175
SPRINGHEAD RD.
LAKE
Sewage Works
Proposed North Kent Link Line
SPRINGHEAD ENTERPRISE PARK
Recreation Ground
DA11
THAMES WAY
Club Ground
Cemy.
Depot
PERRY STREET
Cemetery
School
Northfleet Sch. for Boys
Playing Field
Wombwell Park
Cygnet Leisure Cen.
Nursing Home
Club Sports Grd.
Woodlands Park
Superstore
Proposed Channel Tunnel Rail Link
Northfleet East Grid Sub Sta.
Play. Fld.
Northfleet Sch. for Girls
NEW HOUSE
St. George's C.of E. Sch.
Club House
Pepper Hill
DARTFORD
WATLING STREET
B262
A2
Proposed Waterloo Rail Link
DA13
MID KENT GOLF COURSE
WROTHAM ROAD
A227
The Lions Hospice
Haydon Cross
The Mount
61
76
Northfleet Green

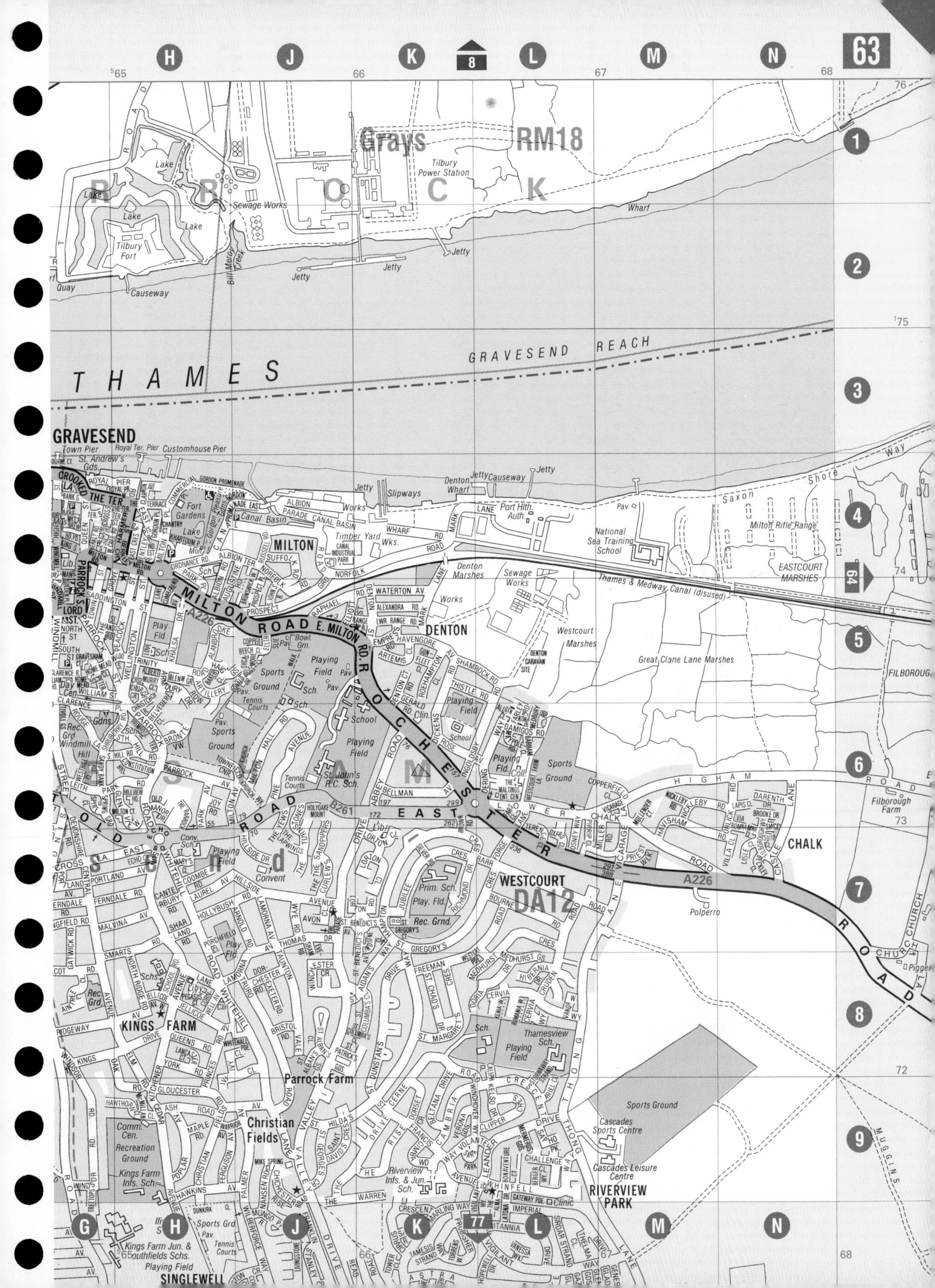
H
J
K
L
M
N
8
Grays
RM18
Tilbury Power Station
Sewage Works
Lake
Tilbury Fort
Bill Meroy Creek
Causeway
Quay
Jetty
Wharf
THAMES
GRAVESEND REACH
GRAVESEND
Town Pier
Royal Ter. Pier
Customhouse Pier
St. Andrew's Gds.
Fort Gardens
Canal Basin
MILTON
Timber Yard Wks.
Slipways
Works
Denton Wharf
Causeway
Port Hlth. Auth.
National Sea Training School
Saxon Shore Way
Milton Rifle Range
EASTCOURT MARSHES
Thames & Medway Canal (disused)
Denton Marshes
Sewage Works
DENTON
Westcourt Marshes
Great Clane Lane Marshes
FILBOROUGH
MILTON ROAD
E. MILTON RD.
A226
ROCHESTER ROAD
Playing Field
Sports Ground
Tennis Courts
School
St. John's R.C. Sch.
DENTON CARAVAN SITE
HIGHAM ROAD
Filborough Farm
LOWER
CHALK
CHALK
EAST
OLD ROAD
B261
Convent
Playing Field
WESTCOURT
DA12
Prim. Sch.
Play. Fld.
Rec. Grnd.
Polperro
Thamesview Sch.
Playing Field
KINGS FARM
Parrock Farm
Christian Fields
Comm. Cen.
Recreation Ground
Kings Farm Infs. Sch.
Sports Ground
Cascades Sports Centre
Cascades Leisure Centre
Riverview Infs. & Jun. Sch.
RIVERVIEW PARK
THONG LANE
CHURCH ROAD
MUGGINS
Kings Farm Jun. & Southfields Schs. Playing Field
SINGLEWELL
77
64
G
1
2
3
4
5
6
7
8
9
65
66
67
68
72
73
74
75
76

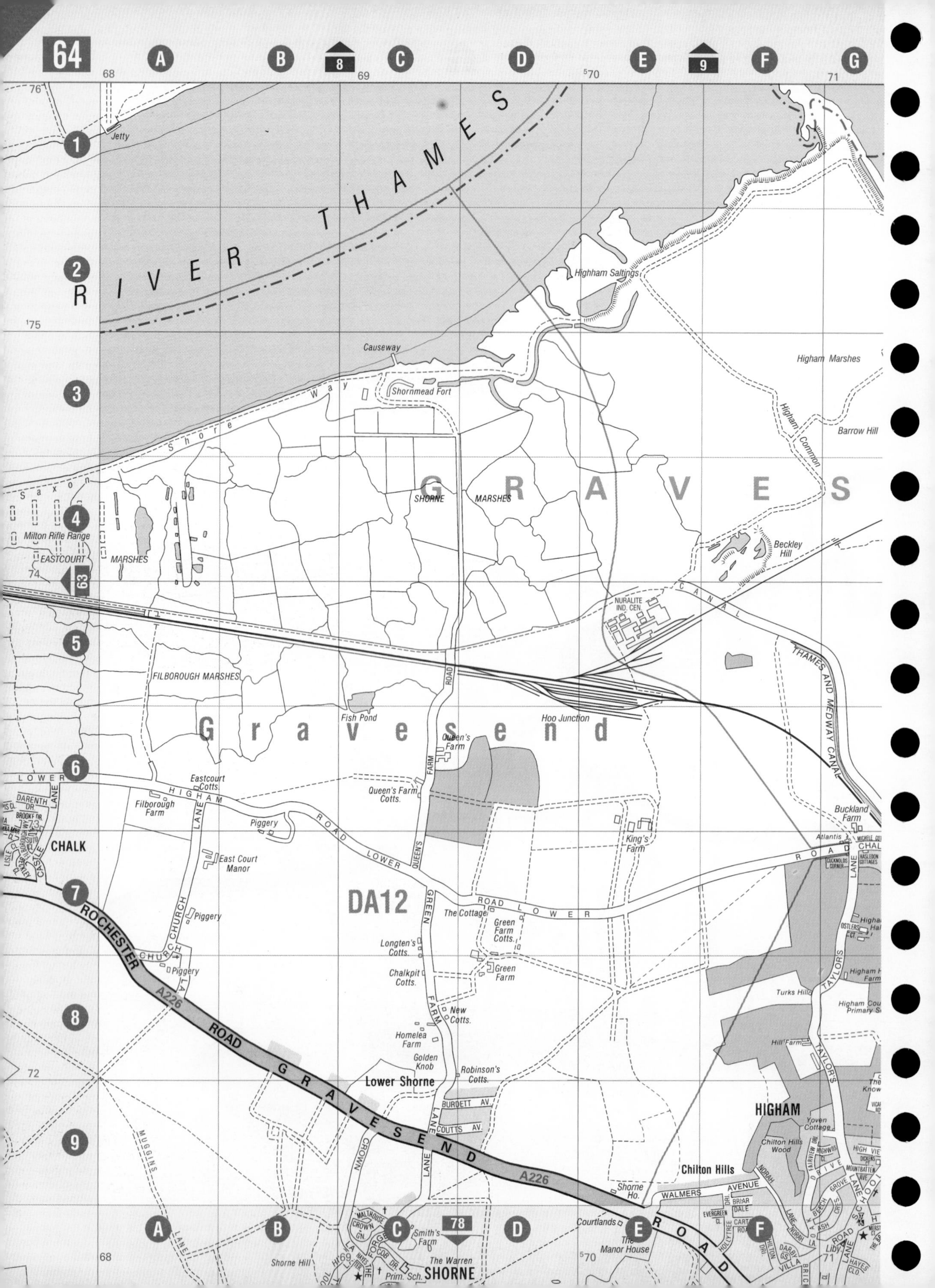

RIVER THAMES

Jetty

75

Causeway

Shornmead Fort

Higham Saltings

Shore Way

GRAVES

Higham Marshes

Higham Common

Barrow Hill

SHORNE MARSHES

Milton Rifle Range

EASTCOURT

63

MARSHES

Beckley Hill

74

NURALITE IND. CEN.

CANAL

FILBOROUGH MARSHES

THAMES AND MEDWAY CANAL

Fish Pond

Gravesend

Queen's Farm

Hoo Junction

LOWER DARENTH LA. BROOKF DR.

CHALK

Eastcourt Cotts.

Filborough Farm

HIGHAM LANE

Queen's Farm Cotts.

Piggery

FARM ROAD

Buckland Farm

King's Farm

Atlantis

CHAL COCKNOLDS CORNER

LISLE CL.

East Court Manor

Piggery

ROAD LOWER

QUEENS

DA12

The Cottage

ROAD LOWER

Higha Hall

OSTLERS COT

ROCHESTER

CHURCH

Piggery

GREEN FARM LANE

Longten's Cotts.

Green Farm Cotts.

TAYLORS

Higham Court Primary S

A226

CHURCH LA.

Piggery

Chalkpit Cotts.

Green Farm

Turks Hill

Higham Cou Primary S

ROAD

GRAVESEND

Homelea Farm

New Cotts.

Hill Farm

72

Golden Knob

Robinson's Cotts.

Lower Shorne

BURDETT AV.

COUTTS AV.

HIGHAM

Yoven Cottage

Chilton Hills Wood

Chilton Hills

A226

CROWN LANE

Shorne Ho.

WALMERS AVENUE

ROAD

MUGGINS LA.

MALTHOUSE GRN.

COBB GN.

Smith's Farm

78

Courtlands

The Manor House

EVERGREEN

BRIAR DALE

CART ROAD

68

Shorne Hill

69

Prim. Sch.

The Warren

SHORNE

70

71

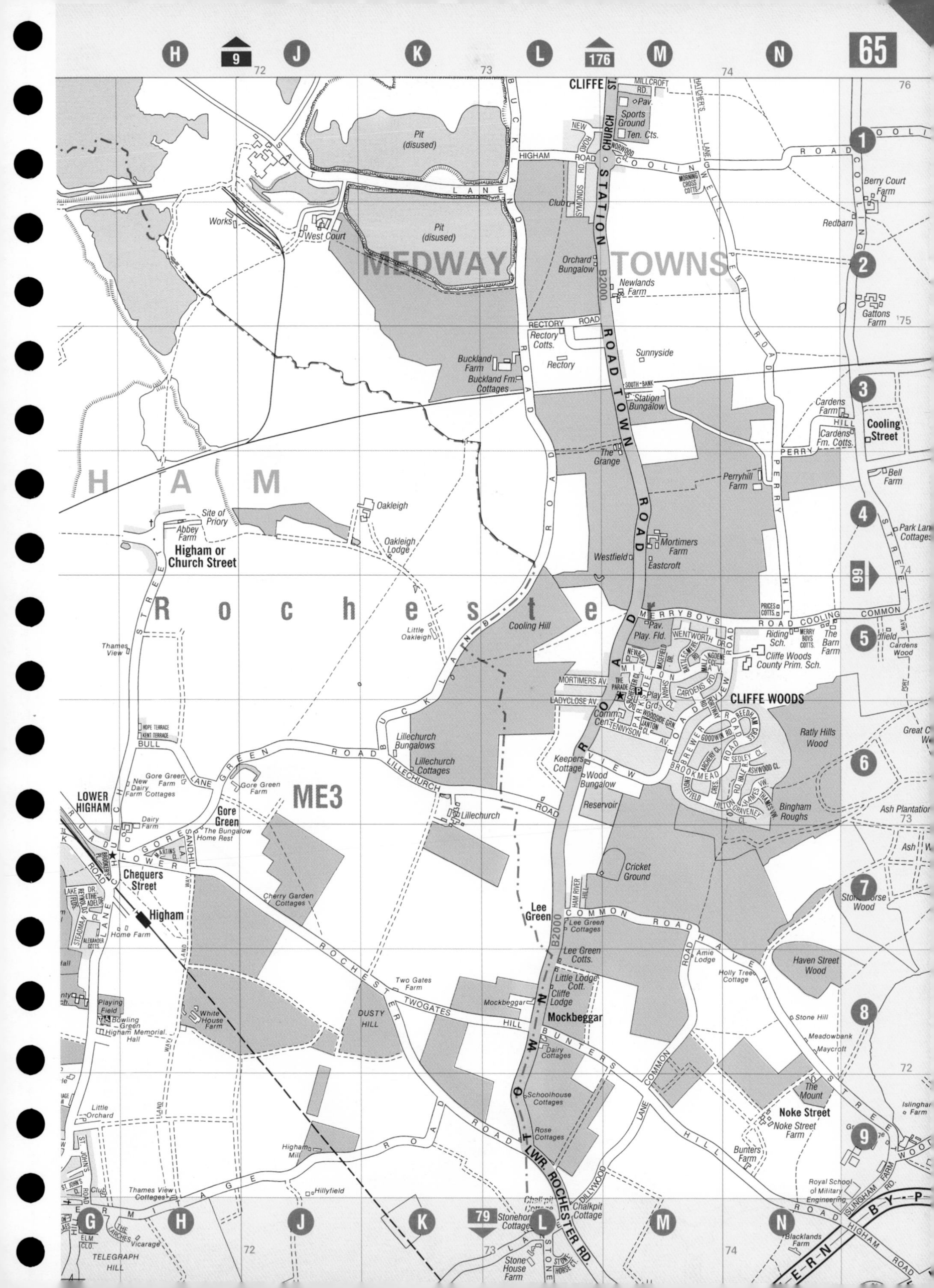

H
J
K
L
M
N
9
176
79
99
CLIFFE
CLIFFE WOODS
MEDWAY TOWNS
HAM
Rochester
ME3
LOWER HIGHAM
Higham or Church Street
Chequers Street
Higham
Gore Green
Lee Green
Mockbeggar
Noke Street
Cooling Street
TELEGRAPH HILL
Pit (disused)
Works
West Court
SALT LANE
HIGHAM ROAD
COOLING ROAD
BUCKLAND ROAD
STATION ROAD
TOWN ROAD
CHURCH ST.
MILLCROFT RD.
NEW ROAD
NORWOOD CL.
SYMONDS RD.
Pav.
Sports Ground
Ten. Cts.
Club
MORNING CROSS COTTS
PENN LANE
WELL PENN ROAD
HATCHER'S LANE
Berry Court Farm
Redbarn
Gattons Farm
Orchard Bungalow
Newlands Farm
B2000
RECTORY ROAD
Rectory Cotts.
Rectory
Sunnyside
Buckland Farm
Buckland Fm. Cottages
SOUTH BANK
Station Bungalow
Cardens Farm
Cardens Fm. Cotts.
HILL
PERRY HILL
Perryhill Farm
Bell Farm
The Grange
Park Lane Cottages
COOLING STREET
Oakleigh
Oakleigh Lodge
Site of Priory
Abbey Farm
Mortimers Farm
Westfield
Eastcroft
PRICES COTTS.
MERRYBOYS ROAD
COOLING COMMON
Cooling Hill
Little Oakleigh
Thames View
Pav.
Play. Fld.
WENTWORTH DR.
Riding Sch.
MERRY BOYS COTTS.
The Barn Farm
Cliffe Woods County Prim. Sch.
Cardens Wood
MORTIMERS AV.
LADYCLOSE AV.
THE PARADE
Play Grd.
CARDENS RD.
VIEW ROAD
Comm. Cen.
TENNYSON AV.
WOODSIDE GRN.
BREWER RD.
GOODWIN RD.
BEEDHAM CRES.
ARCHERY CL.
SEDLEY CL.
ASHWOOD CL.
BROOKMEAD
HILTON RD.
GRAVENEY CL.
THAMES VW.
Ratly Hills Wood
Great C Wo
Ash Plantation
Bingham Roughs
Keepers Cottage
Wood Bungalow
Reservoir
HOPE TERRACE
KENT TERRACE
BULL LANE
GREEN ROAD
LILLECHURCH ROAD
Lillechurch Bungalows
Lillechurch Cottages
Lillechurch
Gore Green Farm
New Dairy Farm
Gore Green Cottages
Dairy Farm
The Bungalow Home Rest
LOWER ROAD
GORE LA.
SANDHILL WAY
MARTINS CL.
Cricket Ground
HAM RIVER HILL
COMMON ROAD
Lee Green Cottages
Lee Green Cotts.
HAVEN STREET
Amie Lodge
Holly Tree Cottage
Haven Street Wood
Stone Horse Wood
Ash
Cherry Garden Cottages
ROCHESTER ROAD
Two Gates Farm
TWOGATES HILL
DUSTY HILL
Mockbeggar
Little Lodge Cott.
Cliffe Lodge
BUNTERS HILL
Dairy Cottages
Schoolhouse Cottages
Rose Cottages
COMMON LANE
Stone Hill
Meadowbank
Maycroft
The Mount
Noke Street Farm
Bunters Farm
Islingham Farm
ISLINGHAM FARM RD.
Royal School of Military Engineering
HIGHAM ROAD
Blacklands Farm
B-Y-P
E-R-N
Playing Field
Bowling Green
Higham Memorial Hall
White House Farm
Home Farm
STEADMAN CL.
ALEXANDER COTTS.
REYNOLDS FLDS.
LAKE DR.
THE ADELPHI
Little Orchard
Higham Mill
Hillyfield
Thames View Cottages
ST. JOHN'S ROAD
Club
ELM CLO.
THE LARCHES
Vicarage
ARMITAGE ROAD
LWR. ROCHESTER RD.
DILLYWOOD LANE
Chalkpit Cottage
Stonehorse Cottage
STONE HORSE CT.
Stone House Farm
72
73
74
75
76

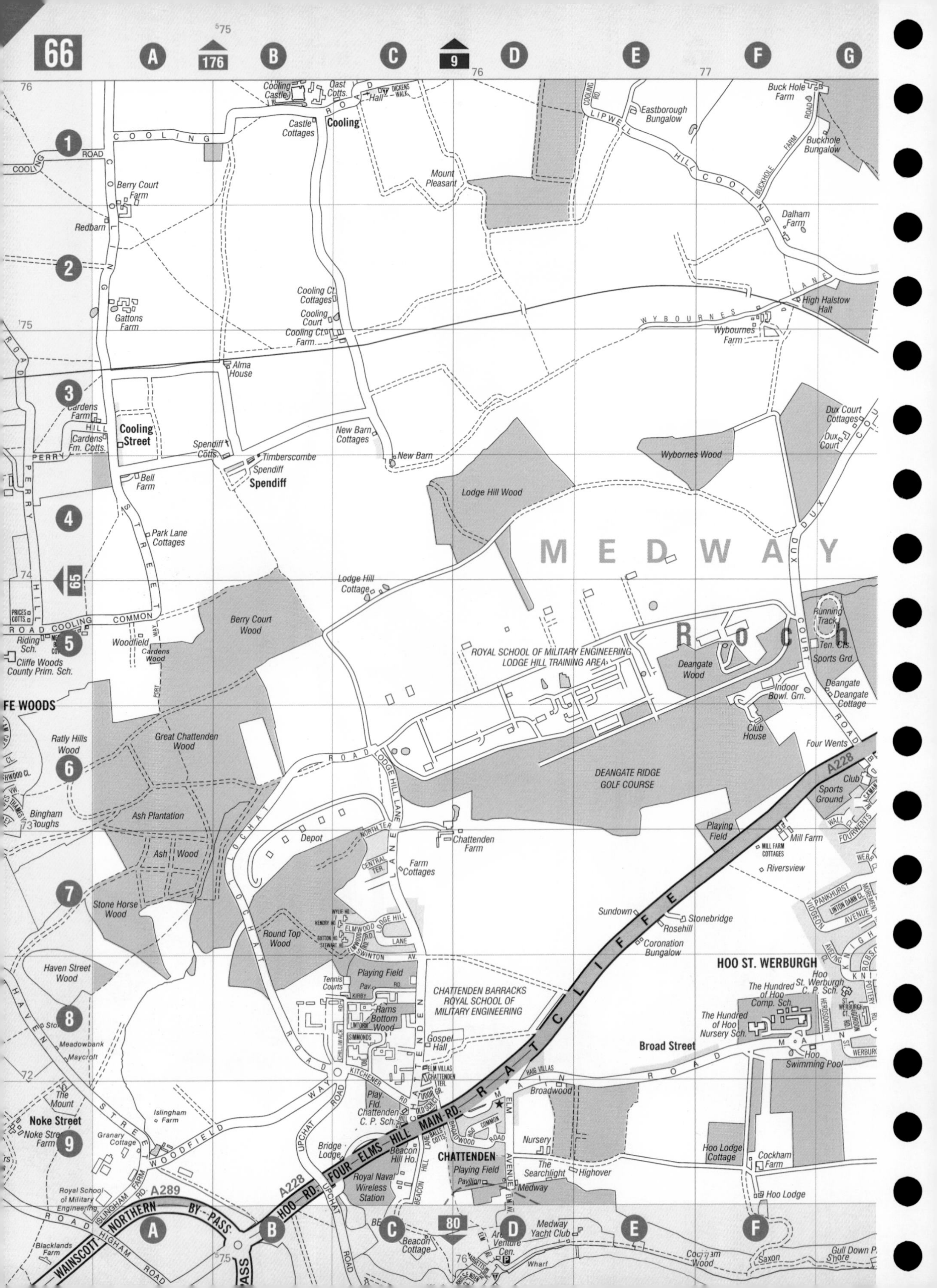
A
176
B
C
9
D
E
F
G
1
2
3
4
5
6
7
8
9
Cooling Castle
Oast Cotts.
Hall
DICKENS WALK
Castle Cottages
Cooling
COOLING ROAD
COOLING
Berry Court Farm
Redbarn
Gattons Farm
Cooling Ct. Cottages
Cooling Court
Cooling Ct. Farm
Alma House
Cardens Farm
Cardens Fm. Cotts.
Cooling Street
Spendiff Cotts.
Timberscombe
Spendiff
Bell Farm
Park Lane Cottages
New Barn Cottages
New Barn
Mount Pleasant
Eastborough Bungalow
LIPWELL HILL COOLING
Buck Hole Farm
Buckhole Bungalow
BUCKHOLE FARM ROAD
Dalham Farm
High Halstow Halt
WYBOURNES LANE
Wybournes Farm
Dux Court Cottages
Dux Court
Wybornes Wood
Lodge Hill Wood
MEDWAY
Rochester
DUX COURT ROAD
PERRY HILL
65
PRICES COTTS.
ROAD COOLING COMMON
Riding Sch.
Cliffe Woods County Prim. Sch.
Woodfield
Cardens Wood
Berry Court Wood
Lodge Hill Cottage
ROYAL SCHOOL OF MILITARY ENGINEERING LODGE HILL TRAINING AREA
Running Track
Ten. Cts.
Sports Grd.
Deangate Wood
Indoor Bowl. Grn.
Deangate
Deangate Cottage
Club House
Four Wents
CLIFFE WOODS
Ratly Hills Wood
Great Chattenden Wood
Bingham Roughs
Ash Plantation
Ash Wood
Stone Horse Wood
Haven Street Wood
DEANGATE RIDGE GOLF COURSE
LODGE HILL LANE
LOCHAT ROAD
Depot
NORTH TER.
CENTRAL TER.
Chattenden Farm
Farm Cottages
Playing Field
Sports Ground
Club
Mill Farm
MILL FARM COTTAGES
Riversview
Sundown
Stonebridge
Rosehill
Coronation Bungalow
RATCLIFFE HIGHWAY
A228
Round Top Wood
ELMWOOD RD.
LODGE HILL LANE
SWINTON AV.
Playing Field
Tennis Courts
Pav.
KIRBY RD.
Rams Bottom Wood
CHATTENDEN BARRACKS ROYAL SCHOOL OF MILITARY ENGINEERING
Gospel Hall
HOO ST. WERBURGH
Hoo St. Werburgh C. P. Sch.
The Hundred of Hoo Comp. Sch.
The Hundred of Hoo Nursery Sch.
Broad Street
MAIN ROAD
Hoo Swimming Pool
PANKHURST
AVENUE
KNIGHTS
POTTERY RD.
Meadowbank
Maycroft
The Mount
Noke Street
Noke Street Farm
Granary Cottage
Islingham Farm
STREET
HAVEN STREET
WOODFIELD WAY
KITCHENER RD.
UPCHAT ROAD
Play. Fld.
Chattenden C. P. Sch.
Bridge Lodge
FOUR ELMS HILL
MAIN RD.
HOO RD.
Beacon Hill Ho.
Royal Naval Wireless Station
CHATTENDEN
Playing Field
Pavilion
The Searchlight
Highover
Medway
Broadwood
Nursery
Hoo Lodge Cottage
Cockham Farm
Hoo Lodge
A289
WAINSCOTT NORTHERN BY-PASS
HIGHAM ROAD
ISLINGHAM FARM RD.
Royal School of Military Engineering
Blacklands Farm
80
Beacon Cottage
Medway Yacht Club
Wharf
Cockham Wood
Saxon Shore
Gull Down Point

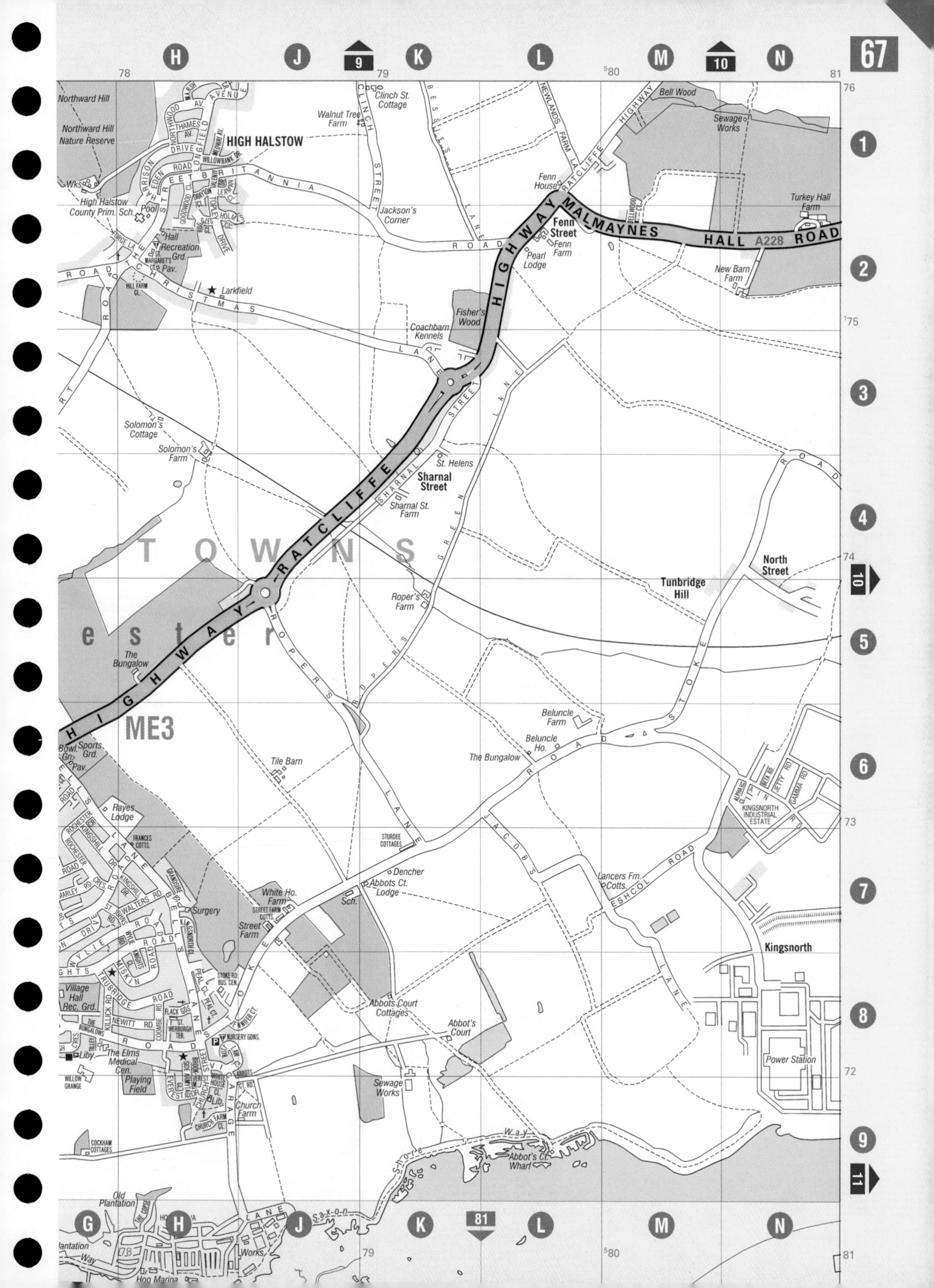
H
J
9
K
L
M
10
N
78
79
80
81
76
75
74
73
72
1
2
3
4
5
6
7
8
9
10
11
Northward Hill
Northward Hill
Nature Reserve
HIGH HALSTOW
Clinch St.
Cottage
Walnut Tree
Farm
Bell Wood
Sewage
Works
Wks.
High Halstow
County Prim. Sch.
Pool
Hall
Recreation
Grd.
Pav.
Jackson's
Corner
Fenn
House
Fenn
Street
Fenn
Farm
Pearl
Lodge
MALMAYNES HALL ROAD
A228
Turkey Hall
Farm
New Barn
Farm
Larkfield
Fisher's
Wood
Coachbarn
Kennels
Solomon's
Cottage
Solomon's
Farm
St. Helens
Sharnal
Street
Sharnal St.
Farm
TOWNS
North
Street
Tunbridge
Hill
Roper's
Farm
The
Bungalow
ME3
Beluncle
Farm
Beluncle
Ho.
The Bungalow
Tile Barn
Sports
Grd.
Pav.
Rayes
Lodge
KINGSNORTH
INDUSTRIAL
ESTATE
STURDEE
COTTAGES
Dencher
Abbots Ct.
Lodge
Lancers Fm.
Cotts.
White Ho.
Farm
Sch.
Surgery
Street
Farm
Kingsnorth
Village
Hall
Rec. Grd.
Abbots Court
Cottages
Abbot's
Court
Power Station
The Elms
Medical
Cen.
Playing
Field
Liby.
Lib.
Sewage
Works
Church
Farm
COCKHAM
COTTAGES
Abbot's Ct.
Wharf
Old
Plantation
Works
Hoo Marina
81
G
HIGHWAY
RATCLIFFE
HIGHWAY
ROAD
CHRISTMAS
LANE
STREET
GREEN LANE
ROPERS LANE
STOKE ROAD
JACOBS LANE
ESHCOL ROAD
Saxon Shore Way

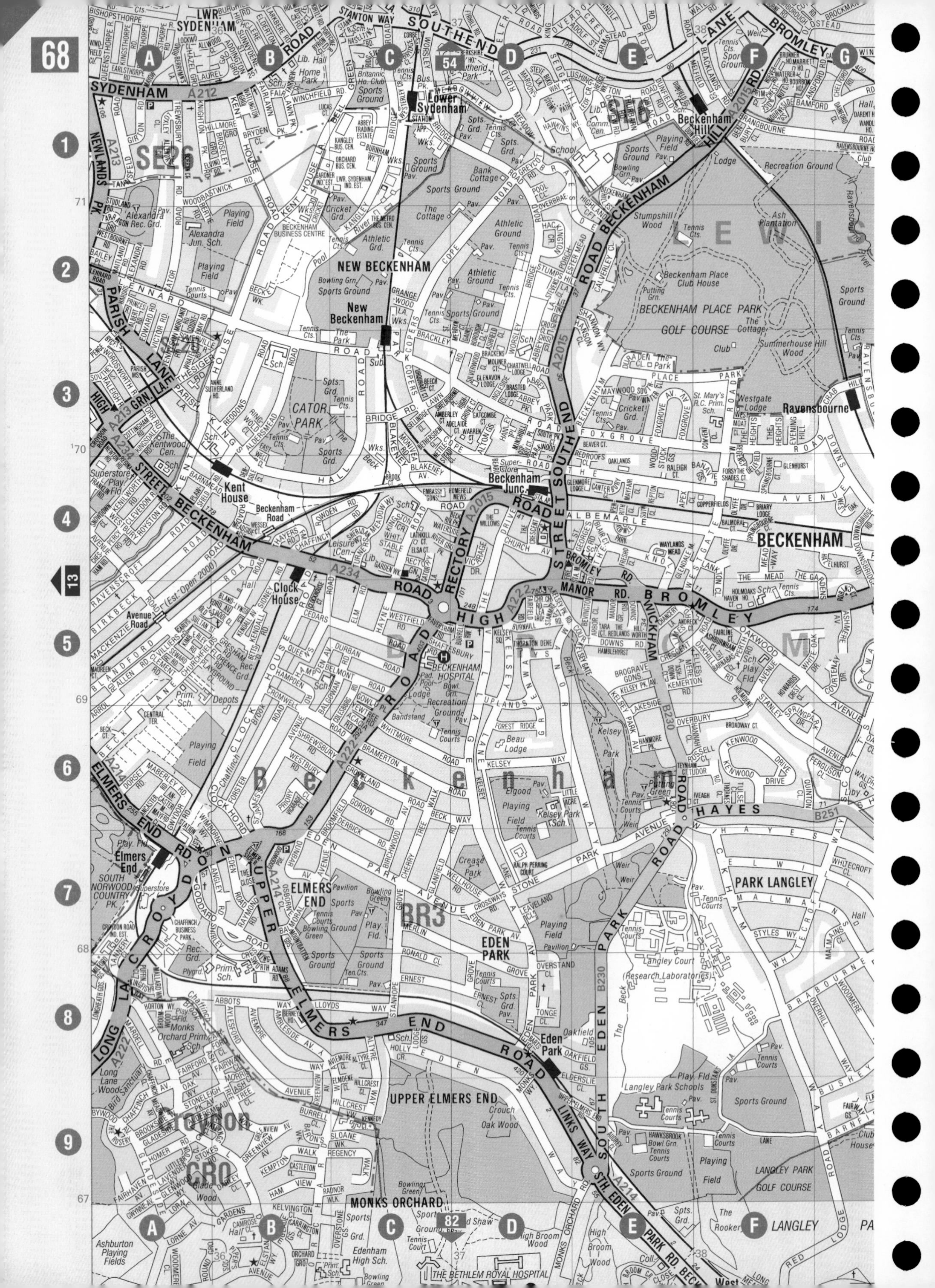

A
B
C
D
E
F
G
1
2
3
4
5
6
7
8
9
54
13
82
71
70
69
68
67
36
37
38
LWR SYDENHAM
SYDENHAM
A212
SOUTHEND
STANTON WAY
BROMLEY
LANE
Lower Sydenham
Home Park
Sports Ground
SE26
SE6
NEWLANDS PK.
A213
Beckenham Hill
BECKENHAM HILL RD.
A2015
Recreation Ground
Lodge
Alexandra Rec. Grd.
Alexandra Jun. Sch.
Playing Field
Bank Cottage
Sports Ground
The Cottage
Athletic Ground
Stumpshill Wood
LEWIS
Ash Plantation
BECKENHAM ROAD
NEW BECKENHAM
New Beckenham
Bowling Grn.
Athletic Ground
Beckenham Place Club House
BECKENHAM PLACE PARK
GOLF COURSE
Club
Summerhouse Hill Wood
Sports Ground
PARISH LANE
SE20
KENT HOUSE ROAD
CATOR PARK
Spts. Grd.
Sports Grd.
SOUTHEND ROAD
Ravensbourne
Westgate Lodge
St. Mary's R.C. Prim. Sch.
FOXGROVE
Cricket Grd.
HIGH ST.
A234
Kent House
Beckenham Road
BECKENHAM
Beckenham Junc.
RECTORY ROAD
ALBEMARLE
Clock House
Avenue Road
HIGH STREET
A222
MANOR RD.
BROMLEY RD.
WICKHAM
A234
ROAD
Leisure Cen.
BECKENHAM HOSPITAL
Recreation Ground
Bandstand
B230
Kelsey Park
Beau Lodge
Elgood Playing Field
Kelsey Park Sch.
HAYES
B251
HAYES LANE
Playing Field
Beckenham
PARK LANGLEY
Elmers End
ELMERS END RD.
A214
SOUTH NORWOOD COUNTRY PK.
CROYDON ROAD
UPPER ELMERS END RD.
ELMERS END
Sports Ground
BR3
EDEN PARK
Playing Field
Pavilion
Langley Court (Research Laboratories)
ELMERS END ROAD
Eden Park
Monks Orchard Prim. Sch.
LONG LANE
A222
Long Lane Wood
Bird Sanctuary
UPPER ELMERS END
Crouch Oak Wood
Langley Park Schools
Sports Ground
Croydon
CR0
Blake Wood
SOUTH EDEN PARK ROAD
LINKS WAY
HAWKSBROOK Bowl. Grn. Tennis Courts
Sports Ground
Playing Field
LANGLEY PARK GOLF COURSE
MONKS ORCHARD
Ashburton Playing Fields
Edenham High Sch.
THE BETHLEM ROYAL HOSPITAL
High Broom Wood
The Rookery
LANGLEY
PARK RD.
STH. EDEN

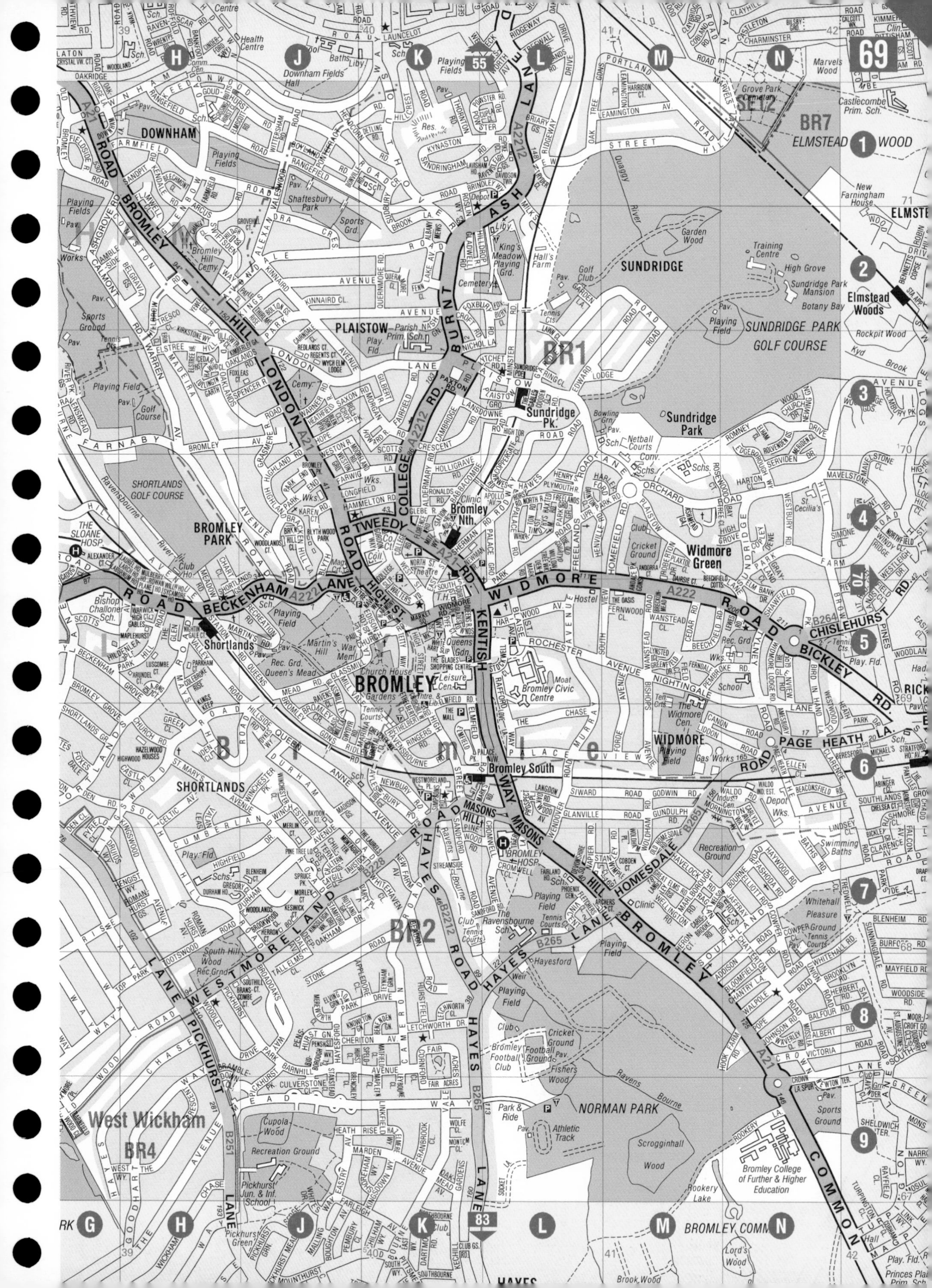

69
H
J
K
L
M
N
55
70
83
1
2
3
4
5
6
7
8
9
G
DOWNHAM
Downham Fields Hall
Playing Fields
Health Centre
Baths
Liby.
Shaftesbury Park
Sports Grd.
PLAISTOW
Parish Prim. Sch.
BR1
BR2
BR4
BR7
SE12
ELMSTEAD WOOD
Elmstead Woods
SUNDRIDGE
Sundridge Park Mansion
SUNDRIDGE PARK GOLF COURSE
Botany Bay
Rockpit Wood
Sundridge Pk.
Sundridge Park
Garden Wood
Hall's Farm
Golf Club
Training Centre
High Grove
New Farningham House
Grove Park Cemetery
Marvels Wood
Castlecombe Prim. Sch.
King's Meadow Playing Grd.
Cemetery
Bromley Hill Cemy.
Sports Ground
Playing Field
Golf Course
SHORTLANDS GOLF COURSE
BROMLEY PARK
THE SLOANE HOSP.
Bishop Challoner Sch.
Shortlands
SHORTLANDS
BROMLEY
Bromley Nth.
Bromley South
Bromley Civic Centre
Church House Gardens
Queen's Mead
Martin's Hill
War Mem.
Leisure Cen.
The Glades Shopping Centre
Queens Gdn.
Theatre
WIDMORE
Widmore Green
The Widmore Cen.
Gas Works
Cricket Ground
Recreation Ground
BROMLEY HOSP.
The Ravensbourne Sch.
Hayesford
Bromley Football Club
Fishers Wood
NORMAN PARK
Athletic Track
Park & Ride
Scrogginhall Wood
Rookery Lake
Bromley College of Further & Higher Education
BROMLEY COMMON
Lord's Wood
Brook Wood
West Wickham
Cupola Wood
Recreation Ground
Pickhurst Jun. & Inf. School
Pickhurst Green
South Hill Wood Rec. Grnd
Whitehall Pleasure Ground
Sports Ground
Swimming Baths
HAYES
LONDON RD.
BROMLEY RD.
BROMLEY HILL
BECKENHAM LANE
ROAD
TWEEDY RD.
COLLEGE RD.
BURNT ASH LANE
KENTISH WAY
WIDMORE ROAD
BICKLEY RD.
CHISLEHURST RD.
PAGE HEATH LA.
HOMESDALE RD.
MASONS HILL
HAYES LANE
HAYES ROAD
WESTMORELAND ROAD
PICKHURST LANE
BROMLEY COMMON
HIGH ST.
A21
A222
A2212
B228
B264
B265
B251

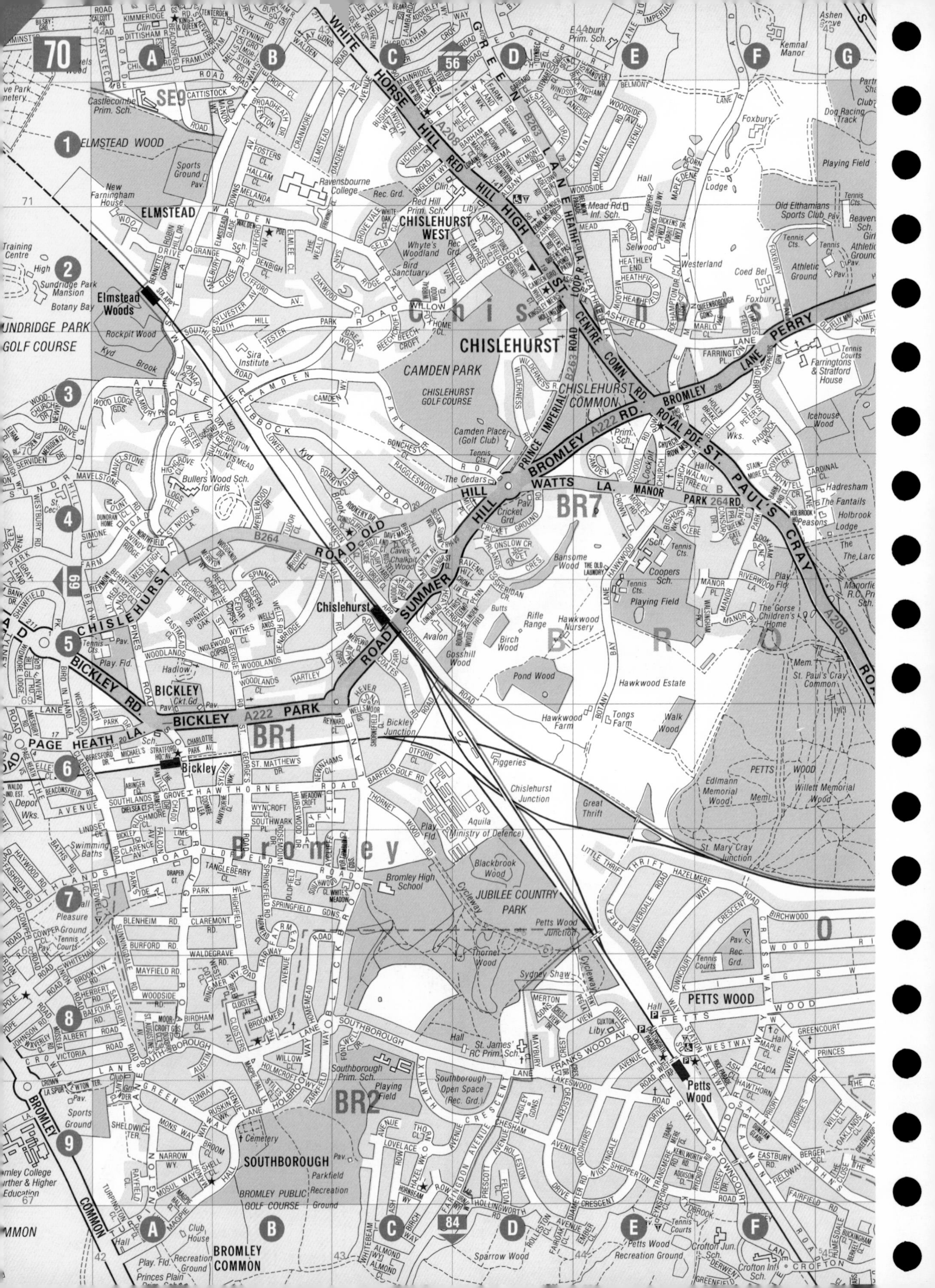

56
69
84
A
B
C
D
E
F
G
1
2
3
4
5
6
7
8
9
SE9
BR7
BR1
BR2
ELMSTEAD WOOD
ELMSTEAD
Elmstead Woods
Sundridge Park Mansion
Botany Bay
SUNDRIDGE PARK GOLF COURSE
Rockpit Wood
Kyd Brook
Castlecombe Prim. Sch.
New Farningham House
Training Centre
Sports Ground
Ravensbourne College
Rec. Grd.
Red Hill Prim. Sch.
CHISLEHURST WEST
Whyte's Woodland
Bird Sanctuary
Chislehurst
CHISLEHURST
CAMDEN PARK
CHISLEHURST GOLF COURSE
CHISLEHURST COMMON
Camden Place (Golf Club)
The Cedars
Sira Institute
Bullers Wood Sch. for Girls
Caves
Chalkpit Wood
Mead Rd. Inf. Sch.
Selwood
Westerland
Coed Bel
Foxbury
Lodge
Hall
Kemnal Manor
Dog Racing Track
Playing Field
Old Elthamians Sports Club
Athletic Ground
Farringtons & Stratford House
Icehouse Wood
Hadresham
The Fantails
Holbrook Lodge
Peasons
The Larches
Manorfield R.C. Prim. Sch.
The Gorse Children's Home
Mem. St. Paul's Cray Common
PETTS WOOD
Edlmann Memorial Wood
Willett Memorial Wood
Bansome Wood
Coopers Sch.
Playing Field
Hawkwood Nursery
Rifle Range
Birch Wood
Butts
Pond Wood
Hawkwood Estate
Hawkwood Farm
Tongs Farm
Walk Wood
Gosshill Wood
Avalon
Bickley Junction
Piggeries
Chislehurst Junction
Great Thrift
St. Mary Cray Junction
Aquila (Ministry of Defence)
Blackbrook Wood
Bromley High School
JUBILEE COUNTRY PARK
Petts Wood Junction
Thornet Wood
Sydney Shaw
PETTS WOOD
Petts Wood
St. James' RC Prim. Sch.
Southborough Prim. Sch.
Southborough Open Space (Rec. Grd.)
SOUTHBOROUGH
Parkfield Recreation Ground
BROMLEY PUBLIC GOLF COURSE
Cemetery
BROMLEY COMMON
Sparrow Wood
Petts Wood Recreation Ground
Crofton Jun. Sch.
Crofton Inf. Sch.
BICKLEY
Hadlow
Bickley
Bromley
Swimming Baths
Pleasure Ground
Sports Ground
Bromley College Further & Higher Education
Waldo Ind. Est.
Depot Wks.
WHITE HORSE HILL
RED HILL
HIGH ST.
GREEN LANE
CHISLEHURST RD.
BROMLEY LANE
ROYAL PDE.
ST. PAUL'S CRAY ROAD
PERRY LANE
WATTS LA.
MANOR PARK RD.
OLD HILL
SUMMER HILL
BICKLEY PARK ROAD
BICKLEY RD.
PAGE HEATH LA.
CHISLEHURST ROAD
OLD ROAD
SOUTHBOROUGH LANE
BROMLEY COMMON
A208
A222
B263
B264

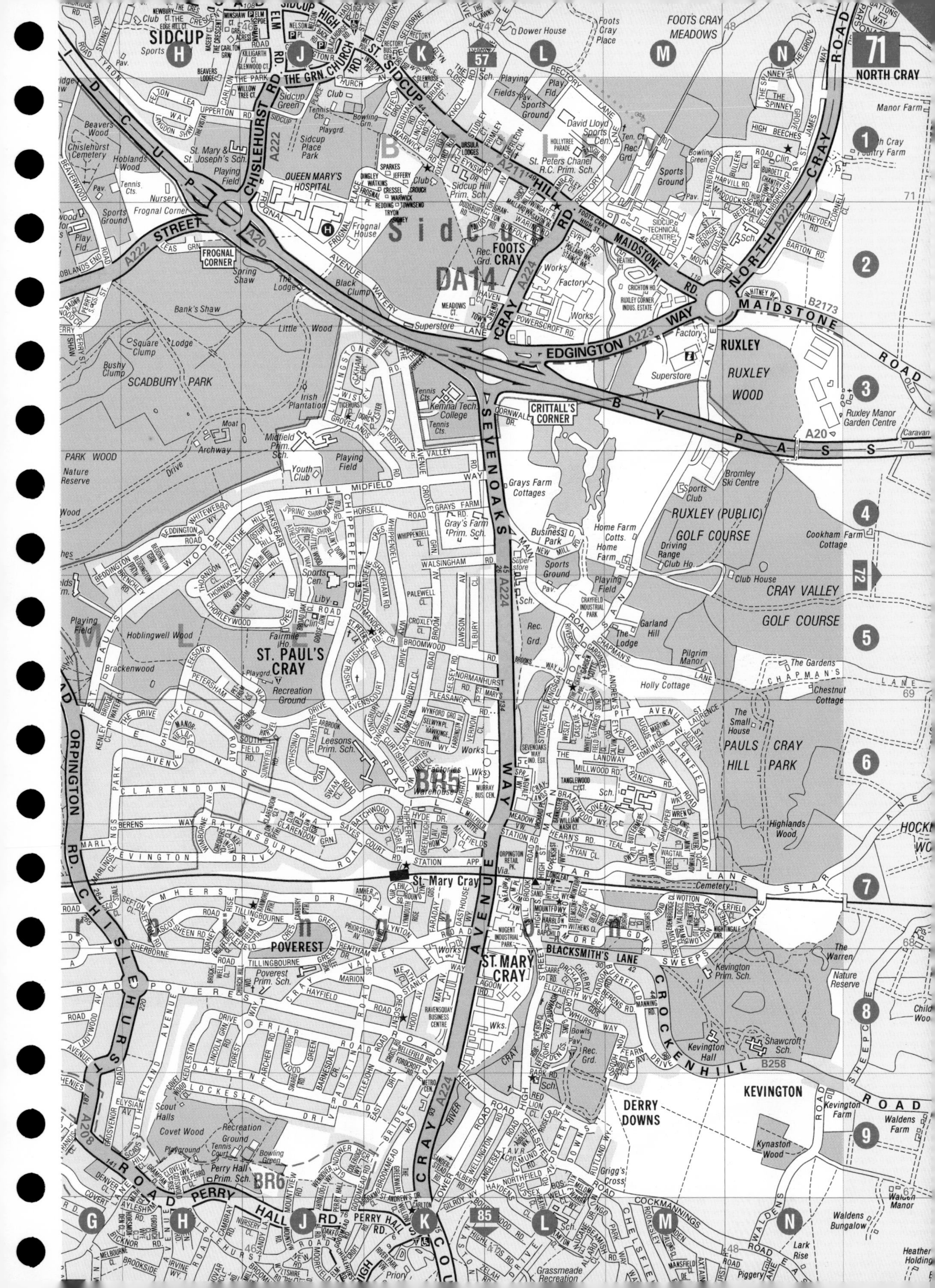

71
NORTH CRAY
SIDCUP
Sidcup Green
Sidcup Place Park
QUEEN MARY'S HOSPITAL
Frognal House
Frognal Corner
FROGNAL CORNER
Chislehurst Cemetery
Hoblands Wood
Beavers Wood
Sidcup
DA14
FOOTS CRAY
FOOTS CRAY MEADOWS
Dower House
Foots Cray Place
David Lloyd Sports Cen.
Sidcup Hill Prim. Sch.
St. Peters Chanel R.C. Prim. Sch.
SIDCUP TECHNICAL CENTRE
RUXLEY CORNER INDUS. ESTATE
Manor Farm
Honeyden Rd.
Bank's Shaw
Little Wood
Square Clump
Bushy Clump
SCADBURY PARK
Irish Plantation
Moat
Archway
PARK WOOD
Nature Reserve
Midfield Prim. Sch.
Youth Club
Playing Field
Kemnal Tech. College
CRITTALL'S CORNER
RUXLEY
RUXLEY WOOD
Superstore
Ruxley Manor Garden Centre
Bromley Ski Centre
EDGINGTON WAY
MAIDSTONE ROAD
SIDCUP BY PASS
A20
A222
A223
A224
A211
B2173
B258
A208
SEVENOAKS WAY
Grays Farm Cottages
Gray's Farm Prim. Sch.
Business Park
Home Farm Cotts.
Home Farm
Sports Ground
CRAYFIELD INDUSTRIAL PARK
RUXLEY (PUBLIC) GOLF COURSE
Driving Range Club Ho.
Club House
CRAY VALLEY GOLF COURSE
Cookham Farm Cottage
72
Garland Hill
The Lodge
Pilgrim Manor
The Gardens
Holly Cottage
Chestnut Cottage
CHAPMAN'S LANE
The Small House
PAULS HILL
CRAY PARK
Highlands Wood
Hoblingwell Wood
Brackenwood
ST. PAUL'S CRAY
Recreation Ground
Leesons Prim. Sch.
BR5
ST. MARY CRAY
St. Mary Cray
STATION APP
STAR LANE
Cemetery
ORPINGTON RETAIL PK.
POVEREST
Poverest Prim. Sch.
NUGENT INDUSTRIAL PARK
BLACKSMITH'S LANE
RAVENSQUAY BUSINESS CENTRE
Kevington Prim. Sch.
The Warren
Nature Reserve
Kevington Hall
Shawcroft Sch.
CROCKENHILL
KEVINGTON
Kevington Farm
Waldens Farm
Kynaston Wood
DERRY DOWNS
Grigg's Cross
Scout Halls
Covet Wood
Recreation Ground
Perry Hall Prim. Sch.
BR6
ORPINGTON RD.
CHISLEHURST ROAD
PERRY HALL RD.
COCKMANNINGS
WALDENS ROAD
Walden Manor
Waldens Bungalow
Lark Rise
Piggery
Grassmeade Recreation
Orpington
57
85

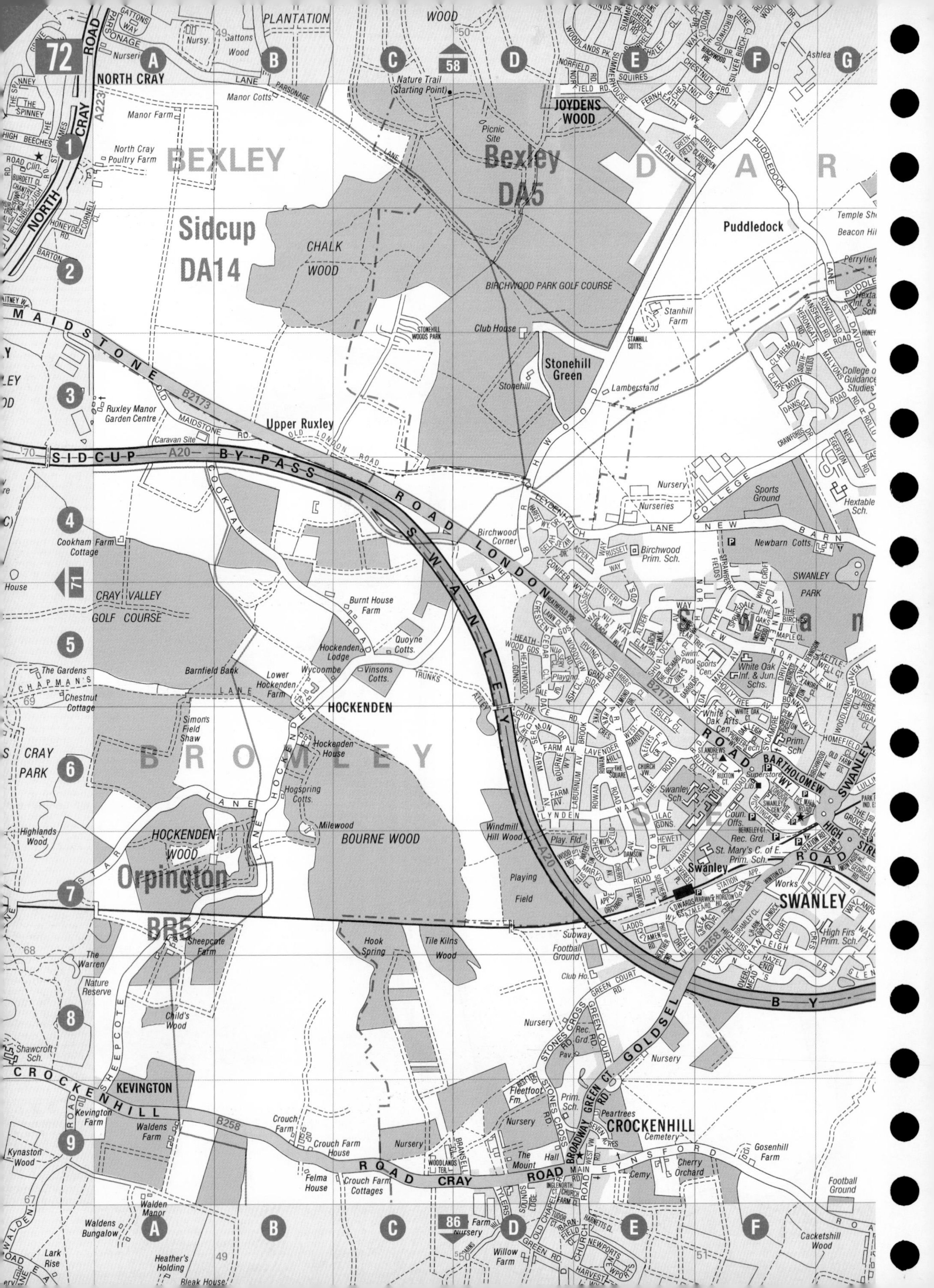
A
B
C
D
E
F
G
58
86
71
1
2
3
4
5
6
7
8
9
49
50
51
67
68
69
70
NORTH CRAY
NORTH CRAY ROAD
A223
PLANTATION
WOOD
Gattons Wood
Nursy.
Nurseries
PARSONAGE LANE
Manor Cotts.
Manor Farm
North Cray Poultry Farm
THE SPINNEY
HIGH BEECHES
Clin.
BURDETT CL.
HONEYDEN RD.
CORNELL CL.
BARTON
BEXLEY
Sidcup
DA14
CHALK
WOOD
Nature Trail
(Starting Point)
Picnic Site
Bexley
DA5
JOYDENS WOOD
WOODLANDS PK.
NORFIELD RD.
SUMMERHOUSE DR.
SQUIRES
FERNHEATH WY.
CHESTNUT GRO.
BIRCHWOOD PDE.
SILVER BIRCH CL.
ALFAN LA.
GREENFIELD DR.
CLARENDON PL.
DRIVE
PUDDLEDOCK
Puddledock
D A R
Ashlea
Temple Sh
Beacon Hi
Perryfield
BIRCHWOOD PARK GOLF COURSE
Club House
STONEHILL WOODS PARK
Stonehill Green
Stonehill
Stanhill Farm
STANHILL COTTS.
Lamberstand
BIRCHWOOD RD.
MAIDSTONE
B2173
MAIDSTONE RD.
Ruxley Manor Garden Centre
Caravan Site
Upper Ruxley
OLD LONDON ROAD
SIDCUP BY-PASS
A20
COOKHAM
SWANLEY
LONDON ROAD
Birchwood Corner
LEYDENHATCH LANE
NEW BARN
COLLEGE
Nursery
Nurseries
Sports Ground
Newbarn Cotts.
Birchwood Prim. Sch.
SWANLEY PARK
Hextable Sch.
College of Guidance Studies
MANSFIELD RD.
ROWZILL RD.
ST. DAVIDS
CLAREMONT
DAWSON
CRAWFORDS
EGERTON
Cookham Farm Cottage
House
CRAY VALLEY GOLF COURSE
Burnt House Farm
Quoyne Cotts.
Hockenden Lodge
Vinsons Cotts.
TRUNKS ALLEY
Wycoombe
Lower Hockenden Farm
Barnfield Bank
LANE
HOCKENDEN
Hockenden House
BROMLEY
Simon's Field Shaw
The Gardens
CHAPMAN'S
Chestnut Cottage
CRAY PARK
Hogspring Cotts.
Milewood
BOURNE WOOD
Highlands Wood
HOCKENDEN WOOD
STAR LANE
Orpington
BR5
Sheepcote Farm
Windmill Hill Wood
Playing Field
Play. Fld.
Swan
White Oak Inf. & Jun. Schs.
White Oak Arts Cen.
Sports Cen.
Swim. Pool
Swanley Sch.
Coun. Offs.
Rec. Grd.
St. Mary's C. of E. Prim. Sch.
Swanley
SWANLEY
Superstore
Lib.
BARTHOLOMEW WY.
HIGH STREET
Works
High Firs Prim. Sch.
STATION RD.
Subway
Football Ground
Club Ho.
GREEN COURT RD.
GOLDSEL RD.
Hook Spring
Tile Kilns Wood
The Warren
Nature Reserve
Child's Wood
SHEEPCOTE LANE
Shawcroft Sch.
CROCKENHILL
KEVINGTON
Kevington Farm
Waldens Farm
B258
Crouch Farm
Crouch Farm House
Felma House
Crouch Farm Cottages
CRAY ROAD
Nursery
Fleetfoot Fm.
STONES CROSS RD.
Rec. Grd.
Pav.
Prim. Sch.
Peartrees
CROCKENHILL
Cemetery
The Mount
Hall
BROADWAY
EYNSFORD ROAD
Cemy.
Cherry Orchard
Gosenhill Farm
Football Ground
Cacketshill Wood
Kynaston Wood
Walden Manor
Waldens Bungalow
Lark Rise
Heather's Holding
Bleak House
Farm Nursery
Willow Farm
GREEN RD.
CHURCH RD.
HARVEST

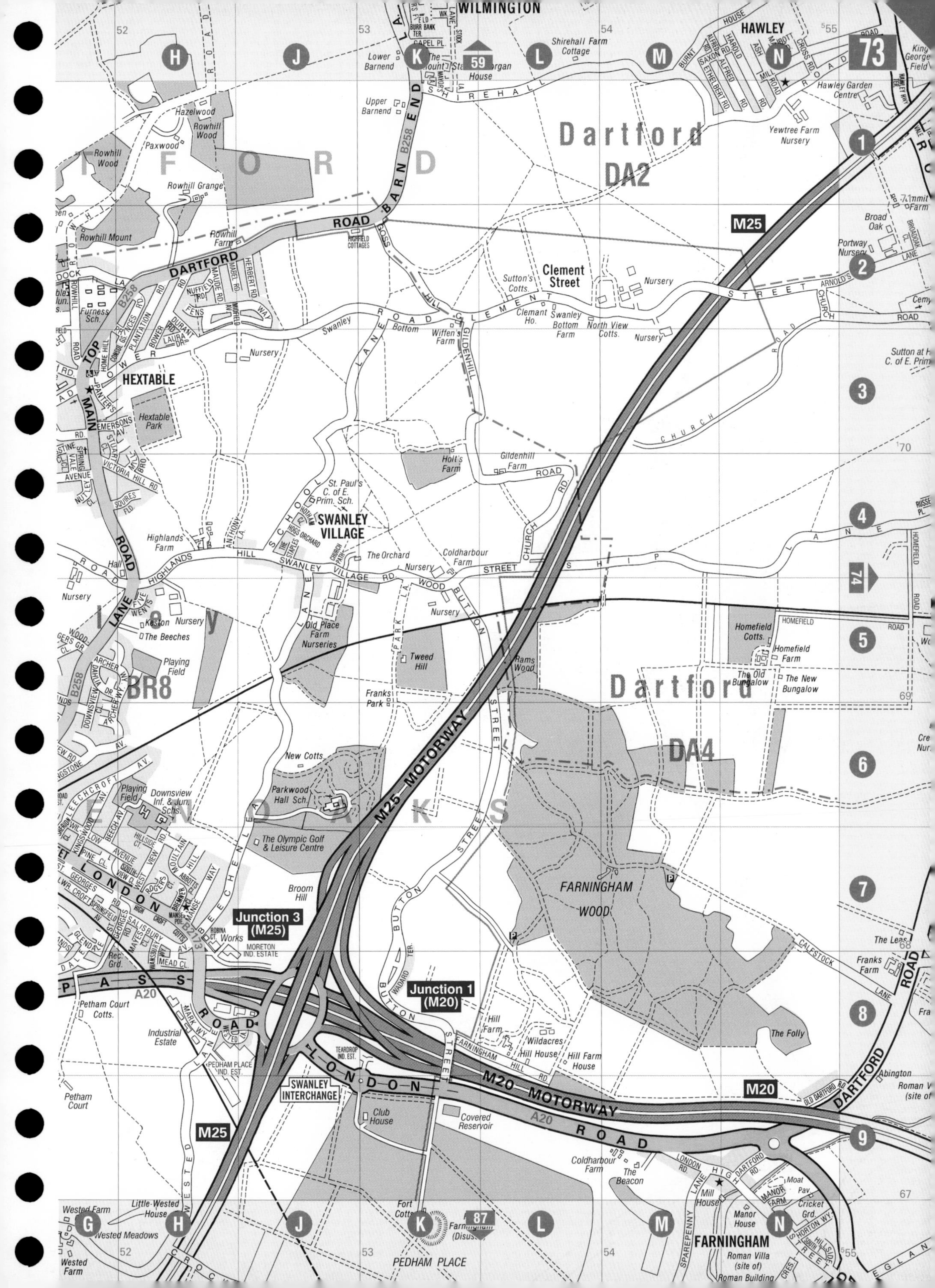

73
WILMINGTON
59
74
87
Lower Barnend
Upper Barnend
Shirehall Farm Cottage
Hawley Garden Centre
Yewtree Farm Nursery
HAWLEY
Dartford
DA2
Hazelwood
Rowhill Wood
Paxwood
Rowhill Grange
Rowhill Mount
Rowhill Farm
DARTFORD ROAD
BARN END
B258
HIGHFIELD COTTAGES
M25
Clement Street
Sutton's Cotts.
Clemant Ho.
Swanley Bottom Farm
North View Cotts.
Nursery
Wiffen's Farm
GILDENHILL
HEXTABLE
Hextable Park
Furness Sch.
TOP
MAIN
Holt's Farm
Gildenhill Farm
St. Paul's C. of E. Prim. Sch.
SWANLEY VILLAGE
The Orchard
Coldharbour Farm
Highlands Farm
HIGHLANDS HILL
SWANLEY VILLAGE RD
WOOD
SHIP
STREET
Keston
The Beeches
Playing Field
BR8
Old Place Farm Nurseries
Tweed Hill
Franks Park
Rams Wood
Homefield Cotts.
Homefield Farm
The Old Bungalow
The New Bungalow
Dartford
DA4
New Cotts.
Parkwood Hall Sch.
Downsview Inf. & Jun. Schs.
M25 MOTORWAY
The Olympic Golf & Leisure Centre
Broom Hill
FARNINGHAM WOOD
Junction 3 (M25)
Works
MORETON IND. ESTATE
Junction 1 (M20)
Petham Court Cotts.
Industrial Estate
PEDHAM PLACE IND. EST.
TEARDROP IND. EST.
SWANLEY INTERCHANGE
LONDON
A20
M20 MOTORWAY
Hill Farm
Wildacres
Hill House
Hill Farm House
The Folly
Club House
Covered Reservoir
ROAD
M20
Petham Court
Coldharbour Farm
The Beacon
Mill House
Manor House
FARNINGHAM
Roman Villa (site of) Roman Building
Westerd Farm
Little Wested House
Wested Meadows
Wested Farm
Fort Cotts.
PEDHAM PLACE
The Leas
Franks Farm
Abington
DARTFORD
CALFSTOCK LANE
Broad Oak
Portway Nursery
Sutton at Hone C. of E. Prim.
Summit Farm

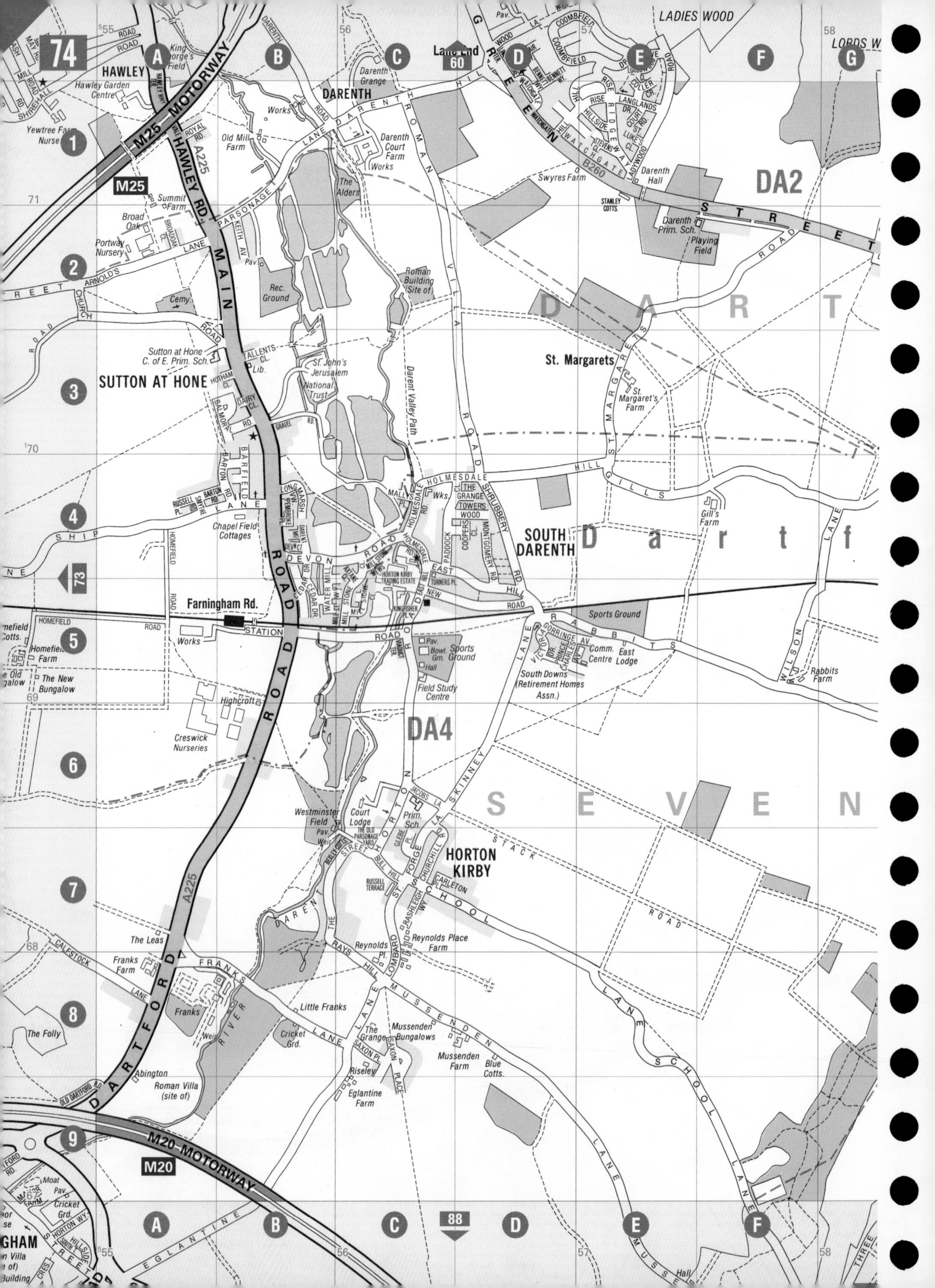

HAWLEY
DARENTH
Lane End
60
LADIES WOOD
LORDS WOOD
M25 MOTORWAY
M25
HAWLEY RD.
A225
Hawley Garden Centre
Yewtree Farm Nursery
Old Mill Farm
Darenth Grange
Darenth Court Farm
Works
The Alders
Swyres Farm
Darenth Hall
DA2
B260
WATCHGATE
STREET
Darenth Prim. Sch.
Playing Field
Summit Farm
Broad Oak
Portway Nursery
PARSONAGE LANE
MAIN ROAD
Rec. Ground
Roman Building (Site of)
Cemy.
DARTFORD
Sutton at Hone C. of E. Prim. Sch.
SUTTON AT HONE
St. John's Jerusalem National Trust
Darent Valley Path
ROMAN VILLA ROAD
St. Margarets
St. Margaret's Farm
HOLMESDALE HILL
GILLS ROAD
Gill's Farm
SOUTH DARENTH
Dartford
Chapel Field Cottages
SHIP LANE
DEVON ROAD
HORTON KIRBY TRADING ESTATE
73
Farningham Rd.
STATION ROAD
Works
Homefield Farm
The New Bungalow
Sports Ground
RABBITS ROAD
Comm. Centre
East Lodge
Rabbits Farm
South Downs (Retirement Homes Assn.)
Sports Ground
Field Study Centre
Highcroft
Creswick Nurseries
DA4
SEVENOAKS
Westminster Field
Court Lodge
Prim. Sch.
HORTON KIRBY
STACK ROAD
SCHOOL ROAD
The Leas
Reynolds Pl.
Reynolds Place Farm
Franks Farm
Franks
Little Franks
The Folly
Cricket Grd.
The Grange
Mussenden Bungalows
Mussenden Farm
Blue Cotts.
Riseley
Eglantine Farm
Abington
Roman Villa (site of)
DARTFORD ROAD
M20 MOTORWAY
M20
RIVER
MUSSENDEN LANE
SCHOOL LANE
Moat
Pav.
Cricket Grd.
EGLANTINE
88

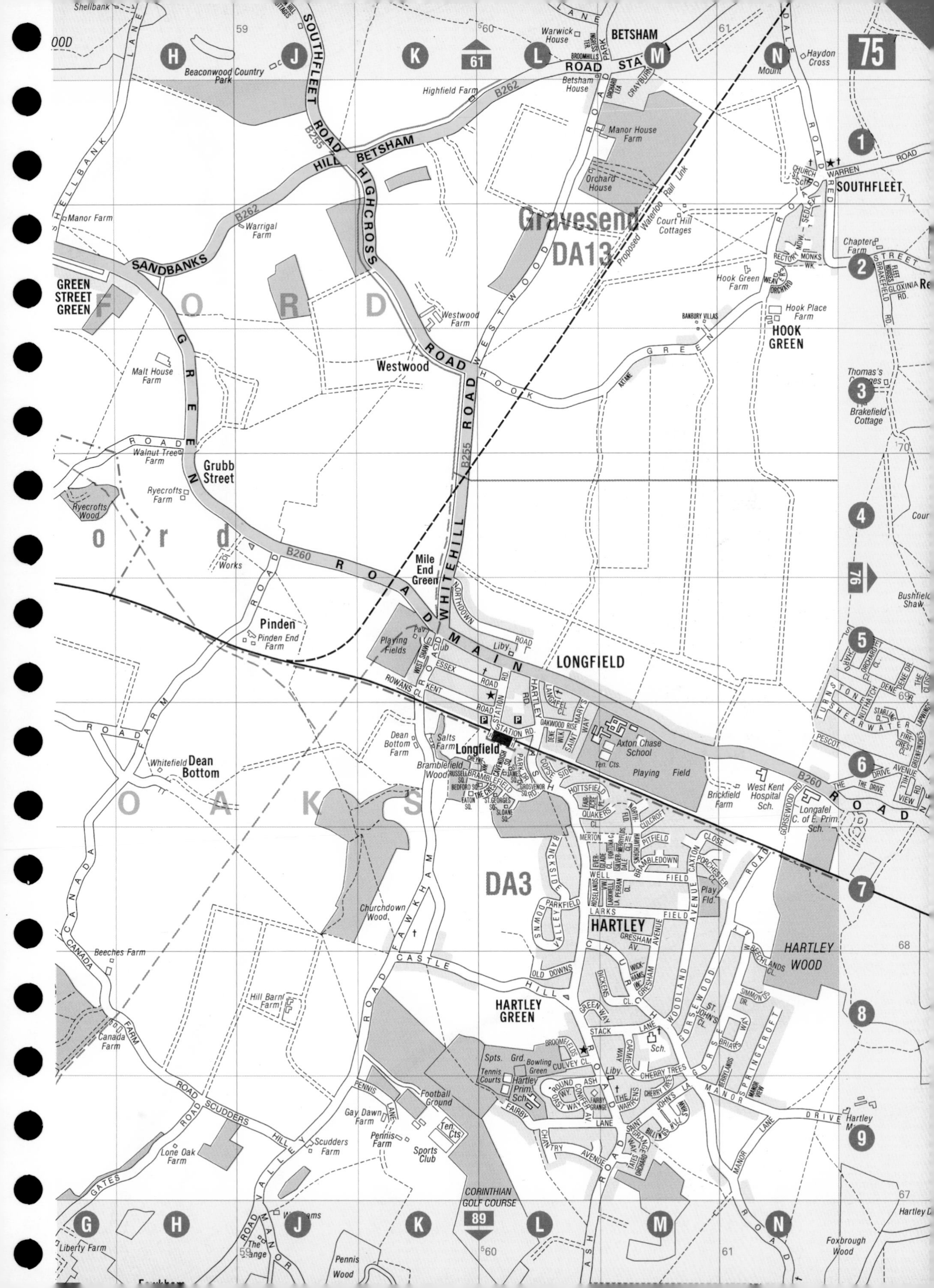

Shellbank
59
60
61
H
J
K
L
M
N
61
Warwick House
BETSHAM
Haydon Cross
Mount
Beaconwood Country Park
SOUTHFLEET ROAD
ROAD
Betsham House
Highfield Farm
B262
BROOMHILLS
ORCHARD LEA
CRAYBURN
Manor House Farm
B255
HILL
BETSHAM
Orchard House
WARREN ROAD
SOUTHFLEET
CHURCH
Sch.
SHELLBANK LANE
Manor Farm
B262
Warrigal Farm
HIGHCROSS
Gravesend
DA13
Proposed Waterloo Rail Link
Court Hill Cottages
Chapter Farm
STREET
SANDBANKS
RECTORY MDW.
MONKS WK.
FLEET HOUSES
BRAKEFIELD RD.
GLOXINIA RD.
GREEN STREET GREEN
F
O
R
D
Westwood Farm
Hook Green Farm
Hook Place Farm
BANBURY VILLAS
HOOK GREEN
ROAD
Westwood
GREEN
WESTWOOD
Malt House Farm
HOOK
AXTANE
Thomas's Cottages
Brakefield Cottage
ROAD
Walnut Tree Farm
Grubb Street
B255
70
Ryecrofts Farm
Ryecrofts Wood
WHITEHILL ROAD
o
r
d
B260
Works
Mile End Green
ROAD
MAIN
NORTHDOWN
76
Bushfield Shaw
Pinden
Pinden End Farm
Playing Fields
Pav.
Club
Liby.
ROAD
LONGFIELD
ESSEX
WEST SHAW
ROWANS CL.
KENT
ROAD
STATION RD.
HARTLEY RD.
LANGAFEL CL.
ST. MARY'S
OAKWOOD RISE
DENE WLK.
SAINT WAY
Axton Chase School
Ten. Cts.
Playing Field
Dean Bottom Farm
Salts Farm
Longfield
Bramblefield Wood
CHEYNE
RUSSELL SQ.
BEDFORD SQ.
EATON SQ.
BRAMBLEFIELD
THE CRES.
CAVENDISH
ST. JAMES SQ.
GROSVENOR RD.
ST. GEORGES SQ.
SLOANE SQ.
COPSE SIDE
HOTTSFIELD
FAIRACRE PL.
QUAKERS CL.
NORTH FLD.
CULCROFT
Brickfield Farm
West Kent Hospital Sch.
GORSEWOOD RD.
Longafel C. of E. Prim. Sch.
TURNSTONE
SHEARWATER
PESCOT
DRIVE
AVENUE
THE DRIVE
ROAD
69
ROAD
FARM
Whitefield
Dean Bottom
O
A
K
S
MERTON
PITFIELD
CLOSE
BRAMBLEDOWN
CAXTON
PORCHESTER CL.
WELL FIELD
BANCKSIDE
DA3
Play Fld.
PARKFIELD
LARKS FIELD
AVENUE
DOWNS VALLEY
HARTLEY
GRESHAM AV.
CANADA
Churchdown Wood
FAWKHAM
CASTLE
HILL
OLD DOWNS
CHURCH
DICKENS
WICKHAMS WY.
GRESHAM
WOODLAND
GORSEWOOD
ST. JOHN'S CL.
BEECHLANDS CL.
HARTLEY WOOD
68
SIMMONS DR.
Beeches Farm
CANADA
Hill Barn Farm
HARTLEY GREEN
GREEN WAY
STACK LANE
Sch.
BRIARS WAY
SPRINGCROFT
8
Canada Farm
FARM
BROOMFIELDS
Spts. Grd.
Bowling Green
CULVEY CL.
CARMELITE WAY
Tennis Courts
Hartley Prim. Sch.
ASH
Liby.
CHERRY TREES
GORSE
MANOR
BERRYLANDS
ROAD
SCUDDERS
HILL
PENNIS LANE
Football Ground
FAIRBY
ROUND ASH WY.
CONIFER AV.
THE WARRENS
JOHN'S LA.
Gay Dawn Farm
Ten. Cts.
LANE
DRIVE
Hartley Manor
Lone Oak Farm
Scudders Farm
Pennis Farm
Sports Club
CHANTRY AVENUE
ROAD
MANOR LANE
9
GATES
VALLEY
CORINTHIAN GOLF COURSE
67
G
H
J
K
L
M
N
89
ROAD
MANOR
Liberty Farm
The Grange
59
Pennis Wood
60
61
ASH
ROAD
Foxbrough Wood
Hartley
1
2
3
4
5
6
7
8
9

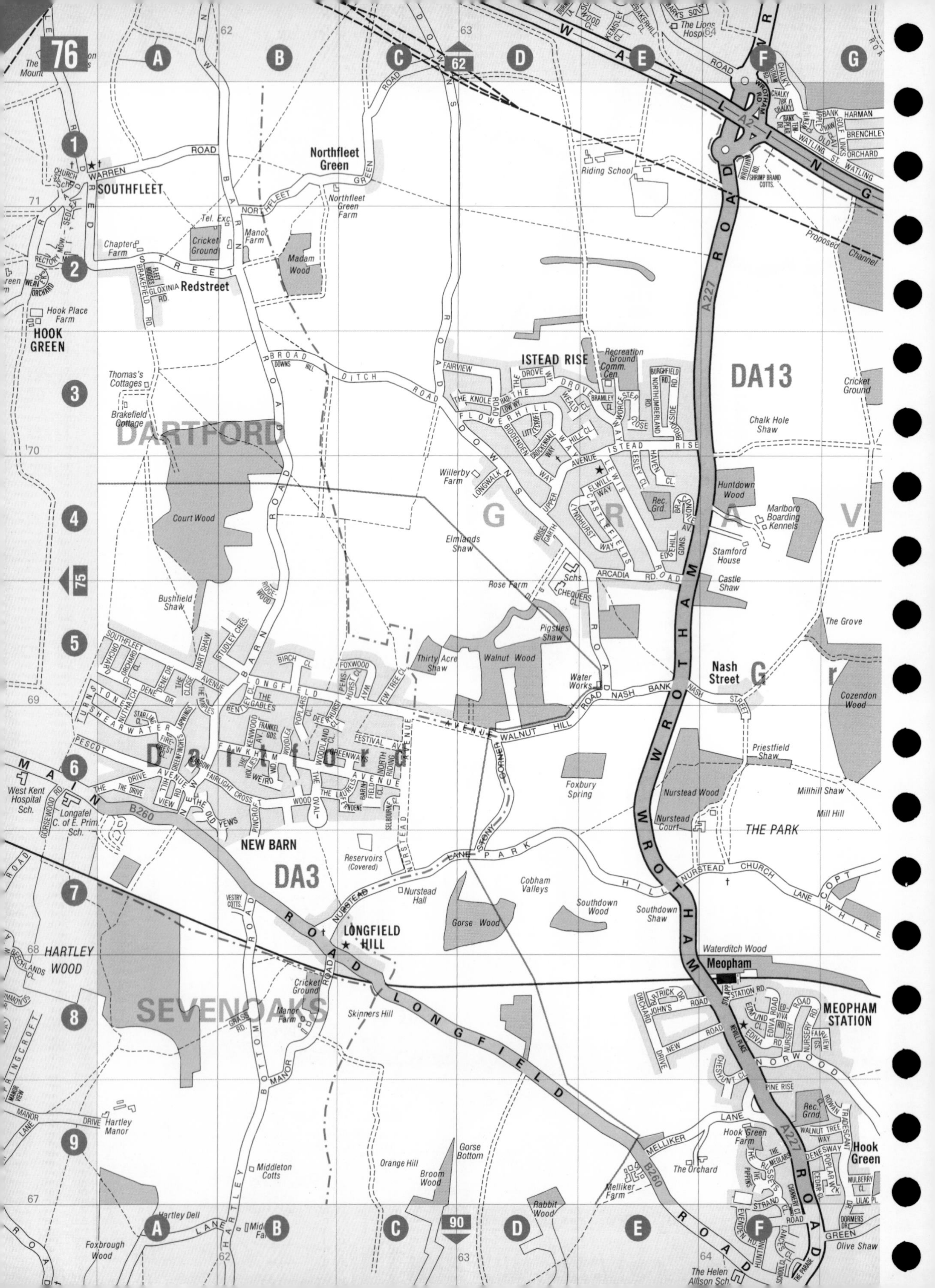
SOUTHFLEET
Northfleet Green
Redstreet
HOOK GREEN
DARTFORD
ISTEAD RISE
DA13
Nash Street
Dartford
NEW BARN
DA3
LONGFIELD HILL
HARTLEY WOOD
SEVENOAKS
Meopham
MEOPHAM STATION
Hook Green
THE PARK
Riding School
Recreation Ground
Court Wood
Madam Wood
Walnut Wood
Huntdown Wood
Cobham Valleys
Gorse Wood
Southdown Wood
Nurstead Wood
Cozendon Wood
Hartley Manor
Nurstead Hall
Nurstead Court
Reservoirs (Covered)
Skinners Hill
Orange Hill
Broom Wood
Gorse Bottom
Melliker Farm
The Orchard
The Helen Allison Sch.
Foxbrough Wood
Hartley Dell
Middleton Cotts
West Kent Hospital Sch.
Longafel C. of E. Prim. Sch.
Chalk Hole Shaw
Marlboro Boarding Kennels
Stamford House
Castle Shaw
The Grove
Priestfield Shaw
Millhill Shaw
Mill Hill
Waterditch Wood
Cricket Ground
Willerby Farm
Elmlands Shaw
Rose Farm
Pigstles Shaw
Thirty Acre Shaw
Water Works
Foxbury Spring
Southdown Shaw
Olive Shaw
Rabbit Wood
The Lions Hospi
Northfleet Green Farm
Chapter Farm
Manor Farm
Hook Place Farm
Thomas's Cottages
Brakefield Cottage
Bushfield Shaw
Hook Green Farm
Proposed Channel
WATLING
WROTHAM ROAD
A227
B260
LONGFIELD ROAD
BOTTOM
HARTLEY
75
62
90
A B C D E F G
1 2 3 4 5 6 7 8 9

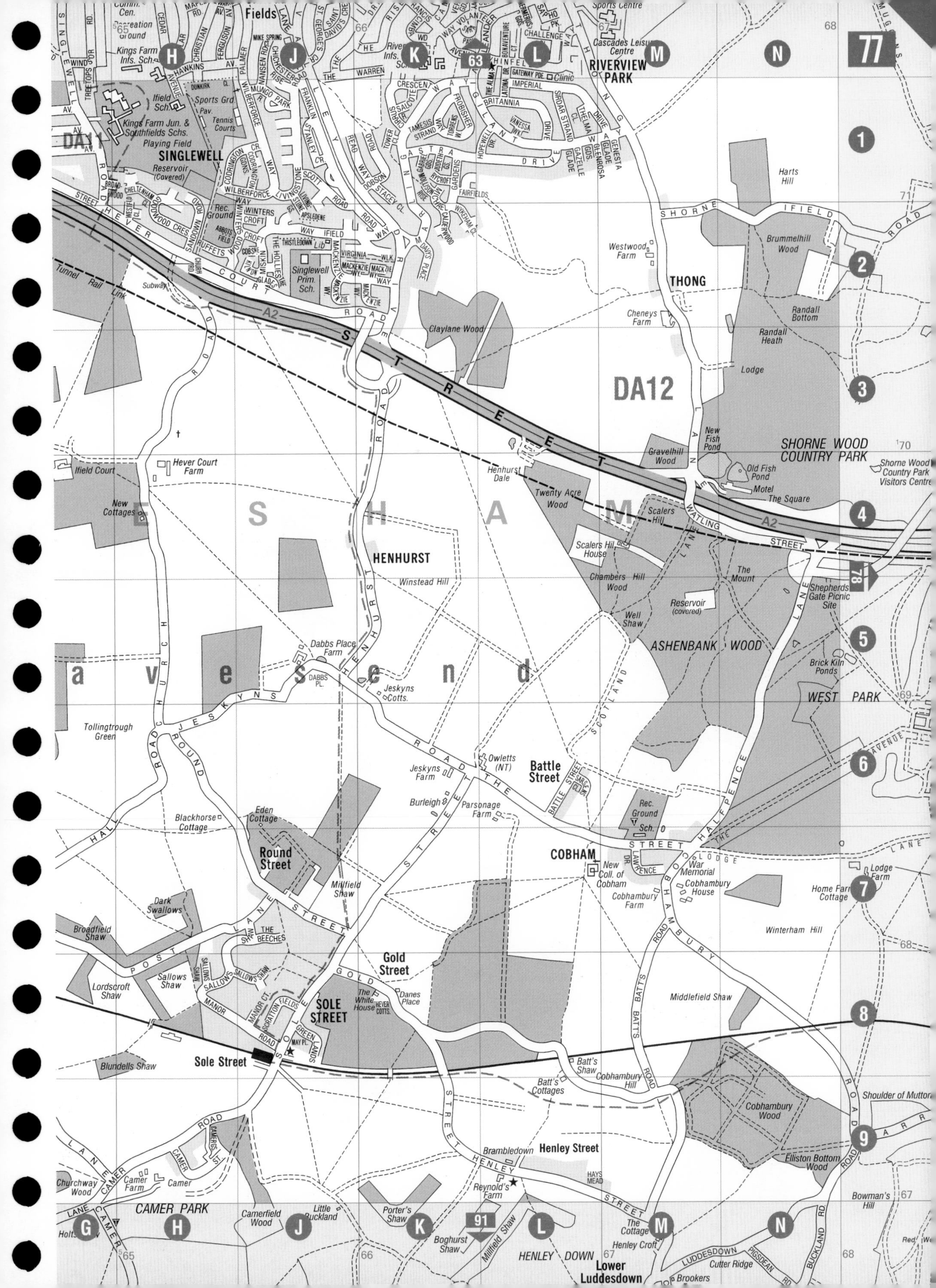
77
Fields
Singlewell
Riverview Park
Thong
DA11
DA12
Henhurst
Cobham
Battle Street
Round Street
Gold Street
Sole Street
Henley Street
Camer Park
Lower Luddesdown
Henley Down
Shorne Wood Country Park
Ashenbank Wood
West Park
Harts Hill
Brummelhill Wood
Randall Bottom
Randall Heath
Claylane Wood
Gravelhill Wood
Twenty Acre Wood
Scalers Hill
Chambers Hill Wood
Winstead Hill
Well Shaw
The Mount
Ifield Court
Hever Court Farm
New Cottages
Tollingtrough Green
Dabbs Place Farm
Jeskyns Cotts.
Jeskyns Farm
Owletts (NT)
Burleigh
Parsonage Farm
Blackhorse Cottage
Eden Cottage
Millfield Shaw
Dark Swallows
Broadfield Shaw
Lordscroft Shaw
Sallows Shaw
Blundells Shaw
Cobhambury House
Cobhambury Farm
Cobhambury Wood
Cobhambury Hill
Middlefield Shaw
Winterham Hill
Elliston Bottom Wood
Shoulder of Mutton
Bowman's Hill
Batt's Shaw
Batt's Cottages
Brambledown
Reynold's Farm
Porter's Shaw
Boghurst Shaw
Millfield Shaw
Little Buckland
Camerfield Wood
Churchway Wood
Camer Farm
Camer
Holts Shaw
The Cottage
Henley Croft
Cutter Ridge
Brookers
Watling Street
A2
Tunnel Rail Link
Gravesend
Shepherds Gate Picnic Site
Brick Kiln Ponds
New Coll. of Cobham
War Memorial
Westwood Farm
Cheneys Farm
Lodge
Lodge Farm
Home Farm Cottage
Motel
The Square
New Fish Pond
Old Fish Pond
Henhurst Dale
Scalers Hill House
Reservoir (covered)
Kings Farm Jun. & Southfields Schs.
Singlewell Prim. Sch.
Cascades Leisure Centre
63
78
91

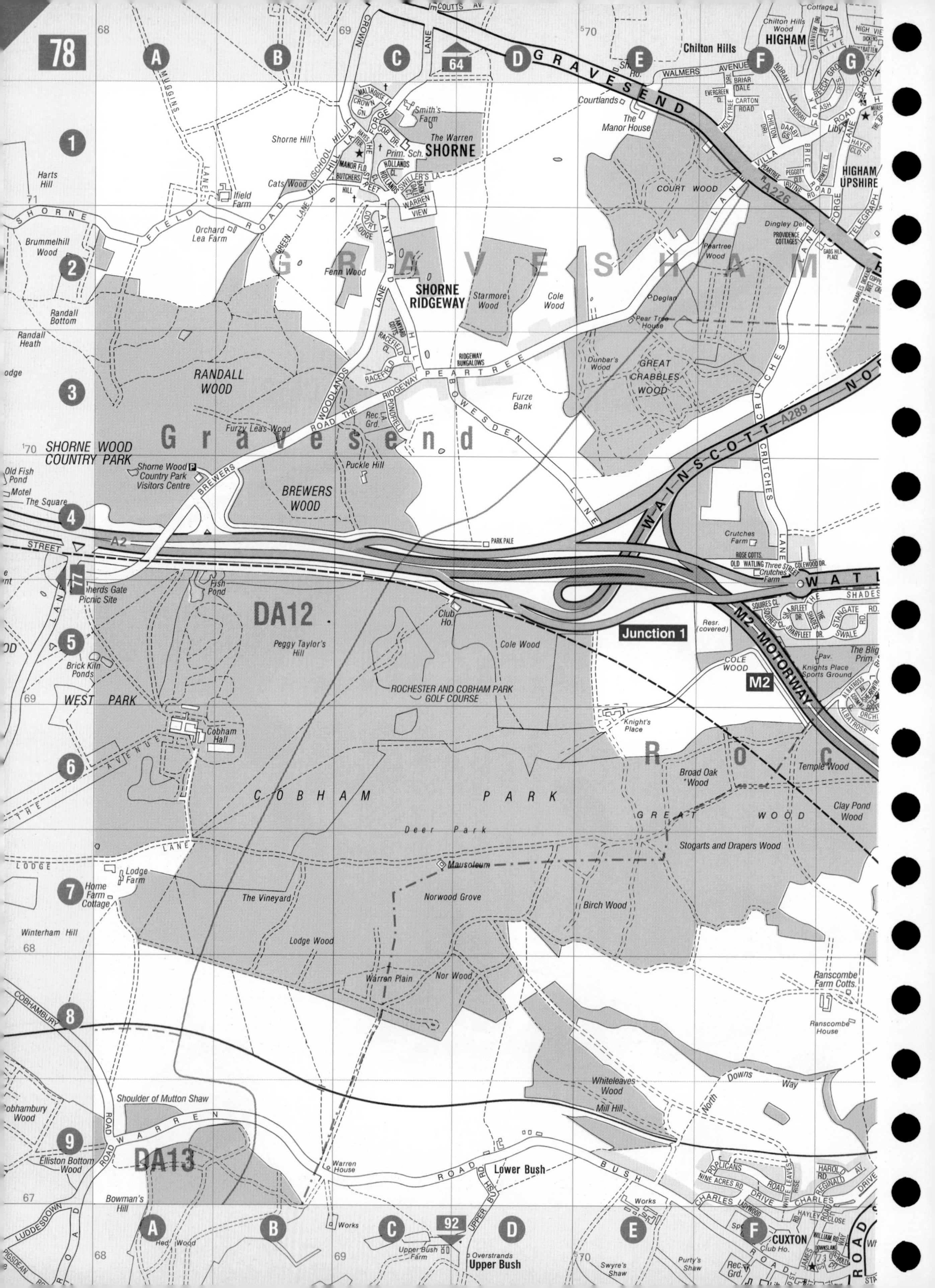

SHORNE
SHORNE RIDGEWAY
HIGHAM
HIGHAM/UPSHIRE
Chilton Hills
GRAVESEND
G R A V E S H A M
Gravesend
SHORNE WOOD COUNTRY PARK
Shorne Wood Country Park Visitors Centre
RANDALL WOOD
BREWERS WOOD
GREAT CRABBLES WOOD
COURT WOOD
DA12
DA13
Junction 1
M2 MOTORWAY
WAINSCOTT
A2
A226
A289
ROCHESTER AND COBHAM PARK GOLF COURSE
COBHAM PARK
Cobham Hall
WEST PARK
Deer Park
Mausoleum
Norwood Grove
The Vineyard
Lodge Wood
Warren Plain
Nor Wood
Birch Wood
Stogarts and Drapers Wood
GREAT WOOD
Temple Wood
Clay Pond Wood
Broad Oak Wood
Knight's Place
Cole Wood
Whiteleaves Wood
Mill Hill
North Downs Way
Lower Bush
Upper Bush
CUXTON
Shoulder of Mutton Shaw
Cobhambury Wood
Elliston Bottom Wood
Bowman's Hill
Winterham Hill
Home Farm Cottage
Lodge Farm
Harts Hill
Brummelhill Wood
Randall Bottom
Randall Heath
Ifield Farm
Orchard Lea Farm
Shorne Hill
Cats Wood
Fenn Wood
Starmore Wood
Cole Wood
Furze Bank
Dunbar's Wood
Peartree Wood
Pear Tree House
Deglan
Courtlands
The Manor House
Dingley Dell
Puckle Hill
Furzy Leas Wood
Peggy Taylor's Hill
Brick Kiln Ponds
Crutches Farm
Ranscombe Farm Cotts.
Ranscombe House
Warren House
Swyre's Shaw
Purty's Shaw
Old Fish Pond
Motel
The Square
Shepherds Gate Picnic Site
Fish Pond
Club Ho.
64
77
92

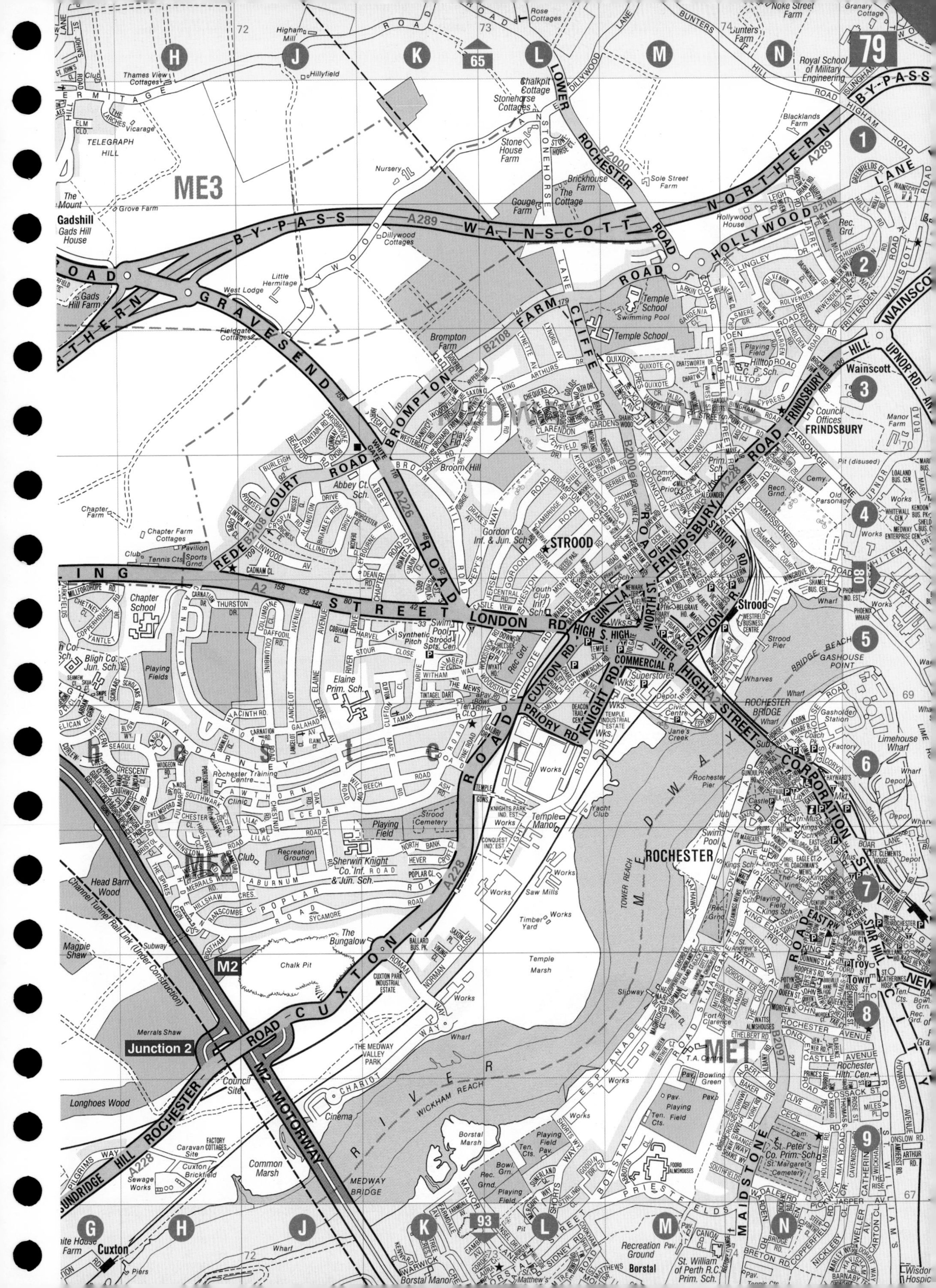

ME3
ME2
ME1
Gadshill
Gads Hill House
TELEGRAPH HILL
The Mount
Grove Farm
Thames View Cottages
Higham Mill
Hillyfield
Rose Cottages
Noke Street Farm
Granary Cottage
Bunters Farm
Royal School of Military Engineering
Chalkpit Cottage
Stonehorse Cottages
Stone House Farm
Brickhouse Farm
The Cottage
Gouge Farm
Sole Street Farm
Blacklands Farm
Nursery
Dillywood Cottages
Little Hermitage
West Lodge
Gads Hill Farm
Fieldgate Cottages
Brompton Farm
Hollywood House
Temple School
Swimming Pool
Wainscott
Council Offices
FRINDSBURY
Manor Farm
Pit (disused)
Old Parsonage
Cemy.
Recn. Grnd.
Hilltop C.P. Sch.
Playing Field
Broom Hill
Abbey Ct. Sch.
Chapter Farm
Chapter Farm Cottages
Pavilion
Sports Grnd.
Tennis Cts.
Club
STROOD
Gordon Co. Inf. & Jun. Sch.
Youth Club
Inf. Sch.
Prim. Sch.
Comm. Cen.
Strood
Westfield Business Centre
Strood Pier
Gasshouse Point
Wharves
Rochester Bridge
Gasholder Station
Limehouse Wharf
Factory
Depot
Wharf
Chapter School
Playing Fields
Bligh Co. Jun. Sch.
Elaine Prim. Sch.
Synthetic Pitch
Swim. Pool
Strood Spts. Cen.
Rec. Grd.
Superstores
Depot
Civic Centre
Jane's Creek
Temple Industrial Estate
Works
Rochester Training Centre
Clinic
Strood Cemetery
Playing Field
Recreation Ground
Sherwin Knight Co. Inf. & Jun. Sch.
Temple Manor
Knights Park Ind. Est.
Conquest Ind. Est.
Yacht Club
Saw Mills
Timber Yard
Temple Marsh
Rochester Pier
Castle
ROCHESTER
Kings Sch.
Swim. Pool
Head Barn Wood
Channel Tunnel Rail Link (Under Construction)
Magpie Shaw
Subway
M2
Chalk Pit
The Bungalow
Ballard Bus. Pk
Cuxton Park Industrial Estate
Merrals Shaw
Junction 2
Council Site
The Medway Valley Park
Wharf
Wickham Reach
Longhoes Wood
Cinema
Borstal Marsh
Common Marsh
Caravan Site
Factory Cottages
Cuxton Brickfield
Sewage Works
Medway Bridge
M2 MOTORWAY
RIVER MEDWAY
Tower Reach
Slipway
Fort Clarence
Watts Almshouses
T.A. Centre
Bowling Green
Playing Field
Ten. Cts.
Rec. Grnd.
Foord Almshouses
St. Peter's Co. Prim. Sch.
St. Margaret's Cemetery
Rochester Hlth. Cen.
Recreation Ground
Borstal
St. William of Perth R.C. Prim. Sch.
Borstal Manor
Cuxton
Piers
White House Farm
Troy Town
A2
A226
A228
A289
B2000
B2108
B2097
GRAVESEND ROAD
LONDON RD.
HIGH STREET
CORPORATION
CUXTON ROAD
ROCHESTER HILL
SUNDRIDGE HILL
PILGRIMS WAY
FRINDSBURY ROAD
STATION RD.
WAINSCOTT BY-PASS
NORTHERN BY-PASS
HOLLYWOOD LANE
ESPLANADE
MAIDSTONE ROAD
65
80
93

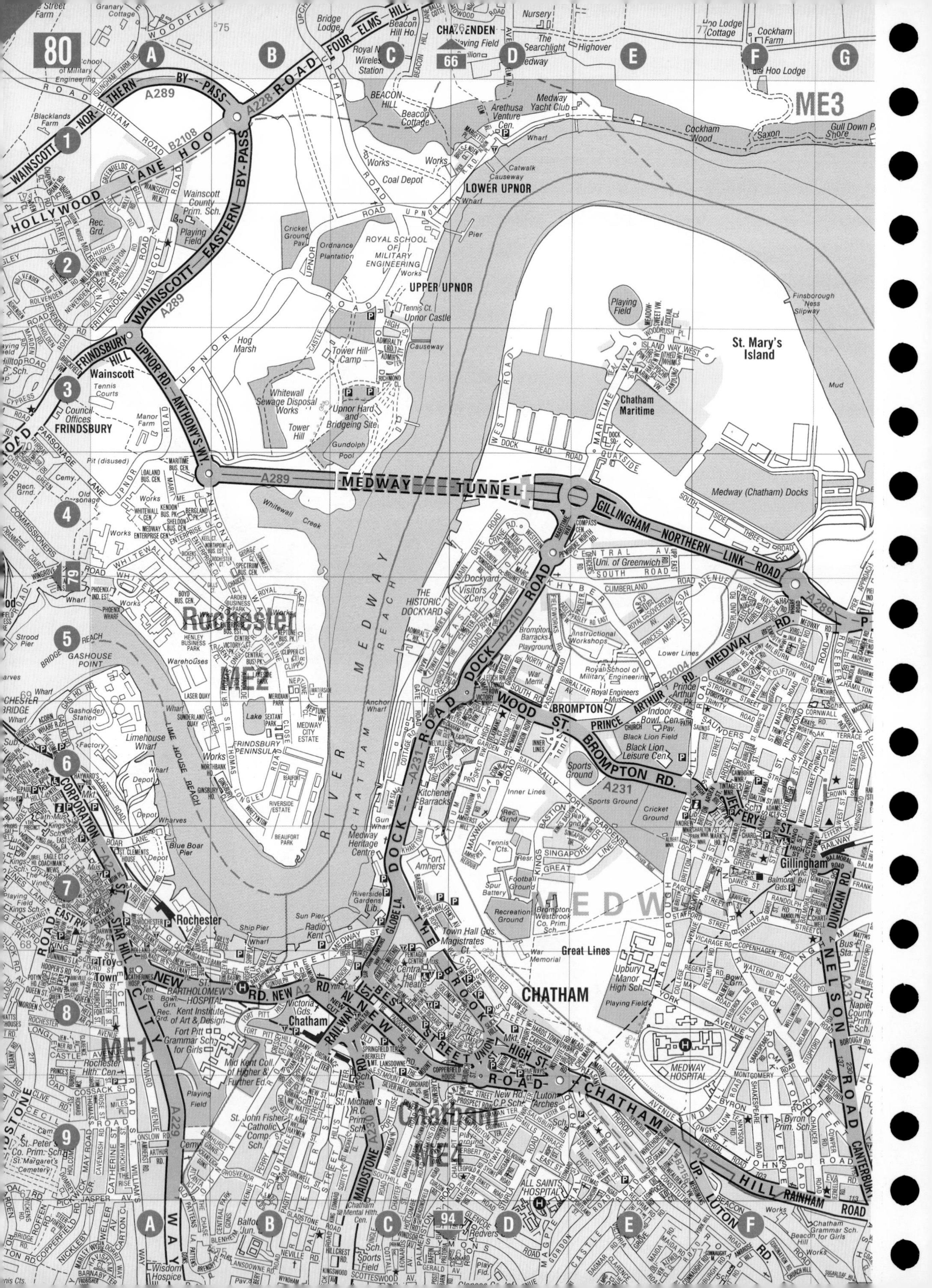

A
B
C
D
E
F
G
1
2
3
4
5
6
7
8
9
66
79
94
ME1
ME2
ME3
ME4
CHATTENDEN
Playing Field
Nursery
The Searchlight
Highover
Hoo Lodge Cottage
Cockham Farm
Hoo Lodge
Beacon Hill Ho.
Bridge Lodge
Granary Cottage
WOODFIELD
FOUR ELMS HILL
Royal Naval Wireless Station
School of Military Engineering
NORTHERN BY-PASS
A289
A228
ROAD
Blacklands Farm
HIGHAM ROAD
B2108
BEACON HILL
Beacon Cottage
Medway Yacht Club
Arethusa Venture Cen.
Wharf
Cockham Wood
Saxon
Gull Down Pt.
Shore
Works
Coal Depot
Causeway
Catwalk
LOWER UPNOR
WAINSCOTT
HOO
LANE
HOLLYWOOD
Wainscott County Prim. Sch.
Playing Field
Rec. Grd.
WAINSCOTT EASTERN BY-PASS
Cricket Ground
Pav.
Ordnance Plantation
ROYAL SCHOOL OF MILITARY ENGINEERING
UPNOR ROAD
Pier
UPPER UPNOR
Tennis Ct.
Upnor Castle
Playing Field
St. Mary's Island
Finsborough Ness Slipway
Mud
ISLAND WAY WEST
Hog Marsh
Tower Hill Camp
Causeway
FRINDSBURY HILL
UPNOR RD.
Wainscott
Tennis Courts
Council Offices
FRINDSBURY
Manor Farm
Whitewall Sewage Disposal Works
Tower Hill
Upnor Hard and Bridgeing Site
Gundolph Pool
Chatham Maritime
ANTHONY'S WY.
PARSONAGE LANE
Pit (disused)
Cemy.
Recn. Grnd.
Old Parsonage
COMMISSIONERS
Works
MEDWAY TUNNEL
DOCK HEAD ROAD
QUAYSIDE
Medway (Chatham) Docks
SOUTH SIDE THREE ROAD
GILLINGHAM NORTHERN LINK ROAD
Whitewall Creek
RIVER MEDWAY
CHATHAM REACH
CENTRAL AV.
Uni. of Greenwich
SOUTH ROAD
CUMBERLAND ROAD
KHYBER ROAD
Dockyard Visitors Cen.
THE HISTORIC DOCKYARD
Wharf
Strood Pier
BRIDGE REACH
GASHOUSE POINT
Rochester
Warehouses
HENLEY BUSINESS PARK
ME2
Brompton Barracks
Playground
Instructional Workshops
Royal School of Military Engineering
Royal Engineers Mus.
Lower Lines
B2004
MEDWAY RD.
PRINCE ARTHUR RD.
Prince Arthur Pk.
Indoor Bowl. Cen.
BROMPTON
WOOD ST.
BROMPTON RD.
Black Lion Field
Black Lion Leisure Cen.
Sports Ground
A231
Cricket Ground
Anchor Wharf
Lake
FRINDSBURY PENINSULA
MEDWAY CITY ESTATE
Limehouse Wharf
LIME HOUSE REACH
Gasholder Station
Factory
Depot
Wharves
Kitchener Barracks
Inner Lines
Gun Wharf
Medway Heritage Centre
Fort Amherst
Tennis Cts.
Rec. Grnd.
SINGAPORE
GREAT LINES
Blue Boar Pier
BOAR LANE
CORPORATION
Cath.
Mus.
Kings Sch.
Playing Field
Kings Sch.
Rochester
Ship Pier
Riverside Gardens
Sun Pier
Radio Kent
Town Hall Gds.
Magistrates Ct.
Spur Battery
Recreation Ground
Football Ground
Brompton-Westbrook Co. Prim. Sch.
MEDWAY
Great Lines
War Memorial
Gillingham
Balmoral Gds
DUNCAN RD.
NELSON ROAD
Bus Sta.
Napier County Prim. Sch.
STAR HILL
Troy Town
NEW RD.
ST. BARTHOLOMEW'S HOSPITAL
CITY WAY
Kent Institute of Art & Design
Fort Pitt Grammar Sch. for Girls
Victoria Gds.
Chatham
CHATHAM
Upbury Manor High Sch.
Playing Field
MEDWAY HOSPITAL
ME1
Rochester Hlth. Cen.
Mid Kent Coll. of Higher & Further Ed.
Playing Field
A229
A2
New Rd. C.P. Sch.
Luton Arches
CHATHAM HILL
RAINHAM ROAD
St. John Fisher Catholic Comp. Sch.
St. Michael's R.C. Prim. Sch.
Chatham
ME4
A230
MAIDSTONE
St. Peter's Co. Prim. Sch.
St. Margaret's Cemetery
Cem.
ALL SAINTS HOSPITAL
LUTON RD.
Byron Prim. Sch.
CANTERBURY
Chatham Mental Hlth. Cen.
Balfour Jun.
Sports Field
Redvers
Chatham Grammar Sch. for Girls
Beacon Hill
Wisdom Hospice

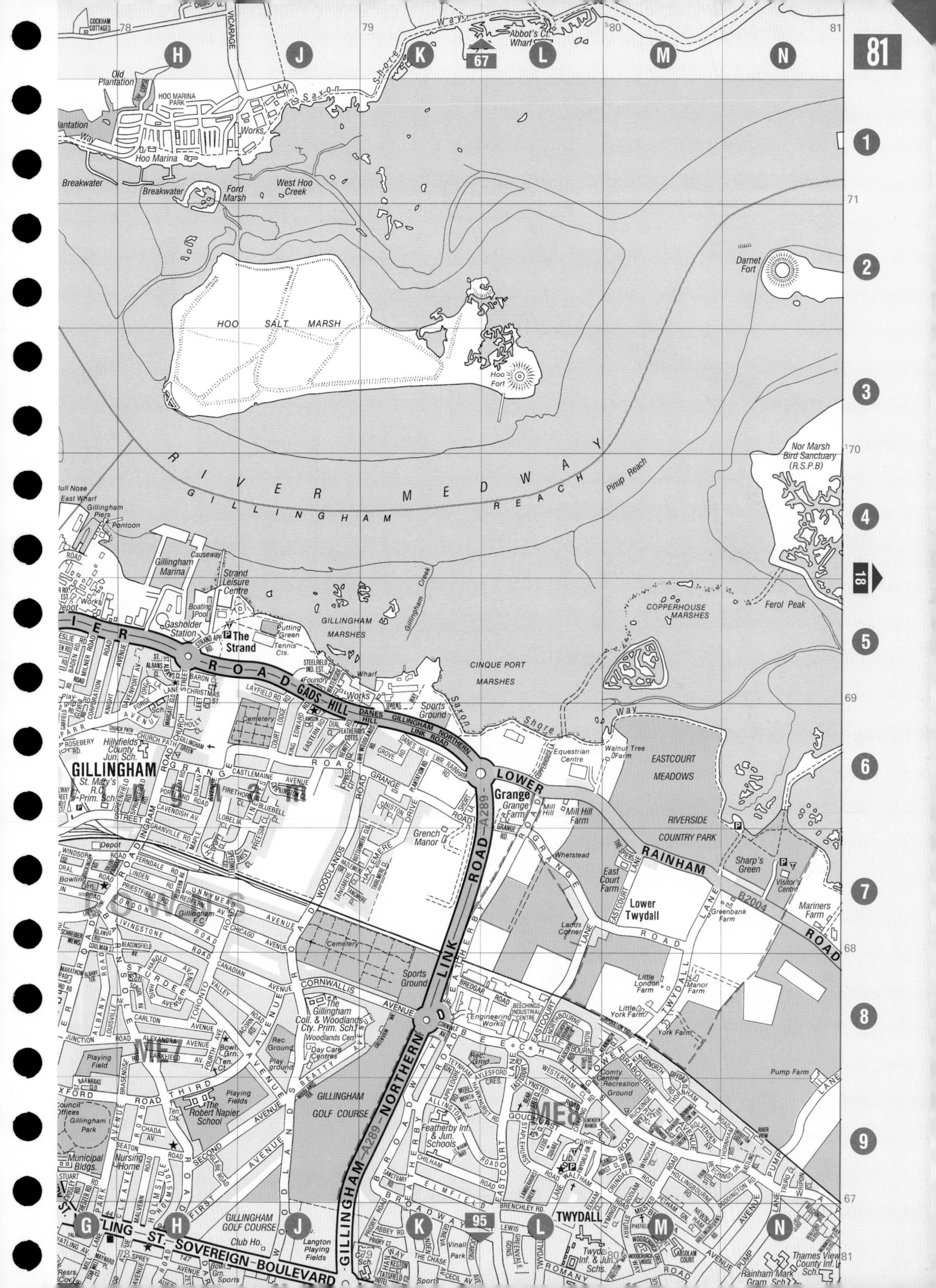

Hoo Marina Park
Hoo Marina
Old Plantation
Breakwater
Ford Marsh
West Hoo Creek
Saxon Shore Way
Abbot's Ct. Wharf
67
HOO SALT MARSH
Hoo Fort
Darnet Fort
RIVER MEDWAY
GILLINGHAM REACH
Pinup Reach
Nor Marsh Bird Sanctuary (R.S.P.B)
Bull Nose
East Wharf
Gillingham Piers
Pontoon
Causeway
Gillingham Marina
Strand Leisure Centre
Boating Pool
Gasholder Station
The Strand
Putting Green
Tennis Cts.
GILLINGHAM MARSHES
Gillingham Creek
COPPERHOUSE MARSHES
Ferol Peak
CINQUE PORT MARSHES
18
PIER ROAD
GADS HILL
GILLINGHAM NORTHERN LINK ROAD
GILLINGHAM
Hillyfields County Jun. Sch.
St. Mary's R.C. Prim. Sch.
Cemetery
Sports Ground
Equestrian Centre
Walnut Tree Farm
EASTCOURT MEADOWS
LOWER RAINHAM ROAD
Grange
Grange Farm
Mill Hill
Mill Hill Farm
RIVERSIDE COUNTRY PARK
Sharp's Green
Visitor's Centre
Grench Manor
Whetstead
East Court Farm
Lower Twydall
Ladds Corner
Greenbank Farm
Mariners Farm
B2004
Gillingham F.C.
Little London Farm
Manor Farm
Little York Farm
York Farm
The Gillingham Coll. & Woodlands Cty. Prim. Sch.
Woodlands Cen.
Day Care Centres
Rec. Ground
Play ground
Engineering Works
Beechings Industrial Centre
Comty. Centre Recreation Ground
Pump Farm
ME7
ME8
Playing Field
Playing Fields
The Robert Napier School
Council Offices
Gillingham Park
Municipal Bldgs.
Nursing Home
GILLINGHAM GOLF COURSE
A289
Featherby Inf. & Jun. Schools
Clinic
Lib.
TWYDALL
Twydall Inf. & Jun. Schs.
Langton Playing Fields
Club Ho.
SOVEREIGN BOULEVARD
Vinall Park
Thames View County Inf. Sch.
Rainham Mark Gram. Sch.
95
H J K L M N G
1 2 3 4 5 6 7 8 9
78 79 80 81
71 70 69 68 67

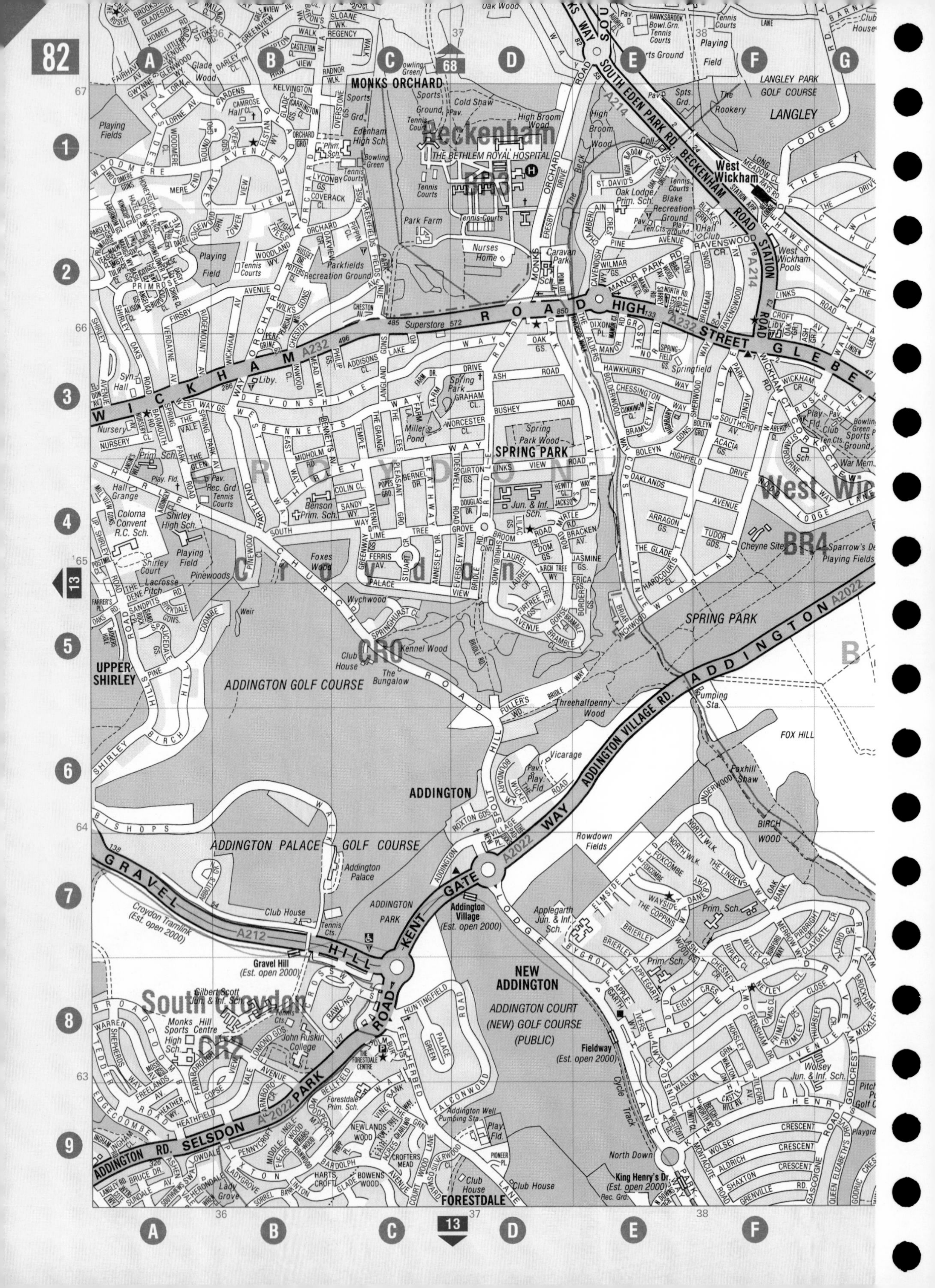
A
B
C
D
E
F
G
68
13
1
2
3
4
5
6
7
8
9
36
37
38
67
66
65
64
63
MONKS ORCHARD
Beckenham
THE BETHLEM ROYAL HOSPITAL
LANGLEY PARK GOLF COURSE
LANGLEY
West Wickham
SOUTH EDEN PARK RD.
BECKENHAM ROAD
STATION ROAD
WICKHAM ROAD
HIGH STREET
GLEBE
A232
A214
SPRING PARK
CROYDON
Croydon
CR0
BR4
BR3
Sparrow's Den Playing Fields
UPPER SHIRLEY
ADDINGTON GOLF COURSE
SPRING PARK
ADDINGTON ROAD
ADDINGTON VILLAGE RD.
A2022
FOX HILL
ADDINGTON
ADDINGTON PALACE GOLF COURSE
Addington Palace
GRAVEL HILL
A212
KENT GATE WAY
Gravel Hill (Est. open 2000)
Addington Village (Est. open 2000)
Croydon Tramlink (Est. open 2000)
NEW ADDINGTON
ADDINGTON COURT (NEW) GOLF COURSE (PUBLIC)
Fieldway (Est. open 2000)
King Henry's Dr. (Est. open 2000)
Rowdown Fields
BIRCH WOOD
South Croydon
CR2
SELSDON PARK ROAD
ADDINGTON RD.
FORESTDALE
Threehalfpenny Wood
Foxes Wood
Kennel Wood
Pinewoods
Coloma Convent R.C. Sch.
Shirley High Sch.
Playing Fields
Playing Field

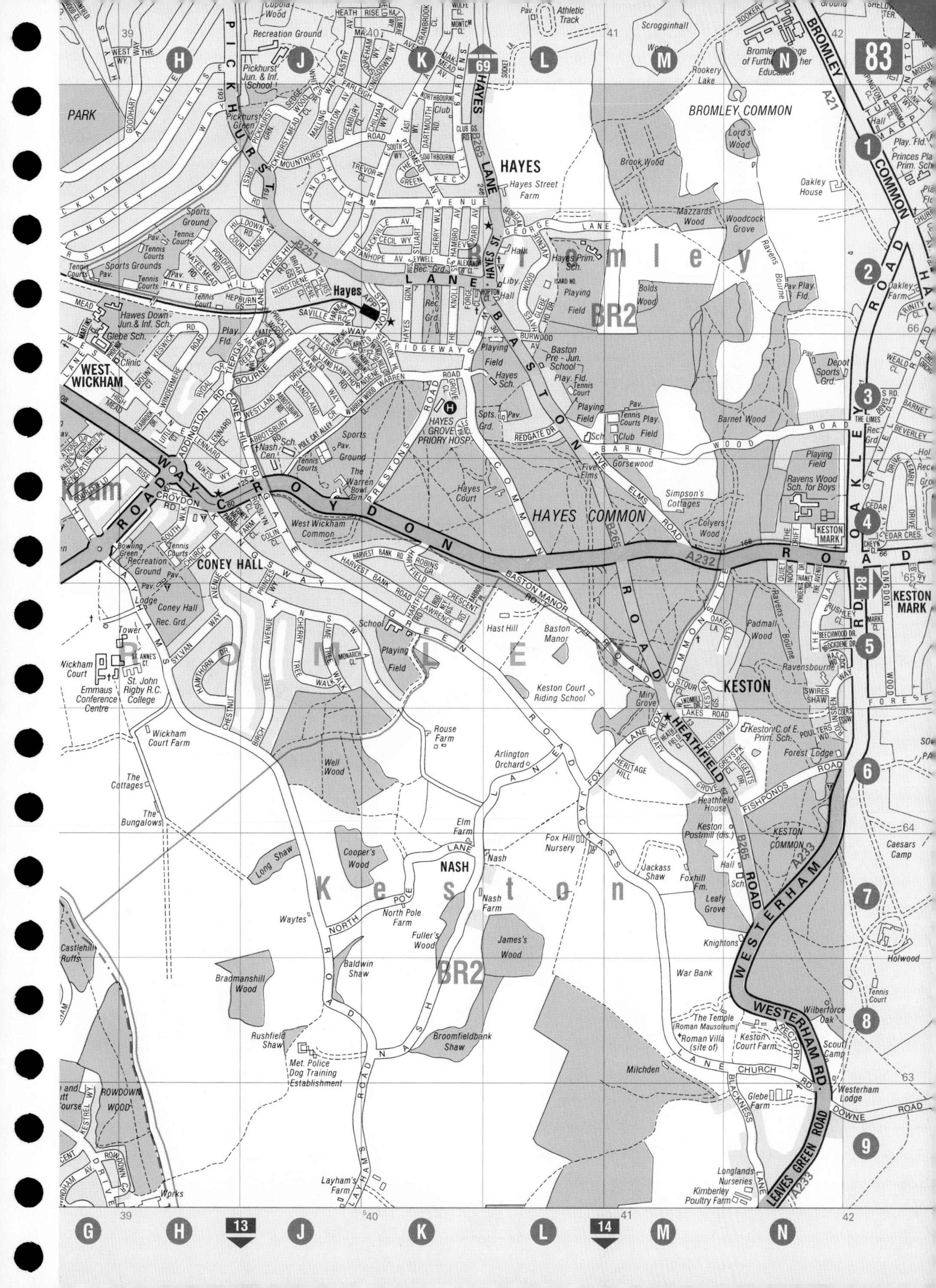

83
HAYES
Bromley
BR2
BROMLEY COMMON
WEST WICKHAM
CONEY HALL
HAYES COMMON
KESTON
KESTON MARK
NASH
Keston
Hayes
Hayes Street Farm
Hayes Prim. Sch.
Baston Pre - Jun. School
Hayes Sch.
Hayes Grove Priory Hosp.
The Warren Bowl Grn.
West Wickham Common
Hayes Court
Baston Manor
Hast Hill
Keston Court Riding School
Rouse Farm
Arlington Orchard
Elm Farm
Fox Hill Nursery
Cooper's Wood
Long Shaw
North Pole Farm
Fuller's Wood
James's Wood
Nash Farm
Waytes
Baldwin Shaw
Bradmanshill Wood
Rushfield Shaw
Broomfieldbank Shaw
Met. Police Dog Training Establishment
Layham's Farm
Milchden
War Bank
Knightons
Jackass Shaw
Foxhill Fm.
Leafy Grove
Keston Postmill (dis.)
Heathfield House
Keston Common
The Temple (Roman Mausoleum)
Roman Villa (site of)
Keston Court Farm
Glebe Farm
Longlands Nurseries
Kimberley Poultry Farm
Westerham Lodge
Scout Camp
Wilberforce Oak
Holwood
Caesars Camp
Forest Lodge
Keston C.of E. Prim. Sch.
Padmall Wood
Ravensbourne
Ravens Wood Sch. for Boys
Simpson's Cottages
Colyers Wood
Gorsewood
Five Elms
Barnet Wood
Depot Sports Grd.
Oakley House
Oakley Farm
Lord's Wood
Brook Wood
Mazzards Wood
Woodcock Grove
Bolds Wood
Rookery Lake
Scrogginhall Wood
Athletic Track
Recreation Ground
Pickhurst Jun. & Inf. School
Pickhurst Green
Sports Ground
Sports Grounds
Hawes Down Jun.& Inf. Sch.
Glebe Sch.
Clinic
Coney Hall Rec. Grd.
Wickham Court
Emmaus Conference Centre
St. John Rigby R.C. College
Wickham Court Farm
The Cottages
The Bungalows
Well Wood
Castlehill Ruffs
Rowdown Wood
Miry Grove
Princes Plain Prim. Sch.
PICKHURST LANE
HAYES LANE
BASTON ROAD
CROYDON ROAD
A232
B265
B251
A21
A233
OAKLEY ROAD
BROMLEY COMMON
HEATHFIELD
WESTERHAM ROAD
LEAVES GREEN ROAD
DOWNE ROAD
NASH LANE
LAYHAMS ROAD
JACKASS LANE
FOX LANE
CHURCH ROAD
BARNET WOOD ROAD
FIVE ELMS ROAD
COMMONSIDE
FISHPONDS ROAD
WEST WICKHAM
GREEN WAY
CONEY HALL
69
84
13
14
G H J K L M N
39 40 41 42
1 2 3 4 5 6 7 8 9

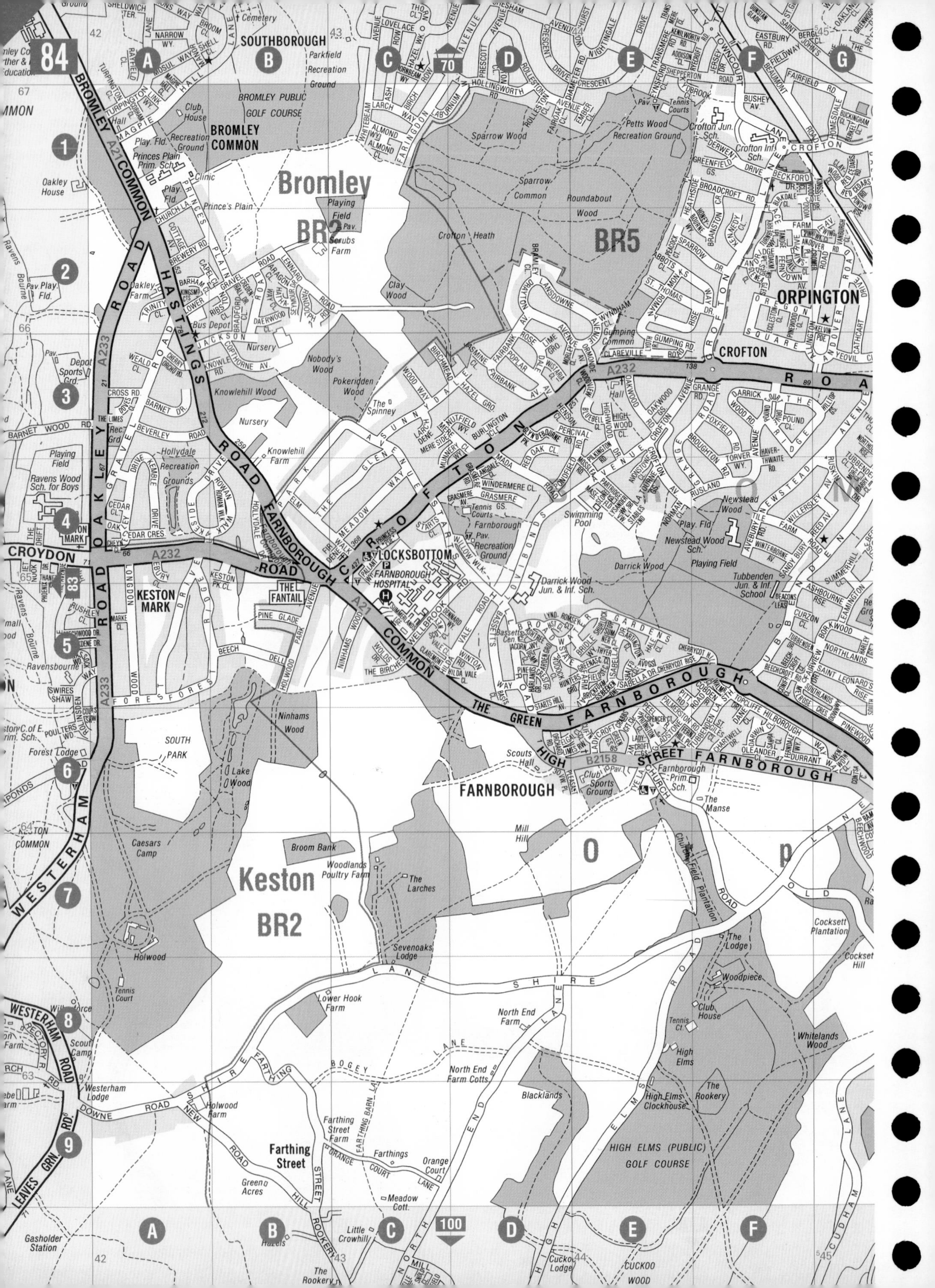
SOUTHBOROUGH
BROMLEY PUBLIC GOLF COURSE
BROMLEY COMMON
Bromley
BR2
BR5
Playing Field
Scrubs Farm
Sparrow Wood
Petts Wood Recreation Ground
Sparrow Common
Roundabout Wood
Crofton Heath
Clay Wood
Oakley House
Oakley Farm
Princes Plain Prim. Sch.
Prince's Plain
Nobody's Wood
Pokeridden Wood
Knowlehill Wood
Nursery
Knowlehill Farm
Hollydale Recreation Grounds
The Spinney
Ravens Wood Sch. for Boys
KESTON MARK
CROYDON
A232
A21
A233
LOCKSBOTTOM
FARNBOROUGH HOSPITAL
THE FANTAIL
Gumping Common
CROFTON
ORPINGTON
Crofton Jun. Sch.
Crofton Inf. Sch.
Farnborough Recreation Ground
Swimming Pool
Darrick Wood
Darrick Wood Jun. & Inf. Sch.
Newstead Wood
Newstead Wood Sch.
Playing Field
Tubbenden Jun. & Inf. School
Bassetts Cen.
FARNBOROUGH
B2158
Farnborough Prim. Sch.
Scouts Hall
Club Sports Ground
The Manse
Mill Hill
Ninhams Wood
SOUTH PARK
Lake Wood
Forest Lodge
KESTON COMMON
Caesars Camp
Broom Bank
Woodlands Poultry Farm
The Larches
Keston
BR2
Holwood
Tennis Court
Sevenoaks Lodge
Lower Hook Farm
North End Farm
North End Farm Cotts
Churchfield Plantation
Cocksett Plantation
Cockset Hill
The Lodge
Woodpiece
Club House
Whitelands Wood
High Elms
The Rookery
High Elms Clockhouse
Blacklands
HIGH ELMS (PUBLIC) GOLF COURSE
Westerham Lodge
Holwood Farm
Farthing Street Farm
Farthing Street
Farthings
Orange Court
Green Acres
Meadow Cott.
Little Crowhill
Hazels
The Rookery
Gasholder Station
Cuckoo Lodge
CUCKOO WOOD
SHIRE LANE
BOGEY LANE
NORTH END LANE
HIGH ELMS ROAD
WESTERHAM ROAD
FARNBOROUGH COMMON
CROFTON ROAD
HASTINGS ROAD
OAKLEY ROAD
BROMLEY COMMON
70
83
100
A B C D E F G
1 2 3 4 5 6 7 8 9
42 43 44 45
63 64 65 66 67

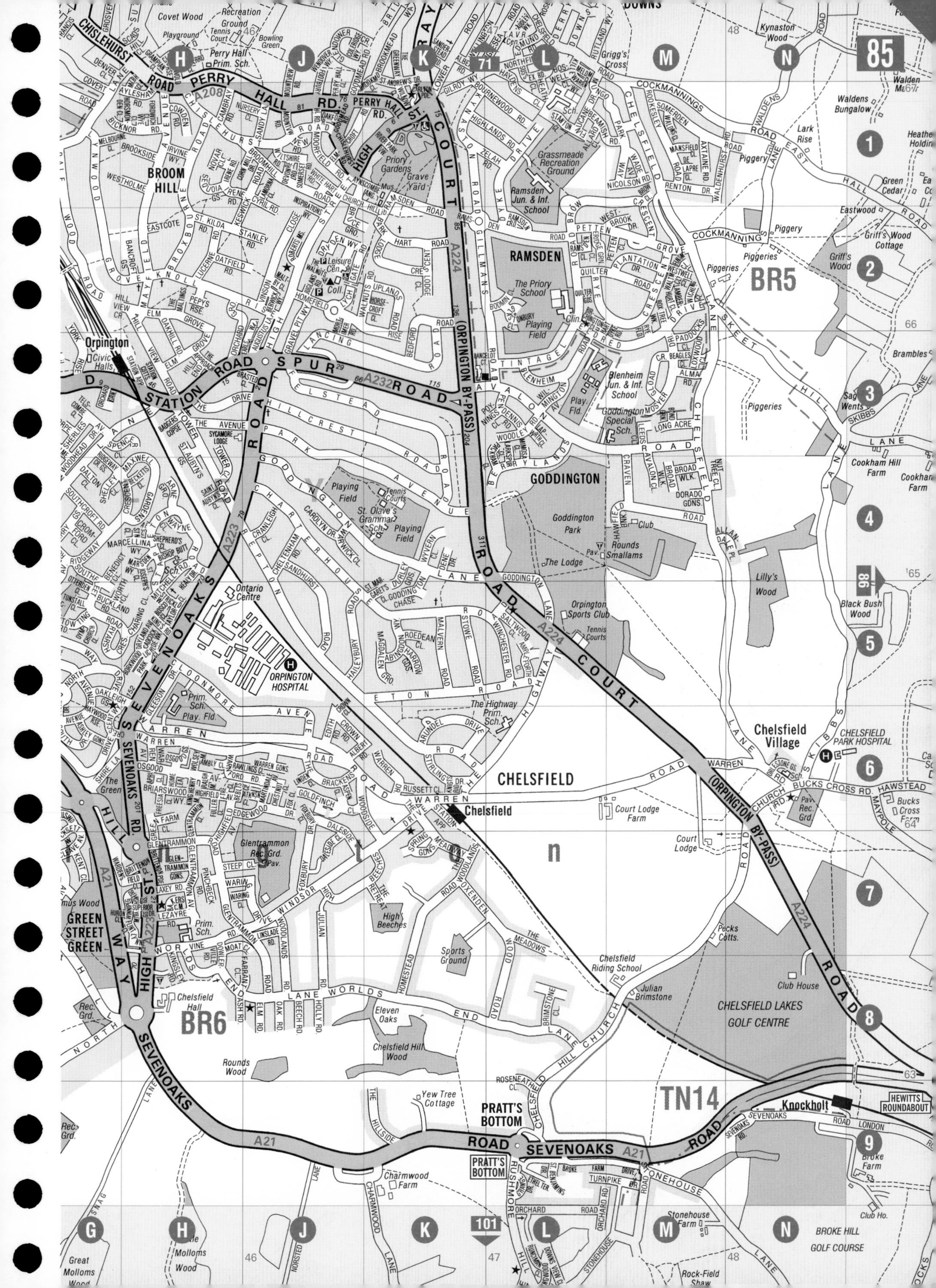

85
BR5
BR6
TN14
BROOM HILL
RAMSDEN
GODDINGTON
CHELSFIELD
PRATT'S BOTTOM
GREEN STREET GREEN
Orpington
Chelsfield
Knockholt
HEWITTS ROUNDABOUT
Chelsfield Village
ORPINGTON HOSPITAL
CHELSFIELD PARK HOSPITAL
CHELSFIELD LAKES GOLF CENTRE
BROKE HILL GOLF COURSE
Goddington Park
Grassmeade Recreation Ground
Priory Gardens
Ontario Centre
Lilly's Wood
Chelsfield Hill Wood
Rounds Wood
Eleven Oaks
High Beeches
Sports Ground
Court Lodge Farm
Chelsfield Riding School
Chelsfield Hall
Charmwood Farm
Yew Tree Cottage
Stonehouse Farm
Broke Farm
Cookham Hill Farm
Black Bush Wood
Griff's Wood
Kynaston Wood
Covet Wood
PERRY HALL RD.
CHISLEHURST ROAD
HIGH ST.
COURT ROAD (ORPINGTON BY-PASS)
STATION ROAD
SPUR ROAD
SEVENOAKS ROAD
SEVENOAKS WAY
WARREN ROAD
WORLDS END LANE
CHELSFIELD LANE
HAWSTEAD
A21
A208
A224
A232
A223
G
H
J
K
L
M
N
1
2
3
4
5
6
7
8
9
71
101
86
46
47
48
63
64
65
66
67

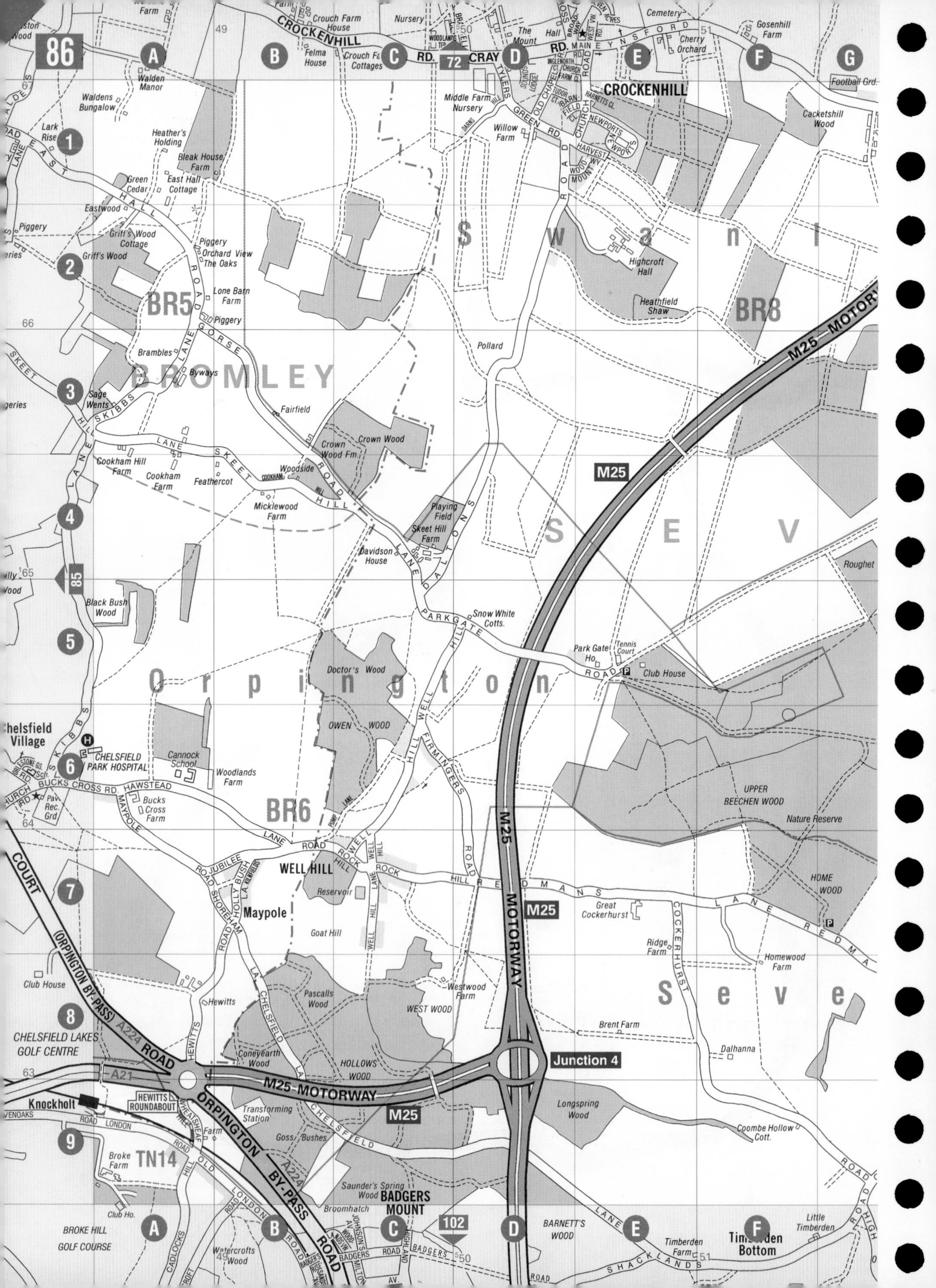
CROCKENHILL
BR5
BR8
BR6
TN14
BROMLEY
Orpington
Swanley
Sevenoaks
M25 MOTORWAY
Junction 4
HEWITTS ROUNDABOUT
ORPINGTON BY-PASS
Chelsfield Village
CHELSFIELD PARK HOSPITAL
CHELSFIELD LAKES GOLF CENTRE
BROKE HILL GOLF COURSE
Knockholt
WELL HILL
Maypole
BADGERS MOUNT
UPPER BEECHEN WOOD
HOME WOOD
Longspring Wood
Doctor's Wood
OWEN WOOD
Crown Wood
Highcroft Hall
Great Cockerhurst
Timberden Bottom
72
85
102

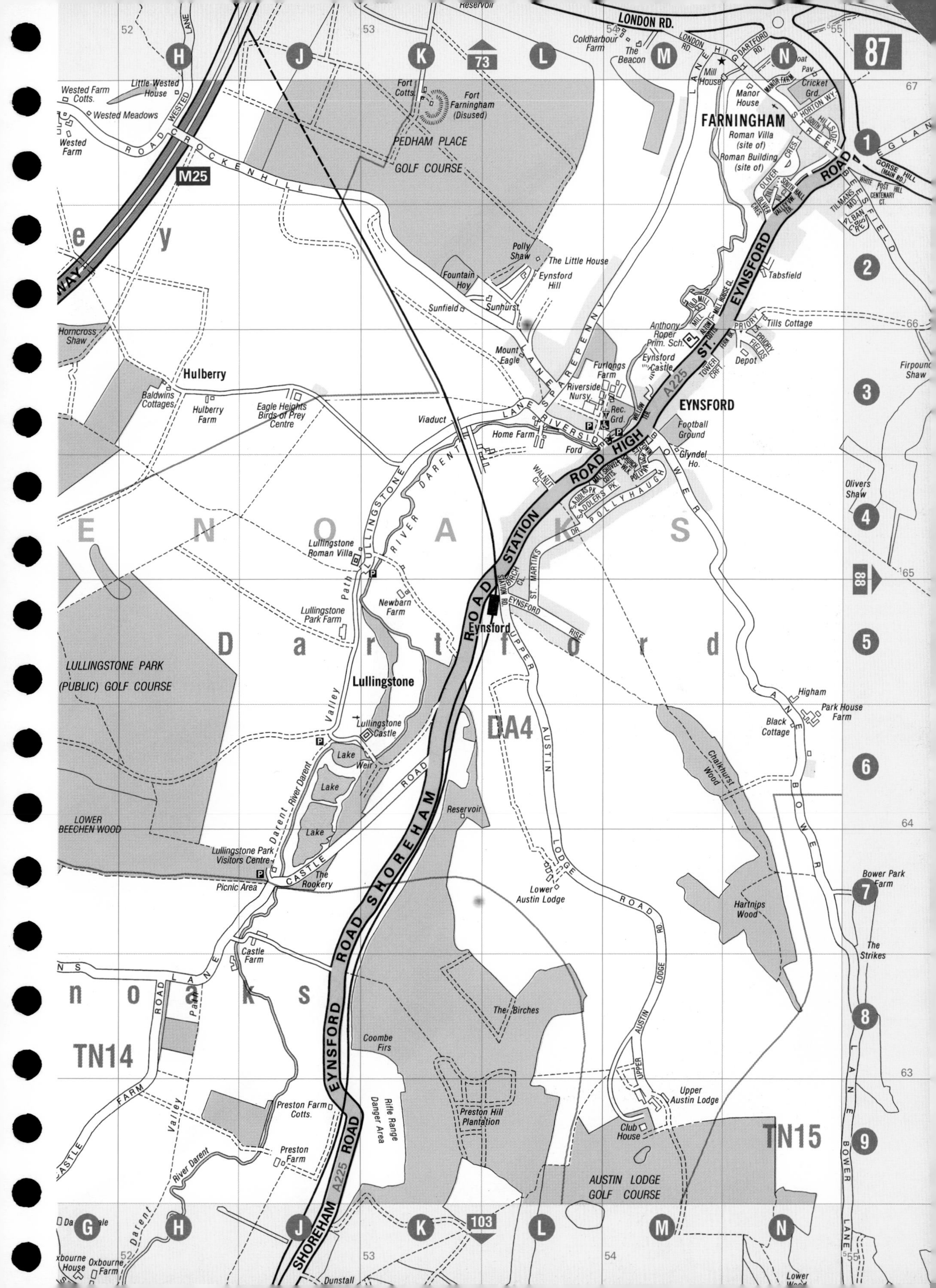
LONDON RD.
FARNINGHAM
Roman Villa (site of)
Roman Building (site of)
Coldharbour Farm
The Beacon
Mill House
Manor House
Cricket Grd.
Little Wested House
Wested Farm Cotts.
Wested Meadows
Wested Farm
CROCKENHILL
M25
Fort Cotts.
Fort Farningham (Disused)
PEDHAM PLACE
GOLF COURSE
Polly Shaw
The Little House
Fountain Hoy
Eynsford Hill
Sunfield
Sunhurst
Horncross Shaw
Mount Eagle
Anthony Roper Prim. Sch.
Eynsford Castle
Furlongs Farm
Tabsfield
Tills Cottage
Depot
Hulberry
Baldwins Cottages
Hulberry Farm
Eagle Heights Birds of Prey Centre
Viaduct
Riverside Nursy.
Rec. Grd.
EYNSFORD
Football Ground
Home Farm
Ford
Glyndel Ho.
Firpound Shaw
Olivers Shaw
EYNSFORD ROAD
HIGH ROAD
STATION ROAD
A225
RIVER DARENT
LULLINGSTONE
Lullingstone Roman Villa
Newbarn Farm
Lullingstone Park Farm
Eynsford
UPPER AUSTIN LODGE
LULLINGSTONE PARK (PUBLIC) GOLF COURSE
Lullingstone
Lullingstone Castle
Lake
Weir
DA4
Higham
Park House Farm
Black Cottage
Chalkhurst Wood
BOWER LANE
LOWER BEECHEN WOOD
Reservoir
Lullingstone Park Visitors Centre
Picnic Area
The Rookery
Lower Austin Lodge
Bower Park Farm
Hartnips Wood
The Strikes
SHOREHAM ROAD
Castle Farm
The Birches
Coombe Firs
TN14
Upper Austin Lodge
Preston Farm Cotts.
Preston Hill Plantation
Rifle Range Danger Area
Preston Farm
Club House
TN15
AUSTIN LODGE GOLF COURSE
River Darent
Oxbourne House
Oxbourne Farm
Dunstall
Lower Wood
73
88
103

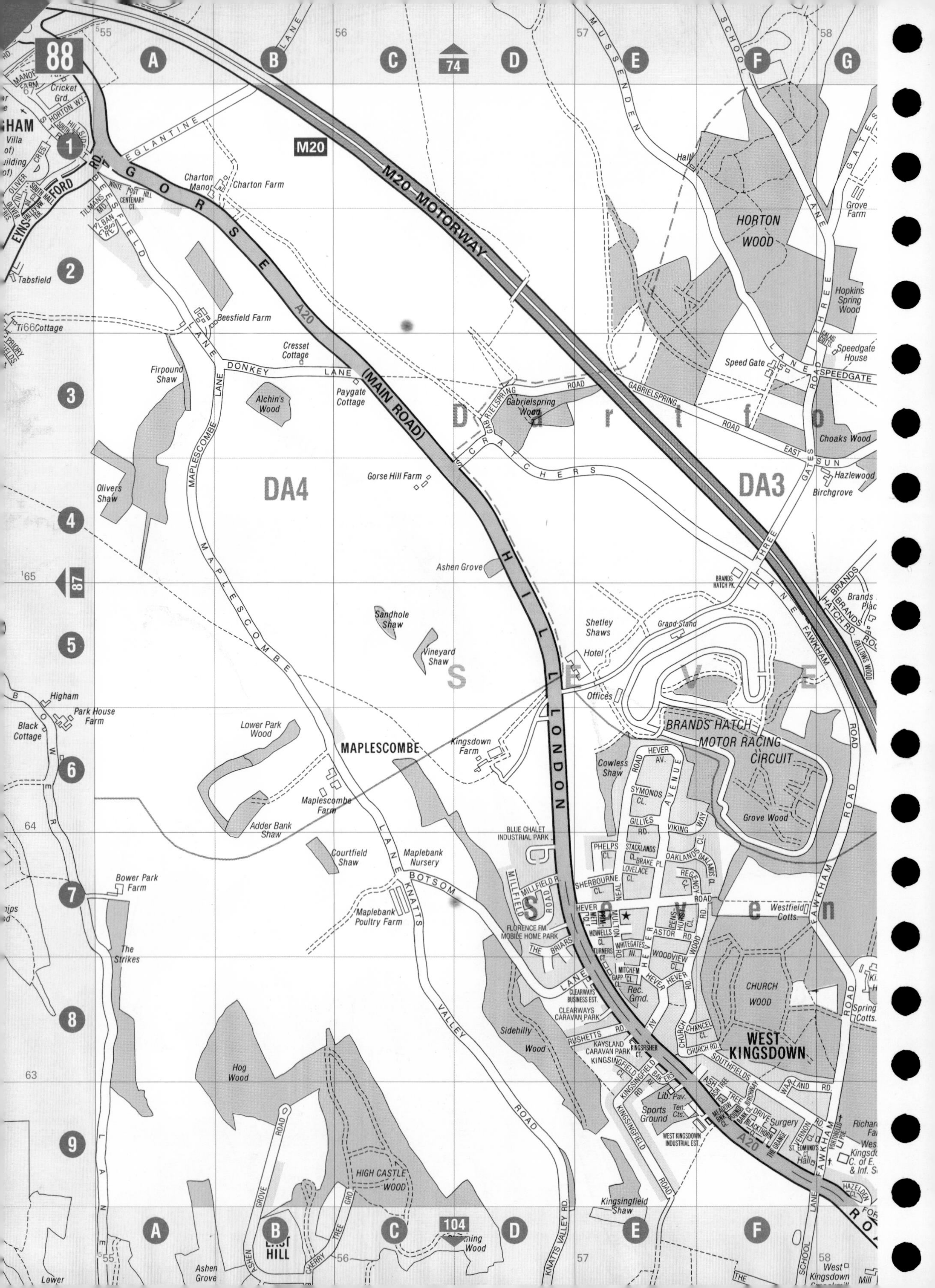

88
A
B
C
D
E
F
G
74
104
87
55
56
57
58
63
64
65
66
1
2
3
4
5
6
7
8
9
M20
M20 MOTORWAY
A20
GORSE
(MAIN ROAD)
HILL
LONDON
EGLANTINE
Charton Manor
Charton Farm
Cricket Grd.
HORTON WY.
FORD RD.
EYNSFORD
WHITE POST HILL
CENTENARY CT.
TILMANS MD.
BEESFIELD
Tabsfield
Beesfield Farm
Cottage
Cresset Cottage
DONKEY LANE
Firpound Shaw
Alchin's Wood
Paygate Cottage
MAPLESCOMBE LANE
Olivers Shaw
DA4
DA3
Gorse Hill Farm
Dartford
GABRIELSPRING ROAD
Gabrielspring Wood
SCRATCHERS
EAST
Ashen Grove
Sandhole Shaw
Vineyard Shaw
Sevenoaks
Higham
Park House Farm
Black Cottage
BOWER
Lower Park Wood
MAPLESCOMBE
Maplescombe Farm
Adder Bank Shaw
Kingsdown Farm
Courtfield Shaw
Maplebank Nursery
Bower Park Farm
BOTSOM
KNATTS
Maplebank Poultry Farm
The Strikes
VALLEY ROAD
KNATTS VALLEY RD.
Hog Wood
HIGH CASTLE WOOD
GROVE ROAD
ASHEN GROVE
CHERRY TREE GRO
EAST HILL
Ashen Grove
Lower
Kingsingfield Shaw
Sidehilly Wood
MUSSENDEN
LANE
SCHOOL LANE
Hall
HORTON WOOD
Grove Farm
GATES
THREE GATES ROAD
Hopkins Spring Wood
Speed Gate
Speedgate House
SPEEDGATE
Choaks Wood
SUN
Hazlewood
Birchgrove
BRANDS HATCH PK.
BRANDS HATCH RD.
Brands Place
GALLOWS WOOD
FAWKHAM
Shetley Shaws
Grand Stand
Hotel
Offices
BRANDS HATCH MOTOR RACING CIRCUIT
Grove Wood
Cowless Shaw
HEVER AV.
SYMONDS CL.
AVENUE
GILLIES RD.
VIKING WAY
BLUE CHALET INDUSTRIAL PARK
PHELPS CL.
STACKLANDS CL.
BRAKE PL.
OAKLANDS CL.
LOVELACE CL.
REGENCY CL.
SHERBOURNE CL.
MILLFIELD
NEAL
ROAD
HEVER CT.
PENSHURST
Westfield Cotts.
FLORENCE FM. MOBILE HOME PARK
HOWELLS CL.
ASTOR RD.
WHITEGATES AV.
WOODVIEW CL.
THE BRIARS
TURNERS CT.
MITCHEM CL.
Rec. Grnd.
CHURCH WOOD
CLEARWAYS BUSINESS EST.
CLEARWAYS CARAVAN PARK
RUSHETTS RD.
CHANCEL CL.
CHURCH RD.
WEST KINGSDOWN
KAYSLAND CARAVAN PARK
KINGSFISHER CT.
KINGSINGFIELD RD.
SOUTHFIELDS
WARLAND RD.
Lib.
Pav.
Sports Ground
Ten. Cts.
Surgery
WEST KINGSDOWN INDUSTRIAL EST.
THE GRANGE
St. EDMUND'S CL.
Hall
HAZELDEN CL.
Spring Cotts.
Richard
West Kingsdown C. of E. & Inf. Sch.
West Kingsdown
Mill

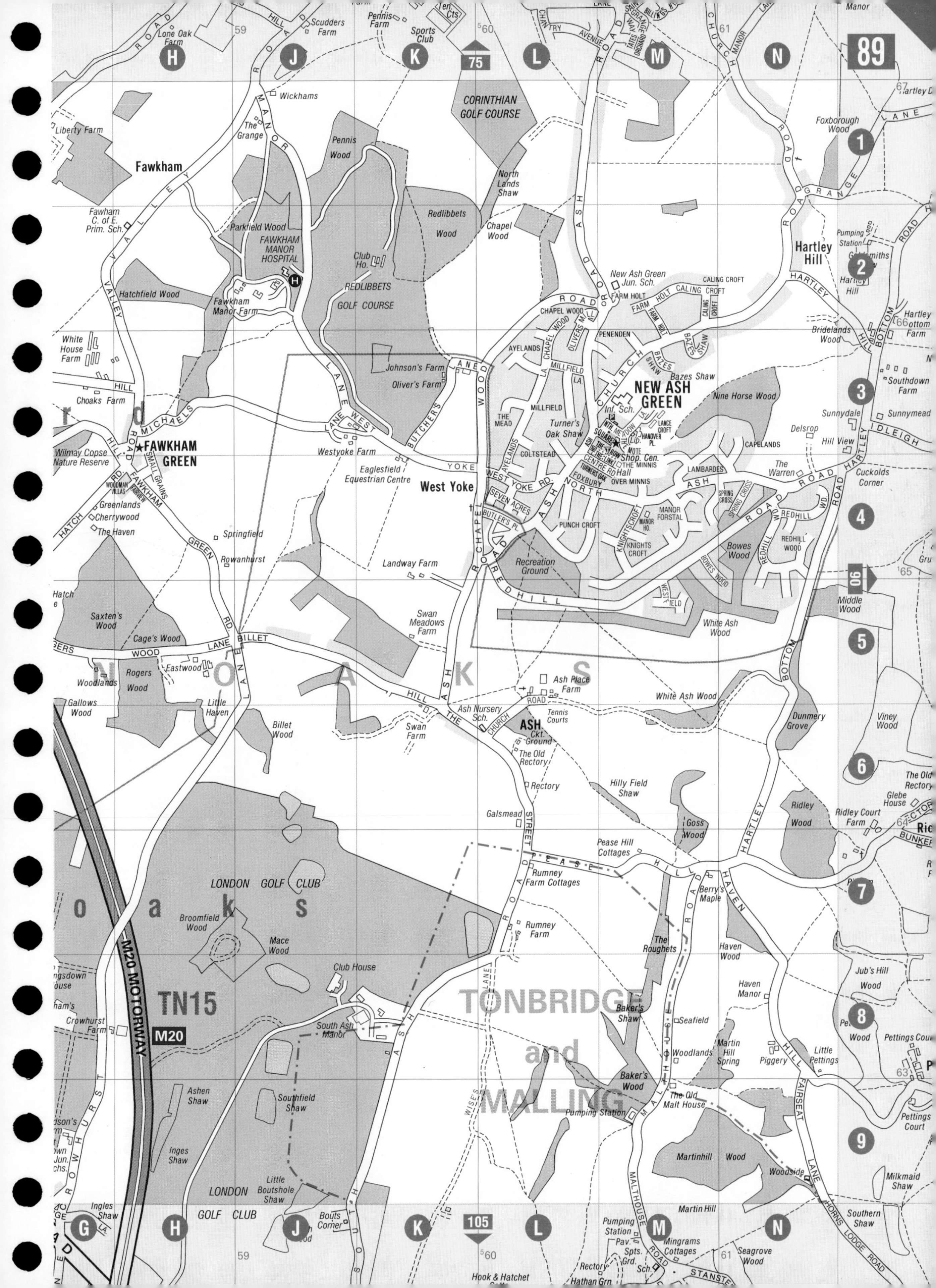

89
75
105
Fawkham
FAWKHAM GREEN
NEW ASH GREEN
West Yoke
ASH
Hartley Hill
CORINTHIAN GOLF COURSE
REDLIBBETS GOLF COURSE
FAWKHAM MANOR HOSPITAL
Pennis Wood
Redlibbets Wood
Chapel Wood
North Lands Shaw
Parkfield Wood
Hatchfield Wood
Fawkham Manor Farm
Liberty Farm
Lone Oak Farm
Scudders Farm
Pennis Farm
Sports Club
Wickhams
The Grange
Fawham C. of E. Prim. Sch.
White House Farm
Choaks Farm
Wilmay Copse Nature Reserve
Greenlands
Cherrywood
The Haven
Springfield
Rowanhurst
Saxten's Wood
Cage's Wood
Rogers Wood
Eastwood
Woodlands
Gallows Wood
Little Haven
Billet Wood
Johnson's Farm
Oliver's Farm
Westyoke Farm
Eaglesfield Equestrian Centre
Landway Farm
Swan Meadows Farm
Swan Farm
Ash Nursery Sch.
Ash Place Farm
Tennis Courts
Ckt. Ground
The Old Rectory
Rectory
Galsmead
Recreation Ground
New Ash Green Jun. Sch.
Inf. Sch.
Shop. Cen.
Hall
Nine Horse Wood
Bazes Shaw
Bowes Wood
Redhill Wood
White Ash Wood
Foxborough Wood
Pumping Station
Hartley Hill
Bridelands Wood
Southdown Farm
Sunnydale
Sunnymead
Delsrop
Hill View
The Warren
Cuckolds Corner
Middle Wood
Dunmery Grove
Viney Wood
Hilly Field Shaw
Goss Wood
Ridley Wood
Ridley Court Farm
Glebe House
The Old Rectory
Pease Hill Cottages
Rumney Farm Cottages
Rumney Farm
Berry's Maple
The Roughets
Haven Wood
Haven Manor
Jub's Hill Wood
Baker's Shaw
Seafield
Woodlands
Martin Hill Spring
Piggery
Little Pettings
Pettings Court
Baker's Wood
The Old Malt House
Pumping Station
Martinhill Wood
Woodside
Milkmaid Shaw
Martin Hill
Southern Shaw
Mingrams Cottages
Seagrove Wood
Rectory
Hathan Grn.
Hook & Hatchet
LONDON GOLF CLUB
Broomfield Wood
Mace Wood
Club House
South Ash Manor
Crowhurst Farm
Ashen Shaw
Southfield Shaw
Inges Shaw
Little Boutshole Shaw
Ingles Shaw
Bouts Corner
TN15
M20
M20 MOTORWAY
TONBRIDGE and MALLING
VALLEY ROAD
MANOR ROAD
MANOR LANE
WEST YOKE
YOKE
CHAPEL WOOD ROAD
ASH ROAD
CHURCH ROAD
NORTH ASH ROAD
CHAPEL ROAD
REDHILL
BILLET LANE
CAGE'S WOOD LANE
ASH HILL
THE STREET
SOUTH ASH ROAD
PEASE HILL
HARTLEY ROAD
HARTLEY BOTTOM ROAD
HARTLEY HILL
IDLEIGH
GRANGE LANE
CHURCH ROAD
MALTHOUSE ROAD
FAIRSEAT LANE
HORNS LODGE ROAD
WISE'S LANE
ROWHURST
HAVEN HILL
MICHAELS ROAD
FAWKHAM ROAD
HATCH ROAD
SMALL GRAINS
WOODMAN VILLAS
FARM HOLT
CALING CROFT
AYELANDS
MILLFIELD
THE MEAD
COLTSTEAD
PENENDEN
OLIVERS MILL
LAMBARDES
CAPELANDS
MANOR FORSTAL
KNIGHTS CROFT
PUNCH CROFT
SEVEN ACRES
BUTLER'S PL.
FOXBURY
OVER MINNIS
THE MINNIS
SPRING CROSS
REDHILL WD.
BOWES WOOD
TURNER'S OAK
Turner's Oak Shaw
H J K L M N
1 2 3 4 5 6 7 8 9
G H J K L M N
59
60
61
67
66
65
64
63

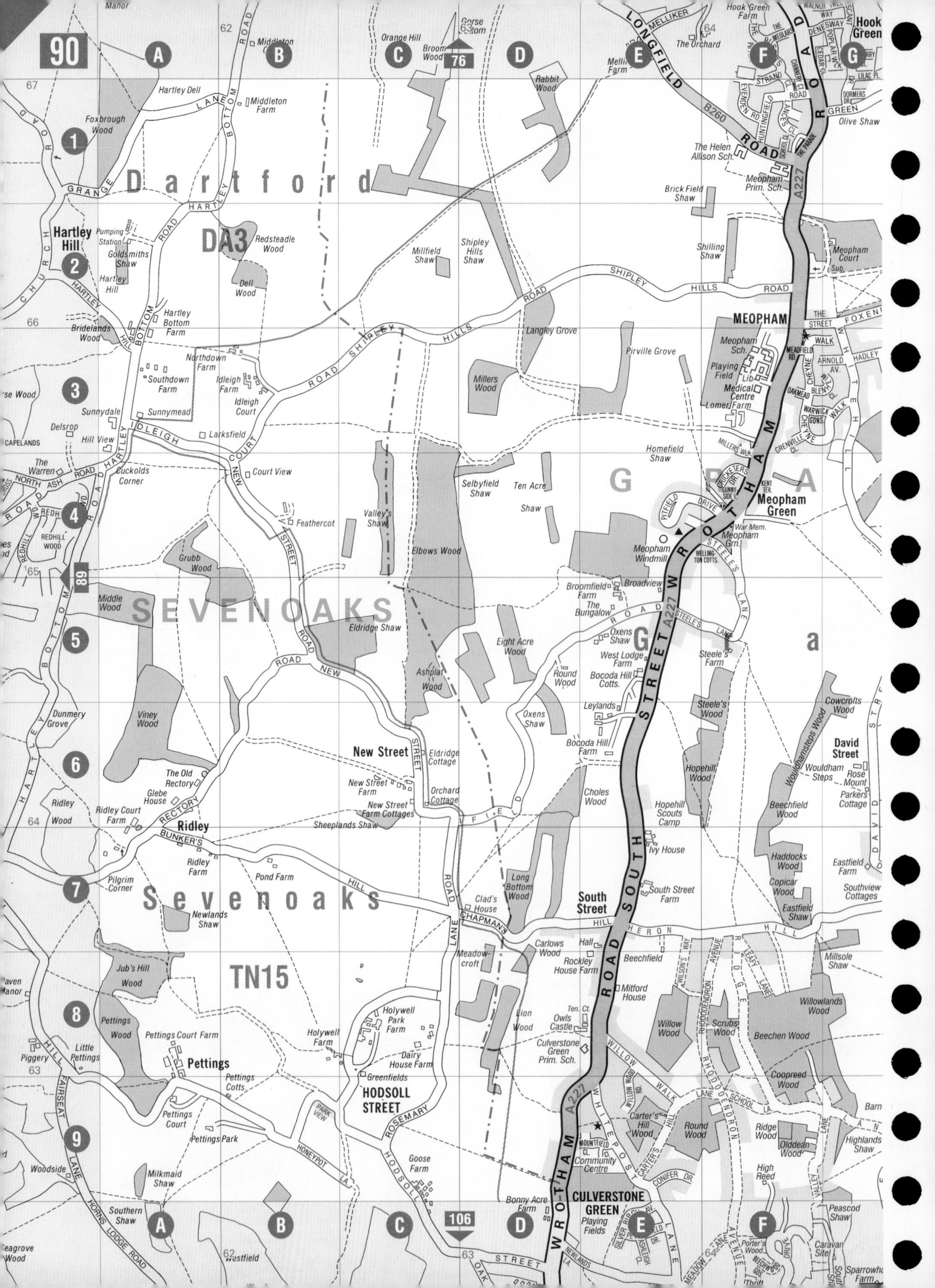

Dartford
DA3
SEVENOAKS
Sevenoaks
TN15
Hartley Hill
Meopham
Meopham Green
Hook Green
New Street
Ridley
South Street
Pettings
HODSOLL STREET
CULVERSTONE GREEN
David Street
Hartley Dell
Foxbrough Wood
Middleton Farm
Redsteadle Wood
Dell Wood
Goldsmiths Shaw
Hartley Bottom Farm
Bridelands Wood
Northdown Farm
Southdown Farm
Idleigh Farm
Idleigh Court
Sunnydale
Sunnymead
Larksfield
Delsrop
Hill View
Cuckolds Corner
Court View
Feathercot
Grubb Wood
Middle Wood
Eldridge Shaw
Elbows Wood
Valley's Shaw
Ashplat Wood
Viney Wood
Dunmery Grove
The Old Rectory
Glebe House
Ridley Court Farm
Ridley Wood
Ridley Farm
Pond Farm
Pilgrim Corner
Newlands Shaw
Jub's Hill Wood
Pettings Wood
Pettings Court Farm
Little Pettings
Piggery
Pettings Cotts.
Pettings Court
Pettings Park
Woodside
Milkmaid Shaw
Southern Shaw
Westfield
Holywell Park Farm
Holywell Farm
Dairy House Farm
Greenfields
Goose Farm
Bonny Acre Farm
Eldridge Cottage
New Street Farm
Orchard Cottage
New Street Farm Cottages
Sheeplands Shaw
Clad's House
Meadowcroft
Long Bottom Wood
Lion Wood
Carlows Wood
Rockley House Farm
Beechfield
Mitford House
Owls Castle
Culverstone Green Prim. Sch.
Community Centre
Playing Fields
Carter's Hill Wood
Willow Wood
Scrubs Wood
Round Wood
Beechen Wood
Willowlands Wood
Coopreed Wood
Ridge Wood
Olddean Wood
High Reed
Highlands Shaw
Peascod Shaw
Porter's Wood
Caravan Site
Millsole Shaw
Choles Wood
Hopehill Scouts Camp
Ivy House
South Street Farm
Hopehill Wood
Steele's Wood
Steele's Farm
Beechfield Wood
Haddocks Wood
Copicar Wood
Eastfield Shaw
Eastfield Farm
Southview Cottages
Wouldhamsteps Wood
Wouldham Steps
Rose Mount
Parkers Cottage
Cowcrofts Wood
Oxens Shaw
West Lodge Farm
Bocoda Hill Cotts.
Leylands
Bocoda Hill Farm
Round Wood
Eight Acre Wood
Broomfield Farm
The Bungalow
Broadview
Meopham Windmill
Selbyfield Shaw
Ten Acre Shaw
Homefield Shaw
Millers Wood
Langley Grove
Pirville Grove
Millfield Shaw
Shipley Hills Shaw
Rabbit Wood
Orange Hill
Broom Wood
Gorse Bottom
Middleton
Mellings Farm
The Orchard
Hook Green Farm
Olive Shaw
The Helen Allison Sch.
Meopham Prim. Sch.
Brick Field Shaw
Shilling Shaw
Meopham Court
Meopham Sch.
Playing Field
Medical Centre
Lomer Farm
War Mem.
Meopham Grn.
LONGFIELD ROAD
B260
A227
WROTHAM ROAD
SOUTH STREET ROAD
SHIPLEY HILLS ROAD
HARTLEY BOTTOM ROAD
HARTLEY ROAD
NEW STREET ROAD
CHAPMAN'S LANE
HERON HILL
BUNKER'S HILL
RECTORY LANE
IDLEIGH COURT
FAIRSEAT LANE
HORNS LODGE ROAD
HONEYPOT LA.
ROSEMARY LANE
HODSOLL STREET
WILLOW WALK
STEELE'S LANE
DAVID STREET
76
106
89

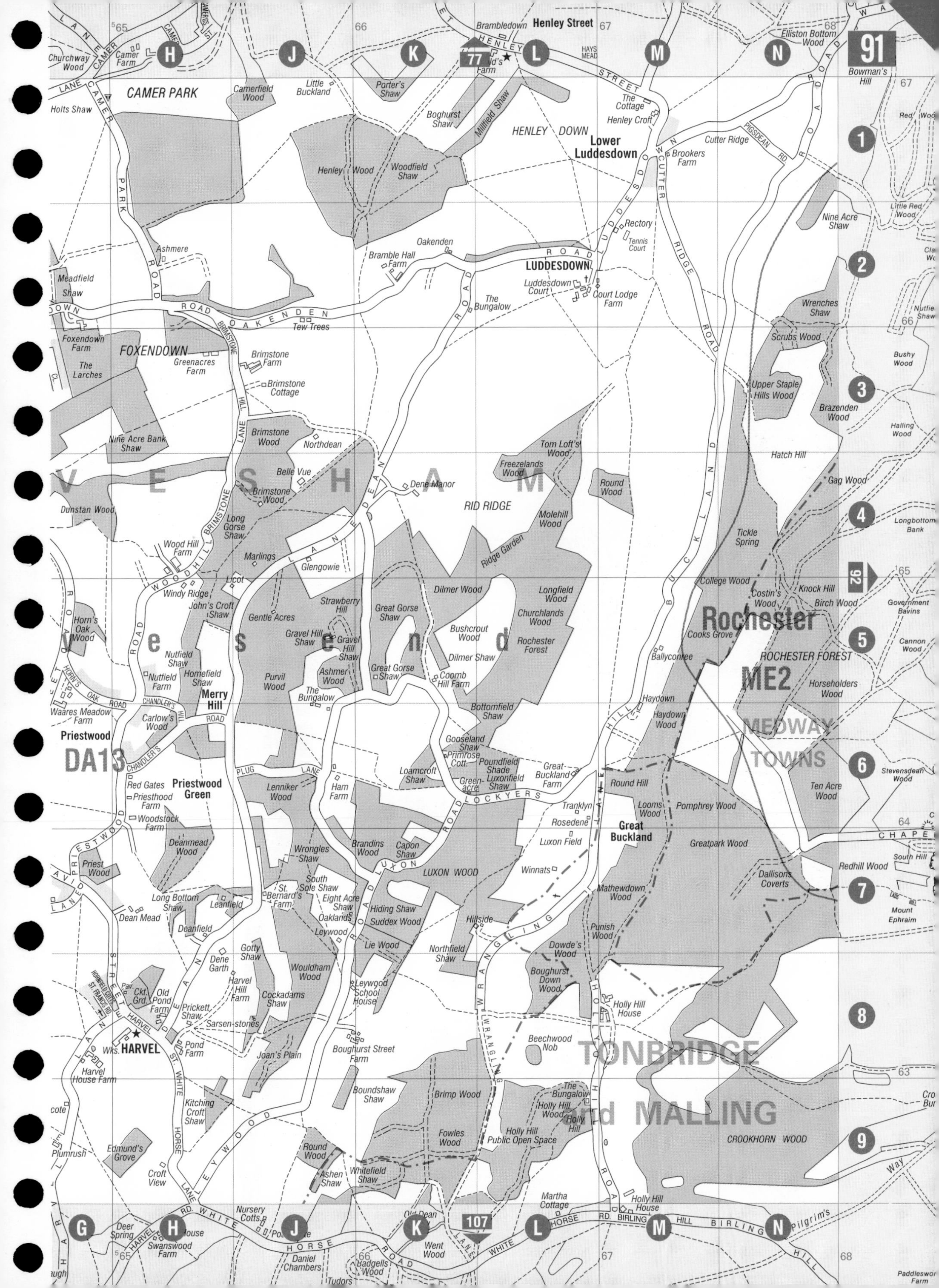
Henley Street
Brambledown
Camer Farm
Churchway Wood
CAMER PARK
Holts Shaw
Camerfield Wood
Little Buckland
Porter's Shaw
Boghurst Shaw
Millfield Shaw
HENLEY DOWN
Lower Luddesdown
The Cottage
Henley Croft
Cutter Ridge
Brookers Farm
Elliston Bottom Wood
Bowman's Hill
Henley Wood
Woodfield Shaw
Nine Acre Shaw
Rectory
Tennis Court
Oakenden
Bramble Hall Farm
LUDDESDOWN
Luddesdown Court
Court Lodge Farm
The Bungalow
Ashmere
Meadfield Shaw
Tew Trees
Foxendown Farm
FOXENDOWN
The Larches
Greenacres Farm
Brimstone Farm
Brimstone Cottage
Wrenches Shaw
Scrubs Wood
Upper Staple Hills Wood
Brazenden Wood
Nine Acre Bank Shaw
Brimstone Wood
Northdean
Tom Loft's Wood
Freezelands Wood
Belle Vue
Dene Manor
Round Wood
Hatch Hill
Gag Wood
Dunstan Wood
RID RIDGE
Molehill Wood
Long Gorse Shaw
Wood Hill Farm
Marlings
Glengowie
Ridge Garden
Tickle Spring
Licot
Windy Ridge
John's Croft Shaw
Dilmer Wood
Longfield Wood
College Wood
Costin's Wood
Knock Hill
Birch Wood
Horn's Oak Wood
Gentle Acres
Strawberry Hill
Great Gorse Shaw
Churchlands Wood
Rochester
Cooks Grove
Gravel Hill Shaw
Bushcrout Wood
Rochester Forest
ROCHESTER FOREST
ME2
Nutfield Shaw
Nutfield Farm
Homefield Shaw
Merry Hill
Purvil Wood
Ashmer Wood
The Bungalow
Dilmer Shaw
Coomb Hill Farm
Ballyconree
Horseholders Wood
Waares Meadow Farm
Carlow's Wood
Bottomfield Shaw
Haydown
Haydown Wood
MEDWAY TOWNS
Priestwood
DA13
Gooseland Shaw
Primrose Cott.
Poundfield Shade
Luxonfield Shaw
Great Buckland Farm
Round Hill
Red Gates
Priesthood Farm
Priestwood Green
Lenniker Wood
Ham Farm
Loamcroft Shaw
Green-acre
Tranklyn
Looms Wood
Pomphrey Wood
Ten Acre Wood
Woodstock Farm
Deanmead Wood
Rosedene
Great Buckland
Luxon Field
Greatpark Wood
Priest Wood
Wrongles Shaw
Brandins Wood
Capon Shaw
LUXON WOOD
Winnats
Redhill Wood
Dallisons Coverts
South Sole Shaw
St. Bernard's Farm
Eight Acre Shaw
Oaklands
Hiding Shaw
Suddex Wood
Mathewdown Wood
Long Bottom Shaw
Leanfield
Dean Mead
Deanfield
Leywood
Lie Wood
Hillside
Punish Wood
Gotty Shaw
Dene Garth
Northfield Shaw
Dowde's Wood
Harvel Hill Farm
Wouldham Wood
Boughurst Down Wood
Pav.
Ckt. Grd.
Old Pond Farm
Prickett Shaw
Cockadams Shaw
Leywood School House
Holly Hill House
Sarsen-stones
HARVEL
Wks.
Pond Farm
Joan's Plain
Boughurst Street Farm
Beechwood Nob
TONBRIDGE and MALLING
Harvel House Farm
Kitching Croft Shaw
Boundshaw Shaw
Brimp Wood
The Bungalow
Holly Hill Wood
Holly Hill
Holly Hill Public Open Space
CROOKHORN WOOD
Edmund's Grove
Plumrush
Croft View
Round Wood
Ashen Shaw
Whitefield Shaw
Fowles Wood
Martha Cottage
Holly Hill House
Nursery Cotts.
Old Dean
Deer Spring
Swanswood Farm
Daniel Chambers
Badgells Wood
Went Wood
Tudors
Pilgrim's Way
Paddleswor Farm
Red Wood
Little Red Wood
Bushy Wood
Halling Wood
Longbottom Bank
Government Bavins
Cannon Wood
Stevensdean Wood
South Hill
Mount Ephraim
CHAPEL
CAMER ROAD
PARK ROAD
OAKENDEN ROAD
BRIMSTONE HILL
BRIMSTONE LANE
WOODHILL
HENLEY STREET
LUDDESDOWN ROAD
LUDDESDOWN
CUTTER RIDGE ROAD
PIGSDEAN RD
BUCKLAND ROAD
DEAN LANE
CHANDLER'S HILL
CHANDLER'S ROAD
HORN'S OAK ROAD
PLUG LANE
LOCKYERS ROAD
LUXON ROAD
WRANGLING LANE
HOLLY HILL ROAD
HOLLY HILL LANE
HARVEL ST
ST. FRANCIS RD
WHITE HORSE LANE
WHITE HORSE RD
LEYWOOD ROAD
BIRLING HILL
DEAN LANE
DAVID LANE
77
107
92
65
66
67
68
63
64
65
66
67
G
H
J
K
L
M
N
1
2
3
4
5
6
7
8
9

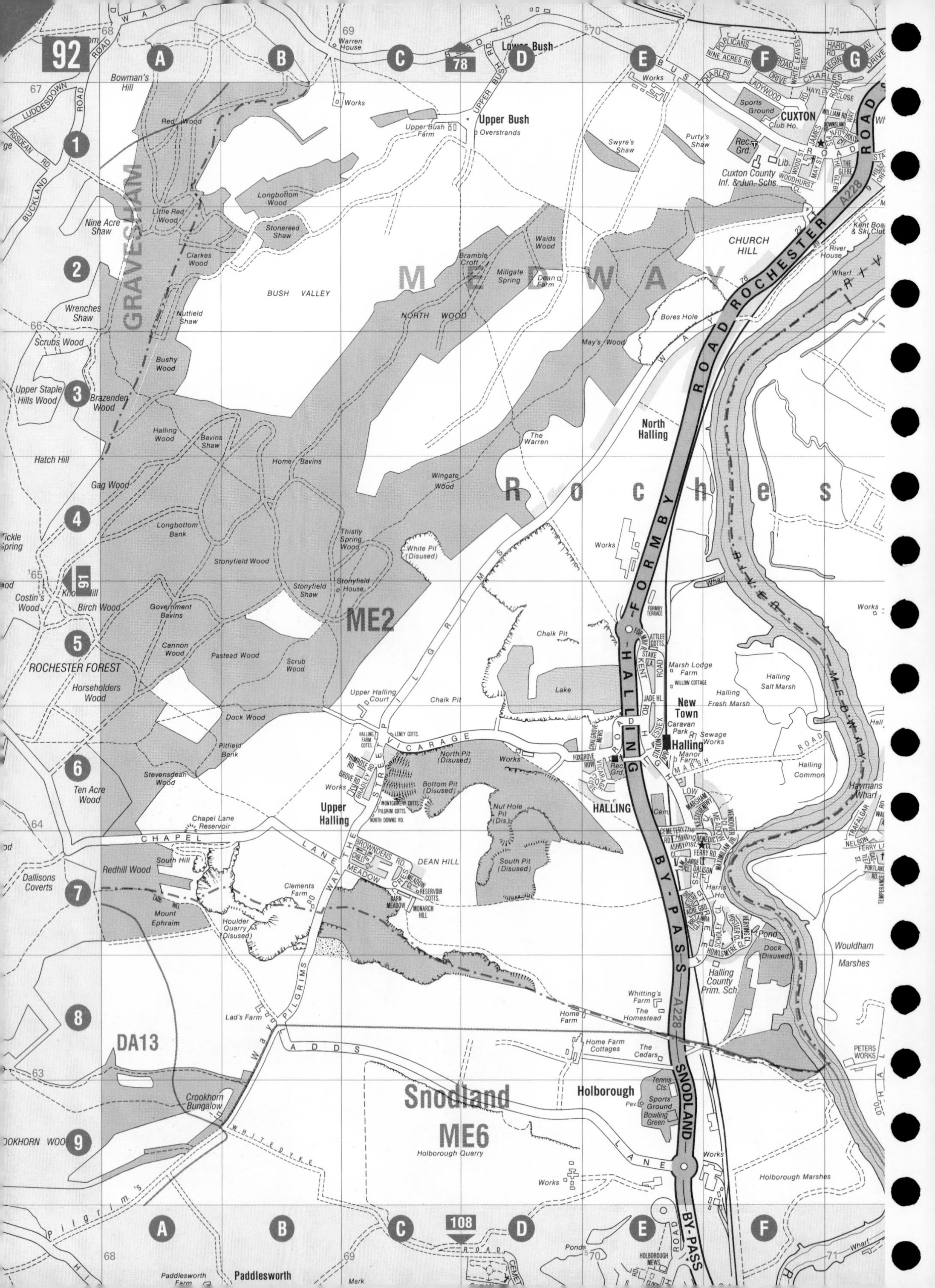

92
A
B
C
D
E
F
G
78
Lower Bush
Warren House
Bowman's Hill
Works
Upper Bush
Upper Bush Farm
Overstrands
Red Wood
Longbottom Wood
Little Red Wood
Nine Acre Shaw
Stonereed Shaw
Clarkes Wood
GRAVESHAM
BUSH VALLEY
Bramble Croft
Millgate Spring
Waids Wood
Dean Farm
MEDWAY
NORTH WOOD
Wrenches Shaw
Scrubs Wood
Nutfield Shaw
Bushy Wood
Upper Staple Hills Wood
Brazenden Wood
Halling Wood
Bavins Shaw
Hatch Hill
Home Bavins
Gag Wood
Longbottom Bank
Thistly Spring Wood
White Pit (Disused)
Stonyfield Wood
Stonyfield Shaw
Stonyfield House
Costin's Wood
Birch Wood
Government Bavins
ME2
Cannon Wood
Pastead Wood
Scrub Wood
ROCHESTER FOREST
Horseholders Wood
Dock Wood
Pitfield Bank
Stevensdean Wood
Ten Acre Wood
Chapel Lane Reservoir
CHAPEL LANE
Redhill Wood
South Hill
Dallisons Coverts
Mount Ephraim
Houlder Quarry (Disused)
Clements Farm
DEAN HILL
Upper Halling Court
Chalk Pit
VICARAGE
North Pit (Disused)
Bottom Pit (Disused)
Nut Hole Pit (Dis.)
South Pit (Disused)
Upper Halling
Lad's Farm
DA13
PILGRIMS WAY
ADDS
Crookhorn Bungalow
WHITEDYKE
Snodland
ME6
Holborough Quarry
Holborough
Home Farm Cottages
The Cedars
Home Farm
Whitting's Farm
The Homestead
Tennis Cts.
Sports Ground
Bowling Green
Pav.
LANE
Works
Holborough Marshes
CUXTON
Sports Ground
Club Ho.
Rec. Grd.
Lib.
Cuxton County Inf. & Jun. Schs.
Swyre's Shaw
Purty's Shaw
CHURCH HILL
Kent Boat & Ski Club
River House
Wharf
Bores Hole
May's Wood
ROCHESTER ROAD
A228
FORMBY ROAD
HALLING BY-PASS
North Halling
The Warren
Wingate Wood
Roches
Works
Chalk Pit
Lake
Marsh Lodge Farm
Halling Salt Marsh
Halling Fresh Marsh
New Town
Caravan Park
Halling
Sewage Works
Manor Farm
Halling Common
HALLING
Cem.
The Halling Inst.
Haymans Wharf
RIVER MEDWAY
Pond
Dock (Disused)
Wouldham Marshes
Halling County Prim. Sch.
PETERS WORKS
SNODLAND BY-PASS
108
Ponds
HOLBOROUGH MEWS
Paddlesworth Farm
Paddlesworth
Pilgrim's Way
1
2
3
4
5
6
7
8
9
91

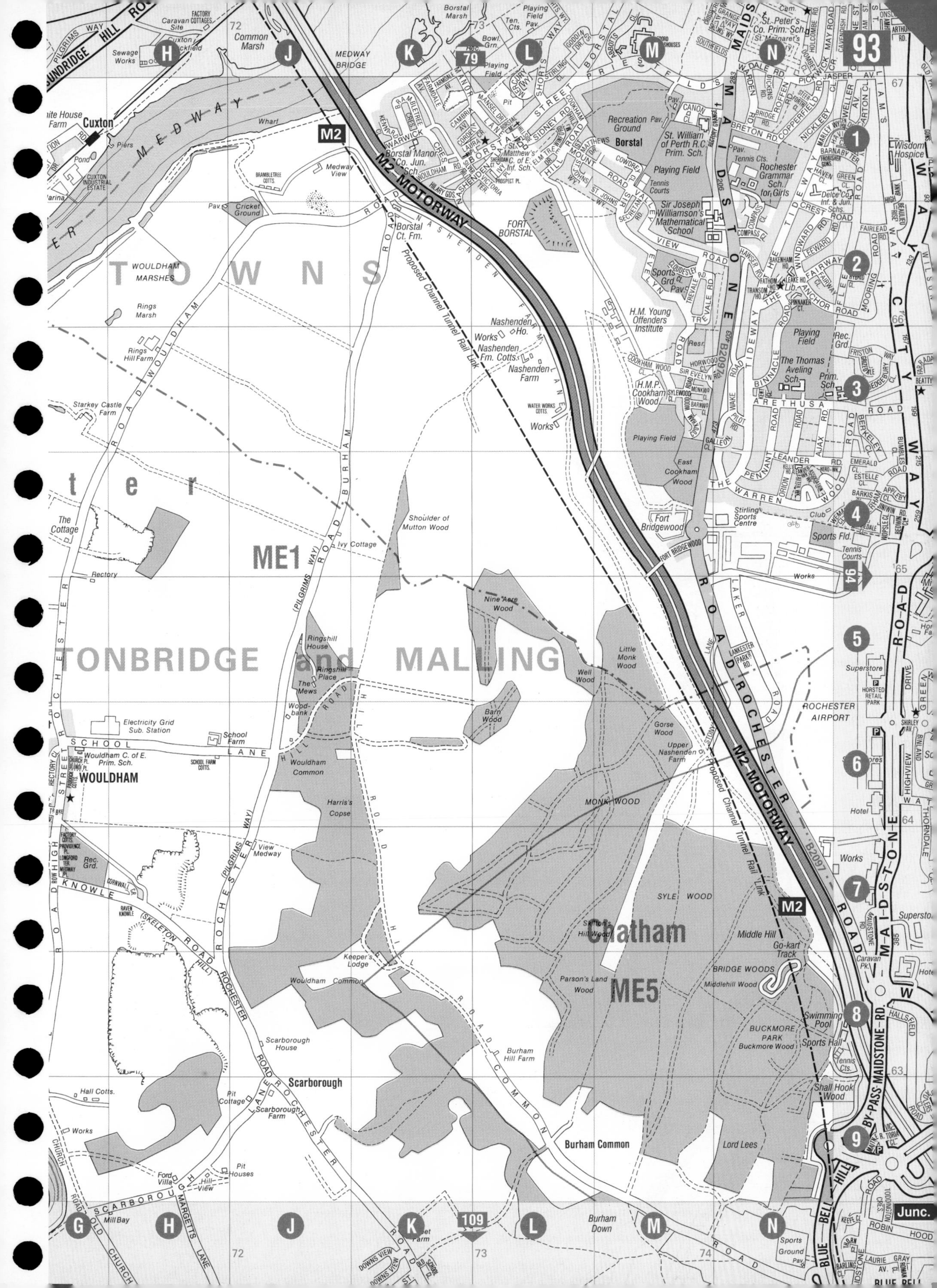
93
TOWNS
ter
TONBRIDGE and MALLING
ME1
ME5
Chatham
M2-MOTORWAY
M2
MEDWAY
Cuxton
Borstal
WOULDHAM
Scarborough
Burham Common
Wouldham Marshes
Rings Marsh
Rings Hill Farm
Starkey Castle Farm
The Cottage
Rectory
Electricity Grid Sub. Station
School Farm
SCHOOL LANE
Wouldham C. of E. Prim. Sch.
Wouldham Common
Harris's Copse
Keeper's Lodge
Scarborough House
Burham Hill Farm
Scarborough Farm
Pit Cottage
Hall Cotts.
Works
Ford Villa
Hill View
Pit Houses
Mill Bay
Burham Down
Common Marsh
Sewage Works
Medway Bridge
Borstal Marsh
Playing Field
Wharf
Piers
Pond
Cuxton Industrial Estate
Brambletree Cotts.
Medway View
Cricket Ground
Borstal Ct. Fm.
Borstal Manor Co. Jun. Sch.
St. Matthew's C. of E. Inf. Sch.
Fort Borstal
Recreation Ground
St. William of Perth R.C. Prim. Sch.
Rochester Grammar Sch. for Girls
Sir Joseph Williamson's Mathematical School
Sports Grd.
H.M. Young Offenders Institute
H.M.P. Cookham Wood
East Cookham Wood
Fort Bridgewood
Stirling Sports Centre
Sports Fld.
The Thomas Aveling Sch.
Wisdom Hospice
Nashenden Ho.
Nashenden Fm. Cotts.
Nashenden Farm
Proposed Channel Tunnel Rail Link
Shoulder of Mutton Wood
Ivy Cottage
Nine Acre Wood
Ringshill House
Ringshill Place
The Mews
Wood-bank
Barn Wood
Little Monk Wood
Well Wood
Gorse Wood
Upper Nashenden Farm
MONK WOOD
SYLE WOOD
Skillon's Hill Wood
Parson's Land Wood
Middle Hill
Go-kart Track
BRIDGE WOODS
Middlehill Wood
Swimming Pool
BUCKMORE PARK
Buckmore Wood
Sports Hall
Shall Hook Wood
Lord Lees
ROCHESTER AIRPORT
Superstore
HORSTED RETAIL PARK
Hotel
Caravan Pk.
MAIDSTONE ROAD
ROCHESTER ROAD
BURHAM ROAD
WOULDHAM ROAD
HILL ROAD
KNOWLE ROAD
SKELETON HILL
MARGETTS LANE
SCARBOROUGH LANE
CITY WAY
MAIDSTONE-RD BY-PASS
BLUE BELL HILL
B2097
Junc.
G H J K L M N
79
109
94
72 73 74
67 66 65 64 63
1 2 3 4 5 6 7 8 9

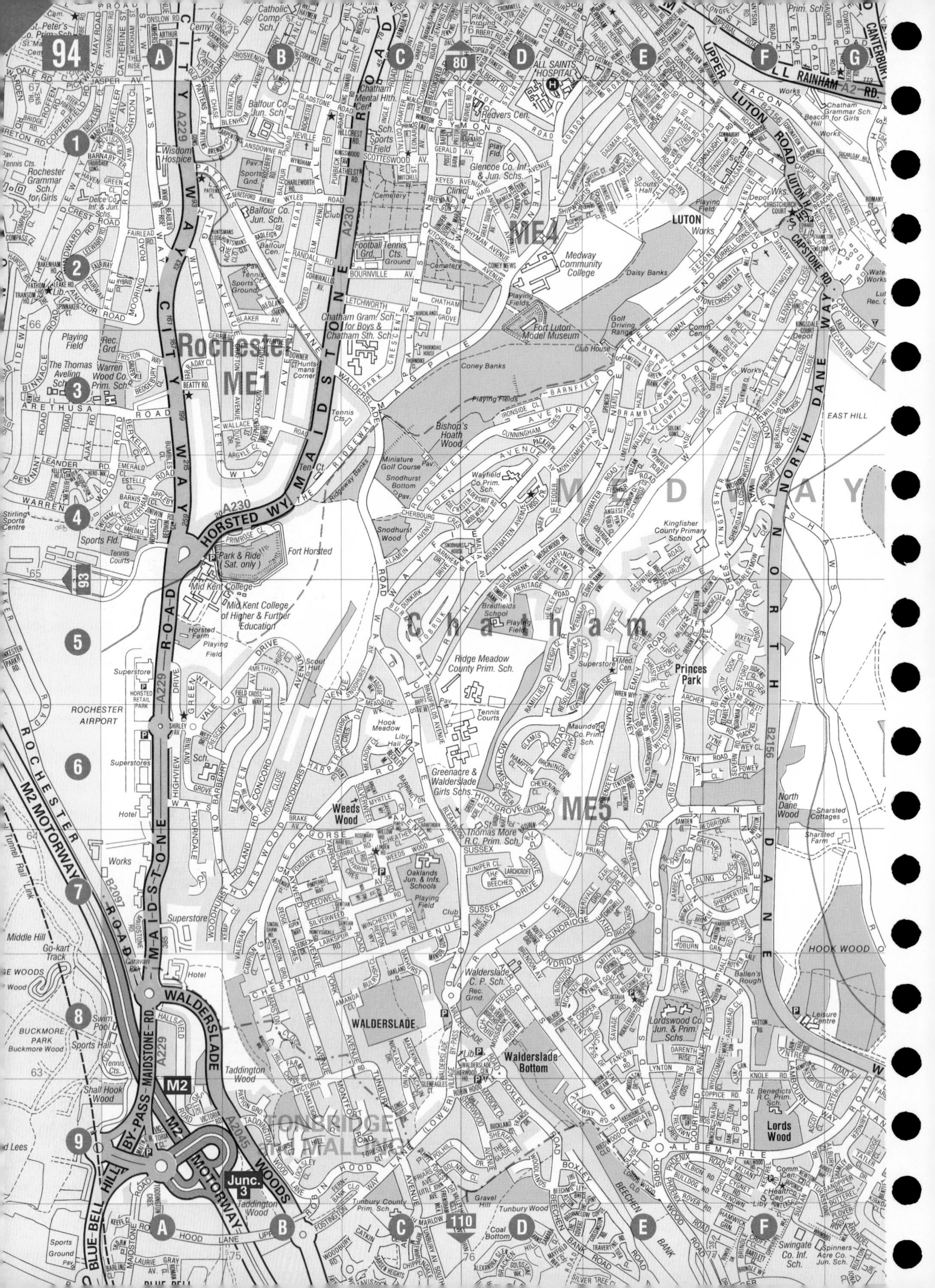

94
A
B
C
D
E
F
G
80
110
93
1
2
3
4
5
6
7
8
9
Rochester
ME1
ME4
ME5
Chatham
MEDWAY
CITY WAY
MAIDSTONE ROAD
HORSTED WY.
A229
A230
A2045
B2097
B2156
M2
M2 MOTORWAY
ROCHESTER ROAD
NORTH DANE WAY
WALDERSLADE WOODS
BLUE BELL HILL BY-PASS
UPPER LUTON ROAD
LUTON ROAD
CAPSTONE RD.
RAINHAM RD.
Junc. 3
LUTON
ALL SAINTS HOSPITAL
Medway Community College
Fort Luton Model Museum
Rochester Grammar Sch. for Girls
Chatham Gram. Sch. for Boys & Chatham Sth. Sch.
Chatham Grammar Sch. for Girls
Mid Kent College
Mid Kent College of Higher & Further Education
Park & Ride (Sat. only)
Fort Horsted
Rochester Airport
Bishop's Hoath Wood
Snodhurst Wood
Weeds Wood
Princes Park
Walderslade
Walderslade Bottom
Lords Wood
Hook Wood
North Dane Wood
Taddington Wood
Tunbury Wood
TONBRIDGE & MALLING
Buckmore Park
Tunnel Rail Link
Middle Hill
Go-kart Track
East Hill
Coney Banks
Daisy Banks
Golf Driving Range
Oaklands Jun. & Infs. Schools
Lordswood Co. Jun. & Prim. Schs.
Greenacre & Walderslade Girls Schs.
Ridge Meadow County Prim. Sch.
Kingfisher County Primary School

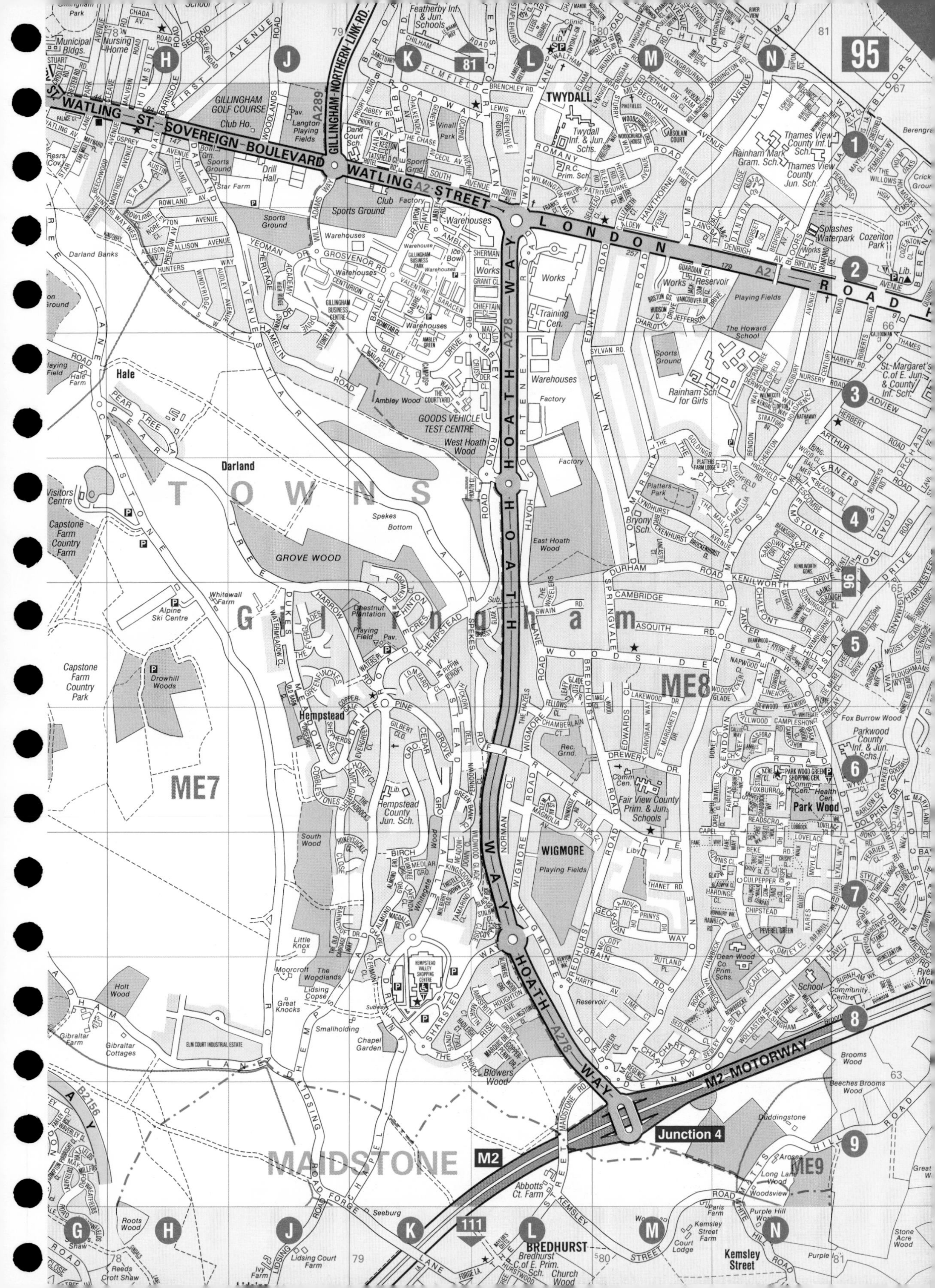

95
H
J
K
L
M
N
1
2
3
4
5
6
7
8
9
G
79
80
81
78
67
66
65
64
63
81
111
96
GILLINGHAM-NORTHERN-LINK RD.
A289
WATLING ST.
SOVEREIGN BOULEVARD
WATLING STREET
LONDON ROAD
A2
GILLINGHAM GOLF COURSE
Club Ho.
Langton Playing Fields
Featherby Inf. & Jun. Schools
Municipal Bldgs.
Nursing Home
Sports Ground
Drill Hall
Star Farm
Vinall Park
Sports Grnd.
Sports Ground
Club
Factory
Warehouses
Darland Banks
GILLINGHAM BUSINESS PARK
GILLINGHAM BUSINESS CENTRE
Ice Bowl
Works
Training Cen.
TWYDALL
Twydall Inf. & Jun. Schs.
R.C. Prim. Sch.
Rainham Mark Gram. Sch.
Thames View County Inf. Sch.
Thames View County Jun. Sch.
Splashes Waterpark
Cozenton Park
Reservoir
Playing Fields
The Howard School
Sports Ground
Rainham Sch. for Girls
St. Margaret's C. of E. Jun. & County Inf. Schs.
Hale
Hale Farm
Playing Field
Darland
TOWNS
Visitors Centre
Capstone Farm Country Farm
Ambley Wood
GOODS VEHICLE TEST CENTRE
West Hoath Wood
Spekes Bottom
GROVE WOOD
East Hoath Wood
Factory
Warehouses
Platters Park
Bryony Sch.
Whitewall Farm
Alpine Ski Centre
Gillingham
Chestnut Plantation
Playing Field
Pav.
HOATH WAY
A278
ME8
Capstone Farm Country Park
Drowhill Woods
Hempstead
ME7
Hempstead County Jun. Sch.
Rec. Grnd.
Comm. Cen.
Fair View County Prim. & Jun. Schools
Fox Burrow Wood
Parkwood County Inf. & Jun. Schs.
PARK WOOD GREEN SHOPPING CEN.
Health Cen.
Park Wood
South Wood
WIGMORE
Playing Fields
Little Knox
Moorcroft
The Woodlands
HEMPSTEAD VALLEY SHOPPING CENTRE
Holt Wood
Lidsing Copse
Great Knocks
Smallholding
Chapel Garden
Gibraltar Farm
Gibraltar Cottages
ELM COURT INDUSTRIAL ESTATE
Reservoir
Dean Wood Co. Prim. Schs.
School
Community Centre
Blowers Wood
M2 MOTORWAY
Junction 4
Brooms Wood
Beeches Brooms Wood
Duddingstone
MAIDSTONE
M2
B2156
Abbotts Ct. Farm
Seeburg
Long Lane Wood
Woodsview
ME9
Paris Farm
Kemsley Street Farm
Court Lodge
Purple Hill Wood
Kemsley Street
Stone Acre Wood
Roots Wood
Reeds Croft Shaw
Lidsing Court Farm
Ivy Farm
BREDHURST
Bredhurst C. of E. Prim. Sch.
Church Wood

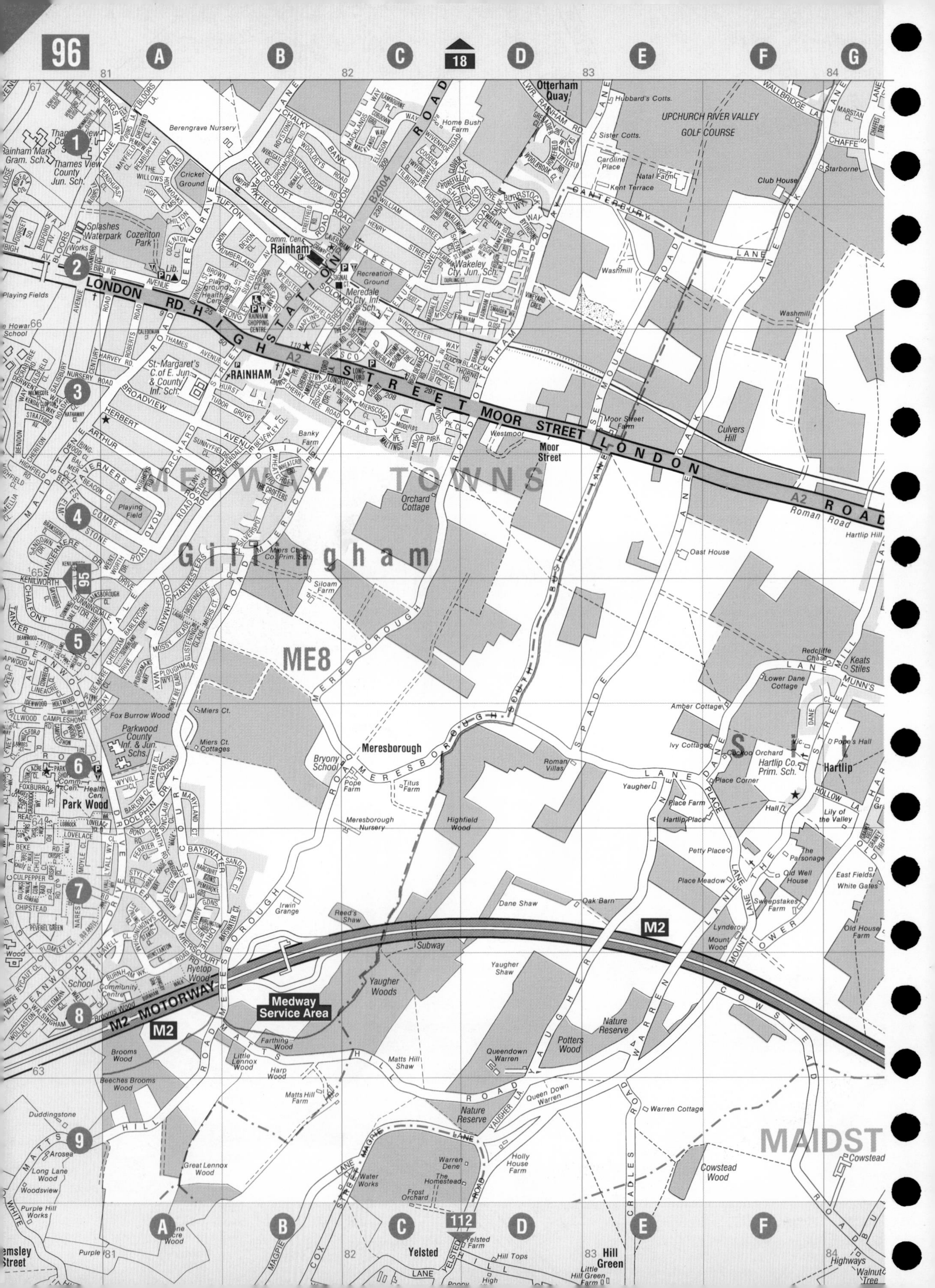

96
A
B
C
D
E
F
G
18
112
95
81
82
83
84
Otterham Quay
Hubbard's Cotts.
UPCHURCH RIVER VALLEY
GOLF COURSE
Sister Cotts.
Caroline Place
Natal Farm
Kent Terrace
Club House
Starborne
Berengrave Nursery
Home Bush Farm
Rainham Mark Gram. Sch.
Thames View County Jun. Sch.
Cricket Ground
Splashes Waterpark
Cozenton Park
Rainham
Comm. Cen.
Recreation Ground
Meredale Cty. Inf. Sch.
Wakeley Cty. Jun. Sch.
Washmill
RAINHAM SHOPPING CENTRE
Playing Fields
LONDON RD.
HIGH STREET
MOOR STREET
LONDON ROAD
A2
St. Margaret's C.of E. Jun. & County Inf. Sch.
RAINHAM
Banky Farm
Moor Street Farm
Westmoor
Moor Street
Culvers Hill
MEDWAY TOWNS
Gillingham
Orchard Cottage
Playing Field
Roman Road
Hartlip Hill
Oast House
Miers Ct. Co. Prim. Sch.
Siloam Farm
ME8
Redcliffe Chase
Keats Stiles
Lower Dane Cottage
Amber Cottage
Fox Burrow Wood
Miers Ct.
Parkwood County Inf. & Jun. Schs.
Miers Ct. Cottages
Meresborough
Bryony School
Roman Villas
Ivy Cottage
Cuckoo Orchard
Pope's Hall
Hartlip Co. Prim. Sch.
Hartlip
Place Corner
Yaugher
Place Farm
Hartlip Place
Hall
Lily of the Valley
Pope Farm
Titus Farm
Park Wood
Health Cen.
Highfield Wood
Meresborough Nursery
Petty Place
The Parsonage
Old Well House
East Fields
White Gates
Place Meadow
Sweepstakes Farm
Dane Shaw
Oak Barn
Irwin Grange
Reed's Shaw
M2
Lynderoy
Mount Wood
Old House Farm
Subway
Ryetop Wood
School
Community Centre
Brooms Wood
M2 MOTORWAY
Medway Service Area
Yaugher Woods
Yaugher Shaw
Nature Reserve
Potters Wood
Farthing Wood
Little Lennox Wood
Matts Hill Shaw
Queendown Warren
Harp Wood
Beeches Brooms Wood
Matts Hill Farm
Queen Down Warren
Warren Cottage
Duddingstone
Arosea
Long Lane Wood
Woodsview
Great Lennox Wood
Water Works
Warren Dene
The Homestead
Holly House Farm
Frost Orchard
Cowstead Wood
Cowstead
MAIDST
Purple Hill Works
Yelsted
Yelsted Farm
Hill Tops
Hill Green
Little Hill Green Farm
Highways
Walnut Tree
Purple

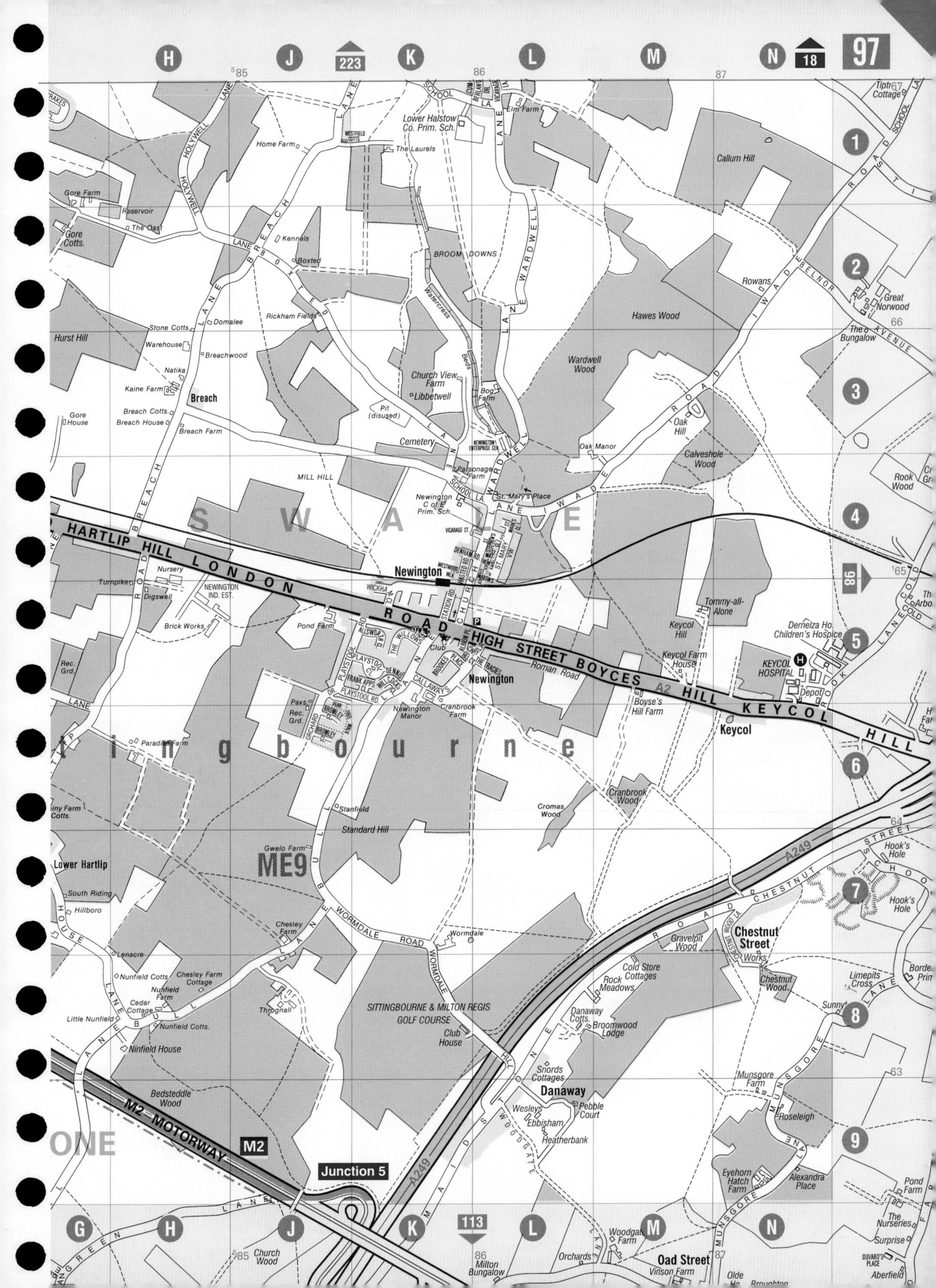
H
J
223
K
L
M
N
18
Lower Halstow Co. Prim. Sch.
Home Farm
The Laurels
Elm Farm
Callum Hill
Gore Farm
Reservoir
The Oast
Gore Cotts.
Kennels
Boxted
BROOM DOWNS
Rowans
Great Norwood
Hawes Wood
Rickham Fields
Watercress
Domalee
Stone Cotts.
Hurst Hill
Warehouse
Breachwood
Wardwell Wood
Natika
Church View Farm
Libbetwell
Kaine Farm
Breach
Bog Farm
Gore House
Breach Cotts.
Breach House
Pit (disused)
Oak Hill
Breach Farm
Cemetery
Oak Manor
Calveshole Wood
Parsonage Farm
MILL HILL
Rook Wood
Newington C of E Prim. Sch.
St. Mary's Place
S W A L E
HARTLIP HILL LONDON
Newington
Nursery
Turnpike
Digswell
NEWINGTON IND. EST.
Tommy-all-Alone
ROAD
HIGH STREET BOYCES
HILL KEYCOL
HILL
Brick Works
Pond Farm
Keycol Hill
Demelza Ho. Children's Hospice
Club
Keycol Farm House
KEYCOL HOSPITAL
Depot
Rec. Grd.
Newington
Roman Road
A2
Boyse's Hill Farm
Keycol
Pavs
Rec. Grd.
Newington Manor
Cranbrook Farm
Paradise Farm
i n g b o u r n e
Cranbrook Wood
Cromas Wood
Stanfield
Standard Hill
Lower Hartlip
Gwelo Farm
ME9
A249
Hook's Hole
South Riding
Hillboro
CHESTNUT STREET
Chesley Farm
WORMDALE ROAD
Wormdale
Chestnut Street
Gravelpit Wood
Works
Lenacre
Cold Store Cottages
Chestnut Wood
Limepits Cross
Nunfield Cotts.
Chesley Farm Cottage
Rock Meadows
Nunfield Farm
Cedar Cottage
Thrognall
Little Nunfield
SITTINGBOURNE & MILTON REGIS GOLF COURSE
Danaway Cotts.
Broomwood Lodge
Nunfield Cotts.
Club House
Ninfield House
Snords Cottages
Danaway
Munsgore Farm
Bedsteddle Wood
Wesleys
Pebble Court
Ebbisham
Roseleigh
ONE
M2 MOTORWAY
M2
Heatherbank
Junction 5
Eyehorn Hatch Farm
Alexandra Place
Pond Farm
G
H
J
K
113
L
M
N
Church Wood
Milton Bungalow
Orchards
Woodgate Farm
Oad Street
Vinson Farm
The Nurseries
Surprise
Aberfield
1
2
3
4
5
6
7
8
9
66
65
64
63
96
85
86
87

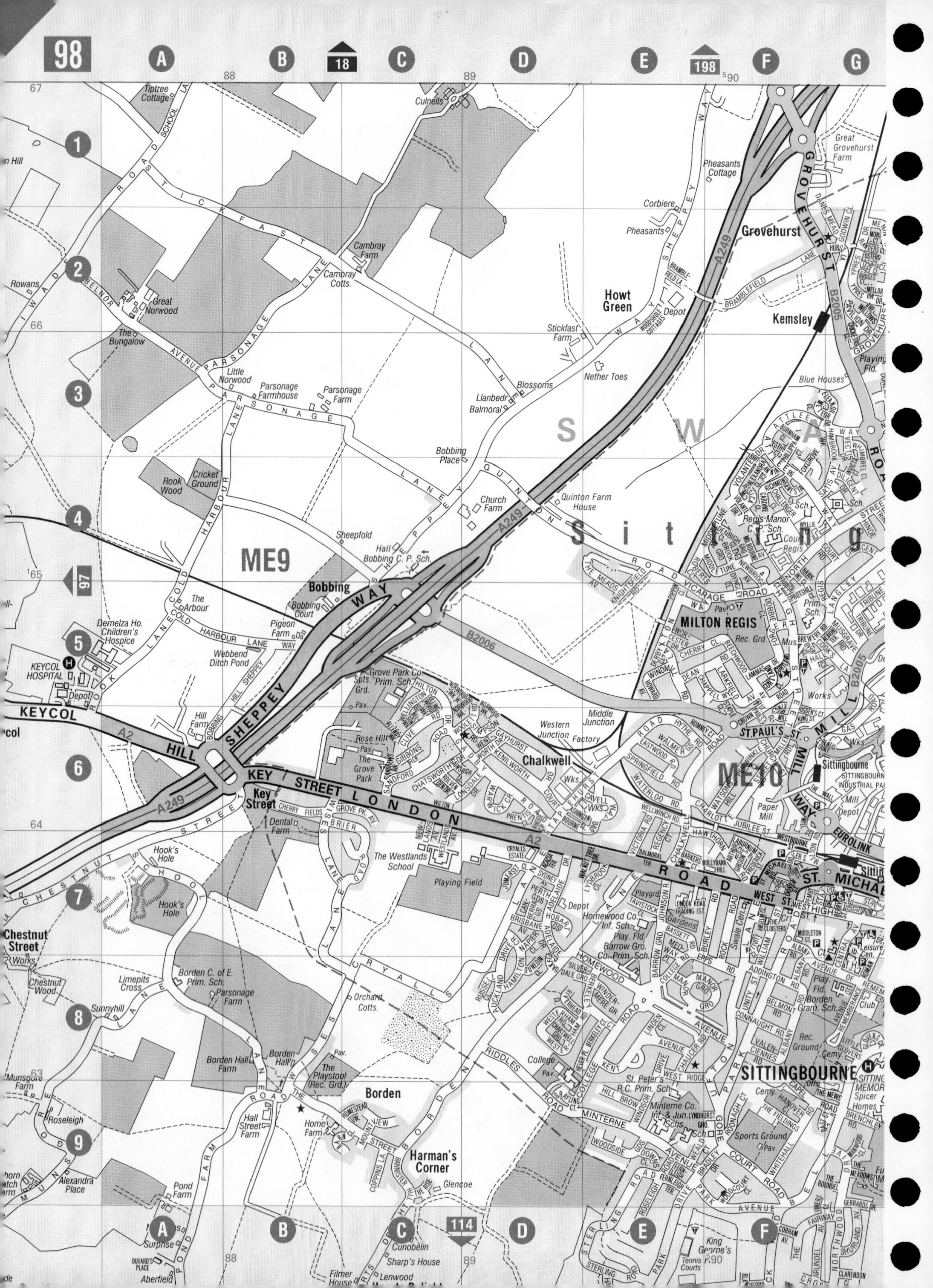

98
18
198
114
97
Tiptree Cottage
Culnells
Great Grovehurst Farm
Pheasants Cottage
Corbiere
Pheasants
Grovehurst
Cambray Farm
Cambray Cotts.
Rowans
Great Norwood
Howt Green
Depot
Kemsley
The Bungalow
Stickfast Farm
Little Norwood
Parsonage Farmhouse
Parsonage Farm
Nether Toes
Blossoms
Llanbedr
Balmoral
Blue Houses
Bobbing Place
Rook Wood
Cricket Ground
Church Farm
Quinton Farm House
Sheepfold
Hall
Bobbing C.P. Sch.
ME9
Bobbing
Bobbing Court
The Arbour
Pigeon Farm
Demelza Ho. Children's Hospice
KEYCOL HOSPITAL
Webbend Ditch Pond
Grove Park Co. Prim. Sch.
Spts. Grd.
KEYCOL
Hill Farm
Rose Hill
The Grove Park
Western Junction
Middle Junction
Factory
Chalkwell
MILTON REGIS
Regis Manor C.P. Sch.
ME10
Sittingbourne
Paper Mill
Key Street
Dental Farm
The Westlands School
Playing Field
Hook's Hole
Chestnut Street
Chestnut Wood
Limepits Cross
Borden C. of E. Prim. Sch.
Parsonage Farm
Homewood Co. Inf. Sch.
Barrow Gro. Co. Prim. Sch.
Orchard Cotts.
Sunnyhill
Borden Hall Farm
Borden Hall
The Playstool (Rec. Grd.)
College
St. Peter's R.C. Prim. Sch.
Minterne Co. Inf. & Jun. Schs.
SITTINGBOURNE
Borden Gram. Sch.
Rec. Ground
Sports Ground
Munsgore Farm
Roseleigh
Hall Street Farm
Home Farm
Borden
Harman's Corner
Glencoe
Alexandra Place
Pond Farm
Surprise
Cunobelin
Sharp's House
Lenwood
Filmer House
Aberfield
King George's Tennis Courts
A249
A2
B2006
B2005
SHEPPEY WAY
KEY STREET
LONDON ROAD
CHESTNUT STREET
ST. MICHAEL'S
WEST ST.
EUROLINK

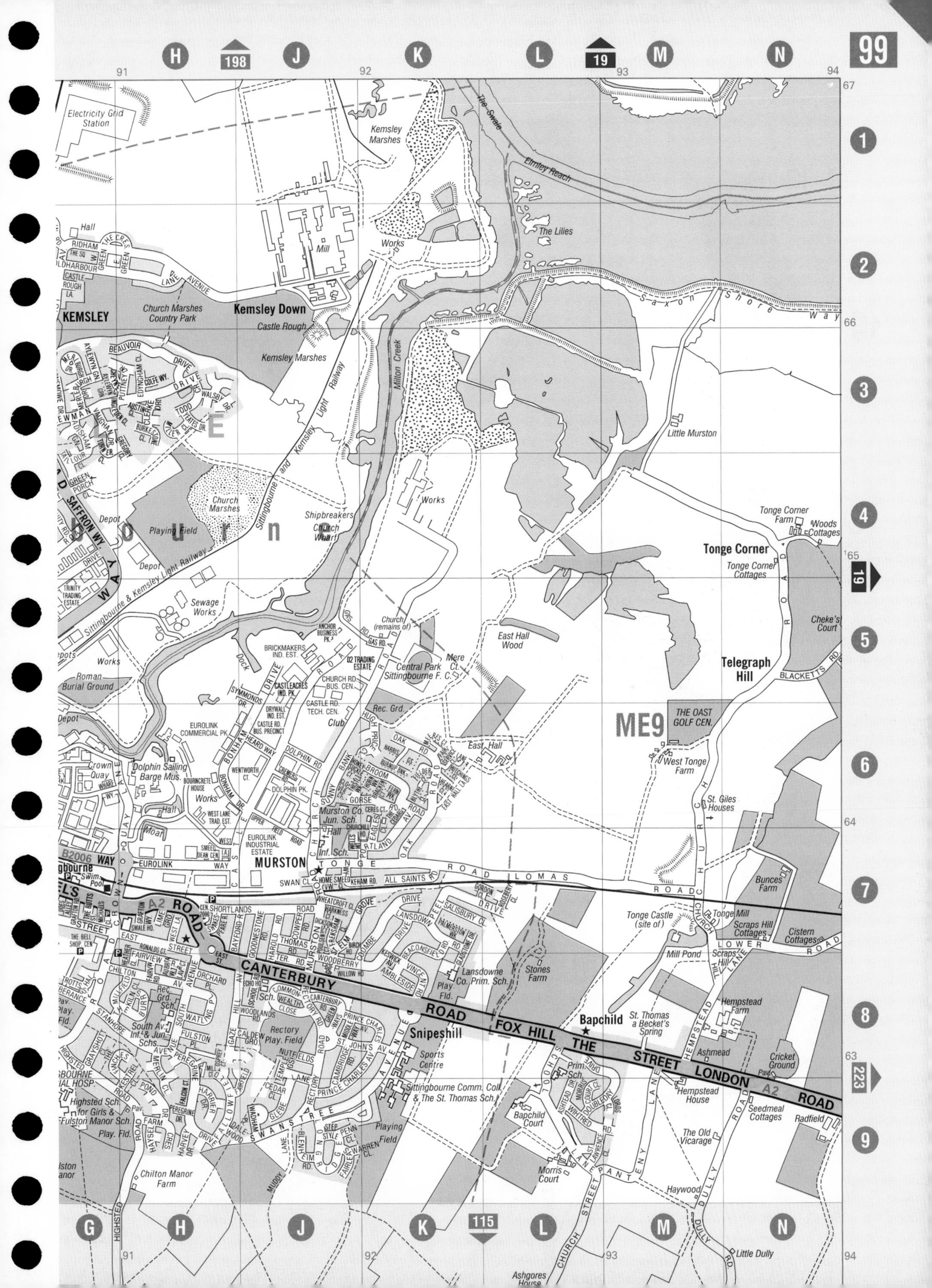
H
198
J
K
L
19
M
N
91
92
93
94
Electricity Grid Station
Kemsley Marshes
The Swale
Elmley Reach
Mill
Works
The Lilies
Hall
Kemsley Down
KEMSLEY
Church Marshes Country Park
Castle Rough
Saxon Shore Way
Kemsley Marshes
Milton Creek
Sittingbourne and Kemsley Light Railway
Little Murston
Church Marshes
Works
Shipbreakers
Church Wharf
Depot
Playing Field
Tonge Corner Farm
Woods Cottages
Tonge Corner
Tonge Corner Cottages
Sittingbourne & Kemsley Light Railway
Sewage Works
Church (remains of)
Cheke's Court
East Hall Wood
Works
Roman Burial Ground
Dock
Central Park Sittingbourne F. C.
Mere Ct.
Telegraph Hill
BLACKETTS RD
Rec. Grd.
Club
THE OAST GOLF CEN.
ME9
EUROLINK COMMERCIAL PK.
East Hall
West Tonge Farm
Crown Quay
Dolphin Sailing Barge Mus.
Works
Hall
St. Giles Houses
Murston Co. Jun. Sch.
Moat
EUROLINK INDUSTRIAL ESTATE
Inf. Sch.
B2006
EUROLINK WAY
MURSTON
TONGE ROAD
LOMAS ROAD
Swim. Pool
ALL SAINTS RD
Bunces Farm
A2
ROAD
Tonge Castle (site of)
Tonge Mill
Scraps Hill Cottages
Cistern Cottages
LOWER ROAD
CANTERBURY ROAD
Mill Pond
Scraps Hill
Lansdowne Co. Prim. Sch.
Play. Fld.
Stones Farm
Rec. Grd. Sch.
Sch.
Hempstead Farm
Bapchild
St. Thomas a Becket's Spring
Snipeshill
FOX HILL
THE STREET
LONDON ROAD
Rectory Play. Field
South Av. Inf. & Jun. Schs.
Ashmead
Cricket Ground
Sports Centre
Prim. Sch.
Hempstead House
Sittingbourne Comm. Coll. & The St. Thomas Sch.
Highsted Sch. for Girls & Fulston Manor Sch.
Play. Fld.
Bapchild Court
Seedmeal Cottages
Radfield
The Old Vicarage
Playing Field
Chilton Manor Farm
Morris Court
Haywood
G
H
J
K
115
L
M
N
Little Dully
Ashgores House
1
2
3
4
5
6
7
8
9
66
65
64
63
67
223

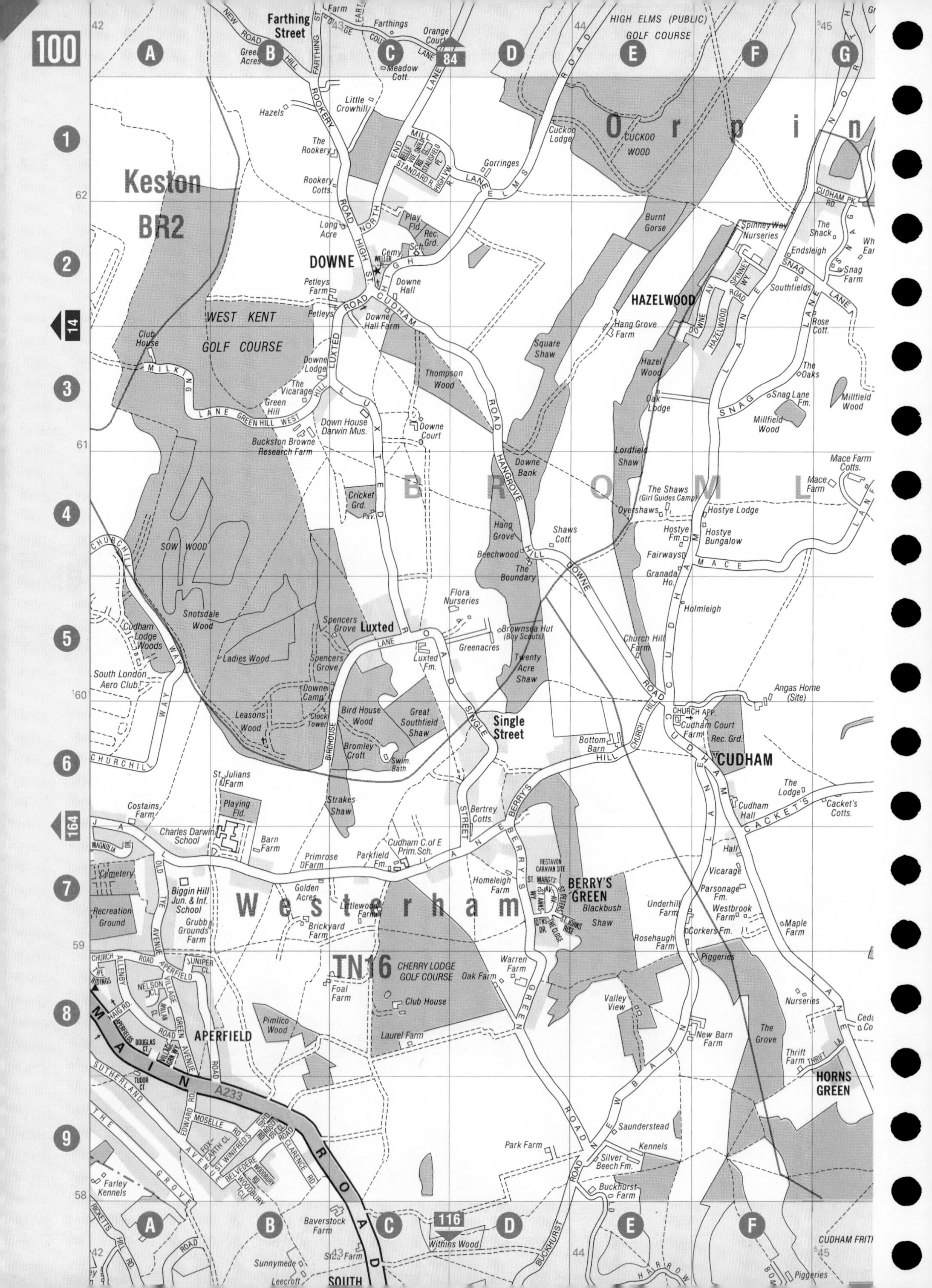
Keston
BR2
DOWNE
WEST KENT
GOLF COURSE
HIGH ELMS (PUBLIC)
GOLF COURSE
Farthing Street
Orpington
CUCKOO WOOD
HAZELWOOD
Luxted
Single Street
CUDHAM
BERRY'S GREEN
Westerham
TN16
CHERRY LODGE
GOLF COURSE
APERFIELD
HORNS GREEN
BROMLEY
Sow Wood
Snotsdale Wood
Ladies Wood
Leasons Wood
Down House
Darwin Mus.
Buckston Browne
Research Farm
Cudham Lodge Woods
South London
Aero Club
Charles Darwin School
Biggin Hill
Jun. & Inf. School
Recreation Ground
Cemetery
Pimlico Wood
Laurel Farm
Club House
Cudham C.of E
Prim.Sch.
Thompson Wood
Square Shaw
Hazel Wood
Lordfield Shaw
Downe Bank
Hang Grove
Twenty Acre Shaw
Blackbush Shaw
The Grove
Millfield Wood
The Shaws
(Girl Guides Camp)
Brownsea Hut
(Boy Scouts)
A233
MAIN ROAD
14
164
84
116

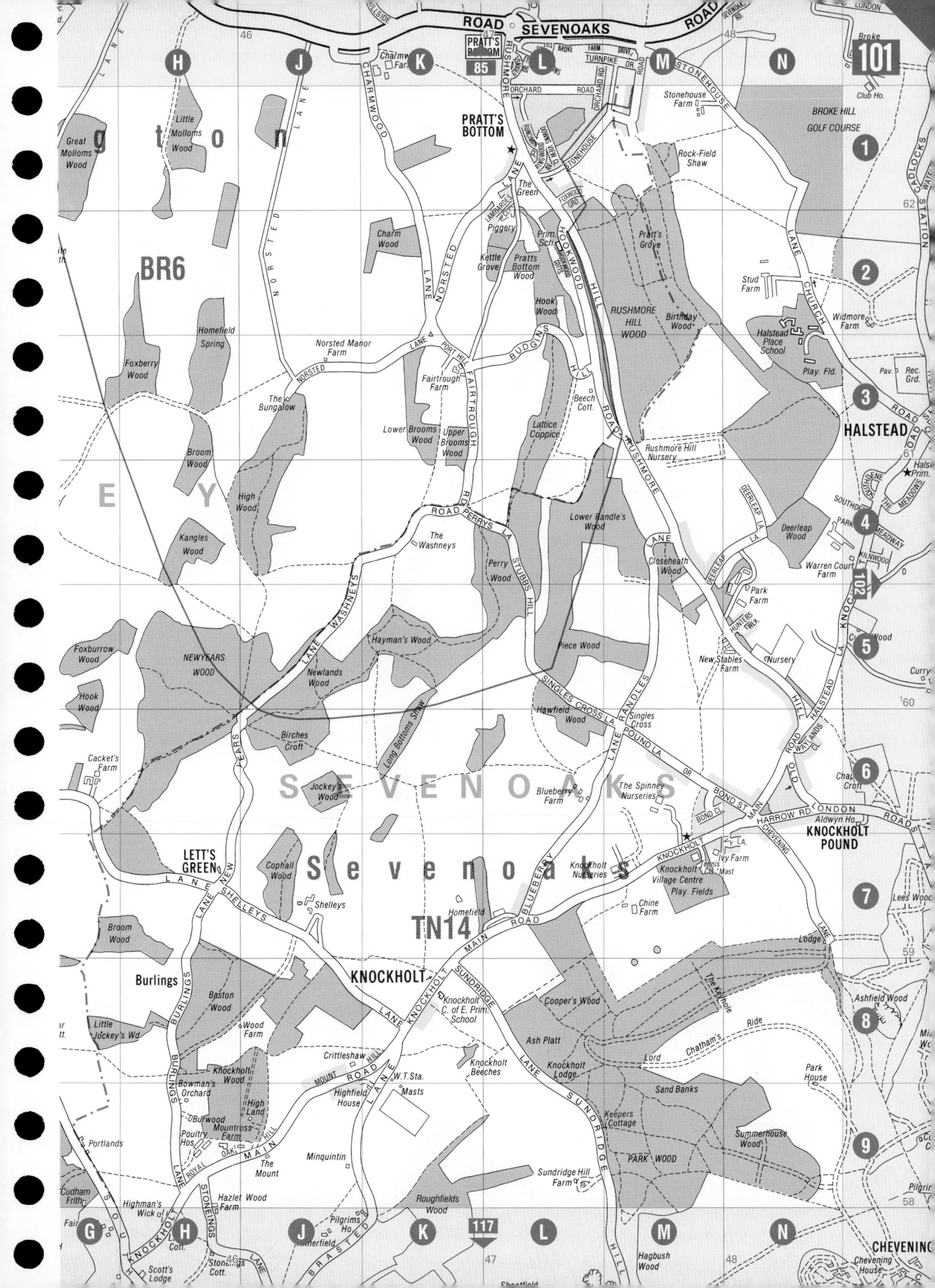

101
ROAD
SEVENOAKS
ROAD
LONDON
Broke
PRATT'S BOTTOM
85
H
J
K
L
M
N
Charmwood Farm
CHARMWOOD
RUSHMORE
ORCHARD
ROAD
ORCHARD RD.
TURNPIKE DR.
FARM DRIVE
BROKE
STONEHOUSE
Stonehouse Farm
Club Ho.
BROKE HILL GOLF COURSE
1
PRATT'S BOTTOM
Great Molloms Wood
Little Molloms Wood
g t o n
Rock-Field Shaw
STONEHOUSE
DOWNS VIEW CL.
FOXWOOD GRO.
The Green
LANE
LAMBARDES
Piggery
Charm Wood
NORSTED
NORSTED
LANE
Prim. Sch.
HOOKWOOD
HOOKWOOD COTTS.
Pratt's Grove
LANE
62
STATION
BR6
Kettle Grove
Pratts Bottom Wood
HILL
Stud Farm
CHURCH
2
Hook Wood
RUSHMORE HILL WOOD
Birthday Wood
Widmore Farm
Homefield Spring
Norsted Manor Farm
LANE
PORT HILL
BUDGINS
Halstead Place School
Foxberry Wood
NORSTED
Fairtrough Farm
FAIRTROUGH
HILL
Play. Fld.
Pav.
Rec. Grd.
The Bungalow
Beech Cott.
ROAD
3
ROAD
HALSTEAD
Lower Brooms Wood
Upper Brooms Wood
Lattice Coppice
RUSHMORE
Rushmore Hill Nursery
61
Broom Wood
Halstead Prim.
High Wood
E Y
RD
ROAD
PERRYS LA.
Lower Randle's Wood
DEERLEAP LA.
SOUTHDENE
THE MEADOWS
PARK
4
MEADWAY
KILNWOOD
Deerleap Wood
The Washneys
Kangles Wood
Perry Wood
STUBBS
LANE
Closeheath Wood
DEERLEAP
Warren Court Farm
102
Park Farm
HILL
WASHNEYS
HUNTERS WLK.
Foxburrow Wood
Hayman's Wood
Piece Wood
KNOCKHOLT
5
NEWYEARS WOOD
LANE
Newlands Wood
New Stables Farm
Nursery
Curry
Hook Wood
SINGLES CROSS LA.
RANDLES
Singles Cross
HALSTEAD
HILL
60
Long Bottoms Shaw
Hawfield Wood
POUND LA.
WAYLANDS CL.
Birches Croft
ROAD
Cacket's Farm
YEARS
LANE
OR
6
OLD
S E V E N O A K S
Jockey's Wood
Blueberry Farm
The Spinney Nurseries
BOND CL.
BOND ST.
MAIN
HARROW RD.
LONDON
ROAD
Aldwyn Ho.
CHEVENING
KNOCKHOLT POUND
LETT'S GREEN
KNOCKHOLT
Ivy Farm
LA.
Tennis Cts.
Mast
Cophall Wood
S e v e n o a k s
Knockholt Nurseries
Knockholt Village Centre
Play. Fields
LANE
NEW
LANE
SHELLEYS
BLUEBERRY
LANE
7
Shelleys
Chine Farm
Lees Wood
Broom Wood
Homefield
TN14
MAIN
ROAD
Lodge
LANE
59
Burlings
KNOCKHOLT
KNOCKHOLT
SUNDRIDGE
The Keyhole
Baston Wood
BURLINGS
Cooper's Wood
Ashfield Wood
Knockholt C. of E. Prim. School
8
Little Jockey's Wd.
Wood Farm
LANE
Ride
Ash Platt
Chatham's
Crittleshaw
Lord
BURLINGS
HILL
Knockholt Beeches
Knockholt Lodge
LANE
Park House
Knockholt Wood
MOUNT
ROAD
LANE
W.T.Sta.
Masts
Sand Banks
Bowman's Orchard
Highfield House
SUNDRIDGE
High Land
Keepers Cottage
Burwood
Mountross Farm
Poultry Hos.
Portlands
HILL
Summerhouse Wood
9
ROYAL
OAK
MAIN
The Mount
Minquintin
PARK WOOD
Sundridge Hill Farm
LANE
Cudham Frith
STONEINGS
Highman's Wick
Hazlet Wood Farm
Roughfields Wood
SUNDRIDGE
58
G
H
J
K
L
M
N
117
Pilgrims Ho.
Cott.
KNOCKHOLT
LANE
BRASTED
HILL
Hagbush Wood
CHEVENING
Chevening House
Scott's Lodge
Stoneings Cott.
46
47
48
Sheetfield

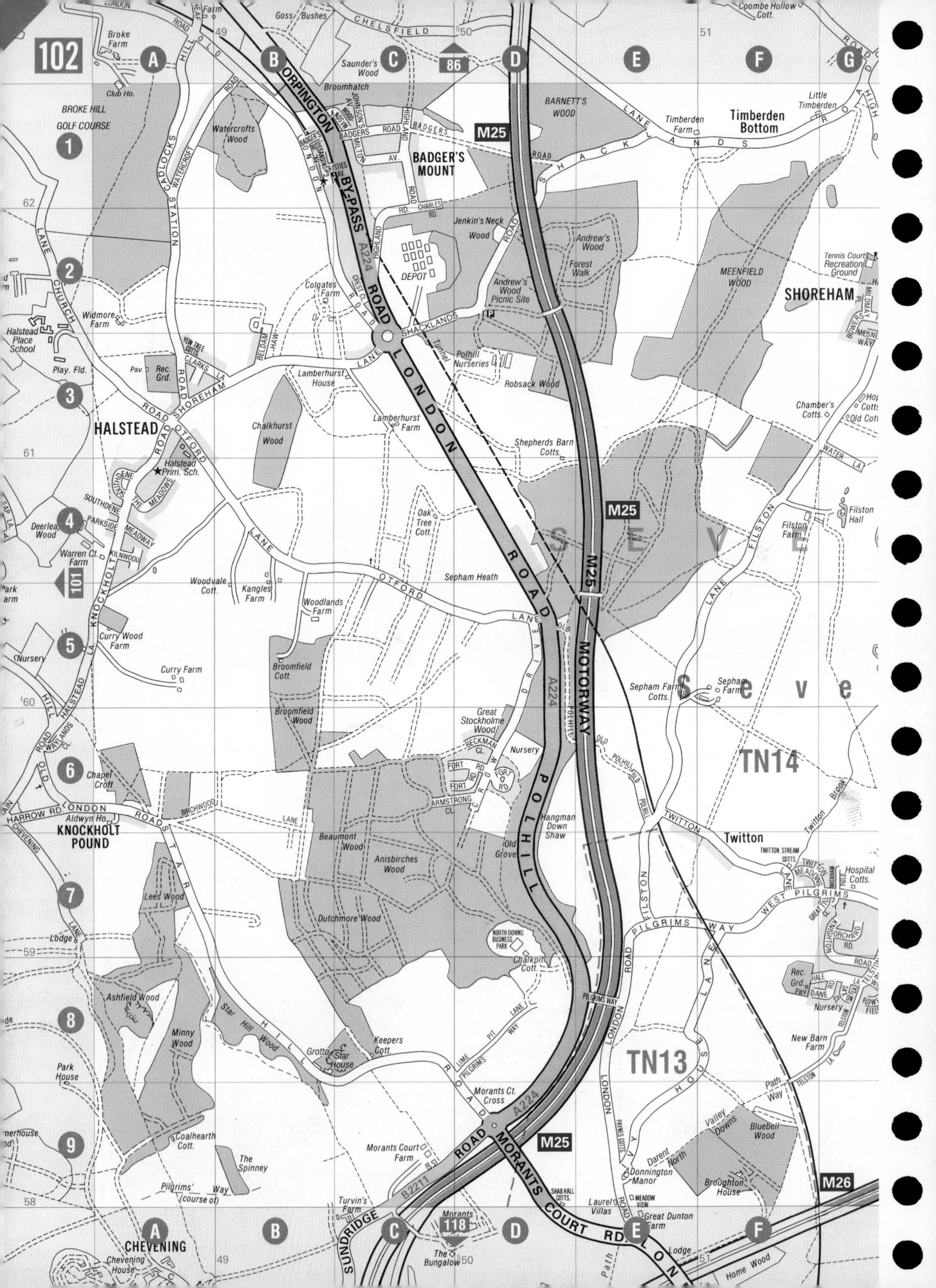

A
B
C
D
E
F
G
1
2
3
4
5
6
7
8
9
49
50
51
62
61
60
59
58
86
101
118
Broke Farm
Club Ho.
BROKE HILL
GOLF COURSE
Goss Bushes
CHELSFIELD
Saunder's Wood
Coombe Hollow Cott.
Broomhatch
ORPINGTON
BY-PASS
A224
BADGERS ROAD
BADGER'S MOUNT
HIGHLAND
JOHNSON'S
MILTON AV.
CHARLES RD.
BARNETT'S WOOD
M25
Timberden Farm
Timberden Bottom
Little Timberden
SHACKLANDS
ROAD
LANE
Watercrofts Wood
CADLOCKS
WATERCROFT
STATION
HILL
Jenkin's Neck Wood
Andrew's Wood
Forest Walk
Andrew's Wood Picnic Site
DEPOT
MEENFIELD WOOD
Tennis Courts
Recreation Ground
SHOREHAM
MILDMAY PL.
BOWERS
MESNE WAY
Colgates Farm
CREST CL.
Tunnel
Polhill Nurseries
Robsack Wood
Widmore Farm
Halstead Place School
Play. Fld.
Pav.
Rec. Grd.
YEW TREE COTTS.
CLARKS LA.
BELDAM HAW
Lamberhurst House
Lamberhurst Farm
HALSTEAD
SHOREHAM ROAD
OTFORD ROAD
Chalkhurst Wood
Shepherds Barn Cotts.
Chamber's Cotts.
Old Cott.
WATER LA.
Halstead Prim. Sch.
THE MEADOWS
SOUTHDENE
PARKSIDE
MEADWAY
KILNWOOD
Deerleap Wood
Warren Ct. Farm
KNOCKHOLT
Park Farm
Oak Tree Cott.
SEVENOAKS
Filston Farm
Filston Hall
FILSTON LANE
Woodvale Cott.
Kangles Farm
Woodlands Farm
Sepham Heath
OTFORD LANE
OLD
DRIVE
Curry Wood Farm
Nursery
Curry Farm
Broomfield Cott.
Broomfield Wood
LONDON ROAD
MOTORWAY
Sepham Farm Cotts.
Sepham Farm
HALSTEAD
WAYLANDS CL.
Great Stockholme Wood
BECKMAN CL.
FORT RD.
CROW DRIVE
Nursery
OLD POLHILL
TN14
Chapel Croft
Twitton Brook
HARROW RD.
LONDON ROAD
Aldwyn Ho.
KNOCKHOLT POUND
CHEVENING
BIRCHWOOD
LANE
ARMSTRONG CL.
Hangman Down Shaw
TWITTON
Twitton
TWITTON STREAM COTTS.
TWITTON MEADOWS
WICKHAM FIELD
Hospital Cotts.
Beaumont Wood
Anisbirches Wood
Old Grove
POLHILL
STAR HILL
Lees Wood
WEST PILGRIMS
GREAT TILL CL.
KNIGHTON
ORCHARD RD.
Dutchmore Wood
NORTH DOWNS BUSINESS PARK
PILGRIMS WAY
Chalkpit Cott.
Lodge
Rec. Grd.
Pav.
HALE
DANE RD
Nursery
TELSTON
Ashfield Wood
Minny Wood
Star Hill Wood
PILGRIMS WAY
LIME PIT LANE
Grotto
Star House
Keepers Cott.
New Barn Farm
TN13
HOUSE LANE
Park House
Morants Ct. Cross
Path
Way
Valley Downs
Bluebell Wood
Darent
North
Donnington Manor
Broughton House
Coalhearth Cott.
The Spinney
Morants Court Farm
B2211
MORANTS COURT RD.
SUNDRIDGE
PAYNES COTTS.
IVY
SHAB HALL COTTS.
MEADOW VIEW
Laurel Villas
Great Dunton Farm
M26
Pilgrims' Way (course of)
Turvin's Farm
Morants
The Bungalow
Lodge
Home Wood
CHEVENING
Chevening House

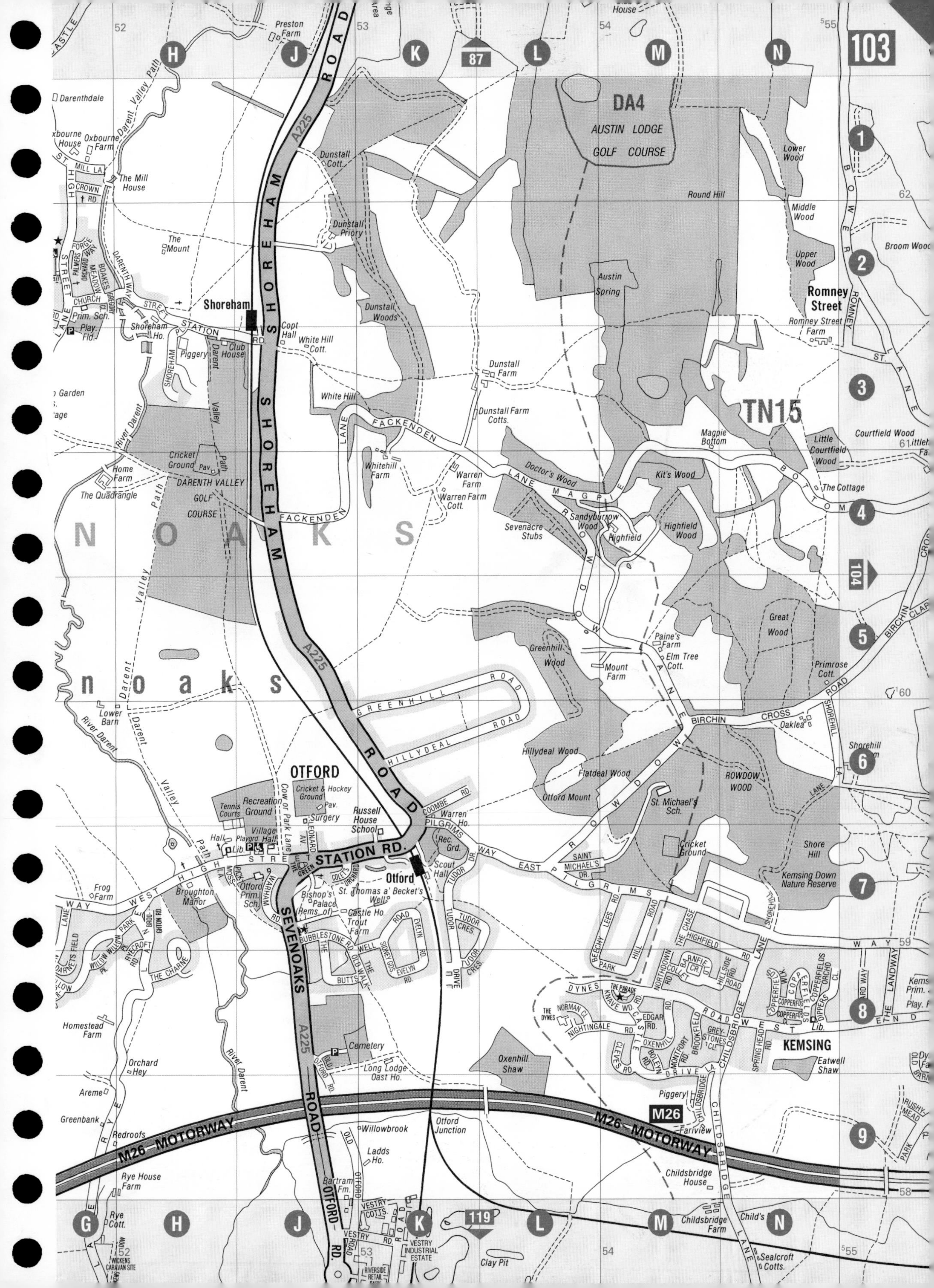

DA4
AUSTIN LODGE
GOLF COURSE

Round Hill
Lower Wood
Middle Wood
Upper Wood
Broom Wood
Romney Street
Romney Street Farm
Austin Spring
TN15
Courtfield Wood
Little Courtfield Wood
The Cottage

Darenthdale
Oxbourne House
Oxbourne Farm
The Mill House
MILL LA
HIGH
CROWN RD.
FORCE
STREET
PALMERS
OAKES
MEADOW
DARENTH WAY
Darent Valley Path
CHURCH
Prim. Sch.
Play. Fld.
Shoreham
Shoreham Ho.
STATION RD.
Piggery
Club House
Preston Farm
Dunstall Cott.
Dunstall Priory
The Mount
Copt Hall
White Hill Cott.
White Hill
Dunstall Woods
Dunstall Farm
Dunstall Farm Cotts.
FACKENDEN
Whitehill Farm
Warren Farm
Warren Farm Cott.
LANE
Doctor's Wood
Magpie Bottom
MAGPIE
Kit's Wood
Highfield
Highfield Wood
Sandyburrow Wood
Sevenacre Stubs

N O A K S
noaks

Home Farm
The Quadrangle
DARENTH VALLEY GOLF COURSE
Cricket Ground
Pav.
FACKENDEN
River Darent
Valley Path
Lower Barn
Frog Farm

Greenhill Wood
Greenhill ROAD
HILLYDEAL ROAD
Hillydeal Wood
Flatdeal Wood
Otford Mount

Mount Farm
Paine's Farm
Elm Tree Cott.
Great Wood
Primrose Cott.
Shorehill Wood
Shorehill
BIRCHIN CROSS
Oaklea
ROWDOW WOOD
St. Michael's Sch.
Cricket Ground
Shore Hill
Kemsing Down Nature Reserve

OTFORD
Cricket & Hockey Ground
Recreation Ground
Tennis Courts
Surgery
Cow or Park Lane
Russell House School
Village Hall
Playgrd.
Hall
Lib
STATION RD.
Otford
PILGRIMS
Warren Ho.
COOMBE RD.
Rec. Grd.
Scout Hall
SAINT MICHAEL'S DR.
WAY
EAST
PILGRIMS
WEST WAY
HIGH STREET
WARHAM RD.
MOSS
Broughton Manor
Otford Prim. Sch.
Bishop's Palace
St. Thomas a' Becket's Well
Castle Ho.
Trout Farm
Hems of
Bubblestone Rd
OLD WALL
EDWARD RD.
GREEN
COLETS
EVELYN RD.
TUDOR CRES.
TUDOR CRES.
DRIVE
TUDOR DR.
EVELYN RD.
SUNGT GDS.
WELL RD.
THE BUTTS
Knave Wd.
DYNES
THE PARADE
NORMAN CL.
The DYNES
NIGHTINGALE RD.
EDGAR RD.
CLEVE'S
OXENHILL RD.
CASTLE RD.
BOLTEN
MONTFORT RD.
DRIVE
Fairview
BEECHEN
LEES
PARK
WORTHDOWN
COLET RD.
HILL RD.
THE CHASE
HIGHFIELD
RNFIE CR
HILLSIDE ROAD
HIGHFIELD RD.
GREY- STONES
BROOKFIELD
SPRING HEAD RD.
CHILDSBRIDGE
COPPERFIELDS
COPPERF.
P
COPPERFIELDS ORCHARD CL.
DIPPERS CL.
Lib.
WAY
THE LANDWAY
THE END
Kems Prim. Play. F
KEMSING
Eatwell Shaw
Sealcroft Cotts.

Homestead Farm
BARNETS FIELD
WILLOW WILLOW PARK
GIDEON RD.
RIVERCROFT RD.
THE CHANK
Orchard Hey
Areme
Greenbank
Redroofs
Rye House Farm
Rye Cott.
WICKENS CARAVAN SITE
Cemetery
Long Lodge Oast Ho.
Willowbrook
Ladds Ho.
Otford Junction
Bartram Fm.
OLD
VESTRY COTTS.
VESTRY INDUSTRIAL ESTATE
RIVERSIDE RETAIL
Clay Pit
Oxenhill Shaw
Piggery
Childsbridge House
Childsbridge Farm
Child's
Sealcroft Cotts.
SEVENOAKS
A225
OTFORD ROAD
River Darent
M26 MOTORWAY
M26
M26 MOTORWAY
CHILDSBRIDGE LANE

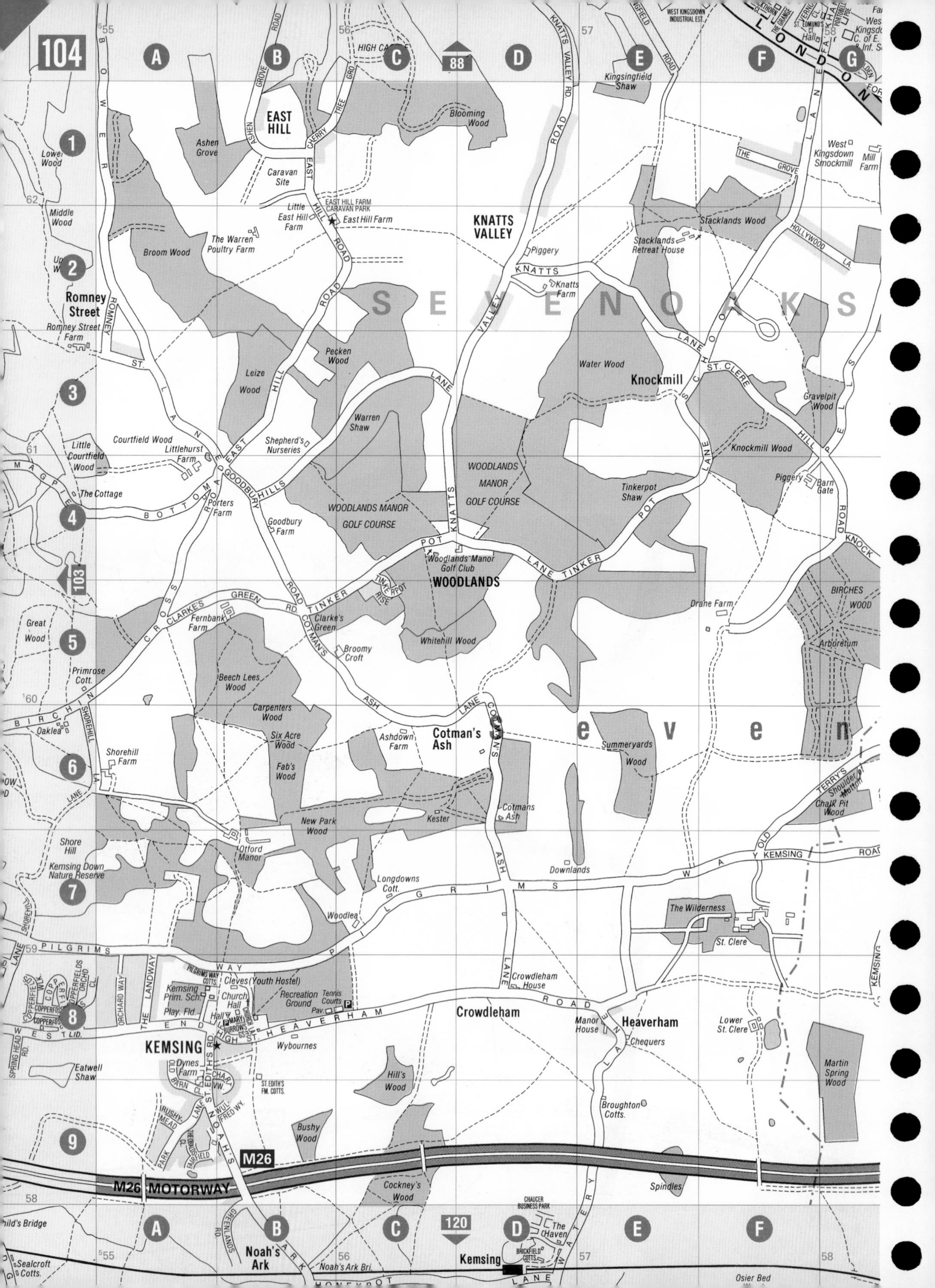

A
B
C
D
E
F
G
88
HIGH CASTLE
Kingsingfield Shaw
EAST HILL
Ashen Grove
Blooming Wood
Lower Wood
Caravan Site
Middle Wood
Little East Hill Farm
EAST HILL FARM CARAVAN PARK
East Hill Farm
KNATTS VALLEY
The Warren Poultry Farm
Broom Wood
Piggery
Stacklands Wood
Stacklands Retreat House
West Kingsdown Smockmill
Mill Farm
Romney Street
Romney Street Farm
Knatts Farm
SEVENOAKS
Pecken Wood
Leize Wood
Water Wood
Knockmill
Gravelpit Wood
Warren Shaw
Courtfield Wood
Littlehurst Farm
Shepherd's Nurseries
Little Courtfield Wood
Knockmill Wood
WOODLANDS MANOR GOLF COURSE
The Cottage
Porters Farm
Tinkerpot Shaw
Piggery
Barn Gate
Goodbury Farm
Woodlands Manor Golf Club
WOODLANDS
103
BIRCHES WOOD
Drane Farm
Great Wood
Fernbank Farm
Clarke's Green
Broomy Croft
Whitehill Wood
Arboretum
Primrose Cott.
Beech Lees Wood
Carpenters Wood
Oaklea
Six Acre Wood
Ashdown Farm
Cotman's Ash
Sevenoaks
Summeryards Wood
Shorehill Farm
Fab's Wood
Shoulder of Mutton
Chalk Pit Wood
New Park Wood
Kester
Cotmans Ash
Shore Hill
Otford Manor
Downlands
Kemsing Down Nature Reserve
Longdowns Cott.
The Wilderness
Woodlea
St. Clere
PILGRIMS WAY
KEMSING ROAD
Kemsing Prim. Sch.
Cleves (Youth Hostel)
Church Hall
Recreation Ground
Tennis Courts
Pav.
Crowdleham House
Crowdleham
Play. Fld.
Hall
Manor House
Heaverham
Lower St. Clere
KEMSING
Wybournes
Chequers
Eatwell Shaw
Dynes Farm
ST. EDITH'S FM. COTTS.
Hill's Wood
Martin Spring Wood
Broughton Cotts.
Bushy Wood
M26
M26 MOTORWAY
Cockney's Wood
Spindles
CHAUCER BUSINESS PARK
120
The Haven
BRICKFIELD COTTS.
Kemsing
Noah's Ark
Noah's Ark Bri.
Sealcroft Cotts.
Osier Bed

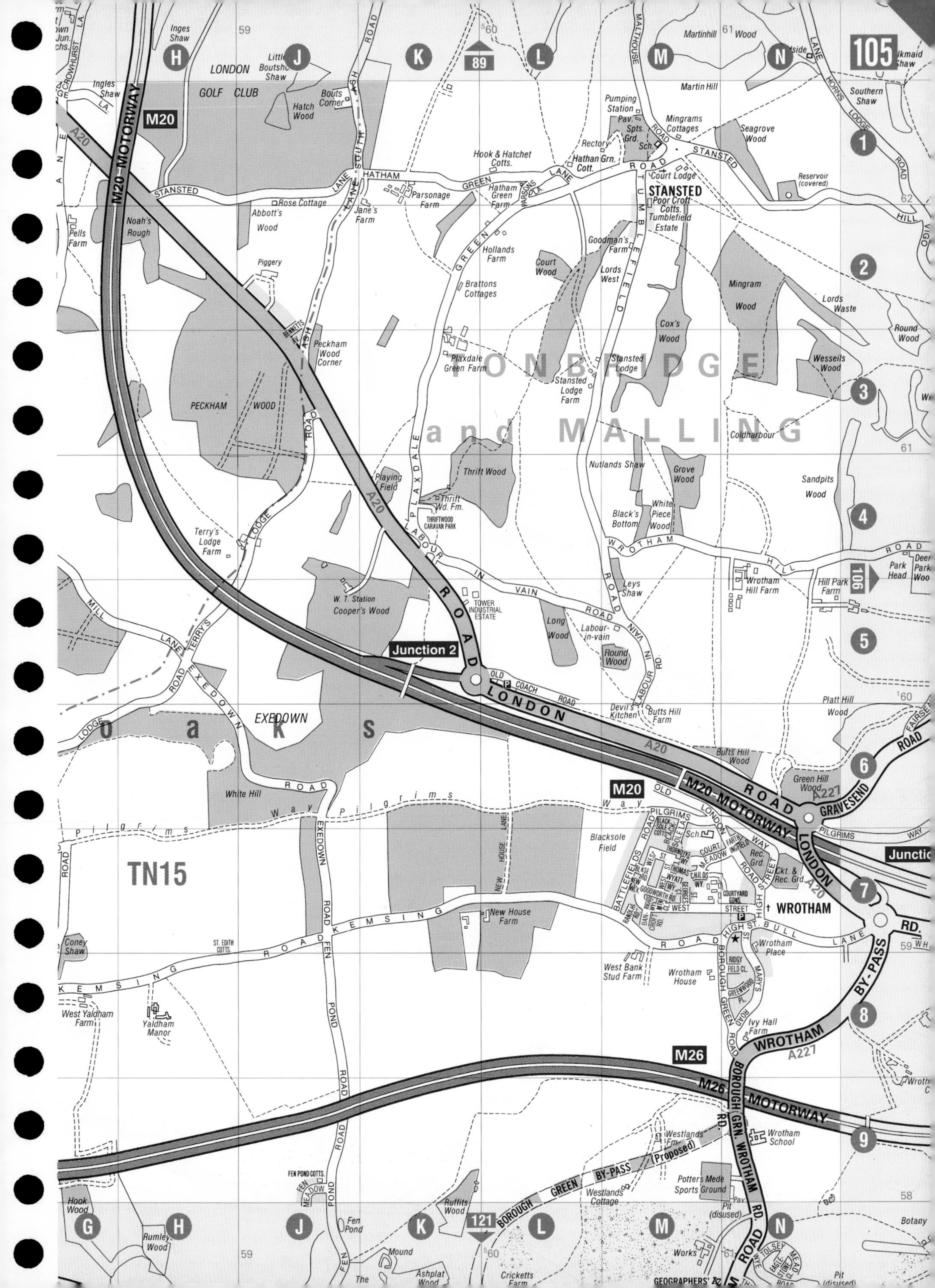

105
89
106
121
H
J
K
L
M
N
G
1
2
3
4
5
6
7
8
9
59
60
61
62
58
Inges Shaw
LONDON GOLF CLUB
Little Boutshole Shaw
Hatch Wood
Bouts Corner
Martinhill Wood
Martin Hill
Southern Shaw
Ingles Shaw
M20
M20-MOTORWAY
A20
STANSTED
HATHAM
GREEN
Rose Cottage
Abbott's Wood
Noah's Rough
Pells Farm
Parsonage Farm
Jane's Farm
Hook & Hatchet Cotts.
Hatham Green Farm
Pumping Station
Pav.
Spts. Grd.
Sch.
Rectory
Hathan Grn. Cott.
Mingrams Cottages
Seagrove Wood
Court Lodge
STANSTED
Poor Croft Cotts.
Tumblefield Estate
Reservoir (covered)
HORNS LODGE ROAD
HILL
VIGO
Piggery
Hollands Farm
Goodman's Farm
Court Wood
Lords West
Brattons Cottages
Mingram Wood
Lords Waste
Cox's Wood
Round Wood
Peckham Wood Corner
Plaxdale Green Farm
Stansted Lodge
Stansted Lodge Farm
Wesseils Wood
PECKHAM WOOD
TONBRIDGE and MALLING
Coldharbour
Thrift Wood
Nutlands Shaw
Grove Wood
Sandpits Wood
Playing Field
Thrift Wd. Fm.
THRIFTWOOD CARAVAN PARK
PLAXDALE
Black's Bottom
White Piece Wood
Terry's Lodge Farm
WROTHAM HILL ROAD
Park Head
Deer Park Wood
Wrotham Hill Farm
Hill Park Farm
Leys Shaw
LABOUR IN VAIN ROAD
W. T. Station
Cooper's Wood
TOWER INDUSTRIAL ESTATE
Long Wood
Labour-in-vain
Round Wood
Junction 2
OLD COACH ROAD
LONDON ROAD
Devil's Kitchen
Butts Hill Farm
Platt Hill Wood
MILL LANE
TERRY'S LANE
EXEDOWN ROAD
EXEDOWN
LODGE
oaks
Butts Hill Wood
Green Hill Wood
A227
GRAVESEND ROAD
FAIRSEAT
White Hill
Pilgrims Way
OLD LONDON ROAD
M20-MOTORWAY
PILGRIMS WAY
Junction
Blacksole Field
BLACKSOLE LA.
Sch.
COURT MEADOW
Rec. Grd.
Ckt. & Rec. Grd.
TN15
NEW HOUSE LANE
KEMSING ROAD
New House Farm
WEST STREET
COURTYARD GDNS.
WROTHAM
HIGH STREET
BULL LANE
RD.
BY-PASS
Coney Shaw
ST. EDITH COTTS.
FEN POND ROAD
Wrotham Place
West Bank Stud Farm
Wrotham House
RIDGY FIELD CL.
GREENWOOD PL.
ST. MARY'S ROAD
West Yaldham Farm
Yaldham Manor
Ivy Hall Farm
WROTHAM
A227
M26
M26-MOTORWAY
BOROUGH GREEN ROAD
BOROUGH GRN. RD.
WROTHAM RD.
Westlands Fm.
Wrotham School
FEN POND COTTS.
FEN MEADOW
BOROUGH GREEN BY-PASS (Proposed)
Westlands Cottage
Potters Mede Sports Ground
Ruffits Wood
Hook Wood
Rumley Wood
Fen Pond
Pit (disused)
Botany
Mound
Works
Ashplat Wood
Cricketts Farm
The
TOLSEY MEAD
Pit (disused)
GEOGRAPHERS' A-Z

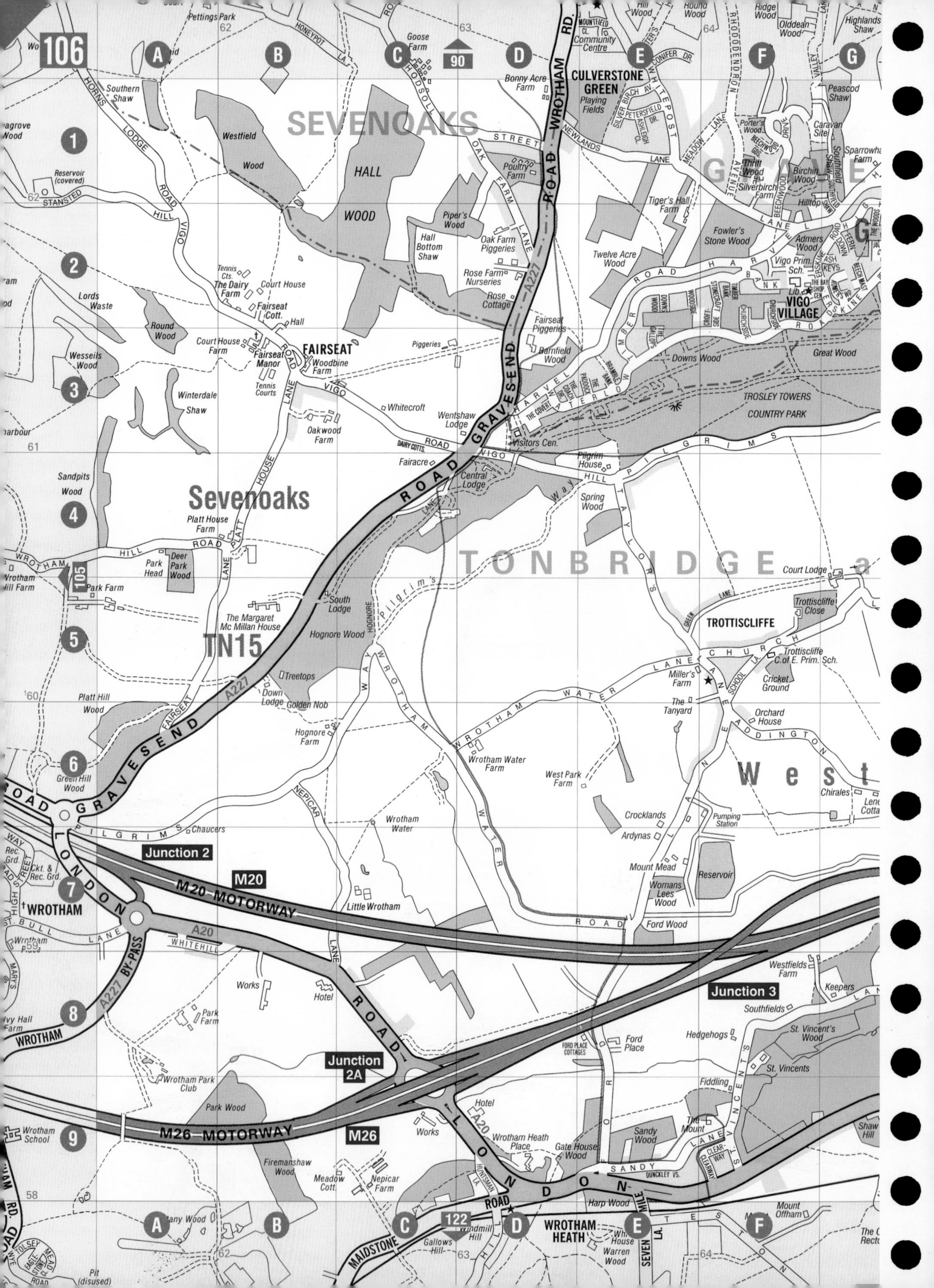
Pettings Park
Goose Farm
90
Bonny Acre Farm
CULVERSTONE GREEN
Playing Fields
Community Centre
Highlands Shaw
Olddean Wood
Ridge Wood
Southern Shaw
Westfield Wood
HALL WOOD
SEVENOAKS
Peascod Shaw
Caravan Site
Porter's Wood
Thrift Wood
Birchin Wood
Silverbirch Farm
Sparrowhawk Farm
Hilltop
Reservoir (covered)
STANSTED
HORNS LODGE ROAD
VIGO HILL
STREET
NEWLANDS
LANE
WROTHAM ROAD
HONEYPOT LA.
HODSOLL
OAK FARM LANE
Poultry Farm
Piper's Wood
Hall Bottom Shaw
Oak Farm Piggeries
Tiger's Hall Farm
Fowler's Stone Wood
Twelve Acre Wood
Admers Wood
Vigo Prim. Sch.
Lib.
VIGO VILLAGE
Tennis Cts.
The Dairy Farm
Court House
Lords Waste
Round Wood
Fairseat Cott.
Hall
Rose Farm Nurseries
Rose Cottage
A227
HARVEL ROAD
Wesseils Wood
Court House Farm
Fairseat Manor
FAIRSEAT
Woodbine Farm
Tennis Courts
Piggeries
Fairseat Piggeries
Barnfield Wood
Downs Wood
Great Wood
Winterdale Shaw
Whitecroft
Wentshaw Lodge
Oakwood Farm
TROSLEY TOWERS COUNTRY PARK
Visitors Cen.
VIGO ROAD
DAIRY COTTS.
Fairacre
Pilgrim House
PILGRIMS
Sandpits Wood
Central Lodge
Spring Wood
Sevenoaks
Platt House Farm
PLATT HOUSE LANE
GRAVESEND ROAD
TONBRIDGE
Court Lodge
WROTHAM HILL ROAD
Deer Park Wood
Park Head
105
Wrotham Hill Farm
Park Farm
South Lodge
Pilgrim's Way
TAYLORS
Trottiscliffe Close
TROTTISCLIFFE
The Margaret Mc Millan House
Hognore Wood
TN15
CHURCH LANE
Trottiscliffe C. of E. Prim. Sch.
Cricket Ground
Treetops
Miller's Farm
Down Lodge
Golden Nob
Platt Hill Wood
WROTHAM WATER LANE
The Tanyard
Orchard House
ADDINGTON
Hognore Farm
Wrotham Water Farm
West Park Farm
West
Green Hill Wood
Chirales
NEPICAR
Crocklands
Pumping Station
Chaucers
Wrotham Water
Ardynas
Junction 2
M20
M20 MOTORWAY
Mount Mead
Reservoir
Womans Lees Wood
WROTHAM
Rec. Grd.
Ckt. & Rec. Grd.
HIGH STREET
LONDON
Little Wrotham
A20
ROAD
Ford Wood
BULL LANE
WHITEHILL
Westfields Farm
Keepers
Junction 3
A227 BY-PASS
Works
Hotel
Park Farm
Southfields
Ivy Hall Farm
Hedgehogs
St. Vincent's Wood
Ford Place
FORD PLACE COTTAGES
Junction 2A
Wrotham Park Club
St. Vincents
Fiddling
Park Wood
Hotel
The Mount
Wrotham School
M26 MOTORWAY
M26
Works
Wrotham Heath Place
Gate House Wood
Sandy Wood
Shaw Hill
Firemanshaw Wood
SANDY
DUNCKLEY VS.
CLEARWAY
Meadow Cott.
Nepicar Farm
HUNTSMAN LA.
Harp Wood
Mount Offham
58
ROAD
122
Windmill Hill
WROTHAM HEATH
White House
Warren Wood
SEVEN MILE LA.
TESTON
MAIDSTONE
Gallows Hill
62
63
64
TOLSEY MEAD
EAGLE
Pit (disused)
A B C D E F G
1 2 3 4 5 6 7 8 9

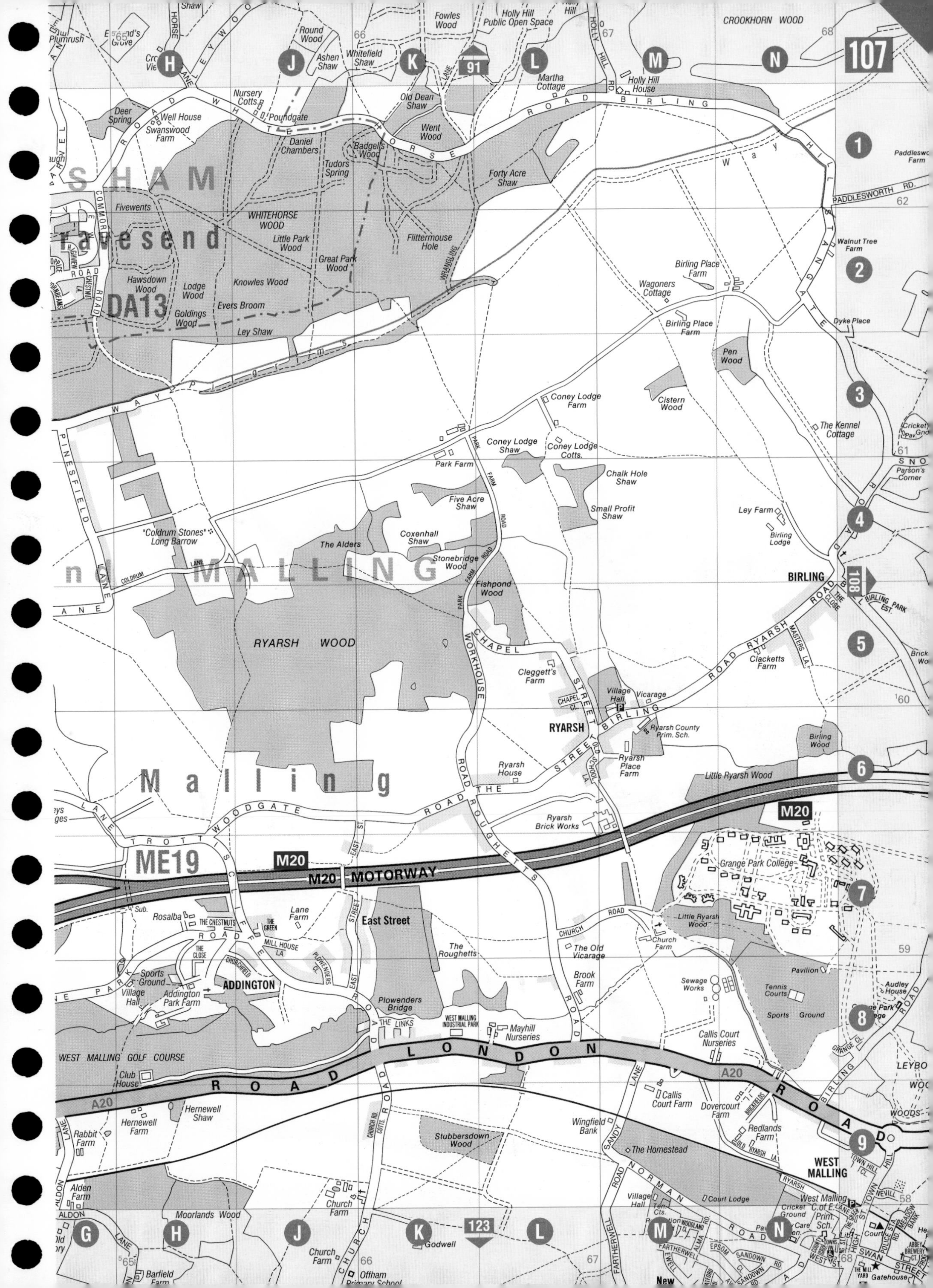
CROOKHORN WOOD
Holly Hill Public Open Space
Fowles Wood
Round Wood
Ashen Shaw
Whitefield Shaw
Martha Cottage
Holly Hill House
Nursery Cotts.
Poundgate
Old Dean Shaw
Went Wood
Deer Spring
Well House
Swanswood Farm
Daniel Chambers
Badgell's Wood
Tudors Spring
Forty Acre Shaw
Paddlesworth Farm
PADDLESWORTH RD.
Fivewents
WHITEHORSE WOOD
Little Park Wood
Flittermouse Hole
Great Park Wood
Hawsdown Wood
Lodge Wood
Knowles Wood
Evers Broom
Goldings Wood
Ley Shaw
DA13
Walnut Tree Farm
Birling Place Farm
Wagoners Cottage
Dyke Place
Pen Wood
Coney Lodge Farm
Cistern Wood
The Kennel Cottage
Coney Lodge Shaw
Coney Lodge Cotts.
Park Farm
Chalk Hole Shaw
Parson's Corner
Five Acre Shaw
Small Profit Shaw
Ley Farm
Birling Lodge
"Coldrum Stones" Long Barrow
Coxenhall Shaw
The Alders
Stonebridge Wood
BIRLING
Fishpond Wood
108
BIRLING PARK EST.
RYARSH WOOD
Clacketts Farm
Cleggett's Farm
Village Hall
Vicarage
RYARSH
Ryarsh County Prim. Sch.
Ryarsh Place Farm
Birling Wood
Ryarsh House
Little Ryarsh Wood
Malling
Ryarsh Brick Works
M20
ME19
M20 MOTORWAY
Grange Park College
Rosalba
Lane Farm
East Street
Little Ryarsh Wood
Church Farm
The Old Vicarage
The Roughetts
Pavilion
Sports Ground
Village Hall
Addington Park Farm
ADDINGTON
Plowenders Bridge
Brook Farm
Sewage Works
Tennis Courts
Sports Ground
Audley House
WEST MALLING INDUSTRIAL PARK
Mayhill Nurseries
Callis Court Nurseries
WEST MALLING GOLF COURSE
LONDON ROAD
Club House
A20
Hernewell Shaw
Hernewell Farm
Callis Court Farm
Dovercourt Farm
Wingfield Bank
Rabbit Farm
Stubbersdown Wood
Redlands Farm
The Homestead
WEST MALLING
Alden Farm
Church Farm
Village Hall
Court Lodge
Moorlands Wood
123
Godwell
Church Farm
Barfield Farm
Offham Primary School
Gatehouse
West Malling C. of E. Prim. Sch.
Cricket Ground
Court

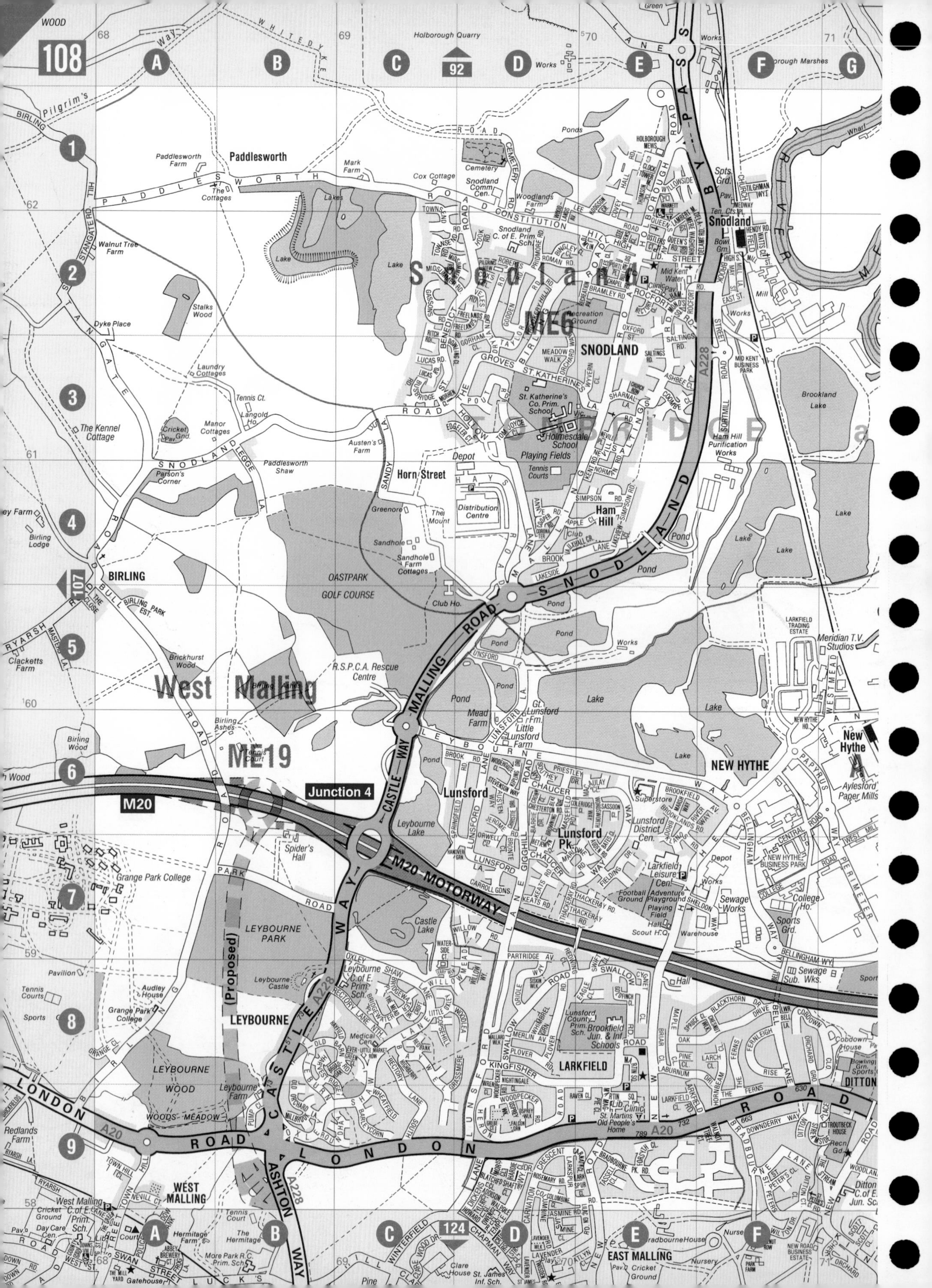
108
WOOD
A
B
C
D
E
F
G
92
Holborough Quarry
Works
WHITEDYKE
Pilgrim's
Way
Paddlesworth
Paddlesworth Farm
The Cottages
PADDLESWORTH ROAD
Mark Farm
Cox Cottage
Snodland Comm. Cen.
Cemetery
CEMETERY RD.
Woodlands Farm
CONSTITUTION
Snodland C. of E. Prim. Sch.
Snodland
ME6
SNODLAND
Recreation Ground
Mid Kent Water
Lake
Lakes
Walnut Tree Farm
Stalks Wood
Dyke Place
STANGATE RD.
Laundry Cottages
Tennis Ct.
Langold Ho.
Cricket Gnd.
Manor Cottages
The Kennel Cottage
SNODLAND ROAD
LEGGE LA.
Parson's Corner
Paddlesworth Shaw
Austen's Farm
Horn Street
Depot
Distribution Centre
St. Katherine's Co. Prim. School
Holmesdale School
Playing Fields
Tennis Courts
TONBRIDGE
Ham Hill
Ham Hill Purification Works
Brookland Lake
MID KENT BUSINESS PARK
Snodland
Spts. Grd.
RIVER MEDWAY
Birling Lodge
BIRLING
107
BIRLING PARK EST.
Greenore
The Mount
Sandhole
Sandhole Farm Cottages
OASTPARK GOLF COURSE
Club Ho.
SNODLAND BY-PASS
A228
Pond
Lake
Clacketts Farm
Brickhurst Wood
West Malling
Birling Ashes
R.S.P.C.A. Rescue Centre
MALLING ROAD
Works
LARKFIELD TRADING ESTATE
Meridian T.V. Studios
Mead Farm
Gt. Lunsford Fm.
Little Lunsford Farm
Birling Wood
ME19
Tennis Court
LEYBOURNE WAY
NEW HYTHE
New Hythe
Aylesford Paper Mills
M20
Junction 4
CASTLE WAY
Lunsford
Lunsford Pk.
Superstore
Lunsford District Cen.
Leybourne Lake
Spider's Hall
M20 MOTORWAY
Grange Park College
PARK ROAD
Larkfield Leisure Cen.
Football Ground
Adventure Playground
Playing Field
Sewage Works
Depot
Warehouse
Scout H.Q.
NEW HYTHE BUSINESS PARK
College Ho.
Sports Grd.
LEYBOURNE PARK
Castle Lake
(Proposed)
Pavilion
Tennis Courts
Audley House
Leybourne Castle
Leybourne C.of E. Prim. Sch.
Grange Park College
LEYBOURNE
Sports
Lunsford County Prim. Sch.
Brookfield Jun. & Inf. Schools
Sewage Sub. Wks.
Medical Cen.
LARKFIELD
LEYBOURNE WOOD
Leybourne Farm
WOODS MEADOW
Redlands Farm
LONDON ROAD
A20
Clinic
St. Martins Old People's Home
Cobdown House
DITTON
Recn. Gd.
Ditton C. of E. Jun. Sch.
WEST MALLING
West Malling C. of E. Prim. Sch.
Cricket Ground
Day Care Cen.
Court
Tennis Court
The Hermitage
Hermitage Farm
More Park R.C. Prim. Sch.
Gatehouse
ASHTON WAY
124
Clare House
St. James Inf. Sch.
Bradbourne House
EAST MALLING
Nursery
Cricket Ground
NEW ROAD BUSINESS ESTATE
Pine

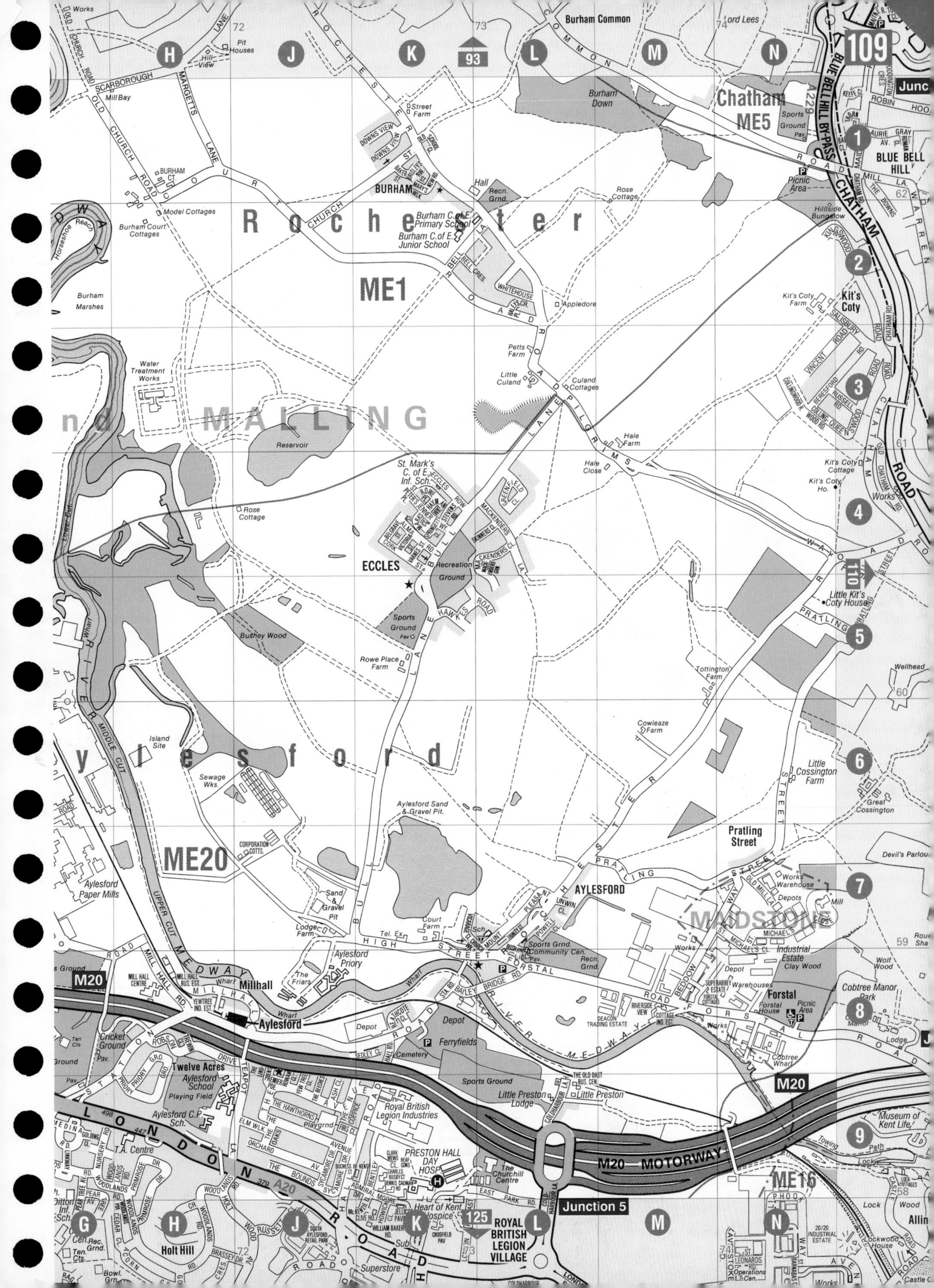
Burham Common
Lord Lees
93
Chatham
ME5
Burham Down
BLUE BELL HILL BY-PASS
A229
BLUE BELL HILL
Street Farm
DOWNS VIEW
BURHAM
Recn. Grnd.
Rose Cottage
Picnic Area
Hillside Bungalow
Rochester
Burham C.of E. Primary School
Burham C.of E. Junior School
Model Cottages
Burham Court Cottages
CHURCH ROAD
SCARBOROUGH
Mill Bay
Pit Houses
Hill View
BURHAM CT.
Horseshoe Reach
Burham Marshes
ME1
WHITEHOUSE
Appledore
Kit's Coty Farm
Kit's Coty
Petts Farm
Little Culand
Culand Cottages
Water Treatment Works
MALLING
Reservoir
PILGRIMS WAY
Hale Farm
Hale Close
Kit's Coty Cottage
Kit's Coty Ho.
Works
CHATHAM ROAD
St. Mark's C. of E. Inf. Sch.
Rose Cottage
ECCLES
Recreation Ground
Sports Ground
Bushey Wood
Rowe Place Farm
110
Little Kit's Coty House
PRATLING STREET
Tottington Farm
Wellhead
Cowleaze Farm
Island Site
Aylesford
Sewage Wks.
Little Cossington Farm
Great Cossington
Aylesford Sand & Gravel Pit
Pratling Street
ME20
CORPORATION COTTS.
Devil's Parlour
Aylesford Paper Mills
AYLESFORD
Works Warehouse
Depots
Mill
MAIDSTONE
Sand & Gravel Pit
Court Farm
Lodge Farm
Tel. Ex.
HIGH STREET
Sports Grnd. Community Cen. Pav.
Recn. Grnd.
Industrial Estate
Clay Wood
Wolf Wood
Aylesford Priory
The Friars
M20
MILL HALL CENTRE
MILL HALL BUS. EST.
Millhall
YEWTREE IND. EST.
Aylesford
Depot
Ferryfields
RIVER MEDWAY
DEACON TRADING ESTATE
RIVERSIDE VIEW
COTTAGE IND. EST.
SUPERABBEY ESTATE
Warehouses
Forstal
Forstal House
Picnic Area
Cobtree Manor Park
Cobtree Wharf
Cricket Ground
Pav.
Twelve Acres
Aylesford School
Playing Field
Cemetery
Sports Ground
THE OLD OAST BUS. CEN.
Little Preston Lodge
Little Preston
Royal British Legion Industries
Aylesford C.P. Sch.
T.A. Centre
PRESTON HALL DAY HOSP.
The Churchill Centre
M20 MOTORWAY
Museum of Kent Life
Towing Path
Lock
ME16
LONDON ROAD
A20
Junction 5
Ditton Inf. Sch.
Cen. Rec. Grnd.
Ten. Cts.
Holt Hill
Heart of Kent Hospice
125
ROYAL BRITISH LEGION VILLAGE
SOUTH AYLESFORD RETAIL PARK
Superstore
20/20 INDUSTRIAL ESTATE
Cockwood House
Allington
Castle

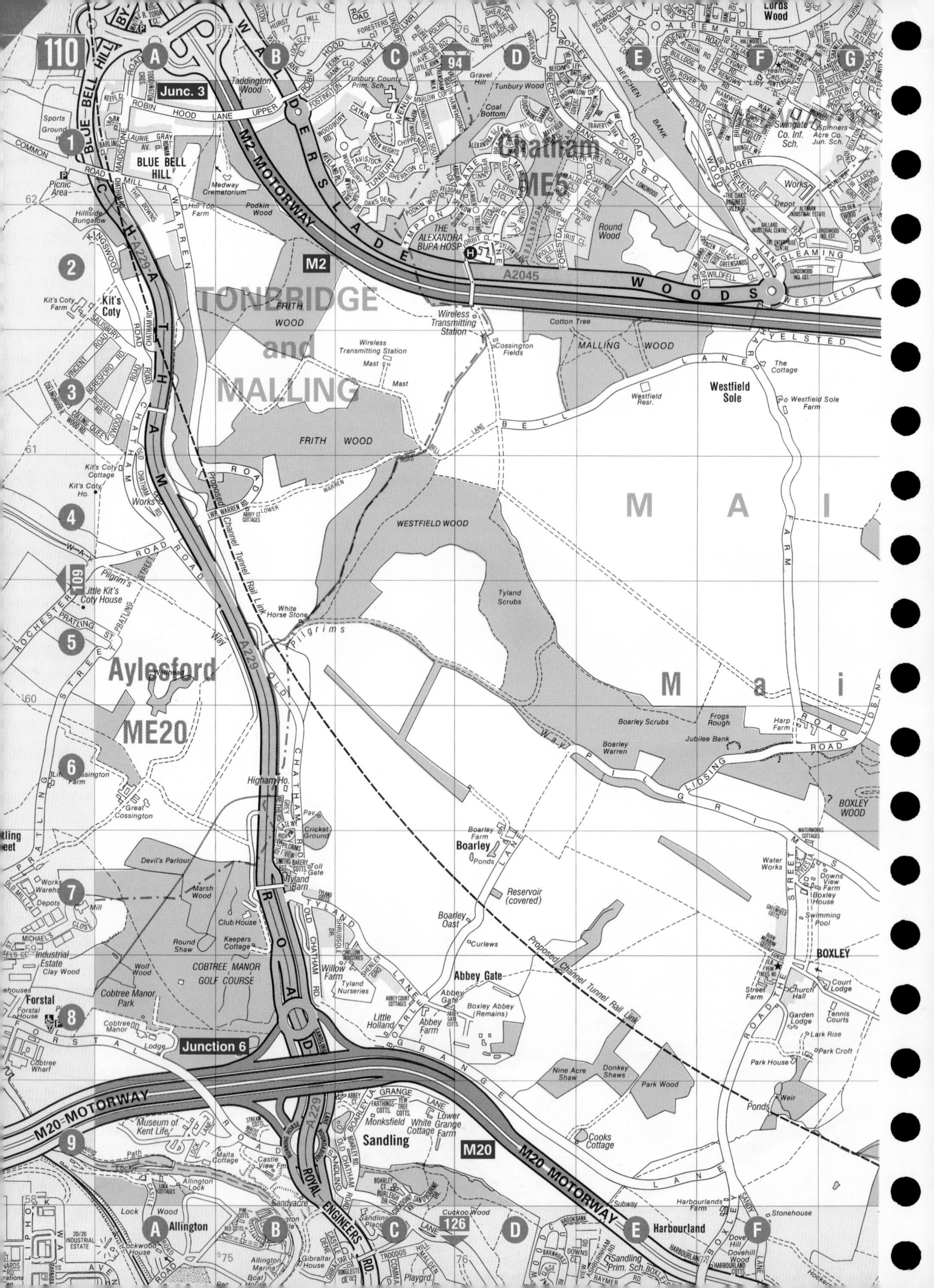

Junc. 3
Taddington Wood
BLUE BELL HILL
Sports Ground
Picnic Area
Medway Crematorium
Hill Top Farm
Podkin Wood
Hillside Bungalow
M2 MOTORWAY
Tunbury County Prim. Sch.
Gravel Hill
Tunbury Wood
Coal Bottom
Chatham ME5
Round Wood
THE ALEXANDRA BUPA HOSP.
M2
A2045
WOODS
WESTFIELD
Lords Wood
Swingate Co. Inf. Sch.
Spinners Acre Co. Jun. Sch.
Works
Depot
TONBRIDGE and MALLING
FRITH WOOD
Kit's Coty Farm
Kit's Coty
Wireless Transmitting Station
Cotton Tree
Cossington Fields
MALLING WOOD
HYELSTED
The Cottage
Westfield Resr.
Westfield Sole
Westfield Sole Farm
Mast
BELL LANE
Kit's Coty Cottage
Kit's Coty Ho.
Works
Proposed Channel Tunnel Rail Link
WESTFIELD WOOD
M A I
M a i
Little Kit's Coty House
White Horse Stone
Pilgrims Way
Tyland Scrubs
Aylesford ME20
Wellhead
Boarley Scrubs
Frogs Rough
Harp Farm
Jubilee Bank
Boarley Warren
LIDSING ROAD
BOXLEY WOOD
Little Cossington Farm
Great Cossington
Higham Ho.
Cricket Ground
Pav.
Devil's Parlour
Marsh Wood
Tyland Barn
Toll Gate
Boarley Farm
Boarley
Ponds
Reservoir (covered)
Water Works
Downs View Farm
Boxley House
Swimming Pool
Works
Depots
Mill
Industrial Estate
Clay Wood
Club House
Keepers Cottage
Round Shaw
Wolf Wood
COBTREE MANOR GOLF COURSE
Willow Farm
Tyland Nurseries
Boarley Oast
Curlews
Abbey Gate
Boxley Abbey (Remains)
Abbey Farm
Little Holland
BOXLEY
Court Lodge
Church Hall
Street Farm
Garden Lodge
Tennis Courts
Lark Rise
Park Croft
Park House
Forstal
Forstal House
Cobtree Manor Park
Cobtree Manor
Lodge
Cobtree Wharf
Junction 6
Nine Acre Shaw
Donkey Shaws
Park Wood
Weir
Ponds
M20 MOTORWAY
Museum of Kent Life
Malta Cottage
Castle View Fm
Monksfield
White Cottage
Lower Grange Farm
Sandling
M20
Cooks Cottage
Allington Lock
Sandyacre
Lock
Wood
Allington
Lockwood House
Allington Marina
Gibraltar House
Sandling Place
Cuckoo Wood
Harbourlands Farm
Subway
Harbourland
Stonehouse
Dove Hill
Dovehill Wood
Sandling Prim. Sch.
20/20 INDUSTRIAL ESTATE
Playgrd.
94
109
126
A B C D E F G
1 2 3 4 5 6 7 8 9
575 76 77
62 61 60 59 58

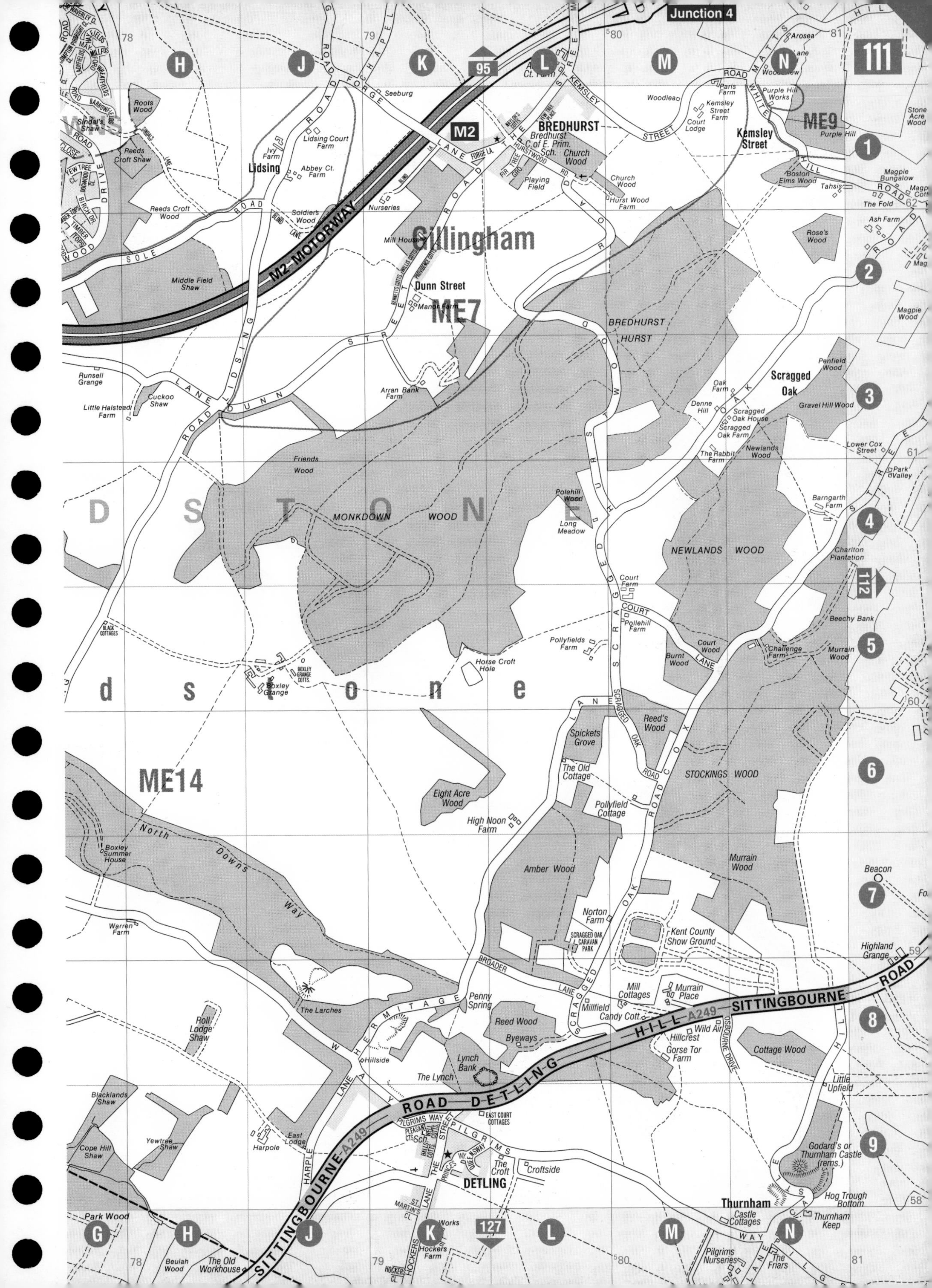
Junction 4
95
M2
M2 MOTORWAY
Gillingham
ME7
ME9
ME14
BREDHURST
Lidsing
Dunn Street
Kemsley Street
Scragged Oak
DETLING
Thurnham
Roots Wood
Sindal's Shaw
Reeds Croft Shaw
Reeds Croft Wood
Ivy Farm
Lidsing Court Farm
Abbey Ct. Farm
Soldiers Wood
Middle Field Shaw
Seeburg
Nurseries
Mill House
Manor Farm
Bredhurst C. of E. Prim. Sch.
Church Wood
Playing Field
Hurst Wood Farm
Woodlea
Paris Farm
Kemsley Street Farm
Court Lodge
Purple Hill Works
Purple Hill
Stone Acre Wood
Boston Elms Wood
Tahsis
Magpie Bungalow
The Fold
Ash Farm
Rose's Wood
Magpie Wood
Arosea
BREDHURST HURST
Runsell Grange
Little Halstead Farm
Cuckoo Shaw
Arran Bank Farm
Oak Farm
Denne Hill
Scragged Oak House
Scragged Oak Farm
The Rabbit Farm
Newlands Wood
Penfield Wood
Gravel Hill Wood
Lower Cox Street
Park Valley
Barngarth Farm
Friends Wood
MONKDOWN WOOD
Polehill Wood
Long Meadow
NEWLANDS WOOD
Charlton Plantation
112
Beechy Bank
Court Farm
Pollehill Farm
Pollyfields Farm
Horse Croft Hole
Court Wood
Burnt Wood
Challenge Farm
Murrain Wood
Boxley Grange
Boxley Grange Cotts.
Black Cottages
Reed's Wood
Spickets Grove
The Old Cottage
Pollyfield Cottage
STOCKINGS WOOD
Eight Acre Wood
High Noon Farm
Boxley Summer House
North Downs Way
Amber Wood
Murrain Wood
Beacon
Norton Farm
Scragged Oak Caravan Park
Kent County Show Ground
Highland Grange
Warren Farm
The Larches
Penny Spring
Mill Cottages
Murrain Place
Millfield
Candy Cott.
Reed Wood
Byeways
Wild Air
Hillcrest
Gorse Tor Farm
Cottage Wood
Roll Lodge Shaw
Hillside
Lynch Bank
The Lynch
Little Upfield
Blacklands Shaw
Yewtree Shaw
Cope Hill Shaw
East Lodge
Harpole
East Court Cottages
Sch.
The Croft
Croftside
Godard's or Thurnham Castle (rems.)
Hog Trough Bottom
Thurnham Keep
Castle Cottages
Park Wood
Beulah Wood
The Old Workhouse
Works
Hockers Farm
127
Pilgrims Nurseries
The Friars
SITTINGBOURNE ROAD
DETLING HILL
A249
ROAD
SOLE
LIDSING ROAD
DUNN STREET
FORGE LANE
CHAPEL ROAD
KEMSLEY STREET ROAD
WHITE HILL ROAD
SCRAGGED OAK ROAD
BROADER LANE
HERMITAGE LANE
HARPLE LANE
PILGRIMS WAY
OSBOURNE DRIVE
COURT LANE
COX STREET
HOCKERS LANE
H J K L M N
G H J K L M N
1 2 3 4 5 6 7 8 9
78 79 80 81
58 59 60 61 62

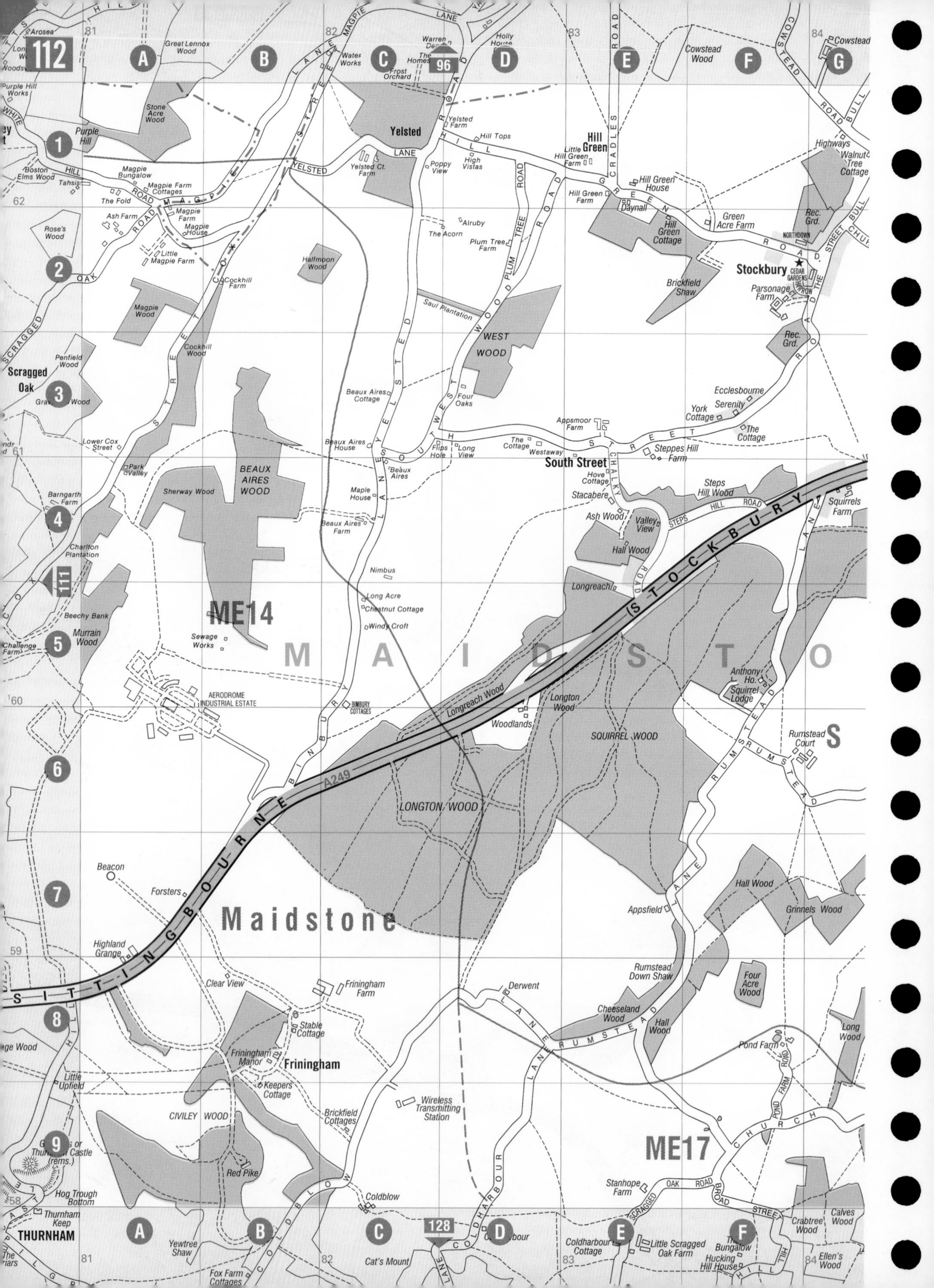

112
A
B
C
D
E
F
G
96
111
128
81
82
83
84
62
61
60
59
58
1
2
3
4
5
6
7
8
9
Arosea
Great Lennox Wood
Water Works
Warren Dene
The Homes
Frost Orchard
Holly House
Cowstead Wood
Cowstead
Purple Hill Works
Stone Acre Wood
Purple Hill
Yelsted
Yelsted Farm
Hill Tops
Hill Green
Little Hill Green Farm
Boston Elms Wood
Tahsis
Magpie Bungalow
Magpie Farm Cottages
The Fold
Ash Farm
Magpie Farm
Magpie House
Little Magpie Farm
Rose's Wood
Yelsted Ct. Farm
Poppy View
High Vistas
Hill Green House
Hill Green Farm
Daynall
Hill Green Cottage
Green Acre Farm
Highways
Walnut Tree Cottage
Rec. Grd.
NORTHDOWN
Alruby
The Acorn
Plum Tree Farm
Halfmoon Wood
Cockhill Farm
Magpie Wood
Saul Plantation
Brickfield Shaw
Stockbury
CEDAR GARDENS
Parsonage Farm
WEST WOOD
Penfield Wood
Cockhill Wood
Scragged Oak
Gravel Wood
Beaux Aires Cottage
Four Oaks
Ecclesbourne
Serenity
York Cottage
The Cottage
Appsmoor Farm
Lower Cox Street
Beaux Aires House
Flips Hole
Long View
The Cottage
Westaway
South Street
Steppes Hill Farm
Park Valley
BEAUX AIRES WOOD
Beaux Aires
Hove Cottage
Sherway Wood
Maple House
Stacabere
Steps Hill Wood
Squirrels Farm
Barngarth Farm
Beaux Aires Farm
Ash Wood
Valley View
Hall Wood
Charlton Plantation
Nimbus
Longreach
Long Acre
Chestnut Cottage
Windy Croft
ME14
Beechy Bank
Murrain Wood
Sewage Works
Challenge Farm
M A I D S T O
Anthony Ho.
Squirrel Lodge
AERODROME INDUSTRIAL ESTATE
BIMBURY COTTAGES
Longreach Wood
Longton Wood
Woodlands
SQUIRREL WOOD
Rumstead Court
S
A249
LONGTON WOOD
Beacon
Forsters
Maidstone
Appsfield
Hall Wood
Grinnels Wood
Highland Grange
Rumstead Down Shaw
Four Acre Wood
Clear View
Friningham Farm
Derwent
Cheeseland Wood
Hall Wood
Long Wood
Stable Cottage
Pond Farm
Friningham Manor
Friningham
Little Upfield
Keepers Cottage
Wireless Transmitting Station
CIVILEY WOOD
Brickfield Cottages
Thurnham Castle (rems.)
ME17
Red Pike
Stanhope Farm
Hog Trough Bottom
Coldblow
Thurnham Keep
THURNHAM
Yewtree Shaw
Coldharbour Cottage
Little Scragged Oak Farm
The Bungalow
Crabtree Wood
Calves Wood
Hucking Hill House
Ellen's Wood
Cat's Mount
Fox Farm Cottages
SITTINGBOURNE ROAD
(STOCKBURY ROAD)
MAGPIE LANE
MAGPIE STREET
YELSTED LANE
YELSTED HILL
YELSTED ROAD
BOSTON HILL
WHITE
MAGPIE ROAD
OAK ROAD
SCRAGGED
COX STREET
BIMBURY LANE
HILL GREEN ROAD
PLUM TREE ROAD
SOUTHWEST WOOD
SOUTH STREET
STEPS HILL ROAD
CHALKY ROAD
CRADLES ROAD
COWSTEAD ROAD
BULL ROAD
THE STREET
CHURCH
RUMSTEAD LANE
RUMSTEAD
COLDBLOW
COLDHARBOUR LANE
SCRAGGED OAK ROAD
BROAD STREET
POND FARM ROAD
CHURCH HILL
HILL

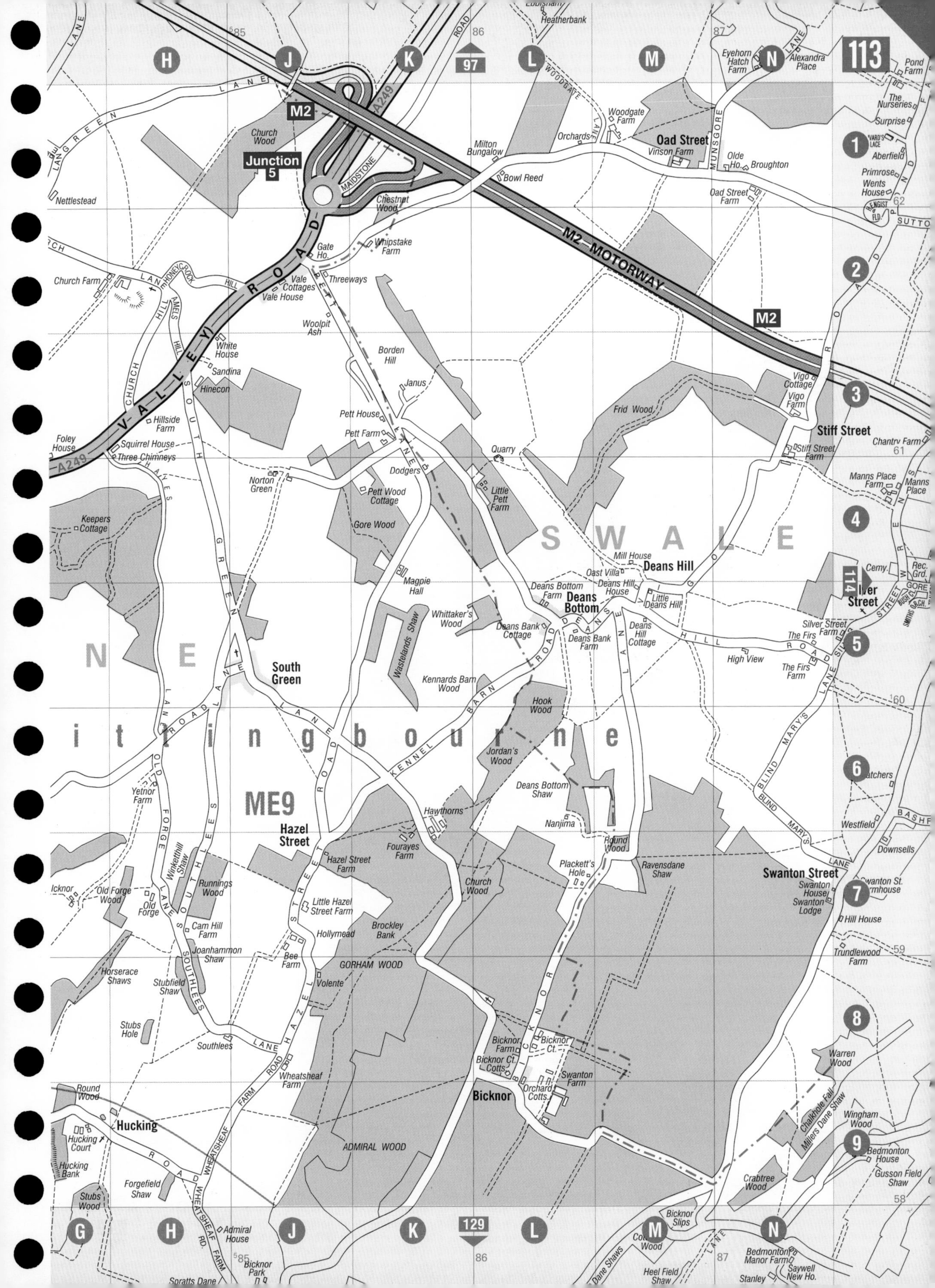
M2 MOTORWAY
M2
Junction 5
A249
VALLEY ROAD
Oad Street
Stiff Street
Deans Hill
Deans Bottom
South Green
Hazel Street
Bicknor
Hucking
Swanton Street
Silver Street
SWALE
Sittingbourne
ME9
Frid Wood
Gore Wood
Hook Wood
Jordan's Wood
Church Wood
GORHAM WOOD
ADMIRAL WOOD
Borden Hill
Woolpit Ash
Church Wood
Nettlestead
Church Farm
Foley House
Keepers Cottage
Norton Green
Pett House
Pett Farm
Magpie Hall
Whittaker's Wood
Wastelands Shaw
Kennards Barn Wood
Yetnor Farm
Old Forge
Runnings Wood
Cam Hill Farm
Bee Farm
Volente
Southlees
Wheatsheaf Farm
Hucking Court
Forgefield Shaw
Stubs Wood
Round Wood
Admiral House
Bicknor Park
Deans Bottom Shaw
Nanjima
Round Wood
Plackett's Hole
Ravensdane Shaw
Swanton Farm
Orchard Cotts.
Crabtree Wood
Warren Wood
Wingham Wood
Bedmonton House
Gusson Field Shaw
Bedmonton Manor Farm
Trundlewood Farm
Hill House
Downsells
Westfield
The Firs Farm
High View
Vigo Cottage
Vigo Farm
Mill House
Oast Villa
Woodgate Farm
Vinson Farm
Olde Ho.
Broughton
Oad Street Farm
Milton Bungalow
Bowl Reed
Chestnut Wood
Whipstake Farm
Threeways
Eyehorn Hatch Farm
Alexandra Place
Heatherbank
Pond Farm
97
129
114

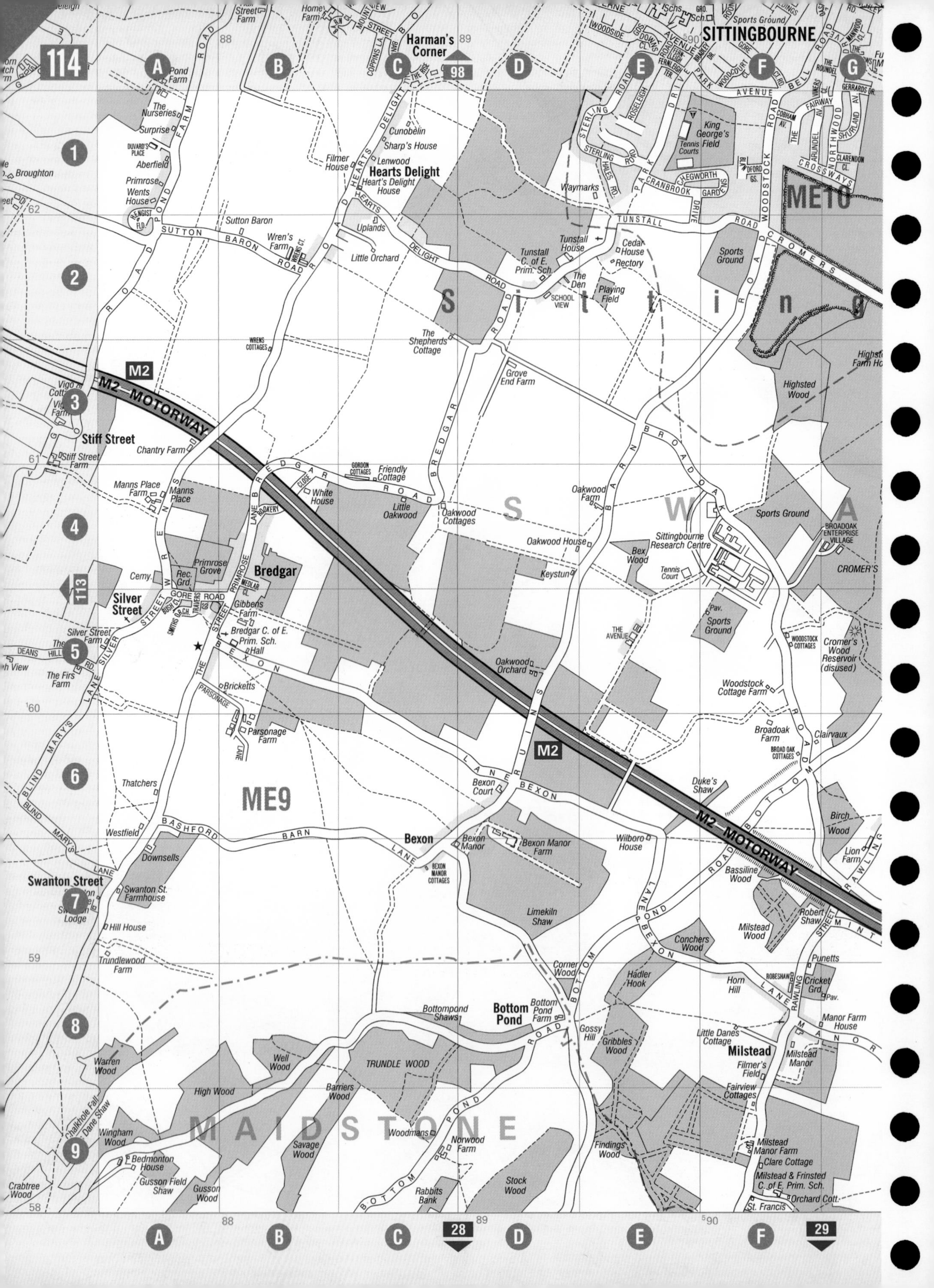
SITTINGBOURNE
Harman's Corner
98
Hearts Delight
Sutton Baron
Wren's Farm
Little Orchard
Uplands
Cunobelin
Sharp's House
Lenwood
Filmer House
Heart's Delight House
Pond Farm
The Nurseries
Surprise
Aberfield
Primrose
Wents House
Broughton
King George's Field
Tennis Courts
Waymarks
Tunstall House
Cedar House
Rectory
Tunstall C. of E. Prim. Sch.
The Den
Playing Field
School View
Sports Ground
ME10
TUNSTALL ROAD
SUTTON BARON ROAD
HEARTS DELIGHT ROAD
CROMERS ROAD
WOODSTOCK ROAD
The Shepherds Cottage
Grove End Farm
Highsted Wood
M2 MOTORWAY
M2
Vigo Cotts.
Vigo Farm
Stiff Street
Stiff Street Farm
Chantry Farm
Manns Place Farm
Manns Place
Friendly Cottage
Gordon Cottages
White House
Little Oakwood
Oakwood Cottages
Oakwood Farm
Oakwood House
BREDGAR ROAD
BROADOAK ROAD
BARN
Sittingbourne Research Centre
Bex Wood
Tennis Court
Sports Ground
Broadoak Enterprise Village
Cromer's
Keystun
Cemy.
Rec. Grd.
Primrose Grove
Bredgar
113
Silver Street
Gibbens Farm
Bredgar C. of E. Prim. Sch.
Hall
Silver Street Farm
Deans Hill Rd.
The Firs Farm
Bricketts
Parsonage Farm
The Avenue
Pav.
Woodstock Cottages
Cromer's Wood Reservoir (disused)
Oakwood Orchard
Woodstock Cottage Farm
Broadoak Farm
Broad Oak Cottages
Clairvaux
Thatchers
ME9
Bexon Court
Duke's Shaw
Westfield
Downsells
Bexon
Bexon Manor
Bexon Manor Farm
Bexon Manor Cottages
Wilboro House
Birch Wood
Lion Farm
Swanton Street
Swanton St. Farmhouse
Swanton Lodge
Hill House
Limekiln Shaw
Bassiline Wood
Robert Shaw
Milstead Wood
Conchers Wood
Trundlewood Farm
Corner Wood
Hadler Hook
Horn Hill
Punetts
Cricket Grd.
Bottompond Shaws
Bottom Pond
Bottom Pond Farm
Gossy Hill
Gribbles Wood
Little Danes Cottage
Milstead
Manor Farm House
Milstead Manor
Filmer's Field
Warren Wood
Well Wood
Trundle Wood
High Wood
Barriers Wood
Fairview Cottages
MAIDSTONE
Chalkhole Fall
Dane Shaw
Wingham Wood
Savage Wood
Woodmans
Norwood Farm
Findings Wood
Milstead Manor Farm
Clare Cottage
Milstead & Frinsted C. of E. Prim. Sch.
Bedmonton House
Gusson Field Shaw
Gusson Wood
Rabbits Bank
Stock Wood
Crabtree Wood
Orchard Cott.
St. Francis
BLIND MARY'S LANE
BASHFORD BARN LANE
BEXON LANE
BOTTOM POND ROAD
RAWLING STREET
MANOR ROAD

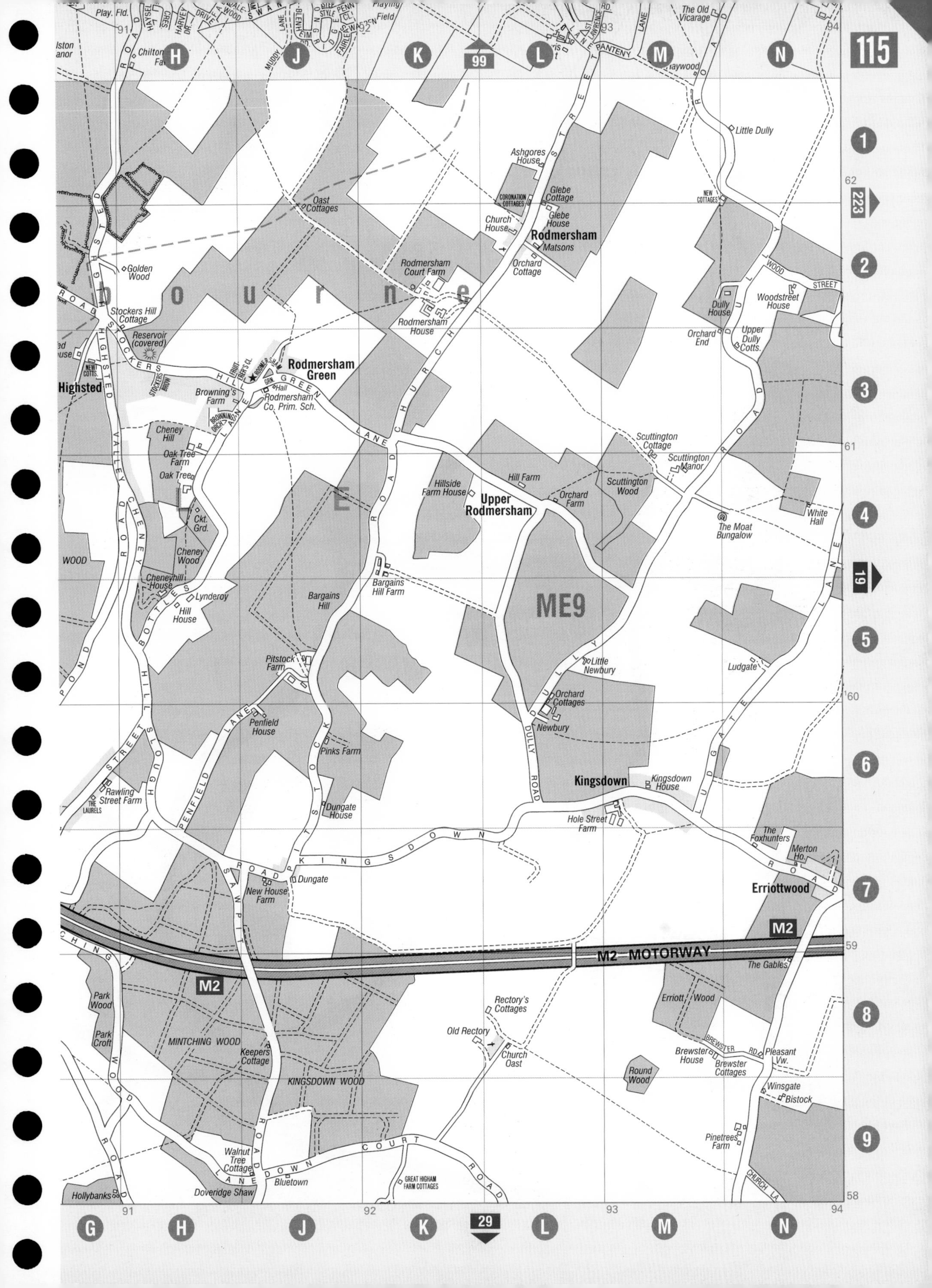
Rodmersham
Rodmersham Green
Highsted
Upper Rodmersham
Kingsdown
Erriottwood
ME9
M2 MOTORWAY
M2
Little Dully
New Cottages
Ashgores House
Coronation Cottages
Glebe Cottage
Glebe House
Church House
Matsons
Orchard Cottage
Oast Cottages
Rodmersham Court Farm
Rodmersham House
Golden Wood
Stockers Hill Cottage
Reservoir (covered)
Browning's Farm
Rodmersham Co. Prim. Sch.
Cheney Hill
Oak Tree Farm
Oak Tree
Ckt. Grd.
Cheney Wood
Cheneyhill House
Lynderoy
Hill House
Bargains Hill
Bargains Hill Farm
Hillside Farm House
Hill Farm
Orchard Farm
Scuttington Cottage
Scuttington Manor
Scuttington Wood
The Moat Bungalow
White Hall
Dully House
Woodstreet House
Orchard End
Upper Dully Cotts.
Pitstock Farm
Penfield House
Pinks Farm
Dungate House
Rawling Street Farm
The Laurels
Little Newbury
Orchard Cottages
Newbury
Kingsdown House
Hole Street Farm
Ludgate
The Foxhunters
Merton Ho.
Dungate
New House Farm
The Gables
Erriott Wood
Park Wood
Park Croft
Mintching Wood
Keepers Cottage
Kingsdown Wood
Rectory's Cottages
Old Rectory
Church Oast
Brewster House
Brewster Cottages
Pleasant Vw.
Round Wood
Winsgate
Bistock
Pinetrees Farm
Walnut Tree Cottage
Bluetown
Doveridge Shaw
Hollybanks
Great Higham Farm Cottages
Play. Fld.
Playing Field
Chilton Fm.
The Old Vicarage
Haywood
WOOD
Bourne
Street
Church Road
Church Lane
Dully Road
Ludgate Lane
Woodstreet
Pitstock Road
Kingsdown Road
Court Road
Lane Down
Sawpit Road
Penfield Lane
Slough Hill
Bottles Lane
Highsted Valley
Highsted Road
Cheney Road
Pond Road
Stockers Hill
Rodmersham Green
Street
Wood Road
Brewster Rd.
Church La.
Panteny Lane
Lawrence
Muddy Lane
Erriottwood Road
Fruiterer's Cl.
Stockers Brow
Brownings Orch.
91
92
93
94
58
59
60
61
62
1
2
3
4
5
6
7
8
9
G
H
J
K
L
M
N

99
223
19
29

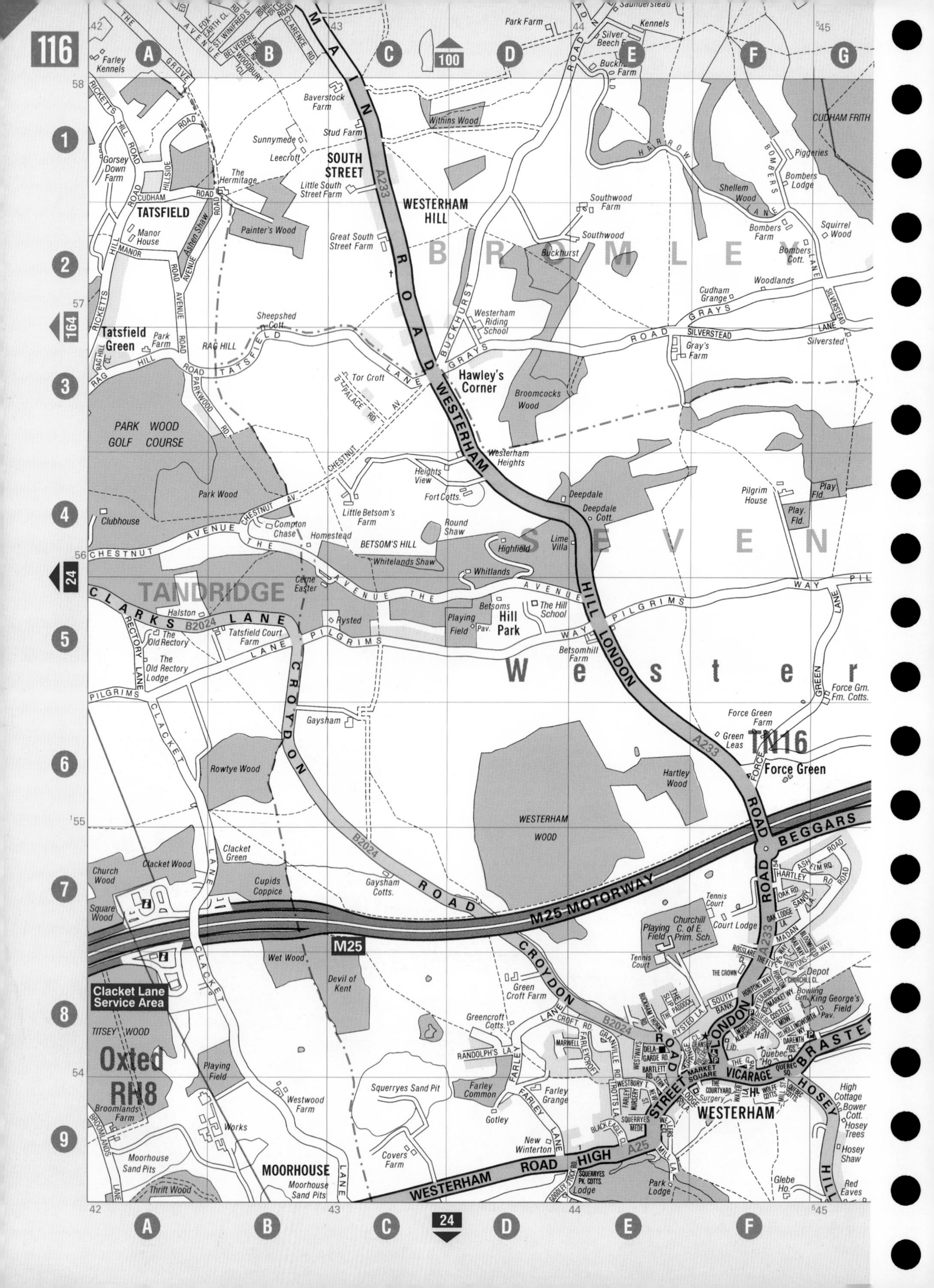
116
100
24
164
TATSFIELD
Tatsfield Green
Farley Kennels
Gorsey Down Farm
The Hermitage
Manor House
Park Farm
RAG HILL
SOUTH STREET
WESTERHAM HILL
Baverstock Farm
Stud Farm
Sunnymede
Leecroft
Little South Street Farm
Great South Street Farm
Painter's Wood
Withins Wood
Park Farm
Silver Beech F.
Kennels
Buckhurst Farm
Southwood Farm
Southwood
Buckhurst
Shellem Wood
Bombers Lodge
Piggeries
CUDHAM FRITH
Bombers Farm
Bombers Cott.
Squirrel Wood
Woodlands
Cudham Grange
Gray's Farm
Silversted
B R O M L E Y
Sheepshed Cott.
Westerham Riding School
Hawley's Corner
Tor Croft
Broomcocks Wood
PARK WOOD GOLF COURSE
Park Wood
Clubhouse
Westerham Heights
Heights View
Fort Cotts.
Little Betsom's Farm
Round Shaw
Deepdale
Deepdale Cott.
Pilgrim House
Play. Fld.
Compton Chase
Homestead
BETSOM'S HILL
Highfield
Lime Villa
Whitelands Shaw
Whitlands
S E V E N
TANDRIDGE
Cerne Easter
Halston
Rysted
Betsoms
The Hill School
Playing Field
Hill Park
The Old Rectory
Tatsfield Court Farm
The Old Rectory Lodge
Betsomhill Farm
W e s t e r
Force Grn. Fm. Cotts.
Force Green Farm
Gaysham
Green Leas
TN16
Force Green
Rowtye Wood
Hartley Wood
WESTERHAM WOOD
Clacket Green
Clacket Wood
Church Wood
Square Wood
Cupids Coppice
Gaysham Cotts.
M25 MOTORWAY
M25
Tennis Court
Court Lodge
Churchill C. of E. Prim. Sch.
Playing Field
Tennis Court
Depot
Wet Wood
Devil of Kent
Green Croft Farm
Clacket Lane Service Area
TITSEY WOOD
Oxted RH8
Playing Field
Greencroft Cotts.
Bowling Grn.
King George's Field
Pav.
Hall
Lib.
Surgery
Farley Common
Farley Grange
Squerryes Sand Pit
Westwood Farm
Broomlands Farm
Works
Gotley
New Winterton
WESTERHAM
High Cottage
Bower Cott.
Hosey Trees
Hosey Shaw
Moorhouse Sand Pits
Thrift Wood
MOORHOUSE
Moorhouse Sand Pits
Covers Farm
Park Lodge
Glebe Ho.
Red Eaves
MAIN ROAD
WESTERHAM ROAD
LONDON HILL
LONDON ROAD
A233
CLARKS LANE
B2024
CROYDON ROAD
PILGRIMS LANE
PILGRIMS WAY
THE AVENUE
CHESTNUT AVENUE
GRAYS ROAD
SILVERSTEAD LANE
HARROW
BEGGARS LANE
VICARAGE HILL
HOSEY HILL
BRASTED
HIGH STREET
WESTERHAM ROAD
A25
CLACKET LANE
FARLEY LANE
MARKET SQUARE
1
2
3
4
5
6
7
8
9
A
B
C
D
E
F
G
42
43
44
45
54
55
56
57
58

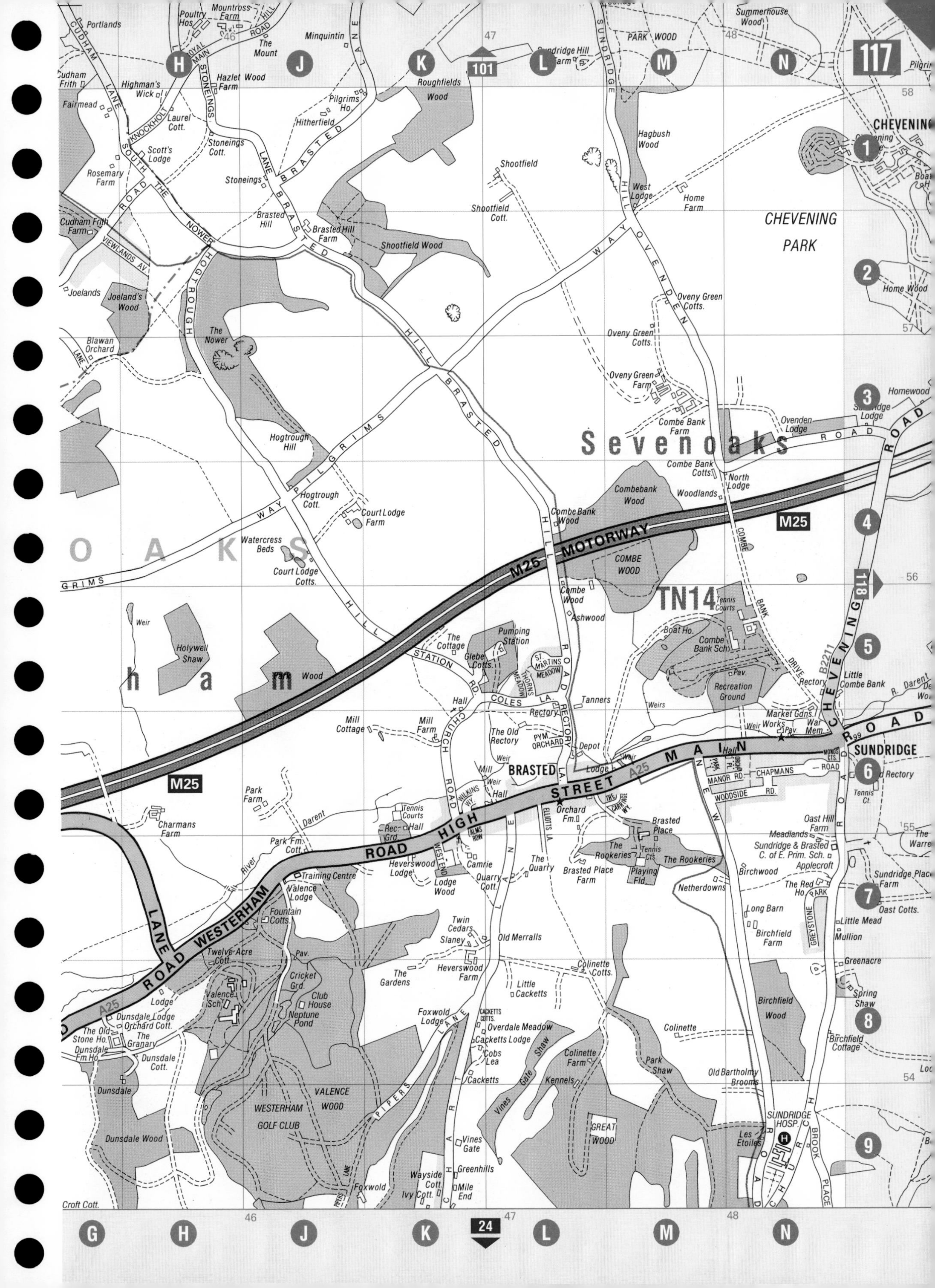
117
101
24
118
G
H
J
K
L
M
N
1
2
3
4
5
6
7
8
9
46
47
48
58
57
56
55
54
Portlands
Poultry Hos.
Mountross Farm
Minquintin
The Mount
Sundridge Hill Farm
PARK WOOD
Summerhouse Wood
Cudham Frith
Highman's Wick
Hazlet Wood Farm
Roughfields Wood
Fairmead
Laurel Cott.
Pilgrims Ho.
Hitherfield
Hagbush Wood
CHEVENING
Scott's Lodge
Stoneings Cott.
Rosemary Farm
Stoneings
Shootfield
West Lodge
Home Farm
Cudham Frith Farm
Brasted Hill
Brasted Hill Farm
Shootfield Cott.
CHEVENING PARK
Shootfield Wood
VIEWLANDS AV.
Joelands
Joeland's Wood
Oveny Green Cotts.
Home Wood
The Nower
Blawan Orchard
Oveny Green Farm
Homewood
Combe Bank Farm
Ovenden Lodge
Sundridge Lodge
Hogtrough Hill
Sevenoaks
Combe Bank Cotts.
North Lodge
Combebank Wood
Woodlands
Hogtrough Cott.
Court Lodge Farm
Combe Bank Wood
M25
Watercress Beds
M25 MOTORWAY
COMBE WOOD
O A K S
Court Lodge Cotts.
TN14
Combe Wood
Ashwood
Tennis Courts
Weir
Holywell Shaw
Pumping Station
The Cottage
Boat Ho.
Combe Bank Sch.
Glebe Cotts.
ST. MARTINS MEADOW
THORNS MEADOW
B2221
Wood
h a m
Recreation Ground
Pav.
Rectory
Little Combe Bank
R. Darent
Hall
COLES LA.
Tanners
Weirs
Mill Cottage
Mill Farm
Rectory
The Old Rectory
PYM ORCHARD
Depot
Market Gdns.
Works
War Mem.
SUNDRIDGE
MAIN ROAD
Mill
BRASTED
Lodge
MANOR RD.
CHAPMANS
Rectory
Park Farm
Charmans Farm
Tennis Courts
Hall
WILKINS WY.
STREET
A25
THE CARRIAGE WY.
WOODSIDE RD.
Orchard Fm.
Brasted Place
Oast Hill Farm
Meadlands
Sundridge & Brasted C. of E. Prim. Sch.
Applecroft
Rec. Grd.
Park Fm. Cott.
River Darent
ALMS ROW
HIGH
ROAD
Heverswood Lodge
Camrie
The Quarry
The Rookeries
Brasted Place Farm
Playing Fld.
Birchwood
Sundridge Place Farm
Training Centre
Valence Lodge
Lodge Wood
Quarry Cott.
Netherdowns
The Red Ho.
Long Barn
Oast Cotts.
Fountain Cotts.
Twin Cedars
Slaney
Old Merralls
Birchfield Farm
Little Mead
Mullion
GREYSTONE PARK
LANE
WESTERHAM ROAD
Twelve Acre Cott.
Pav.
The Gardens
Heverswood Farm
Colinette Cotts.
Greenacre
Cricket Grd.
Club House
Little Cacketts
Spring Shaw
Lodge
Valence Sch.
Neptune Pond
Birchfield Wood
Dunsdale Lodge
Orchard Cott.
Foxwold Lodge
CACKETTS COTTS.
Overdale Meadow
Colinette
Birchfield Cottage
The Old Stone Ho.
The Granary
Dunsdale Fm. Ho.
Dunsdale Cott.
Cacketts Lodge
Cobs Lea
Colinette Farm
Park Shaw
Cacketts
Kennels
Old Bartholmy Brooms
Dunsdale
VALENCE WOOD
WESTERHAM GOLF CLUB
PIPERS LANE
Vines Gate Shaw
GREAT WOOD
SUNDRIDGE HOSP.
Les Etoiles
BROOK PLACE
Dunsdale Wood
Vines Gate
Greenhills
Wayside Cott.
Ivy Cott.
Mile End
Foxwold
Croft Cott.
CHART LANE
CHURCH ROAD
CHEVENING ROAD
OVENDEN ROAD
SUNDRIDGE HILL
BRASTED HILL
HOGTROUGH HILL
PILGRIMS WAY
KNOCKHOLT ROAD
ROYAL MAIN ROAD
BRASTED LANE
STONEINGS LANE
CUDHAM LANE SOUTH
THE NOWER
STATION RD.
RECTORY LA.
ELLIOTTS LA.
COMBE BANK DRIVE
CHURCH ROAD

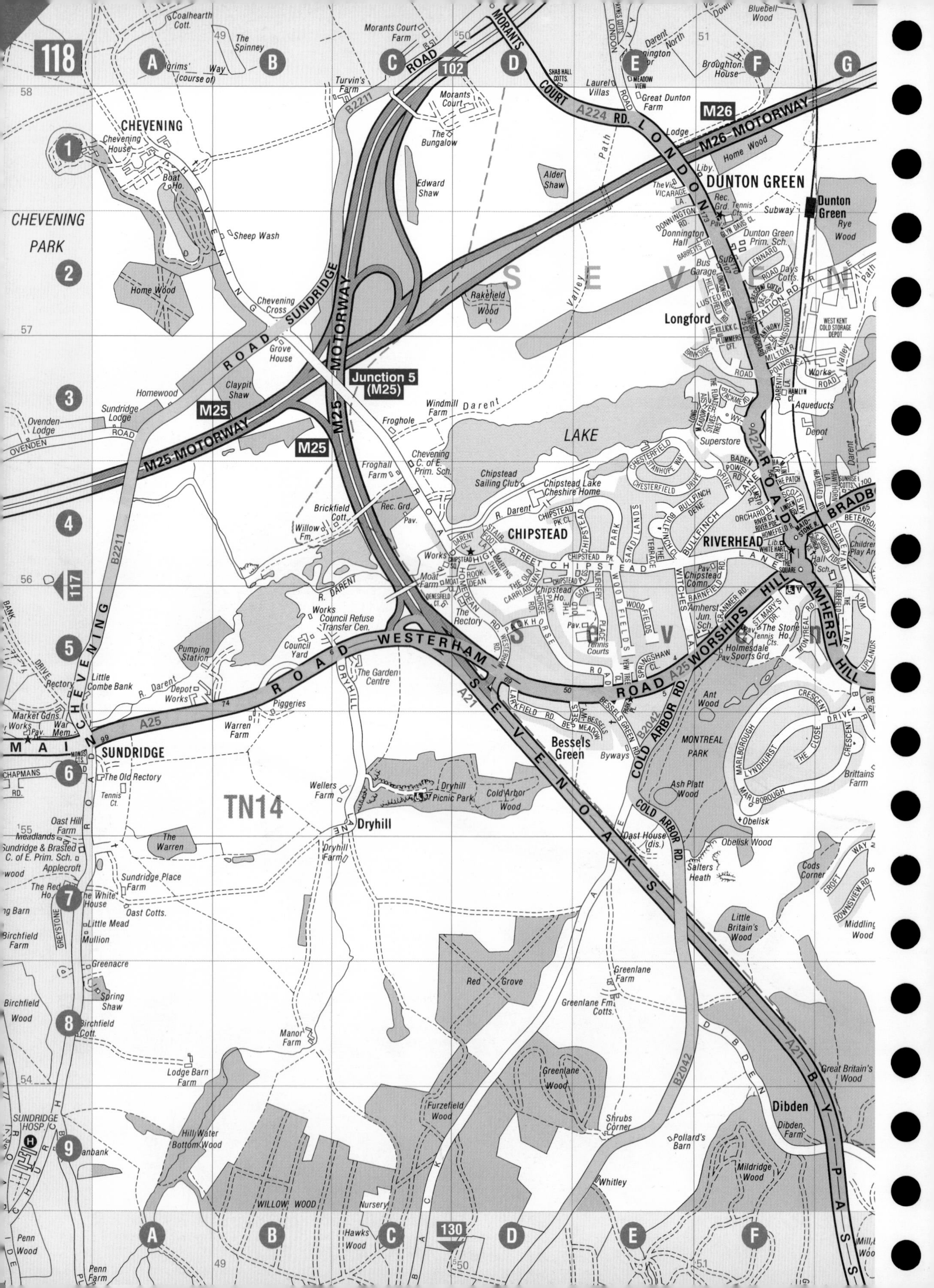

A
B
C
D
E
F
G
1
2
3
4
5
6
7
8
9
58
57
56
55
54
49
550
51
102
117
130
CHEVENING
CHEVENING PARK
Chevening House
Boat Ho.
Sheep Wash
Home Wood
Chevening Cross
Coalhearth Cott.
The Spinney
Pilgrims' Way (course of)
Morants Court Farm
Turvin's Farm
Morants Court
The Bungalow
Edward Shaw
Laurel Villas
Great Dunton Farm
Bluebell Wood
Broughton House
Lodge
Home Wood
Alder Shaw
DUNTON GREEN
Dunton Green
Rye Wood
Subway
Dunton Green Prim. Sch.
Donnington Hall
Bus Garage
Rakefield Wood
Longford
WEST KENT COLD STORAGE DEPOT
Works
Aqueducts
Depot
Superstore
Junction 5 (M25)
M25
M26
M25-MOTORWAY
M26-MOTORWAY
M25 MOTORWAY
SUNDRIDGE ROAD
MORANTS COURT ROAD
A224 RD.
LONDON ROAD
A224
B2211
Grove House
Claypit Shaw
Homewood
Sundridge Lodge
Ovenden Lodge
OVENDEN ROAD
Windmill Farm
Froghole
Darent
LAKE
Chevening C. of E. Prim. Sch.
Froghall Farm
Chipstead Sailing Club
Chipstead Lake Cheshire Home
Brickfield Cott.
Rec. Grd.
Pav.
Willow Fm.
CHIPSTEAD
RIVERHEAD
HIGH STREET
CHIPSTEAD LANE
Moat Farm
The Rectory
Chipstead Ho.
Tennis Courts
Amherst Jun. Sch.
The Stone Ho.
Holmesdale Sports Grd.
BRADBOURNE
AMHERST HILL
WORSHIPS HILL
R. Darent
Works
Council Refuse Transfer Cen.
Council Yard
Pumping Station
The Garden Centre
WESTERHAM ROAD
A25
A21
SEVENOAKS
Little Combe Bank
Rectory
Depot Works
Piggeries
Warren Farm
Market Gdns.
Works
War Mem.
MAIN
SUNDRIDGE
CHAPMANS RD.
The Old Rectory
Tennis Ct.
CHEVENING ROAD
TN14
Wellers Farm
Dryhill Picnic Park
Cold Arbor Wood
Dryhill
DRYHILL LANE
Dryhill Farm
Bessels Green
Byways
LARKFIELD RD.
COLD ARBOR RD.
B2042
Ant Wood
MONTREAL PARK
Ash Platt Wood
Obelisk
Obelisk Wood
Oast House (dis.)
Salters Heath
Brittains Farm
Cods Corner
Little Britain's Wood
Middling Wood
Oast Hill Farm
Meadlands
Sundridge & Brasted C. of E. Prim. Sch.
Applecroft
The Red Ho.
The White House
Oast Cotts.
The Warren
Sundridge Place Farm
Little Mead
Mullion
Birchfield Farm
GREYSTONE
Greenacre
Spring Shaw
Birchfield Wood
Birchfield Cott.
Red Grove
Greenlane Farm
Greenlane Fm. Cotts.
Manor Farm
Lodge Barn Farm
Greenlane Wood
Furzefield Wood
Shrubs Corner
Pollard's Barn
Dibden
Dibden Farm
Great Britain's Wood
Mildridge Wood
A21 BY-PASS
DIBDEN LANE
SUNDRIDGE HOSP.
Hill Water Bottom Wood
WILLOW WOOD
Nursery
Whitley
Hawks Wood
Penn Wood
Penn Farm
BACK LANE

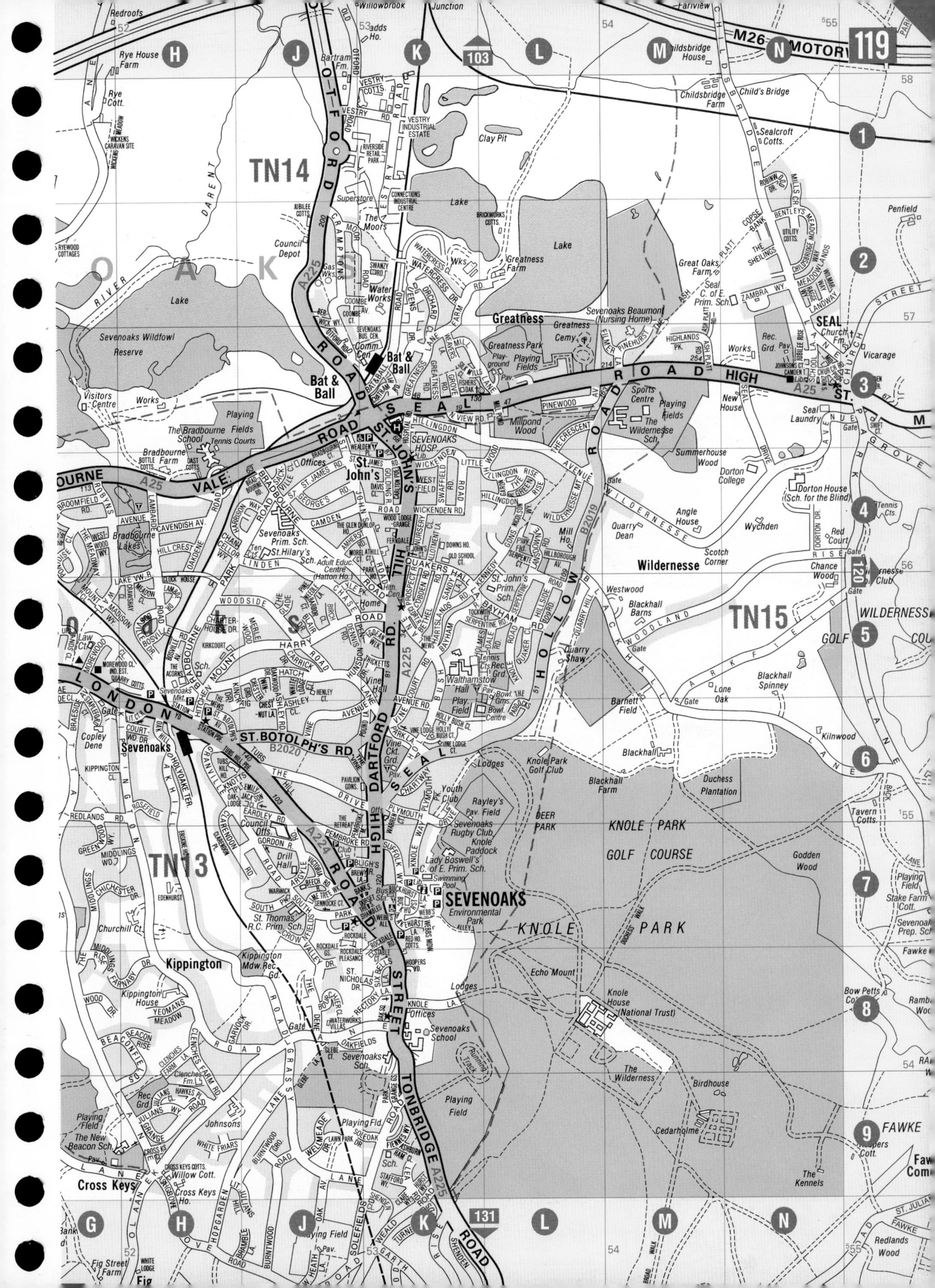
M26 MOTORWAY
103
131
120
TN14
TN13
TN15
Redroofs
Rye House Farm
Rye Cott.
Wickens Caravan Site
Willowbrook
Junction
Fariview
Childsbridge House
Childsbridge Farm
Child's Bridge
Sealcroft Cotts.
Bartram Fm.
Vestry Cotts.
Vestry Rd.
Vestry Industrial Estate
Riverside Retail Park
Connections Industrial Centre
Superstore
Clay Pit
Lake
Brickworks Cotts.
The Moors
Council Depot
Gas Wks.
Swanzy Rd.
Water Works
Watercress Cl.
Watercress Dr.
Orchard Cl.
Greatness Farm
Greatness
Greatness Park
Greatness Cemy.
Playing Fields
Sevenoaks Beaumont (Nursing Home)
Great Oaks Farm
Seal C. of E. Prim. Sch.
Zambra Wy.
Highlands Pk.
Pinehurst
Filmer La.
Ash Platt Rd.
Works
Rec. Grd.
Pav.
SEAL
Church Fm.
Vicarage
Jubilee Rise
School La.
Church St.
Penfield
Robinwood Dr.
Mills Cr.
Bentley's Meadow
Utility Cotts.
The Sheilings
Copse Bank
Childsbridge Way
Meadow Lands
Landway
River
Darent
Ryewood Cottages
Sevenoaks Wildfowl Reserve
Visitors Centre
Bat & Ball
Comm. Cen.
Sevenoaks Bus. Cen.
Otford Road
Coombe Av.
Berwick Wy.
Playing Fields
The Bradbourne School
Tennis Courts
Bradbourne Farm
Bottle Cotts.
Oast Cotts.
Bradbourne Vale Road
A25
A225
A224
B2019
B2020
Seal Road
Seal High Road
St. John's Hill
St. John's
Sevenoaks Hosp.
Hospital Rd.
Hillingdon
Hillingdon Av.
Hillingdon Rise
Pinewood
Millpond Wood
N. View Rd.
Mill Pond
Sports Centre
The Wilderness Sch.
Summerhouse Wood
Dorton College
Dorton House (Sch. for the Blind)
Dorton Dr.
Seal Laundry
Swift Ct.
Park Grove
Wilderness Avenue
Wildernesse Mt.
Wildernesse
Angle House
Quarry Dean
Wychden
Red Court
Scotch Corner
Chance Wood
Wildernesse Club
Tennis Cts.
Westwood
Blackhall Barns
Woodland
Blackhall Lane
Blackhall Spinney
Lone Oak
Kilnwood
Blackhall
Barnett Field
Quarry Shaw
Quarry Hill Rd.
Hollow
Knole Park Golf Club
Knole Park Golf Course
Blackhall Farm
Duchess Plantation
Deer Park
Tavern Cotts.
Godden Wood
Stake Farm Cott.
Sevenoaks Prep. Sch.
Playing Field
Fawke
Bow Petts Cott.
Wilderness
Golf
Lawn
Offices
Bradbourne Road
Bradbourne Park Road
St. James Rd.
St. George's Rd.
Camden Rd.
The Glen
Dunlop Ct.
Wood Lodge Grange
Ferndale
Wickenden Rd.
West Field
Swaffield Rd.
Davis Cl.
Golding Rd.
Carlton Rd.
Little Wood
Garth Rd.
The Green
Sevenoaks Prim. Sch.
St. Hilary's Sch.
Adult Educ. Centre (Hatton Ho.)
Amherst Rd.
Morel Ct.
Athill Ct.
Park Ho.
Hlth. Cen.
Home
Downs Ho.
Old School Ct.
Nursery
Allotment La.
Quakers Hall La.
St. John's Prim. Sch.
Serpentine Rd.
Serpentine Ct.
Lansdowne Rd.
Hillborough Av.
Hillside Rd.
Bayham Rd.
Kennedy Gdns.
Tockwith Ct.
Hartslands Rd.
Prospect Rd.
Cobden Rd.
Sandy La.
Mill Ho.
Harrison Way
Chancellor Way
Hill Crest
Oakdene
Linden
Cavendish Av.
Avenue
Lambarde
Broomfield Rd.
Robyns
Bradbourne Lakes
West Wood Wy.
The Meadway
Lake Vw. Rd.
Clock House La.
Madison Wy.
Bosville
Lambarde Rd.
Woodside Rd.
The Glade
Pine Ridge
Needle Cl.
Chase
Birch
Blair Rd.
Charterhouse Dr.
Merlewood
Kirkcourt
Harry
Carrick Rd.
Hatch
Dennis
Hunsdon Dr.
Ashley Rd.
Henley Ct.
Oakwood Dr.
Winchester
Kincraig Dr.
Chestnut La.
Vine Hall
Avenue Rd.
Pound La.
Vine Ct. Rd.
Vine Lodge Ct.
Holly Bush Ct.
Holly Bush La.
Bush
Walthamstow Hall
Play. Field
Tennis Cts.
Rec. Grd.
Bowl. Grns.
Bowl. Centre
Paddocks
Knole Way
Quaker Cl.
Dale Rd.
Holmesdale Rd.
The Mews
Dartford Rd.
Vine Ckt. Grd.
London Road
Morewood Cl.
Morewood Cl. Ind. Est.
Quarry Cotts.
Sevenoaks Mkt.
Station
Station Pde.
The Acorns
Hitchen Mount
Sch.
St. Botolph's Rd.
St. Botolph's Av.
Braeside
Copley Dene
Sevenoaks
Kippington Cl.
Redlands Rd.
Rosefield
Hollyoake Ter.
Granville Rd.
Tubs Hill
Tubs Hill Pde.
Knotts Pl.
Emily Jackson Cl.
Oak Lodge
Eardley Rd.
The Drive
Pavilion Gdns.
Chartway
Plymouth Dr.
Youth Club
Lodges
Rayley's Pav. Field
Sevenoaks Rugby Club
Knole Paddock
Lady Boswell's C. of E. Prim. Sch.
Swimming Pool
SEVENOAKS
Environmental Park
Council Offs.
Gordon Rd.
Drill Hall
Pembroke Rd.
Club
Bligh's
Brewer
The Retreat
Suffolk Way
Warren Ct.
Lib.
Bus Sta.
Buckhurst La.
Webb's Alley
High Street
Clarendon Pl.
Erskine Rd.
Edenhurst
Middlings Wd.
Green Wy.
Middlings
Chichester Dr.
Warwick Pk.
Argyle Rd.
Victoria Rd.
Beech Rd.
Lime Tree Wk.
South Park
Sennocke Ct.
St. Thomas R.C. Prim. Sch.
Crow Dr.
Valley Dr.
Rockdale
Rockdale Pleasance
St. Nicholas Dr.
Six Bells La.
Stable Ct.
Hoopers Yd.
Red Ho. Cotts.
Webbs Mdw.
Knole Park
Duchess Walk
Echo Mount
Knole House (National Trust)
Knole La.
Offices
Sevenoaks School
Running Track
The Wilderness
Birdhouse
Cedarholme
The Kennels
Churchill Ct.
The Middlings Rise
Farnaby Dr.
Kippington
Kippington Mdw. Rec. Gd.
Kippington House
Kippington Road
Wood Dr.
Yeomans Meadow
Beacon Rise
Beaconfield
Garvock Dr.
Rectory La.
Dene
Waterworks Villas
Oak Sq.
Oakfields
Glebe Ct.
Sevenoaks Sch.
Grassy Lane
Tonbridge Road
Park Grange Gdns.
Playing Field
Clenches Farm La.
Clenches Farm Rd.
Clenches Fm.
Hawkes Pl.
Rec. Grd.
Julians Wy.
Grange Road
Playing Field
The New Beacon Sch.
Johnsons
White Friars
Cross Keys Ct.
Cross Keys Cotts.
Willow Cott.
Cross Keys Ho.
Cross Keys
Burntwood Gro.
Welmeade Dr.
Lawn Pk.
Soleoak Dr.
Playing Fld.
Fiennes Wy.
Ashburnham Cl.
Stafford Wy.
Sch.
Hopgarden
St. Julians Cl.
Bramble La.
Burntwood Rd.
Oak La.
Solefields Road
Weald Rd.
Garth
Shenden Way
Fig Street Farm
White Lodge
Fig
Redlands Wood
Bank
Heath Rd.
Playing Field
Pav.
Broad Walk
Fawke Common
Hoopers Cott.

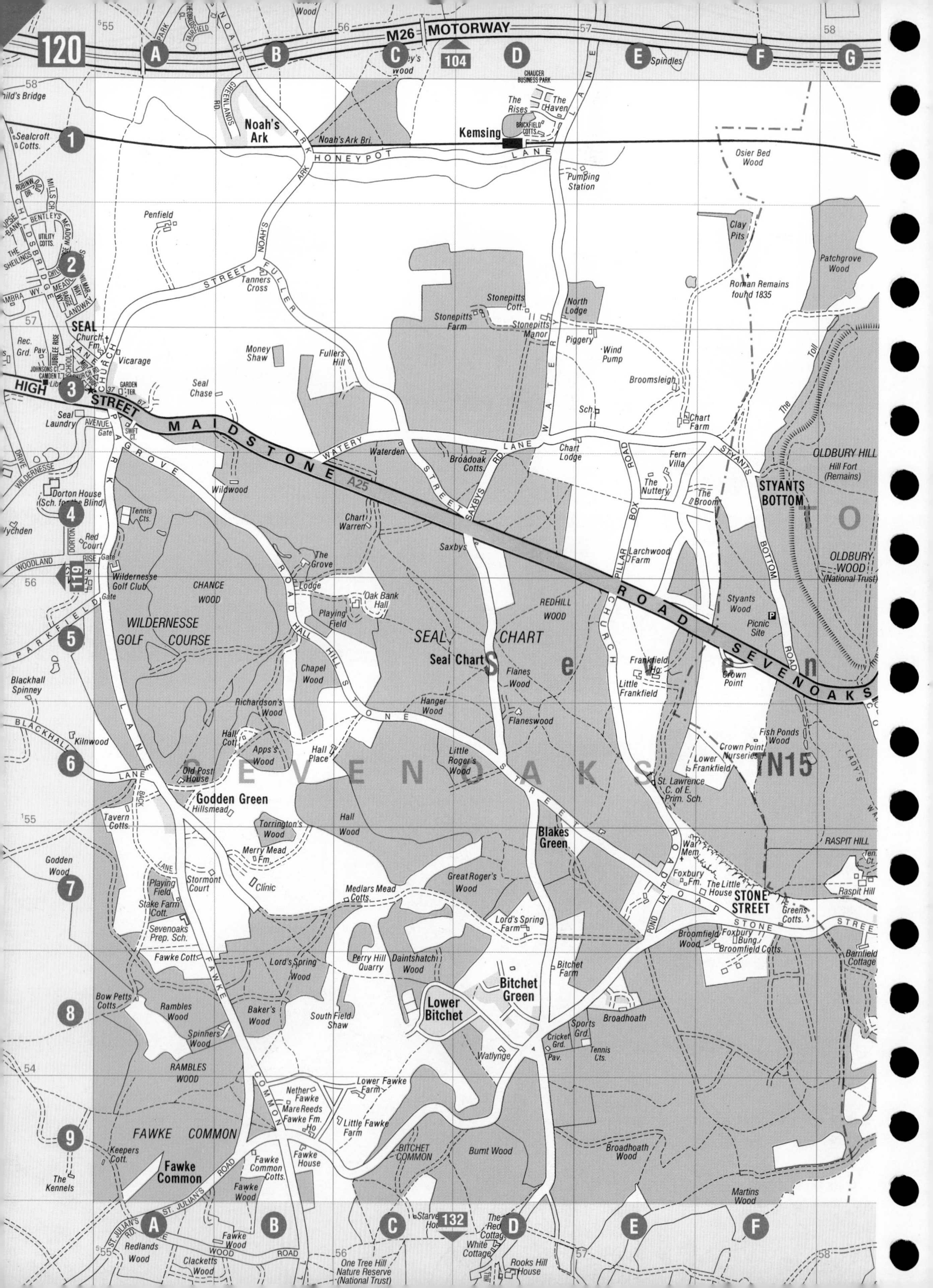
M26 MOTORWAY
104
Noah's Ark
Noah's Ark Bri.
Kemsing
Chaucer Business Park
The Rises
The Haven
Brickfield Cotts.
Honeypot Lane
Pumping Station
Osier Bed Wood
Sealcroft Cotts.
Greenlands Rd.
Penfield
Clay Pits
Patchgrove Wood
Roman Remains found 1835
Tanners Cross
Fuller Street
Stonepitts Cott.
Stonepitts Farm
Stonepitts Manor
North Lodge
Piggery
Wind Pump
Seal
Church Fm.
Vicarage
Money Shaw
Fullers Hill
Seal Chase
Broomsleigh
Sch.
Chart Farm
High Street
Maidstone Road
A25
Seal Laundry
Watery Lane
Waterden
Broadoak Cotts.
Chart Lodge
Fern Villa
The Nuttery
The Broom
Styants Bottom
Oldbury Hill
Hill Fort (Remains)
Dorton House (Sch. for the Blind)
Wildwood
Chart Warren
Wildernesse Golf Club
Wychden
Red Court
Tennis Cts.
The Grove
Saxbys
Larchwood Farm
Pillar Box Road
Oldbury Wood (National Trust)
119
Chance Wood
Wildernesse Golf Course
Lodge
Oak Bank Hall
Playing Field
Redhill Wood
Styants Wood
Picnic Site
Parkfield
Seal Chart
Chapel Wood
Flanes Wood
Frankfield Ho.
Little Frankfield
Crown Point
Sevenoaks Road
Blackhall Spinney
Richardson's Wood
Hanger Wood
Flaneswood
Fish Ponds Wood
Kilnwood
Blackhall Lane
Hall Cott.
Apps's Wood
Hall Place
Little Roger's Wood
Crown Point Nurseries
Lower Frankfield
TN15
Sevenoaks
Old Post House
Godden Green
Hillsmead
St. Lawrence C. of E. Prim. Sch.
Tavern Cotts.
Torrington's Wood
Hall Wood
Blakes Green
Church Road
Stone Street
Raspit Hill
Godden Wood
Merry Mead Fm.
War Mem.
Stormont Court
Clinic
Great Roger's Wood
Foxbury Fm.
The Little House
Playing Field
Stake Farm Cott.
Medlars Mead Cotts.
Greens Cotts.
Sevenoaks Prep. Sch.
Lord's Spring Farm
Broomfield Wood
Foxbury Bung.
Broomfield Cotts.
Barnfield Cottage
Fawke Cott.
Perry Hill Quarry
Daintshatch Wood
Lord's Spring Wood
Bitchet Farm
Bitchet Green
Bow Petts Cotts.
Rambles Wood
Baker's Wood
South Field Shaw
Lower Bitchet
Broadhoath
Sports Grd.
Spinners Wood
Cricket Grd.
Pav.
Tennis Cts.
Watlynge
Rambles Wood
Fawke Common
Lower Fawke Farm
Nether Fawke
Mare Reeds
Fawke Fm. Ho.
Little Fawke Farm
Keepers Cott.
Bitchet Common
Burnt Wood
Broadhoath Wood
Fawke Common Cotts.
Fawke House
The Kennels
Fawke Wood
Martins Wood
St. Julian's Road
132
Starve Hole
The Red Cottage
White Cottage
Redlands Wood
Clacketts Wood
Fawke Wood Road
One Tree Hill Nature Reserve (National Trust)
Rooks Hill House

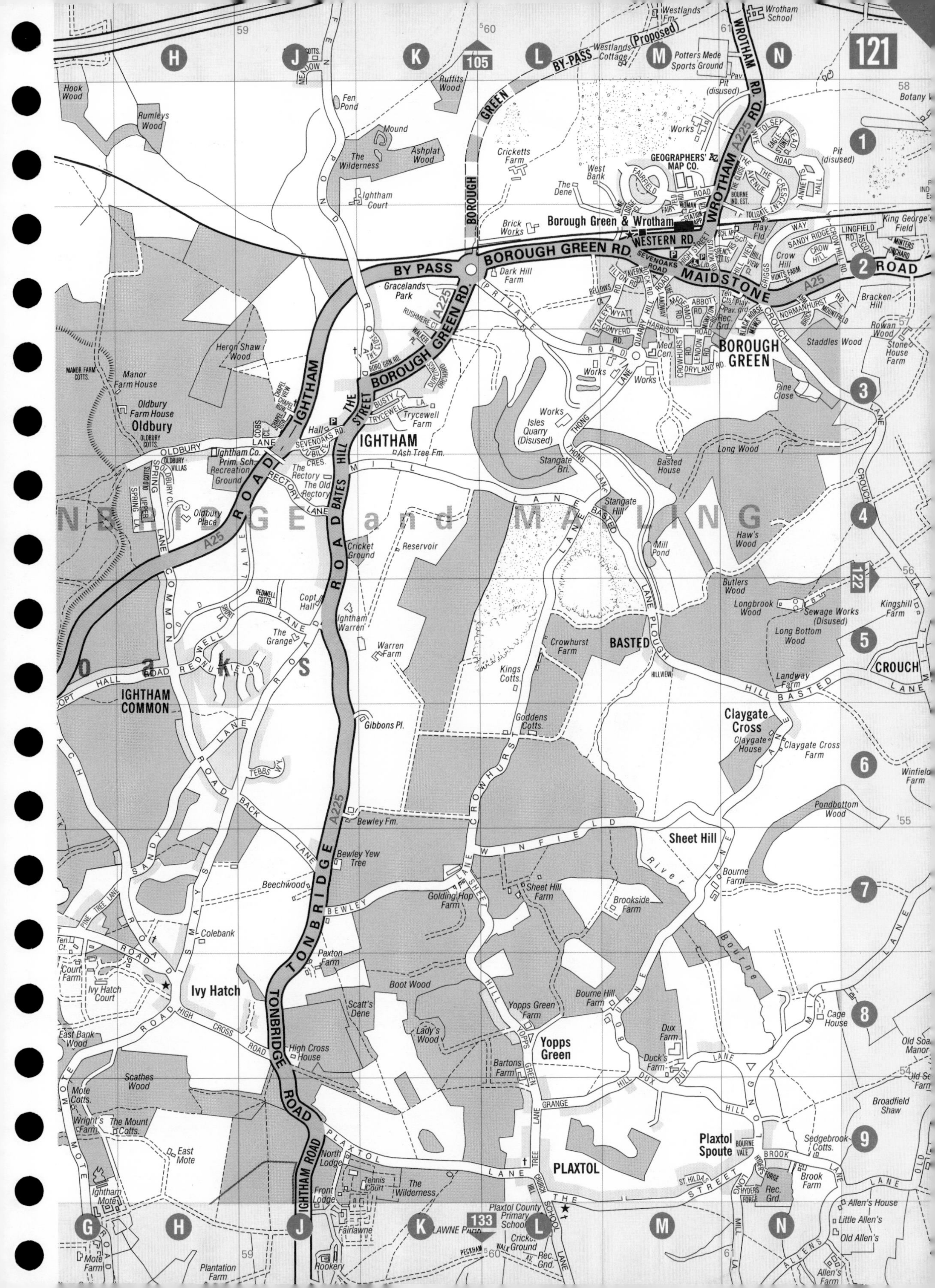

BOROUGH GREEN
IGHTHAM
IGHTHAM COMMON
Oldbury
Ivy Hatch
PLAXTOL
BASTED
Claygate Cross
Sheet Hill
Yopps Green
Plaxtol Spoute
CROUCH
Borough Green & Wrotham
GEOGRAPHERS' A-Z MAP CO.
BOROUGH GREEN RD.
MAIDSTONE ROAD
TONBRIDGE ROAD
IGHTHAM ROAD
WROTHAM RD.
BY PASS
A25
A225
Ightham Court
Ightham Mote
Wrotham School
Long Wood
Haw's Wood
Scathes Wood
Boot Wood
Rumleys Wood
Heron Shaw Wood
Ashplat Wood
Hook Wood
Ruffits Wood
Fen Pond
Mill Pond
Stangate Hill
Isles Quarry (Disused)
Sewage Works (Disused)

105
122
133

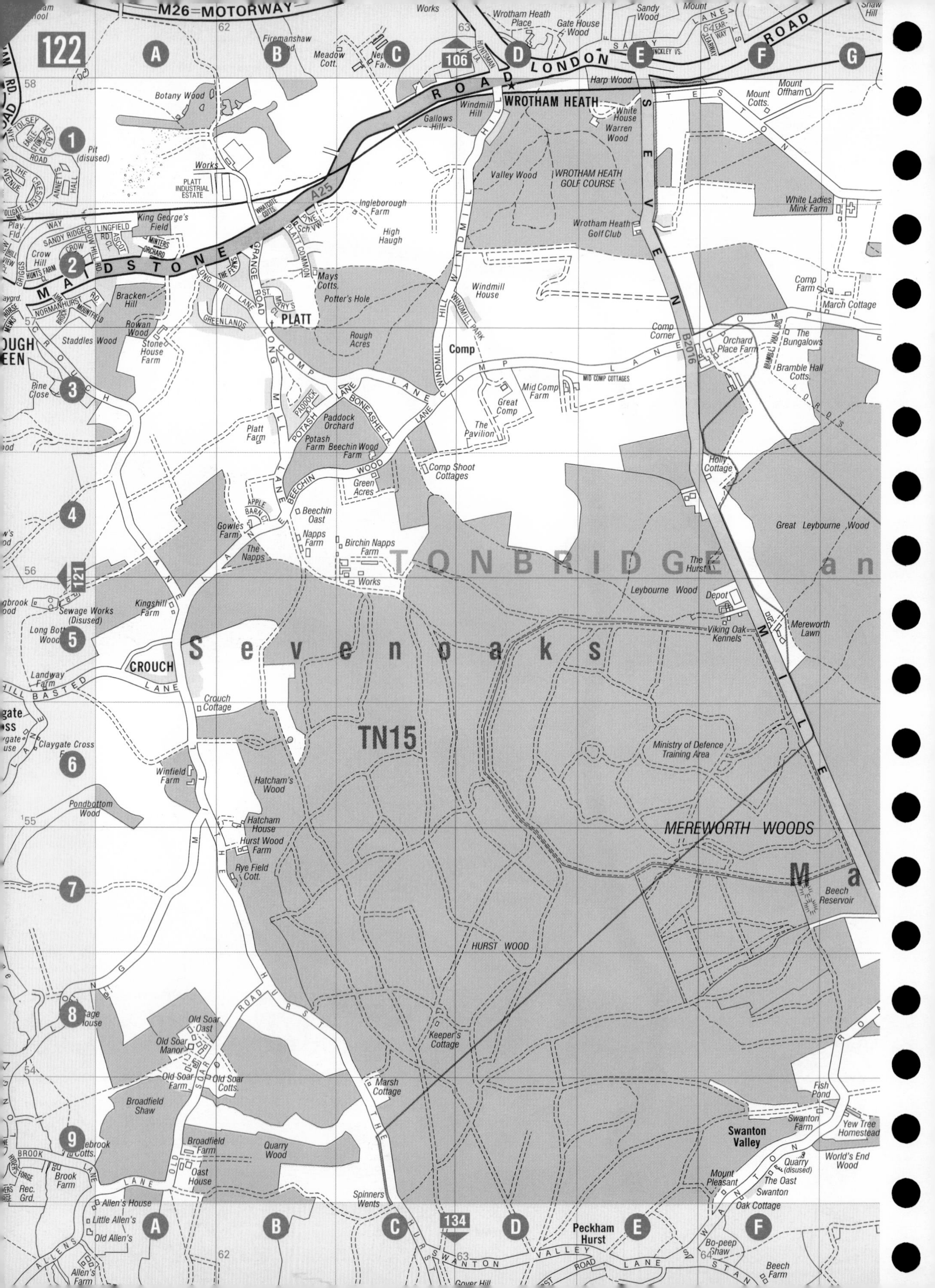
M26 MOTORWAY
LONDON ROAD
WROTHAM HEATH
Wrotham Heath Place
Gate House Wood
Sandy Wood
Firemanshaw Wood
Meadow Cott.
Harp Wood
Botany Wood
Windmill Hill
Gallows Hill
White House
Warren Wood
Mount Offham
Mount Cotts.
Pit (disused)
Works
PLATT INDUSTRIAL ESTATE
Valley Wood
WROTHAM HEATH GOLF COURSE
Wrotham Heath Golf Club
White Ladies Mink Farm
Ingleborough Farm
High Haugh
King George's Field
MAIDSTONE ROAD
A25
Crow Hill
Mays Cotts.
Potter's Hole
Windmill House
Comp Farm
March Cottage
Bracken Hill
Rowan Wood
Stone House Farm
Staddles Wood
PLATT
Rough Acres
Comp
Comp Corner
Orchard Place Farm
The Bungalows
Bramble Hall Cotts.
B2016
COMP LANE
MID COMP COTTAGES
Mid Comp Farm
Great Comp
The Pavilion
Pine Close
Platt Farm
Paddock Orchard
Potash Farm
Beechin Wood Farm
Comp Shoot Cottages
Green Acres
Holly Cottage
Beechin Oast
Napps Farm
Birchin Napps Farm
Gowles Farm
The Napps
Great Leybourne Wood
TONBRIDGE and
The Hurst
Leybourne Wood
Depot
Viking Oak Kennels
Mereworth Lawn
Sewage Works (Disused)
Long Bott Wood
Kingshill Farm
Sevenoaks
CROUCH
Landway Farm
BASTED LANE
Crouch Cottage
Claygate Cross
TN15
Ministry of Defence Training Area
Winfield Farm
Hatcham's Wood
Pondbottom Wood
Hatcham House
Hurst Wood Farm
Rye Field Cott.
MEREWORTH WOODS
Beech Reservoir
HURST WOOD
Old Soar Oast
Old Soar Manor
Keeper's Cottage
Old Soar Farm
Old Soar Cotts.
Marsh Cottage
Broadfield Shaw
Fish Pond
Swanton Farm
Yew Tree Homestead
Swanton Valley
Broadfield Farm
Quarry Wood
World's End Wood
Brook Farm
Oast House
Mount Pleasant
Quarry (disused)
The Oast
Swanton
Oak Cottage
Allen's House
Little Allen's
Old Allen's
Spinners Wents
Peckham Hurst
Bo-peep Shaw
Beech Farm
Allen's Farm
SWANTON VALLEY ROAD LANE
Gover Hill
106
121
134

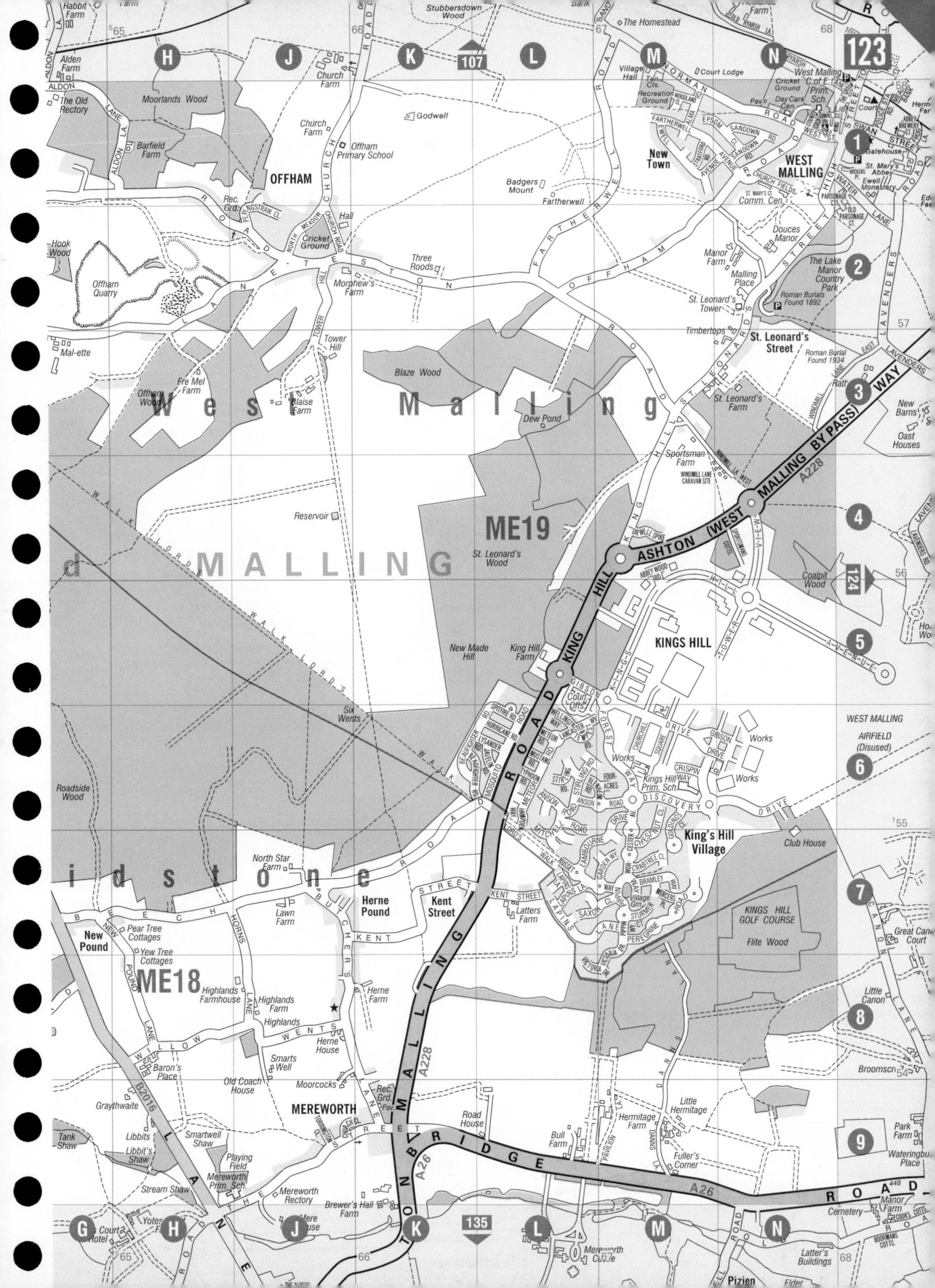
West Malling
MALLING
Maidstone
ME19
ME18
OFFHAM
WEST MALLING
New Town
St. Leonard's Street
KINGS HILL
King's Hill Village
Herne Pound
Kent Street
New Pound
MEREWORTH
Alden Farm
The Old Rectory
Moorlands Wood
Barfield Farm
Church Farm
Godwell
Offham Primary School
Rec. Grd.
Hall
Cricket Ground
Hook Wood
Offham Quarry
Morphew's Farm
Three Roods
Badgers Mount
Fartherwell
Village Hall
Recreation Ground
Court Lodge
The Homestead
Stubbersdown Wood
Cricket Ground
Day Care Cen.
West Malling C.of E. Prim. Sch.
Gatehouse
St. Mary's Abbey
Ewell Monastery
St. Mary's Comm. Cen.
Douces Manor
Manor Farm
Malling Place
The Lake Manor Country Park
Roman Burials Found 1892
St. Leonard's Tower
Timbertops
Roman Burial Found 1934
St. Leonard's Farm
New Barns
Oast Houses
Mal-ette
Tower Hill
Blaze Wood
Fre Mel Farm
Offham Wood
Blaise Farm
Dew Pond
Sportsman Farm
Windmill Lane Caravan Site
Reservoir
St. Leonard's Wood
Coalpit Wood
New Made Hill
King Hill Farm
Six Wents
WEST MALLING AIRFIELD (Disused)
Works
Kings Hill Prim. Sch.
Club House
Roadside Wood
North Star Farm
Lawn Farm
Latters Farm
KINGS HILL GOLF COURSE
Flite Wood
Pear Tree Cottages
Yew Tree Cottages
Highlands Farmhouse
Highlands Farm
Highlands
Herne Farm
Herne House
Little Canon
Great Canon Court
Baron's Place
Smarts Well
Old Coach House
Moorcocks
Broomscroft
Graythwaite
Road House
Little Hermitage
Hermitage Farm
Bull Farm
Fuller's Corner
Park Farm
Wateringbury Place
Tank Shaw
Libbits
Smartwell Shaw
Libbit's Shaw
Playing Field
Mereworth Prim. Sch.
Stream Shaw
Mereworth Rectory
Brewer's Hall Farm
Cemetery
Manor Farm
Latter's Buildings
Mereworth Castle
Pizien
ASHTON WEST MALLING BY PASS
A228
A26
B2016
TONBRIDGE ROAD
MALLING ROAD
KING HILL
OFFHAM ROAD
TOWER VIEW
AVENUE
KINGS HILL
GIBSON DRIVE
DISCOVERY DRIVE
KENT STREET
BUTCHER'S LANE
BEECH ROAD
HORNS LANE
WILLOW LANE
WENTS
LORDS WALK
LAVENDERS ROAD
CANON LANE
DANNS LANE
PAVILION
107
124
135
H
J
K
L
M
N
G
1
2
3
4
5
6
7
8
9
65
66
67
68
57
56
55
54

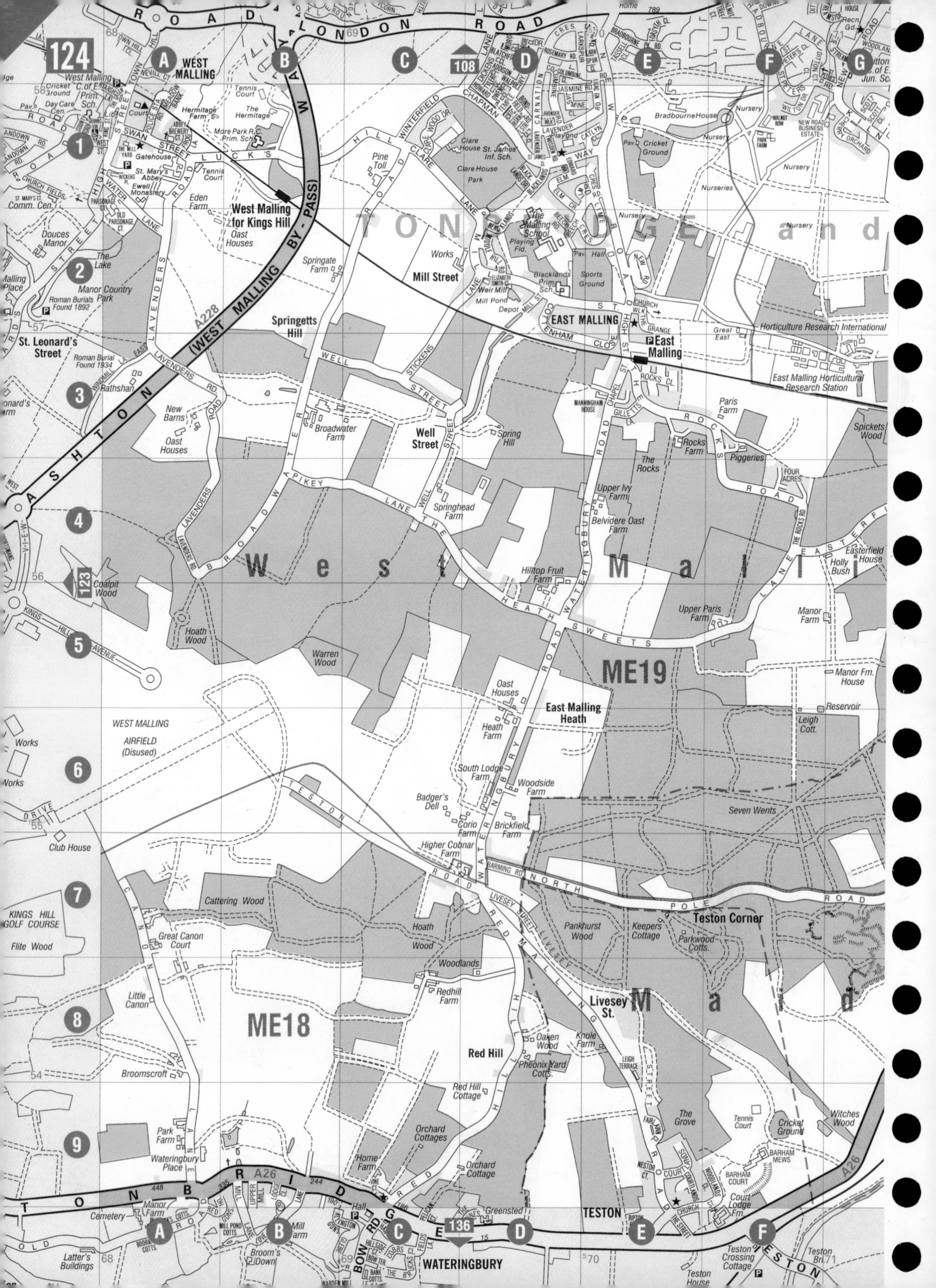
124
WEST MALLING
LONDON ROAD
108
West Malling for Kings Hill
WEST MALLING BY-PASS
A228
Mill Street
EAST MALLING
East Malling
Horticulture Research International
East Malling Horticultural Research Station
St. Leonard's Street
Manor Country Park
Springetts Hill
Well Street
Broadwater Farm
Springhead Farm
Upper Ivy Farm
Belvidere Oast Farm
Hilltop Fruit Farm
Upper Paris Farm
The Rocks
Rocks Farm
Paris Farm
Spickets Wood
Easterfield House
Holly Bush
Manor Farm
Manor Fm. House
Reservoir
Leigh Cott.
Seven Wents
ASHTON WAY
Coalpit Wood
123
Hoath Wood
Warren Wood
KINGS HILL AVENUE
WEST MALLING AIRFIELD (Disused)
Works
Club House
ME19
East Malling Heath
Oast Houses
Heath Farm
South Lodge Farm
Woodside Farm
Badger's Dell
Corio Farm
Brickfield Farm
Higher Cobnar Farm
TESTON ROAD
NORTH POLE ROAD
Teston Corner
Pankhurst Wood
Keepers Cottage
Parkwood Cotts.
Cattering Wood
Great Canon Court
KINGS HILL GOLF COURSE
Flite Wood
Hoath Wood
Woodlands
Redhill Farm
Little Canon
ME18
Livesey St.
RED HILL
Red Hill
Oaken Wood
Knole Farm
Pheonix Yard Cotts.
Red Hill Cottage
Broomscroft
Park Farm
Wateringbury Place
Orchard Cottages
Orchard Cottage
Home Farm
The Grove
Tennis Court
Cricket Ground
Witches Wood
Barham Mews
Barham Court
Court Lodge Fm.
TONBRIDGE ROAD
A26
Manor Farm
Cemetery
Mill Farm
Broom's Down
Latter's Buildings
Greensted
136
WATERINGBURY
TESTON
Teston Crossing Cottage
Teston House
Teston Br.
TONBRIDGE and
West Malling
Maid

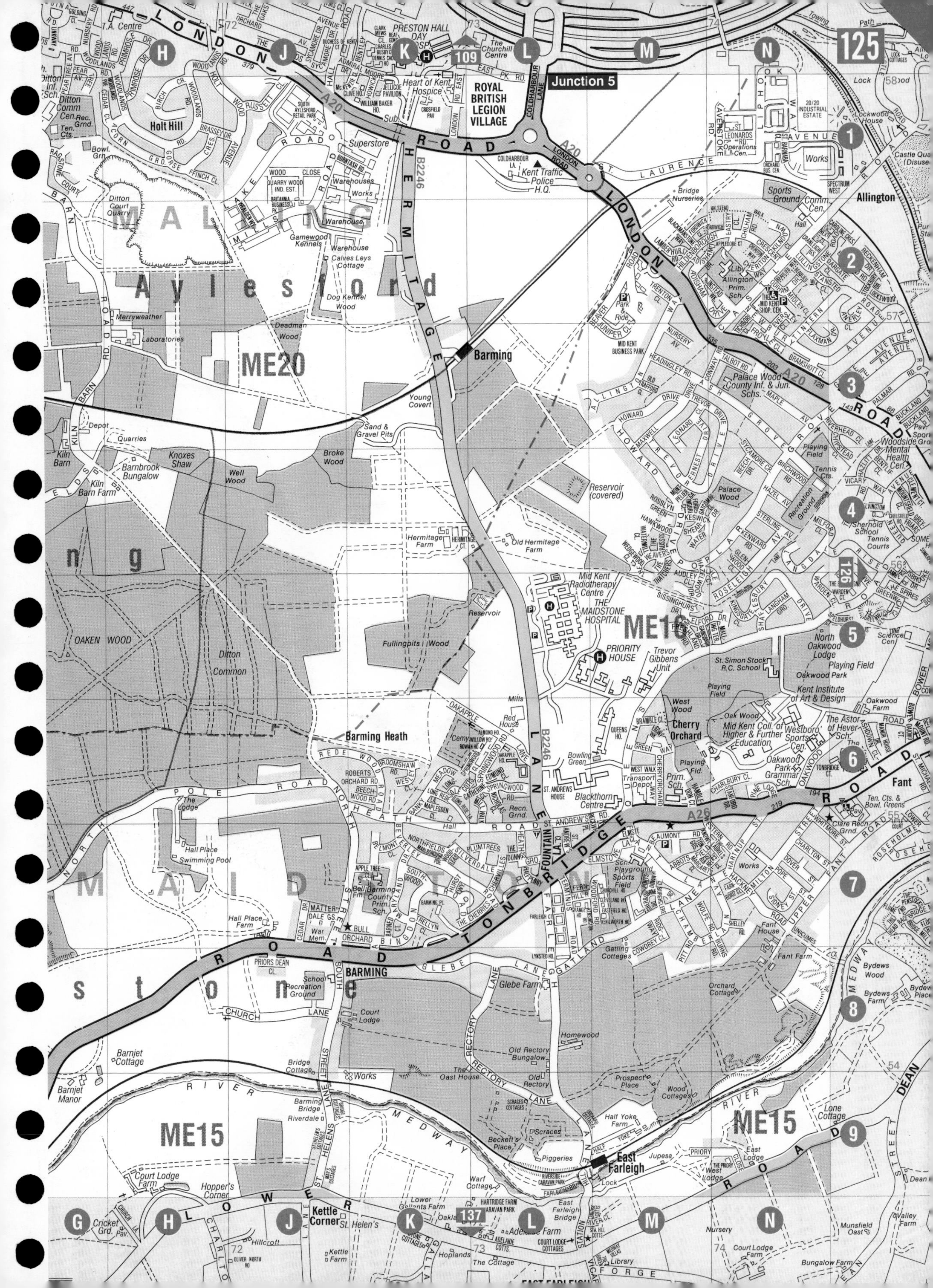
125
H
J
K
L
M
N
LONDON ROAD
A20
109
Junction 5
T.A. Centre
PRESTON HALL
The Churchill Centre
Heart of Kent Hospice
ROYAL BRITISH LEGION VILLAGE
COLDHARBOUR LANE
Holt Hill
Ditton Comm Cen.
Superstore
Warehouses
Works
Warehouse
Kent Traffic Police H.Q.
ST. LAURENCE AVENUE
20/20 INDUSTRIAL ESTATE
Allington
Sports Ground
Comm. Cen.
Bridge Nurseries
Castle Quarry (Disused)
Lock
Towing Path
1
2
3
4
5
6
7
8
9
MALLING
Aylesford
ME20
Barming
HERMITAGE LANE
B2246
Gamewood Kennels
Calves Leys Cottage
Dog Kennel Wood
Merryweather Laboratories
Deadman Wood
Young Covert
Sand & Gravel Pits
Quarries
Kiln Barn
Kiln Barn Farm
Barnbrook Bungalow
Knoxes Shaw
Well Wood
Broke Wood
Park & Ride
MID KENT BUSINESS PARK
Palace Wood County Inf. & Jun. Schs.
Allington Prim. Sch.
Reservoir (covered)
Palace Wood
Playing Field
Tennis Cts.
Recreation Ground
Woodside Green
Mental Health Cen.
Sherhold School
Tennis Courts
126
Hermitage Farm
Old Hermitage Farm
Mid Kent Radiotherapy Centre
THE MAIDSTONE HOSPITAL
ME16
PRIORITY HOUSE
Trevor Gibbens Unit
Reservoir
Fullingpits Wood
OAKEN WOOD
Ditton Common
Barming Heath
Mills
Red House
Cemy
St. Simon Stock R.C. School
Playing Field
Oakwood Park
Kent Institute of Art & Design
Oakwood Farm
West Wood
Cherry Orchard
Mid Kent Coll. of Higher & Further Education
Westboro' Sports Cen.
Oakwood Park Grammar Sch.
The Astor of Hever Sch.
Fant
Bowling Green
Transport Depot
Prim. Sch.
Blackthorn Centre
Recn. Grnd.
POLE ROAD
NORTH
The Lodge
Hall Place Swimming Pool
HEATH ROAD
ST. ANDREW'S RD.
Ten. Cts. & Bowl. Greens
Clare Recn Grnd.
MAIDSTONE
TONBRIDGE ROAD
A26
Barming County Prim. Sch.
Playground Sports Field
Works
Fant House
Fant Farm
Hall Place Farm
War Mem.
BULL
BARMING
School Recreation Ground
Glebe Farm
Gatling Cottages
Orchard Cottages
Bydews Wood
Bydews Farm
CHURCH LANE
Court Lodge
RECTORY LANE
Homewood
Old Rectory Bungalow
The Oast House
Old Rectory
Barnjet Cottage
Barnjet Manor
Bridge Cottage
Works
RIVER MEDWAY
Barming Bridge
Riverdale
ME15
Prospect Place
Wood Cottages
Half Yoke Farm
Scraces
Beckett's Place
Piggeries
East Farleigh
Lone Cottage
Jupesa
East Lodge
West Lodge
ME15
Court Lodge Farm
Hopper's Corner
Warf Cottage
Lower Gallants Farm
HARTRIDGE FARM CARAVAN PARK
East Farleigh Bridge
LOWER ROAD
Kettle Corner
St. Helen's
Cricket Grd.
G
137
Adelaide Farm
Hillcroft
Kettle Farm
Hoplands
The Cottage
Nursery
Court Lodge Farm
Munsfield Oast
Valley Farm
Bungalow Farm
Library
FORGE
STATION
DEAN STREET
72
73
74
54
55
56
57
58

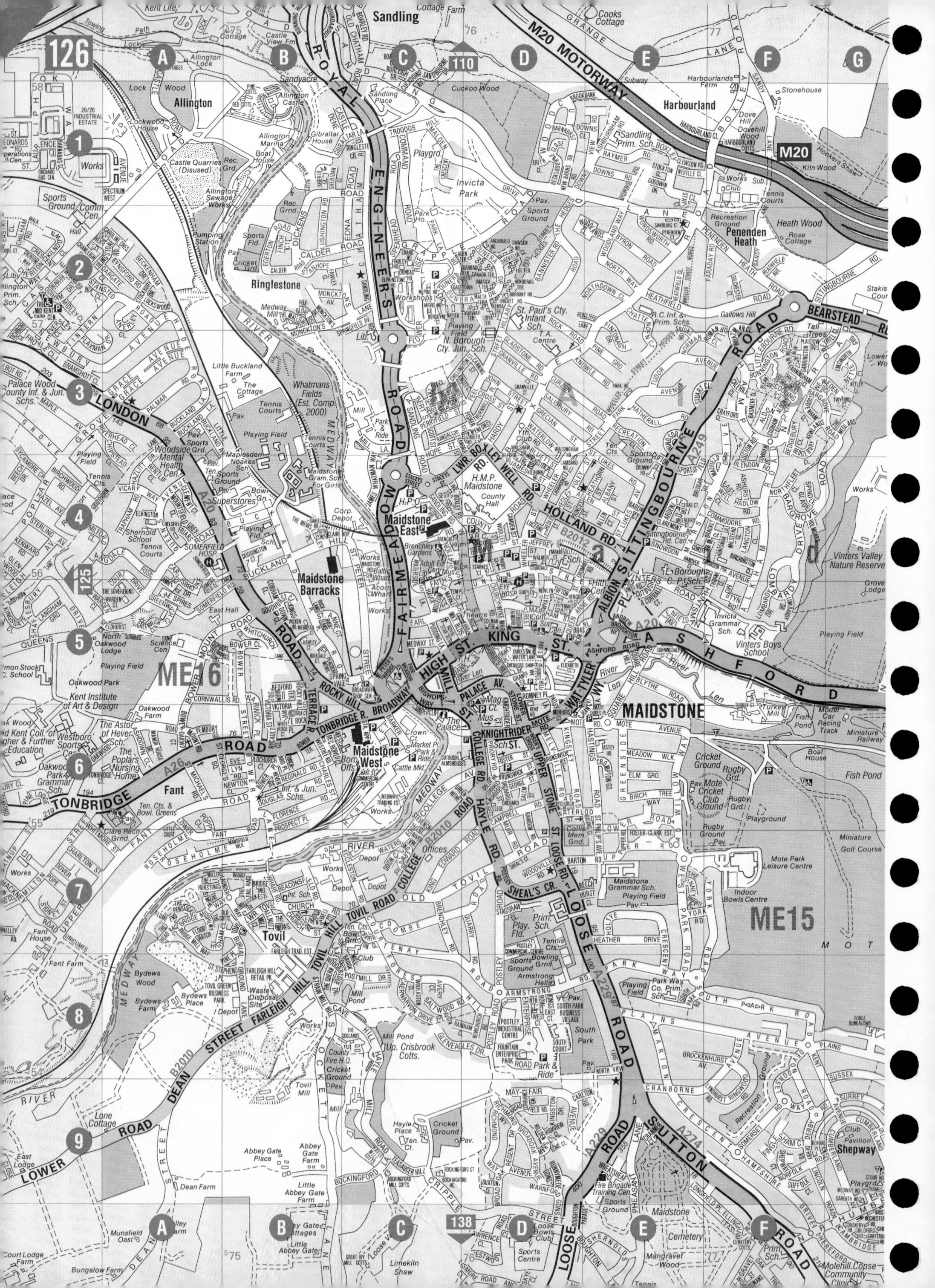

Sandling
M20 MOTORWAY
Harbourland
Allington
Ringlestone
Invicta Park
Penenden Heath
Heath Wood
ENGINEERS
ROYAL
FAIRMEADOW
Maidstone Barracks
Maidstone East
H.M.P. Maidstone
County Hall
HOLLAND RD.
SITTINGBOURNE
BEARSTEAD
LONDON
A20
ME16
ROCKY HILL
BROADWAY
HIGH ST.
KING ST.
ASHFORD
MAIDSTONE
Maidstone West
TONBRIDGE
A26
Fant
Tovil
TOVIL HILL
LOOSE
A229
ME15
Mote Park Leisure Centre
SUTTON
Shepway
LOWER ROAD
DEAN STREET
FARLEIGH HILL
B2010
Vinters Valley Nature Reserve
Whatmans Fields (Est. Comp. 2000)
Palace Wood County Inf. & Jun. Schs.
Kent Institute of Art & Design
Oakwood Park
Bydews Wood
Mill Pond
Maidstone Cemetery
Mangravet Wood
Rugby Grd.
Playing Field
Cricket Ground
Miniature Golf Course
Indoor Bowls Centre
Fish Pond
110
125
138

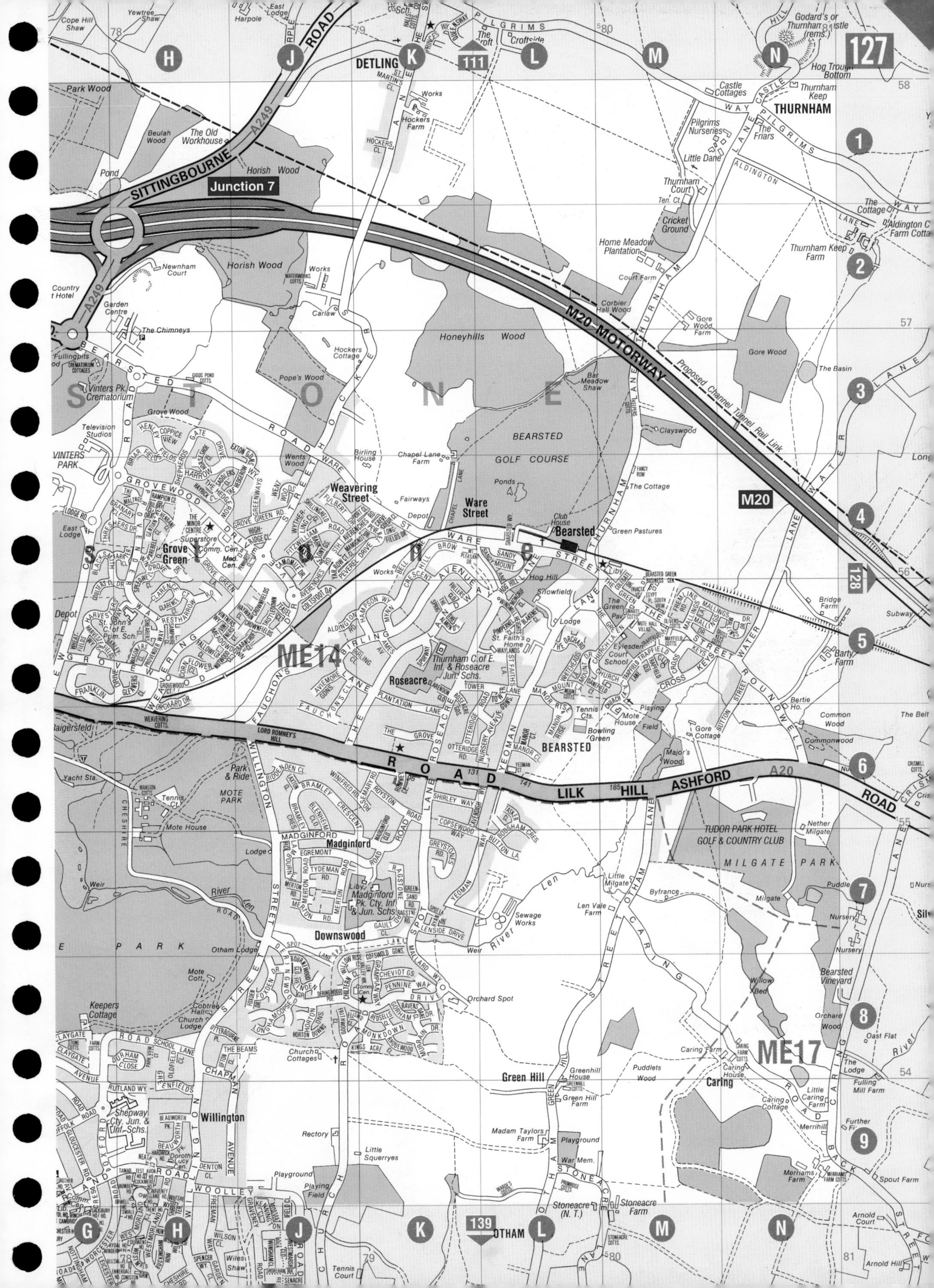

DETLING
THURNHAM
Junction 7
SITTINGBOURNE ROAD
A249
PILGRIMS WAY
M20 MOTORWAY
M20
Proposed Channel Tunnel Rail Link
Honeyhills Wood
Horish Wood
Park Wood
Beulah Wood
The Old Workhouse
Newnham Court
Garden Centre
The Chimneys
Vinters Pk. Crematorium
Grove Wood
Television Studios
VINTERS PARK
BEARSTED ROAD
WARE STREET
Weavering Street
Ware Street
Bearsted
BEARSTED GOLF COURSE
Grove Green
ME14
ME17
Roseacre
Thurnham C. of E. Inf. & Roseacre Jun. Schs.
BEARSTED
Bearsted Green
Gore Wood
The Basin
Clayswood
Thurnham Keep Farm
Thurnham Keep
Castle Cottages
Pilgrims Nurseries
Little Dane
Thurnham Court
Cricket Ground
Home Meadow Plantation
Court Farm
Corbier Hall Wood
Bat Meadow Shaw
Green Pastures
ROUNDWELL
Barty Farm
Bridge Farm
Common Wood
Commonwood
ASHFORD ROAD
LILK HILL
A20
TUDOR PARK HOTEL GOLF & COUNTRY CLUB
MILGATE PARK
Nether Milgate
Milgate
Little Milgate
Byfrance
Len Vale Farm
Sewage Works
River Len
MOTE PARK
Mote House
Park & Ride
Yacht Sta.
Madginford
Madginford Pk. Cty. Inf. & Jun. Schs.
Downswood
Otham Lodge
Orchard Spot
Keepers Cottage
Cobtree Hall
Church Lodge
Willington
Shepway Cty. Jun. & Inf. Schs.
Green Hill
Greenhill House
Green Hill Farm
Puddlets Wood
Caring
Caring House
Caring Farm
Little Caring Farm
Caring Cottage
Merrihill
Bearsted Vineyard
Orchard Wood
Oast Flat
The Lodge
Fulling Mill Farm
Further Fi.
Spout Farm
Merriams Farm
Madam Taylors Farm
Playground
War Mem.
Stoneacre (N. T.)
Stoneacre Farm
OTHAM
Rectory
Little Squerryes
Playing Field
Church Cottages
Arnold Court
Arnold Hill
Tennis Court
Willow Bed
111
128
139

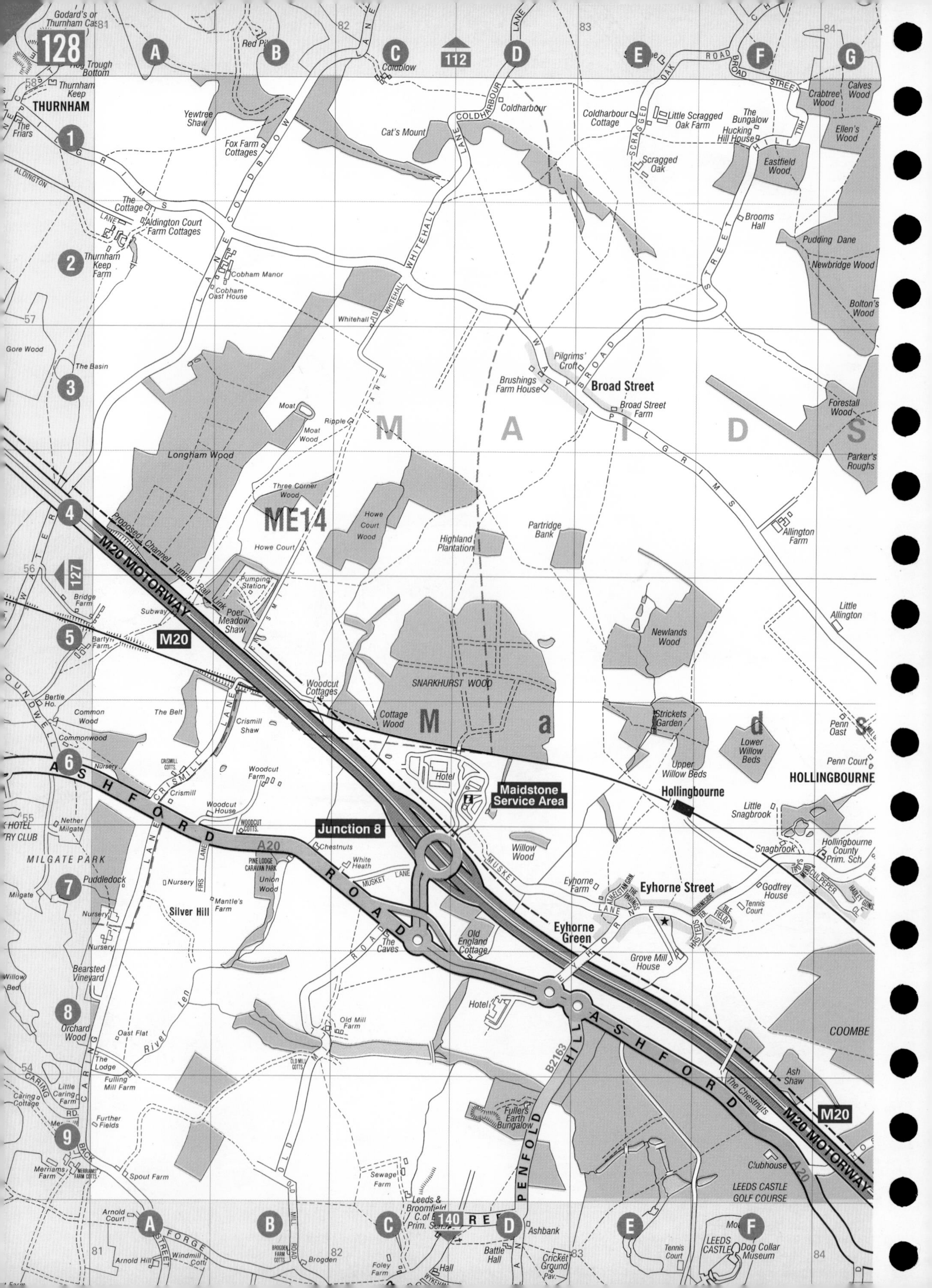

Godard's or Thurnham Castle
Red Pill
Coldblow
112
Hog Trough Bottom
Thurnham Keep
THURNHAM
The Friars
Yewtree Shaw
Fox Farm Cottages
Cat's Mount
Coldharbour
Coldharbour Cottage
Little Scragged Oak Farm
Scragged Oak
The Bungalow
Hucking Hill House
Crabtree Wood
Calves Wood
Ellen's Wood
Eastfield Wood
BROAD STREET
ROAD
The Cottage
Aldington Court Farm Cottages
Thurnham Keep Farm
Cobham Manor
Cobham Oast House
Brooms Hall
Pudding Dane
Newbridge Wood
Bolton's Wood
Whitehall
Gore Wood
The Basin
Pilgrims' Croft
Brushings Farm House
Broad Street
Broad Street Farm
Forestall Wood
Moat
Moat Wood
Ripple
Longham Wood
M A I D S
Parker's Roughs
Three Corner Wood
Howe Court Wood
ME14
Highland Plantation
Partridge Bank
Allington Farm
Howe Court
127
Pumping Station
Proposed Channel Tunnel Rail Link
M20 MOTORWAY
Bridge Farm
Subway
Poer Meadow Shaw
Little Allington
M20
Barty Farm
Newlands Wood
Bertie Ho.
Woodcut Cottages
SNARKHURST WOOD
Common Wood
The Belt
Crismill Shaw
Cottage Wood
M a d s
Strickets Garden
Commonwood
Penn Oast
Lower Willow Beds
Nursery
Crismill Cotts.
Crismill
Woodcut Farm
Hotel
Upper Willow Beds
Penn Court
HOLLINGBOURNE
ASHFORD ROAD
Maidstone Service Area
Hollingbourne
Little Snagbrook
Woodcut House
Woodcut Cotts.
Junction 8
Nether Milgate
A20
Chestnuts
Pine Lodge Caravan Park
White Heath
Willow Wood
Snagbrook
Hollingbourne County Prim. Sch.
MILGATE PARK
Puddledock
Musket Lane
Union Wood
Nursery
Mantle's Farm
Eyhorne Farm
Eyhorne Street
Godfrey House
Milgate
Silver Hill
Tennis Court
Nursery
Eyhorne Green
Old England Cottage
The Caves
Grove Mill House
Bearsted Vineyard
Willow Bed
Hotel
Orchard Wood
Oast Flat
Old Mill Farm
River Len
Old Mill Cotts.
COOMBE
The Lodge
Fulling Mill Farm
B2163
ASHFORD
Ash Shaw
Little Caring Farm
Caring Cottage
The Chestnuts
Further Fields
Fullers Earth Bungalow
M20 MOTORWAY
M20
Merriams Farm
Merriams Farm Cotts
Spout Farm
Sewage Farm
Clubhouse
PENFOLD
A20
Leeds & Broomfield C. of E. Prim. Sch.
LEEDS CASTLE GOLF COURSE
Arnold Court
140
Ashbank
Brogden Farm Cotts
Brogden
Battle Hall
Tennis Court
LEEDS CASTLE
Dog Collar Museum
Arnold Hill
Windmill Cotts
Foley Farm
Cricket Ground Pav.
Hall
FORGE STREET
OLD MILL ROAD

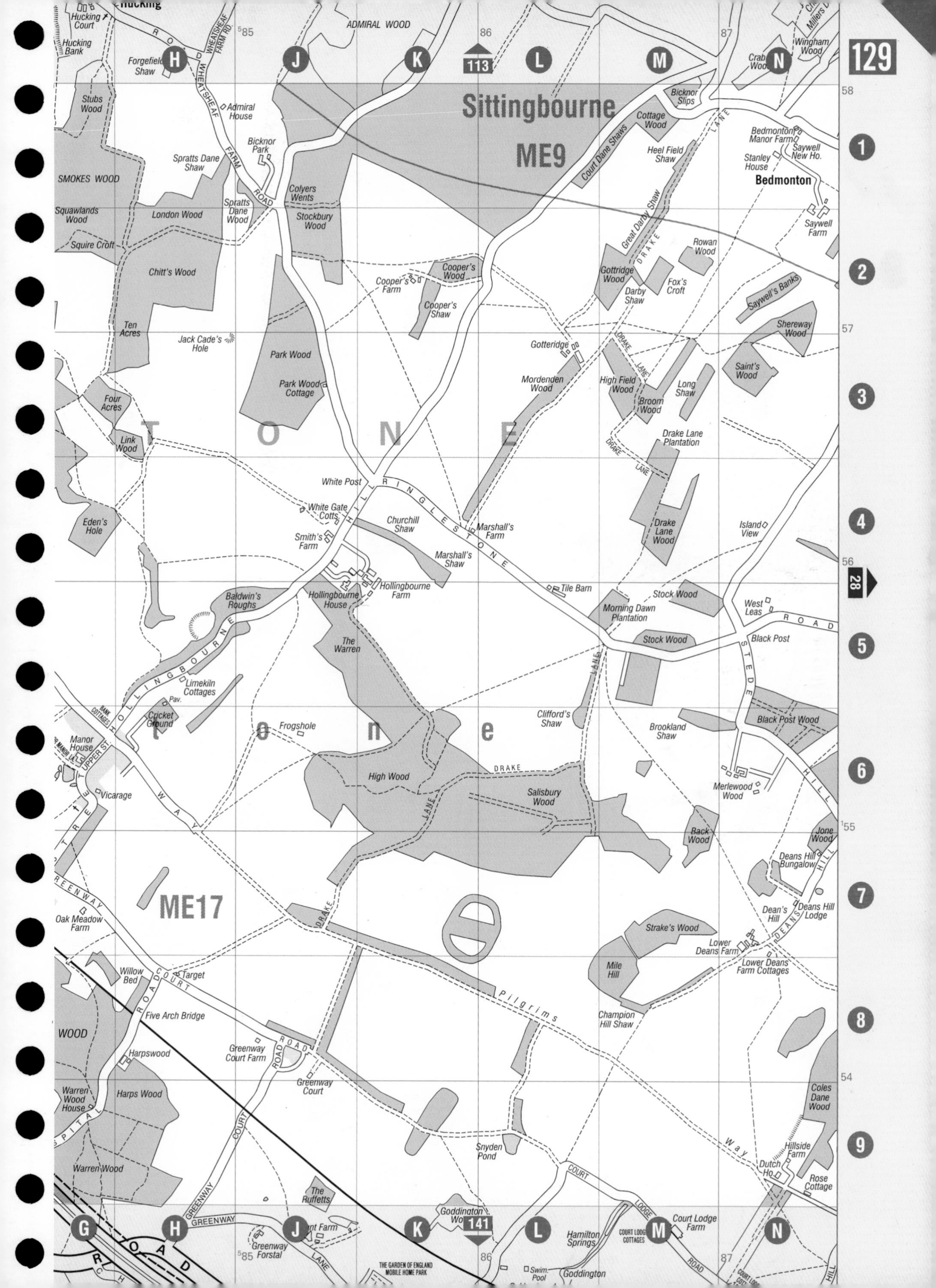
Sittingbourne
ME9
ME17
Bedmonton
Hucking
Hucking Court
Hucking Bank
Forgefield Shaw
ADMIRAL WOOD
Wingham Wood
Crab Wood
Stubs Wood
Admiral House
Bicknor Slips
Cottage Wood
Bedmonton Manor Farm
Saywell New Ho.
Stanley House
Bicknor Park
Spratts Dane Shaw
SMOKES WOOD
Colyers Wents
Court Dane Shaws
Heel Field Shaw
Squawlands Wood
London Wood
Spratts Dane Wood
Stockbury Wood
Great Darby Shaw
Saywell Farm
Squire Croft
Rowan Wood
Chitt's Wood
Cooper's Wood
Cooper's Farm
Gottridge Wood
Fox's Croft
Darby Shaw
Saywell's Banks
Cooper's Shaw
Ten Acres
Jack Cade's Hole
Shereway Wood
Gotteridge
Park Wood
Saint's Wood
Mordenden Wood
High Field Wood
Long Shaw
Park Wood Cottage
Broom Wood
Four Acres
Drake Lane Plantation
Link Wood
White Post
White Gate Cotts
Churchill Shaw
Island View
Eden's Hole
Smith's Farm
Marshall's Farm
Drake Lane Wood
Marshall's Shaw
Hollingbourne Farm
Tile Barn
Baldwin's Roughs
Hollingbourne House
Stock Wood
West Leas
Morning Dawn Plantation
Black Post
The Warren
Stock Wood
Limekiln Cottages
Clifford's Shaw
Pav.
Cricket Ground
Frogshole
Brookland Shaw
Black Post Wood
Manor House
Vicarage
High Wood
Salisbury Wood
Merlewood Wood
Back Wood
Jone Wood
Deans Hill Bungalow
Oak Meadow Farm
Dean's Hill
Deans Hill Lodge
Strake's Wood
Lower Deans Farm
Lower Deans Farm Cottages
Mile Hill
Willow Bed
Target
Champion Hill Shaw
Five Arch Bridge
WOOD
Greenway Court Farm
Harpswood
Greenway Court
Coles Dane Wood
Warren Wood House
Harps Wood
Snyden Pond
Hillside Farm
Dutch Ho.
Rose Cottage
Warren Wood
The Ruffetts
Goddington Wood
Court Lodge Farm
Hamilton Springs
COURT LODGE COTTAGES
Greenway Forstal
THE GARDEN OF ENGLAND MOBILE HOME PARK
Swim. Pool
Goddington
ROAD
WHEATSHEAF FARM RD.
WHEATSHEAF FARM ROAD
DRAKE LANE
HOLLINGBOURNE HILL
RINGLESTONE ROAD
STEDE HILL
LANE
DRAKE LANE
UPPER ST.
STREET
WAY
GREENWAY
DRAKE
Pilgrims Way
COURT ROAD
GREENWAY COURT ROAD
GREENWAY LANE
COURT LODGE ROAD
DEANS HILL
BANK COTTAGES
MANOR
T O N E
t o n e
113
141
28
G
H
J
K
L
M
N
85
86
87
58
57
56
55
54
1
2
3
4
5
6
7
8
9

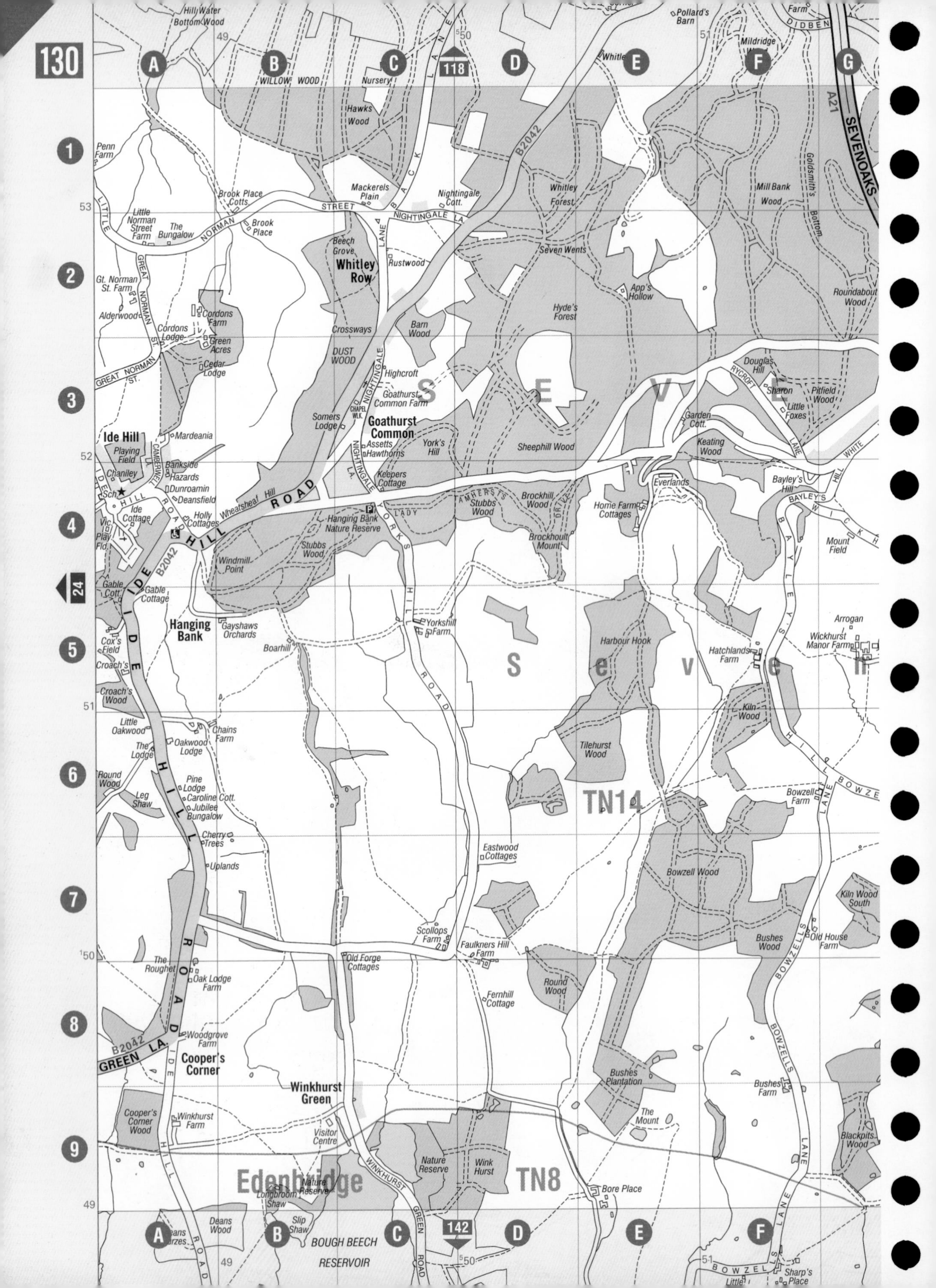

Hill Water Bottom Wood
Pollard's Barn
Mildridge
DIDBEN
118
WILLOW WOOD
Nursery
Whitley
Hawks Wood
Penn Farm
B2042
A21
SEVENOAKS
Goldsmith's Bottom
Mill Bank Wood
Whitley Forest
Mackerels Plain
Nightingale Cott.
Brook Place Cotts.
LITTLE NORMAN STREET
Little Norman Street Farm
The Bungalow
Brook Place
NIGHTINGALE LA.
BACK LANE
Beech Grove
Whitley Row
Rustwood
Seven Wents
App's Hollow
Gt. Norman St. Farm
GREAT NORMAN ST.
Alderwood
Cordons Farm
Cordons Lodge
Green Acres
Cedar Lodge
Crossways
Barn Wood
Hyde's Forest
Roundabout Wood
DUST WOOD
Highcroft
Douglas Hill
RYCROFT
Sharon
Pitfield Wood
Little Foxes
Goathurst Common Farm
CHAPEL WLK.
Somers Lodge
Goathurst Common
Garden Cott.
Ide Hill
Mardeania
Playing Field
CAMBERWELL ROAD
Bankside
Hazards
Assetts
Hawthorns
York's Hill
Sheephill Wood
Keating Wood
WHITE HILL
Chanliey
Sch.
Dunroamin
Deansfield
Keepers Cottage
Everlands
Bayley's Hill
BAYLEY'S
Wheatsheaf Hill
ROAD
Brockhill Wood
Home Farm Cottages
Ide Cottage
Holly Cottages
AMHERST'S
Stubbs Wood
DRIVE
LADY
Hanging Bank Nature Reserve
Brockhoult Mount
Mount Field
Vic. Play Fld.
Stubbs Wood
Windmill Point
YORKS HILL ROAD
24
Gable Cott.
Gable Cottage
Arrogan
Hanging Bank
Gayshaws Orchards
Yorkshill Farm
Wickhurst Manor Farm
Cox's Field
Boarhill
Harbour Hook
Hatchlands Farm
Croach's
Croach's Wood
Sevenoaks
Kiln Wood
Little Oakwood
Chains Farm
The Lodge
Oakwood Lodge
Tilehurst Wood
Round Wood
Pine Lodge
Caroline Cott.
Jubilee Bungalow
Leg Shaw
TN14
BOWZELL
Bowzell Farm
Cherry Trees
Eastwood Cottages
Uplands
Bowzell Wood
Kiln Wood South
Scollops Farm
Faulkners Hill Farm
Old House Farm
Bushes Wood
The Roughet
Old Forge Cottages
Oak Lodge Farm
Round Wood
BOWZELLS LANE
Fernhill Cottage
IDE HILL ROAD
Woodgrove Farm
B2042
GREEN LA.
Cooper's Corner
Bushes Plantation
Bushes Farm
Winkhurst Green
Cooper's Corner Wood
Winkhurst Farm
The Mount
Visitor Centre
Blackpits Wood
Nature Reserve
Wink Hurst
Edenbridge
TN8
Bore Place
Nature Reserve
Longbroom Shaw
WINKHURST GREEN ROAD
142
Deans Wood
Slip Shaw
BOUGH BEECH RESERVOIR
BOWZELLS LANE
Sharp's Place
Little
A B C D E F G
1 2 3 4 5 6 7 8 9
49 50 51 52 53

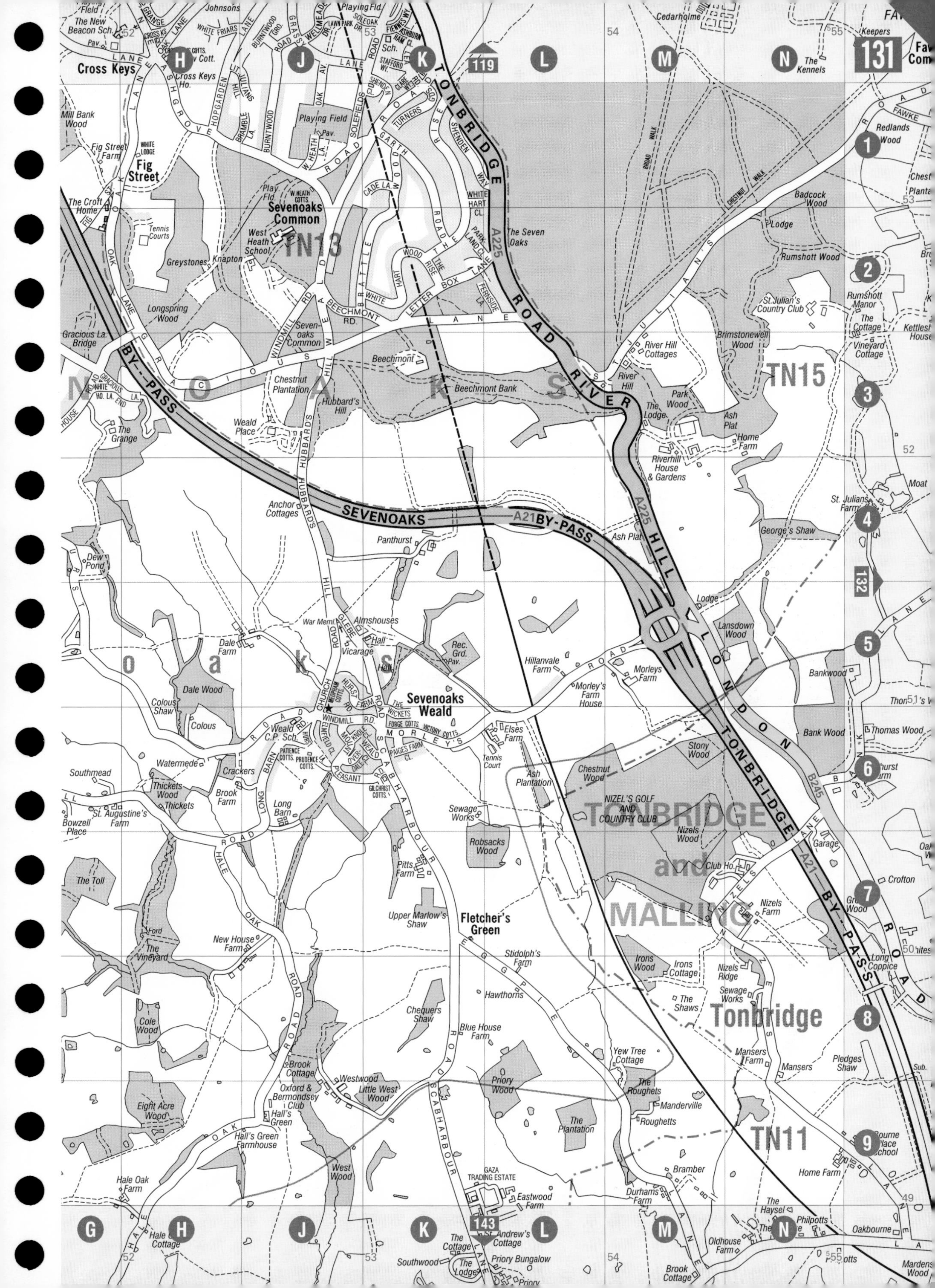

131
119
132
143
H
J
K
L
M
N
1
2
3
4
5
6
7
8
9
G
52
53
54
55
51
50
49
Cross Keys
The New Beacon Sch.
Johnsons
Playing Fld.
Cedarholme
The Kennels
Keepers
Mill Bank Wood
Fig Street Farm
Fig Street
Playing Field
Redlands Wood
The Croft Home
Sevenoaks Common
West Heath School
TN13
Tennis Courts
Greystones
Knapton
The Seven Oaks
Badcock Wood
Lodge
Rumshott Wood
Rumshott Manor
The Cottage
St. Julian's Country Club
Vineyard Cottage
Longspring Wood
Gracious La. Bridge
Sevenoaks Common
Beechmont
Chestnut Plantation
Hubbard's Hill
Beechmont Bank
River Hill Cottages
River Hill
Brimstonewell Wood
TN15
Park Wood
The Lodge
Ash Plat
Home Farm
The Grange
Weald Place
Riverhill House & Gardens
Moat
St. Julians Farm
Anchor Cottages
SEVENOAKS BY-PASS
A21
A225
TONBRIDGE ROAD
RIVER HILL
LONDON ROAD
TONBRIDGE BY-PASS
George's Shaw
Ash Plat
Panthurst
Dew Pond
Lodge
Lansdown Wood
Almshouses
War Meml.
Vicarage
Hall
Rec. Grd.
Pav.
Dale Farm
Hillanvale Farm
Morleys Farm
Morley's Farm House
Bankwood
Dale Wood
Colous Shaw
Colous
Sevenoaks Weald
Weald C.P. Sch.
Elses Farm
Bank Wood
Thomas Wood
Stony Wood
Chestnut Wood
Southmead
Watermede
Crackers
Thickets Wood
Thickets
Brook Farm
St. Augustine's Farm
Bowzell Place
Long Barn
Tennis Court
Ash Plantation
NIZEL'S GOLF AND COUNTRY CLUB
TONBRIDGE and MALLING
Nizels Wood
Sewage Works
Robsacks Wood
Garage
The Toll
Pitts Farm
Club Ho.
Crofton
Nizels Farm
Upper Marlow's Shaw
Fletcher's Green
Ford
The Vineyard
New House Farm
Stidolph's Farm
Irons Wood
Irons Cottage
Nizels Ridge
Long Coppice
Hawthorns
Sewage Works
The Shaws
Tonbridge
Cole Wood
Chequers Shaw
Blue House Farm
Yew Tree Cottage
Mansers Farm
Mansers
Pledges Shaw
Brook Cottage
Westwood
Little West Wood
Priory Wood
The Roughets
Manderville
Oxford & Bermondsey Club
Hall's Green
Eight Acre Wood
Roughetts
The Plantation
TN11
Bourne Place School
Hall's Green Farmhouse
West Wood
GAZA TRADING ESTATE
Bramber
Home Farm
Hale Oak Farm
Eastwood Farm
Durhams Farm
The Haysel
Philpotts
Oakbourne
Hale Oak Cottage
The Cottage
St. Andrew's Cottage
Oldhouse Farm
Southwood
The Lodge
Priory Bungalow
Brook Cottage
Mardens Wood

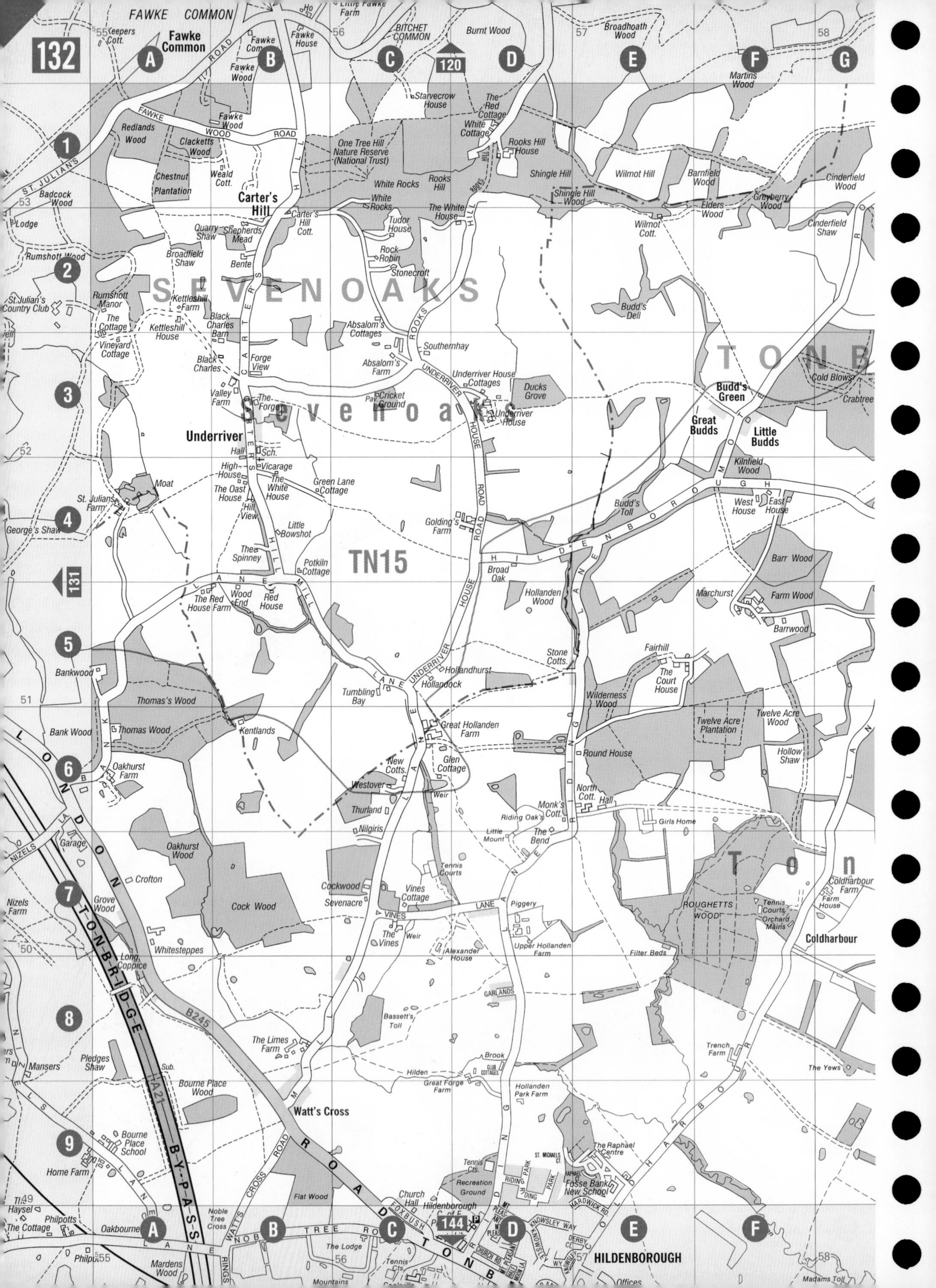
FAWKE COMMON
Fawke Common
Keepers Cott.
Fawke Common
Fawke Wood
Fawke House
BITCHET COMMON
Burnt Wood
120
Broadhoath Wood
Martins Wood
Redlands Wood
FAWKE WOOD ROAD
Fawke Wood
Clacketts Wood
Chestnut Plantation
Weald Cott.
Starvecrow House
The Red Cottage
White Cottage
Rooks Hill House
One Tree Hill Nature Reserve (National Trust)
White Rocks
Rooks Hill
Shingle Hill
Wilmot Hill
Barnfield Wood
Cinderfield Wood
Shingle Hill Wood
Elders Wood
Greyberry Wood
Wilmot Cott.
Cinderfield Shaw
ST. JULIANS
Badcock Wood
Lodge
Carter's Hill
Carter's Hill Cott.
White Rocks
The White House
Tudor House
Quarry Shaw
Shepherds Mead
Broadfield Shaw
Bente
Rock Robin
Stonecroft
Rumshott Wood
St. Julian's Country Club
Rumshott Manor
SEVENOAKS
Kettleshill Farm
The Cottage
Kettleshill House
Black Charles Barn
Vineyard Cottage
Absalom's Cottages
Southernhay
Budd's Dell
TONB
Black Charles
Forge View
Absalom's Farm
Underriver House Cottages
Ducks Grove
Cold Blows
Crabtree
Budd's Green
Valley Farm
The Forge
Pav.
Cricket Ground
Sevenoaks
Underriver House
Great Budds
Little Budds
Underriver
Hall
Sch.
High House
Vicarage
Kilnfield Wood
Moat
The Oast House
The White House
Green Lane Cottage
St. Julians Farm
Hill View
Budd's Toll
West House
East House
George's Shaw
Little Bowshot
Golding's Farm
HILDENBOROUGH
The Spinney
Potkiln Cottage
TN15
Broad Oak
Barr Wood
131
The Red House Farm
Wood End
Red House
Hollanden Wood
Marchurst
Farm Wood
Barrwood
Bankwood
Hollandhurst
Stone Cotts.
Fairhill
The Court House
Tumbling Bay
Hollandock
Wilderness Wood
Thomas's Wood
Great Hollanden Farm
Twelve Acre Plantation
Twelve Acre Wood
Bank Wood
Thomas Wood
Kentlands
Round House
Hollow Shaw
Oakhurst Farm
New Cotts.
Glen Cottage
Westover
Weir
North Cott.
Hall
Monk's Cott.
Riding Oak's
Thurland
Little Mount
The Bend
Girls Home
NIZELS LA
Garage
Nilgiris
Oakhurst Wood
Tennis Courts
Ton
Crofton
Cockwood
Vines Cottage
Coldharbour Farm
Tennis Courts
Farm House
Orchard Mains
ROUGHETTS WOOD
Nizels Farm
Grove Wood
Sevenacre
VINES LANE
Piggery
Cock Wood
The Vines
Weir
Alexander House
Upper Hollanden Farm
Filter Beds
Coldharbour
Whitesteppes
Long Coppice
TONBRIDGE
LONDON
GARLANDS
B245
Bassett's Toll
Trench Farm
The Yews
Mansers
Pledges Shaw
The Limes Farm
Brook
CLUB COTTAGES
Hilden
Great Forge Farm
Sub.
Bourne Place Wood
Hollanden Park Farm
A21
BY-PASS
Watt's Cross
Bourne Place School
CROSS ROAD
The Raphael Centre
ST. MICHAELS CT.
Home Farm
Tennis Cts.
Recreation Ground
RIDING PARK
Fosse Bank New School
Flat Wood
Church Hall
Hildenborough C. of E.
Haysel
Philpotts
The Cottage
Oakbourne
Noble Tree Cross
NOBLE TREE RD
FOXBUSH
144
KNOWSLEY WAY
DERBY
HARDWICK RD
Philpots
The Lodge
Tennis Cts.
Mardens Wood
RINGS
CHURCH RD
HILDENBOROUGH
Mountains
Offices
Madams Toll
55
56
57
58
53
52
51
50
49
A
B
C
D
E
F
G
1
2
3
4
5
6
7
8
9

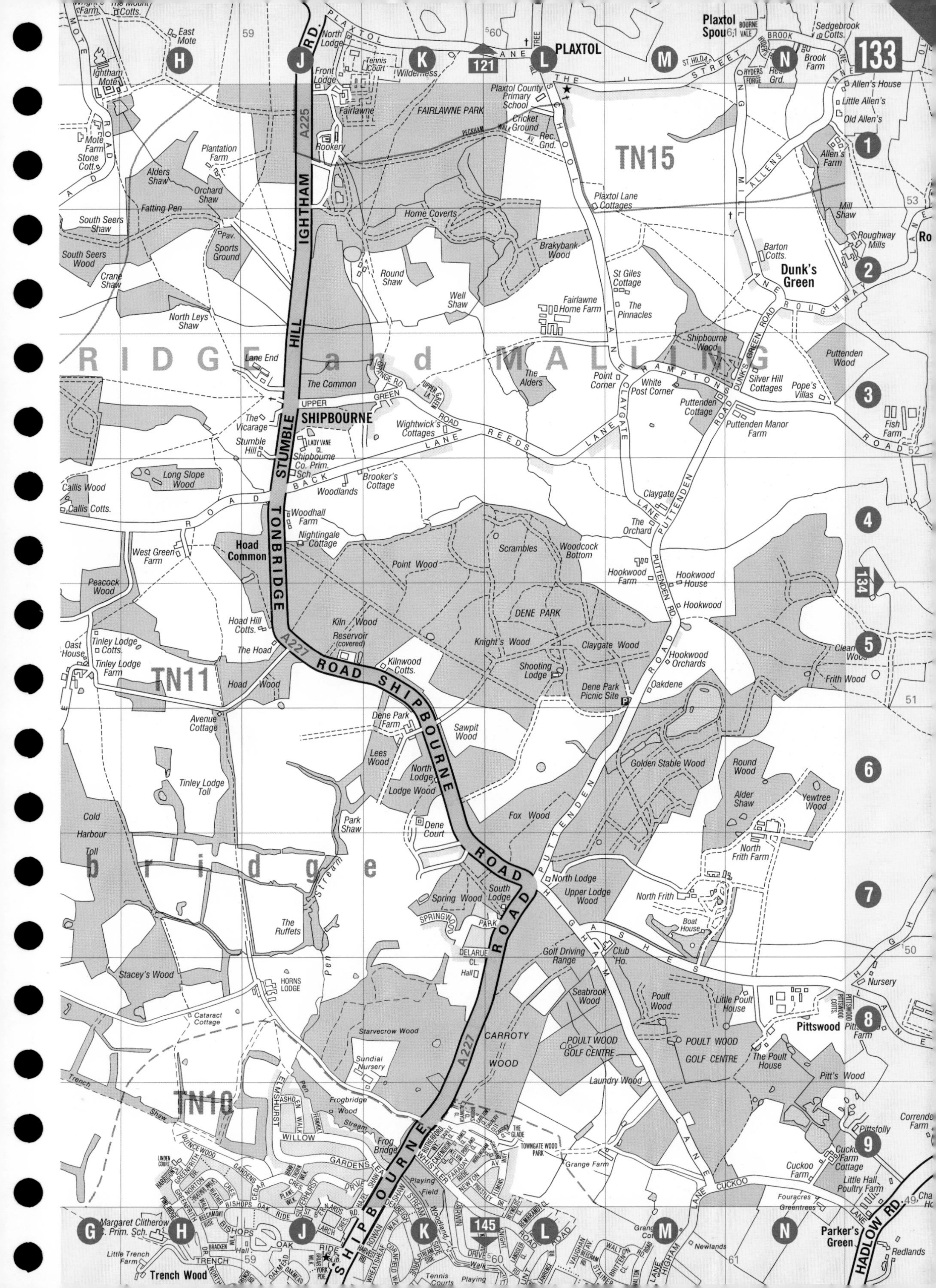
PLAXTOL
Plaxtol Spout
TN15
TN11
TN10
RIDGE and MALLING
bridge
SHIPBOURNE
Dunk's Green
Ightham Mote
East Mote
Fairlawne
FAIRLAWNE PARK
Plaxtol County Primary School
Cricket Ground
Rookery
Plantation Farm
Alders Shaw
Orchard Shaw
Fatting Pen
South Seers Shaw
South Seers Wood
Sports Ground
Crane Shaw
North Leys Shaw
Home Coverts
Round Shaw
Well Shaw
Brakybank Wood
St Giles Cottage
Fairlawne Home Farm
The Pinnacles
Plaxtol Lane Cottages
Allen's House
Little Allen's
Old Allen's
Allen's Farm
Mill Shaw
Roughway Mills
Barton Cotts.
Shipbourne Wood
Puttenden Wood
Silver Hill Cottages
Pope's Villas
Puttenden Cottage
Puttenden Manor Farm
Fish Farm
White Post Corner
Point Corner
The Alders
The Common
Lane End
The Vicarage
Stumble Hill
Wightwick's Cottages
Shipbourne Co. Prim. Sch.
Brooker's Cottage
Woodlands
Long Slope Wood
Callis Wood
Callis Cotts.
Woodhall Farm
Nightingale Cottage
Hoad Common
West Green Farm
Peacock Wood
Point Wood
Scrambles
Woodcock Bottom
Claygate
The Orchard
Hookwood Farm
Hookwood House
Hookwood
DENE PARK
Knight's Wood
Claygate Wood
Kiln Wood
Reservoir (covered)
Kilnwood Cotts.
Shooting Lodge
Dene Park Picnic Site
Hookwood Orchards
Oakdene
Frith Wood
Hoad Hill Cotts.
The Hoad
Hoad Wood
Oast House
Tinley Lodge Cotts.
Tinley Lodge Farm
Avenue Cottage
Dene Park Farm
Sawpit Wood
Lees Wood
North Lodge
Lodge Wood
Golden Stable Wood
Round Wood
Alder Shaw
Yewtree Wood
Tinley Lodge Toll
Cold Harbour Toll
Park Shaw
Dene Court
Fox Wood
North Frith Farm
North Frith
Boat House
Upper Lodge Wood
Spring Wood
South Lodge
The Ruffets
Golf Driving Range
Club Ho.
Stacey's Wood
HORNS LODGE
Cataract Cottage
Seabrook Wood
Poult Wood
Little Poult House
Pittswood
POULT WOOD GOLF CENTRE
The Poult House
Starvecrow Wood
CARROTY WOOD
Sundial Nursery
Laundry Wood
Pitt's Wood
Frogbridge Wood
Frog Bridge
Trench Shaw
Towngate Wood Park
Grange Farm
Cuckoo Farm
Cuckoo Farm Cottage
Little Hall Poultry Farm
Fouracres
Greentrees
Parker's Green
Redlands
Nursery
Pittsfolly
Margaret Clitherow R.C. Prim. Sch.
Little Trench Farm
Trench Wood
Playing Field
Tennis Courts
Newlands
IGHTHAM RD.
STUMBLE HILL
TONBRIDGE ROAD
SHIPBOURNE ROAD
A225
A227
PUTTENDEN RD.
CLAYGATE LANE
HIGHAM LANE
ASHES LANE
HADLOW RD.
CUCKOO LANE
ROUGHWAY LANE
REEDS LANE
BACK LANE
UPPER GREEN ROAD
HAMPTONS ROAD
DUNK'S GREEN ROAD
MILL LANE
SCHOOL LANE
THE STREET
PLAXTOL LANE
WILLOW
GARDENS
BISHOPS OAK RIDE
121
134
145
59
560
61
53
52
51
50
49

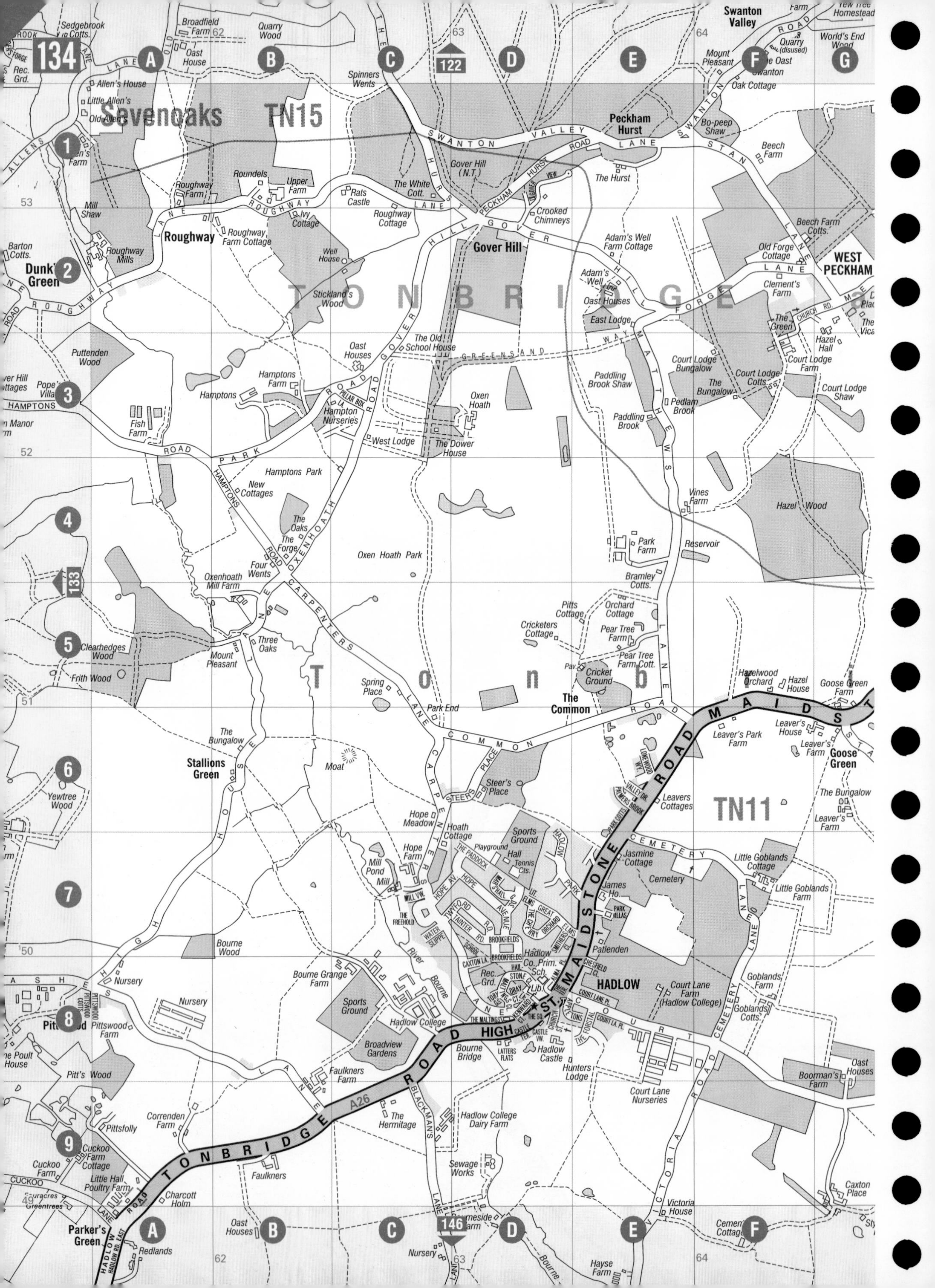
Sedgebrook Cotts.
Broadfield Farm
Quarry Wood
Oast House
Allen's House
Little Allen's
Old Allen's
Rec. Grd.
Sevenoaks
TN15
Spinners Wents
Swanton Valley
Mount Pleasant
Quarry (disused)
World's End Wood
Yew Tree Homestead
Oak Cottage
Peckham Hurst
Bo-peep Shaw
Beech Farm
SWANTON VALLEY LANE
HURST LANE
Gover Hill (N.T.)
The Hurst
Roundels
Upper Farm
Roughway Farm
Rats Castle
The White Cott.
Mill Shaw
Roughway
Roughway Farm Cottage
Ivy Cottage
Roughway Cottage
Crooked Chimneys
Adam's Well Farm Cottage
Beech Farm Cotts.
Old Forge Cottage
WEST PECKHAM
Roughway Mills
Barton Cotts.
Dunk's Green
Well House
Gover Hill
Adam's Well
Oast Houses
Clement's Farm
TONBRIDGE
Stickland's Wood
East Lodge
The Green
CHURCH RD.
Hazel Hall
Puttenden Wood
Oast Houses
The Old School House
GREENSAND WAY
Court Lodge Bungalow
Court Lodge Farm
Court Lodge Cotts.
Hamptons Farm
Paddling Brook Shaw
The Bungalow
Court Lodge Shaw
Hamptons
PILLAR BOX LA.
Hampton Nurseries
Oxen Hoath
Paddling Brook
Pedlam Brook
Fish Farm
West Lodge
The Dower House
HAMPTONS
HAMPTONS ROAD
PARK ROAD
Hamptons Park
New Cottages
Vines Farm
Hazel Wood
OXENHOATH ROAD
The Oaks
The Forge
Oxen Hoath Park
Park Farm
Reservoir
Four Wents
Oxenhoath Mill Farm
Bramley Cotts.
Pitts Cottage
Orchard Cottage
Clearhedges Wood
Three Oaks
Mount Pleasant
CARPENTERS LANE
Cricketers Cottage
Pear Tree Farm
Pear Tree Farm Cott.
Frith Wood
Spring Place
Pav.
Cricket Ground
Hazelwood Orchard
Hazel House
Goose Green Farm
Tonbridge
The Common
Park End
COMMON ROAD
MAIDSTONE ROAD
Leaver's House
Leaver's Park Farm
Leaver's Farm
Goose Green
The Bungalow
Stallions Green
Moat
Yewtree Wood
STEERS PLACE
Steer's Place
Leavers Cottages
TN11
Leaver's Farm
Hope Meadow
Hoath Cottage
Sports Ground
Hall
Tennis Cts.
Playground
THE PADDOCK
Hope Farm
Mill Pond
Mill
MILL VW.
CEMETERY LANE
Jasmine Cottage
Cemetery
Little Goblands Cottage
Little Goblands Farm
James Ho.
PARK VILLAS
THE FREEHOLD
Bourne Wood
Patlenden
Hadlow Co. Prim. Sch.
Rec. Grd.
Lib.
Bourne Grange Farm
Nursery
Nursery
HADLOW
Court Lane Farm (Hadlow College)
Goblands Farm
Goblands Cotts.
Sports Ground
Hadlow College
HIGH HOUSE LANE
ASH HILL
Pittswood
Pittswood Farm
The Poult House
Broadview Gardens
Bourne Bridge
HIGH ST.
Hadlow Castle
Hunters Lodge
COURT LANE
Court Lane Nurseries
Oast Houses
Boorman's Farm
River Bourne
Pitt's Wood
Faulkners Farm
A26
BLACKMAN'S LANE
The Hermitage
Hadlow College Dairy Farm
Correnden Farm
Pittsfolly
TONBRIDGE ROAD
Cuckoo Farm Cottage
Cuckoo Farm
Little Hall Poultry Farm
Faulkners
Sewage Works
Charcott Holm
VICTORIA ROAD
Caxton Place
CUCKOO LANE
Fouracres
Greentrees
Victoria House
Oast Houses
Parker's Green
Redlands
Nursery
Cemetery Cottage
Hayse Farm
HADLOW RD. EAST
HADLOW ROAD
122
133
146
A B C D E F G
1 2 3 4 5 6 7 8 9
62 63 64
53 52 51 50 49

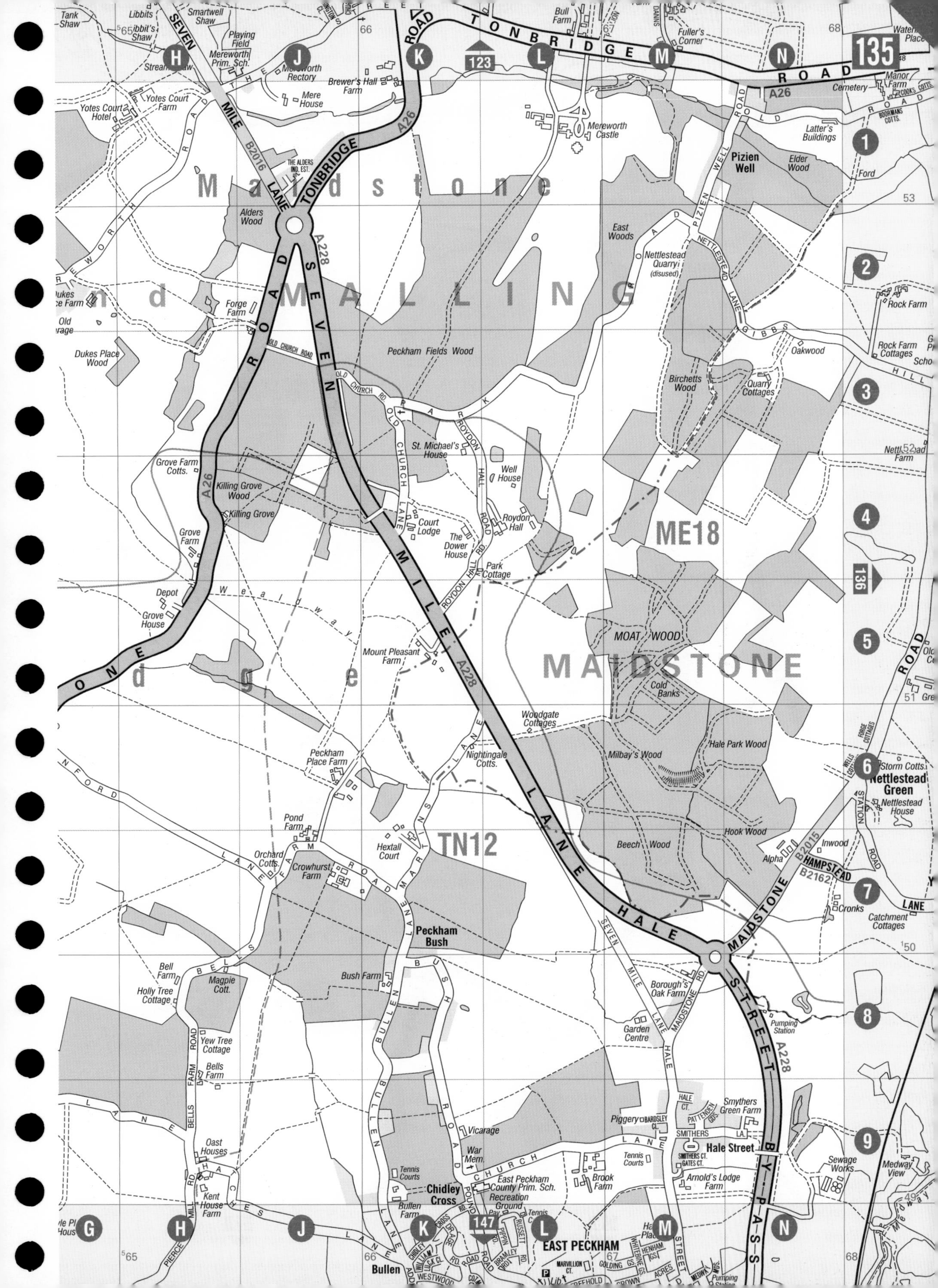
Mereworth Castle
Pizien Well
Nettlestead Quarry (disused)
Peckham Fields Wood
St. Michael's House
Roydon Hall
Killing Grove Wood
ME18
MOAT WOOD
MAIDSTONE
Mount Pleasant Farm
Milbay's Wood
Hale Park Wood
Nettlestead Green
TN12
Peckham Bush
Beech Wood
Hook Wood
Hale Street
Chidley Cross
EAST PECKHAM
Bullen
TONBRIDGE ROAD
SEVEN MILE LANE
MAIDSTONE ROAD
HALE STREET BY-PASS
A26
A228
B2016
B2015
B2162
123
136
147

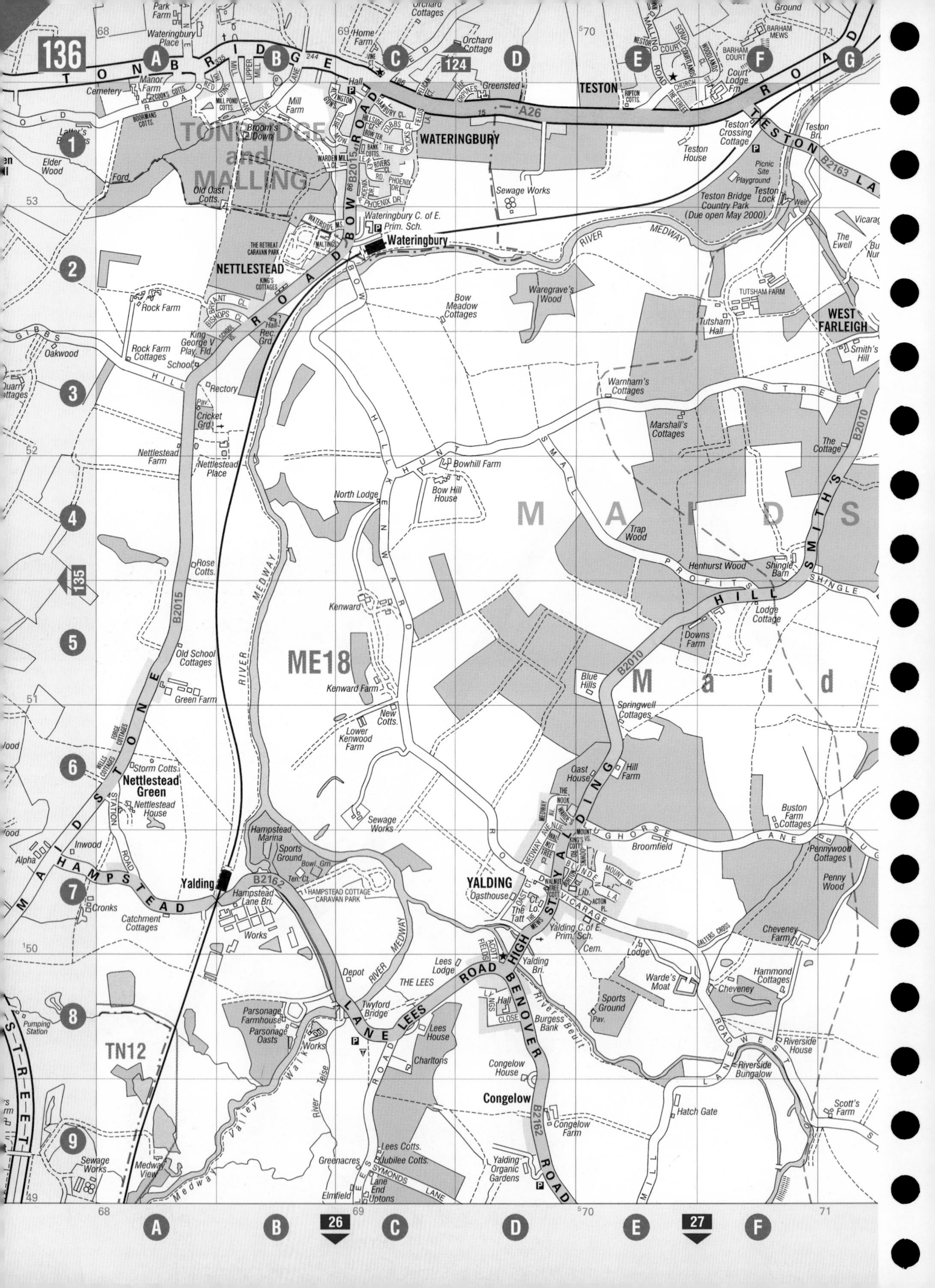

TONBRIDGE ROAD
TESTON ROAD
TONBRIDGE and MALLING
WATERINGBURY
NETTLESTEAD
TESTON
WEST FARLEIGH
MAIDSTONE
Maid
ME18
TN12
YALDING
Congelow
Nettlestead Green
Wateringbury
Yalding
Cemetery
Manor Farm
Wateringbury Place
Home Farm
Orchard Cottage
Mill Farm
Broom's Down
Old Oast Cotts.
Elder Wood
Ford
Sewage Works
Teston House
Teston Crossing Cottage
Teston Bri.
Picnic Site
Playground
Teston Lock
Weir
Teston Bridge Country Park (Due open May 2000)
RIVER MEDWAY
Wateringbury C. of E. Prim. Sch.
THE RETREAT CARAVAN PARK
Rock Farm
Rock Farm Cottages
Oakwood
King George V Play. Fld.
School
Hall Rec. Grd.
Rectory
Cricket Grd.
Nettlestead Farm
Nettlestead Place
Bow Meadow Cottages
Waregrave's Wood
Tutsham Hall
TUTSHAM FARM
Smith's Hill
Warnham's Cottages
Marshall's Cottages
The Cottage
Bowhill Farm
Bow Hill House
North Lodge
Trap Wood
Henhurst Wood
Shingle Barn
Lodge Cottage
Downs Farm
Kenward
Kenward Farm
Rose Cotts.
Old School Cottages
Green Farm
Blue Hills
Springwell Cottages
New Cotts.
Lower Kenwood Farm
Storm Cotts.
Nettlestead House
Oast House
Hill Farm
Sewage Works
Hampstead Marina
Sports Ground
Buston Farm Cottages
Broomfield
Pennywood Cottages
Penny Wood
Inwood
Alpha
Cronks
Catchment Cottages
Hampstead Lane Bri.
HAMPSTEAD COTTAGE CARAVAN PARK
Works
Oasthouse
Yalding C. of E. Prim. Sch.
Cem.
Lodge
Cheveney Farm
Yalding Bri.
Depot
THE LEES
Lees Lodge
Warde's Moat
Cheveney
Hammond Cottages
Sports Ground
Burgess Bank
Twyford Bridge
Parsonage Farmhouse
Parsonage Oasts
Lees House
Charltons
Congelow House
Riverside House
Riverside Bungalow
Pumping Station
Hatch Gate
Scott's Farm
Congelow Farm
Sewage Works
Medway View
Medway Valley Walk
River Teise
Greenacres
Lees Cotts.
Jubilee Cotts.
Lane End Uptons
Elmfield
Yalding Organic Gardens
HIGH STREET
BENOVER ROAD
LEES ROAD
LANE
MILL LANE
WEST LANE
SYMONDS LANE
HAMPSTEAD LANE
MAIDSTONE ROAD
STATION ROAD
KENWARD ROAD
HUNT STREET
SMALL
PROFIT HILL
SHINGLE
LUGHORSE LANE
VICARAGE
SALTERS CROSS
SMITHS HILL
B2015
B2010
B2162
B2163
A26
124
135
26
27

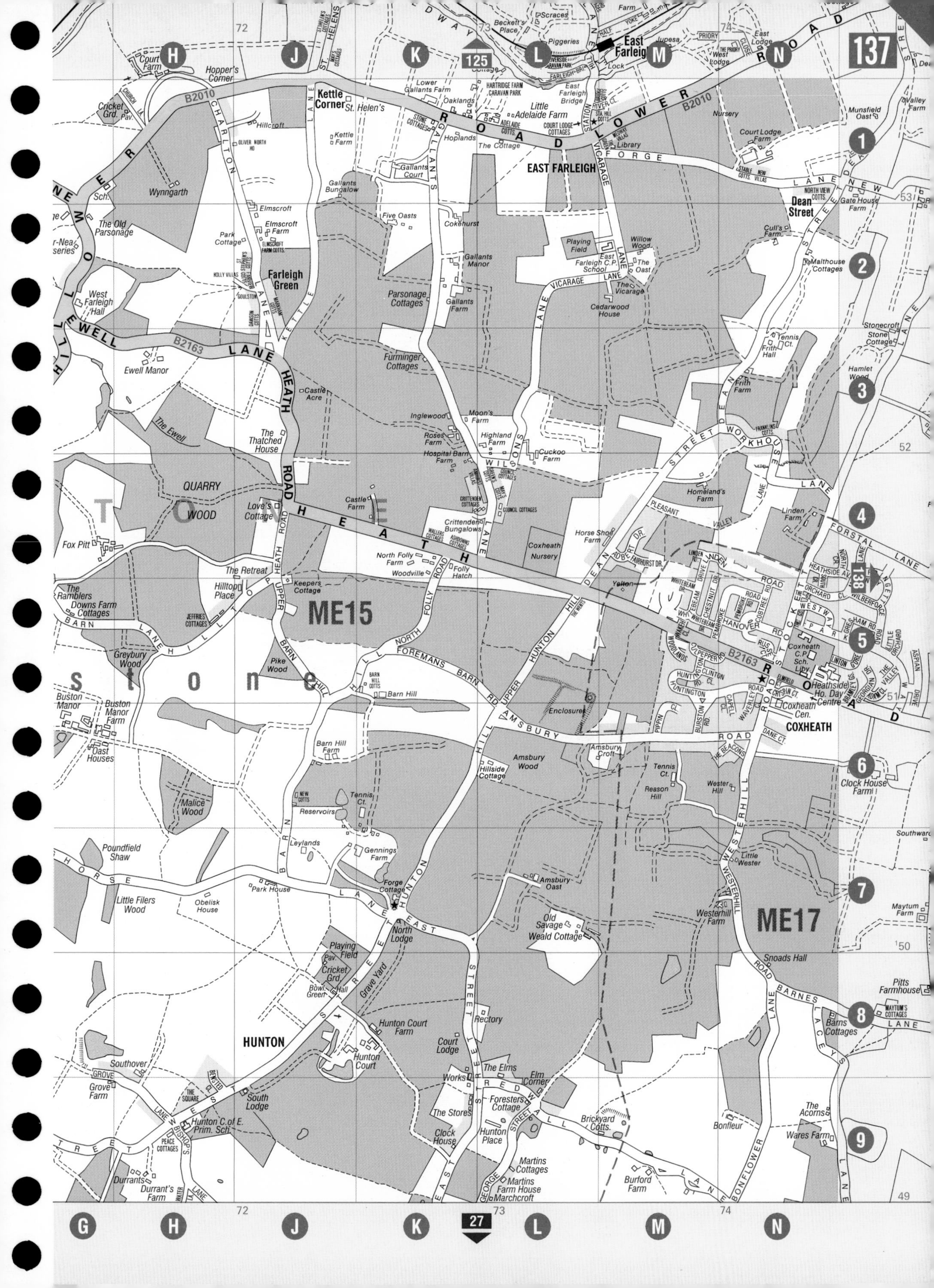

East Farleigh
EAST FARLEIGH
Kettle Corner
Farleigh Green
Dean Street
COXHEATH
HUNTON
ME15
ME17
LOWER ROAD
B2010
HEATH ROAD
B2163
EWELL LANE
HEATH LANE
FORGE LANE
VICARAGE LANE
WORKHOUSE LANE
WESTERHILL ROAD
AMSBURY ROAD
FOREMANS BARN RD
BARNES LANE
EAST STREET
WEST STREET
BONFLOWER LANE
HORSE LANE
QUARRY WOOD
Maidstone
Ewell Manor
West Farleigh Hall
Greybury Wood
Pike Wood
Malice Wood
Amsbury Wood
Poundfield Shaw
Little Filers Wood
Hunton Court
Hunton Court Farm
Westerhill Farm
Snoads Hall
Clock House Farm
Wares Farm
Burford Farm
Martins Farm House
Marchcroft
Coxheath C.P. Sch.
Heathside Ho. Day Centre
Coxheath Cen.
Library

125
138
27

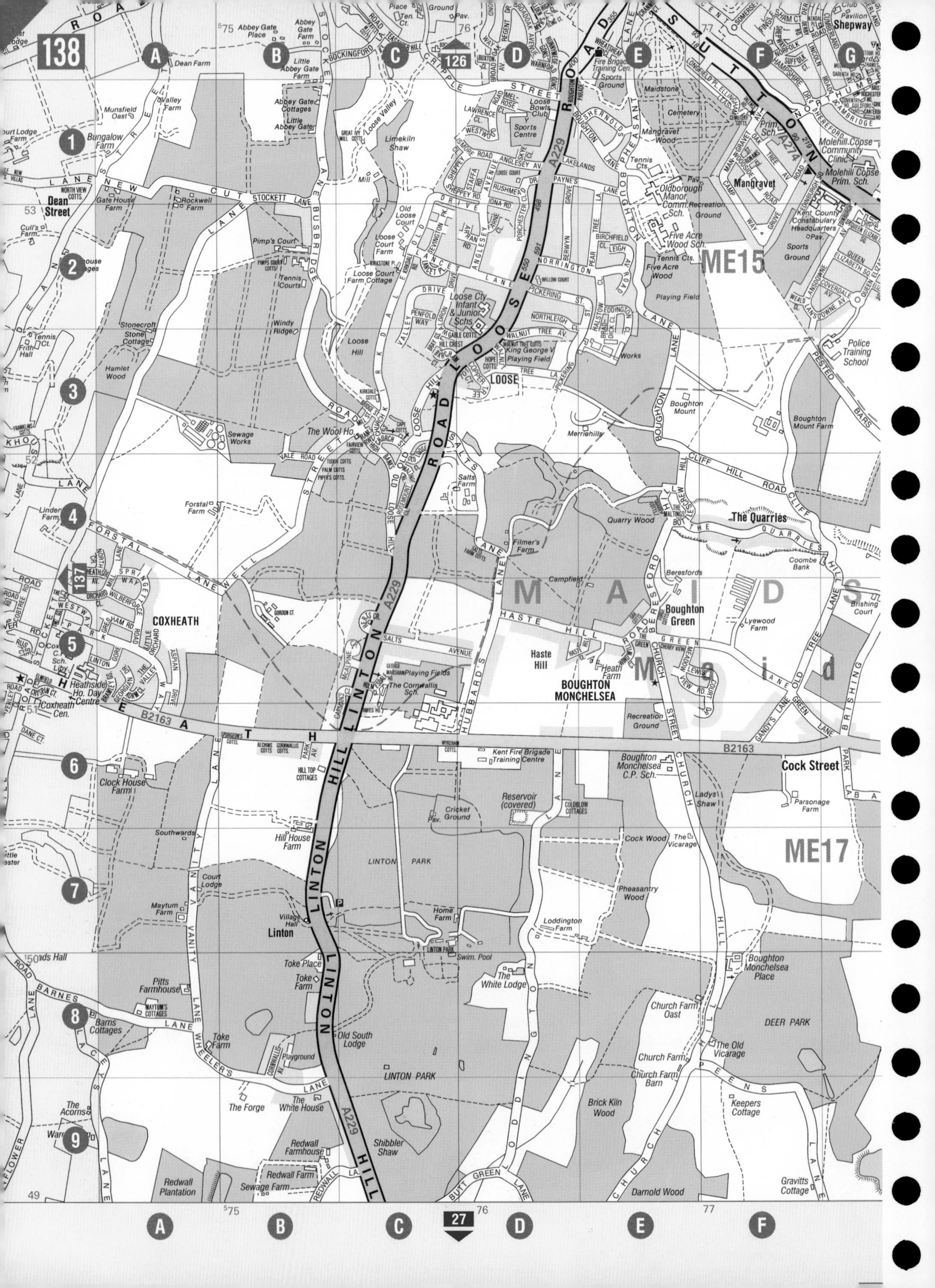

Dean Farm
Abbey Gate Place
Abbey Gate Farm
Little Abbey Gate Farm
Abbey Gate Cottages
Little Abbey Gate
Munsfield Oast
Valley Farm
Bungalow Farm
Dean Street
Gate House Farm
Rockwell Farm
STOCKETT LANE
NEW CUT
BOCKINGFORD
CRIPPLE STREET
Loose Valley
Limekiln Shaw
Mill
Old Loose Court
Loose Court Farm
Loose Court Farm Cottage
Pimp's Court
Tennis Courts
Windy Ridge
Stonecroft
Stone Cottage
Tennis Ct.
Frith Hall
Hamlet Wood
Loose Hill
Sewage Works
The Wool Ho.
VALE ROAD
Forstal Farm
Linden Farm
FORSTAL
LANE
WELL
COXHEATH
Heathside Ho. Day Centre
Coxheath Cen.
B2163
HEATH
ROAD
LOOSE
A229
LINTON
HILL
Loose Bowls Club
Sports Centre
Loose Cty. Infant & Junior Schs.
King George V Playing Field
LOOSE
Works
Salts Farm
Filmer's Farm
Quarry Wood
Campfield
Haste Hill
HASTE HILL
Heath Farm
BOUGHTON MONCHELSEA
Recreation Ground
Boughton Green
Beresfords
Lyewood Farm
Coombe Bank
Brishing Court
The Quarries
CLIFF HILL ROAD
Boughton Mount
Boughton Mount Farm
Police Training School
Merriehills
Fire Brigade Training Cen.
Sports Ground
Maidstone Cemetery
Mangravet Wood
Tennis Cts.
Oldborough Manor Comm. Sch.
Recreation Ground
Five Acre Wood Sch.
Five Acre Wood
Playing Field
ME15
Mangravet
Prim. Sch.
Molehill Copse Community Clinic
Molehill Copse Prim. Sch.
Kent County Constabulary Headquarters
Sports Ground
Shepway
SUTTON ROAD
A274
Playing Fields
The Cornwallis Sch.
Kent Fire Brigade Training Centre
Boughton Monchelsea C.P. Sch.
Cock Street
Parsonage Farm
Ladys Shaw
Reservoir (covered)
Cricket Ground
Pav.
Cock Wood
The Vicarage
ME17
Clock House Farm
Southwards
Hill House Farm
LINTON PARK
Court Lodge
Maytum Farm
Village Hall
Linton
Home Farm
Loddington Farm
Pheasantry Wood
Swim. Pool
The White Lodge
Toke Place
Toke Farm
Pitts Farmhouse
Barns Cottages
BARNES LANE
Old South Lodge
Playground
Church Farm Oast
Church Farm
Church Farm Barn
The Old Vicarage
Boughton Monchelsea Place
DEER PARK
The Forge
The White House
The Acorns
WHEELER'S LANE
VANITY LANE
Brick Kiln Wood
Keepers Cottage
Shibbler Shaw
Redwall Farmhouse
Redwall Farm
Sewage Farm
Redwall Plantation
BUTT GREEN LANE
Darnold Wood
Gravitts Cottage
LODDINGTON LANE
CHURCH HILL
M A I D S T O N E
Maidstone
A B C D E F G
1 2 3 4 5 6 7 8 9
126
137
27
575 76 77
53 52 51 50 49

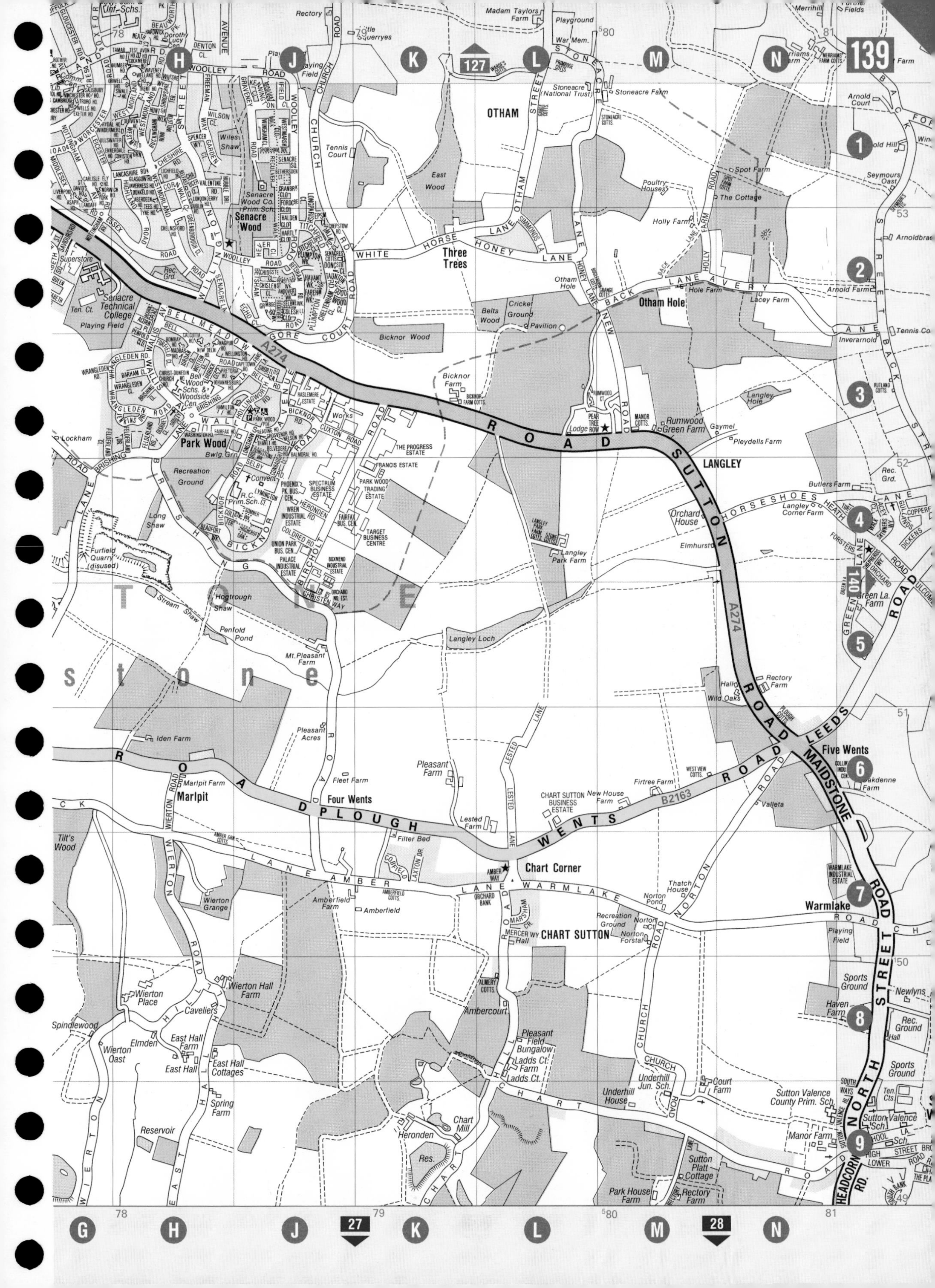

OTHAM
Senacre Wood
Three Trees
Otham Hole
Park Wood
LANGLEY
Five Wents
Marlpit
Four Wents
Chart Corner
Warmlake
CHART SUTTON
SUTTON ROAD
A274
B2163
Senacre Technical College
Stoneacre Farm
Stoneacre (National Trust)
Bicknor Wood
East Wood
Langley Loch
Langley Park Farm
Rumwood Green Farm
Pleydells Farm
Orchard House
Sutton Valence County Prim. Sch.
Wierton Hall Farm
East Hall Farm
Spring Farm
Reservoir
Chart Mill
Heronden
Iden Farm
Tilt's Wood
Hogtrough Shaw
Penfold Pond
Mt. Pleasant Farm
Pleasant Acres
Pleasant Farm
Lested Farm
Amberfield Farm
Norton Pond
Underhill House
Court Farm
Rectory Farm
Park House Farm
Sutton Platt Cottage
Manor Farm
Wild Oaks
Valleta
Oakdenne Farm
Green La. Farm
Lacey Farm
Arnold Farm
Spot Farm
Holly Farm
Poultry Houses
The Cottage
Madam Taylors Farm
Rectory
Arnold Court
Butlers Farm
Langley Corner Farm
Elmhurst
Firtree Farm
New House Farm
Fleet Farm
Filter Bed
Wierton Grange
Wierton Place
Caveliers
Wierton Oast
Elmden
East Hall Cottages
Spindlewood
Ambercourt
Ladds Ct. Farm
Underhill Jun. Sch.
Norton Forstal
Thatch House
Furfield Quarry (disused)
Long Shaw
Stream Shaw
Recreation Ground
Gaymel
Inverarnold
Seymours Oast
Haven Farm
Newlyns
THE PROGRESS ESTATE
SPECTRUM BUSINESS ESTATE
TARGET BUSINESS CENTRE
WREN INDUSTRIAL ESTATE
PALACE INDUSTRIAL ESTATE
CHART SUTTON BUSINESS ESTATE
WARMLAKE INDUSTRIAL ESTATE
127
140
G H J K L M N
1 2 3 4 5 6 7 8 9
78 79 580 81
53 52 51 150 49

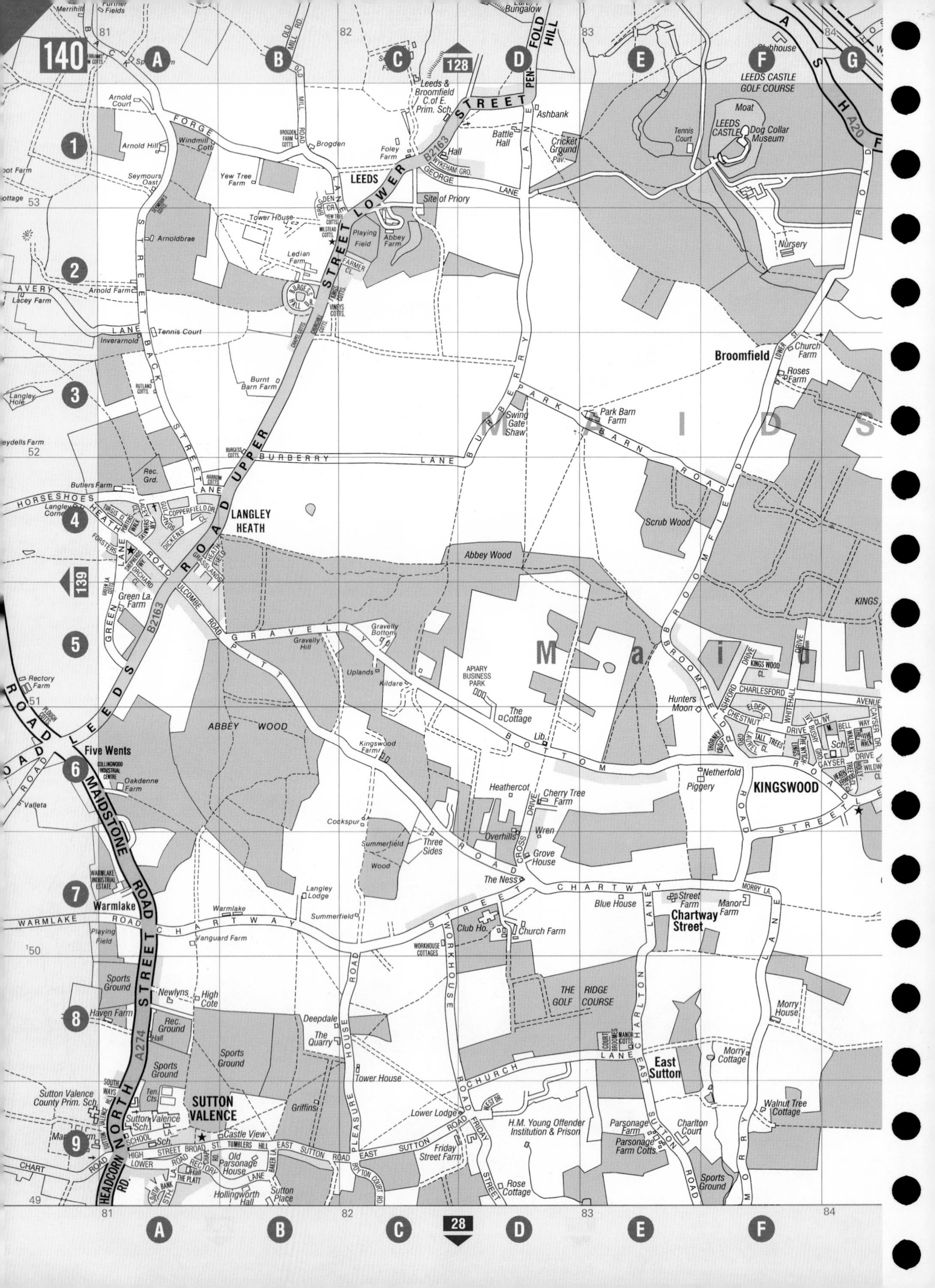
LEEDS
LANGLEY HEATH
Broomfield
KINGSWOOD
SUTTON VALENCE
Chartway Street
East Sutton
Five Wents
Warmlake
LEEDS CASTLE GOLF COURSE
LEEDS CASTLE
Dog Collar Museum
Moat
Tennis Court
Cricket Ground
Pav.
Ashbank
Battle Hall
Hall
Leeds & Broomfield C.of E. Prim. Sch.
Site of Priory
Playing Field
Abbey Farm
Ledian Farm
Tower House
Brogden
Foley Farm
Yew Tree Farm
Arnold Court
Arnold Hill
Windmill Cotts.
Seymours Oast
Arnoldbrae
Arnold Farm
Lacey Farm
Tennis Court
Inverarnold
Burnt Barn Farm
Langley Hole
Park Barn Farm
Swing Gate Shaw
Nursery
Church Farm
Roses Farm
Scrub Wood
Abbey Wood
Rec. Grd.
Butlers Farm
Green La. Farm
Gravelly Bottom
Gravelly Hill
Uplands
Kildare
APIARY BUSINESS PARK
The Cottage
Lib.
Hunters Moon
Netherfold
Piggery
Kingswood Farm
ABBEY WOOD
Rectory Farm
Oakdenne Farm
Valleta
COLLINGWOOD INDUSTRIAL CENTRE
Heathercot
Cherry Tree Farm
Overhills
Wren
Grove House
Cockspur
Summerfield Wood
Three Sides
The Ness
Blue House
Street Farm
Manor Farm
Langley Lodge
Summerfield
Warmlake
Club Ho.
Church Farm
Vanguard Farm
WARMLAKE INDUSTRIAL ESTATE
Playing Field
WORKHOUSE COTTAGES
THE RIDGE GOLF COURSE
Morry House
Sports Ground
Newlyns
High Cote
Haven Farm
Rec. Ground
Hall
Deepdale
The Quarry
Tower House
Morry Cottage
Sutton Valence County Prim. Sch.
Sutton Valence Sch.
Castle View
Griffins
Lower Lodge
H.M. Young Offender Institution & Prison
Parsonage Farm
Parsonage Farm Cotts.
Charlton Court
Walnut Tree Cottage
Friday Street Farm
Old Parsonage House
Hall
THE PLATT
Hollingworth Hall
Sutton Place
Rose Cottage
Sports Ground
LOWER STREET
UPPER STREET
ROAD
B2163
PEN FOLD HILL
FORGE LANE
GEORGE LANE
BACK STREET
AVERY LANE
BURBERRY LANE
PARK BARN ROAD
BROOMFIELD ROAD
HORSESHOES LANE
HEATH ROAD
ULCOMBE ROAD
GRAVELLY BOTTOM ROAD
PITT ROAD
LEEDS ROAD
MAIDSTONE ROAD
NORTH STREET
A274
HEADCORN RD.
WARMLAKE ROAD
CHARTWAY STREET
WORKHOUSE ROAD
PLEASURE HOUSE ROAD
CHURCH ROAD
CHARLTON LANE
MORRY LANE
EAST SUTTON ROAD
SUTTON ROAD
FRIDAY STREET
CROSS DRIVE
KINGSWOOD STREET
CHARLESFORD AVENUE
ASHFORD DRIVE
WHITEHALL DRIVE
CHESTNUT
ASH
A20
128
139
28
81
82
83
84
53
52
51
50
49

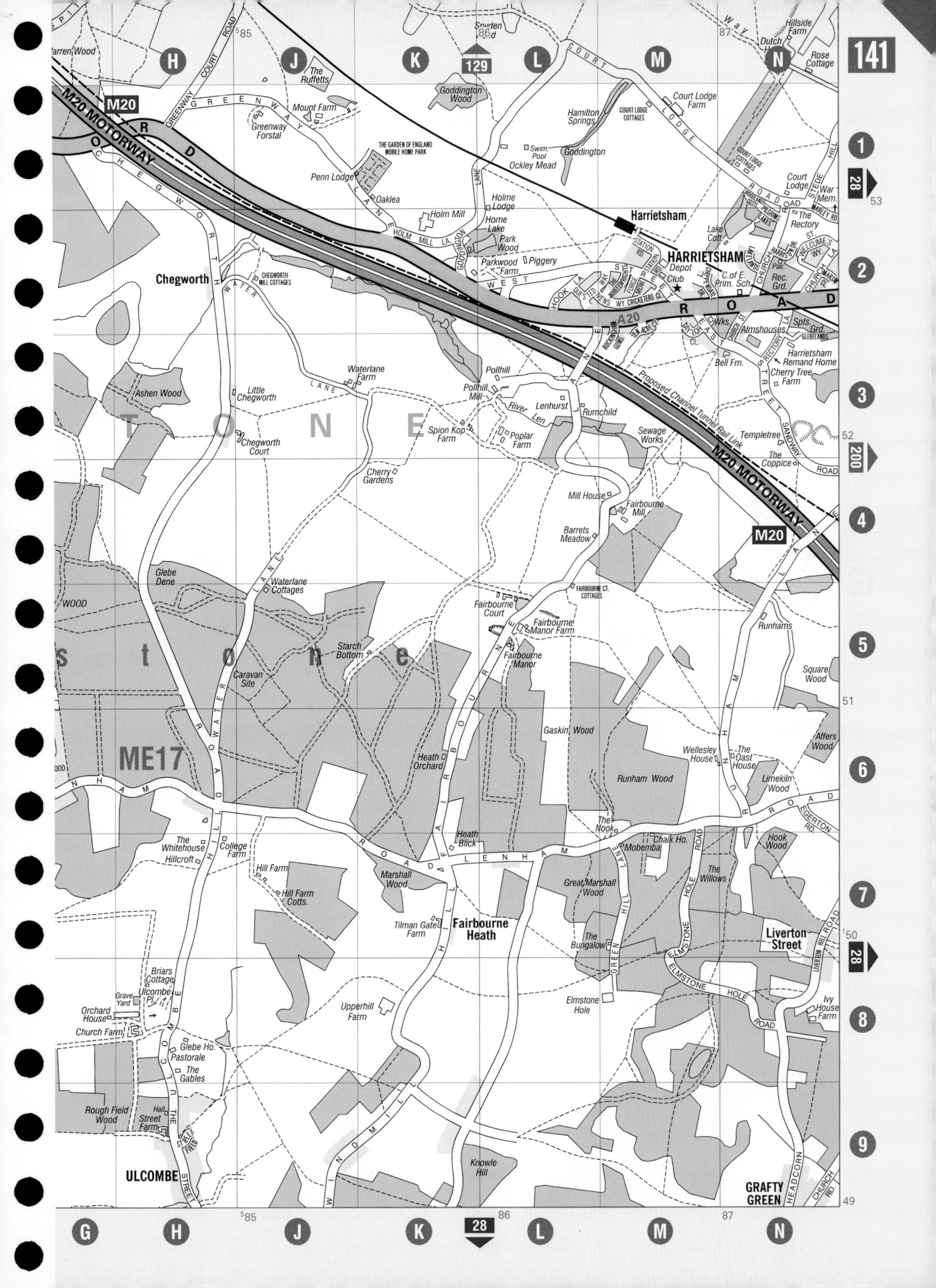
H
J
K
L
M
N
129
28
200
M20
M20 MOTORWAY
A20
Harrietsham
HARRIETSHAM
Chegworth
Fairbourne Heath
Liverton Street
ULCOMBE
GRAFTY GREEN
ME17
Goddington Wood
The Ruffetts
Mount Farm
Greenway Forstal
Penn Lodge
Oaklea
Holm Mill
Holme Lodge
Home Lake
Park Wood
Parkwood Farm
Piggery
Swim. Pool
Ockley Mead
Goddington
Hamilton Springs
Court Lodge Farm
Court Lodge
The Rectory
War Mem.
Depot
Club
C.of E. Prim. Sch.
Rec. Grd.
Almshouses
Bell Fm.
Harrietsham Remand Home
Cherry Tree Farm
Templetree
The Coppice
Sewage Works
Proposed Channel Tunnel Rail Link
Pollhill
Pollhill Mill
Lenhurst
Rumchild
River Len
Spion Kop Farm
Poplar Farm
Waterlane Farm
Little Chegworth
Ashen Wood
Chegworth Court
Cherry Gardens
Mill House
Fairbourne Mill
Barrets Meadow
Glebe Dene
Waterlane Cottages
Fairbourne Court
Fairbourne Manor Farm
Fairbourne Manor
Starch Bottom
Caravan Site
Runhams
Square Wood
Gaskin Wood
Affers Wood
Wellesley House
The Oast House
Limekiln Wood
Runham Wood
Heath Orchard
Heath Blick
The Nook
Chalk Ho.
Mobemba
Hook Wood
The Willows
Great Marshall Wood
Marshall Wood
The Whitehouse
College Farm
Hillcroft
Hill Farm
Hill Farm Cotts.
Tilman Gate Farm
The Bungalow
Elmstone Hole
Ivy House Farm
Upperhill Farm
Briars Cottage
Ulcombe Pl.
Grave Yard
Orchard House
Church Farm
Glebe Ho.
Pastorale
The Gables
Rough Field Wood
Hall Street Farm
Knowle Hill
GREENWAY
HOLM MILL LA.
WATER LANE
LENHAM ROAD
HILL
ELMSTONE HOLE ROAD
HEADCORN
CHURCH RD.
WINDMILL
FAIRBOURNE LANE
RUNHAM LANE
EGERTON RD.
SANDWAY ROAD
LIVERTON HILL ROAD
85
86
87
53
52
51
50
49

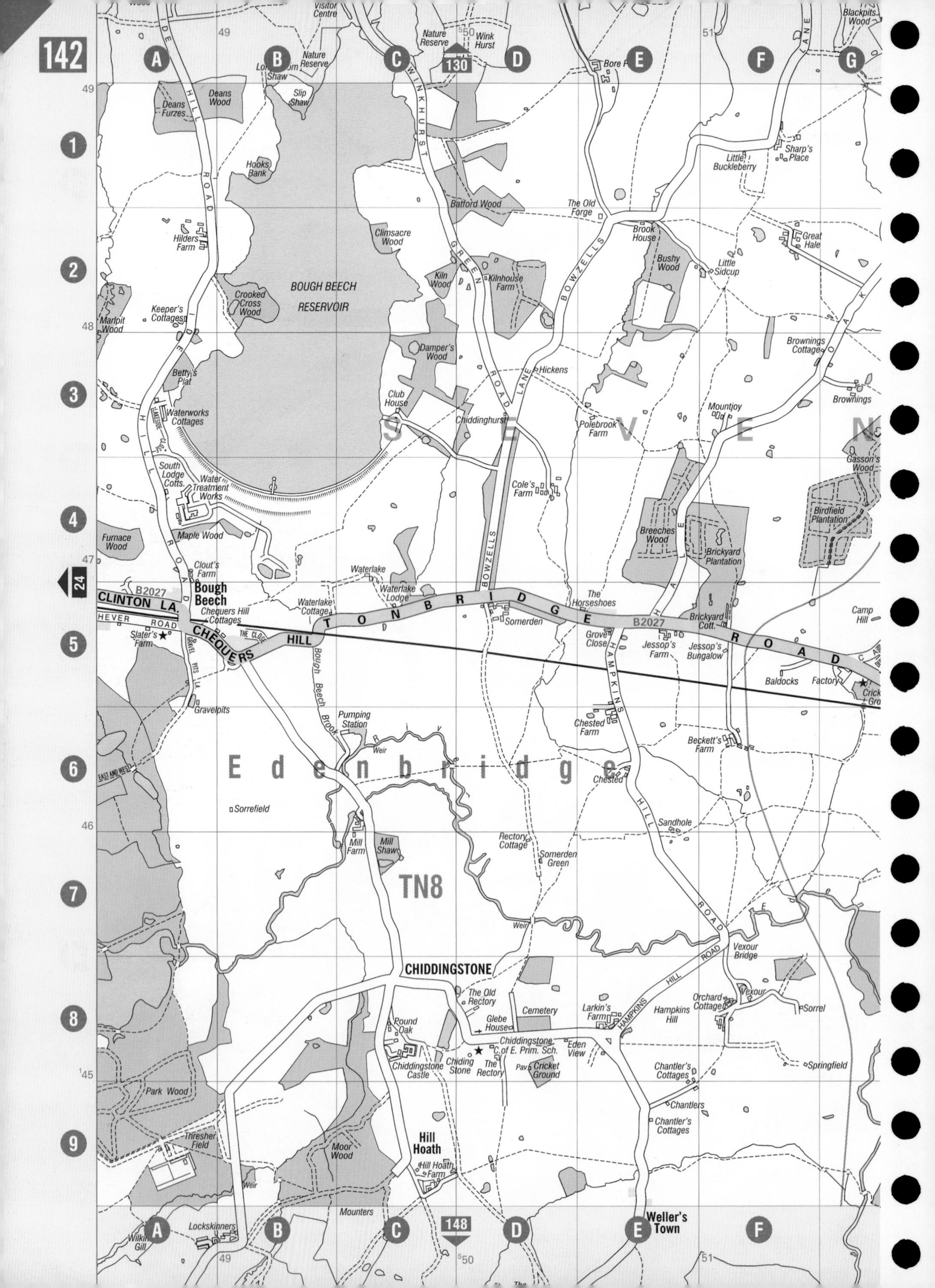

A
B
C
D
E
F
G
1
2
3
4
5
6
7
8
9
49
50
51
48
47
46
45
130
148
24
Visitor Centre
Nature Reserve
Wink Hurst
Blackpits Wood
Bore P
Nature Reserve
Slip Shaw
Deans Wood
Deans Furzes
Hooks Bank
Batford Wood
Climsacre Wood
Hilders Farm
BOUGH BEECH RESERVOIR
Crooked Cross Wood
Keeper's Cottages
Marlpit Wood
Kiln Wood
Kilnhouse Farm
The Old Forge
Brook House
Bushy Wood
Little Sidcup
Little Buckleberry
Sharp's Place
Great Hale
Damper's Wood
Hickens
Brownings Cottage
Brownings
Betty's Plat
Club House
Chiddinghurst
Polebrook Farm
Mountjoy
Waterworks Cottages
S E V E N
Gasson's Wood
South Lodge Cotts.
Water Treatment Works
Cole's Farm
Birdfield Plantation
Breeches Wood
Brickyard Plantation
Furnace Wood
Maple Wood
Clout's Farm
Waterlake
Waterlake Lodge
Bough Beech
B2027
CLINTON LA.
HEVER ROAD
Chequers Hill Cottages
Waterlake Cottage
TONBRIDGE ROAD
The Horseshoes
Somerden
Brickyard Cott.
Camp Hill
Slater's Farm
CHEQUERS HILL
THE CLOSE
Grove Close
Jessop's Farm
Jessop's Bungalow
Baldocks
Factory
GRAVEL PITS LA.
Gravelpits
Bough Beech Brook
Pumping Station
Chested Farm
Beckett's Farm
River
Weir
Edenbridge
EAST AND WEST
Chested
Sorrefield
Sandhole
Mill Farm
Mill Shaw
Rectory Cottage
Somerden Green
TN8
HAMPKINS HILL ROAD
Vexour Bridge
CHIDDINGSTONE
The Old Rectory
Cemetery
Larkin's Farm
Orchard Cottage
Vexour
Sorrel
Hampkins Hill
Round Oak
Glebe House
Chiddingstone C. of E. Prim. Sch.
Eden View
Chiddingstone Castle
Chiding Stone
The Rectory
Pav
Cricket Ground
Chantler's Cottages
Springfield
Park Wood
Chantlers
Chantler's Cottages
Thresher Field
Moor Wood
Hill Hoath
Hill Hoath Farm
Mounters
Lockskinners
Wilkin Gill
Weller's Town

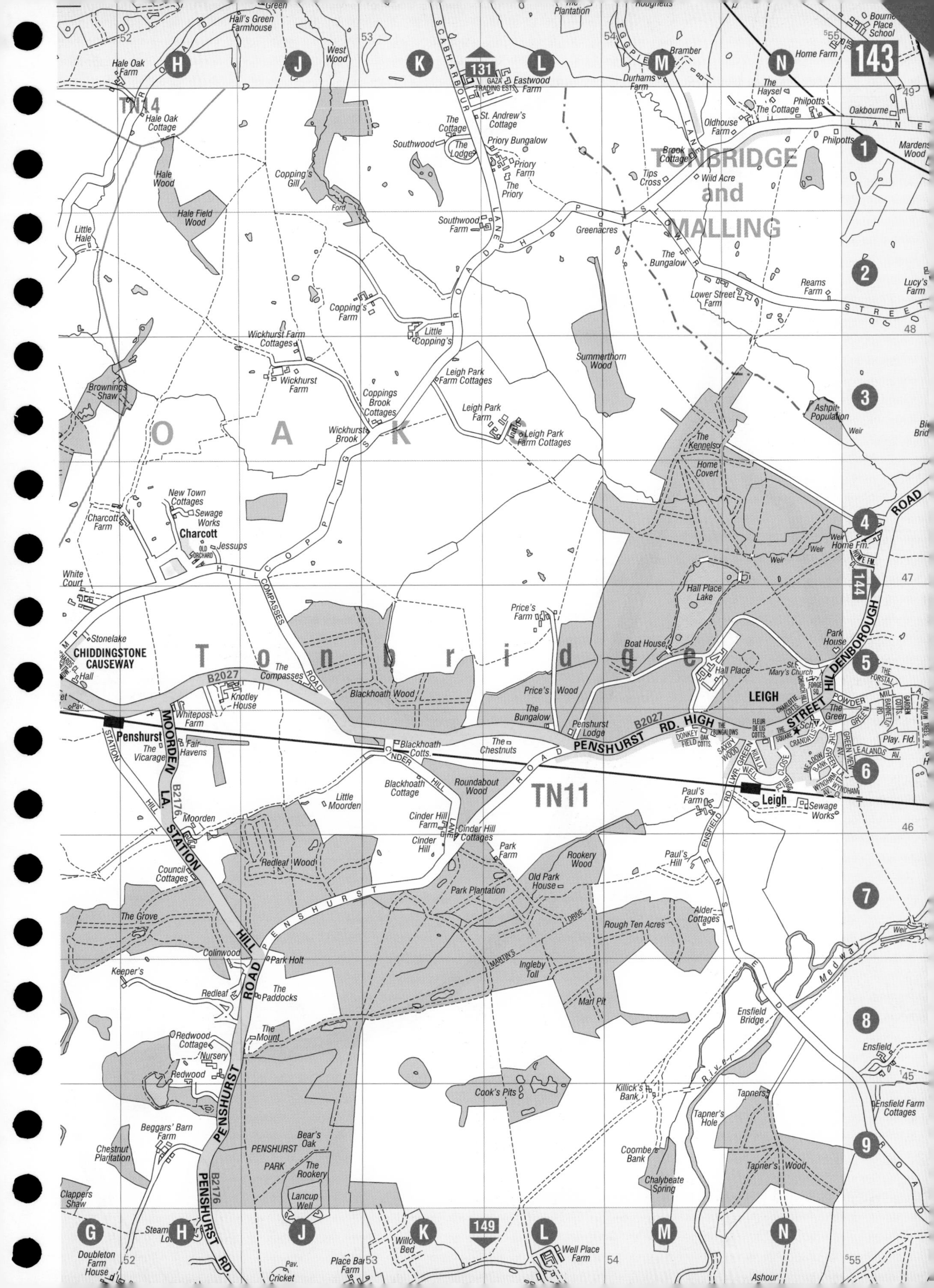
Hall's Green Farmhouse
Hale Oak Farm
West Wood
131
GAZA TRADING EST.
Eastwood Farm
Bramber
Durhams Farm
Home Farm
Bourne Place School
TN14
Hale Oak Cottage
The Cottage
St. Andrew's Cottage
Southwood
The Lodge
Priory Bungalow
Priory Farm
The Priory
The Haysel
The Cottage
Philpotts
Oakbourne
Oldhouse Farm
Brook Cottage
Tips Cross
Wild Acre
TONBRIDGE and MALLING
Mardens Wood
Hale Wood
Copping's Gill
Hale Field Wood
Little Hale
Ford
Southwood Farm
POTT'S HILL
Greenacres
The Bungalow
Reams Farm
Lucy's Farm
Lower Street Farm
STREET
Copping's Farm
Little Copping's
Wickhurst Farm Cottages
Wickhurst Farm
Leigh Park Farm Cottages
Summerthorn Wood
Brownings Shaw
Coppings Brook Cottages
Leigh Park Farm
Leigh Park Farm Cottages
Ashpit Population
Weir
Wickhursts Brook
O A K
The Kennels
Home Covert
New Town Cottages
Sewage Works
Charcott Farm
Charcott
Jessups
OLD ORCHARD
HILL
COPPINGS ROAD
Home Fm.
HOME FM.
144
HILDENBOROUGH ROAD
White Court
Hall Place Lake
Price's Farm
Stonelake
CHIDDINGSTONE CAUSEWAY
Hall
Tonbridge
Boat House
Park House
St. Mary's Church
The Compasses
COMPASSES ROAD
Hall Place
B2027
Knotley House
Blackhoath Wood
Price's Wood
LEIGH
CHURCH HILL
FORGE SQ.
THE FORSTAL
POWDER MILL LA
Whitepost Farm
The Bungalow
Penshurst Lodge
Penshurst
MOORDEN LA.
STATION
The Vicarage
Fair Havens
Blackhoath Cotts.
The Chestnuts
PENSHURST RD. HIGH STREET
DONKEY FIELD
OAK COTTS.
THE BUNGALOWS
FLEUR DE LIS COTTS.
THE SQUARE
The Green
Play. Fld.
LEALANDS AV.
CINDER HILL LANE
Roundabout Wood
TN11
SAXBY WOOD
KILN LA.
WELL CLOSE
CRANDALLS
MEADOW BANK
GREEN VIEW AV.
WYNDHAM AV.
WYNDHAM CL.
Blackhoath Cottage
Little Moorden
Paul's Farm
LWR. GREEN RD.
Leigh
Sewage Works
B2176
Moorden
Cinder Hill Farm
Cinder Hill Cottages
Cinder Hill
STATION HILL ROAD
Park Farm
Redleaf Wood
Rookery Wood
Paul's Hill
ENSFIELD RD.
Council Cottages
Old Park House
Park Plantation
PENSHURST ROAD
Alder Cottages
The Grove
DRIVE
Rough Ten Acres
Weir
Colinwood
MARTIN'S
Medway
Park Holt
Ingleby Toll
Keeper's
The Paddocks
Redleaf
Marl Pit
Ensfield Bridge
The Mount
Redwood Cottage
Nursery
Redwood
River
Ensfield
Killick's Bank
Cook's Pits
Tapners
Ensfield Farm Cottages
Tapner's Hole
Beggars' Barn Farm
Chestnut Plantation
PENSHURST
Bear's Oak
PENSHURST PARK
Coombe Bank
Tapner's Wood
The Rookery
Chalybeate Spring
Clappers Shaw
Lancup Well
PENSHURST RD.
149
Steam Lo...
Willow Bed
Well Place Farm
Doubleton Farm House
Place Barn Farm
Pav.
Cricket
Ashour
52
53
54
55
49
48
47
46
45

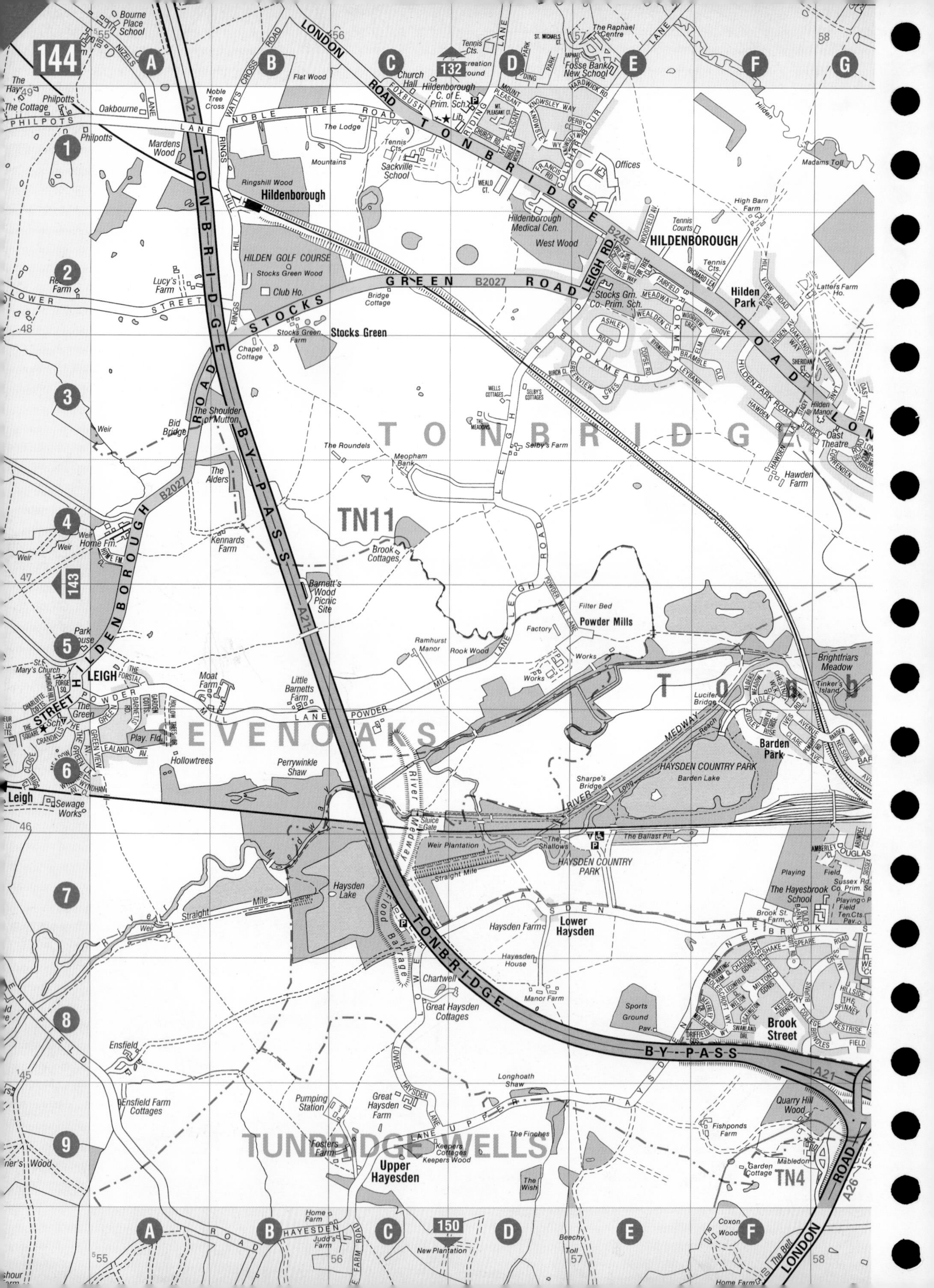
A
B
C
D
E
F
G
1
2
3
4
5
6
7
8
9
55
56
57
58
49
48
47
46
45
132
143
150
Bourne Place School
The Hay
Philpotts
The Cottage
Oakbourne
PHILPOTS LANE
Philpotts
NIZELS LANE
WATT'S CROSS ROAD
Noble Tree Cross
NOBLE TREE ROAD
Mardens Wood
Flat Wood
LONDON ROAD
Church Hall
Hildenborough C. of E. Prim. Sch.
Lib.
FOXBUSH
Tennis Cts.
Recreation Ground
The Lodge
Mountains
Sackville School
Tennis Cts.
WEALD CT.
RINGS HILL
Ringshill Wood
Hildenborough
TONBRIDGE BY-PASS
A21
HILDEN GOLF COURSE
Stocks Green Wood
Club Ho.
Lucy's Farm
LOWER STREET
Farm
STOCKS GREEN ROAD
B2027
Bridge Cottage
Stocks Green Farm
Stocks Green
Chapel Cottage
The Raphael Centre
Fosse Bank New School
HARDWICK RD.
MOUNT PLEASANT
KNOWSLEY WAY
DERBY CL.
CHURCH RD.
COLDHARBOUR
FRANCIS RD.
Offices
Hildenborough Medical Cen.
West Wood
TONBRIDGE ROAD
B245
LEIGH RD
WOODFIELD AV.
Tennis Courts
HILDENBOROUGH
Tennis Cts.
ORCHARD LEA
FAIRFIELD WAY
MEADWAY
Stocks Grn. Co. Prim. Sch.
WEALDEN CL.
ASHLEY ROAD
BROOKMEAD
GROVE
ELM
BRAMBLE CLO.
LEYBANK
GREENVIEW CRES.
BIRCH CL.
Hilden Park
Hilden
Madams Toll
High Barn Farm
Latters Farm Ho.
HILDEN AV.
OAKLANDS WAY
HILDEN PARK ROAD
HAWDEN CL.
Hilden Manor
STACEY RD.
Oast Theatre
Hawden Farm
WELLS COTTAGES
SELBY'S COTTAGES
THE MEADOWS
Selby's Farm
TONBRIDGE
The Shoulder of Mutton
Bid Bridge
Weir
The Roundels
Meopham Bank
The Alders
LEIGH ROAD
TN11
Kennards Farm
Brook Cottages
Weir
Home Fm.
HILDENBOROUGH ROAD
Barnett's Wood Picnic Site
Filter Bed
Powder Mills
POWDER MILL LANE
Factory
Ramhurst Manor
Rook Wood
Works
Works
Park House
St. Mary's Church
LEIGH
THE FORSTAL
Moat Farm
Little Barnetts Farm
POWDER MILL LANE
STREET
The Green
SEVENOAKS
Play. Fld.
LEALANDS AV.
Hollowtrees
Perrywinkle Shaw
Leigh
Sewage Works
Lucifer Bridge
Brightfriars Meadow
Tinker's Island
MEDWAY
Barden Park
HAYSDEN COUNTRY PARK
Barden Lake
Sharpe's Bridge
RIVER
Sluice Gate
River Medway
Weir Plantation
The Shallows
The Ballast Pit
HAYSDEN COUNTRY PARK
Straight Mile
Haysden Lake
Flood Barrage
Haysden Farm
Lower Haysden
HAYSDEN LANE
Brook St. Farm
BROOK STREET
The Hayesbrook School
Playing Field
Sussex Rd. Co. Prim. Sch.
Straight Mile
Weir
River
Hayesden House
Chartwell
Manor Farm
Great Haysden Cottages
Sports Ground
Pav.
SHAKESPEARE ROAD
Brook Street
BY-PASS
ENSFIELD
Ensfield
Ensfield Farm Cottages
Longhoath Shaw
Pumping Station
Great Haysden Farm
LOWER HAYSDEN LANE
UPPER HAYSDEN LANE
Quarry Hill Wood
Fishponds Farm
Mabledon
Garden Cottage
TN4
TUNBRIDGE WELLS
The Finches
Fosters Farm
Keepers Cottages
Keepers Wood
Upper Hayesden
The Wish
ner's Wood
LONDON ROAD
A26
Home Farm
HAYESDEN ROAD
Judd's Farm
New Plantation
Beechy Toll
Coxon Wood
The Belt
Home Farm

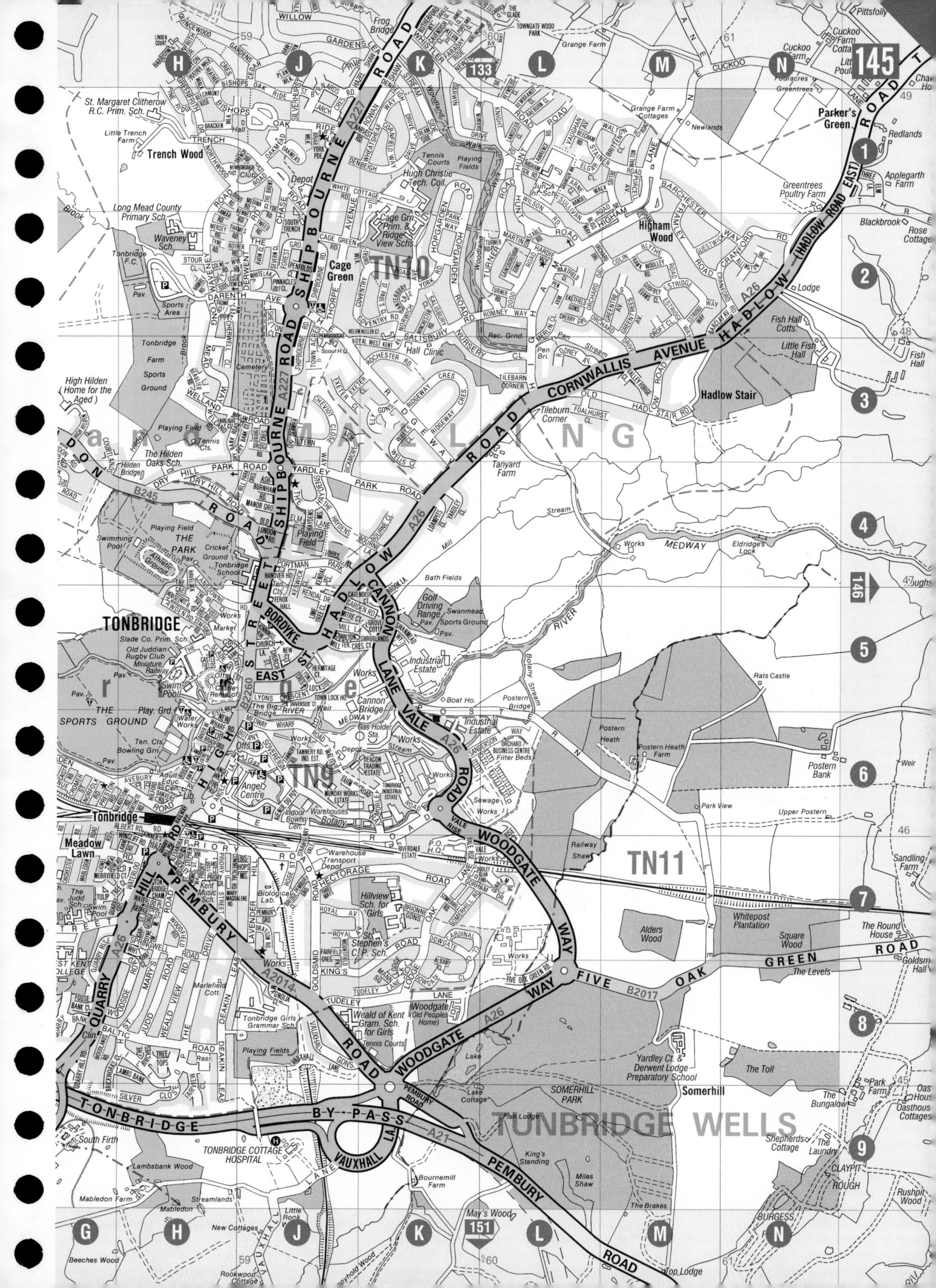

133
146
151
TONBRIDGE
TUNBRIDGE WELLS
TN9
TN10
TN11
Trench Wood
Cage Green
Higham Wood
Parker's Green
Hadlow Stair
Tonbridge
Meadow Lawn
Somerhill
SOMERHILL PARK
Alders Wood
Whitepost Plantation
Square Wood
The Levels
The Toll
Postern Heath
Postern Bank
Upper Postern
Park View
Rats Castle
Tanyard Farm
Bath Fields
MEDWAY
RIVER
Eldridge's Lock
Blackbrook
Rose Cottage
Redlands
Applegarth Farm
Greentrees Poultry Farm
Fish Hall Cotts.
Little Fish Hall
Fish Hall
Grange Farm
Grange Farm Cottages
Newlands
Cuckoo Farm
Fouracres
Greentrees
Pittsfolly
SHIPBOURNE ROAD
CORNWALLIS AVENUE
HADLOW ROAD
HADLOW ROAD EAST
HIGH STREET
EAST ST
CANNON LANE
VALE ROAD
WOODGATE WAY
FIVE OAK GREEN ROAD
PEMBURY ROAD
TONBRIDGE BY-PASS
QUARRY HILL
DRY HILL PARK ROAD
YARDLEY PARK ROAD
A227
A26
A21
A2014
B245
B2260
B2017
St. Margaret Clitherow R.C. Prim. Sch.
Long Mead County Primary Sch.
Waveney Sch.
Tonbridge F.C.
Tonbridge Farm Sports Ground
High Hilden (Home for the Aged)
The Hilden Oaks Sch.
Hugh Christie Tech. Coll.
Cage Grn Prim. & Ridge View Schs
Cemetery
Tonbridge School
THE PARK
Cricket Ground
Athletic Ground
Swimming Pool
Slade Co. Prim. Sch.
Old Juddian Rugby Club
Miniature Railway
THE SPORTS GROUND
Golf Driving Range
Swanmead Sports Ground
Industrial Estate
Sewage Works
Angel Centre
Hillview Sch. for Girls
St. Stephen's C.P. Sch.
Weald of Kent Gram. Sch. for Girls
Tonbridge Girls Grammar Sch.
Woodgate (Old Peoples Home)
Yardley Ct. & Derwent Lodge Preparatory School
TONBRIDGE COTTAGE HOSPITAL
Lambsbank Wood
Mabledon Farm
Streamlands
New Cottages
Little Rock Wood
Bournemill Farm
May's Wood
Beeches Wood
Rookwood Cottage
King's Standing
Miles Shaw
The Brakes
Shepherds Cottage
The Laundry
CLAYPIT ROUGH
Rushpit Wood
BURGESS
The Bungalow
Park Farm
Oasthouse Cottages
The Round House
Sandling Farm
Goldsmith Hall
South Firth
Fish Lodge
Lake Cottage
Railway Shaw
Postern Heath Farm
Postern Bridge
Tileburn Corner
Tilebarn Corner
Hall Clinic
G
H
J
K
L
M
N
1
2
3
4
5
6
7
8
9

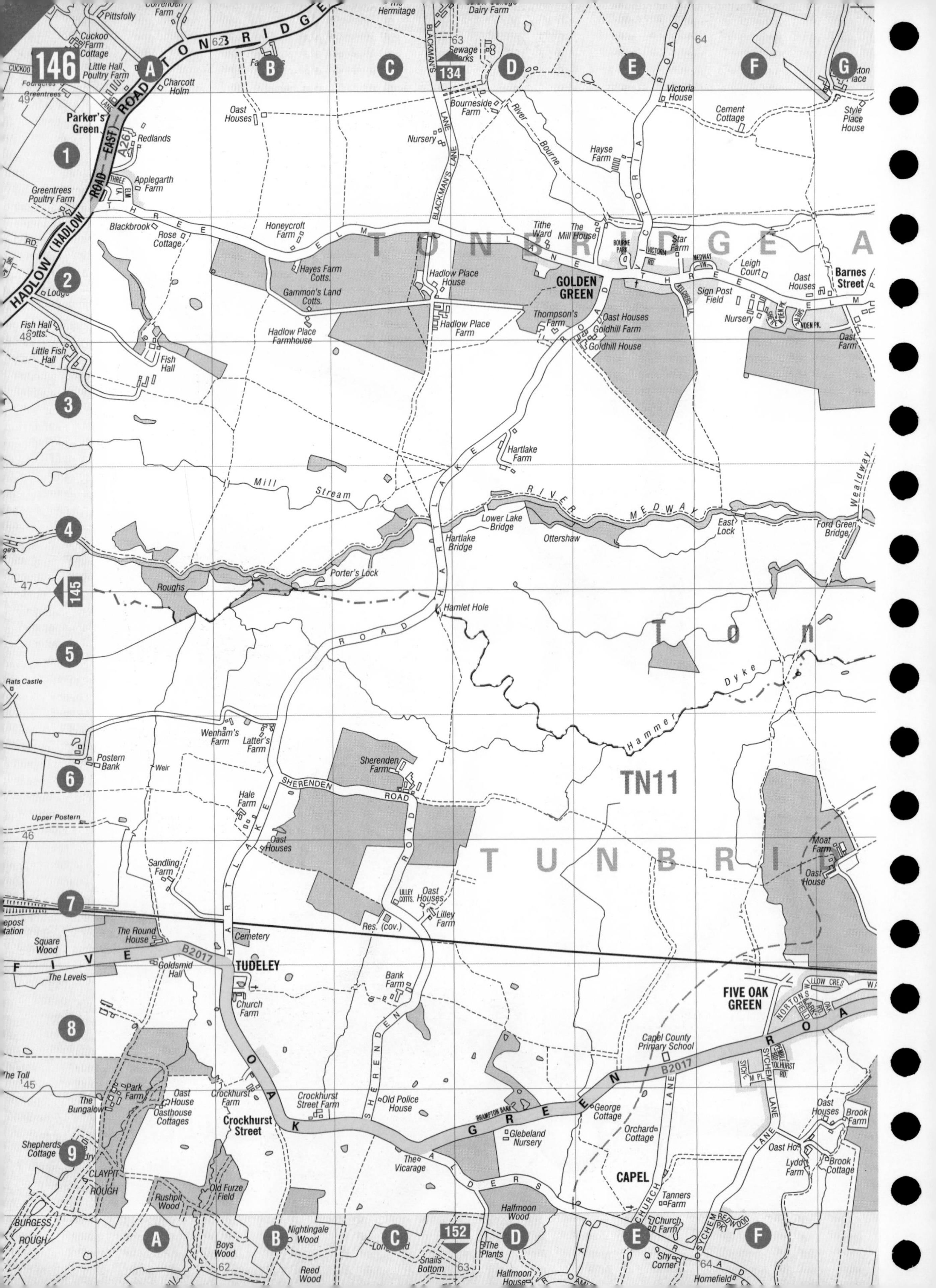

Pittsfolly
Cuckoo Farm Cottage
Little Hall Poultry Farm
Charcott Holm
Parker's Green
Redlands
Applegarth Farm
Greentrees Poultry Farm
Blackbrook
Rose Cottage
Oast Houses
Honeycroft Farm
Hayes Farm Cotts.
Gammon's Land Cotts.
Hadlow Place House
Hadlow Place Farmhouse
Hadlow Place Farm
Sewage Works
134
Bourneside Farm
Nursery
River Bourne
Victoria House
Hayse Farm
Cement Cottage
Style Place House
Tithe Ward
The Mill House
Star Farm
Leigh Court
Oast Houses
Barnes Street
GOLDEN GREEN
Thompson's Farm
Oast Houses
Goldhill Farm
Goldhill House
Sign Post Field
Nursery
Oast Farm
TONBRIDGE A
TONBRIDGE ROAD
HADLOW ROAD
THREE ELM LANE
VICTORIA ROAD
BLACKMAN'S LANE
A26
Fish Hall Cotts.
Little Fish Hall
Fish Hall
Hartlake Farm
Mill Stream
RIVER MEDWAY
Lower Lake Bridge
Hartlake Bridge
Ottershaw
East Lock
Ford Green Bridge
Wealdway
Porter's Lock
Roughs
145
Hamlet Hole
Ton
Hammer Dyke
Rats Castle
Wenham's Farm
Latter's Farm
Postern Bank
Weir
Sherenden Farm
TN11
SHERENDEN ROAD
HARTLAKE ROAD
Hale Farm
Upper Postern
Oast Houses
TUNBRI
Moat Farm
Oast House
Sandling Farm
Lilley Cotts.
Oast Houses
Lilley Farm
Res. (cov.)
Cemetery
The Round House
Square Wood
B2017
FIVE OAK GREEN ROAD
TUDELEY
Goldsmid Hall
The Levels
Church Farm
Bank Farm
FIVE OAK GREEN
Capel County Primary School
The Toll
Park Farm
Oast House
Oasthouse Cottages
Crockhurst Farm
Crockhurst Street Farm
Old Police House
The Bungalow
Crockhurst Street
George Cottage
Orchard Cottage
Glebeland Nursery
Brampton Bank
SYCHEM LANE
CHURCH LANE
Oast Houses
Brook Farm
Oast Ho
Lydd Farm
Brook Cottage
Shepherds Cottage
CLAYPIT ROUGH
The Vicarage
CAPEL
Old Furze Field
Rushpit Wood
Halfmoon Wood
Tanners Farm
Church Farm
BURGESS ROUGH
Nightingale Wood
Boys Wood
152
The Plants
Shy Corner
Reed Wood
Snails Bottom
Halfmoon House
Homefield
ALDERS ROAD

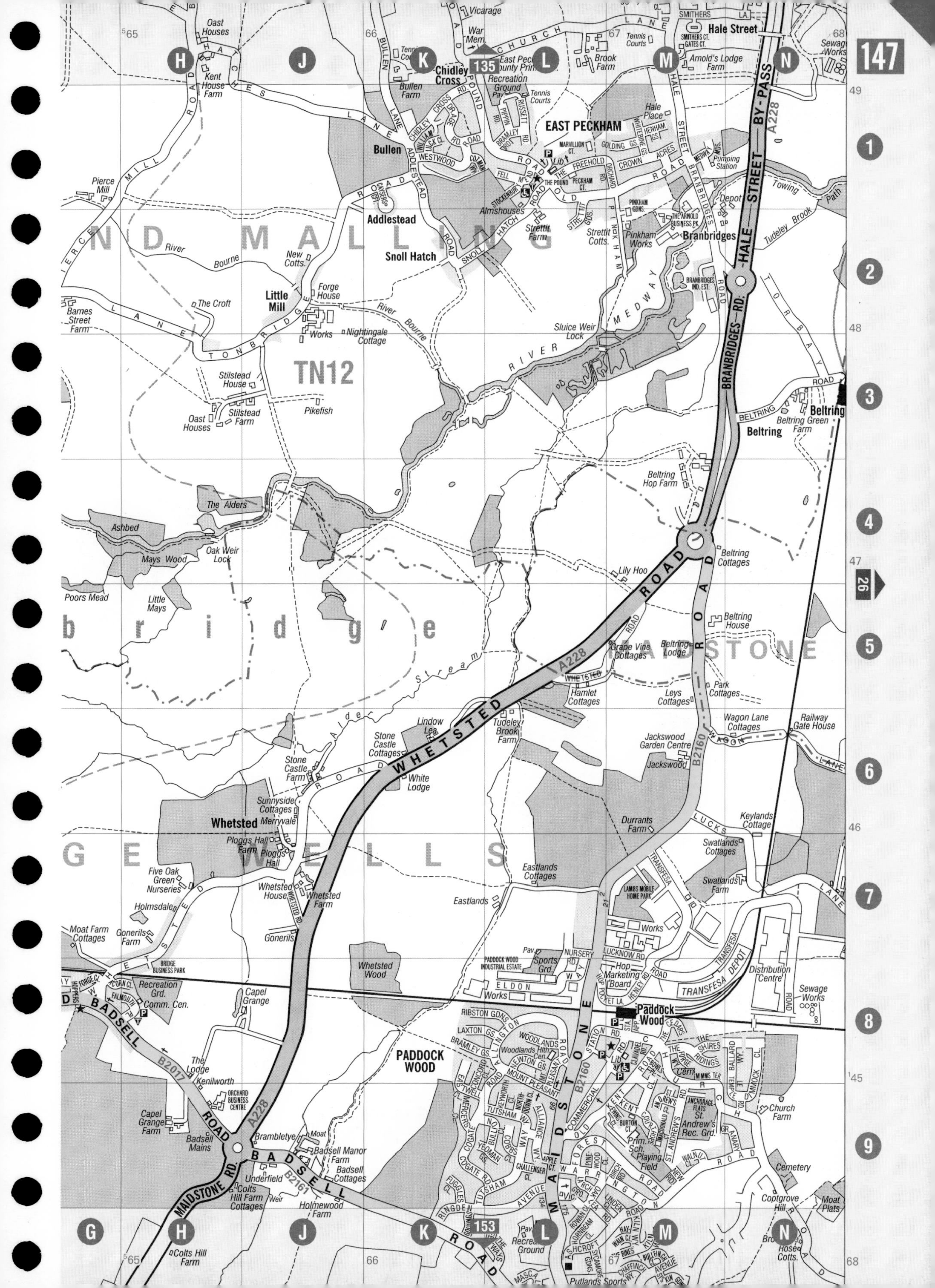
EAST PECKHAM
Hale Street
Chidley Cross
Bullen
Addlestead
Snoll Hatch
Little Mill
Branbridges
Beltring
TN12
Whetsted
PADDOCK WOOD
Paddock Wood
Oast Houses
Kent House Farm
Pierce Mill
Barnes Street Farm
The Croft
Forge House
Works
Nightingale Cottage
Stilstead House
Stilstead Farm
Pikefish
The Alders
Ashbed
Mays Wood
Oak Weir Lock
Poors Mead
Little Mays
Sluice Weir Lock
River Medway
River Bourne
Beltring Hop Farm
Beltring Green Farm
Beltring Cottages
Lily Hoo
Beltring House
Grape Vine Cottages
Beltring Lodge
Park Cottages
Hamlet Cottages
Leys Cottages
Tudeley Brook Farm
Wagon Lane Cottages
Railway Gate House
Jackswood Garden Centre
Jackswood
Lindow Lea
Stone Castle Cottages
Stone Castle Farm
White Lodge
Sunnyside Cottages
Merryvale
Ploggs Hall Farm
Ploggs Hall
Five Oak Green Nurseries
Whetsted House
Whetsted Farm
Holmsdale
Moat Farm Cottages
Gonerils Farm
Gonerils
Whetsted Wood
Durrants Farm
Keylands Cottage
Swatlands Cottages
Swatlands Farm
Eastlands Cottages
Eastlands
Distribution Centre
Sewage Works
Recreation Grd.
Comm. Cen.
Capel Grange
The Lodge
Kenilworth
Capel Grange Farm
Badsell Mains
Bramblety
Moat
Badsell Manor Farm
Badsell Cottages
Underfield
Colts Hill Farm Cottages
Weir
Holmewood Farm
Colts Hill Farm
Church Farm
Cemetery
Coptgrove Hill
Moat Flats
WHETSTED ROAD
HALE STREET BY-PASS
BRANBRIDGES RD.
MAIDSTONE RD.
BADSELL ROAD
A228
B2160
B2161
B2017
135
153
26
H J K L M N G
1 2 3 4 5 6 7 8 9
49 48 47 46 45
65 66 67 68

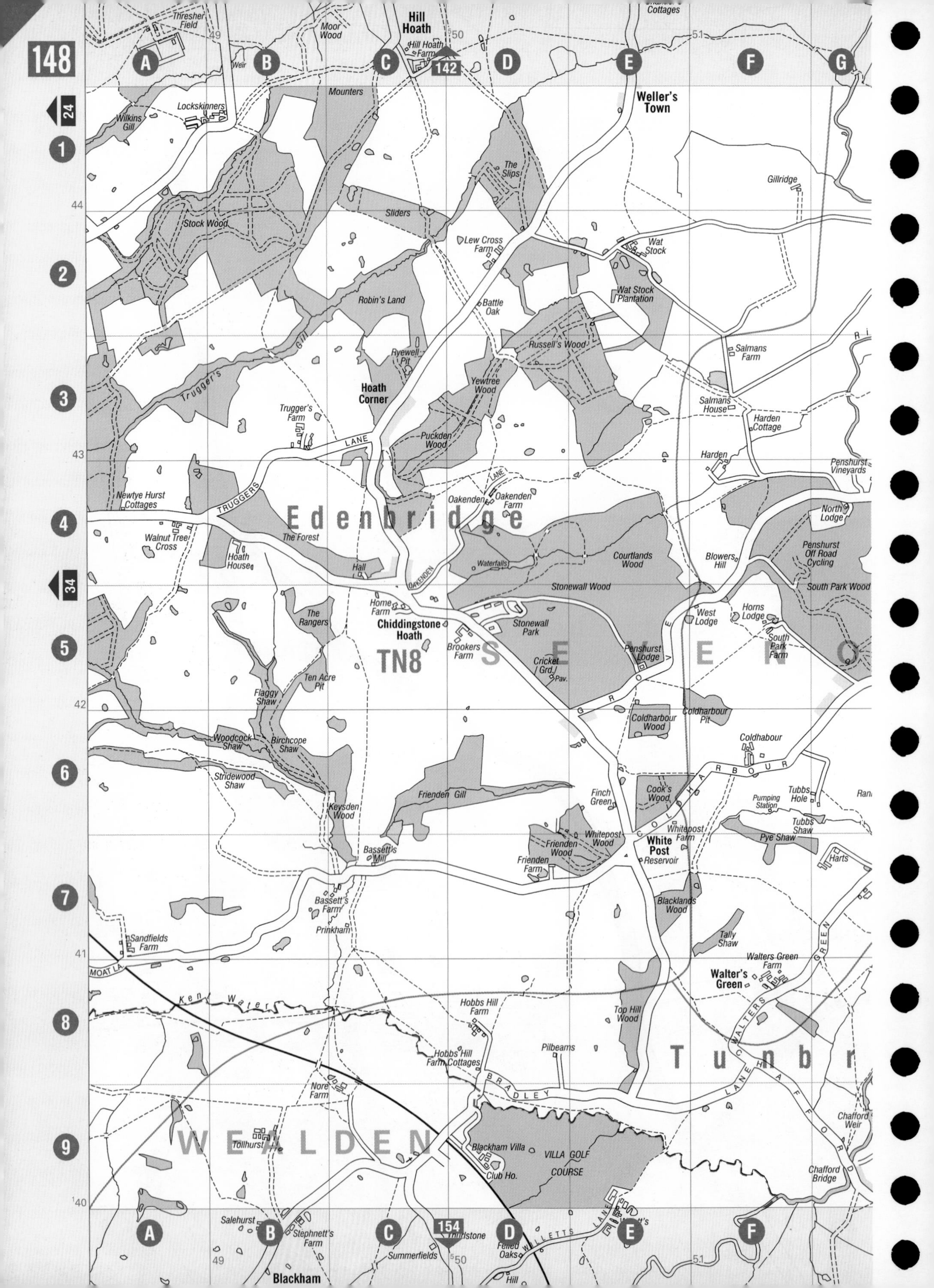
Thresher Field
Moor Wood
Hill Hoath
Hill Hoath Farm
142
Weir
Mounters
Lockskinners
Wilkins Gill
24
Weller's Town
The Slips
Gillridge
Stock Wood
Sliders
Lew Cross Farm
Wat Stock
Robin's Land
Battle Oak
Wat Stock Plantation
Russell's Wood
Salmans Farm
Ryewell Pit
Trugger's Gill
Hoath Corner
Yewtree Wood
Salmans House
Harden Cottage
Trugger's Farm
Puckden Wood
LANE
Harden
Penshurst Vineyards
TRUGGERS
Newtye Hurst Cottages
Oakenden
Oakenden Farm
North Lodge
Edenbridge
Walnut Tree Cross
The Forest
Courtlands Wood
Blowers Hill
Penshurst Off Road Cycling
Hoath House
Hall
Waterfalls
OAKENDEN
Stonewall Wood
South Park Wood
34
Home Farm
The Rangers
Chiddingstone Hoath
Stonewall Park
West Lodge
Horns Lodge
Brookers Farm
TN8
Penshurst Lodge
South Park Farm
SEVENO
Cricket Grd.
Pav.
Ten Acre Pit
Flaggy Shaw
GROVE
Coldharbour Wood
Coldharbour Pit
Woodcock Shaw
Birchcope Shaw
Coldhabour
Stridewood Shaw
Friendon Gill
Finch Green
Cook's Wood
COLDHARBOUR
Pumping Station
Tubbs Hole
Keysden Wood
Whitepost Wood
Whitepost Farm
Tubbs Shaw
Pye Shaw
Bassett's Mill
Frienden Wood
Frienden Farm
White Post
Reservoir
Harts
Bassett's Farm
Blacklands Wood
Prinkham
Tally Shaw
Sandfields Farm
Walters Green Farm
Walter's Green
MOAT LA
Kent Water
Hobbs Hill Farm
Top Hill Wood
WALTERS GREEN
Hobbs Hill Farm Cottages
Pilbeams
Tunbr
Nore Farm
BRADLEY
LANE
CHAFFORD
Chafford Weir
Tollhurst
WEALDEN
Blackham Villa
VILLA GOLF COURSE
Club Ho.
Chafford Bridge
Salehurst
Stephnett's Farm
154
Summerfields
Felled Oaks
WILLETTS
LANE
Blackham
Hill
A
B
C
D
E
F
G
1
2
3
4
5
6
7
8
9
49
50
51
44
43
42
41
40

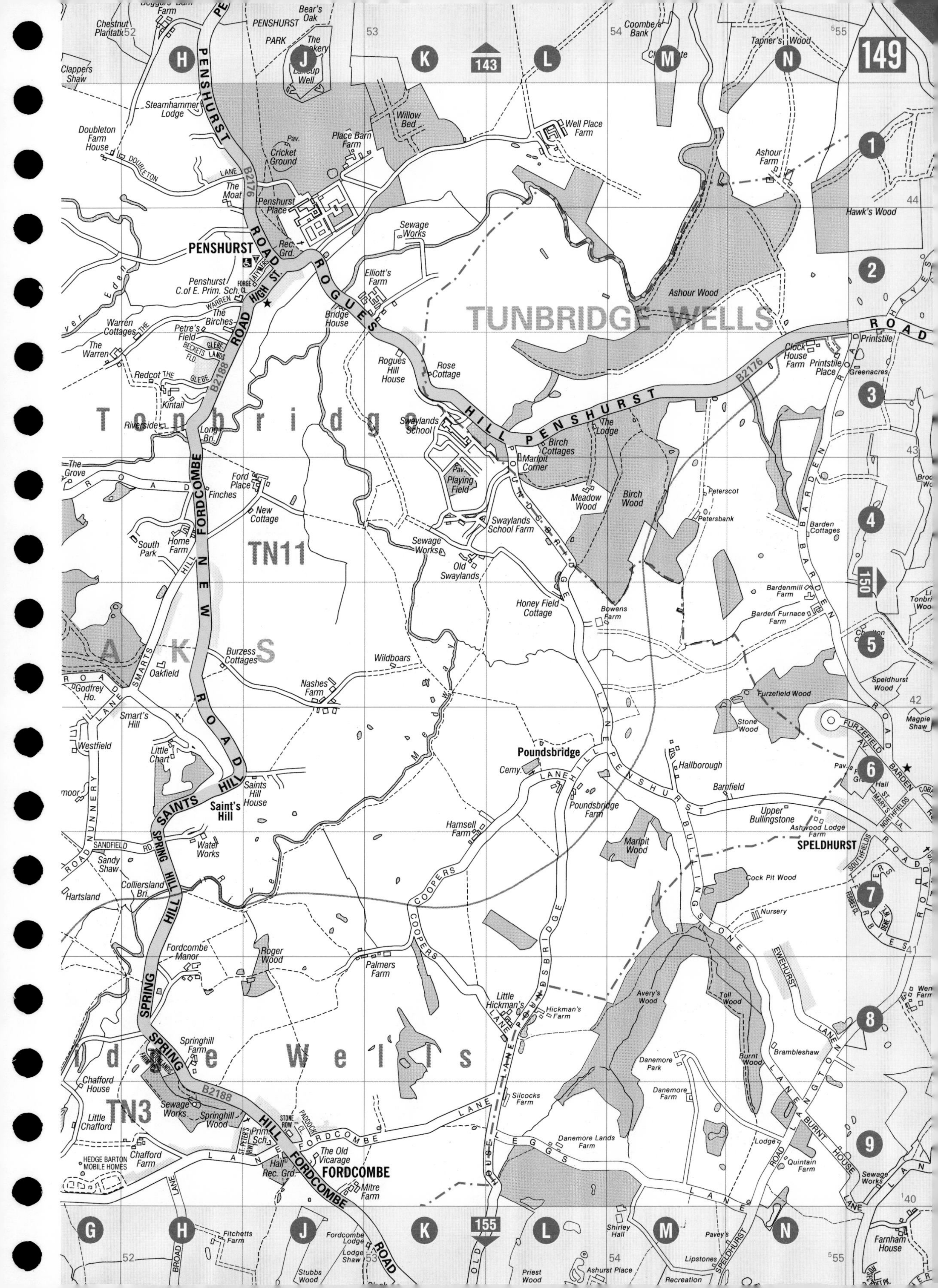
PENSHURST
TUNBRIDGE WELLS
Tonbridge
TN11
TN3
Poundsbridge
SPELDHURST
FORDCOMBE
Saint's Hill
Penshurst Place
Penshurst C.of E. Prim. Sch.
Steamhammer Lodge
Doubleton Farm House
Cricket Ground
Place Barn Farm
Willow Bed
Well Place Farm
Ashour Farm
Hawk's Wood
Ashour Wood
Sewage Works
Elliott's Farm
Bridge House
Rogues Hill House
Rose Cottage
Swaylands School
Birch Cottages
Marlpit Corner
Playing Field
Meadow Wood
Birch Wood
Swaylands School Farm
Old Swaylands
Honey Field Cottage
Bowens Farm
Peterscot
Petersbank
Barden Cottages
Bardenmill Farm
Barden Furnace Farm
Clock House Farm
Printstile Place
Printstile
Greenacres
Warren Cottages
The Warren
The Birches
Petre's Field
Redcot
Kintail
Riverside
Long Bri.
The Grove
Ford Place
Finches
New Cottage
South Park
Home Farm
Burzess Cottages
Oakfield
Godfrey Ho.
Smart's Hill
Westfield
Little Chart
Saints Hill House
Wildboars
Nashes Farm
Cemy.
Hallborough
Barnfield
Upper Bullingstone
Ashwood Lodge Farm
Poundsbridge Farm
Hamsell Farm
Marlpit Wood
Furzefield Wood
Stone Wood
Speldhurst Wood
Magpie Shaw
Cock Pit Wood
Nursery
Sandy Shaw
Water Works
Colliersland Bri.
Hartsland
Fordcombe Manor
Roger Wood
Palmers Farm
Little Hickman's
Hickman's Farm
Avery's Wood
Toll Wood
Burnt Wood
Brambleshaw
Danemore Park
Danemore Farm
Silcocks Farm
Danemore Lands Farm
Lodge
Quintain Farm
Springhill Farm
Chafford House
Little Chafford
Sewage Works
Springhill Wood
Chafford Farm
HEDGE BARTON MOBILE HOMES
The Old Vicarage
Prim. Sch.
Hall
Rec. Grd.
Mitre Farm
Fitchetts Farm
Fordcombe Lodge
Lodge Shaw
Stubbs Wood
Priest Wood
Ashurst Place
Shirley Hall
Pavey's
Lipstones
Recreation
Farnham House
Chestnut Plantation
Clappers Shaw
Bear's Oak
PENSHURST PARK
Coombe Bank
Tapner's Wood
PENSHURST ROAD
ROGUES HILL
PENSHURST ROAD
POUNDSBRIDGE LANE
PENSHURST ROAD
BULLINGSTONE LANE
NEW ROAD
SAINTS HILL
SPRING HILL
FORDCOMBE ROAD
FORDCOMBE LANE
COOPERS LANE
POUNDSBRIDGE LANE
LEGGS LANE
BARDEN ROAD
LANGTON ROAD
EWEHURST LANE
BURNT HOUSE LANE
SMARTS HILL
NUNNERY ROAD
SANDFIELD RD.
HIGH ST.
DOUBLETON LANE
B2176
B2188
River Eden
River Medway
143
150
155
H J K L M N
1 2 3 4 5 6 7 8 9
52 53 54 55
40 41 42 43 44

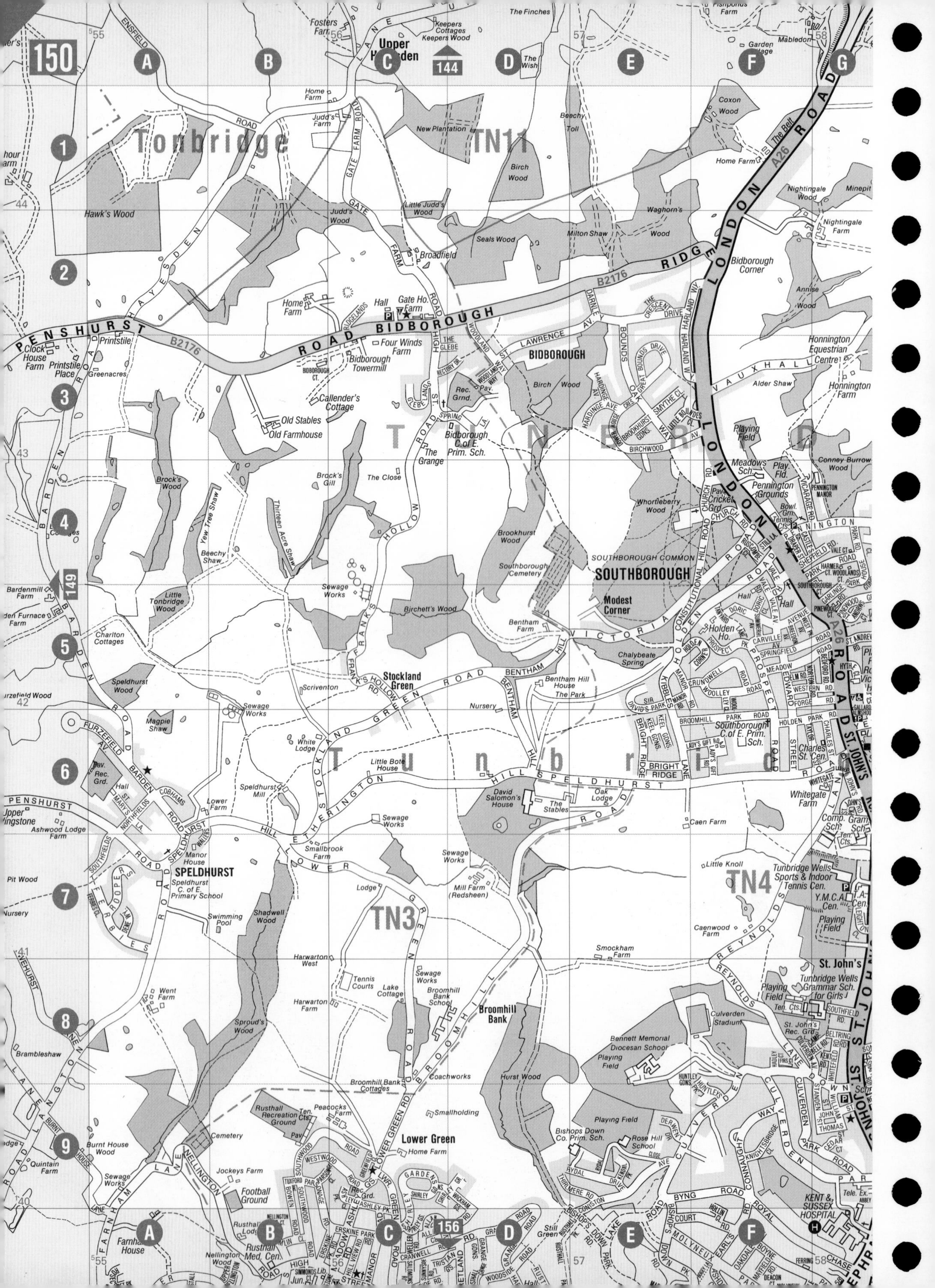
Tonbridge
TN11
Upper Hayesden
144
149
156
Fosters Farm
Keepers Cottages
Keepers Wood
The Finches
The Wish
Mabledon
Garden Cottage
Home Farm
Judd's Farm
New Plantation
Beechy Toll
Coxon Wood
Birch Wood
Hawk's Wood
Judd's Wood
Little Judd's Wood
Seals Wood
Milton Shaw
Waghorn's Wood
Nightingale Wood
Minepit
Nightingale Farm
Broadfield
Bidborough Corner
Annise Wood
Home Farm
Hall
Gate Ho. Farm
PENSHURST ROAD
BIDBOROUGH RIDGE
B2176
LONDON ROAD
A26
Clock House Farm
Printstile
Printstile Place
Greenacres
Four Winds Farm
Bidborough Towermill
BIDBOROUGH
Honnington Equestrian Centre
Honnington Farm
Alder Shaw
VAUXHALL
Callender's Cottage
Old Stables
Old Farmhouse
Birch Wood
Rec. Grnd.
Bidborough C.of E. Prim. Sch.
The Grange
The Close
Brock's Gill
Brock's Wood
Yew Tree Shaw
Thirteen Acre Shaw
Beechy Shaw
Playing Field
Meadows Sch.
Play. Fld.
Conney Burrow Wood
Pennington Grounds
Whortleberry Wood
Brookhurst Wood
Southborough Cemetery
SOUTHBOROUGH COMMON
SOUTHBOROUGH
Modest Corner
Sewage Works
Birchett's Wood
Bentham Farm
Chalybeate Spring
Bardenmill Farm
Barden Furnace Farm
Little Tonbridge Wood
Charlton Cottages
Speldhurst Wood
Stockland Green
Scriventon
Bentham Hill House
The Park
Nursery
Furzefield Wood
Magpie Shaw
White Lodge
Little Bote House
Southborough C.of E. Prim. Sch.
Charles St. Cen.
Whitegate Farm
David Salomon's House
The Stables
Oak Lodge
Caen Farm
Speldhurst Mill
Lower Farm
Upper Pingstone
Ashwood Lodge Farm
Manor House
SPELDHURST
Speldhurst C. of E. Primary School
Smallbrook Farm
Sewage Works
Lodge
Mill Farm (Redsheen)
Little Knoll
TN4
Tunbridge Wells Sports & Indoor Tennis Cen.
Y.M.C.A. Cen.
Playing Field
Pit Wood
Nursery
Swimming Pool
Shadwell Wood
TN3
Caenwood Farm
Smockham Farm
St. John's
Tunbridge Wells Grammar Sch. for Girls
Harwarton West
Tennis Courts
Lake Cottage
Sewage Works
Broomhill Bank School
Broomhill Bank
Harwarton Farm
Went Farm
Sproud's Wood
Culverden Stadium
Bennett Memorial Diocesan School
Playing Field
Brambleshaw
Hurst Wood
Coachworks
Broomhill Bank Cottages
Peacocks Farm
Smallholding
Rusthall Recreation Ground
Cemetery
Playing Field
Bishops Down Co. Prim. Sch.
Rose Hill School
Burnt House Wood
Quintain Farm
Lower Green
Home Farm
Jockeys Farm
Sewage Works
Football Ground
KENT & SUSSEX HOSPITAL
Farnham House
Nellington Lodge
Rusthall Med. Cen.
Still Green
LANGTON ROAD
NELLINGTON
BYNG ROAD
MOLYNEUX
CULVERDEN
REYNOLDS LANE
ST. JOHN'S ROAD

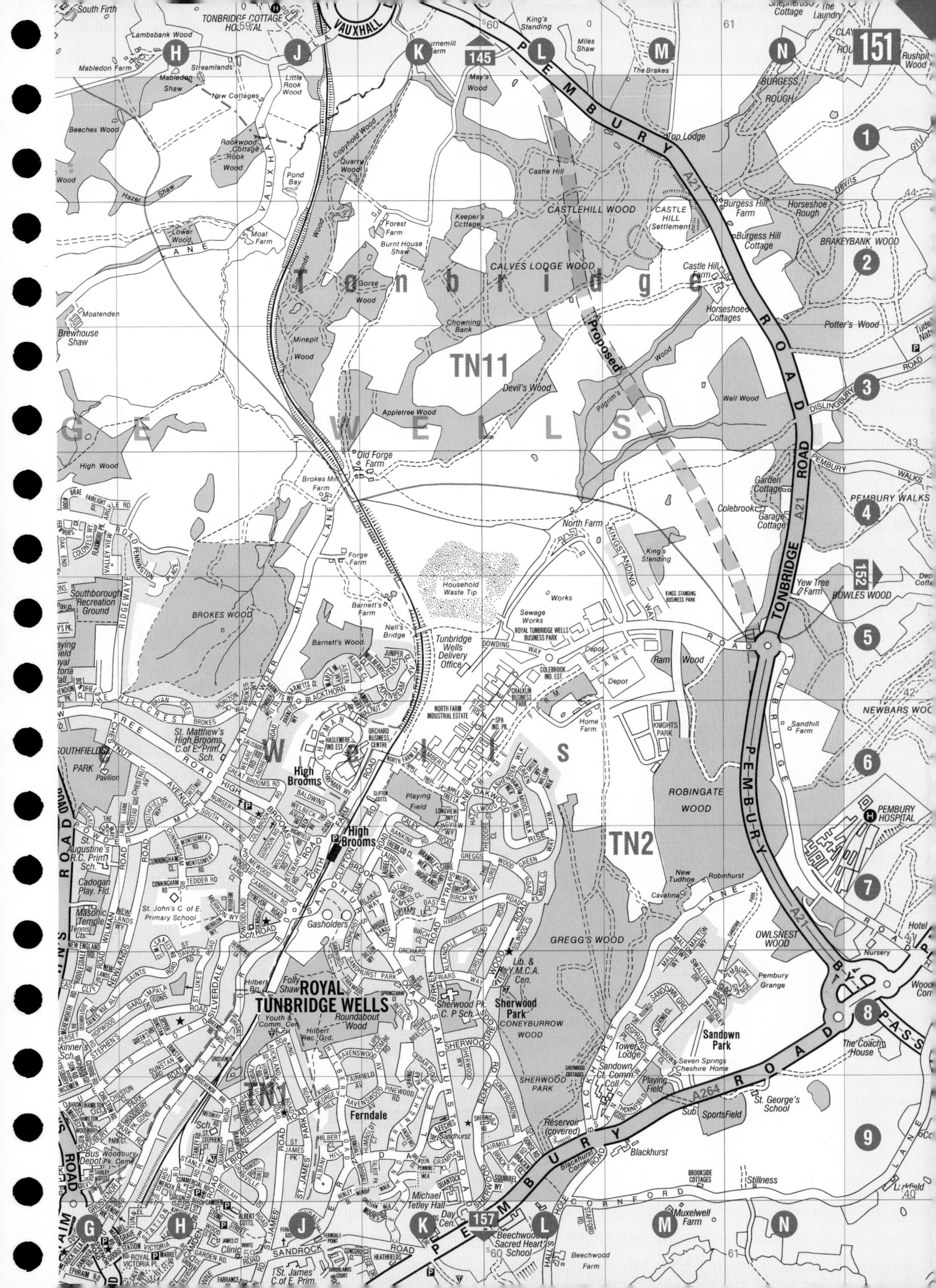
151
145
152
157
H
J
K
L
M
N
G
1
2
3
4
5
6
7
8
9
59
60
61
44
43
42
41
40
South Firth
TONBRIDGE COTTAGE HOSPITAL
VAUXHALL
King's Standing
Miles Shaw
The Brakes
The Laundry
Rushpit Wood
Lambsbank Wood
Mabledon Farm
Mabledon Shaw
Streamlands
New Cottages
Little Rook Wood
May's Wood
BURGESS ROUGH
PEMBURY
Top Lodge
Beeches Wood
Rookwood Cottage
Rook Wood
Copyhold Wood
Quarry Wood
Pond Bay
Castle Hill
Burgess Hill Farm
Horseshoe Rough
Devils
Hazel Shaw
VAUXHALL
Lower Wood
Moat Farm
LANE
Forest Farm
Burnt House Shaw
Keeper's Cottage
CASTLEHILL WOOD
CASTLE HILL Settlement
Burgess Hill Cottage
BRAKEYBANK WOOD
CALVES LODGE WOOD
Castle Hill Farm
Tonbridge
Gorse Wood
Simmonds' Wood
Moatenden
Brewhouse Shaw
Horseshoe Cottages
Potter's Wood
Chowning Bank
Proposed
Minepit Wood
Wood
TN11
Devil's Wood
Pilgrim's
Well Wood
DISLINGBURY
ROAD
Appletree Wood
WELLS
High Wood
Old Forge Farm
Brokes Mill Farm
PEMBURY
WALKS
PEMBURY WALKS
Garden Cottage
Colebrook
Garage Cottage
A21
North Farm
KINGSTANDING
King's Standing
TONBRIDGE
ROAD
Forge Farm
Household Waste Tip
Works
Yew Tree Farm
BOWLES WOOD
Southborough Recreation Ground
RIDGEWAY
BROKES WOOD
MILL LANE
Barnett's Farm
Nell's Bridge
Sewage Works
ROYAL TUNBRIDGE WELLS BUSINESS PARK
KINGS STANDING BUSINESS PARK
WAY
Barnett's Wood
Tunbridge Wells Delivery Office
DOWDING WAY
Depot
Ram Wood
COLEBROOK IND. EST.
CHALKLIN BUSINESS PARK
NORTH FARM INDUSTRIAL ESTATE
SPA IND. PK.
NEWBARS WOOD
KNIGHTS PARK
Home Farm
Sandhill Farm
St. Matthew's High Brooms C.of E. Prim. Sch.
SOUTHFIELDS PARK
Pavilion
HASLEMERE IND. EST.
ORCHARD BUSINESS CENTRE
High Brooms
WELLS
ROBINGATE WOOD
PEMBURY HOSPITAL
Playing Field
High Brooms
TN2
St. Augustine's R.C. Prim. Sch.
Cadogan Play. Fld.
Masonic Temple
Tennis Cts.
St. John's C. of E. Primary School
Gasholders
New Tudhoe
Robinhurst
Cavatina
GREGG'S WOOD
OWLSNEST WOOD
Hotel
Nursery
Lib. & Y.M.C.A. Cen.
Pembury Grange
Folly Shaw
ROYAL TUNBRIDGE WELLS
Roundabout Wood
Sherwood Pk. C. P. Sch.
Sherwood Park
CONEYBURROW WOOD
Sandown Park
Youth & Comm. Cen.
Hilbert Rec. Grd.
Tower Lodge
Sandown Ct. Comm. Coll.
Seven Springs Cheshire Home
The Coach House
SHERWOOD PARK
Playing Field
A264
ROAD
St. George's School
Ferndale
Reservoir (covered)
Sub.
SportsField
TN1
Blackhurst
Blackhurst Corner
Skinner's Sch.
Bus Depot
Woodbury Pk. Cem.
BROOKSIDE COTTAGES
Stillness
Muxelwell Farm
Michael Tetley Hall
Day Cen.
Beechwood Sacred Heart School
Beechwood Farm
St. James' C.of E. Prim.
Clinic
CORNFORD
BY-PASS
LANE
SANDROCK ROAD

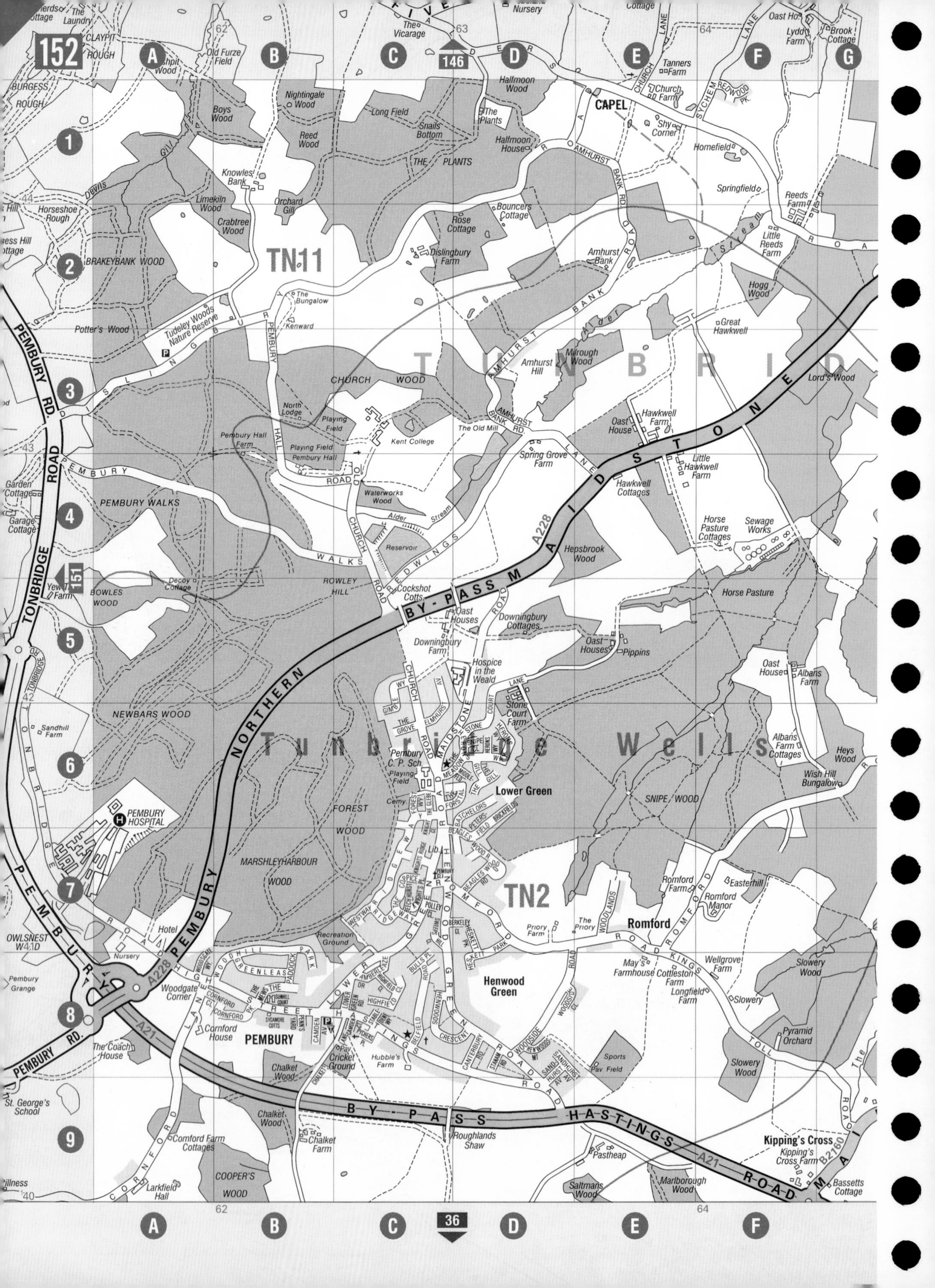

CAPEL
TN11
TN2
PEMBURY
Lower Green
Romford
Henwood Green
Kipping's Cross
Tunbridge Wells
TUNBRIDGE
NORTHERN BY-PASS
MAIDSTONE
HASTINGS ROAD
BY-PASS
A228
A21
B2160
PEMBURY HOSPITAL
PEMBURY WALKS
NEWBARS WOOD
MARSHLEYHARBOUR WOOD
FOREST WOOD
CHURCH WOOD
THE PLANTS
BRAKEYBANK WOOD
SNIPE WOOD
Horse Pasture
Kent College
Reservoir
Waterworks Wood
Hepsbrook Wood
Milrough Wood
Amhurst Hill
Amhurst Bank
Dislingbury Farm
Rose Cottage
Bouncers Cottage
Halfmoon House
Halfmoon Wood
Snails Bottom
Long Field
Nightingale Wood
Reed Wood
Boys Wood
Knowles Bank
Limekiln Wood
Crabtree Wood
Orchard Gill
Horseshoe Rough
Tudeley Woods Nature Reserve
Potter's Wood
Kenward
The Bungalow
Pembury Hall Farm
Playing Field
Pembury Hall
North Lodge
The Old Mill
Spring Grove Farm
Hawkwell Farm
Oast House
Little Hawkwell Farm
Hawkwell Cottages
Great Hawkwell
Hogg Wood
Little Reeds Farm
Reeds Farm
Springfield
Homefield
Shy Corner
Church Farm
Tanners Farm
Lydd Farm
Brook Cottage
Oast Ho.
The Vicarage
Old Furze Field
Horse Pasture Cottages
Sewage Works
Lord's Wood
Cockshot Cotts.
Rowley Hill
Oast Houses
Downingbury Cottages
Downingbury Farm
Pippins
Hospice in the Weald
Stone Court Farm
Oast House
Albans Farm
Albans Farm Cottages
Heys Wood
Wish Hill Bungalow
Pembury C. P. Sch.
Cemy.
Lib.
Romford Farm
Romford Manor
Easterhill
Priory Farm
The Priory
May's Farmhouse
Cottleston Farm
Longfield Farm
Wellgrove Farm
Slowery Wood
Slowery
Pyramid Orchard
Sports Pav Field
Hubble's Farm
Cricket Ground
Chalket Wood
Chalket Farm
Roughlands Shaw
Pastheap
Saltmans Wood
Marlborough Wood
Kipping's Cross Farm
Bassetts Cottage
Comford Farm Cottages
COOPER'S WOOD
Larkfield Hall
Cornford House
Woodgate Corner
Recreation Ground
Hotel
Nursery
OWLSNEST WOOD
Pembury Grange
The Coach House
St. George's School
Sandhill Farm
BOWLES WOOD
Yew Tree Farm
Decoy Cottage
Garden Cottage
Garage Cottage
BURGESS ROUGH
CLAYPIT ROUGH
AMHURST BANK RD.
PEMBURY RD.
CHURCH ROAD
MAIDSTONE ROAD
HENWOOD GREEN ROAD
ROMFORD ROAD
KINGS TOLL ROAD
REDWINGS LANE
CORNFORD LANE
HIGH STREET

146
151
36

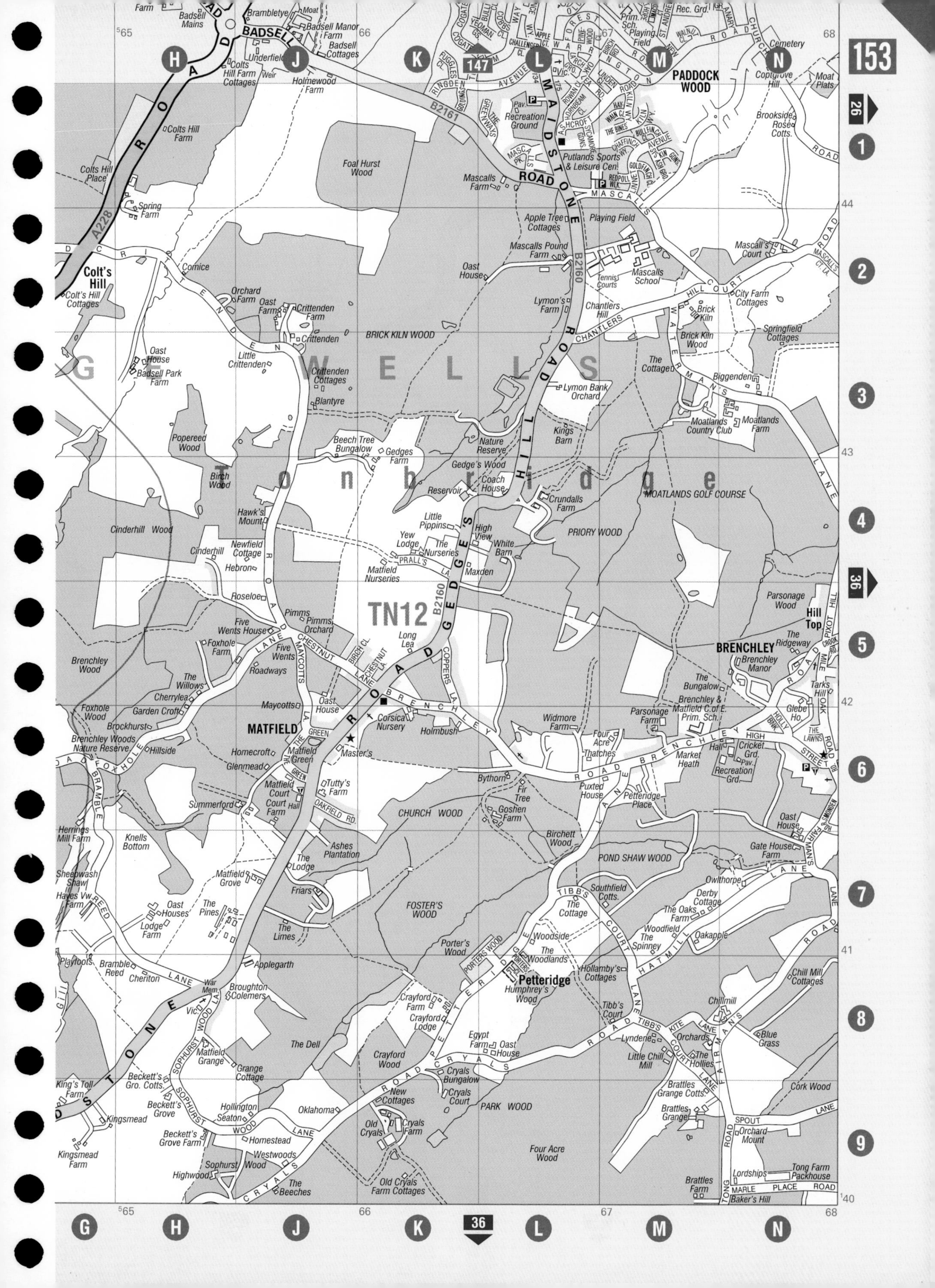

PADDOCK WOOD
BADSELL
Badsell Mains
Badsell Manor Farm
Badsell Cottages
Brambletye
Colts Hill Farm Cottages
Underfield
Holmewood Farm
Colts Hill Farm
Colts Hill Place
Spring Farm
Foal Hurst Wood
Mascalls Farm
Recreation Ground
Putlands Sports & Leisure Cen.
Playing Field
Copigrove Hill
Moat Plats
Brookside Rose Cotts.
Cemetery
Apple Tree Cottages
Mascalls Pound Farm
Mascalls School
Mascall's Court
City Farm Cottages
Oast House
Colt's Hill
Colt's Hill Cottages
Comice
Orchard Farm
Oast Farm
Crittenden Farm
Crittenden
Lymon's Farm
Chantlers Hill
Brick Kiln
Brick Kiln Wood
Springfield Cottages
BRICK KILN WOOD
Badsell Park Farm
Little Crittenden
Crittenden Cottages
Blantyre
The Cottage
Biggenden
Lymon Bank Orchard
Moatlands Country Club
Moatlands Farm
Kings Barn
Nature Reserve
Popereed Wood
Beech Tree Bungalow
Gedges Farm
Gedge's Wood
Birch Wood
Coach House
Reservoir
Crundalls Farm
MOATLANDS GOLF COURSE
Hawk's Mount
Cinderhill Wood
Little Pippins
High View
Yew Lodge
The Nurseries
White Barn
PRIORY WOOD
Cinderhill
Newfield Cottage
Hebron
Matfield Nurseries
Maxden
Parsonage Wood
Hill Top
Roseloe
TN12
Pimms
Pimms Orchard
Five Wents House
Long Lea
BRENCHLEY
The Ridgeway
Foxhole Farm
Five Wents
Brenchley Manor
Brenchley Wood
Roadways
The Willows
Cherrylea
The Bungalow
Tarks Hill
Maycotts
Oast House
Garden Croft
Foxhole Wood
Brockhurst
MATFIELD
Corsica Nursery
Holmbush
Widmore Farm
Parsonage Farm
Brenchley & Matfield C.of E. Prim. Sch.
Glebe Ho.
Brenchley Woods Nature Reserve
Hillside
Homecroft
Matfield Green
Master's
Four Acre
Thatches
Market Heath
Cricket Grd.
Recreation Grd.
Glenmead
Bythorn
Matfield Court
Court Farm
Tutty's Farm
Fir Tree
Puxted House
Petteridge Place
Summerford
Goshen Farm
CHURCH WOOD
Herrings Mill Farm
Knells Bottom
Ashes Plantation
Birchett Wood
Oast House
The Lodge
POND SHAW WOOD
Gate House Farm
Matfield Grove
Sheepwash Shaw
Friars
Hayes Vw. Farm
Southfield Cotts.
Owlthorpe
Derby Cottage
FOSTER'S WOOD
The Cottage
The Oaks Farm
Oast Houses
The Pines
Lodge Farm
The Limes
Woodside
Woodfield
The Spinney
Oakapple
Porter's Wood
The Woodlands
Playfoots
Bramble Reed
Cheriton
Applegarth
Hollamby's Cottages
Chill Mill Cottages
Petteridge
Humphrey's Wood
War Mem.
Broughton Colemers
Crayford Farm
Crayford Lodge
Tibb's Court
Chillmill
Matfield Grange
Grange Cottage
The Dell
Egypt Farm
Oast House
Lyndene
Orchards
Blue Grass
Crayford Wood
Little Chill Mill
The Hollies
Beckett's Gro. Cotts.
King's Toll Farm
Cryals Bungalow
Cryals Court
Brattles Grange Cotts
Cork Wood
Beckett's Grove
Hollington Seaton
New Cottages
Oklahoma
PARK WOOD
Brattles Grange
Kingsmead
Old Cryals
Cryals Farm
Beckett's Grove Farm
Homestead
Orchard Mount
Kingsmead Farm
Westwoods
Four Acre Wood
Sophurst Wood
Highwood
Tong Farm Packhouse
Lordships
The Beeches
Old Cryals Farm Cottages
Brattles Farm
Baker's Hill
G W E L L S
T o n b r i d g e
MAIDSTONE ROAD
GEDGE'S ROAD
BRENCHLEY ROAD
CRITTENDEN ROAD
CRYALS ROAD
PETTERIDGE LANE
TIBB'S COURT LANE
HATMILL LANE
FAIRMAN'S LANE
WATERMAN'S LANE
MASCALLS COURT ROAD
CHANTLERS HILL
FOXHOLE LANE
BRAMBLE REED LANE
SOPHURST WOOD LANE
MARLE PLACE ROAD
SPOUT LANE
TONG ROAD
HIGH STREET
A228
B2160
B2161
G H J K L M N
1 2 3 4 5 6 7 8 9
565 66 67 68
44 43 42 41 40
147
26
36

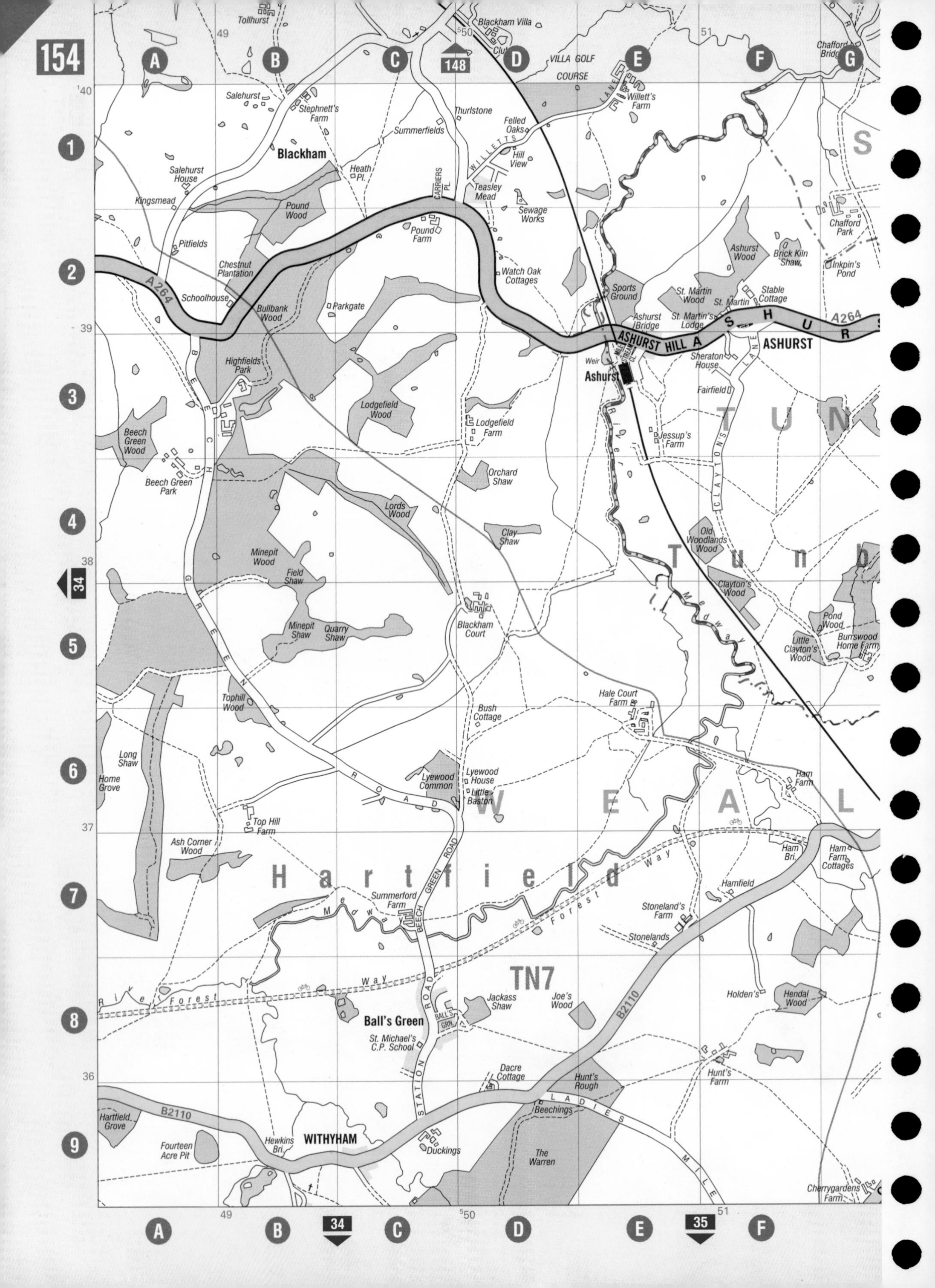

Tollhurst
Blackham Villa
Club
VILLA GOLF
COURSE
Chafford Bridge
Salehurst
Stephnett's Farm
Thurlstone
Willett's Farm
Felled Oaks
Summerfields
Blackham
Hill View
Heath Pl.
Salehurst House
Teasley Mead
Kingsmead
Pound Wood
Sewage Works
Chafford Park
Pound Farm
Pitfields
Ashurst Wood
Brick Kiln Shaw
Inkpin's Pond
Chestnut Plantation
Watch Oak Cottages
Sports Ground
St. Martin Wood
Stable Cottage
A264
Schoolhouse
Bullbank Wood
Parkgate
Ashurst Bridge
St. Martin's Lodge
ASHURST HILL
ASHURST
Highfields Park
Weir
Ashurst
Sheraton House
Fairfield
Lodgefield Wood
Lodgefield Farm
Beech Green Wood
Jessup's Farm
Beech Green Park
Orchard Shaw
Lords Wood
Clay Shaw
Old Woodlands Wood
Minepit Wood
Field Shaw
Clayton's Wood
Pond Wood
Minepit Shaw
Quarry Shaw
Blackham Court
Little Clayton's Wood
Burrswood Home Farm
Tophill Wood
Hale Court Farm
Bush Cottage
Long Shaw
Home Grove
Lyewood Common
Lyewood House
Little Baston
Ham Farm
Top Hill Farm
Ash Corner Wood
Ham Bri.
Ham Farm Cottages
Hartfield
Weald
Summerford Farm
Hamfield
Stoneland's Farm
Stonelands
Forest Way
TN7
Jackass Shaw
Joe's Wood
Holden's
Hendal Wood
Ball's Green
St. Michael's C.P. School
Hunt's Farm
Dacre Cottage
Hunt's Rough
Beechings
B2110
Hartfield Grove
Fourteen Acre Pit
Hewkins Bri.
WITHYHAM
Duckings
The Warren
LADIES MILE
Cherrygardens Farm
BEECH GREEN ROAD
STATION ROAD
CLAYTONS LANE
WILLETTS
CARRIERS PL.
River Medway

148 34 35

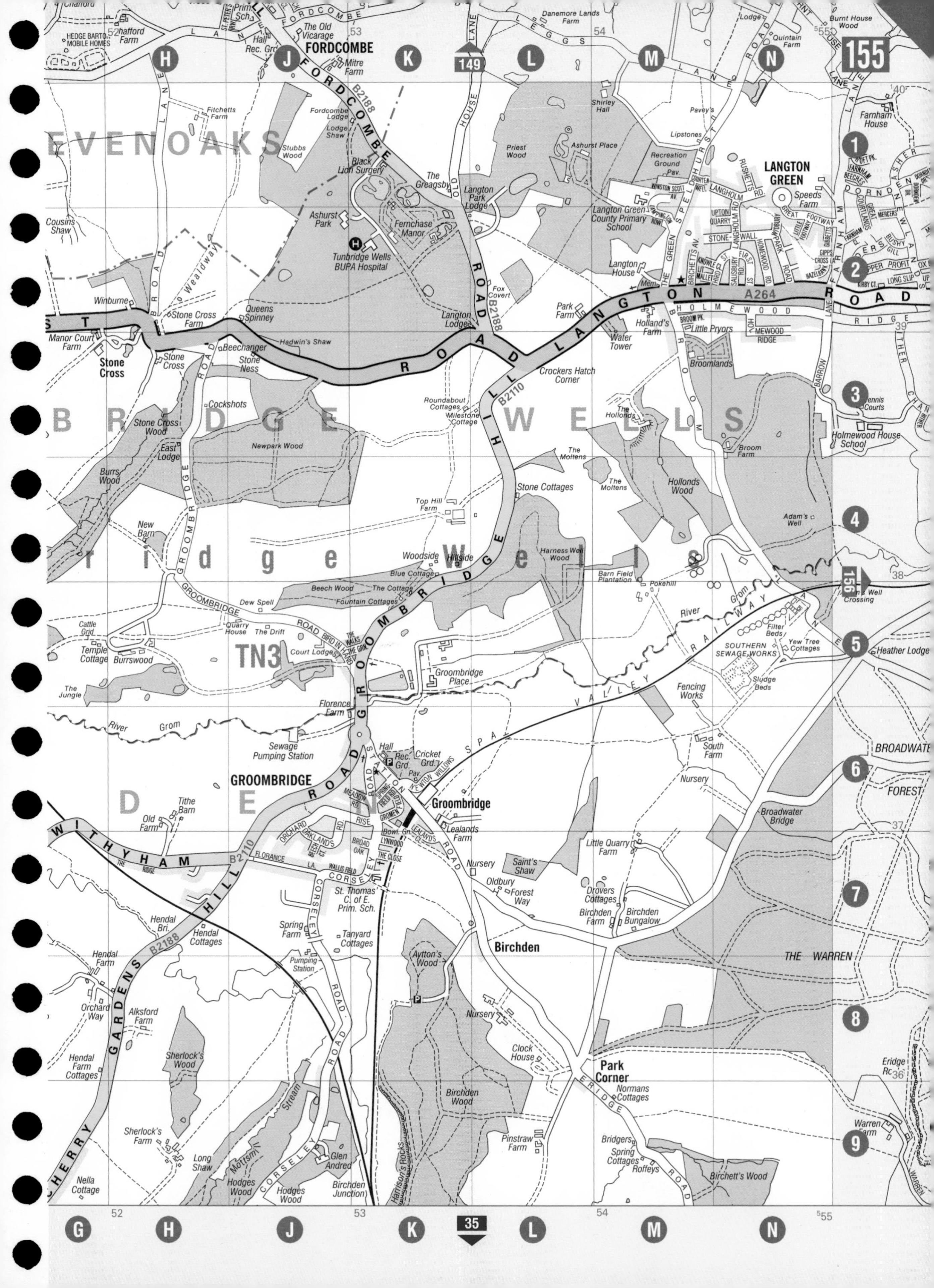
FORDCOMBE
LANGTON GREEN
GROOMBRIDGE
Groombridge
Birchden
Park Corner
Stone Cross
SEVENOAKS
BRIDGE WELLS
TN3
LANGTON ROAD
A264
B2188
B2110
GROOMBRIDGE ROAD
GROOMBRIDGE HILL
WITHYHAM ROAD
CHERRY GARDENS HILL
ERIDGE ROAD
CORSELEY ROAD
SPA VALLEY RAILWAY
River Grom
Ashurst Park
Tunbridge Wells BUPA Hospital
Fernchase Manor
Langton Green County Primary School
Southern Sewage Works
Broadwater Bridge
Birchden Wood
Harrison's Rocks
THE WARREN
Hollonds Wood
Newpark Wood
Priest Wood
Ashurst Place
Groombridge Place
St. Thomas' C. of E. Prim. Sch.
Holmewood House School
149
156
35

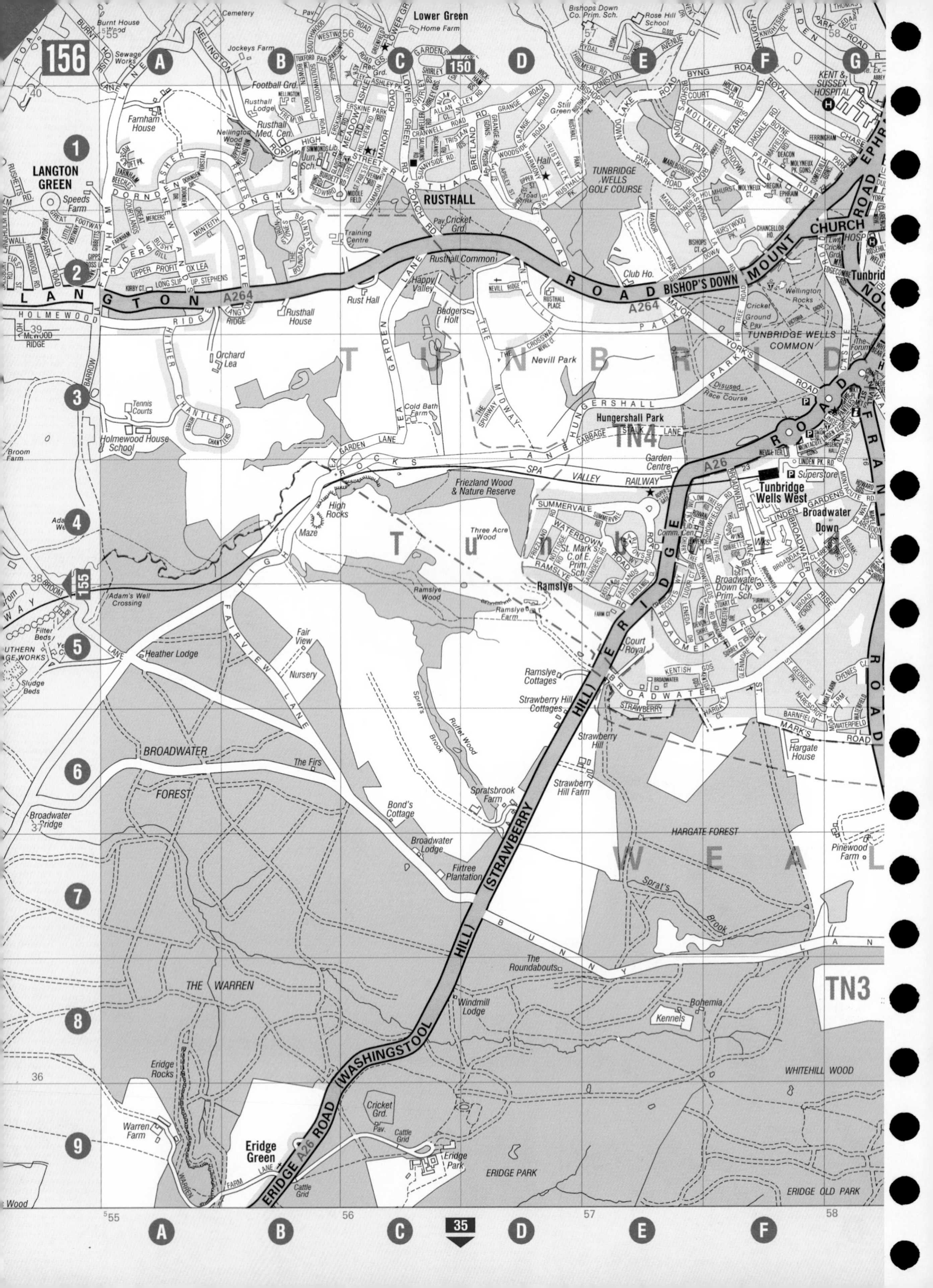
156
Lower Green
Home Farm
Cemetery
Burnt House Wood
Sewage Works
Jockeys Farm
Football Grd.
Rusthall Lodge
Rusthall Med. Cen.
Farnham House
Nellington Wood
LANGTON GREEN
Speeds Farm
RUSTHALL
Bishops Down Co. Prim. Sch.
Rose Hill School
KENT & SUSSEX HOSPITAL
TUNBRIDGE WELLS GOLF COURSE
Still Green
Training Centre
Cricket Grd.
Rusthall Common
Club Ho.
BISHOP'S DOWN
MOUNT CHURCH ROAD
LANGTON ROAD
A264
Rust Hall
Rusthall House
Happy Valley
Badgers Holt
Nevill Park
Orchard Lea
Wellington Rocks
Cricket Ground
TUNBRIDGE WELLS COMMON
Disused Race Course
Tennis Courts
Holmewood House School
Hungershall Park
TN4
Cold Bath Farm
Garden Centre
SPA VALLEY RAILWAY
Friezland Wood & Nature Reserve
High Rocks
Maze
Three Acre Wood
Superstore
Tunbridge Wells West
Broadwater Down
St. Mark's C.of E. Prim. Sch.
Broadwater Down Cty. Prim. Sch.
Ramslye
Ramslye Wood
Ramslye Farm
Adam's Well Crossing
155
Broom Farm
Filter Beds
Sludge Beds
Heather Lodge
Fair View
Nursery
Court Royal
Ramslye Cottages
Strawberry Hill Cottages
Strawberry Hill
Strawberry Hill Farm
Hargate House
BROADWATER FOREST
The Firs
Sprat's Brook
Ruffet Wood
Spratsbrook Farm
Bond's Cottage
Broadwater Bridge
Broadwater Lodge
Firtree Plantation
HARGATE FOREST
WEALD
Pinewood Farm
Sprat's Brook
BUNNY LANE
The Roundabouts
TN3
THE WARREN
Windmill Lodge
Bohemia
Kennels
STRAWBERRY HILL
WASHINGSTOOL HILL
ERIDGE ROAD
A26
Eridge Rocks
WHITEHILL WOOD
Cricket Grd.
Warren Farm
Eridge Green
Eridge Park
ERIDGE PARK
ERIDGE OLD PARK
Cattle Grid
A B C D E F G
1 2 3 4 5 6 7 8 9
35
150

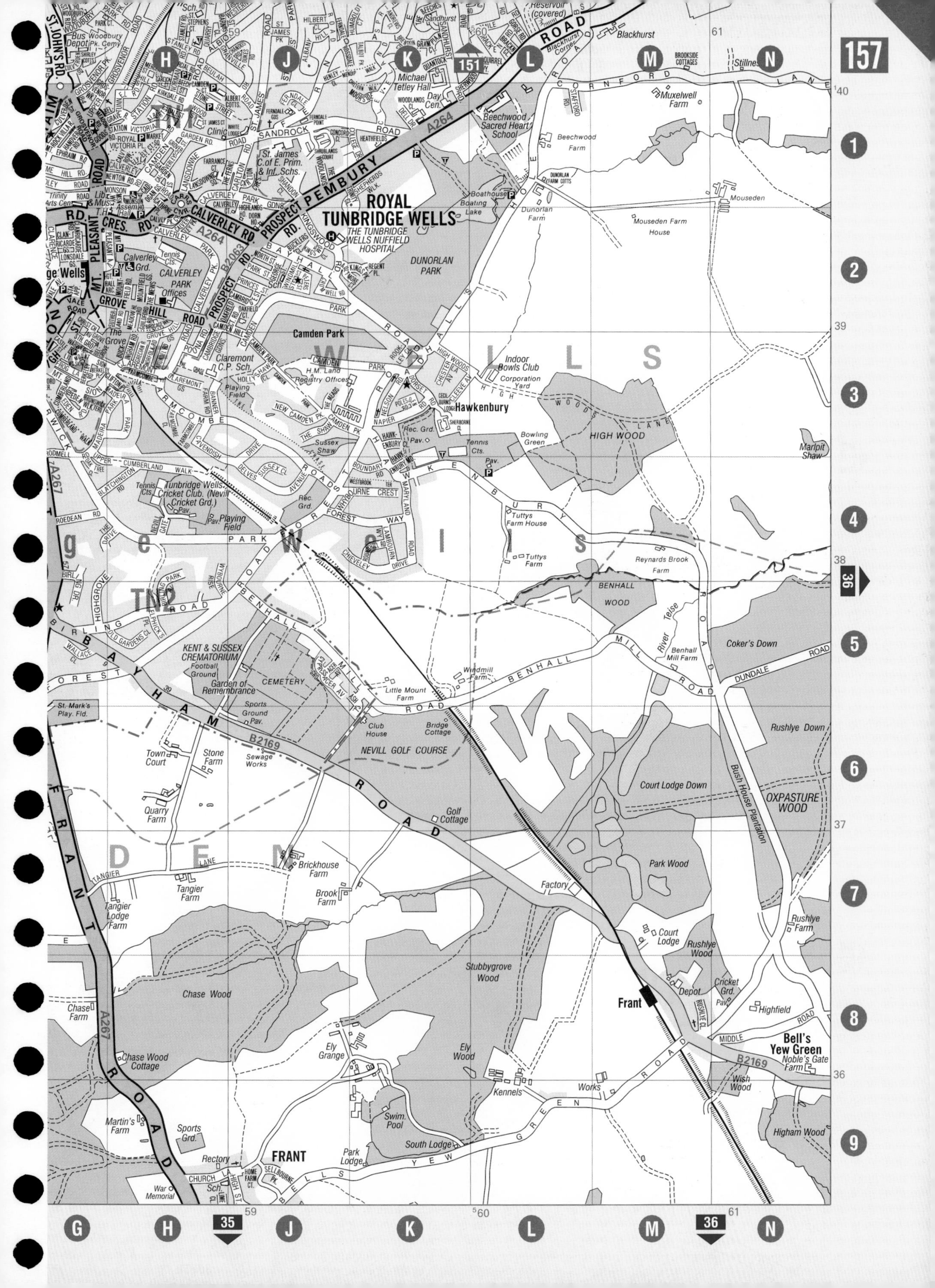
ROYAL
TUNBRIDGE WELLS
THE TUNBRIDGE
WELLS NUFFIELD
HOSPITAL
DUNORLAN
PARK
Camden Park
Calverley
PARK
Offices
Claremont
C.P. Sch.
H.M. Land
Registry Offices
Indoor
Bowls Club
Corporation
Yard
Hawkenbury
HIGH WOOD
Bowling
Green
Tennis
Cts.
Tunbridge Wells
Cricket Club. (Nevill
Cricket Grd.)
Playing
Field
Tuttys
Farm House
Tuttys
Farm
Reynards Brook
Farm
BENHALL
WOOD
Benhall
Mill Farm
Coker's Down
KENT & SUSSEX
CREMATORIUM
Football
Ground
Garden of
Remembrance
CEMETERY
Sports
Ground
Little Mount
Farm
Windmill
Farm
Club
House
Bridge
Cottage
NEVILL GOLF COURSE
Rushlye Down
Court Lodge Down
OXPASTURE
WOOD
Bush House Plantation
St. Mark's
Play. Fld.
Town
Court
Stone
Farm
Sewage
Works
Quarry
Farm
Golf
Cottage
Brickhouse
Farm
Brook
Farm
Tangier
Farm
Tangier
Lodge
Farm
Factory
Park Wood
Court
Lodge
Rushlye
Wood
Rushlye
Farm
Chase Wood
Stubbygrove
Wood
Chase
Farm
Frant
Depot
Cricket
Grd.
Highfield
Bell's
Yew Green
Noble's Gate
Farm
Wish
Wood
Chase Wood
Cottage
Ely
Grange
Ely
Wood
Kennels
Works
Swim.
Pool
South Lodge
Martin's
Farm
Sports
Grd.
Higham Wood
FRANT
Rectory
Park
Lodge
War
Memorial
Beechwood
Sacred Heart
School
Beechwood
Farm
Muxelwell
Farm
Blackhurst
Mouseden
Mouseden Farm
House
Dunorlan
Farm
Boathouse
Boating
Lake
Marlpit
Shaw
Michael
Tetley Hall
St. James'
C.of E. Prim.
& Inf. Schs.
PEMBURY
PROSPECT
CALVERLEY RD.
GROVE
HILL
ROAD
BAYHAM
ROAD
FRANT
ROAD
BELLS YEW GREEN
BENHALL MILL ROAD
HIGH WOODS LANE
HAWKENBURY
CORNFORD LANE
A264
A267
B2169
B2063
TN1
TN2
WELLS
DEN
36
35
151

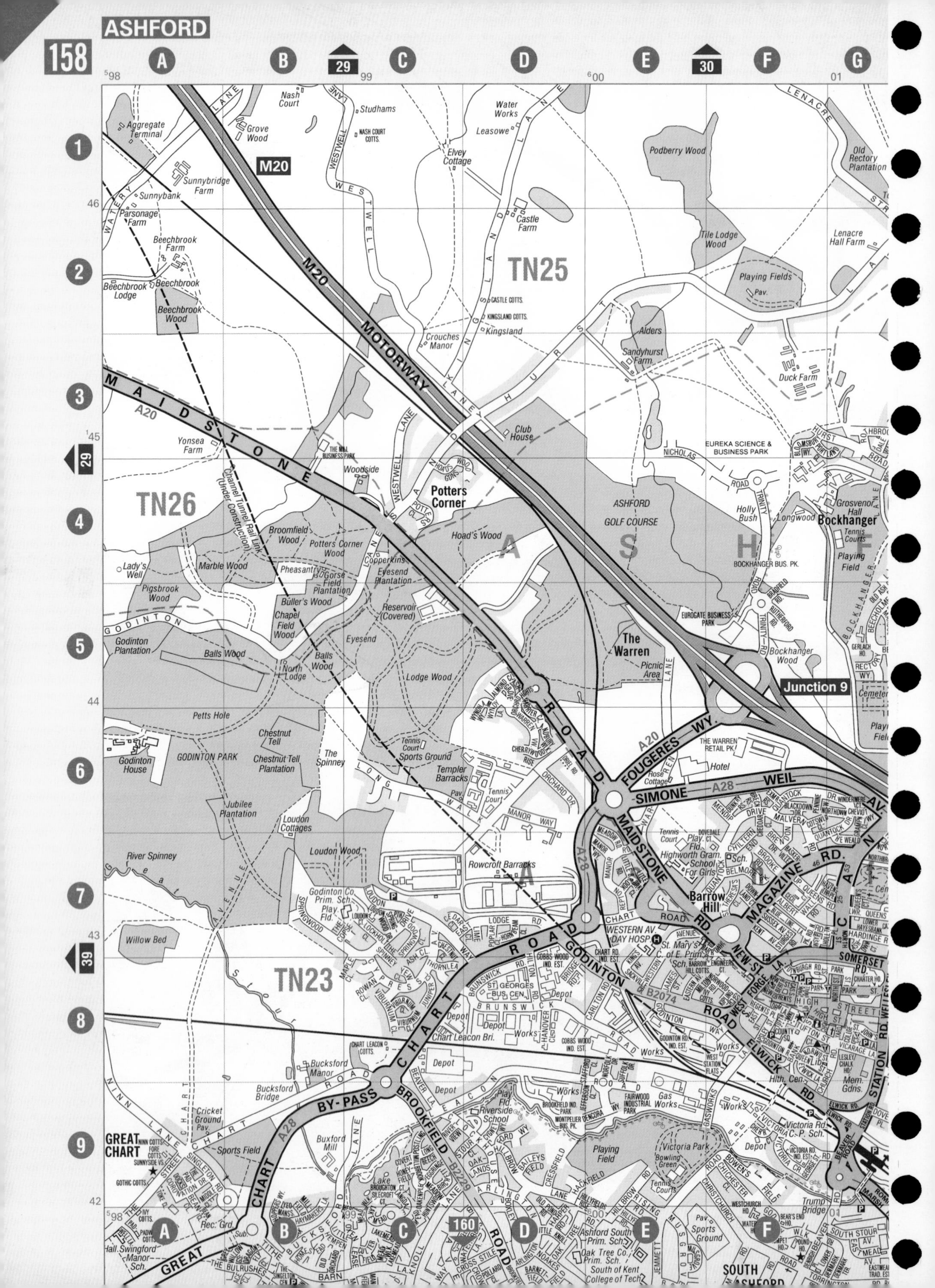
A B C D E F G
1 2 3 4 5 6 7 8 9
29 30 160
Aggregate Terminal
Nash Court
Studhams
Grove Wood
Water Works
Leasowe
Elvey Cottage
Podberry Wood
Old Rectory Plantation
M20
Sunnybridge Farm
Sunnybank
Parsonage Farm
Castle Farm
Tile Lodge Wood
Lenacre Hall Farm
Beechbrook Farm
Beechbrook Lodge
Beechbrook
Beechbrook Wood
TN25
Playing Fields
Pav.
M20 MOTORWAY
Crouches Manor
Kingsland
Alders
Sandyhurst Farm
Duck Farm
MAIDSTONE
A20
Club House
Yonsea Farm
EUREKA SCIENCE & BUSINESS PARK
NICHOLAS RD.
Woodside
Potters Corner
Channel Tunnel Rail Link (Under Construction)
TN26
ASHFORD GOLF COURSE
Holly Bush
Longwood
Bockhanger
Grosvenor Hall
Tennis Courts
Playing Field
Broomfield Wood
Potters Corner Wood
Hoad's Wood
Lady's Well
Marble Wood
Pheasantry
Gorse Field Plantation
Copperkins
Eyesend Plantation
BOCKHANGER BUS. PK.
Pigsbrook Wood
Buller's Wood
Reservoir (Covered)
EUROGATE BUSINESS PARK
GODINTON
Chapel Field Wood
Eyesend
The Warren
Godinton Plantation
Balls Wood
North Lodge
Lodge Wood
Picnic Area
Bockhanger Wood
Junction 9
Petts Hole
ROAD
Chestnut Tell
Godinton House
GODINTON PARK
Chestnut Tell Plantation
The Spinney
Tennis Court
Sports Ground
Templer Barracks
FOUGERES WY.
THE WARREN RETAIL PK.
Rose Cottage
Hotel
SIMONE WEIL AV.
A28
Jubilee Plantation
Loudon Cottages
MANOR WAY
MAIDSTONE RD.
Highworth Gram. School For Girls
River Spinney
Loudon Wood
Rowcroft Barracks
MAGAZINE RD.
Barrow Hill
Godinton Co. Prim. Sch.
Play Fld.
LODGE RD.
CHART RD.
WESTERN AV. DAY HOSP.
St. Mary's C. of E. Prim. Sch.
Willow Bed
NEW ST.
SOMERSET RD.
TN23
COBBS WOOD IND. EST.
ST GEORGES BUS. CEN.
Depot
GODINTON ROAD
B2074
BRUNSWICK RD.
HIGH ST.
Chart Leacon Bri.
Works
WEST STATION FLATS
ELWICK RD.
CHART LEACON COTTS.
Bucksford Manor
Depot
Hlth. Cen.
Mem. Gdns.
Bucksford Bridge
BY-PASS
BROOKFIELD RD.
Riverside School
FAIRWOOD INDUSTRIAL PARK
Gas Works
Victoria Rd. C.P. Sch.
STATION RD.
Cricket Ground
Pav.
Buxford Mill
Playing Field
Victoria Park
Bowling Green
GREAT CHART
Sports Field
B2229
Tennis Courts
Rec. Grd.
Trumpet Bridge
Ashford South Prim. Sch.
Oak Tree Co. Prim. Sch.
South of Kent College of Tech.
Pav. Sports Ground
Swingford Manor Sch.
GREAT CHART
SOUTH ASHFORD

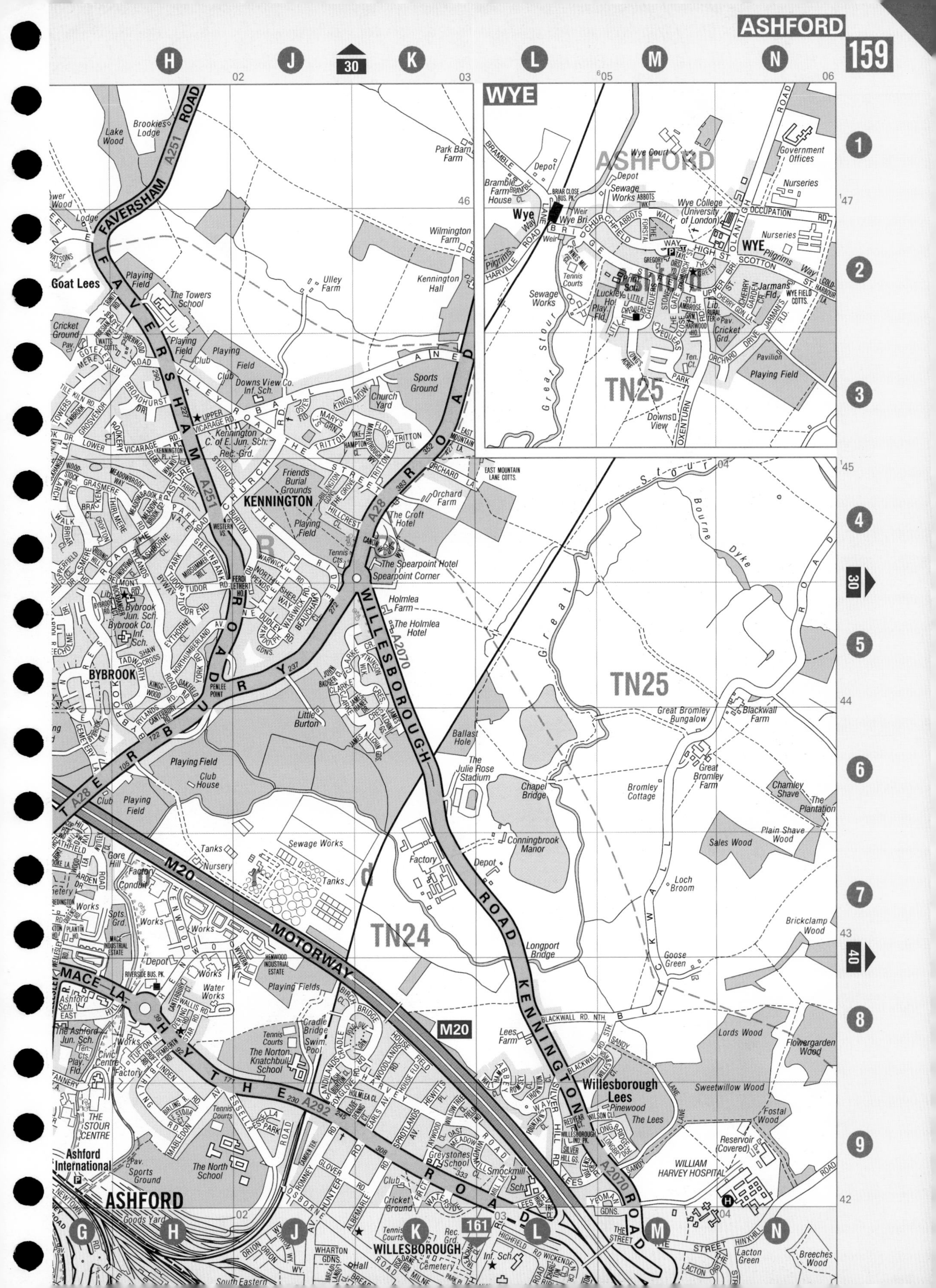
WYE
ASHFORD
TN25
Wye Court
Depot
Sewage Works
Wye College (University of London)
Government Offices
Nurseries
OCCUPATION RD.
Pilgrims Way
HIGH ST.
SCOTTON ST.
Jarmans Fld.
Cricket Grd.
Playing Field
Pavilion
Downs View
OXENTURN
Bramble Farm House
Wye
Weir
Wye Bri.
Tennis Courts
Great Stour
Brookies Lodge
Lake Wood
FAVERSHAM ROAD
A251
Park Barn Farm
Wilmington Farm
Ulley Farm
Kennington Hall
Goat Lees
Playing Field
The Towers School
Cricket Ground
Downs View Co. Inf. Sch.
Sports Ground
Church Yard
Kennington C. of E. Jun. Sch.
Rec. Grd.
Friends Burial Grounds
KENNINGTON
Orchard Farm
The Croft Hotel
EAST MOUNTAIN LANE COTTS.
The Spearpoint Hotel
Spearpoint Corner
Holmlea Farm
The Holmlea Hotel
WILLESBOROUGH ROAD
A2070
A28
BYBROOK
Bybrook Jun. Sch.
Bybrook Co. Inf. Sch.
Little Burton
BOUNDARY ROAD
Playing Field
Club House
Ballast Hole
The Julie Rose Stadium
Chapel Bridge
Conningbrook Manor
Depot
Factory
Sewage Works
Tanks
Nursery
TN24
M20
MOTORWAY
Great Bromley Bungalow
Blackwall Farm
Great Bromley Farm
Bromley Cottage
Chamley Shave
The Plantation
Plain Shave Wood
Sales Wood
Loch Broom
Brickclamp Wood
Goose Green
Longport Bridge
Bourne Dyke
Lords Wood
Flowergarden Wood
Sweetwillow Wood
Fostal Wood
Reservoir (Covered)
WILLIAM HARVEY HOSPITAL
Willesborough Lees
Pinewood
The Lees
Lees Farm
BLACKWALL RD. NTH.
KENNINGTON ROAD
Playing Fields
HENWOOD INDUSTRIAL ESTATE
Water Works
Works
Cradle Bridge Swim. Pool
The Norton Knatchbull School
Tennis Courts
The North School
Greystones School
Smockmill
Sch.
HYTHE ROAD
A292
Ashford Sch.
The Ashford Jun. Sch.
Civic Centre
Factory
THE STOUR CENTRE
Ashford International
Sports Ground
ASHFORD
Goods Yard
MACE LA.
MACE INDUSTRIAL ESTATE
Depot
RIVERSIDE BUS. PK.
Cricket Ground
Tennis Courts
Rec. Grd.
WILLESBOROUGH
Cemetery
Inf. Sch.
Hall
Lacton Green
Breeches Wood
South Eastern
30
40
161

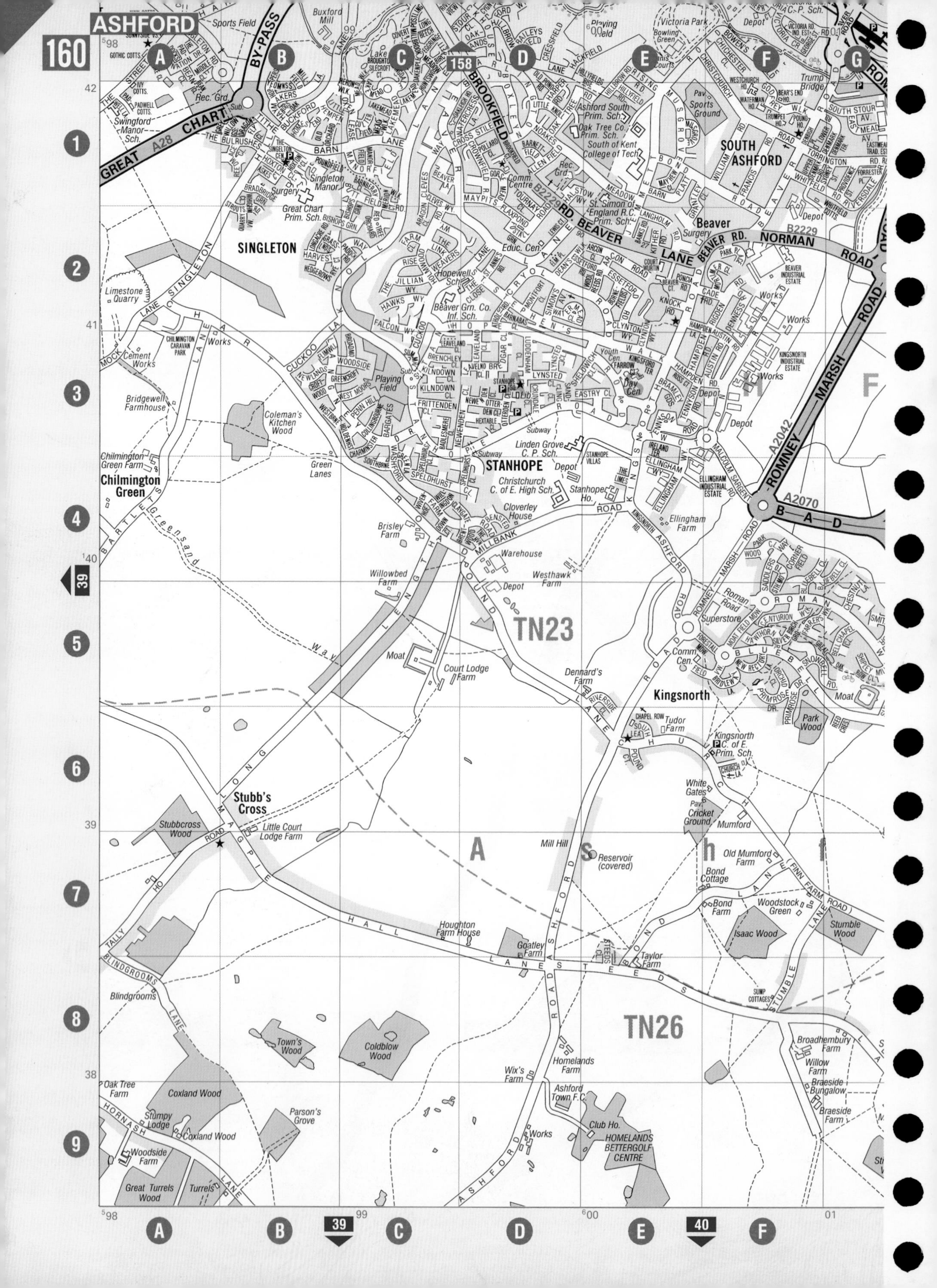
Sports Field
BY-PASS
Buxford Mill
Playing Field
Victoria Park
Bowling Green
Depot
158
A
B
C
D
E
F
G
42
GREAT CHART
A28
Rec. Grd.
Swingford Manor Sch.
THE BULRUSHES
BROOKFIELD
Ashford South Prim. Sch.
Oak Tree Co. Prim. Sch.
South of Kent College of Tech.
Sports Ground
SOUTH ASHFORD
Trump Bridge
Singleton Manor
Surgery
Great Chart Prim. Sch.
Comm. Centre
Rec. Grd.
St. Simon of England R.C. Prim. Sch.
Beaver
Surgery
B2229
BEAVER RD.
BEAVER LANE
NORMAN ROAD
SINGLETON
Educ. Cen.
Hopewell Sch.
BEAVER INDUSTRIAL ESTATE
Works
Limestone Quarry
Beaver Grn. Co. Inf. Sch.
41
Chilmington Caravan Park
Works
Cement Works
Youth Cen.
Day Cen.
KINGSNORTH INDUSTRIAL ESTATE
Playing Field
Bridgewell Farmhouse
Coleman's Kitchen Wood
Depot
Subway
Linden Grove C. P. Sch.
STANHOPE VILLAS
ROMNEY MARSH ROAD
A2042
Chilmington Green Farm
Chilmington Green
Green Lanes
STANHOPE
Christchurch C. of E. High Sch.
Depot
Stanhope Ho.
Cloverley House
ELLINGHAM INDUSTRIAL ESTATE
A2070
BAD
Ellingham Farm
Brisley Farm
MILLBANK
Warehouse
Willowbed Farm
Westhawk Farm
Depot
140
39
TN23
Roman Road
Superstore
Comm. Cen.
Moat
Court Lodge Farm
Dennard's Farm
Kingsnorth
Tudor Farm
Kingsnorth C. of E. Prim. Sch.
Park Wood
Moat
Stubb's Cross
White Gates
Cricket Ground
Mumford
Stubbcross Wood
Little Court Lodge Farm
39
A
Mill Hill
s
Reservoir (covered)
h
Old Mumford Farm
f
Bond Cottage
Bond Farm
Woodstock Green
Stumble Wood
Isaac Wood
Houghton Farm House
Goatley Farm
Taylor Farm
STEEDS LANE
Blindgrooms
SUMP COTTAGES
TN26
Broadhembury Farm
Willow Farm
Braeside Bungalow
Braeside Farm
Town's Wood
Coldblow Wood
Homelands Farm
Wix's Farm
Ashford Town F.C.
38
Oak Tree Farm
Coxland Wood
Parson's Grove
Stumpy Lodge
Coxland Wood
Club Ho.
HOMELANDS BETTERGOLF CENTRE
Works
Woodside Farm
Great Turrels Wood
Turrels
598
99
600
01
39
40
1
2
3
4
5
6
7
8
9

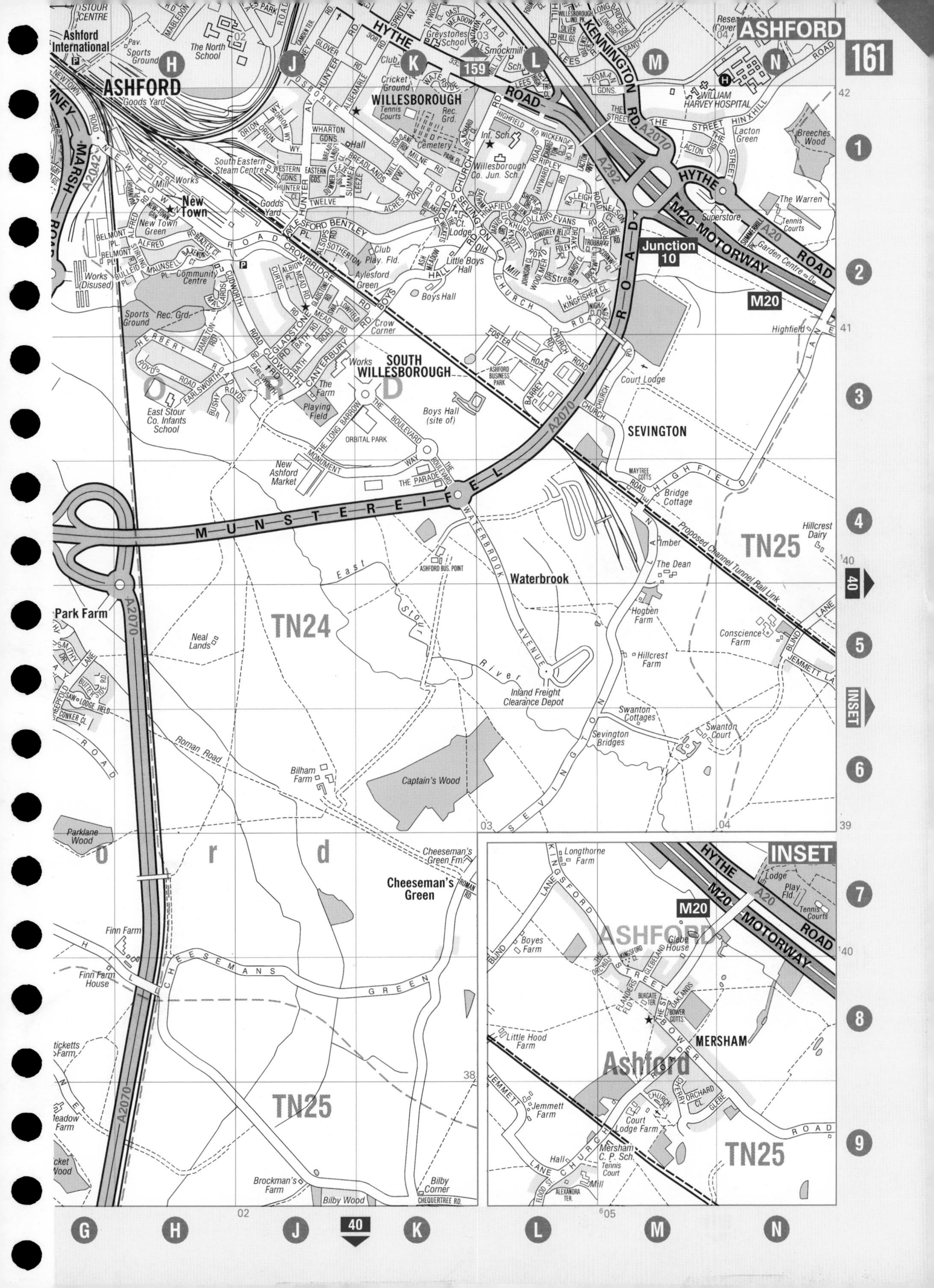
ASHFORD
161
Ashford International
ASHFORD
Goods Yard
The North School
WILLESBOROUGH
Tennis Courts
Rec. Grd.
Cricket Ground
Greystones School
Smockmill
HYTHE ROAD
KENNINGTON RD.
WILLIAM HARVEY HOSPITAL
Lacton Green
Breeches Wood
South Eastern Steam Centre
Cemetery
Willesborough Co. Jun. Sch.
Inf. Sch.
New Town
New Town Green
Godds Yard
Works
Mill
Works (Disused)
Community Centre
Sports Ground
Rec. Grd.
Club Play. Fld.
Aylesford Green
Little Boys Hall
Boys Hall
Crow Corner
Junction 10
M20 MOTORWAY
The Warren
Superstore
Tennis Courts
Garden Centre
M20
Highfield
SOUTH WILLESBOROUGH
ASHFORD BUSINESS PARK
Court Lodge
SEVINGTON
East Stour Co. Infants School
The Farm
Playing Field
ORBITAL PARK
Boys Hall (site of)
New Ashford Market
THE PARADE
MUNSTEREIFEL
A2070
A2042
A292
Bridge Cottage
Proposed Channel Tunnel Rail Link
Hillcrest Dairy
TN25
ASHFORD BUS. POINT
Waterbrook
WATERBROOK AVENUE
East Stour River
Imber
The Dean
Hogben Farm
Conscience Farm
Hillcrest Farm
Park Farm
Neal Lands
TN24
Inland Freight Clearance Depot
Swanton Cottages
Swanton Court
Sevington Bridges
Roman Road
Bilham Farm
Captain's Wood
Parklane Wood
Cheeseman's Green Fm.
Cheeseman's Green
CHEESEMANS GREEN
Finn Farm
Finn Farm House
Ticketts Farm
Meadow Farm
TN25
Brockman's Farm
Bilby Corner
Bilby Wood
CHEQUERTREE RD.
INSET
Longthorne Farm
KINGSFORD LANE
Boyes Farm
Glebe House
ASHFORD
M20
HYTHE A20 ROAD
Lodge
Play. Fld.
Tennis Courts
Little Hood Farm
MERSHAM
Ashford
Jemmett Farm
Court Lodge Farm
Mersham C. P. Sch.
Tennis Court
Hall
Mill
ALEXANDRA TER.
TN25
159
40
G H J K L M N
1 2 3 4 5 6 7 8 9

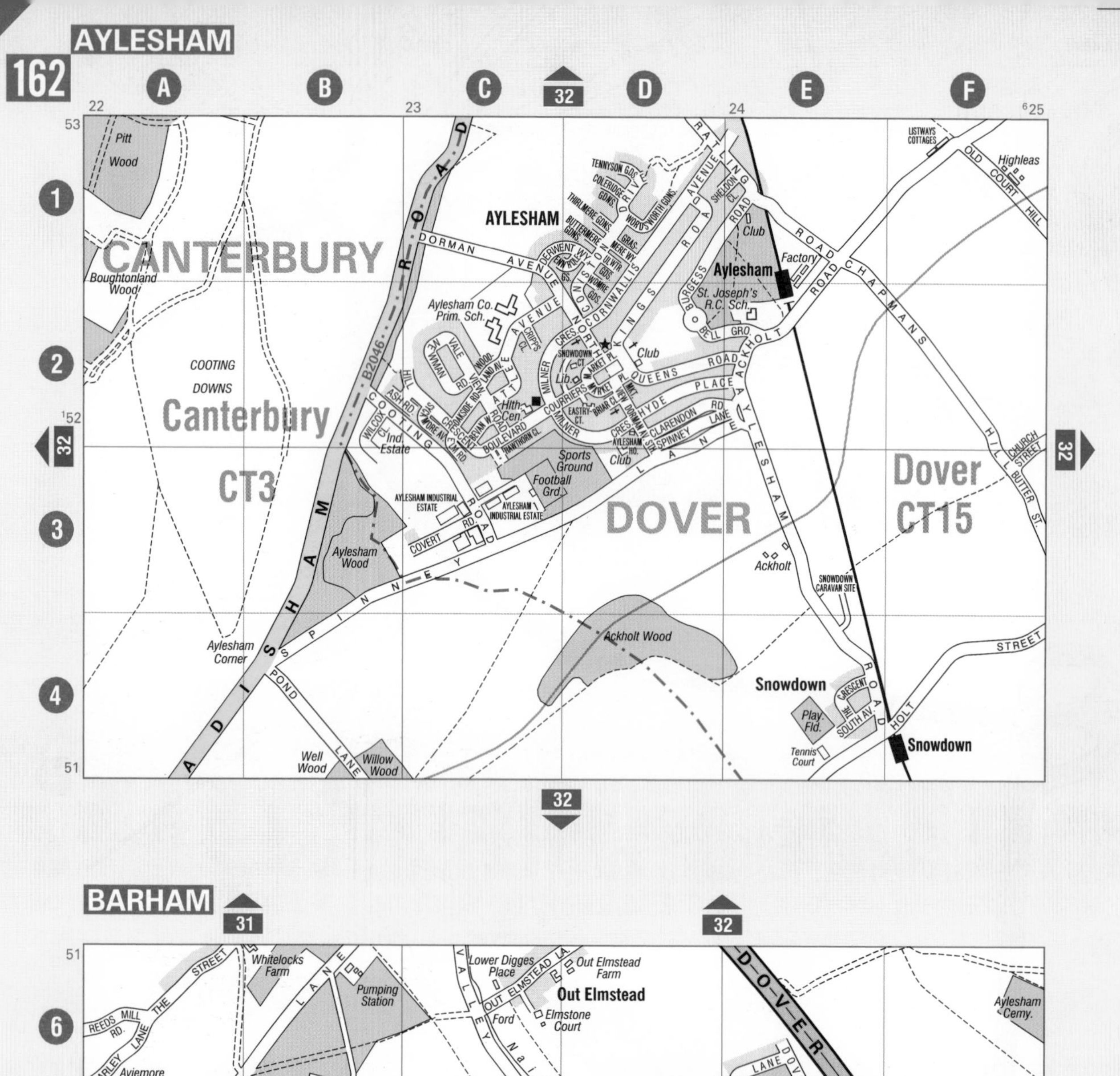
AYLESHAM
CANTERBURY
Canterbury
CT3
DOVER
Dover
CT15
Pitt Wood
Boughtonland Wood
COOTING DOWNS
Aylesham Co. Prim. Sch.
Aylesham
Factory
Club
St. Joseph's R.C. Sch.
Sports Ground
Football Grd.
AYLESHAM INDUSTRIAL ESTATE
Ind. Estate
Aylesham Wood
Ackholt
Ackholt Wood
Aylesham Corner
Snowdown
Play. Fld.
Tennis Court
Well Wood
Willow Wood
Highleas
LISTWAYS COTTAGES
SNOWDOWN CARAVAN SITE
DORMAN AVENUE
ADISHAM ROAD
B2046
SPINNEY LANE
POND LANE
COVERT RD
CHAPMANS HILL
OLD COURT HILL
CHURCH STREET
BUTTER ST.
HOLT STREET
AYLESHAM ROAD
ACKHOLT ROAD
QUEENS ROAD
HYDE PLACE
CLARENDON RD
SPINNEY LANE
CORNWALLIS
KINGS
BURGESS ROAD
SHELDON CL.
COURRIERS
MILNER CRES
BOULEVARD
COOTING LANE

BARHAM

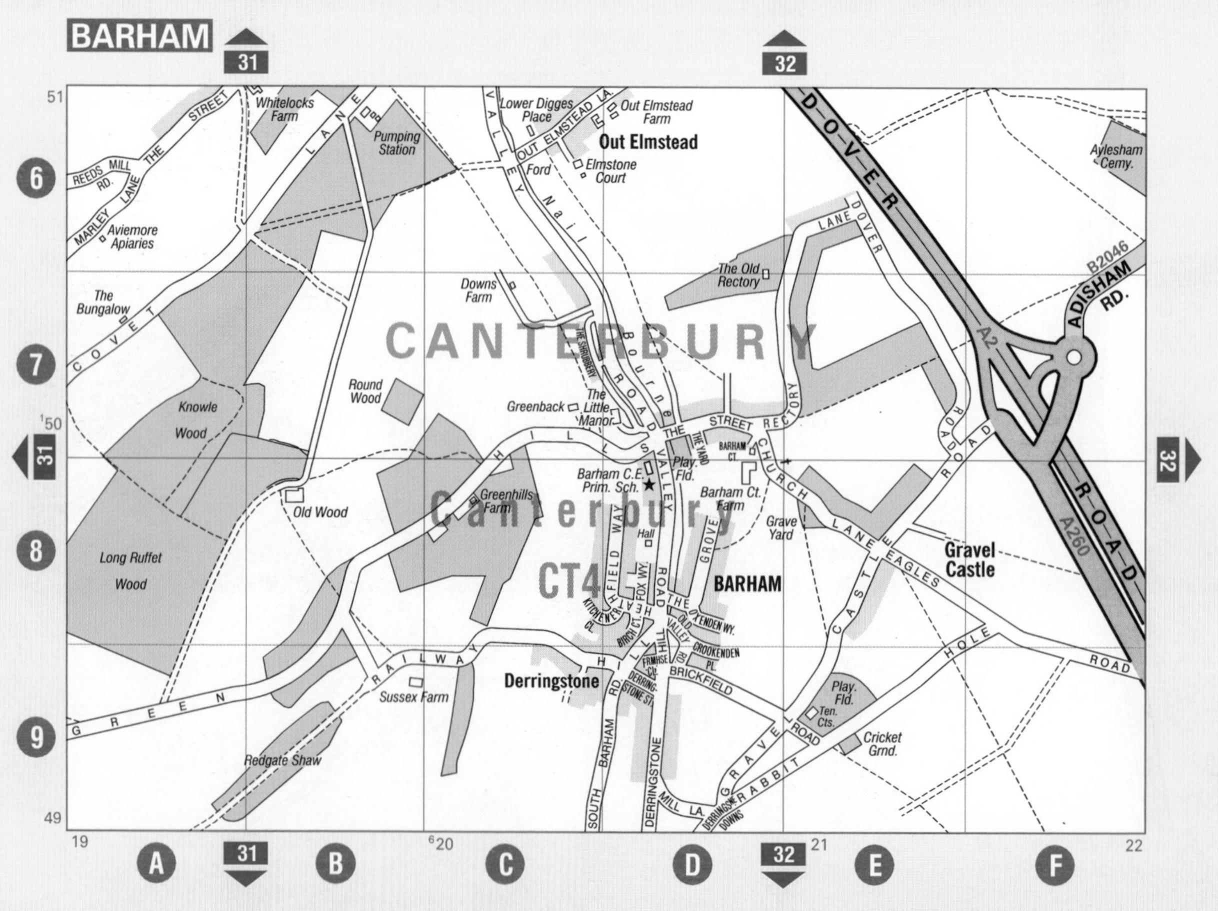
CANTERBURY
Canterbury
CT4
BARHAM
Out Elmstead
Derringstone
Gravel Castle
Whitelocks Farm
Pumping Station
Lower Digges Place
Out Elmstead Farm
Elmstone Court
Ford
Aviemore Apiaries
The Bungalow
Downs Farm
The Old Rectory
Aylesham Cemy.
Round Wood
Knowle Wood
Greenback
The Little Manor
Barham C.E. Prim. Sch.
Play. Fld.
Barham Ct. Farm
Grave Yard
Greenhills Farm
Old Wood
Long Ruffet Wood
Hall
Sussex Farm
Redgate Shaw
Play. Fld.
Ten. Cts.
Cricket Grnd.
DOVER ROAD
A2
A260
B2046
ADISHAM RD.
REEDS MILL RD.
MARLEY LANE
THE STREET
COVET LANE
OUT ELMSTEAD LA.
VALLEY ROAD
Nail Bourne
RECTORY ROAD
CHURCH LANE
EAGLES
HOLE ROAD
GREEN RAILWAY HILL
SOUTH BARHAM RD.
DERRINGSTONE
MILL LA.
BRICKFIELD
GRAVEL ROAD
RABBIT

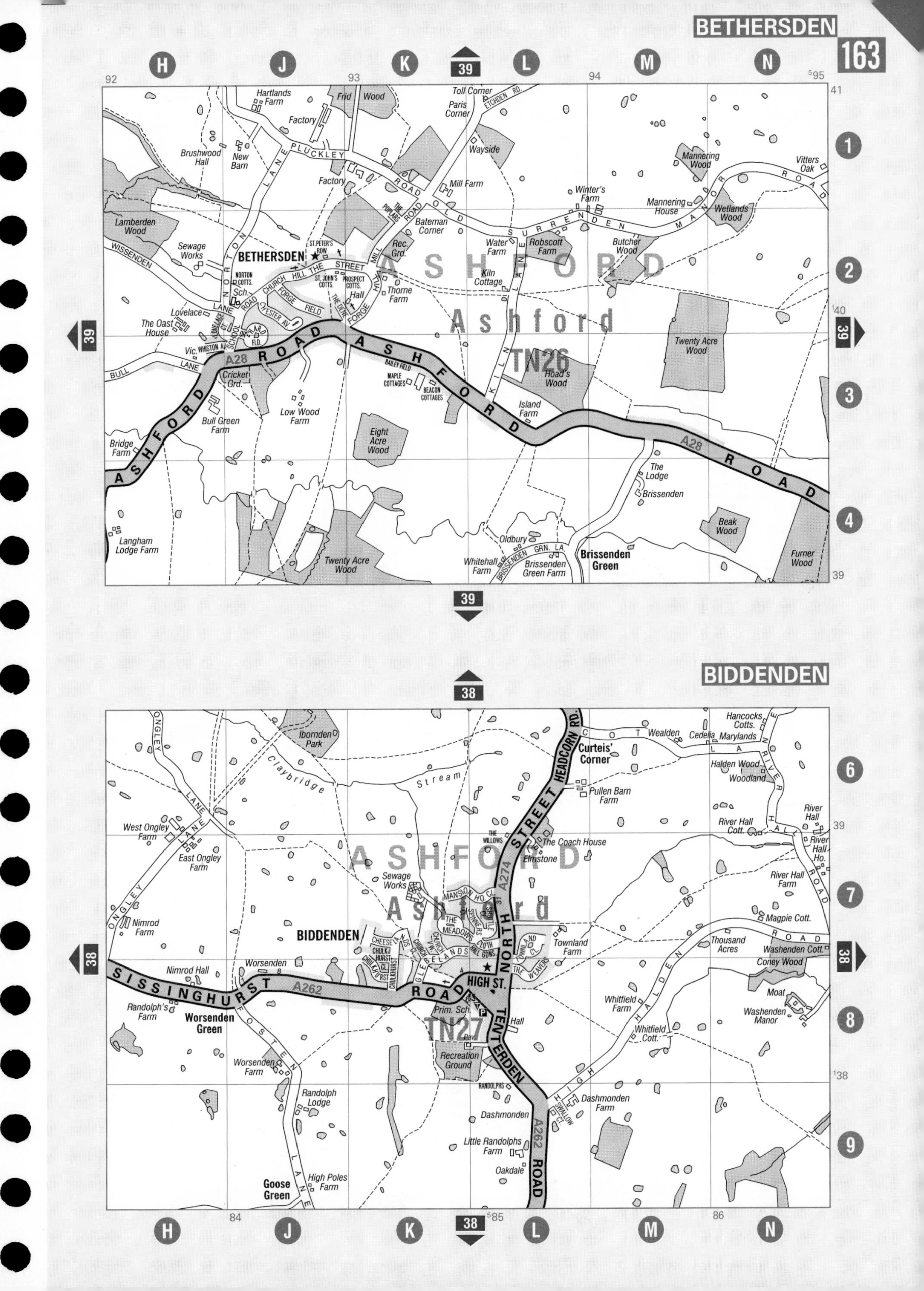
BETHERSDEN
Hartlands Farm
Frid Wood
Toll Corner
Paris Corner
Factory
Brushwood Hall
New Barn
Wayside
Mannering Wood
Vitters Oak
Mill Farm
Winter's Farm
Lamberden Wood
Mannering House
Wetlands Wood
Bateman Corner
Sewage Works
Rec. Grd.
Water Farm
Robscott Farm
Butcher Wood
Kiln Cottage
Thorne Farm
Lovelace
The Oast House
ASHFORD
Ashford
TN26
Twenty Acre Wood
Cricket Grd.
Hoad's Wood
Low Wood Farm
Island Farm
Bull Green Farm
Eight Acre Wood
Bridge Farm
The Lodge
Brissenden
Beak Wood
Langham Lodge Farm
Oldbury
Whitehall Farm
Brissenden Green Farm
Brissenden Green
Furner Wood
ASHFORD ROAD
A28
BIDDENDEN
Iborden Park
Hancocks Cotts.
Wealden
Cedella
Marylands
Curteis' Corner
Halden Wood
Woodland
Pullen Barn Farm
West Ongley Farm
East Ongley Farm
River Hall
River Hall Cott.
The Coach House
Elmstone
Sewage Works
River Hall Farm
Nimrod Farm
Magpie Cott.
Townland Farm
Thousand Acres
Washenden Cott.
Coney Wood
Nimrod Hall
Worsenden
HIGH ST.
Moat
Randolph's Farm
Worsenden Green
Prim. Sch.
Hall
Whitfield Farm
Washenden Manor
TN27
Whitfield Cott.
Recreation Ground
Worsenden Farm
Dashmonden Farm
Randolph Lodge
Dashmonden
Little Randolphs Farm
Oakdale
Goose Green
High Poles Farm
SISSINGHURST ROAD
A262
NORTH STREET
A274
TENTERDEN ROAD

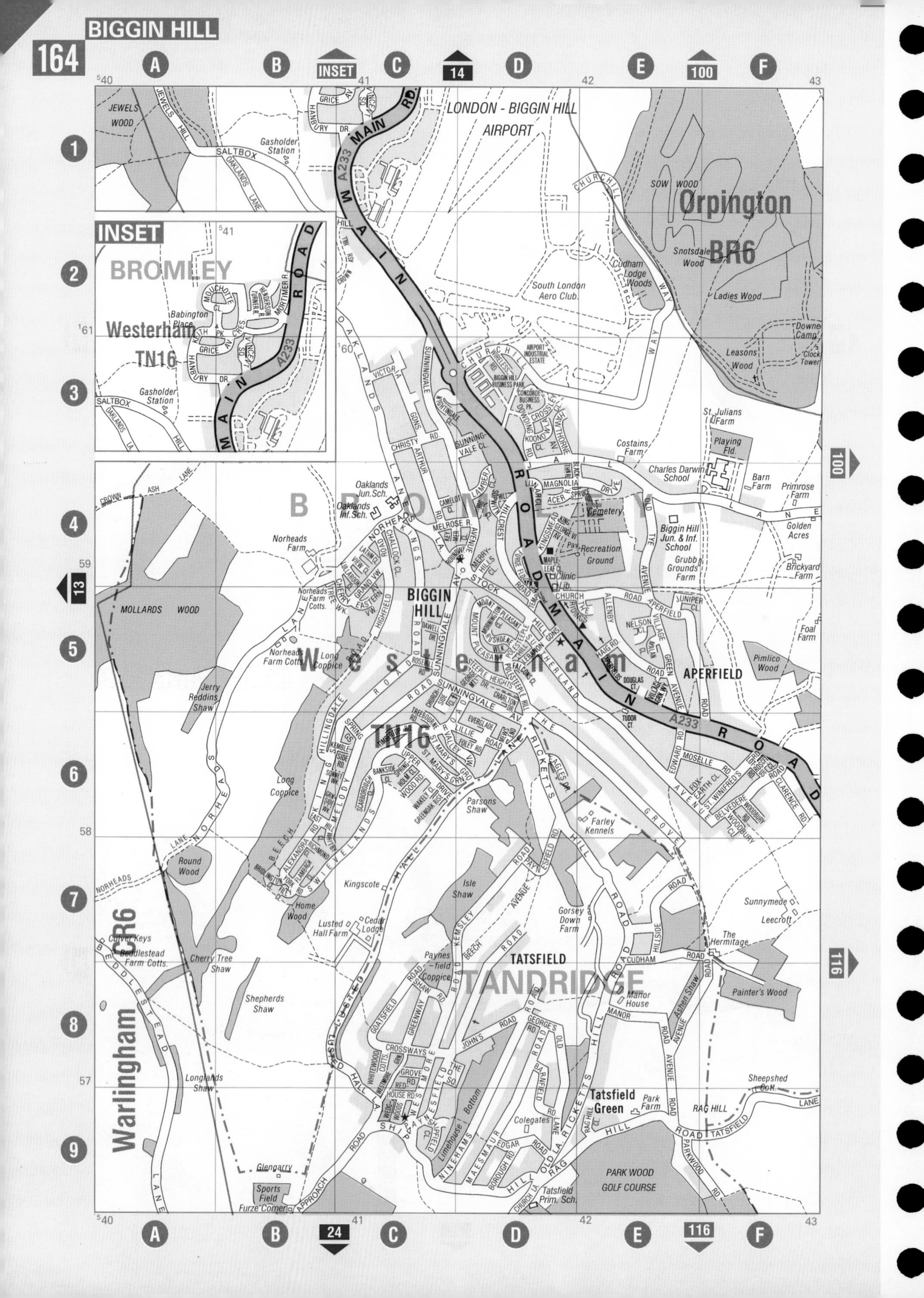
INSET
14
100
116
13
24
LONDON - BIGGIN HILL AIRPORT
Jewels Wood
Saltbox
Oaklands Lane
Gasholder Station
Main Road
A233
Hanbury Dr.
Grice Av.
Churchill Way
Sow Wood
Orpington
BR6
Snotsdale Wood
Cudham Lodge Woods
South London Aero Club
Ladies Wood
Downe Camp
Leasons Wood
Clock Tower
BROMLEY
Westerham
TN16
Babington Place
Mouchotte Cl.
Mortimer R.
Keith Pk. Cres.
Airport Industrial Estate
Biggin Hill Business Park
Concorde Business Pk.
Victoria Gdns.
Sunningvale Cl.
Christy Rd.
Arthur Rd.
St. Julians Farm
Playing Fld.
Costains Farm
Charles Darwin School
Barn Farm
Primrose Farm
Golden Acres
Oaklands Jun. Sch.
Oaklands Inf. Sch.
Magnolia Dr.
Cemetery
Recreation Ground
Biggin Hill Jun. & Inf. School
Grubb Grounds Farm
Brickyard Farm
Norheads Farm
Norheads Lane
Norheads Farm Cotts.
Mollards Wood
BIGGIN HILL
Stock Hill
Clinic
Lib.
Church Road
Aperfield Road
Juniper Cl.
Nelson Cl.
Foal Farm
Pimlico Wood
APERFIELD
Long Coppice
Jerry Reddins Shaw
Sunningvale Av.
Steeple Heights Dr.
Douglas Ct.
Tudor Ct.
Moselle Rd.
Edward Rd.
Clarence Rd.
Belvedere Rd.
Woodbury Cl.
Hillingdale
Melody Rd.
St. Mary's Grn.
Rickets Hill
Eagles Dr.
Parsons Shaw
Farley Kennels
Grove
Round Wood
Kingscote
Home Wood
Isle Shaw
Lusted Hall Farm
Cedar Lodge
Gorsey Down Farm
Sunnymede
Leecroft
The Hermitage
Culver Keys
Beddlestead Farm Cotts.
Cherry Tree Shaw
Paynesfield Coppice
TATSFIELD
TANDRIDGE
Cudham Road
Painter's Wood
Manor House
Ashen Shaw
Shepherds Shaw
Warlingham
Beddlestead Lane
Longlands Shaw
Crossways
Limehouse Bottom
Colegates
Tatsfield Green
Park Farm
Rag Hill
Sheepshed Cott.
Tatsfield Road
Glengarry
Sports Field
Furze Corner
Approach Road
Park Wood Golf Course
Tatsfield Prim. Sch.
Church La.
Parkwood Rd.
Westmore Rd.
Ship Hill
Borough Rd.
Maesmaur Rd.
Edgar Rd.
Old La.

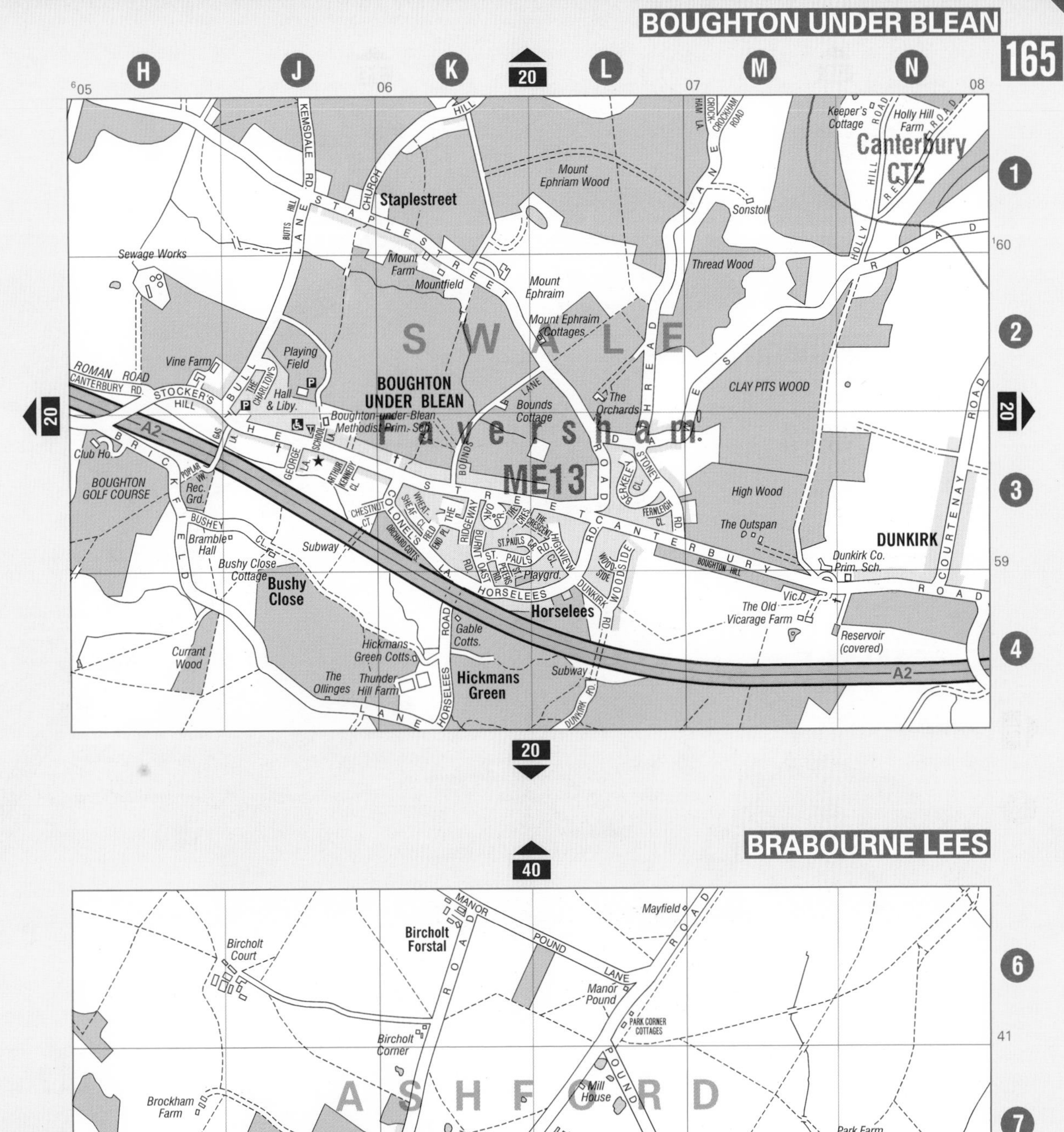
Staplestreet
Mount Ephriam Wood
Sewage Works
Mount Farm
Mountfield
Mount Ephraim
Thread Wood
Mount Ephraim Cottages
SWALE
Faversham
ME13
Vine Farm
Playing Field
Hall & Liby.
BOUGHTON UNDER BLEAN
Boughton-under-Blean Methodist Prim. Sch.
Bounds Cottage
The Orchards
CLAY PITS WOOD
Club Ho.
BOUGHTON GOLF COURSE
Rec. Grd.
High Wood
The Outspan
DUNKIRK
Bramble Hall
Bushy Close Cottage
Subway
Bushy Close
Playgrd.
Horselees
Dunkirk Co. Prim. Sch.
The Old Vicarage Farm
Reservoir (covered)
Currant Wood
Gable Cotts.
Hickmans Green Cotts.
The Ollinges
Thunder Hill Farm
Hickmans Green
Keeper's Cottage
Holly Hill Farm
Canterbury CT2
Sonstoll
A2
ROMAN ROAD
CANTERBURY RD.
STOCKER'S HILL
STAPLESTREET
HORSELEES
CANTERBURY ROAD

BRABOURNE LEES

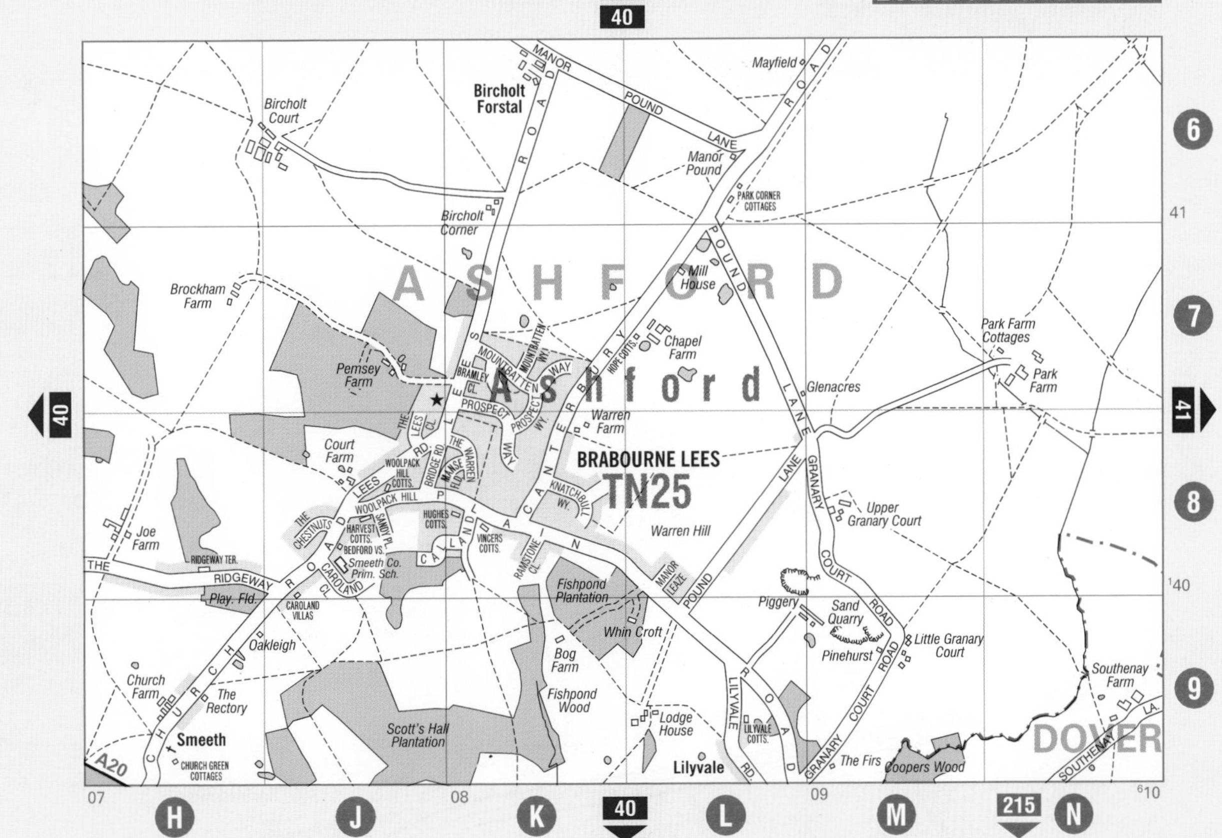
Mayfield
Bircholt Court
Bircholt Forstal
Manor Pound
PARK CORNER COTTAGES
Bircholt Corner
ASHFORD
Ashford
Brockham Farm
Mill House
Chapel Farm
Park Farm Cottages
Park Farm
Pemsey Farm
Glenacres
Warren Farm
Court Farm
BRABOURNE LEES
TN25
Warren Hill
Upper Granary Court
Joe Farm
Smeeth Co. Prim. Sch.
Play. Fld.
Fishpond Plantation
Piggery
Sand Quarry
Whin Croft
Oakleigh
Pinehurst
Little Granary Court
Bog Farm
Church Farm
The Rectory
Fishpond Wood
Southenay Farm
Lodge House
Smeeth
Scott's Hall Plantation
Lilyvale
The Firs
Coopers Wood
DOVER
A20
CHURCH GREEN COTTAGES

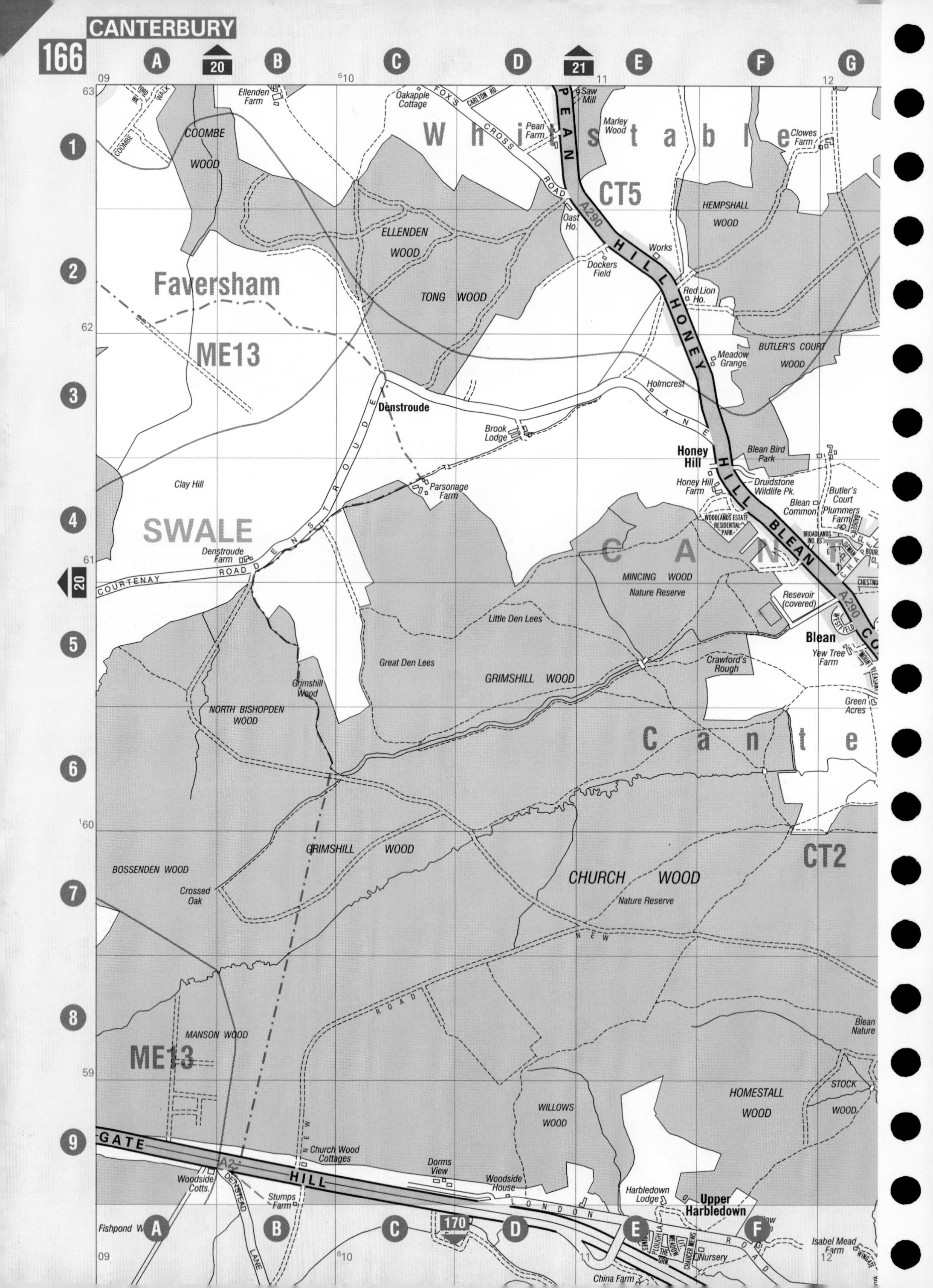

A | **20** | B | C | D | **21** | E | F | G

09 | 610 | 11 | 12

1
COOMBE WOOD
Ellenden Farm
Oakapple Cottage
FOX'S CROSS
CARLETON RD.
Pean Farm
Marley Wood
Whitstable
Clowes Farm
Saw Mill
CT5
HEMPSHALL WOOD

2
ELLENDEN WOOD
TONG WOOD
Oast Ho.
Dockers Field
Works
Red Lion Ho.
Faversham
ME13
PEAN HILL
A290
HILL HONEY
Meadow Grange
BUTLER'S COURT WOOD

3
62
Denstroude
Brook Lodge
Holmcrest
Honey Hill
Blean Bird Park
LANE
Druidstone
Butler's Court
Blean Common
Plummers Farms

4
Clay Hill
Parsonage Farm
SWALE
Denstroude Farm
COURTENAY ROAD
DENSTROUDE ROAD
Honey Hill Farm
Honey Hill Wildlife Pk.
Woodlands Estate Residential Park
BROADLANDS
Chestnut
HILL BLEAN
20
61
C A N T

5
MINCING WOOD
Nature Reserve
Resevoir (covered)
Little Den Lees
Great Den Lees
GRIMSHILL WOOD
Crawford's Rough
WESTFIELD
Blean
Yew Tree Farm
A290 CO

6
Grimshill Wood
NORTH BISHOPDEN WOOD
Green Acres
C a n t e

7
60
BOSSENDEN WOOD
GRIMSHILL WOOD
Crossed Oak
CHURCH WOOD
Nature Reserve
CT2

8
MANSON WOOD
ME13
59
ROAD
NEW
Blean Nature

9
Church Wood Cottages
WILLOWS WOOD
HOMESTALL WOOD
STOCK WOOD
GATE
A2
Woodside Cotts.
DENSTEAD LANE
HILL
Stumps Farm
Dorms View
Woodside House
LONDON ROAD
Harbledown Lodge
Upper Harbledown

Fishpond W | A | B | C | **170** | D | E | F
China Farm
Isabel Mead Farm
Nursery

09 | 610 | 11 | 12

63

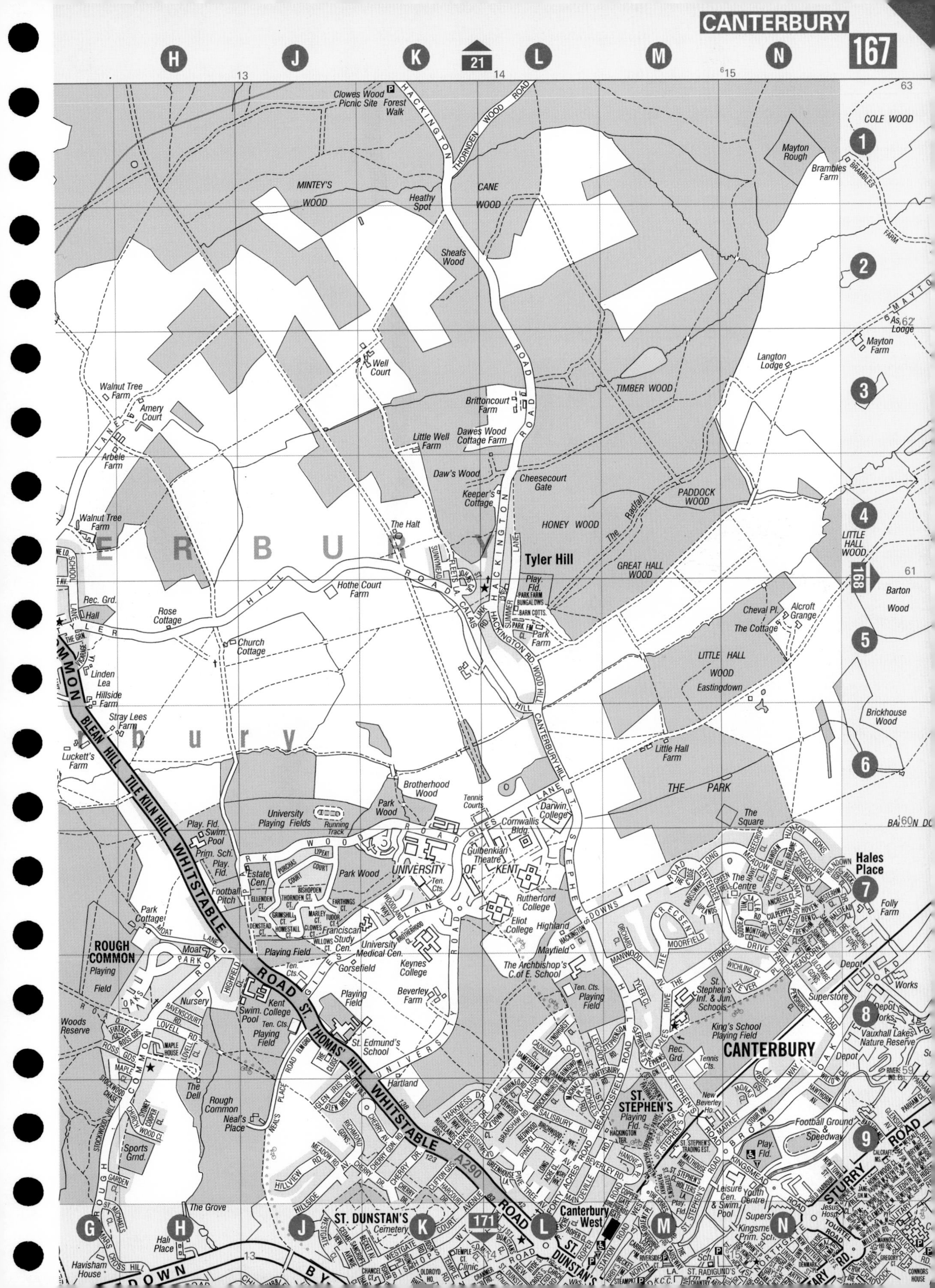

Clowes Wood Picnic Site
Forest Walk
HACKINGTON
THORNDEN WOOD ROAD
COLE WOOD
Mayton Rough
Brambles Farm
MINTEY'S WOOD
CANE WOOD
Heathy Spot
Sheafs Wood
Well Court
Walnut Tree Farm
Amery Court
Brittoncourt Farm
TIMBER WOOD
Langton Lodge
Mayton Farm
Little Well Farm
Dawes Wood Cottage Farm
Arbele Farm
Daw's Wood
Cheesecourt Gate
Keeper's Cottage
PADDOCK WOOD
HONEY WOOD
The Radfall
The Halt
Tyler Hill
LITTLE HALL WOOD
GREAT HALL WOOD
Hothe Court Farm
Rose Cottage
Rec. Grd.
Hall
Park Farm
Cheval Pl.
Alcroft Grange
The Cottage
Barton Wood
Church Cottage
Linden Lea
Hillside Farm
LITTLE HALL WOOD
Eastingdown
Stray Lees Farm
Brickhouse Wood
Luckett's Farm
Little Hall Farm
BLEAN HILL
TILE KILN HILL
WHITSTABLE
Brotherhood Wood
THE PARK
University Playing Fields
Park Wood
Darwin College
Cornwallis Bldg.
The Square
Gulbenkian Theatre
UNIVERSITY OF KENT
Hales Place
Rutherford College
Eliot College
Franciscan Study Cen.
University Medical Cen.
Keynes College
Folly Farm
ROUGH COMMON
Playing Field
Moat
Kent College
Beverley Farm
The Archbishop's C.of E. School
St. Stephen's Inf. & Jun. Schools
Superstore
Works
Depot
Vauxhall Lakes Nature Reserve
Woods Reserve
St. Edmund's School
King's School Playing Field
CANTERBURY
The Dell
Rough Common
Neal's Place
Hartland
ST. STEPHEN'S Playing Fld.
Sports Grnd.
New Beverley Ho.
Football Ground & Speedway
ST. THOMAS' HILL
ROAD
A290
STURRY ROAD
The Grove
Hall Place
ST. DUNSTAN'S Cemetery
Canterbury West
Leisure Cen. & Swim. Pool
Youth Centre
Kingsmead Prim. Sch.
Havisham House
ST. DUNSTAN'S
ST. RADIGUND'S

21
168
171

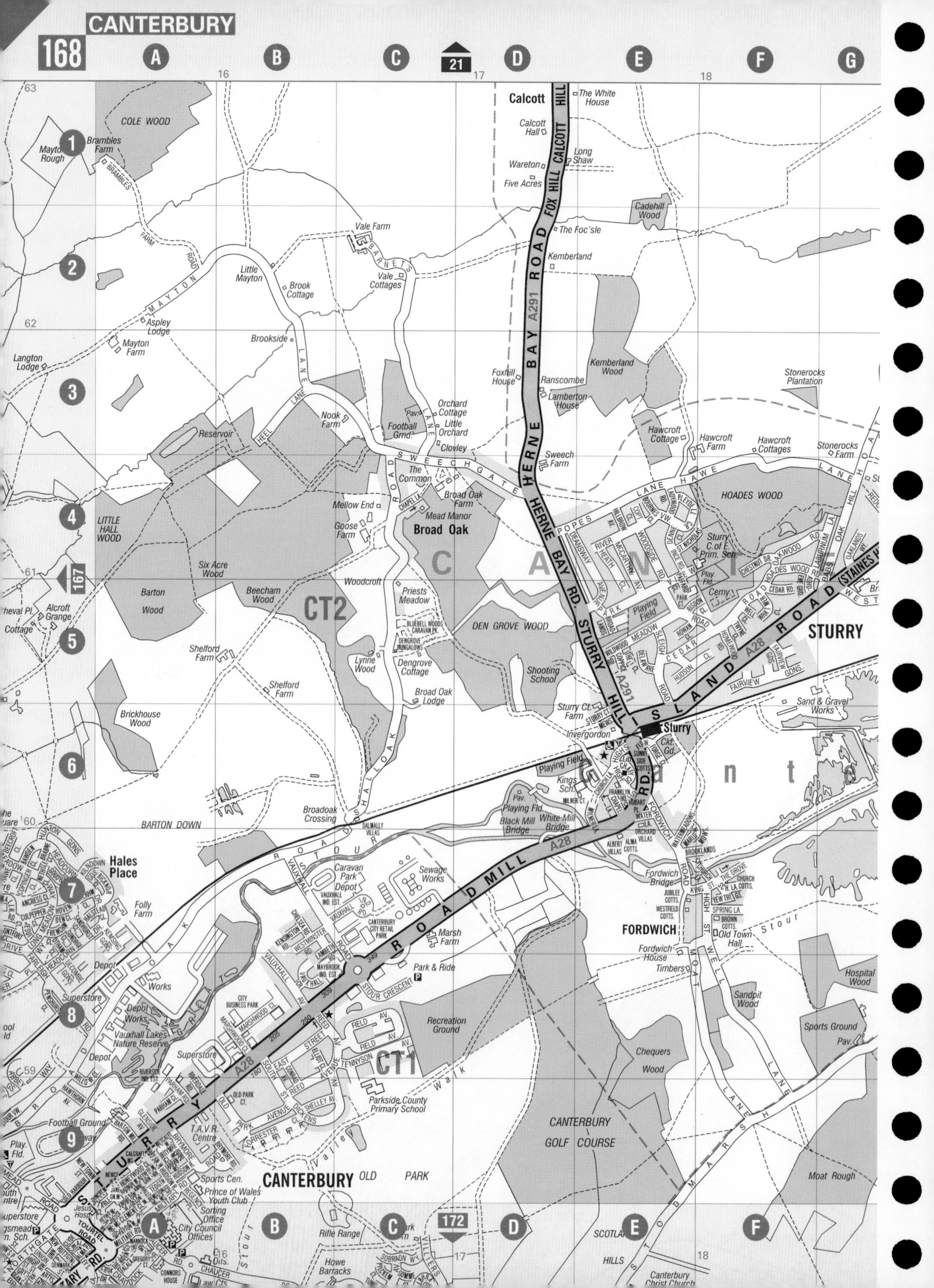

A
B
C
D
E
F
G
21
172
167
Calcott
The White House
Calcott Hall
Wareton
Five Acres
Long Shaw
COLE WOOD
Brambles Farm
Mayton Rough
BRAMBLES
FARM
ROAD
Vale Farm
BARNETS
Vale Cottages
Little Mayton
Brook Cottage
MAYTON
Aspley Lodge
Mayton Farm
Langton Lodge
Brookside
LANE
HEEL
Reservoir
Nook Farm
Football Grnd.
Orchard Cottage
Little Orchard
Clovley
Cadehill Wood
The Foc'sle
Kemberland
Kemberland Wood
Foxhill House
Ranscombe
Lamberton House
Stonerocks Plantation
Hawcroft Cottage
Hawcroft Farm
Hawcroft Cottages
Stonerocks Farm
Sweech Farm
SWEECHGATE
The Common
Broad Oak Farm
Mellow End
Mead Manor
Broad Oak
Goose Farm
CHAPEL LA.
LITTLE HALL WOOD
Six Acre Wood
Barton Wood
Beecham Wood
CT2
Woodcroft
Priests Meadow
BLUEBELL WOODS CARAVAN PK
DENGROVE BUNGALOWS
DEN GROVE WOOD
Lynne Wood
Dengrove Cottage
Broad Oak Lodge
Shelford Farm
Brickhouse Wood
Alcroft Grange
Cottage
HERNE BAY ROAD
FOX HILL
CALCOTT HILL
A291
HERNE BAY RD.
STURRY HILL
HAWE LANE
HOADES WOOD
POPES LANE
Sturry C.of E. Prim. Sch.
Play. Fld.
Cemy.
Playing Field
STURRY
ISLAND ROAD
A28
STAINES HILL
Shooting School
Sturry Ct. Farm
Invergordon
Sturry
Ckt. Gd.
Sand & Gravel Works
FAIRVIEW
Playing Field
Kings Sch.
Pav.
Playing Fld.
Black Mill Bridge
White Mill Bridge
Broadoak Crossing
BARTON DOWN
SHALLOAK ROAD
DALMALLY VILLAS
STOUR
Hales Place
Folly Farm
Caravan Park Depot
Sewage Works
VAUXHALL IND. EST.
CANTERBURY CITY RETAIL PARK
MILL ROAD
Marsh Farm
Park & Ride
STOUR CRESCENT
Depot
Works
Superstore
Depot Works
Vauxhall Lakes Nature Reserve
CITY BUSINESS PARK
MARSHWOOD CL.
Recreation Ground
FIELD AV.
CT1
Parkside County Primary School
Walk
OLD PARK CT.
T.A.V.R. Centre
Football Ground
Play. Fld.
STURRY ROAD
Sports Cen.
Prince of Wales Youth Club
CANTERBURY
OLD PARK
Sorting Office
City Council Offices
Rifle Range
Howe Barracks
FORDWICH
Fordwich Bridge
Fordwich House
Timbers
Old Town Hall
Stour
Hospital Wood
Sandpit Wood
Sports Ground
Chequers Wood
CANTERBURY GOLF COURSE
Moat Rough
MARSH LANE
SCOTLAND HILLS
Canterbury Christ Church

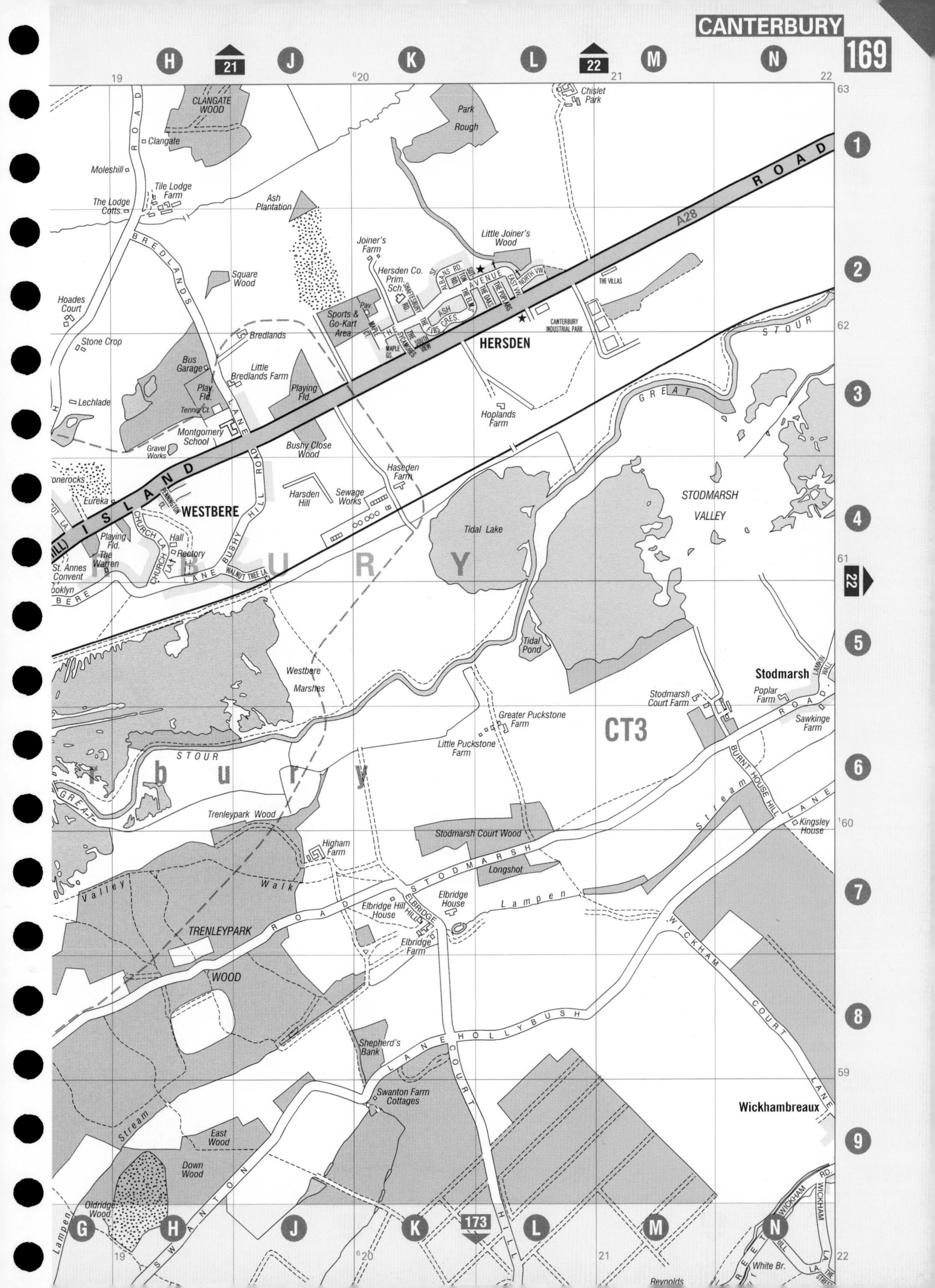

H 21 J K L 22 M N

CLANGATE WOOD

Clangate

Park Rough

Chislet Park

Moleshill

Tile Lodge Farm

The Lodge Cotts.

Ash Plantation

BREDLANDS ROAD

A28 ROAD

1

Joiner's Farm

Little Joiner's Wood

Square Wood

2

Hersden Co. Prim. Sch.

Hoades Court

Stone Crop

Bredlands

Sports & Go-Kart Area

HERSDEN

Canterbury Industrial Park

The Villas

STOUR

62

Lechlade

Bus Garage

Little Bredlands Farm

Play. Fld.

Tennis Ct.

Playing Fld.

Hoplands Farm

GREAT

3

Montgomery School

Gravel Works

BUSHY HILL ROAD

Bushy Close Wood

Haseden Farm

STODMARSH VALLEY

tonerocks

Eureka

ISLAND

WESTBERE

Harsden Hill

Sewage Works

Tidal Lake

4

61

22

Playing Fld.

St. Annes Convent

Hall

Rectory

CHURCH LANE

WALNUT TREE LA.

R

Y

Brooklyn

BERE

Tidal Pond

5

Stodmarsh

Poplar Farm

b u r y

Westbere Marshes

Stodmarsh Court Farm

Sawkinge Farm

STOUR

Greater Puckstone Farm

CT3

BURNT HOUSE HILL

ROAD

6

GREAT

Little Puckstone Farm

Stream

LANE

Kingsley House

60

Trenleypark Wood

Higham Farm

Stodmarsh Court Wood

Longshot

Lampen

7

VALLEY

Walk

Elbridge Hill House

Elbridge House

WICKHAM

TRENLEYPARK

ROAD

ELBRIDGE HILL

Elbridge Farm

COURT

8

WOOD

Stream

Shepherd's Bank

HOLLYBUSH

LANE

COURT

LANE

59

Swanton Farm Cottages

Wickhambreaux

East Wood

9

Down Wood

Oldridge Wood

Lampen

SWANTON

WICKHAM RD.

REET IN

White Br.

G H J K 173 L M N

19 20 21 22

Reynolds

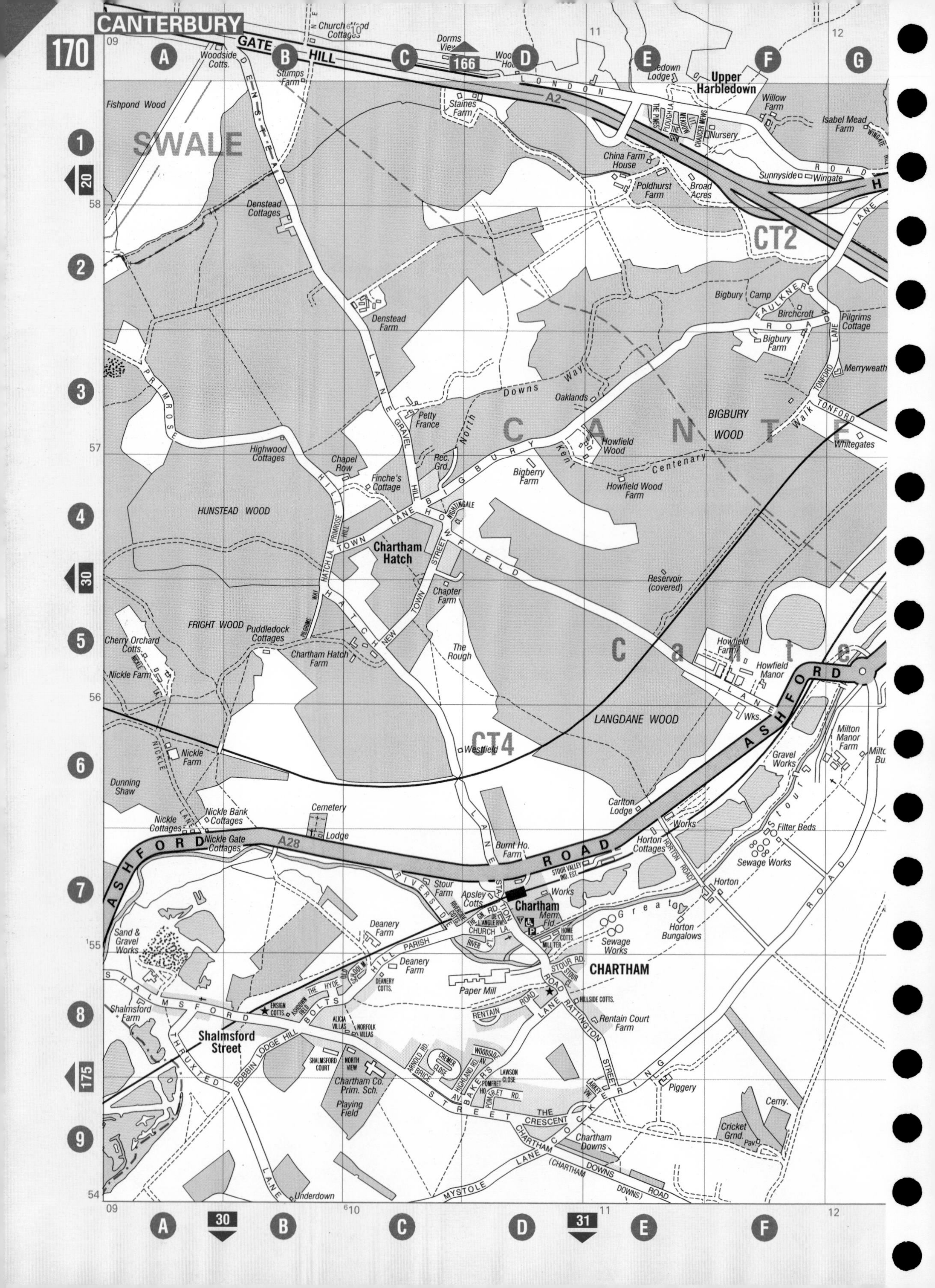
SWALE
Fishpond Wood
Woodside Cotts.
GATE HILL
Stumps Farm
Church Wood Cottages
Dorms View
166
LONDON ROAD
A2
Staines Farm
Harbledown Lodge
Upper Harbledown
Willow Farm
Isabel Mead Farm
Nursery
China Farm House
Poldhurst Farm
Broad Acres
Sunnyside
Wingate
CT2
Denstead Cottages
Denstead Farm
Bigbury Camp
Birchcroft
FAULKNERS
Pilgrims Cottage
Bigbury Farm
Merryweath
PRIMROSE
North Downs Way
Oaklands
Petty France
GRAVEL LANE
BIGBURY WOOD
Howfield Wood
TONFORD
Whitegates
Highwood Cottages
Chapel Row
Rec. Grd.
Bigberry Farm
Centenary Walk
Howfield Wood Farm
Finche's Cottage
HUNSTEAD WOOD
BIGBURY LANE
NIGHTINGALE CL.
Chartham Hatch
TOWN LANE
HOWFIELD LANE
Reservoir (covered)
Chapter Farm
NEW TOWN STREET
HATCH LA.
PILGRIMS WAY
FRIGHT WOOD
Puddledock Cottages
Cherry Orchard Cotts.
Nickle Farm
Chartham Hatch Farm
The Rough
Howfield Farm
Howfield Manor
LANGDANE WOOD
Wks.
ASHFORD ROAD
CT4
Westfield
Nickle Farm
Milton Manor Farm
Gravel Works
Dunning Shaw
Cemetery
Carlton Lodge
Nickle Cottages
Nickle Bank Cottages
Nickle Gate Cottages
Lodge
Works
Filter Beds
A28
Burnt Ho. Farm
Horton Cottages
Sewage Works
STOUR VALLEY IND. EST.
Stour Farm
Apsley Cotts.
STATION
Chartham
Works
Horton
Sand & Gravel Works
Deanery Farm
Mem. Fld.
Great Stour
CHURCH LA.
HOME COTTS.
Horton Bungalows
Sewage Works
PARISH
MILL TER.
STOUR RD.
CHARTHAM
Deanery Farm
DEANERY COTTS.
Paper Mill
SHALMSFORD
ENSIGN COTTS.
THE HYDE
BOLTS HILL
HILLSIDE COTTS.
RENTAIN ROAD
Rentain Court Farm
Shalmsford Farm
ALICIA VILLAS
NORFOLK VILLAS
RATTINGTON STREET
Shalmsford Street
BOBBIN LODGE HILL
SHALMSFORD COURT
NORTH VIEW
CREMER CLOSE
WOODSIDE AV.
LAWSON CLOSE
Piggery
THRUXTED
Chartham Co. Prim. Sch.
Playing Field
ARNOLD RD.
BRICE AV.
HIGHLAND RD.
BAKER'S AV.
POMFRET RD.
Cemy.
STREET
THE CRESCENT
COCKERING ROAD
Cricket Grnd.
Pav.
Chartham Downs
CHARTHAM LANE
(CHARTHAM DOWNS ROAD)
MYSTOLE LANE
Underdown
LANE
09
10
11
12
54
55
56
57
58
A B C D E F G
1 2 3 4 5 6 7 8 9
20
30
175
31

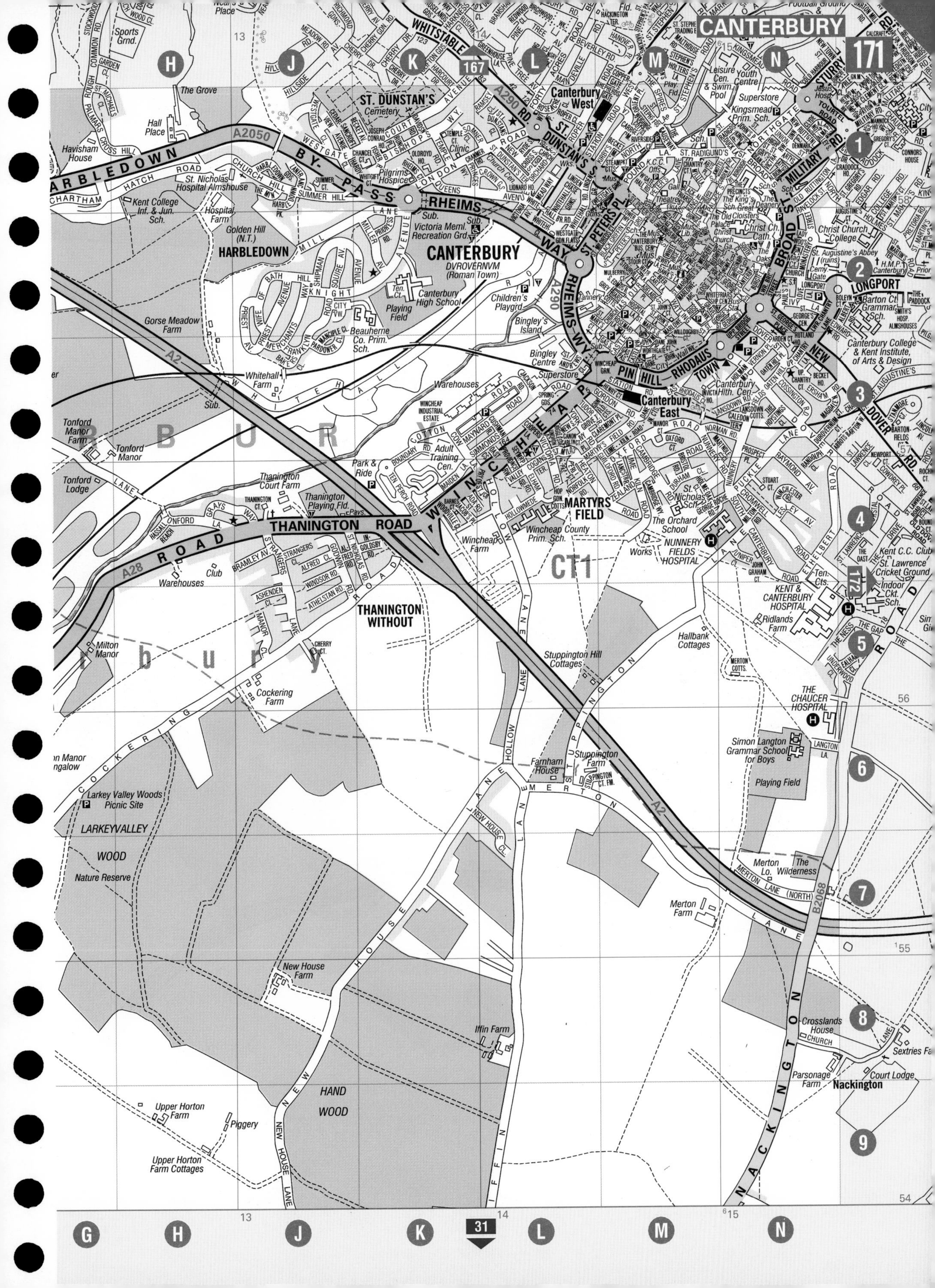
CANTERBURY
HARBLEDOWN
THANINGTON WITHOUT
MARTYRS FIELD
CT1
Nackington
LARKEYVALLEY WOOD
HAND WOOD
Canterbury West
Canterbury East
RHEIMS WAY
HARBLEDOWN BY-PASS
THANINGTON ROAD
WINCHEAP
PIN HILL
RHODAUS TOWN
LONGPORT
NEW DOVER RD.
NACKINGTON
MERTON LANE
COCKERING ROAD
NEW HOUSE LANE
IFFIN LANE
STUPPINGTON LANE
HOLLOW LANE
A2
A28
A290
A2050
B2068
Kent & Canterbury Hospital
The Chaucer Hospital
Nunnery Fields Hospital
Simon Langton Grammar School for Boys
Canterbury High School
Larkey Valley Woods Picnic Site
Nature Reserve
Iffin Farm
Merton Farm
New House Farm
Upper Horton Farm
Cockering Farm
Milton Manor
Tonford Manor
Stuppington Hill Cottages
Hallbank Cottages
Crosslands House
Parsonage Farm
Court Lodge
Sextries Fa
Warehouses
Whitehall Farm
Gorse Meadow Farm
Golden Hill (N.T.)
St. Nicholas Hospital Almshouse
Kent College Inf. & Jun. Sch.
Hall Place
Havisham House
The Grove
St. Dunstan's Cemetery
Christ Church College
St. Augustine's Abbey (ruins)
Kent C.C. Club St. Lawrence Cricket Ground
Canterbury College & Kent Institute of Arts & Design
Wincheap County Prim. Sch.
The Orchard School
Beauherne Co. Prim. Sch.
Pilgrims Hospice
Victoria Meml. Recreation Grd.
DVROVERNVM (Roman Town)
Thanington Court Farm
Thanington Playing Fld.
Park & Ride
Wincheap Farm
Farnham House
Stuppington Farm
Merton Lo.
The Wilderness
Piggery
Upper Horton Farm Cottages
Ridlands Farm
Leisure Cen. & Swim. Pool
Kingsmead Prim. Sch.
Bingley's Island
Children's Playgrd.
167
172
31
G H J K L M N
1 2 3 4 5 6 7 8 9
13 14 15
54 55 56 57 58

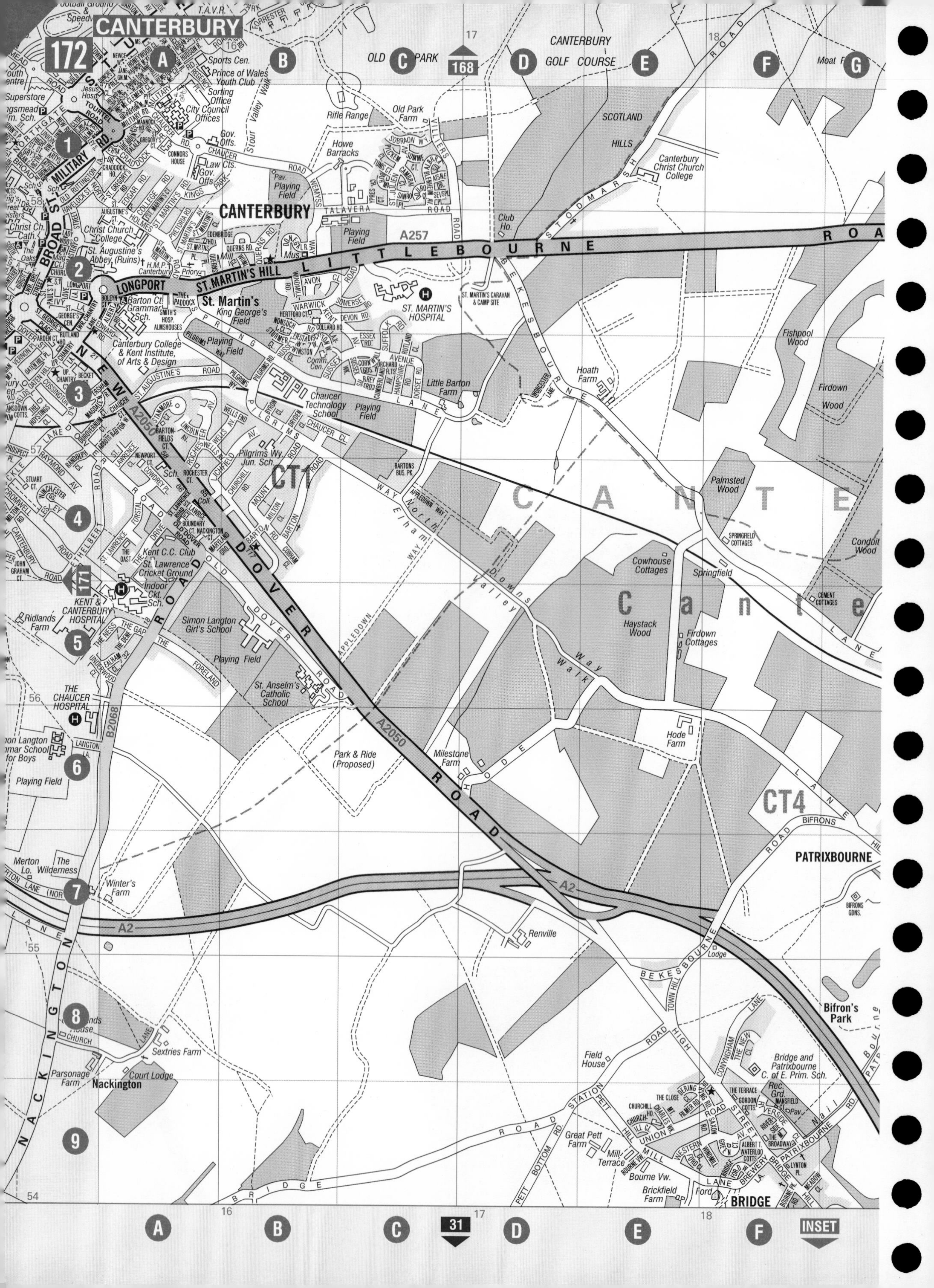
CANTERBURY GOLF COURSE
OLD PARK
168
SCOTLAND HILLS
Canterbury Christ Church College
Sports Cen.
Prince of Wales Youth Club
Sorting Office
City Council Offices
Gov. Offs.
Law Cts.
Rifle Range
Old Park Farm
Howe Barracks
Playing Field
CANTERBURY
Club Ho.
A257
LITTLEBOURNE ROAD
LONGPORT
ST. MARTIN'S HILL
St. Martin's
King George's Field
ST. MARTIN'S HOSPITAL
ST. MARTIN'S CARAVAN & CAMP SITE
Christ Church College
St. Augustine's Abbey (Ruins)
H.M.P. Canterbury
Barton Ct. Grammar Sch.
Canterbury College & Kent Institute of Arts & Design
Chaucer Technology School
Little Barton Farm
Hoath Farm
Fishpool Wood
Firdown Wood
Palmsted Wood
Conduit Wood
CANTE
Cante
Springfield
SPRINGFIELD COTTAGES
Cowhouse Cottages
CEMENT COTTAGES
Haystack Wood
Firdown Cottages
Hode Farm
CT1
CT4
Pilgrims Wy. Jun. Sch.
BARTONS BUS. PK.
North Downs Way
Elham Valley Way
Walk
A2050
DOVER ROAD
NEW DOVER ROAD
OLD DOVER ROAD
Kent C.C. Club
St. Lawrence Cricket Ground
Indoor Ckt. Sch.
171
KENT & CANTERBURY HOSPITAL
Ridlands Farm
Simon Langton Girl's School
Playing Field
St. Anselm's Catholic School
THE CHAUCER HOSPITAL
B2068
Simon Langton Grammar School for Boys
Playing Field
Park & Ride (Proposed)
Milestone Farm
HODE LANE
BIFRONS ROAD
PATRIXBOURNE
BIFRONS GDNS.
Merton Lo.
The Wilderness
Winter's Farm
A2
Renville
BEKESBOURNE
Lodge
Bifron's Park
NACKINGTON LANE
NACKINGTON ROAD
Sextries Farm
Parsonage Farm
Nackington
Court Lodge
Field House
Bridge and Patrixbourne C. of E. Prim. Sch.
Rec. Grd.
Great Pett Farm
Mill Terrace
Bourne Vw.
Brickfield Farm
Ford
BRIDGE
STATION ROAD
BRIDGE ROAD
PETT BOTTOM RD.
HIGH STREET
TOWN HILL
BREWERY LANE
16
17
18
54
55
56
57
58
A B C D E F G
1 2 3 4 5 6 7 8 9
31
INSET

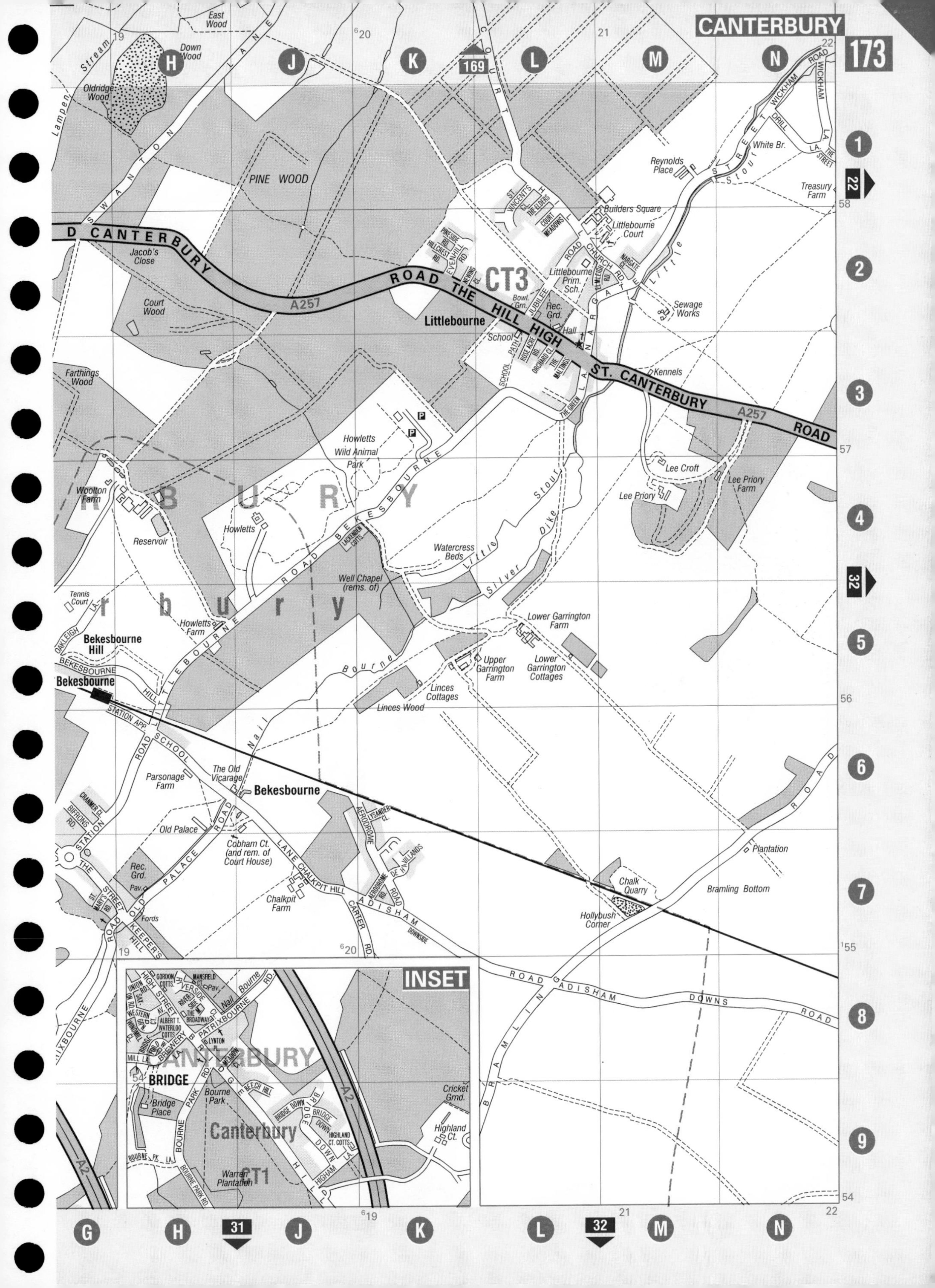
East Wood
Down Wood
Oldridge Wood
Lampen Stream
SWANTON LANE
PINE WOOD
CANTERBURY ROAD
A257
Jacob's Close
Court Wood
Farthings Wood
Woolton Farm
Reservoir
Howletts Wild Animal Park
Howletts
BEKESBOURNE LANE
Lackenden Cotts.
Well Chapel (rems. of)
Watercress Beds
Little Stour
Silver Dike
Tennis Court
Howletts Farm
Bekesbourne Hill
Bekesbourne
STATION APP.
SCHOOL ROAD
Parsonage Farm
The Old Vicarage
Old Palace
PALACE ROAD
Cobham Ct. (and rem. of Court House)
Rec. Grd.
Pav.
Fords
KEEPERS HILL
Chalkpit Farm
CHALKPIT HILL
CARTER RD.
ADISHAM ROAD
DOWNSIDE
AERODROME ROAD
LYSANDER CL.
DE HAVILLANDS
Nail Bourne
Lower Garrington Farm
Upper Garrington Farm
Lower Garrington Cottages
Linces Cottages
Linces Wood
CT3
Littlebourne
THE HILL
HIGH ST.
COURT HILL
ST. VINCENT'S CL.
THE ELDERS
COURT MEADOWS
PINESIDE RD.
HILLCREST RD.
EVENHILL RD.
NEWING CL.
Bowl. Grn.
JUBILEE RD.
Rec. Grd.
Hall
School
SCHOOL PATH
ROSE ACRE RD.
ORCHARD CL.
THE MALTINGS
THE GREEN
NARGATE CL.
NARGATE ST.
CHURCH RD.
ELMLEIGH RD.
Littlebourne Prim. Sch.
Littlebourne Court
Builders Square
Reynolds Place
Sewage Works
Kennels
WICKHAM STREET
WICKHAM ROAD
DRILL LA.
White Br.
Treasury Farm
Lee Croft
Lee Priory
Lee Priory Farm
Plantation
Bramling Bottom
Chalk Quarry
Hollybush Corner
BRAMLING ROAD
ADISHAM DOWNS ROAD
INSET
BRIDGE
PATRIXBOURNE RD.
HIGH STREET
BREWERY LA.
MILL LA.
Bridge Place
Bourne Park
BOURNE PARK RD.
BOURNE PK. LA.
Canterbury
CT1
Warren Plantation
BRIDGE DOWN
BRIDGE HILL
BEECH HILL
HIGHLAND CT. COTTS.
HIGHAM LA.
Highland Ct.
Cricket Grnd.
A2
G H J K L M N
169 31 32 22
1 2 3 4 5 6 7 8 9
19 20 21 22 54 55 56 57 58

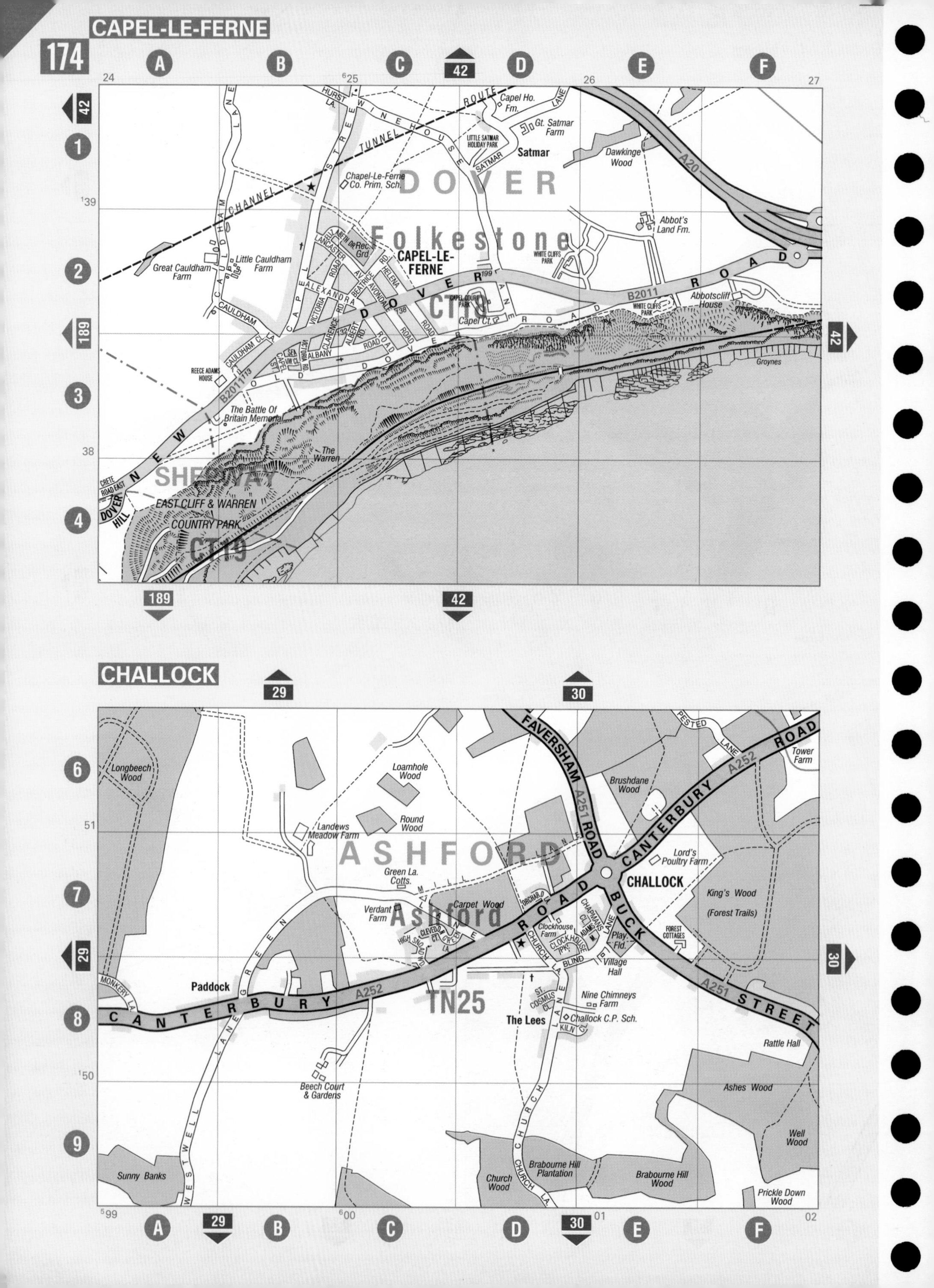
CAPEL-LE-FERNE
DOVER
Folkestone
CAPEL-LE-FERNE
Satmar
Capel Ho. Fm.
Gt. Satmar Farm
LITTLE SATMAR HOLIDAY PARK
Dawkinge Wood
Chapel-Le-Ferne Co. Prim. Sch.
Abbot's Land Fm.
WHITE CLIFFS PARK
Great Cauldham Farm
Little Cauldham Farm
Rec. Grd
DOVER ROAD
B2011
Abbotscliff House
CAPEL COURT PARK
CT18
Capel Ct.
Groynes
REECE ADAMS HOUSE
The Battle Of Britain Memorial
The Warren
SHEPWAY
EAST CLIFF & WARREN
COUNTRY PARK
CT19
NEW DOVER ROAD
DOVER HILL
CRETE ROAD EAST
CHANNEL TUNNEL ROUTE
A20
CHALLOCK
ASHFORD
Ashford
Longbeech Wood
Loamhole Wood
Round Wood
Landews Meadow Farm
Green La. Cotts.
Verdant Farm
Carpet Wood
Brushdane Wood
Tower Farm
Lord's Poultry Farm
CHALLOCK
King's Wood
(Forest Trails)
FOREST COTTAGES
Clockhouse Farm
Play. Fld.
Village Hall
Nine Chimneys Farm
Challock C.P. Sch.
The Lees
Paddock
TN25
CANTERBURY ROAD
A252
FAVERSHAM ROAD
A251
BUCK STREET
WESTWELL LANE
CHURCH LA.
Beech Court & Gardens
Rattle Hall
Ashes Wood
Well Wood
Sunny Banks
Church Wood
Brabourne Hill Plantation
Brabourne Hill Wood
Prickle Down Wood

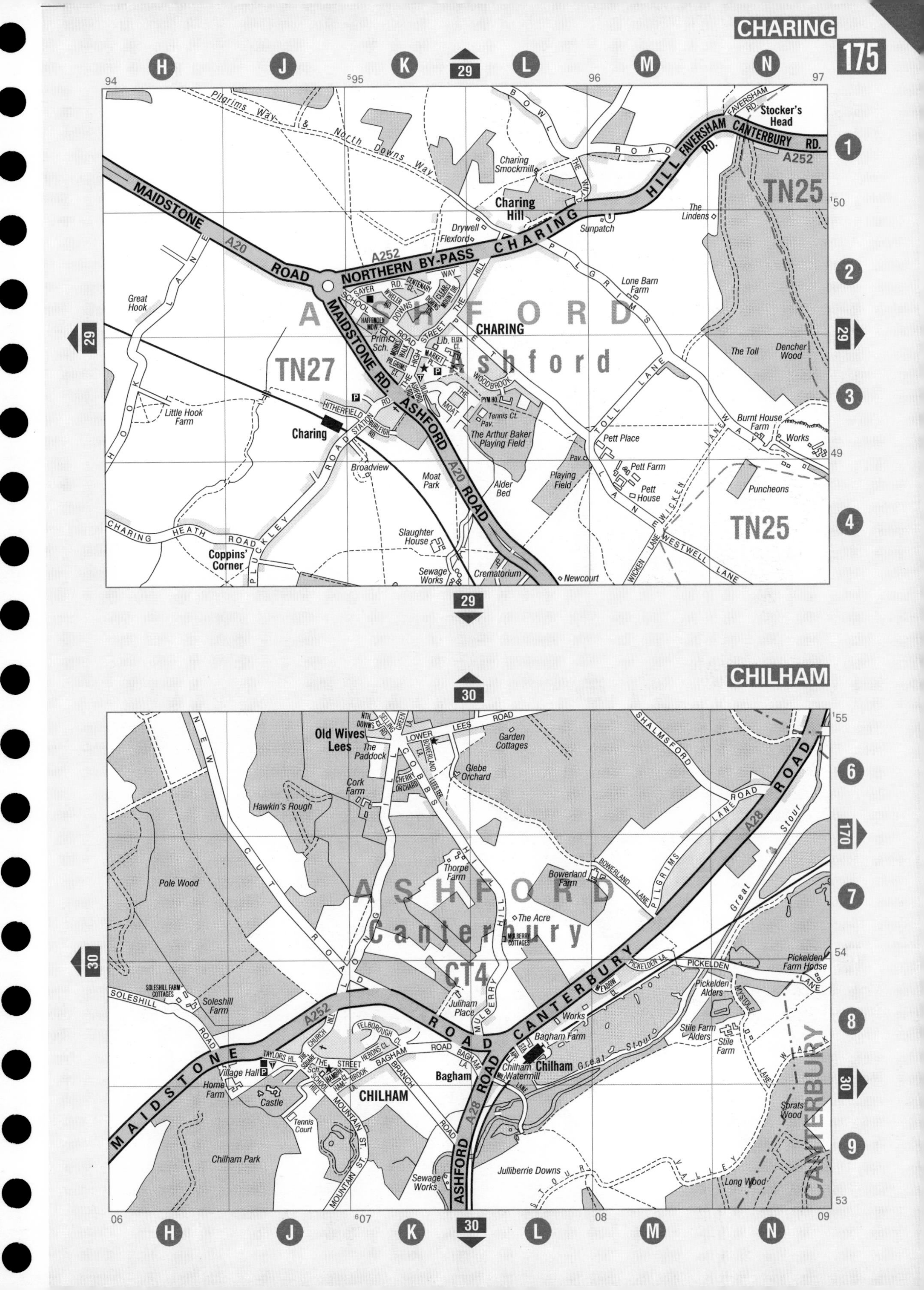
CHARING
Charing Hill
Charing
Charing Smockmill
Stocker's Head
Sunpatch
The Lindens
Drywell
Flexford
Great Hook
Lone Barn Farm
The Toll
Dencher Wood
Little Hook Farm
The Arthur Baker Playing Field
Pett Place
Pett Farm
Pett House
Burnt House Farm
Works
Broadview
Moat Park
Alder Bed
Playing Field
Puncheons
Slaughter House
Coppins' Corner
Sewage Works
Crematorium
Newcourt
MAIDSTONE ROAD
NORTHERN BY-PASS
CHARING HILL
FAVERSHAM RD.
CANTERBURY RD.
PILGRIMS WAY
ASHFORD ROAD
CHARING HEATH ROAD
PLUCKLEY ROAD
WESTWELL LANE
WICKEN LANE
TOLL LANE
Pilgrims Way & North Downs Way
ASHFORD
Ashford
TN27
TN25
CHILHAM
Old Wives Lees
The Paddock
Cork Farm
Garden Cottages
Glebe Orchard
Hawkin's Rough
Pole Wood
Thorpe Farm
Bowerland Farm
The Acre
Soleshill Farm
Juliham Place
Village Hall
Home Farm
Castle
Tennis Court
Chilham Park
Bagham
Bagham Farm
Chilham
Chilham Watermill
Works
Pickelden Alders
Pickelden Farm House
Stile Farm Alders
Stile Farm
Sprats Wood
Julliberrie Downs
Sewage Works
Long Wood
Great Stour
MAIDSTONE ROAD
CANTERBURY ROAD
ASHFORD ROAD
NEW CUT ROAD
SHALMSFORD
PILGRIMS LANE
Canterbury
CT4
CANTERBURY

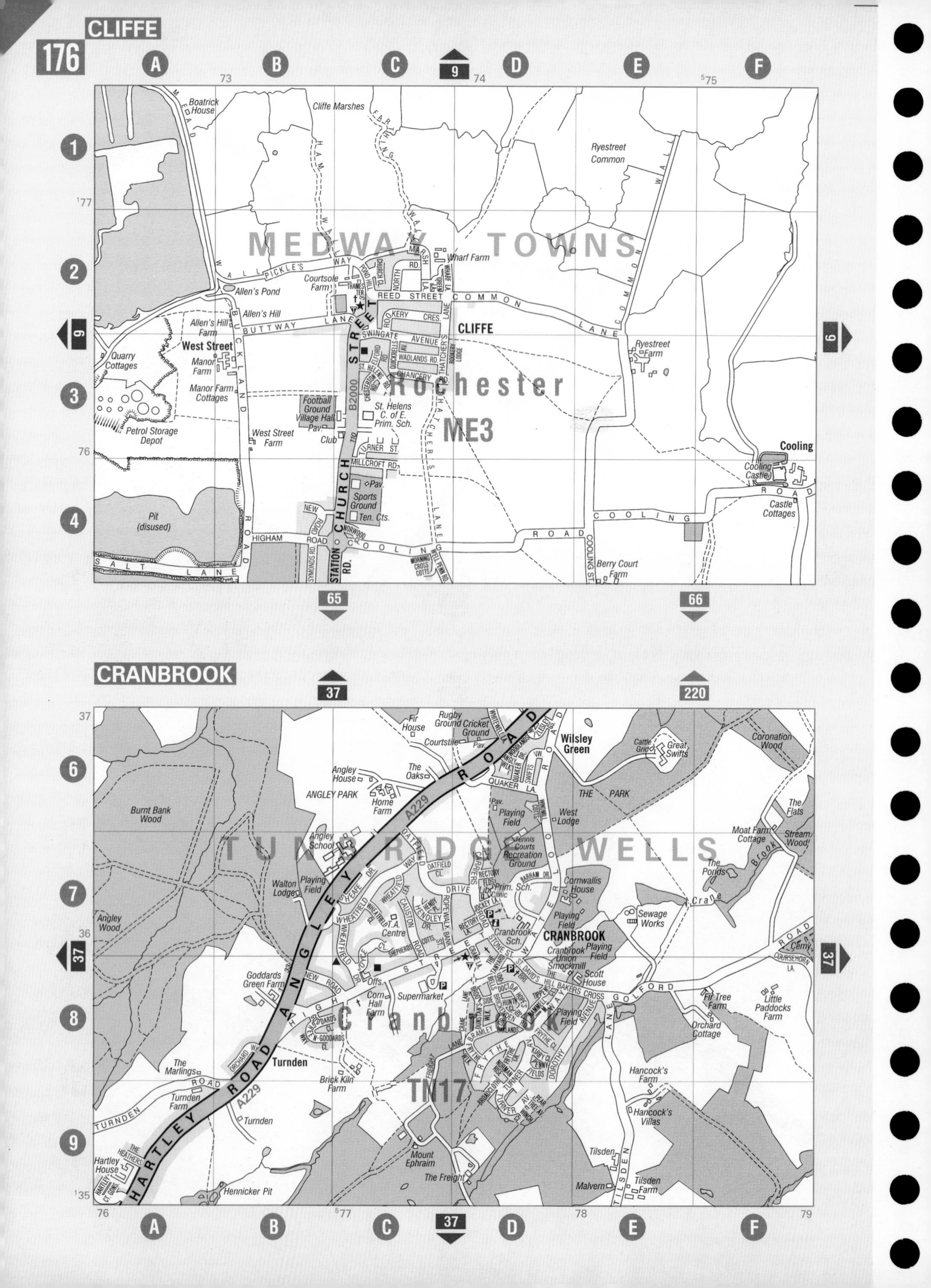

176
CLIFFE
MEDWAY TOWNS
Rochester
ME3
CLIFFE
Cliffe Marshes
Boatrick House
Ryestreet Common
Wharf Farm
Courtsole Farm
Allen's Pond
Allen's Hill
Allen's Hill Farm
West Street
Quarry Cottages
Manor Farm
Manor Farm Cottages
Petrol Storage Depot
West Street Farm
Football Ground
Village Hall
Pav.
Club
St. Helens C. of E. Prim. Sch.
Sports Ground
Ten. Cts.
Pit (disused)
Ryestreet Farm
Cooling
Cooling Castle
Castle Cottages
Berry Court Farm
PICKLE'S WAY
REED STREET
COMMON LANE
BUTTWAY LANE
CHURCH STREET
B2000
SWINGATE AVENUE
WADLANDS RD.
CHANCERY
ROOKERY CRES
THATCHERS LANE
TURNER ST.
MILLCROFT RD.
HIGHAM ROAD
COOLING ROAD
SALT LANE
BUCKLAND ROAD
STATION RD.
SYMONDS RD.
NEW ROAD
MORNING CROSS COTTS
WELL PENN RD
COOLING ST.
WALL
65
66
9
CRANBROOK
TUNBRIDGE WELLS
Cranbrook
TN17
CRANBROOK
Wilsley Green
Fir House
Rugby Ground
Cricket Ground
Courtstile
Angley House
The Oaks
ANGLEY PARK
Home Farm
Burnt Bank Wood
Angley School
Walton Lodge
Playing Field
Angley Wood
Great Swifts
Coronation Wood
THE PARK
West Lodge
Tennis Courts
Recreation Ground
Prim. Sch.
Clinic
Cornwallis House
Moat Farm Cottage
The Flats
Stream Wood
The Ponds
Sewage Works
T.A. Centre
Cranbrook Sch.
Cranbrook Union Smockmill
Scott House
Offs.
Supermarket
Corn Hall Farm
Goddards Green Farm
Fir Tree Farm
Little Paddocks Farm
Orchard Cottage
The Marlings
Turnden
Turnden Farm
Brick Kiln Farm
Hancock's Farm
Hancock's Villas
Hartley House
Mount Ephraim
The Freight
Hennicker Pit
Tilsden
Tilsden Farm
Malvern
Cemy.
ANGLEY ROAD
A229
HARTLEY ROAD
TURNDEN ROAD
HIGH STREET
STONE ST.
WATERLOO ROAD
QUAKER LA.
GOLFORD ROAD
BAKERS CROSS
TILSDEN LANE
FRYTHE
DOROTHY AVENUE
37
220

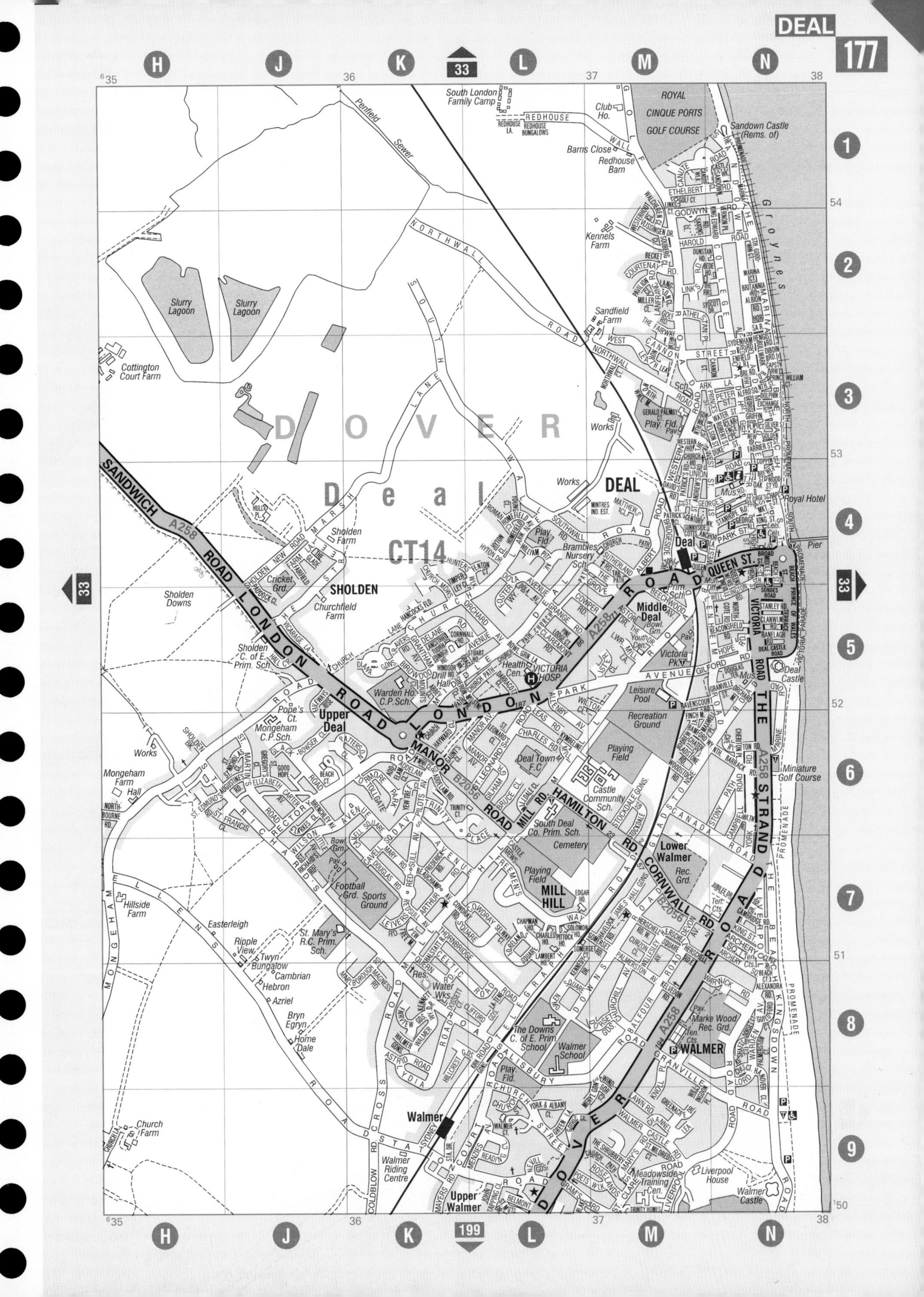
DOVER
Deal
CT14
DEAL
SHOLDEN
Upper Deal
Middle Deal
Lower Walmer
WALMER
Upper Walmer
MILL HILL
South London Family Camp
ROYAL CINQUE PORTS GOLF COURSE
Sandown Castle (Rems. of)
Barns Close
Redhouse Barn
Kennels Farm
Sandfield Farm
Slurry Lagoon
Slurry Lagoon
Cottington Court Farm
Sholden Farm
Sholden Downs
Churchfield Farm
Cricket Grd.
Works
Mongeham Farm
Hall
Hillside Farm
Easterleigh
Ripple View
Twyn
Bungalow
Cambrian
Hebron
Azriel
Bryn Egryn
Home Dale
Church Farm
Walmer Riding Centre
Walmer
Deal
Royal Hotel
Pier
Deal Castle
Miniature Golf Course
Walmer Castle
Liverpool House
Meadowside Training Cen.
Marke Wood Rec. Grd.
Walmer School
The Downs C. of E. Prim. School
Play. Fld.
Football Grd.
Sports Ground
St. Mary's R.C. Prim. Sch.
Water Wks.
Res.
Playing Field
Cemetery
South Deal Co. Prim. Sch.
Castle Community Sch.
Deal Town F.C.
Recreation Ground
Leisure Pool
Victoria Pk.
Health Cen.
VICTORIA HOSP.
Drill Hall
Warden Ho. C.P.Sch.
Mongeham C.P.Sch.
Sholden C. of E. Prim. Sch.
Brambles Nursery Sch.
Gerald Palmby Play. Fld.
Rec. Grd.
Groynes
SANDWICH ROAD
LONDON ROAD
MANOR ROAD
HAMILTON RD.
CORNWALL RD.
DOVER ROAD
THE STRAND
QUEEN ST.
VICTORIA ROAD
NORTHWALL ROAD
SOUTH WALL
MONGEHAM
STATION ROAD
A258
B2056
33
199

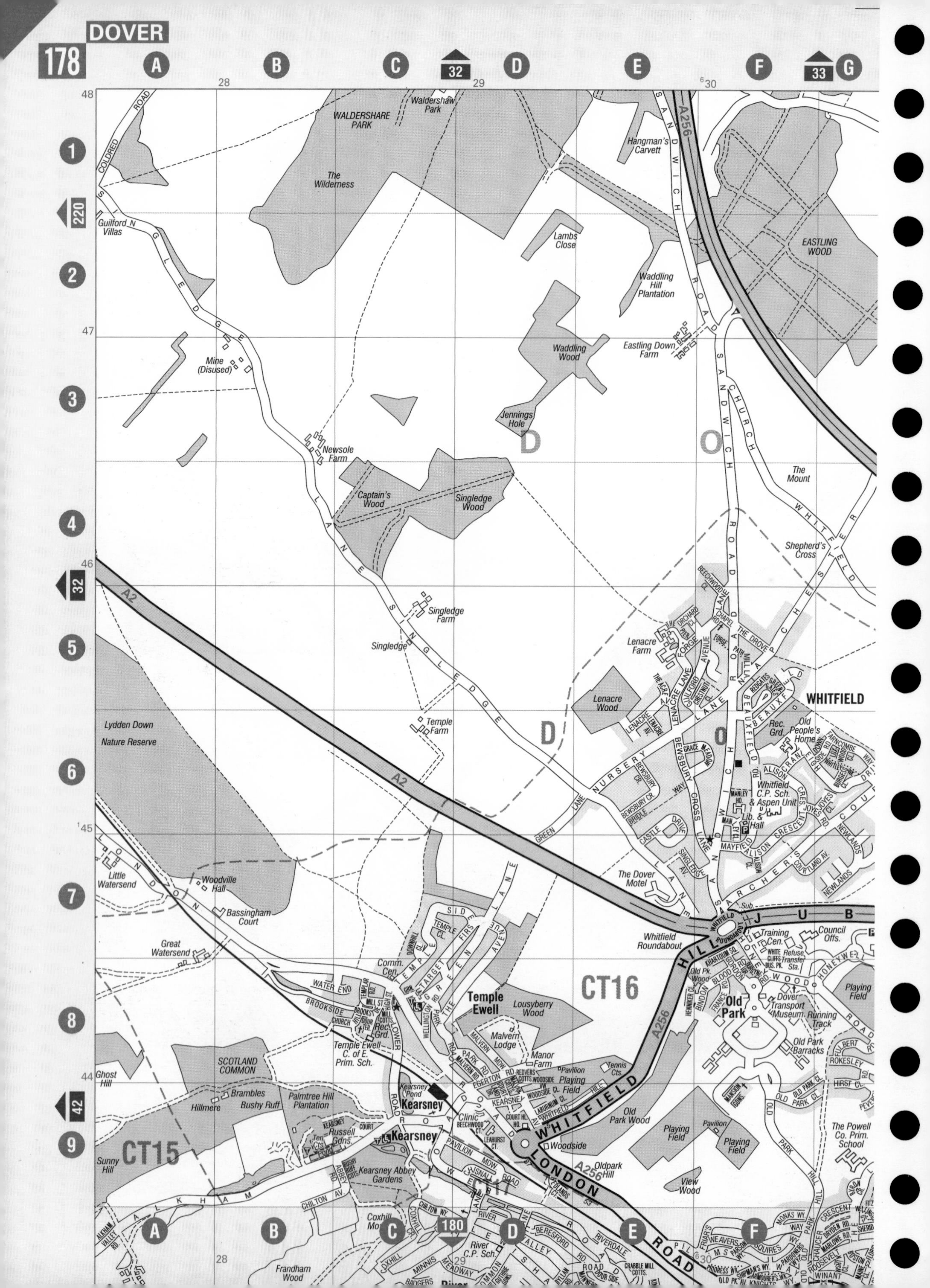
WALDERSHARE PARK
Waldershaw Park
The Wilderness
Guilford Villas
Hangman's Carvett
Lambs Close
Waddling Hill Plantation
EASTLING WOOD
Eastling Down Farm
Waddling Wood
Mine (Disused)
Jennings Hole
Newsole Farm
Captain's Wood
Singledge Wood
The Mount
Shepherd's Cross
Singledge Farm
Singledge
Lenacre Farm
Lenacre Wood
Temple Farm
WHITFIELD
Lydden Down Nature Reserve
Whitfield C.P. Sch. & Aspen Unit
Lib. & Hall
Old People's Home
Rec. Grd.
The Dover Motel
Little Watersend
Woodville Hall
Bassingham Court
Great Watersend
Whitfield Roundabout
Training Cen.
Council Offs.
Refuse Transfer Sta.
Comm. Cen.
Temple Ewell
Lousyberry Wood
CT16
Old Park
Dover Transport Museum
Running Track
Playing Field
Old Park Barracks
Temple Ewell C. of E. Prim. Sch.
Malvern Lodge
Manor Farm
SCOTLAND COMMON
Ghost Hill
Brambles
Hillmere
Bushy Ruff
Palmtree Hill Plantation
Kearsney
Kearsney Pond
Pavilion
Playing Field
Tennis Cts.
Old Park Wood
Russell Gdns
Clinic
Woodside
Oldpark Hill
View Wood
The Powell Co. Prim. School
CT15
Sunny Hill
Kearsney Abbey Gardens
CT17
River C.P. Sch.
Frandham Wood
Coxhill
A2
A256
SINGLEDGE LANE
SANDWICH ROAD
CHURCH WHITFIELD
LONDON ROAD
WHITFIELD HILL
LONDON ROAD
ALKHAM ROAD
COLDRED ROAD
NURSERY LANE
GREEN LANE
BEWSBURY CROSS LANE
CASTLE DRIVE
MAYFIELD
ARCHERS COURT
CHILTON AV
DOVER ROAD
HONEYWOOD ROAD
PARK AVE
EGERTON RD
FIRS LANE
ROKESLEY
OLD PARK CL.
PARK HILL
BERESFORD RD
RIVERDALE

32
33
220
32
42
180

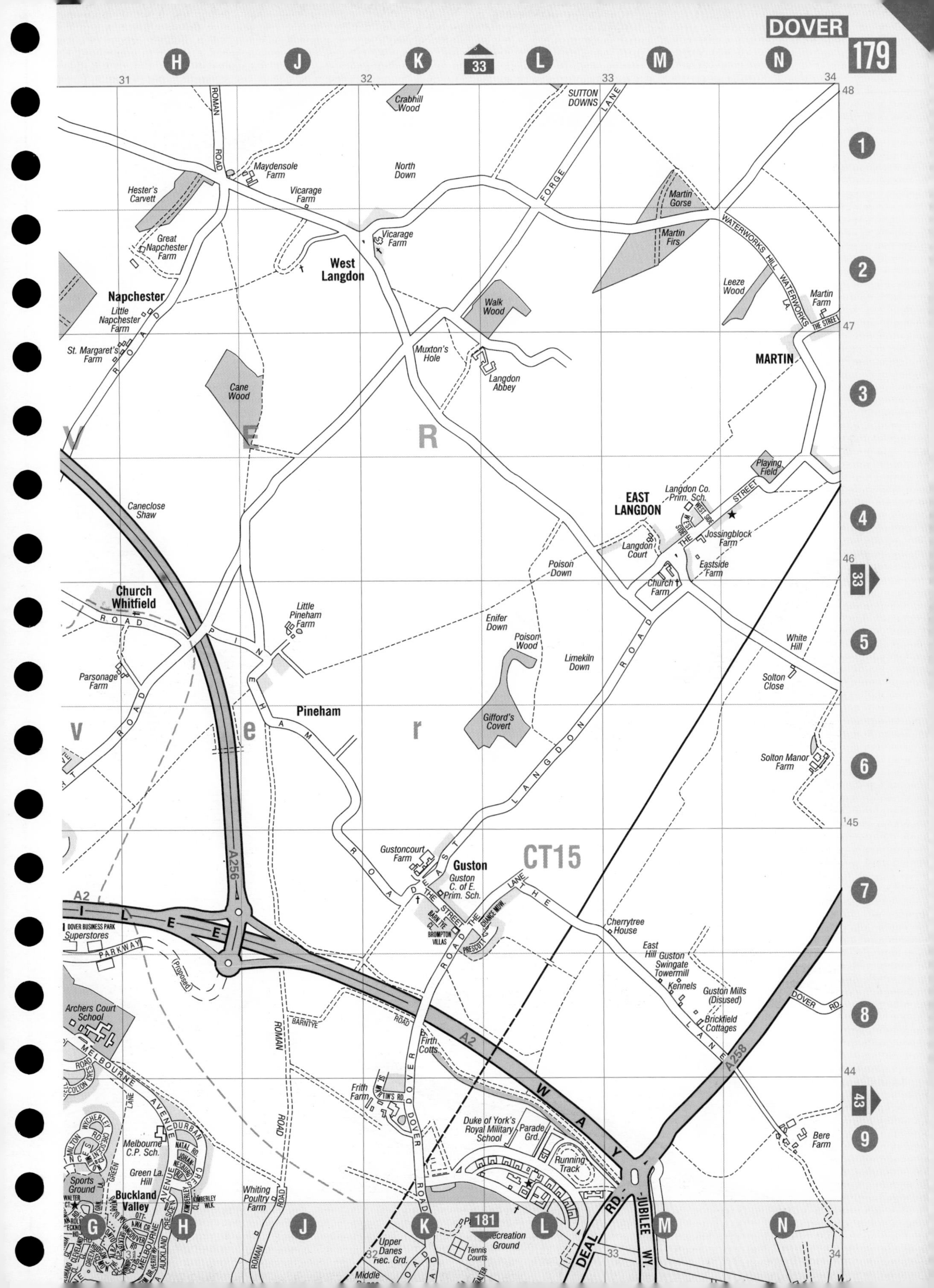

H J K L M N
33
31 32 33 34
48 47 46 45 44
1 2 3 4 5 6 7 8 9
Crabhill Wood
SUTTON DOWNS
ROMAN ROAD
FORGE LANE
Maydensole Farm
North Down
Hester's Carvett
Vicarage Farm
Martin Gorse
Martin Firs
WATERWORKS HILL
WATERWORKS LA.
Great Napchester Farm
Vicarage Farm
West Langdon
Leeze Wood
Martin Farm
THE STREET
Napchester
Walk Wood
Little Napchester Farm
St. Margaret's Farm
Muxton's Hole
Langdon Abbey
MARTIN
Cane Wood
Playing Field
Caneclose Shaw
EAST LANGDON
Langdon Co. Prim. Sch.
Jossingblock Farm
Langdon Court
Poison Down
Eastside Farm
Church Farm
Church Whitfield
Little Pineham Farm
Enifer Down
Poison Wood
Limekiln Down
White Hill
Parsonage Farm
Solton Close
Pineham
Gifford's Covert
LANGDON ROAD
Solton Manor Farm
Gustoncourt Farm
Guston
Guston C. of E. Prim. Sch.
CT15
A256
A2
DOVER BUSINESS PARK
Superstores
PARKWAY
(Proposed)
Cherrytree House
East Hill
Guston Swingate Towermill
Kennels
Guston Mills (Disused)
Brickfield Cottages
DOVER RD.
Archers Court School
BARNTYE
Firth Cotts.
A2
A258
MELBOURNE AVENUE
Frith Farm
Duke of York's Royal Military School
Parade Grd.
Running Track
Bere Farm
Melbourne C.P. Sch.
Green La. Hill
Sports Ground
Buckland Valley
Whiting Poultry Farm
DEAL RD.
JUBILEE WY.
181
Recreation Ground
Tennis Courts
Upper Danes Rec. Grd.
43

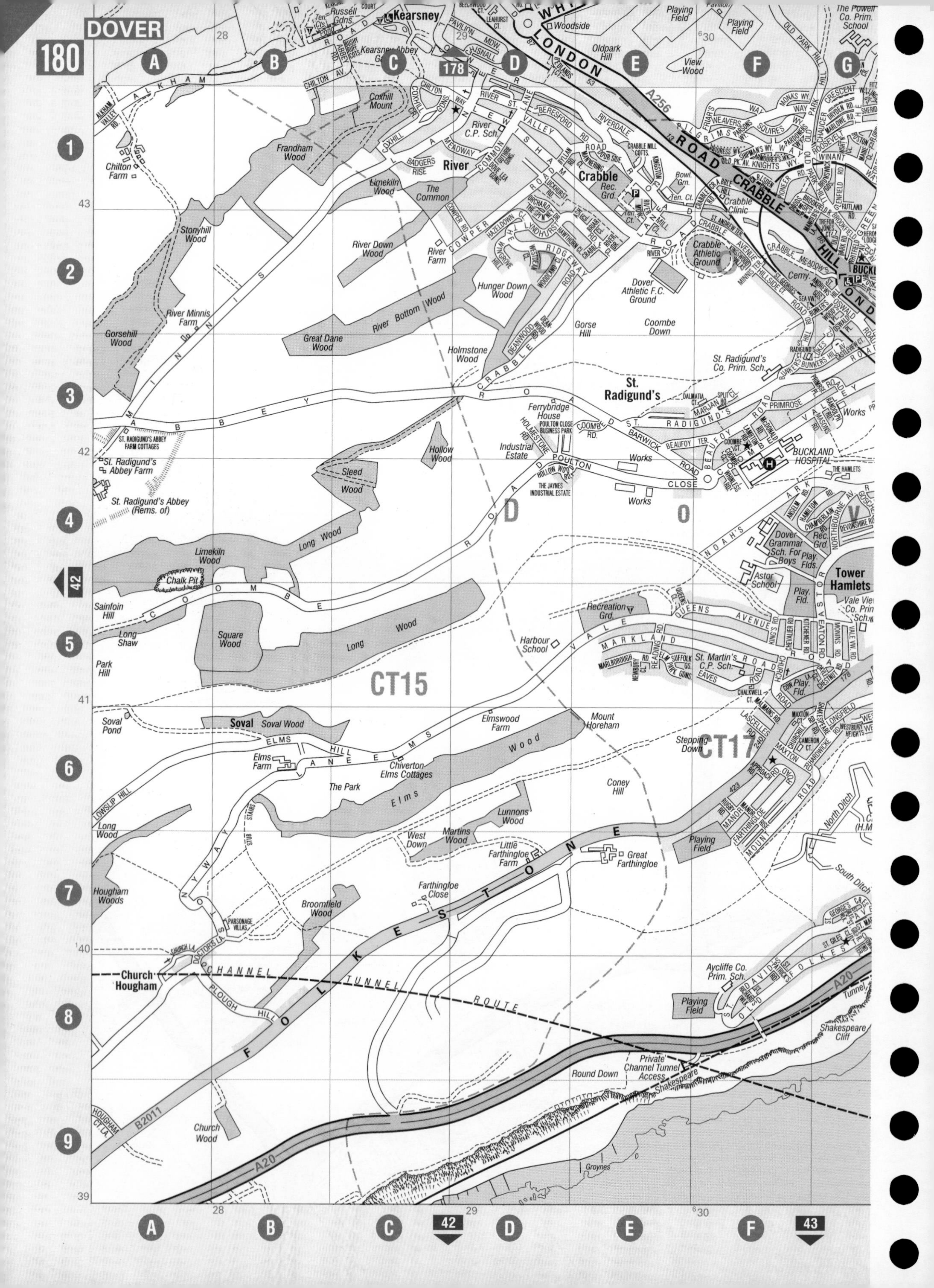

Kearsney
Russell Gdns.
Kearsney Abbey Gdns.
Coxhill Mount
River
River C.P. Sch.
Crabble
Crabble Rec. Grd.
Crabble Clinic
Crabble Athletic Ground
Dover Athletic F.C. Ground
Frandham Wood
Chilton Farm
Limekiln Wood
The Common
Stonyhill Wood
River Down Wood
River Farm
Hunger Down Wood
River Bottom Wood
Great Dane Wood
River Minnis Farm
Gorsehill Wood
Holmstone Wood
Gorse Hill
Coombe Down
St. Radigund's
St. Radigund's Co. Prim. Sch.
Ferrybridge House
Industrial Estate
Works
Buckland Hospital
Hollow Wood
Sleed Wood
St. Radigund's Abbey Farm
St. Radigund's Abbey (Rems. of)
Long Wood
Limekiln Wood
Chalk Pit
Sainfoin Hill
Long Shaw
Square Wood
Park Hill
Dover Grammar Sch. For Boys
Astor School
Tower Hamlets
Recreation Grd.
Harbour School
St. Martin's C.P. Sch.
CT15
CT17
Soval Pond
Soval
Soval Wood
Elmswood Farm
Mount Horeham
Elms Farm
Chiverton Elms Cottages
The Park
Elms Wood
Stepping Down
Coney Hill
Lunnons Wood
Long Wood
West Down
Martins Wood
Little Farthingloe Farm
Great Farthingloe
Playing Field
Hougham Woods
Farthingloe Close
Broomfield Wood
Church Hougham
CHANNEL TUNNEL ROUTE
Aycliffe Co. Prim. Sch.
Playing Field
Shakespeare Cliff
Private Channel Tunnel Access
Round Down
Church Wood
Groynes
A20
A256
B2011
FOLKESTONE ROAD
LONDON ROAD
CRABBLE HILL
ALKHAM ROAD
MINNIS LANE
ABBEY ROAD
COOMBE ROAD
ELMS VALE ROAD

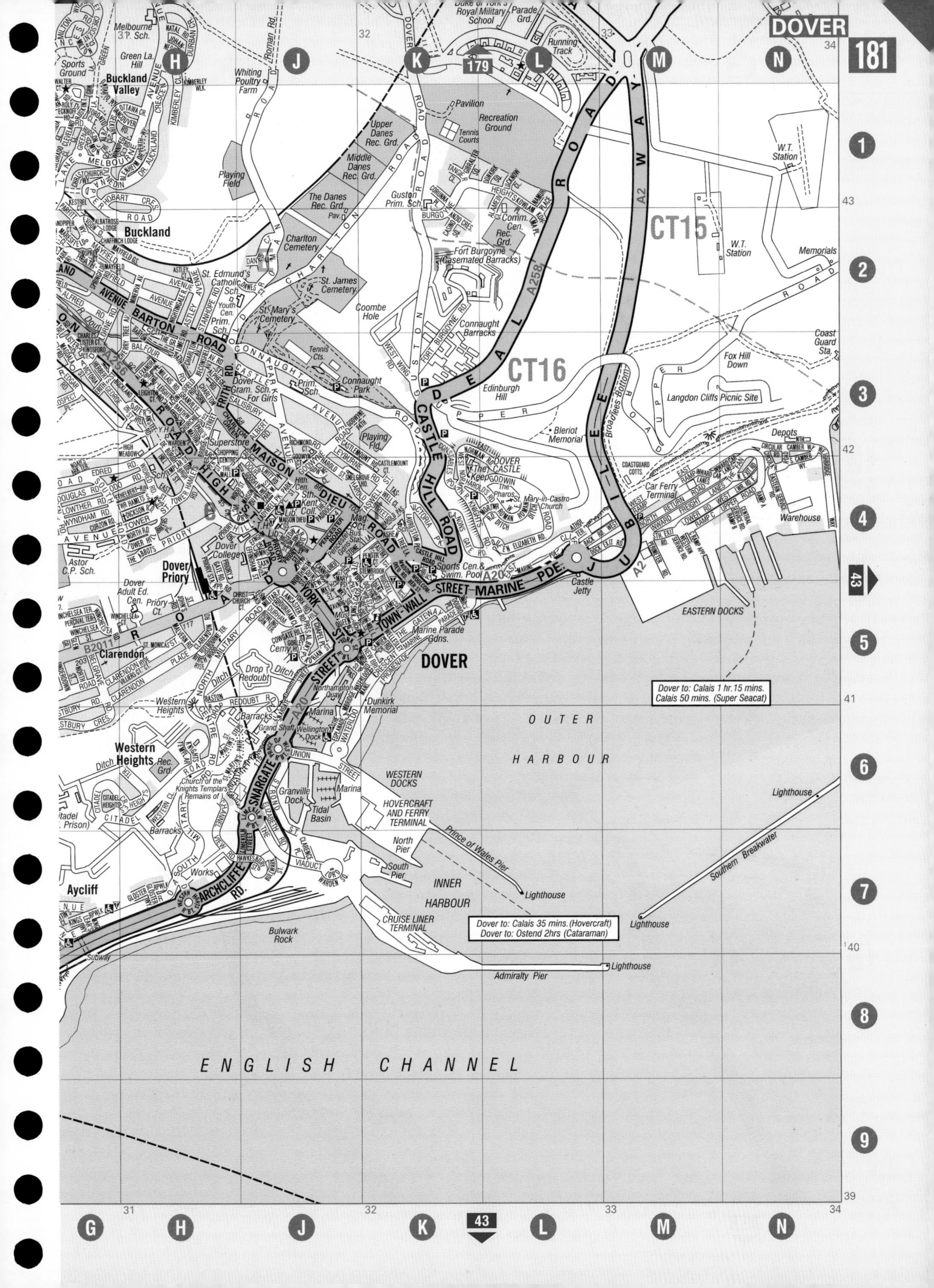

Buckland Valley, Melbourne 3 P. Sch., Green La. Hill, Sports Ground, Buckland, Whiting Poultry Farm, Roman Rd., Duke of York's Royal Military School, Parade Grd., Running Track, W.T. Station, CT15, Memorials, Upper Danes Rec. Grd., Middle Danes Rec. Grd., The Danes Rec. Grd., Pav., Playing Field, Charlton Cemetery, Guston Prim. Sch., Burgo, Comm. Rec. Grd., W.T. Station, Coast Guard Sta., St. Edmund's Catholic Sch., Youth Cen. Prim. Sch., St. James Cemetery, St. Mary's Cemetery, Fort Burgoyne (Casemated Barracks), Connaught Barracks, Fox Hill Down, Langdon Cliffs Picnic Site, CT16, Coombe Hole, Edinburgh Hill, Tennis Cts., Connaught Park, Bleriot Memorial, Depots, Dover Gram. Sch. For Girls, Prim. Sch., Salisbury, Playing Fld., Superstore, Shopping Centre, Castlemount Ct., Dover Castle, The Castle, The Pharos, St. Mary-in-Castro Church, Coastguard Cotts., Circular Rd., Car Ferry Terminal, Warehouse, Kent Coll., Maison Dieu, Dover College, Sports Cen. & Swim. Pool, Eastern Docks, Dover Priory, Dover Adult Ed. Cen., Priory Ct., Christ Church, Marine Pde., Castle Jetty, Astor C.P. Sch., Clarendon, St. Monica's Sch., Cowgate Cemy., Town Wall Street, Marine Parade Gdns., Promenade, DOVER, Drop Redoubt, Ditch, Northampton Quay, Dunkirk Memorial, Marina, Western Heights Rec. Grd., Church of the Knights Templars Remains of, Granville Dock, Tidal Basin, Western Docks, Marina, Wellington Dock, Grand Shaft, Barracks, Citadel (Prison), Citadel Heights, Barracks, WESTERN DOCKS, HOVERCRAFT AND FERRY TERMINAL, North Pier, Prince of Wales Pier, South Pier, INNER HARBOUR, OUTER HARBOUR, Lighthouse, Aycliff, Works, Bulwark Rock, Subway, CRUISE LINER TERMINAL, Admiralty Pier, Lighthouse, Southern Breakwater, Lighthouse, Lighthouse, ENGLISH CHANNEL

Dover to: Calais 1 hr. 15 mins.
Calais 50 mins. (Super Seacat)

Dover to: Calais 35 mins. (Hovercraft)
Dover to: Ostend 2hrs (Cataraman)

Grid references: G, H, J, K, L, M, N across top and bottom; 1–9 down the right side; 179, 181, 43 page indicators.

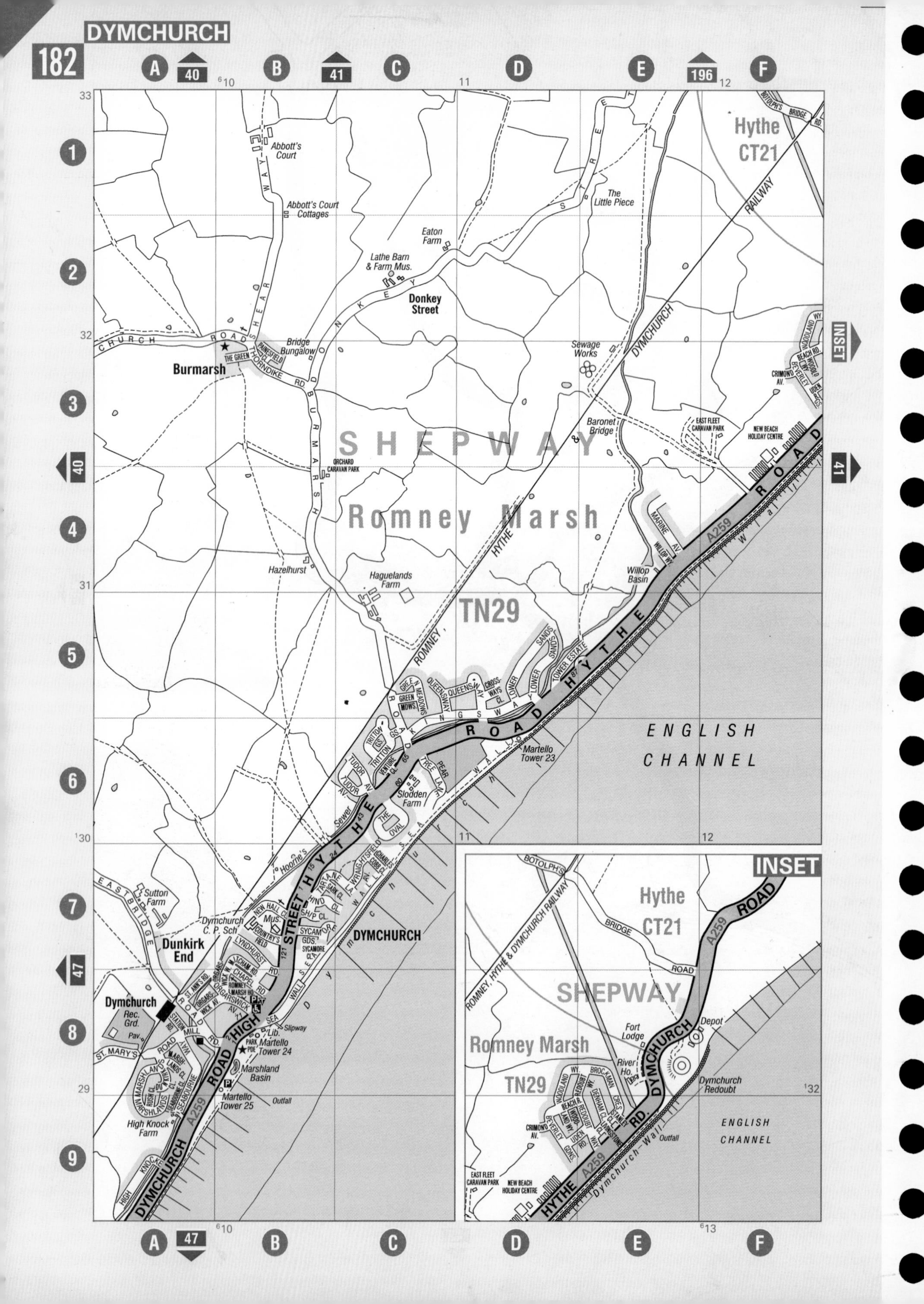

Labels visible on the map include:

Grid reference markers: A 40, B 41, C, D, E 196, F, 47, INSET

Place names and features:
- Hythe CT21
- Abbott's Court
- Abbott's Court Cottages
- Eaton Farm
- The Little Piece
- Lathe Barn & Farm Mus.
- Donkey Street
- Bridge Bungalow
- Burmarsh
- THE GREEN
- CHURCH ROAD
- SHEPWAY
- Romney Marsh
- Sewage Works
- Baronet Bridge
- EAST FLEET CARAVAN PARK
- NEW BEACH HOLIDAY CENTRE
- ORCHARD CARAVAN PARK
- TN29
- Hazelhurst
- Haguelands Farm
- Willop Basin
- MARINE AV.
- WALLOP WY.
- A259
- ENGLISH CHANNEL
- Martello Tower 23
- QUEENSWAY
- ROAD HYTHE
- STREET HYTHE
- Slodden Farm
- THE OVAL
- TUDOR AV.
- TRITON AV.
- Sutton Farm
- EASTBRIDGE ROAD
- Dymchurch C.P. Sch
- Dunkirk End
- DYMCHURCH
- Dymchurch Rec. Grd.
- ST. MARY'S
- Martello Tower 24
- Marshland Basin
- Martello Tower 25
- High Knock Farm
- HIGH
- DYMCHURCH
- A259
- ROAD

INSET:
- Hythe CT21
- BOTOLPH'S BRIDGE RD.
- BRIDGE ROAD
- SHEPWAY
- Romney Marsh
- TN29
- Fort Lodge
- River Ho.
- Depot
- DYMCHURCH
- Dymchurch Redoubt
- A259
- HYTHE ROAD
- Dymchurch Wall
- Outfall
- ENGLISH CHANNEL
- EAST FLEET CARAVAN PARK
- NEW BEACH HOLIDAY CENTRE
- CRIMONS AV.
- ROMNEY, HYTHE & DYMCHURCH RAILWAY

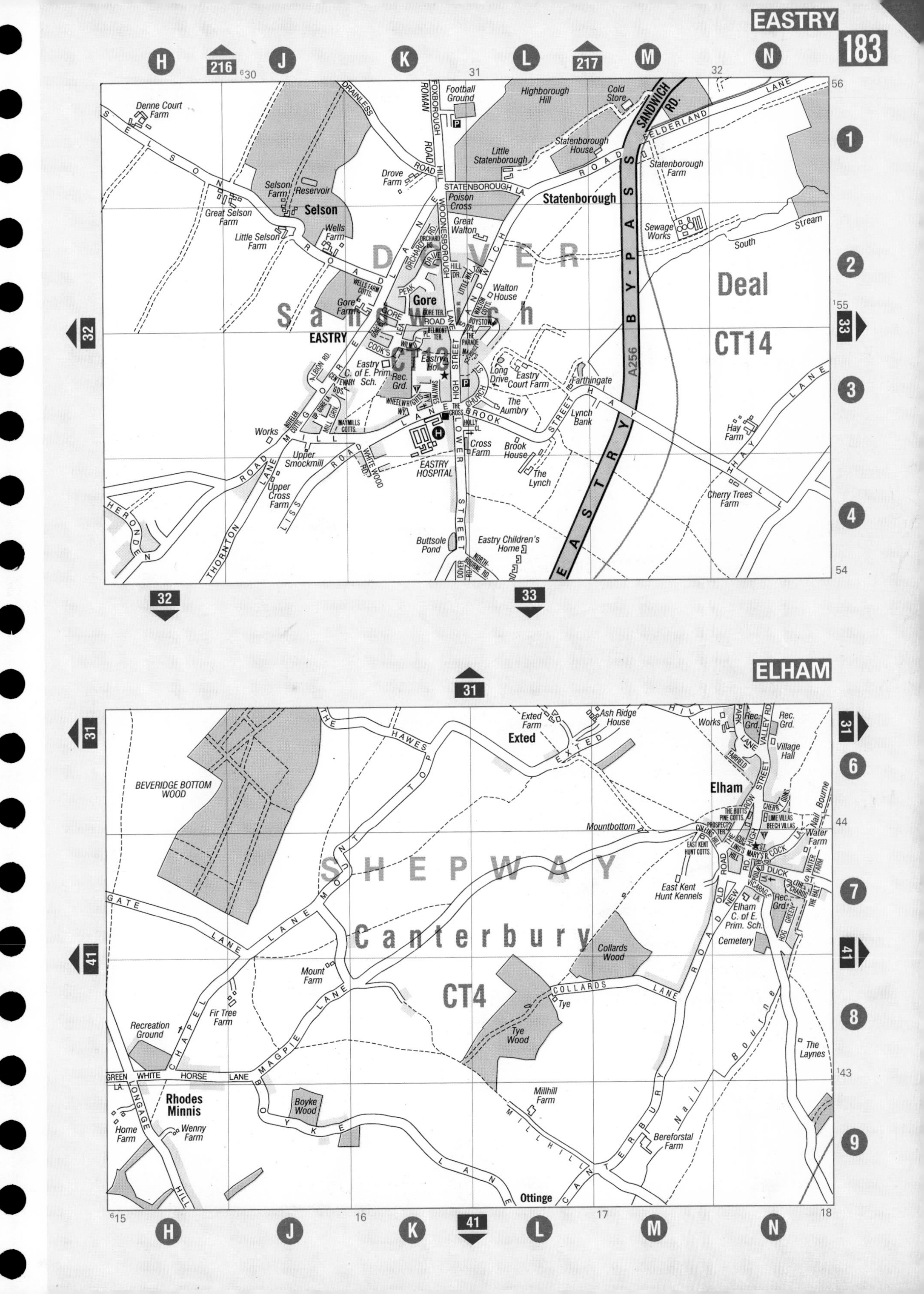

EASTRY
183
216
217
Denne Court Farm
SELSON
Football Ground
Highborough Hill
Cold Store
SANDWICH RD.
LANE
ELDERLAND
Little Statenborough
Statenborough House
Statenborough Farm
DRAINLESS
FOXBOROUGH
ROMAN ROAD
HILL
Drove Farm
Selson Farm
Reservoir
Selson
Great Selson Farm
Little Selson Farm
Wells Farm
STATENBOROUGH LA.
Poison Cross
Statenborough
Great Walton
Sewage Works
South
Stream
DOVER
Walton House
Deal
CT14
Sandwich
CT13
Gore
EASTRY
WELLS FARM COTTS.
Gore Farm
GORE ROAD
GORE TER.
BELMONT TER.
COOK'S
Eastry C. of E. Prim. Sch.
Rec. Grd.
HIGH STREET
THE PARADE
Long Drive
Eastry Court Farm
Farthingate
A256
EASTRY BY-PASS
ALBION RD.
CENTENARY GDS.
WHEELWRIGHTS WY.
THE CROSS
CHURCH
BROOK
The Aumbry
Lynch Bank
HAY LANE
Hay Farm
Works
BUTLER COTTS.
MAYMILLS COTTS.
MILL LANE
HOLLY CL.
Cross Farm
Brook House
STREET
Upper Smockmill
WHITE WOOD RD.
EASTRY HOSPITAL
LOWER STREET
The Lynch
Upper Cross Farm
LISS ROAD
Cherry Trees Farm
HERONDEN
THORNTON LANE
Buttsole Pond
Eastry Children's Home
NORTHBOURNE RD.
DOVER RD.
30
31
32
56
55
54
1
2
3
4
ELHAM
31
41
Exted Farm
Ash Ridge House
Works
Rec. Grd.
VALLEY RD
Village Hall
THE HAWES
Exted
EXTED
PARK LANE
FAIRFIELD
Elham
BEVERIDGE BOTTOM WOOD
TOP
MOUNT
Mountbottom
THE BUTTS
PINE COTTS.
PROSPECT TER.
LIME VILLAS
BEECH VILLAS
Nail Bourne
Water Farm
EAST KENT HUNT COTTS.
ST. MARY'S R.
DUCK ST.
WATER FARM
SHEPWAY
East Kent Hunt Kennels
OLD ROAD
NEW ROAD
VICARAGE LA.
Elham C. of E. Prim. Sch.
THE HALT
GATE
LANE
Canterbury
Collards Wood
Cemetery
Rec. Grd.
HOG GREEN
Mount Farm
CT4
COLLARDS LANE
Tye
MAGPIE LANE
Fir Tree Farm
Recreation Ground
CHAPEL
Tye Wood
The Laynes
Bourne
GREEN LA.
WHITE HORSE LANE
Rhodes Minnis
Boyke Wood
BOYKE LANE
Millhill Farm
MILLHILL
LONGAGE HILL
Home Farm
Wenny Farm
Bereforstal Farm
CANTERBURY ROAD
Ottinge
15
16
17
18
44
43
6
7
8
9
H
J
K
L
M
N
32
33

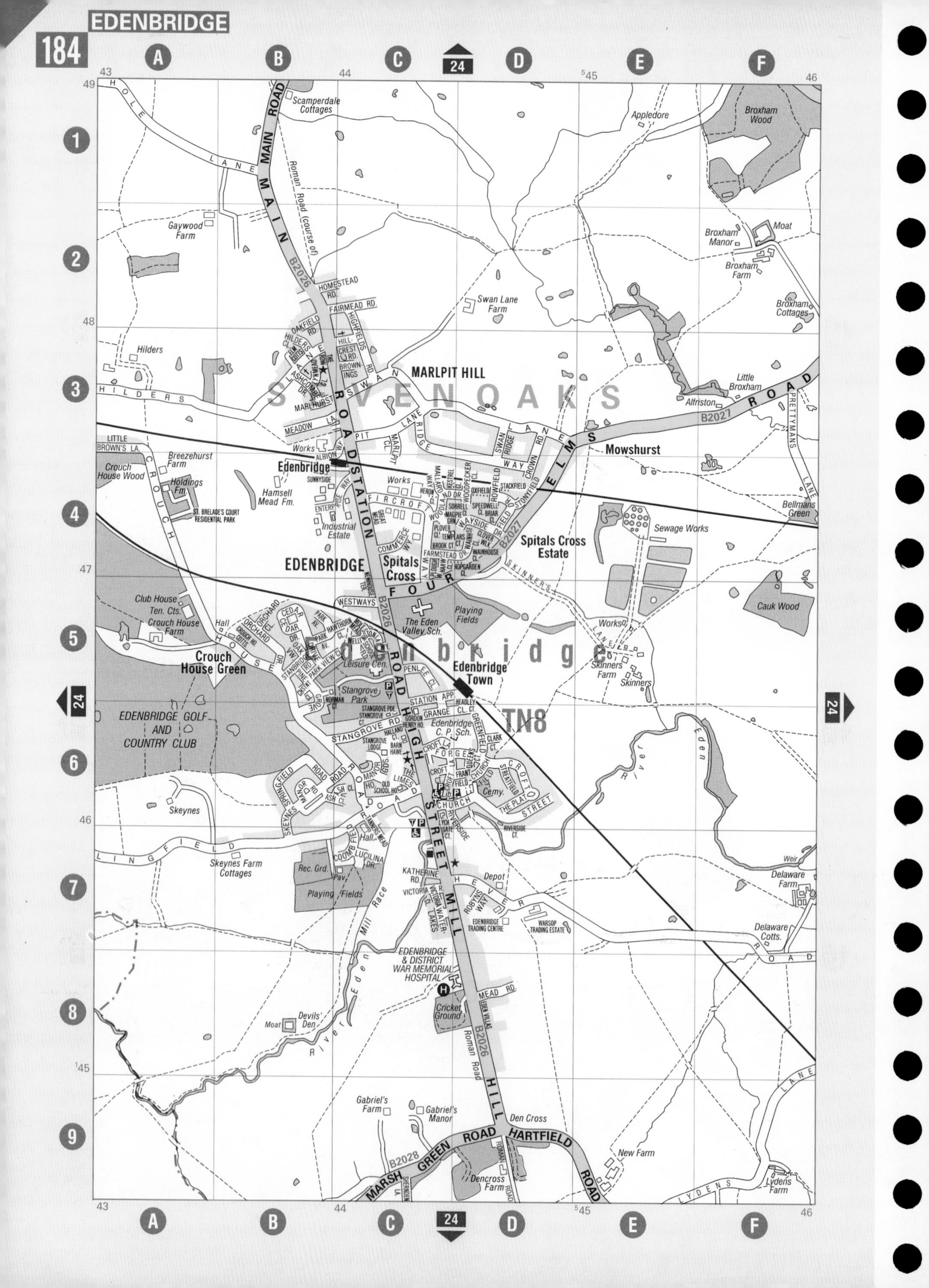

MAIN ROAD

HOLE LANE

Scamperdale Cottages

Roman Road (course of)

Appledore

Broxham Wood

Gaywood Farm

Broxham Manor

Moat

Broxham Farm

Broxham Cottages

HOMESTEAD RD.

FAIRMEAD RD.

Hilders

OAKFIELD RD.

HIGHFIELDS RD.

HILL CREST RD.

Swan Lane Farm

MARLPIT HILL

Little Broxham

Alfriston

PRETTYMANS LANE

B2021

SEVENOAKS ROAD

MEADOW LA.

MARLPIT LANE

SWAN LANE

ELMS ROAD

Mowshurst

HILDERS

Little Brown's La.

Crouch House Wood

Breezehurst Farm

Holdings Fm.

Edenbridge

SUNNYSIDE

Hamsell Mead Fm.

Works

ALBION

Works

FIRCROFT

ST. BRELADE'S COURT RESIDENTIAL PARK

Industrial Estate

ENTERPRISE WAY

COMMERCE WAY

Bellmans Green

Spitals Cross Estate

Sewage Works

EDENBRIDGE

Spitals Cross

FOUR B2026

SKINNERS LANE

Cauk Wood

Club House Ten. Cts.

Crouch House Farm

Hall

WESTWAYS

The Eden Valley Sch.

Playing Fields

Edenbridge Town

Leisure Cen.

Skinners Farm

Skinners

Works

Crouch House Green

Stangrove Park

Stangrove Lodge

STATION APP.

HEADLEY

Edenbridge C.P. Sch.

TN8

P

EDENBRIDGE GOLF AND COUNTRY CLUB

HIGH STREET

GRANGE

Edenbridge C.P. Sch.

GREENFIELD

CLARK

CROFT STREET

Skeynes

The Limes

Old School Ho.

Cerny.

The Plat

CHURCH STREET

River Eden

LINGFIELD

Skeynes Farm Cottages

Rec. Grd.

Pav.

Hall

LUCILINA DR.

COOMB FIELD

MILL

RIVERSIDE

Riverside Ct.

Weir

Delaware Farm

Playing Fields

Eden Mill Race

Depot

Edenbridge Trading Centre

Warsop Trading Estate

ROAD

Delaware Cotts.

KATHERINE RD.

VICTORIA

ROBYNS WAY

EDENBRIDGE & DISTRICT WAR MEMORIAL HOSPITAL

River Eden

Devils' Den

Moat

Cricket Ground

H

MEAD RD.

Roman Road

B2026

LYDENS LANE

Gabriel's Farm

Gabriel's Manor

Den Cross

New Farm

MARSH GREEN ROAD

B2028

Dencross Farm

SHERNDEN

HARTFIELD ROAD

Roman Road

Lydens Farm

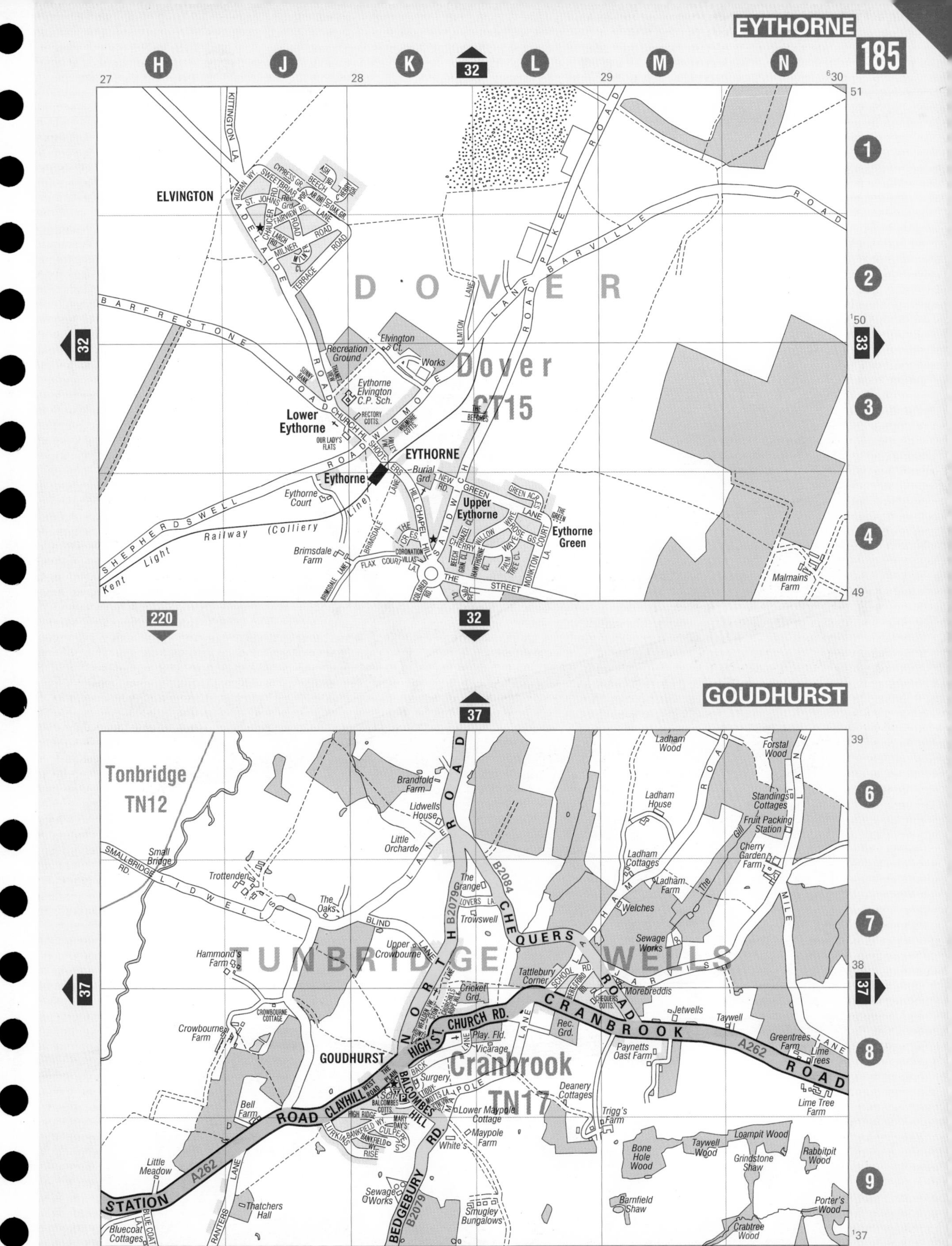
ELVINGTON
DOVER
Dover
CT15
Lower Eythorne
EYTHORNE
Eythorne
Upper Eythorne
Eythorne Green
Recreation Ground
Elvington Ct.
Works
Eythorne Elvington C.P. Sch.
Eythorne Court
Brimsdale Farm
Malmains Farm
Burial Grd.
BARFRESTONE ROAD
SHEPHERDSWELL ROAD
Kent Light Railway (Colliery Line)
KITTINGTON LA.
ADELAIDE ROAD
TERRACE ROAD
PIKE ROAD
BARVILLE ROAD
CHURCH HILL
WIGMORE LANE
SHOOTERS HILL
CHAPEL HILL
SANDWICH ROAD
THE STREET
COURT LA.
GREEN LANE
MONKTON COURT
FLAX COURT LA.
BRIMSDALE LANE
ELMTON LANE
GOUDHURST
Tonbridge
TN12
TUNBRIDGE WELLS
GOUDHURST
Cranbrook
TN17
STATION ROAD
CLAYHILL ROAD
HIGH ST.
CHURCH RD.
CRANBROOK ROAD
NORTH ROAD
CHEQUERS ROAD
BEDGEBURY RD.
MAYPOLE LANE
BLIND LANE
LIDWELL LANE
SMALLBRIDGE RD.
RANTERS LANE
MILE LANE
LADHAM ROAD
Brandfold Farm
Lidwells House
Little Orchard
Small Bridge
Trottenden
The Oaks
The Grange
Trowswell
Upper Crowbourne
Hammond's Farm
Crowbourne Farm
Bell Farm
Little Meadow
Thatchers Hall
Bluecoat Cottages
Sewage Works
Smugley Bungalows
Lower Maypole Cottage
Maypole Farm
Deanery Cottages
Trigg's Farm
Paynetts Oast Farm
Rec. Grd.
Cricket Grd.
Play. Fld.
Vicarage
Surgery
Tattlebury Corner
Morebreddis
Jetwells
Taywell
Welches
Ladham Wood
Ladham House
Ladham Cottages
Ladham Farm
Forstal Wood
Standings Cottages
Fruit Packing Station
Cherry Garden Farm
Greentrees Farm
Lime Trees
Lime Tree Farm
Bone Hole Wood
Taywell Wood
Loampit Wood
Grindstone Shaw
Rabbitpit Wood
Barnfield Shaw
Porter's Wood
Crabtree Wood
A262
B2079
B2084

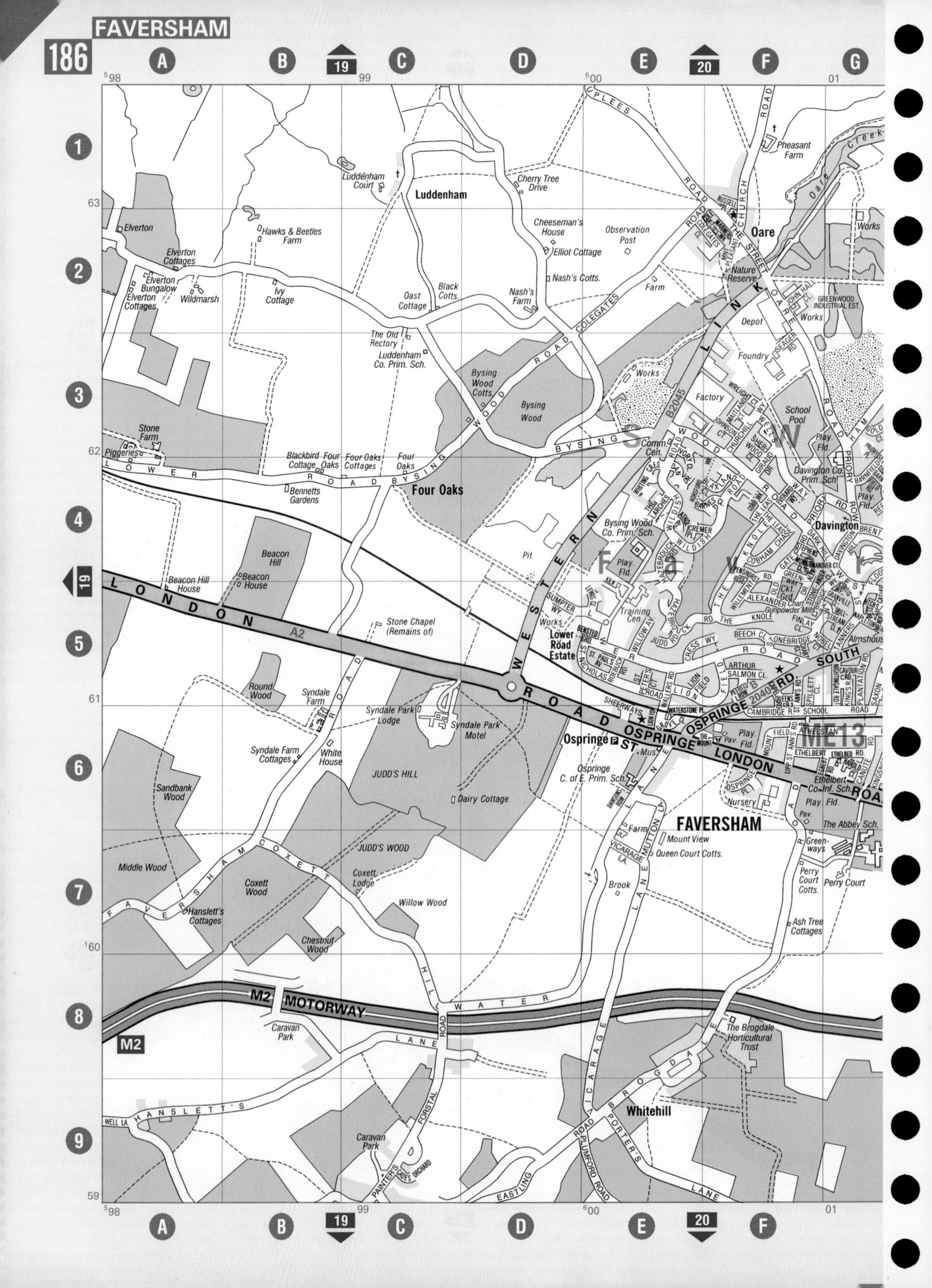
Luddenham
Luddenham Court
Cherry Tree Drive
Elverton
Hawks & Beetles Farm
Elverton Cottages
Cheeseman's House
Observation Post
Elliot Cottage
Oare
Nature Reserve
Pheasant Farm
Works
Elverton Bungalow
Elverton Cottages
Wildmarsh
Ivy Cottage
Oast Cottage
Black Cotts.
Nash's Cotts.
Nash's Farm
Farm
Depot
GREENWOOD INDUSTRIAL EST.
The Old Rectory
Luddenham Co. Prim. Sch.
Foundry
Bysing Wood Cotts.
Bysing Wood
Works
Factory
School Pool
Stone Farm
Piggeries
Comm. Cen.
Play. Fld.
Blackbird Cottage
Four Oaks
Four Oaks Cottages
Four Oaks
Davington Co. Prim. Sch.
Bennetts Gardens
Four Oaks
Davington
Bysing Wood Co. Prim. Sch.
Beacon Hill
Pit
Beacon Hill House
Beacon House
LONDON
A2
Training Cen.
Gunpowder Mills
Stone Chapel (Remains of)
Works
Lower Road Estate
Almshouses
Round Wood
Syndale Farm
Syndale Park Lodge
Syndale Park Motel
Ospringe
Mus.
ME13
Syndale Farm Cottages
White House
JUDD'S HILL
Ospringe C. of E. Prim. Sch.
Ethelbert Co. Inf. Sch.
Sandbank Wood
Dairy Cottage
Nursery
Play. Fld.
FAVERSHAM
The Abbey Sch.
Farm
Mount View
Queen Court Cotts.
Middle Wood
JUDD'S WOOD
Greenways
Coxett Lodge
Coxett Wood
Brook
Perry Court Cotts.
Perry Court
Willow Wood
Hanslett's Cottages
Chestnut Wood
Ash Tree Cottages
M2 MOTORWAY
M2
Caravan Park
The Brogdale Horticultural Trust
Whitehill
Caravan Park
WESTERN LINK
B2045
OSPRINGE ROAD
LONDON ROAD
COXETT HILL
WATER LANE
BROGDALE ROAD
VICARAGE LANE
MUTTON LANE
PLUMFORD ROAD
PORTER'S LANE
HANSLETT'S LANE
EASTLING
FORSTAL
SYNDALE ROAD
BYSING WOOD ROAD
LOWER ROAD
COLEGATES ROAD
UPLEES
CHURCH ROAD
PRIORY ROW
SOUTH RD.
ST. PETER'S CT.
CAMBRIDGE RD.
SCHOOL ROAD
JUDD RD.
CRESS WY.
BEECH CL.
THE KNOLE
ALEXANDER
OSPRINGE ST.
ETHELBERT RD.
GREEN WAY
SUMPTER WY.
ARTHUR SALMON CL.
LION FIELD
A
B
C
D
E
F
G
1
2
3
4
5
6
7
8
9
19
20

19
20
19
20

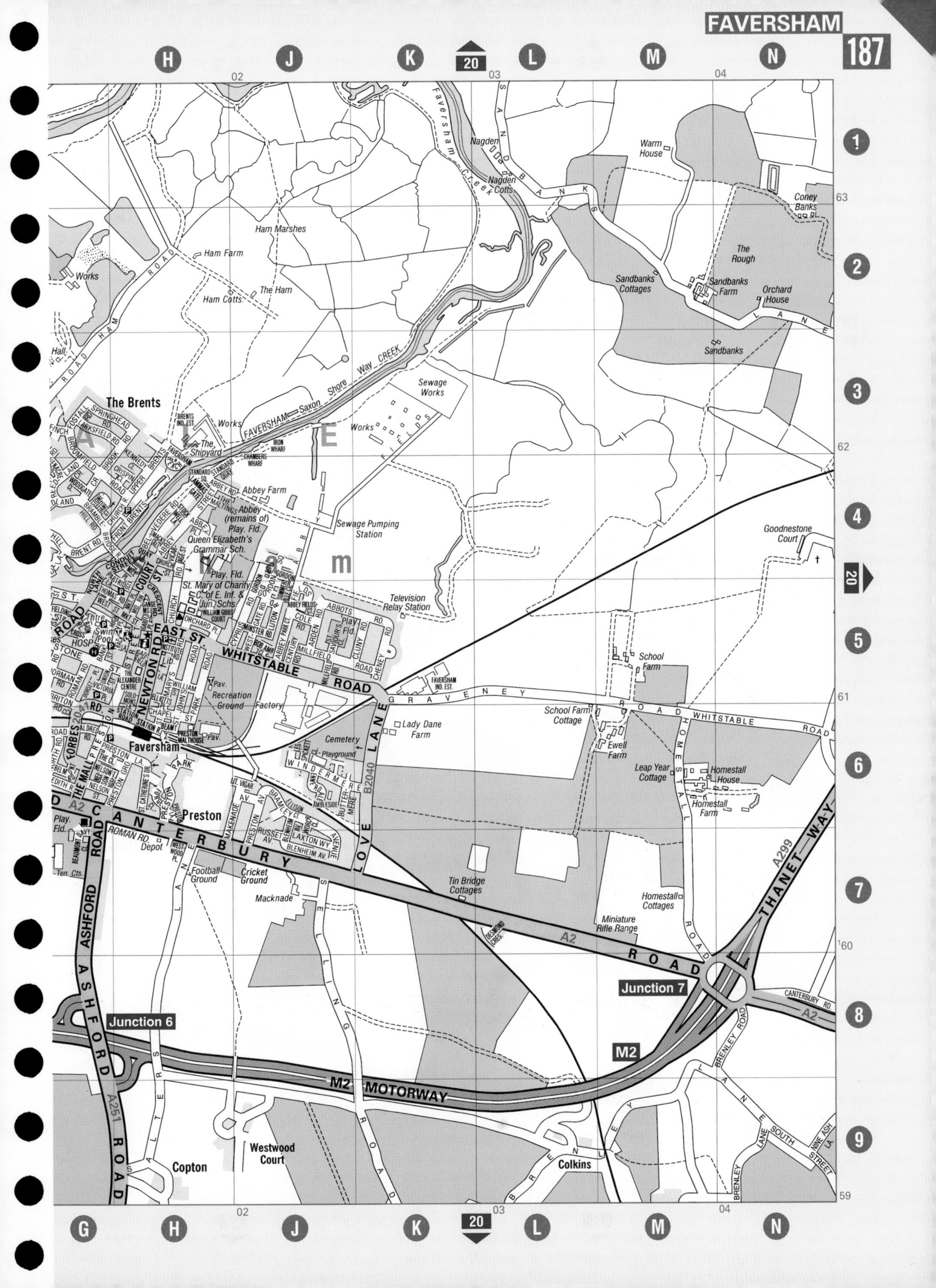
H
J
K
20
L
M
N
02
03
04
1
2
3
4
5
6
7
8
9
63
62
61
60
59
Nagden
Nagden Cotts.
Faversham Creek
SANDBANKS
Warm House
Coney Banks
The Rough
Sandbanks Cottages
Sandbanks Farm
Orchard House
Sandbanks
Ham Marshes
Ham Farm
The Ham
Ham Cotts.
Works
Hall
HAM ROAD
Sewage Works
Saxon Shore Way
FAVERSHAM CREEK
The Brents
BRENTS IND. EST.
The Shipyard
IRON WHARF
CHAMBERS WHARF
Works
Abbey Farm
Abbey (remains of)
Play. Fld.
Queen Elizabeth's Grammar Sch.
St. Mary of Charity C. of E. Inf. & Jun. Schs.
Sewage Pumping Station
Television Relay Station
Goodnestone Court
School Farm
FAVERSHAM IND. EST.
GRAVENEY ROAD
WHITSTABLE ROAD
School Farm Cottage
Ewell Farm
Leap Year Cottage
Homestall House
Homestall Farm
HOMESTALL ROAD
EAST ST.
WHITSTABLE ROAD
NEWTON RD.
COURT ST.
Recreation Ground
Factory
Lady Dane Farm
Cemetery
Playground
WINDERMERE
LOVE LANE
B2040
Faversham
Preston
PRESTON PARK
THE MALL
FORBES RD.
A2
CANTERBURY ROAD
ASHFORD ROAD
Depot
Football Ground
Cricket Ground
Macknade
Tin Bridge Cottages
Homestall Cottages
Miniature Rifle Range
A2
ROAD
Junction 7
THANET WAY
A299
CANTERBURY RD.
A2
M2
Junction 6
M2 MOTORWAY
SALTERS LANE
SELLING ROAD
A251
Westwood Court
Copton
Colkins
BRENLEY LANE
BRENLEY ROAD
SOUTH STREET
NINE ASH LA.
G
H
J
K
20
L
M
N
02
03
04

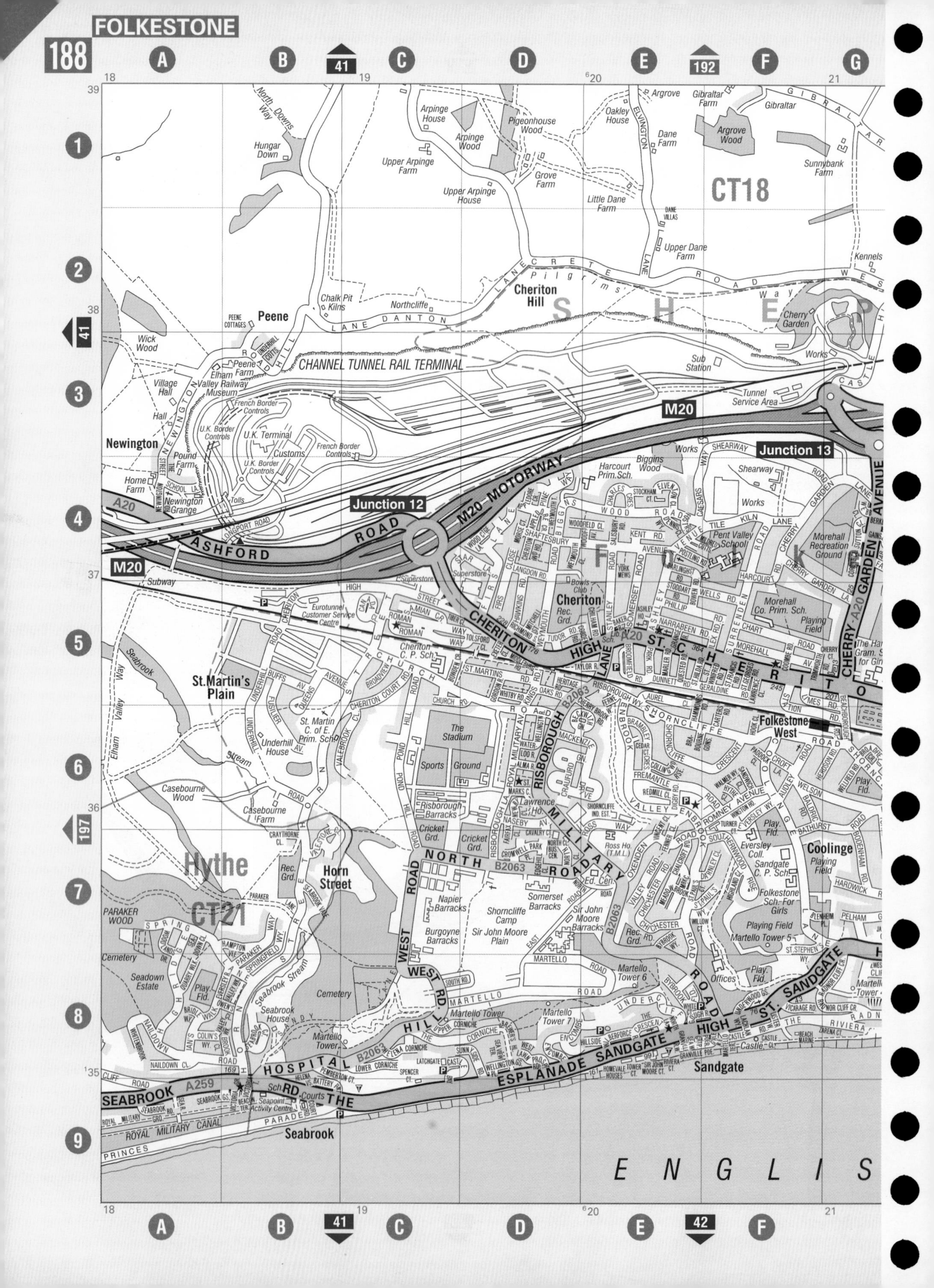

A B C D E F G
41
192
1 2 3 4 5 6 7 8 9
North Downs Way
Hungar Down
Arpinge House
Arpinge Wood
Upper Arpinge Farm
Upper Arpinge House
Pigeonhouse Wood
Grove Farm
Oakley House
Argrove
Gibraltar Farm
Gibraltar
Argrove Wood
Dane Farm
Little Dane Farm
Sunnybank Farm
CT18
Upper Dane Farm
Kennels
Crete Road West
Pilgrims' Way
Cheriton Hill
Chalk Pit Kilns
Northcliffe
Danton Lane
Peene
Peene Cottages
Wick Wood
Peene Farm
Elham Valley Railway Museum
Village Hall
Hall
Newington
Pound Farm
Home Farm
Newington Grange
CHANNEL TUNNEL RAIL TERMINAL
French Border Controls
U.K. Border Controls
U.K. Terminal
Customs
Tolls
Sub Station
Works
Cherry Garden
Tunnel Service Area
M20
Junction 12
Junction 13
M20 MOTORWAY
ASHFORD ROAD
A20
Subway
Biggins Wood
Harcourt Prim.Sch.
Shearway
Tile Kiln Lane
Pent Valley School
Morehall Recreation Ground
Cherry Garden Avenue
Superstore
Eurotunnel Customer Service Centre
Cheriton
Bowls Club
Cheriton Rec. Grd.
Morehall Co. Prim. Sch.
Playing Field
Cheriton C. P. Sch.
Cheriton High Street
A20
Seabrook
Elham Valley Way
St.Martin's Plain
St. Martin C. of E. Prim. Sch.
Underhill House
The Stadium
Sports Ground
Risborough Lane
Folkestone West
Casebourne Wood
Casebourne Farm
Risborough Barracks
Cricket Grd.
Lawrence Ho.
Shorncliffe Ind. Est.
Ross Ho. (T.M.L.)
Military Road
North Road
B2063
Eversley Coll.
Sandgate C. P. Sch.
Cooling
Playing Field
Hythe
CT21
Rec. Grd.
Horn Street
Parker Wood
Napier Barracks
Shorncliffe Camp
Somerset Barracks
Sir John Moore Barracks
Sir John Moore Plain
Burgoyne Barracks
Folkestone Sch. For Girls
Playing Field
Martello Tower 5
Cemetery
Seadown Estate
Play. Fld.
Seabrook Stream
Cemetery
West Road
Martello Road
Martello Tower 6
Offices
Martello Tower
Martello Tower 7
Seabrook House
Martello Tower
Hospital Hill
Undercliff
Sandgate High Street
Sandgate Esplanade
Sandgate
Seabrook Road
A259
The Parade
Seapoint Activity Centre
Courts
Royal Military Canal
Seabrook
Princes Parade
ENGLISH
18
19
20
21
35
36
37
38
39
197
42

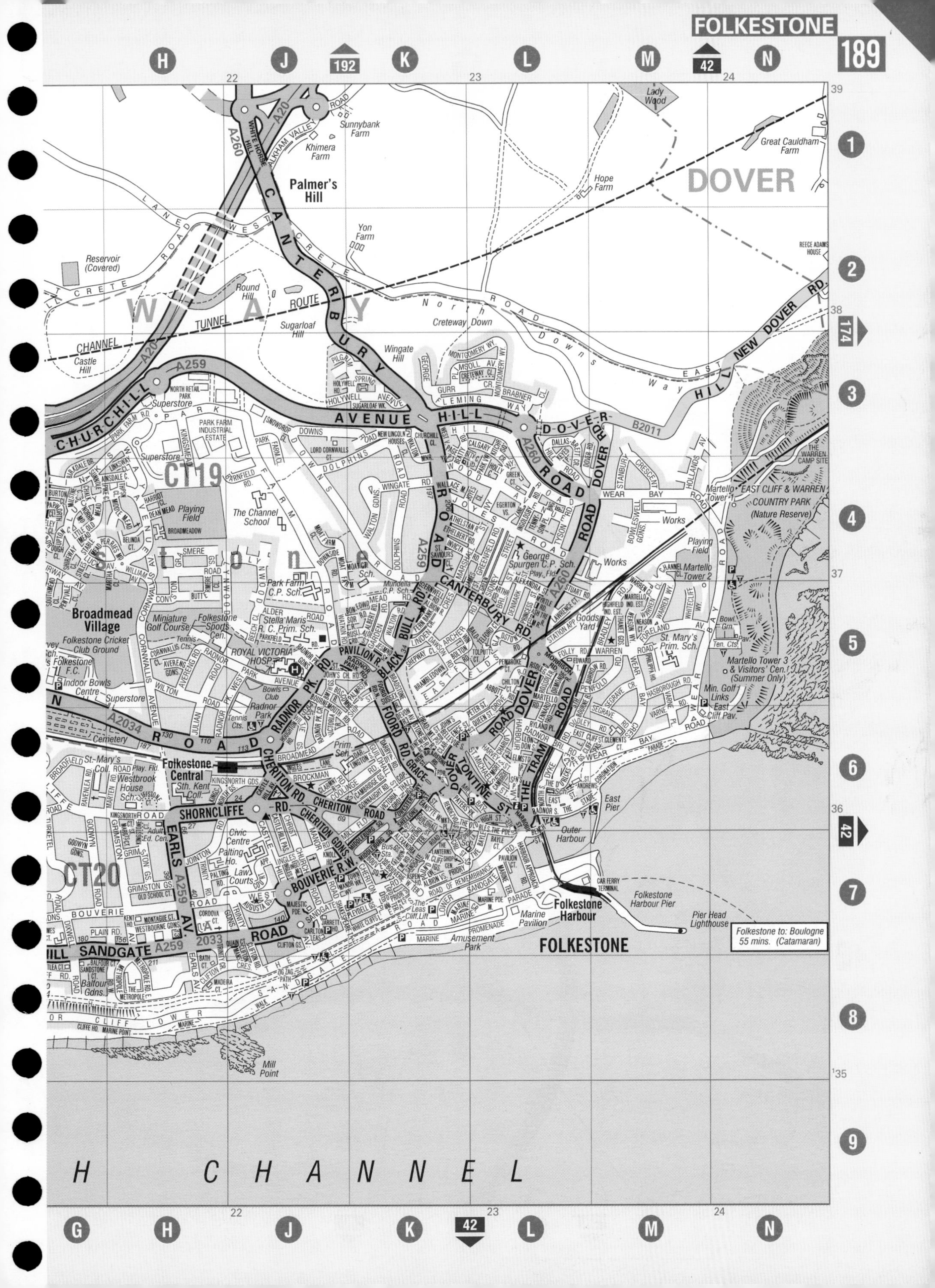

Folkestone to: Boulogne
55 mins. (Catamaran)

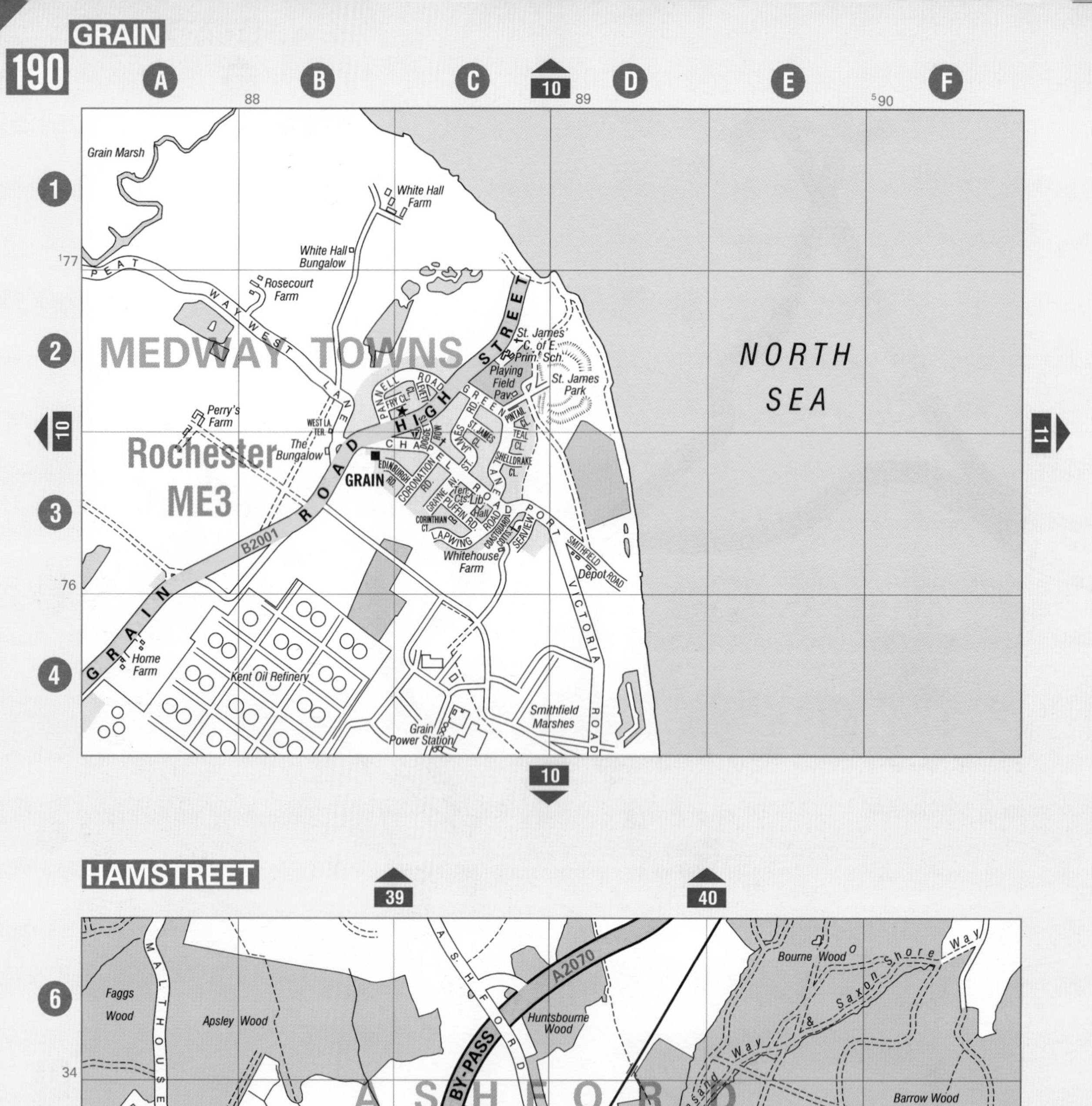

GRAIN

MEDWAY TOWNS

Rochester
ME3

GRAIN

Grain Marsh

White Hall Farm

White Hall Bungalow

Rosecourt Farm

Perry's Farm

The Bungalow

St. James' C. of E. Prim. Sch.

Playing Field Pav.

St. James Park

Whitehouse Farm

Home Farm

Kent Oil Refinery

Grain Power Station

Smithfield Marshes

Smithfield Depot Road

Victoria Road

NORTH SEA

B2001

GRAIN ROAD

PEAT WAY

WEST LANE

HIGH STREET

PORT VICTORIA ROAD

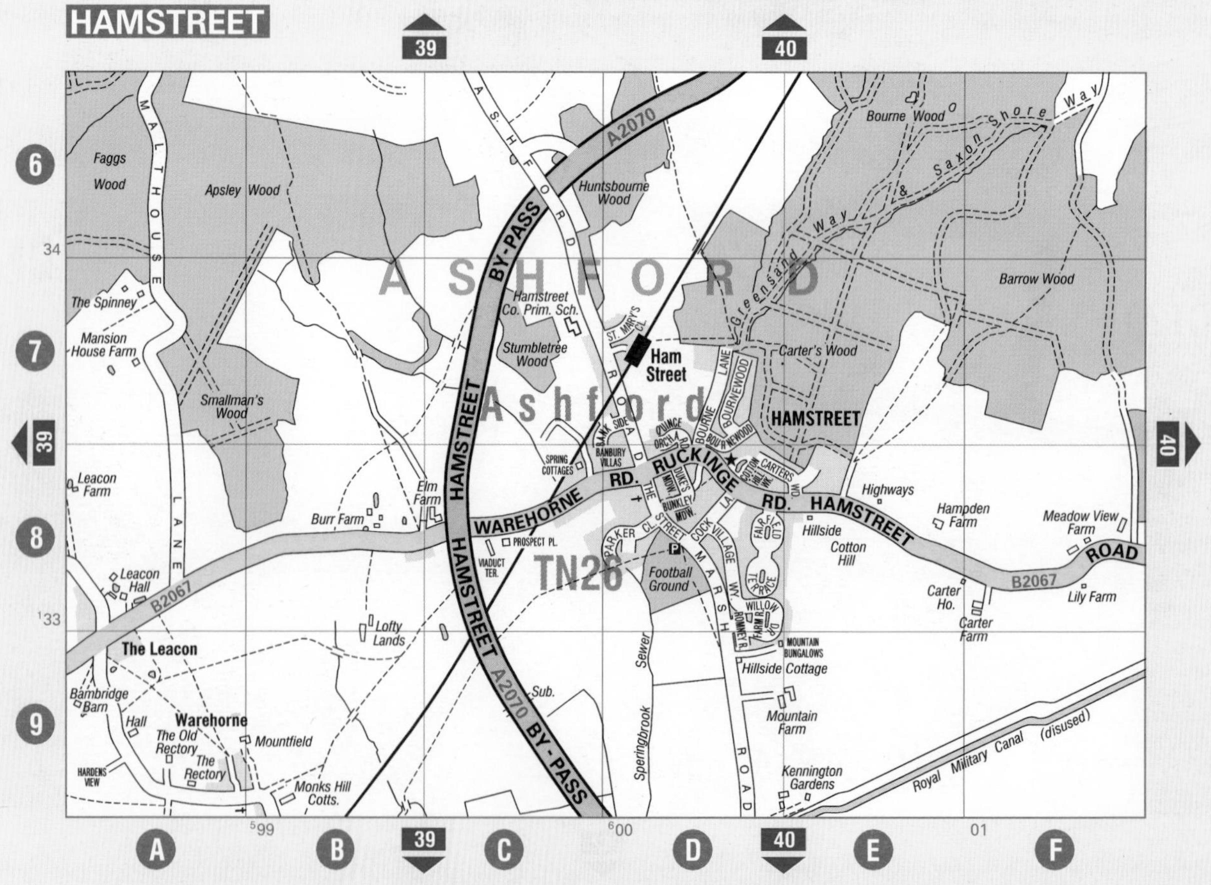

HAMSTREET

ASHFORD

Ashford

TN26

Faggs Wood

Apsley Wood

The Spinney

Mansion House Farm

Smallman's Wood

Leacon Farm

Burr Farm

Elm Farm

Leacon Hall

Lofty Lands

The Leacon

Bambridge Barn

Warehorne

The Old Rectory

The Rectory

Mountfield

Monks Hill Cotts.

HARDENS VIEW

Hall

Huntsbourne Wood

Hamstreet Co. Prim. Sch.

Stumbletree Wood

Ham Street

Spring Cottages

Banbury Villas

RUCKINGE RD.

Prospect Pl.

Viaduct Ter.

WAREHORNE RD.

Football Ground

HAMSTREET

Carter's Wood

Highways

Hillside

Cotton Hill

Carter Ho.

Carter Farm

Mountain Bungalows

Hillside Cottage

Mountain Farm

Kennington Gardens

Bourne Wood

Barrow Wood

Hampden Farm

Meadow View Farm

Lily Farm

HAMSTREET ROAD

B2067

Royal Military Canal (disused)

MALTHOUSE LANE

B2067

HAMSTREET BY-PASS

A2070

ASHFORD BY-PASS

A2070

Sub.

Sewer

Springbrook

Greensand Way & Saxon Shore Way

MARSH ROAD

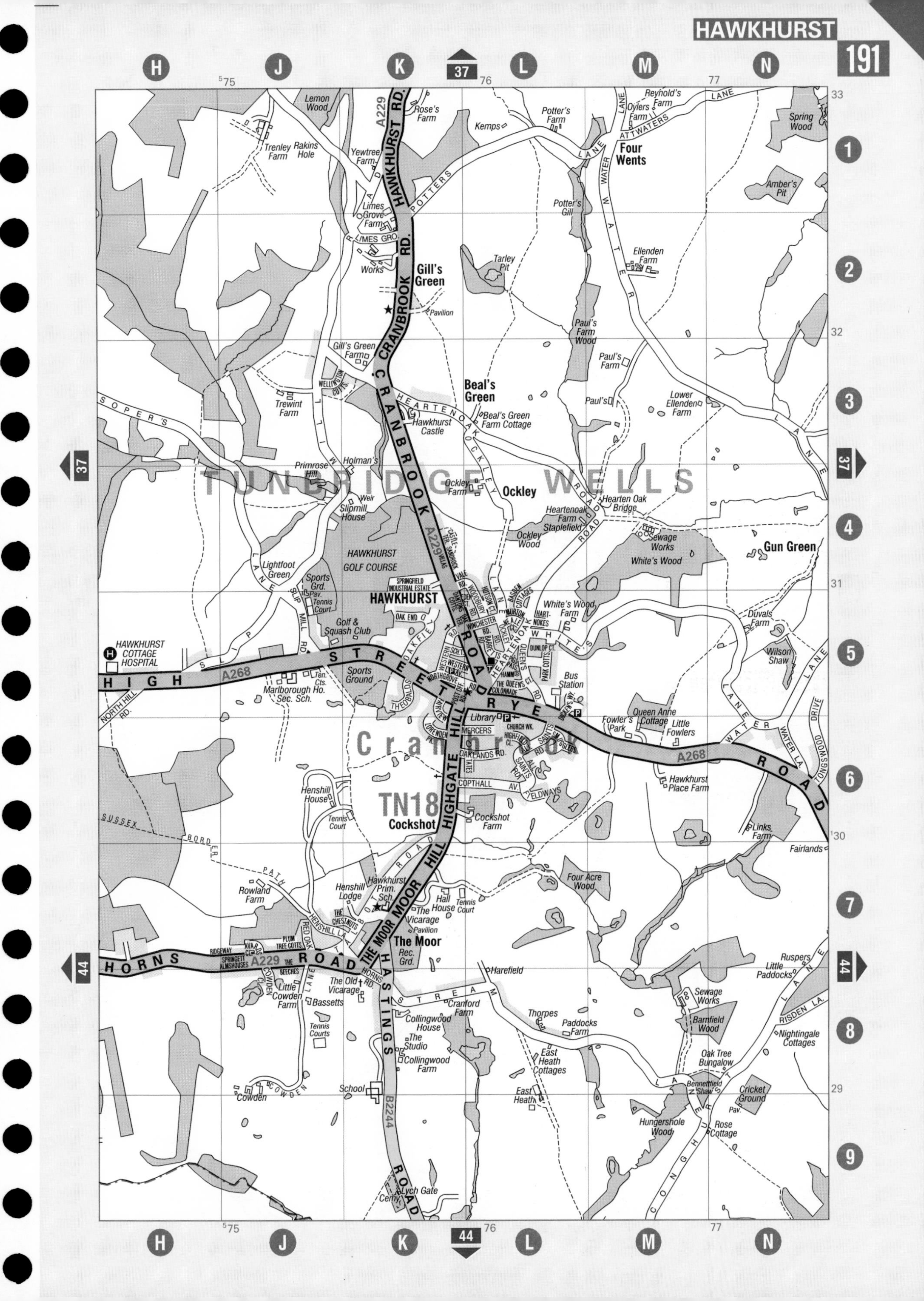
HAWKHURST
TUNBRIDGE WELLS
Cranbrook
TN18
Four Wents
Gill's Green
Beal's Green
Ockley
Gun Green
Cockshot
The Moor
HIGH STREET
RYE ROAD
HORNS ROAD
HASTINGS ROAD
CRANBROOK RD.
HAWKHURST RD.
HIGHGATE HILL
MOOR HILL
HAWKHURST GOLF COURSE
HAWKHURST COTTAGE HOSPITAL
Hawkhurst Castle
Lemon Wood
Trenley Farm
Rakins Hole
Yewtree Farm
Rose's Farm
Kemps
Potter's Farm
Reynold's Farm
Oylers Farm
Spring Wood
Amber's Pit
Potter's Gill
Ellenden Farm
Tarley Pit
Paul's Farm Wood
Paul's Farm
Lower Ellenden Farm
Trewint Farm
Primrose Hill
Holman's
Slipmill House
Lightfoot Green
Heartenoak Farm
Staplefield
Hearten Oak Bridge
Sewage Works
White's Wood
Ockley Wood
White's Wood Farm
Duvals Farm
Wilson Shaw
Bus Station
Library
Marlborough Ho. Sec. Sch.
Sports Ground
Queen Anne Cottage
Fowler's Park
Little Fowlers
Hawkhurst Place Farm
Henshill House
Cockshot Farm
Links Farm
Fairlands
Rowland Farm
Henshill Lodge
Hawkhurst Prim. Sch.
Hall House
The Vicarage
Four Acre Wood
Harefield
Little Cowden Farm
Bassetts
The Old Vicarage
Cranford Farm
Collingwood House
The Studio
Collingwood Farm
Thorpes
Paddocks Farm
East Heath Cottages
East Heath
Barnfield Wood
Ruspers
Little Paddocks
Nightingale Cottages
Oak Tree Bungalow
Bennettfield Shaw
Cricket Ground
Rose Cottage
Hungershole Wood
Cowden
School
Lych Gate
Cemy.
A229
A268
B2244
37
44

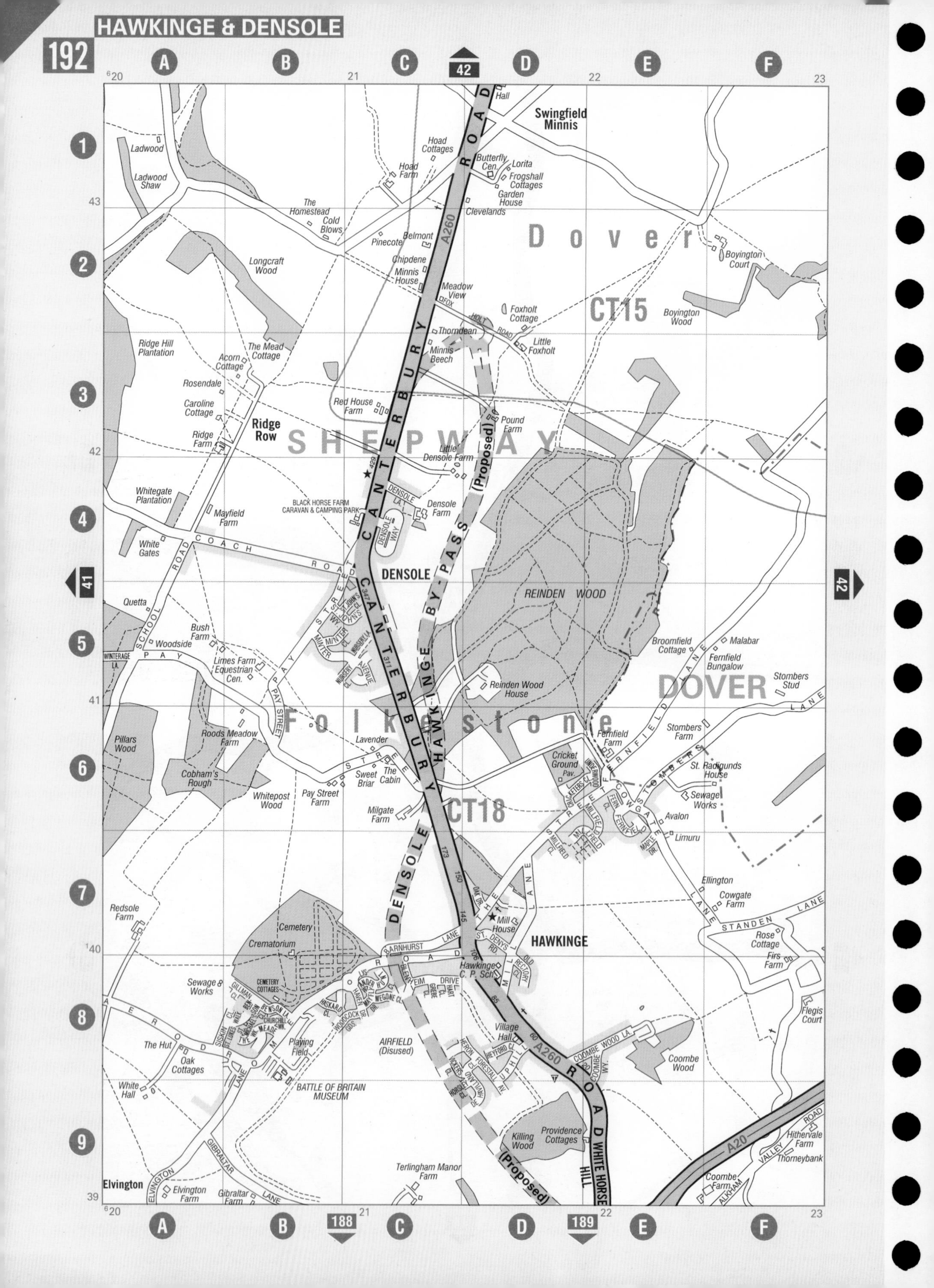
Swingfield Minnis
Ladwood
Ladwood Shaw
Hoad Cottages
Hoad Farm
Butterfly Cen.
Lorita
Frogshall Cottages
Garden House
Clevelands
The Homestead
Cold Blows
Pinecote
Belmont
Chipdene
Minnis House
Longcraft Wood
Dover
Boyington Court
Meadow View
Foxholt Cottage
CT15
Boyington Wood
Thorndean
Minnis Beech
Little Foxholt
Ridge Hill Plantation
The Mead Cottage
Acorn Cottage
Rosendale
Caroline Cottage
Red House Farm
Pound Farm
Ridge Row
Ridge Farm
SHEPWAY
Little Densole Farm
Whitegate Plantation
Mayfield Farm
BLACK HORSE FARM CARAVAN & CAMPING PARK
Densole Farm
White Gates
COACH ROAD
DENSOLE
REINDEN WOOD
Quetta
Bush Farm
Woodside
Limes Farm Equestrian Cen.
Broomfield Cottage
Malabar
Fernfield Bungalow
Stombers Stud
DOVER
Reinden Wood House
Folkestone
Pillars Wood
Roods Meadow Farm
Lavender
Fernfield Farm
Stombers Farm
Cricket Ground
Cobham's Rough
Sweet Briar
The Cabin
St. Radigunds House
Sewage Works
Whitepost Wood
Pay Street Farm
Milgate Farm
CT18
Avalon
Limuru
Ellington
Cowgate Farm
Redsole Farm
Mill House
Cemetery
Crematorium
HAWKINGE
Rose Cottage
Firs Farm
Sewage & Works
CEMETERY COTTAGES
Hawkinge C. P. Sch.
Flegis Court
Village Hall
The Hut
Playing Field
AIRFIELD (Disused)
Coombe Wood
Oak Cottages
White Hall
BATTLE OF BRITAIN MUSEUM
Killing Wood
Providence Cottages
Hithervale Farm
Thorneybank
Terlingham Manor Farm
Coombe Farm
Elvington
Elvington Farm
Gibraltar Farm
CANTERBURY ROAD
DENSOLE HAWKINGE BY-PASS (Proposed)
WHITE HORSE HILL
A260
A20

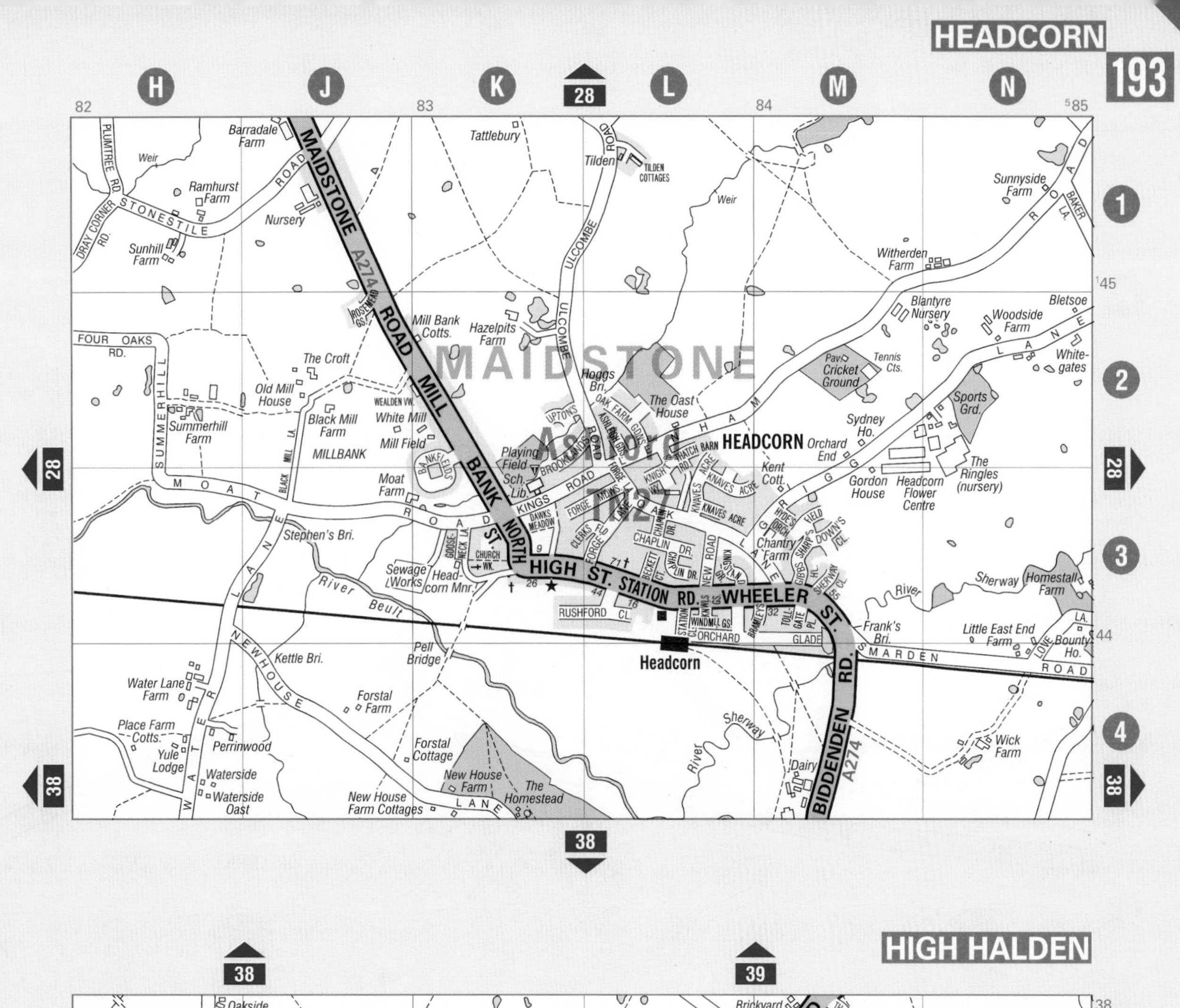
MAIDSTONE
HEADCORN
TN27
Headcorn
MAIDSTONE ROAD
MILL BANK
NORTH ST.
HIGH ST.
STATION RD.
WHEELER ST.
BIDDENDEN RD.
MOAT ROAD
MARDEN ROAD
Barradale Farm
Ramhurst Farm
Sunhill Farm
Nursery
Tattlebury
Tilden
Sunnyside Farm
Witherden Farm
Blantyre Nursery
Woodside Farm
Bletsoe
White-gates
Mill Bank Cotts.
Hazelpits Farm
The Croft
Old Mill House
Summerhill Farm
Black Mill Farm
White Mill
Mill Field
MILLBANK
Moat Farm
Hoggs Bri.
The Oast House
Cricket Ground
Sports Grd.
Sydney Ho.
Orchard End
Kent Cott.
Gordon House
Headcorn Flower Centre
The Ringles (nursery)
Stephen's Bri.
Sewage Works
Headcorn Mnr.
Chantry Farm
Homestall Farm
Frank's Bri.
Little East End Farm
Bounty Ho.
Kettle Bri.
Pell Bridge
Water Lane Farm
Place Farm Cotts.
Yule Lodge
Perrinwood
Forstal Farm
Forstal Cottage
Waterside
Waterside Oast
New House Farm
The Homestead
New House Farm Cottages
Dairy
Wick Farm
River Beult
River Sherway

28
38

HIGH HALDEN

38
39

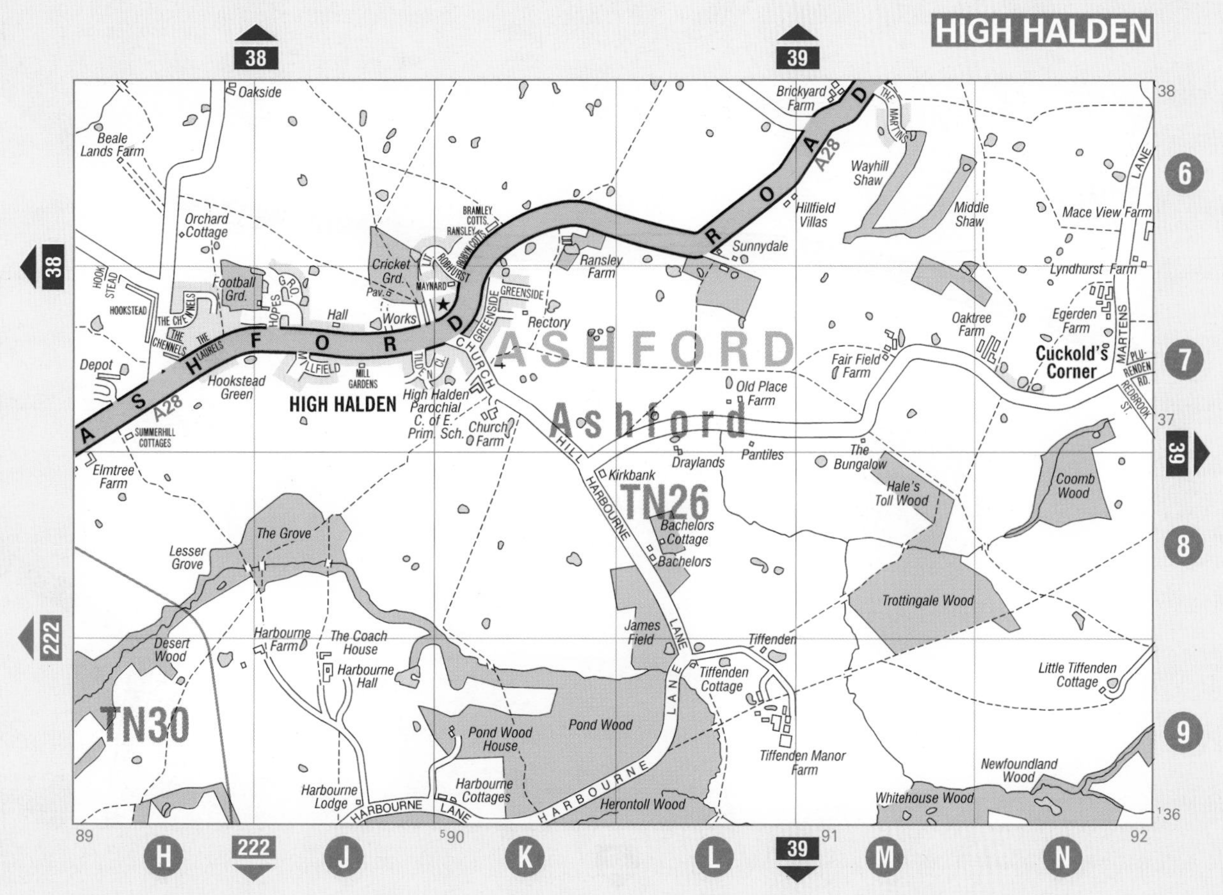
HIGH HALDEN
ASHFORD
Ashford
TN26
TN30
ASHFORD ROAD
A28
Oakside
Beale Lands Farm
Brickyard Farm
Wayhill Shaw
Hillfield Villas
Middle Shaw
Mace View Farm
Orchard Cottage
Football Grd.
Cricket Grd.
Ransley Farm
Sunnydale
Lyndhurst Farm
Hall
Works
Rectory
Oaktree Farm
Egerden Farm
Cuckold's Corner
Depot
Hookstead Green
Fair Field Farm
Old Place Farm
High Halden Parochial C. of E. Prim. Sch.
Church Farm
Draylands
Pantiles
The Bungalow
Elmtree Farm
Kirkbank
Hale's Toll Wood
Coomb Wood
Bachelors Cottage
Bachelors
The Grove
Lesser Grove
Trottingale Wood
Desert Wood
Harbourne Farm
The Coach House
Harbourne Hall
James Field
Tiffenden
Tiffenden Cottage
Little Tiffenden Cottage
Pond Wood House
Pond Wood
Tiffenden Manor Farm
Harbourne Cottages
Harbourne Lodge
Herontoll Wood
Newfoundland Wood
Whitehouse Wood
HARBOURNE LANE

222
39

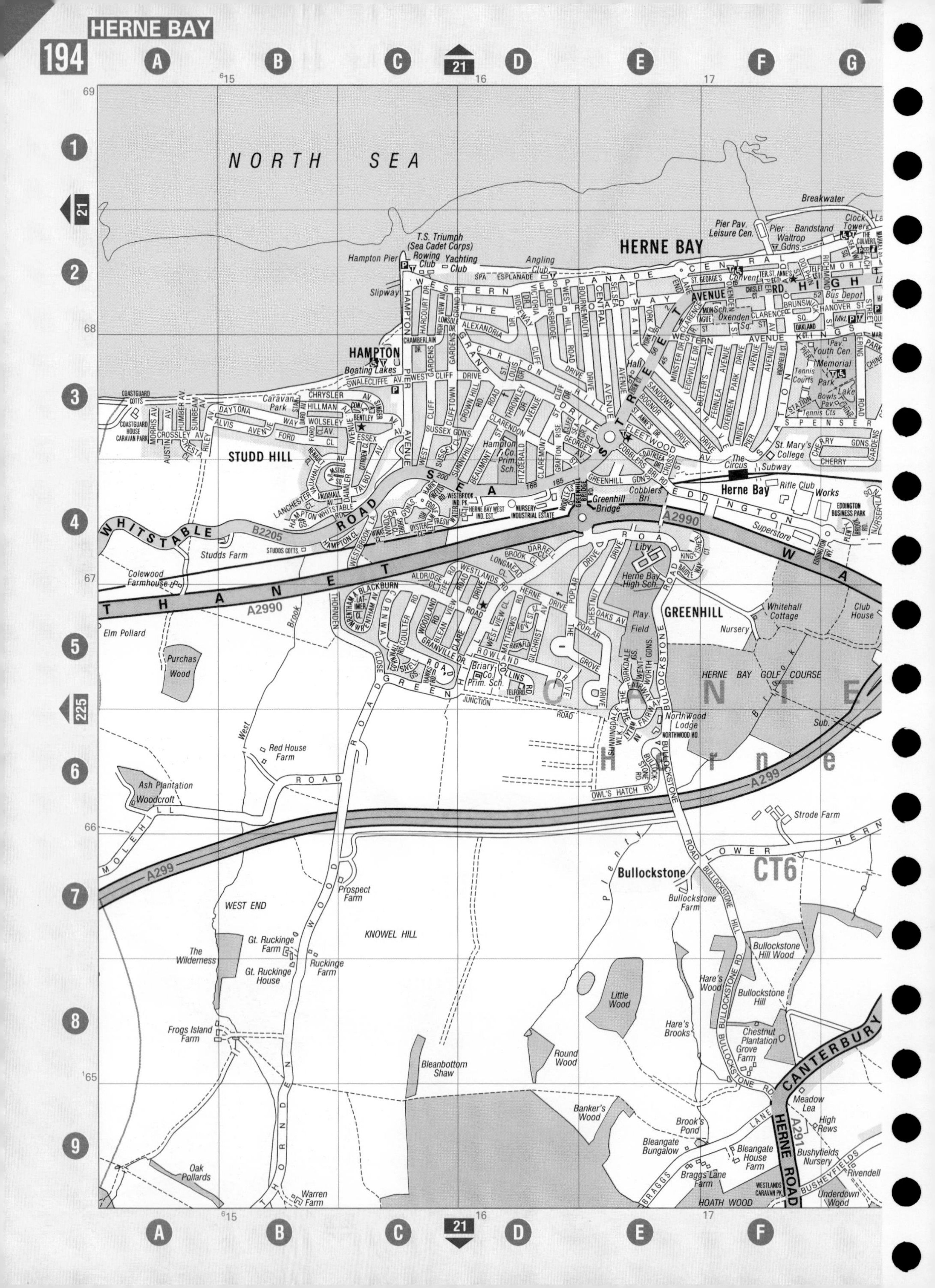
NORTH SEA
HERNE BAY
HAMPTON
STUDD HILL
GREENHILL
Bullockstone
CT6
WEST END
KNOWEL HILL
HERNE BAY GOLF COURSE
Hampton Pier
T.S. Triumph (Sea Cadet Corps)
Rowing Club
Yachting Club
Angling Club
Pier Pav. Leisure Cen.
Pier
Bandstand
Clock Tower
Breakwater
Waltrop Gdns.
Bus Depot
Boating Lakes
Caravan Park
Hampton Co. Prim. Sch.
St. Mary's College
The Circus
Subway
Herne Bay
Rifle Club
Works
Eddington Business Park
Superstore
Cobblers Bri.
Greenhill Bridge
Herne Bay High Sch.
Liby
Play. Field
Briary Co. Prim. Sch.
Northwood Lodge
Whitehall Cottage
Club House
Nursery
Youth Cen.
Memorial Park
Tennis Courts
Bowls Pav.
Lake
Studds Farm
Colewood Farmhouse
Elm Pollard
Purchas Wood
Red House Farm
Ash Plantation
Woodcroft
Strode Farm
Prospect Farm
Bullockstone Farm
Gt. Ruckinge Farm
Gt. Ruckinge House
Ruckinge Farm
The Wilderness
Frogs Island Farm
Bleanbottom Shaw
Round Wood
Little Wood
Hare's Wood
Hare's Brooks
Bullockstone Hill Wood
Bullockstone Hill
Chestnut Plantation
Grove Farm
Banker's Wood
Brook's Pond
Bleangate Bungalow
Bleangate House Farm
Braggs Lane Farm
HOATH WOOD
Meadow Lea
High Rews
Bushyfields Nursery
Rivendell
Underdown Wood
Oak Pollards
Warren Farm
WHITSTABLE ROAD
THANET WAY
A2990
A299
B2205
A291
HERNE ROAD
CANTERBURY
BULLOCKSTONE ROAD
LOWER HERNE
SEA STREET

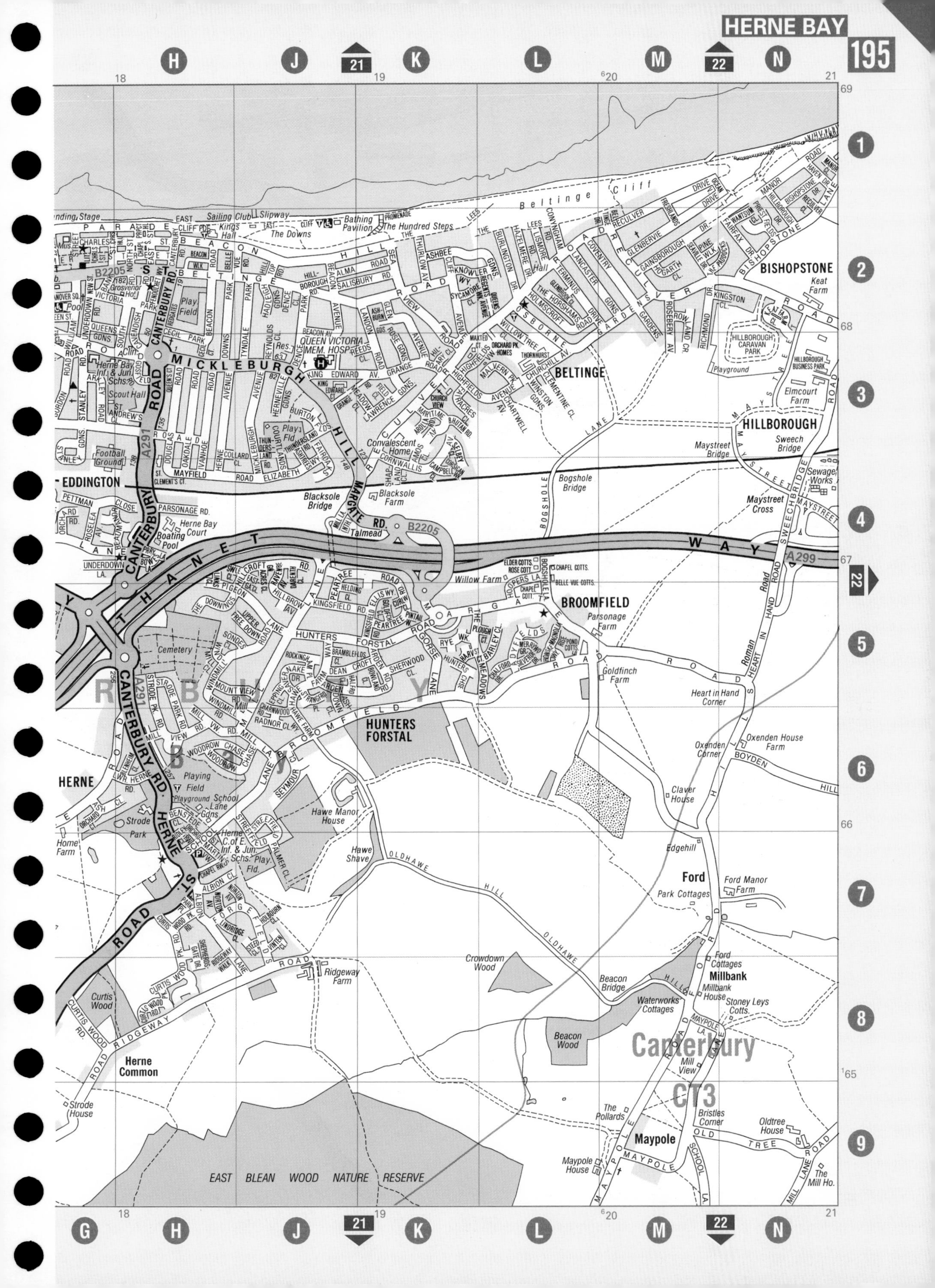
H
J
21
K
L
M
22
N
G
18
19
20
21
69
68
67
66
65
1
2
3
4
5
6
7
8
9
Sailing Club
Slipway
Kings Hall
The Downs
Bathing Pavilion
The Hundred Steps
Beltinge Cliff
BISHOPSTONE
Keat Farm
HILLBOROUGH CARAVAN PARK
Playground
HILLBOROUGH BUSINESS PARK
Elmcourt Farm
HILLBOROUGH
Sweech Bridge
Maystreet Bridge
Sewage Works
Maystreet Cross
BELTINGE
QUEEN VICTORIA MEM. HOSP.
MICKLEBURGH HILL
CANTERBURY RD.
Play Field
Herne Bay Inf. & Jun. Schs.
Scout Hall
Football Ground
EDDINGTON
Convalescent Home
Blacksole Bridge
Blacksole Farm
Bogshole Bridge
Herne Bay Court
Boating Pool
Talmead
B2205
THANET WAY
A299
A291
Willow Farm
BROOMFIELD
Parsonage Farm
Goldfinch Farm
Heart in Hand Corner
Cemetery
Mill
HUNTERS FORSTAL
Oxenden Corner
Oxenden House Farm
HERNE
Playing Field
Playground
School Lane Gdns.
Strode Park
Home Farm
Herne C.of E. Inf. & Jun. Schs.
Play. Fld.
Hawe Manor House
Hawe Shave
Claver House
Edgehill
Ford
Ford Manor Farm
Park Cottages
Ridgeway Farm
Crowdown Wood
Beacon Bridge
Ford Cottages
Millbank
Millbank House
Stoney Leys Cotts.
Waterworks Cottages
Beacon Wood
Curtis Wood
Herne Common
Canterbury
CT3
Mill View
Strode House
The Pollards
Bristles Corner
Oldtree House
Maypole
Maypole House
The Mill Ho.
EAST BLEAN WOOD NATURE RESERVE

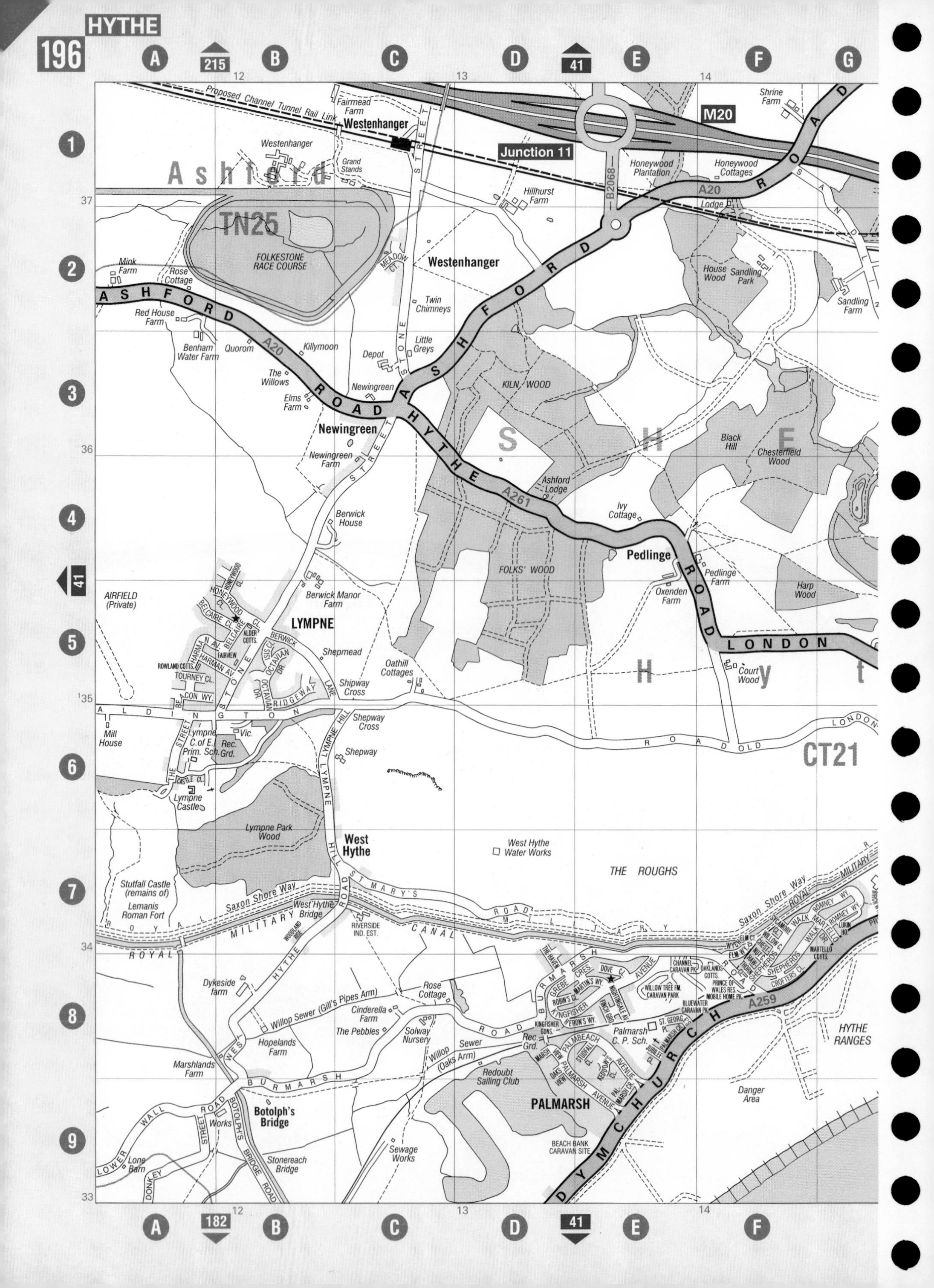
A
215
B
C
D
41
E
F
G
12
13
14
Proposed Channel Tunnel Rail Link
Fairmead Farm
Westenhanger
Westenhanger
Grand Stands
STONE STREET
Junction 11
M20
Shrine Farm
Honeywood Plantation
Honeywood Cottages
B2068
Hillhurst Farm
A20
Lodge
Ashford
37
TN25
FOLKESTONE RACE COURSE
MEADOW CT.
Westenhanger
Mink Farm
Rose Cottage
House Wood
Sandling Park
Sandling Farm
ASHFORD ROAD
Red House Farm
Twin Chimneys
Benham Water Farm
Quorom
Killymoon
Depot
Little Greys
The Willows
Newingreen
KILN WOOD
Elms Farm
Newingreen
Newingreen Farm
HYTHE ROAD
A261
Ashford Lodge
Black Hill
Chesterfield Wood
36
Ivy Cottage
Berwick House
Pedlinge
FOLKS' WOOD
Pedlinge Farm
41
Oxenden Farm
Harp Wood
AIRFIELD (Private)
HONEYWOOD CL.
BELCAIRE CL.
ALDER COTTS.
LYMPNE
Berwick Manor Farm
BERWICK
LONDON ROAD
ISIS CL.
OCTAVIAN DR.
HARMAN AV.
FAIRVIEW
Shepmead
ROWLAND COTTS.
TOURNEY CL.
Oathill Cottages
Court Wood
BEACON WY.
RIDGEWAY
LANE
Shipway Cross
35
ALDINGTON ROAD
Shepway Cross
Mill House
THE STREET
Lympne C. of E. Prim. Sch.
Rec. Grd.
Vic.
Shepway
LONDON ROAD OLD
CT21
CASTLE CL.
Lympne Castle
LYMPNE HILL
Lympne Park Wood
West Hythe
West Hythe Water Works
THE ROUGHS
Stutfall Castle (remains of)
Lemanis Roman Fort
Saxon Shore Way
West Hythe Bridge
ST MARY'S ROAD
ROYAL MILITARY ROAD
ROYAL MILITARY CANAL
RIVERSIDE IND. EST.
WOODLAND RISE
HYTHE ROAD
34
Saxon Shore Way
ROYAL MILITARY
ROMNEY WY.
MARTELLO DR.
MARTELLO COTTS.
SHEPHERDS WALK
CROFTERS CL.
THE HAVEN
BURMARSH ROAD
GREBE CRES.
DOVE CL.
AVENUE
CHANNEL CARAVAN PK.
OAKLANDS COTTS.
PRINCE OF WALES RES. MOBILE HOME PK.
Dykeside farm
Rose Cottage
MARTIN'S WY.
ROBIN'S CL.
KINGFISHER
NIGHTINGALE AV.
WILLOW TREE FM. CARAVAN PARK
BLUEWATER CARAVAN PK.
A259
Willop Sewer (Gill's Pipes Arm)
Cinderella Farm
The Pebbles
Solway Nursery
KINGFISHER GDNS.
HERON'S WY.
ST. GEORG. PL.
Palmarsh C. P. Sch.
HYTHE RANGES
Hopelands Farm
Willop Sewer (Oaks Arm)
Rec. Grd.
PALMBEACH AVENUE
MARSH VIEW
OAKS VIEW
PALMARSH AVENUE
JUBILEE
PALMARSH CR.
Marshlands Farm
BURMARSH
Redoubt Sailing Club
Danger Area
LOWER WALL ROAD
STREET
Works
BOTOLPH'S BRIDGE ROAD
Botolph's Bridge
PALMARSH
DYMCHURCH ROAD
Lone Barn
Sewage Works
BEACH BANK CARAVAN SITE
DONKEY
Stonereach Bridge
33
A
182
B
C
D
41
E
F
1
2
3
4
5
6
7
8
9

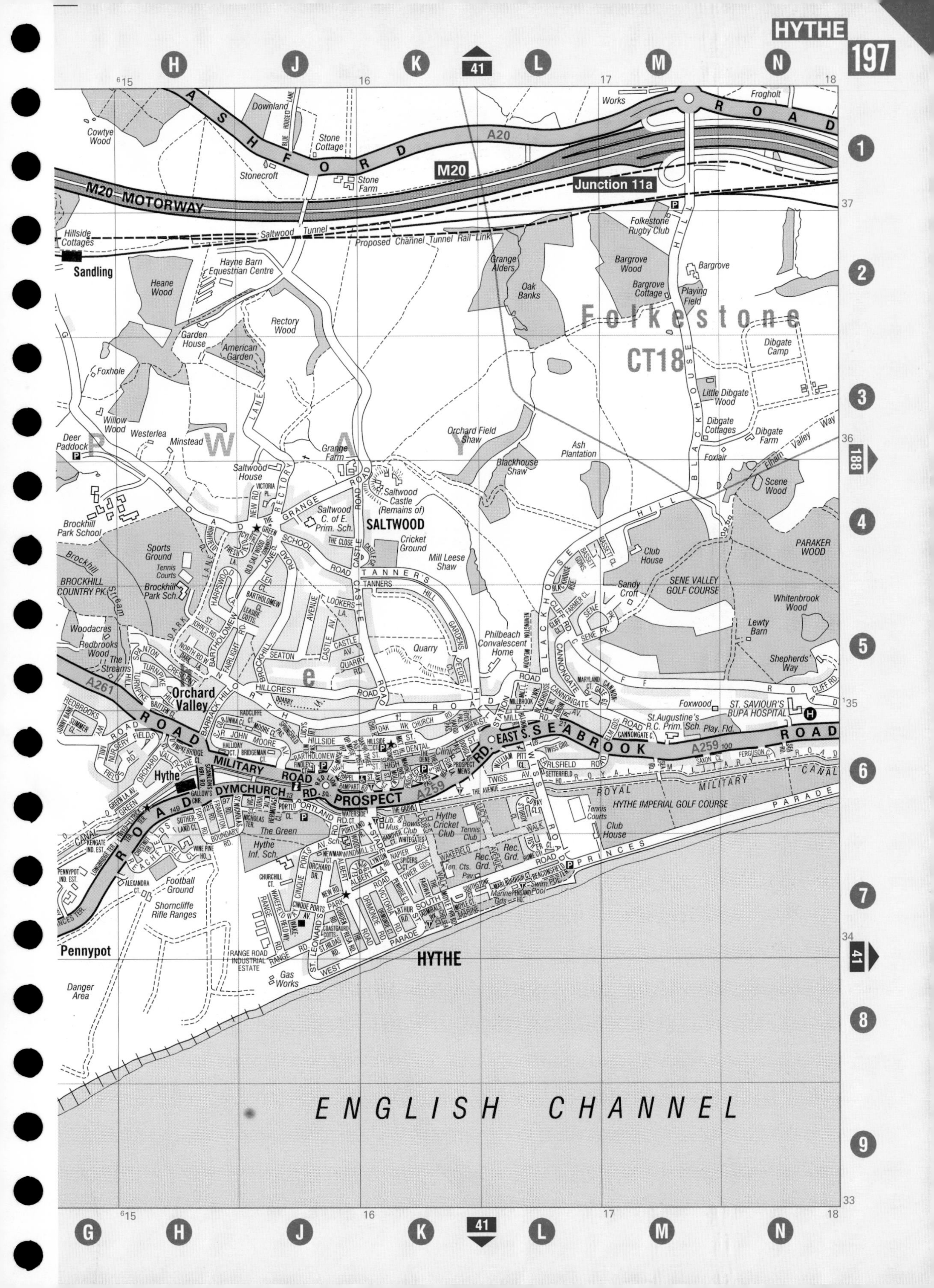
HYTHE
197
41
Frogholt
Works
ASHFORD ROAD
A20
Downland
Cowtye Wood
Stone Cottage
Stonecroft
Stone Farm
M20
M20 MOTORWAY
Junction 11a
Folkestone Rugby Club
Hillside Cottages
Saltwood Tunnel
Proposed Channel Tunnel Rail Link
Sandling
Hayne Barn Equestrian Centre
Heane Wood
Grange Alders
Oak Banks
Bargrove Wood
Bargrove Cottage
Bargrove
Playing Field
Folkestone
CT18
Rectory Wood
Garden House
American Garden
Dibgate Camp
Foxhole
Little Dibgate Wood
Dibgate Cottages
Dibgate Farm
Willow Wood
Westerlea
Minstead
Deer Paddock
Orchard Field Shaw
Ash Plantation
Grange Farm
Foxlair
Elham Valley Way
188
Saltwood House
Blackhouse Shaw
Scene Wood
Saltwood Castle (Remains of)
Brockhill Park School
Saltwood C. of E. Prim. Sch.
SALTWOOD
PARAKER WOOD
Cricket Ground
Sports Ground
Tennis Courts
Club House
Mill Leese Shaw
BROCKHILL COUNTRY PK.
Brockhill Park Sch.
Sandy Croft
SENE VALLEY GOLF COURSE
Whitenbrook Wood
Woodacres
Redbrooks Wood
Lewty Barn
The Streams
Quarry
Philbeach Convalescent Home
Shepherds' Way
Orchard Valley
HILLCREST
Foxwood
ST. SAVIOUR'S BUPA HOSPITAL
St. Augustine's R.C. Prim. Sch.
Play. Fld.
A261
MILITARY ROAD
SEABROOK ROAD
A259
Hythe
DYMCHURCH RD.
PROSPECT
ROYAL MILITARY CANAL
HYTHE IMPERIAL GOLF COURSE
Tennis Courts
Club House
The Green
Hythe Cricket Club
Bowls Club
Tennis Club
Hythe Inf. Sch.
Rec. Grd.
PRINCES PARADE
Football Ground
Shorncliffe Rifle Ranges
Swim. Pool
Marine Gds
Pennypot
RANGE ROAD INDUSTRIAL ESTATE
HYTHE
Gas Works
Danger Area
ENGLISH CHANNEL
G H J K L M N
1 2 3 4 5 6 7 8 9

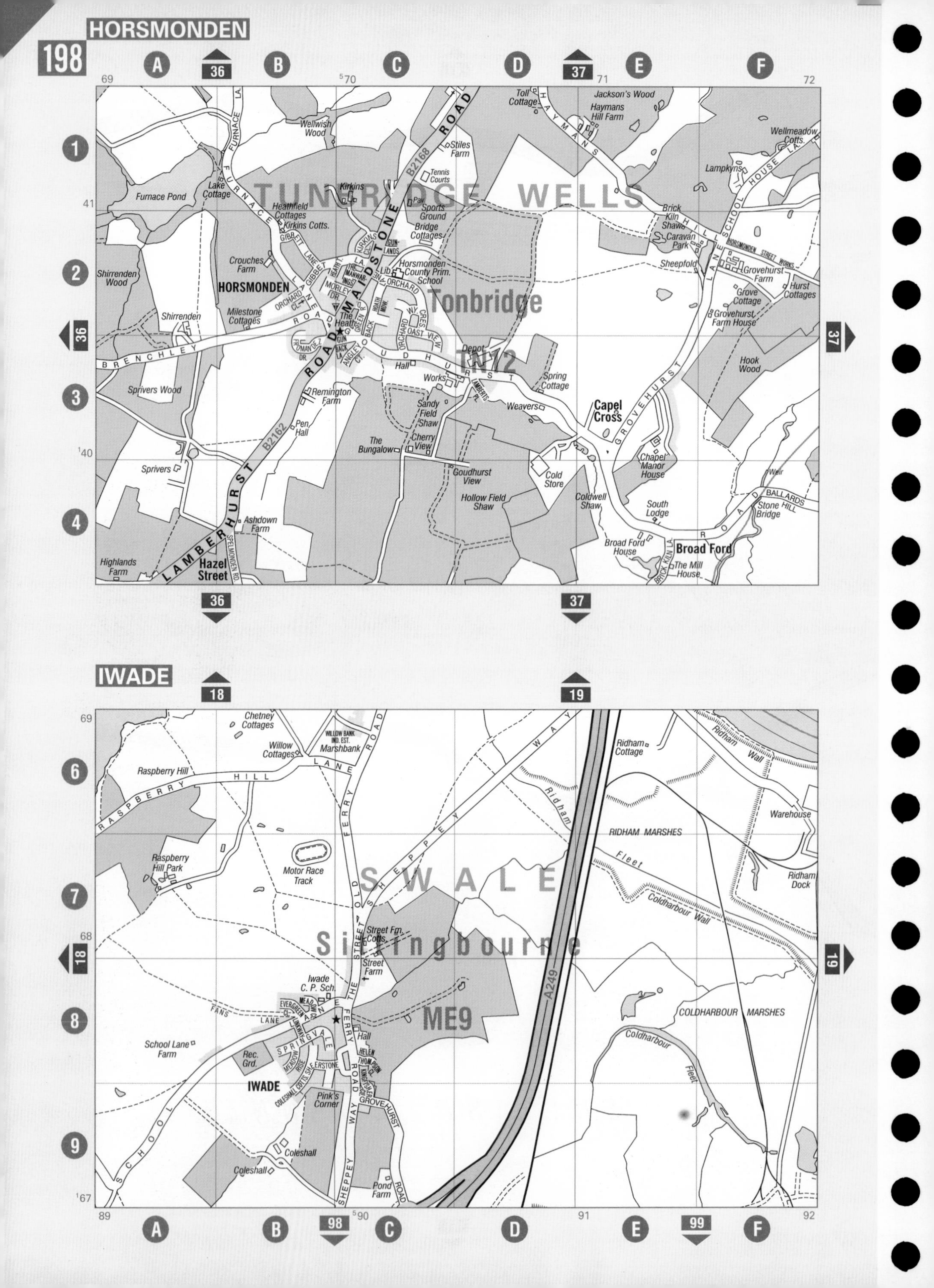
HORSMONDEN
TUNBRIDGE WELLS
Tonbridge
TN12
HORSMONDEN
Furnace Pond
Lake Cottage
Wellwish Wood
Stiles Farm
Tennis Courts
Kirkins
Heathfield Cottages
Kirkins Cotts.
Sports Ground
Bridge Cottages
Horsmonden County Prim. School
Crouches Farm
Shirrenden Wood
Shirrenden
Milestone Cottages
The Heath
Depot
Hall
Works
Spring Cottage
Sprivers Wood
Remington Farm
Sandy Field Shaw
Weavers
Capel Cross
Pen Hall
The Bungalow
Cherry View
Goudhurst View
Cold Store
Sprivers
Hollow Field Shaw
Coldwell Shaw
Ashdown Farm
Highlands Farm
Hazel Street
Broad Ford House
Broad Ford
The Mill House
South Lodge
Chapel Manor House
Stone Hill Bridge
Hook Wood
Grovehurst Farm House
Grove Cottage
Hurst Cottages
Grovehurst Farm
Sheepfold
Caravan Park
Brick Kiln Shaw
Lampkyns
Wellmeadow Cotts.
Toll Cottage
Jackson's Wood
Haymans Hill Farm
IWADE
SWALE
Sittingbourne
ME9
Chetney Cottages
Willow Cottages
Marshbank
Raspberry Hill
Raspberry Hill Park
Motor Race Track
Street Fm. Cotts.
Street Farm
Iwade C. P. Sch.
School Lane Farm
Rec. Grd.
IWADE
Pink's Corner
Coleshall
Pond Farm
Ridham Cottage
Ridham Marshes
Warehouse
Ridham Dock
Coldharbour Wall
Coldharbour Marshes
Coldharbour Fleet
A249

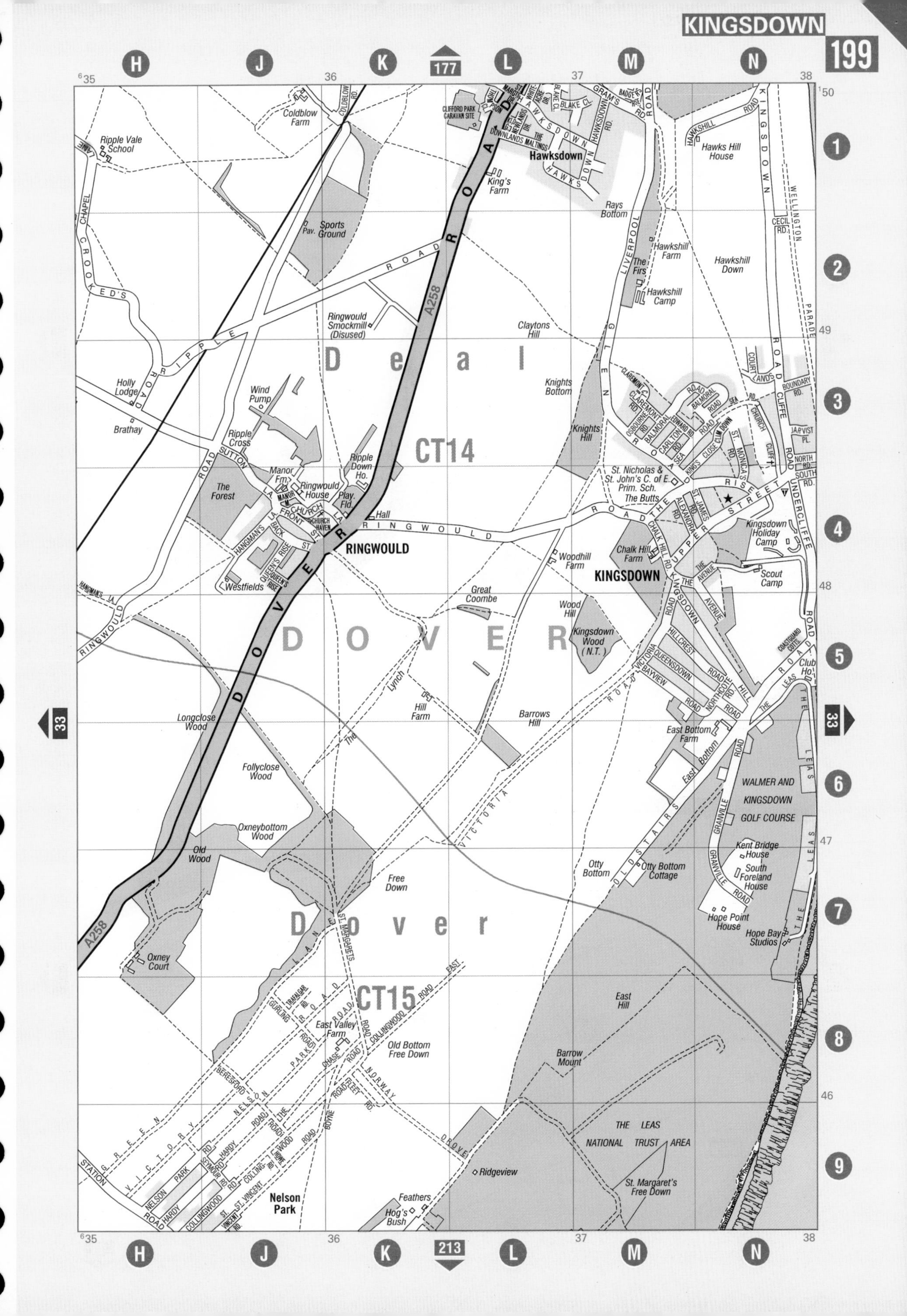
Ripple Vale School
Coldblow Farm
Clifford Park Caravan Site
Hawksdown
King's Farm
Hawks Hill House
Rays Bottom
Sports Ground
Hawkshill Farm
Hawkshill Down
The Firs
Hawkshill Camp
Ringwould Smockmill (Disused)
Claytons Hill
Deal
Holly Lodge
Wind Pump
Brathay
Ripple Cross
Knights Bottom
Knights Hill
CT14
Manor Fm.
Ringwould House
Ripple Down Ho.
Play. Fld.
The Forest
St. Nicholas & St. John's C. of E. Prim. Sch.
The Butts
Hall
RINGWOULD
Kingsdown Holiday Camp
Chalk Hill Farm
Woodhill Farm
KINGSDOWN
Scout Camp
Westfields
Great Coombe
Wood Hill
Kingsdown Wood (N.T.)
DOVER
Club Ho.
Hill Farm
Longclose Wood
Barrows Hill
East Bottom Farm
Follyclose Wood
WALMER AND KINGSDOWN GOLF COURSE
Oxneybottom Wood
Kent Bridge House
Old Wood
Otty Bottom
Otty Bottom Cottage
South Foreland House
Free Down
Hope Point House
Dover
Hope Bay Studios
Oxney Court
CT15
East Hill
East Valley Farm
Old Bottom Free Down
Barrow Mount
THE LEAS NATIONAL TRUST AREA
Ridgeview
St. Margaret's Free Down
Nelson Park
Feathers
Hog's Bush
DOVER ROAD
A258
RINGWOULD ROAD
RIPPLE ROAD
KINGSDOWN ROAD
UPPER STREET
VICTORIA ROAD
OLDSTAIRS ROAD
GRANVILLE ROAD
NELSON PARK ROAD
STATION ROAD
GREEN LANE
177
213
33

LAMBERHURST

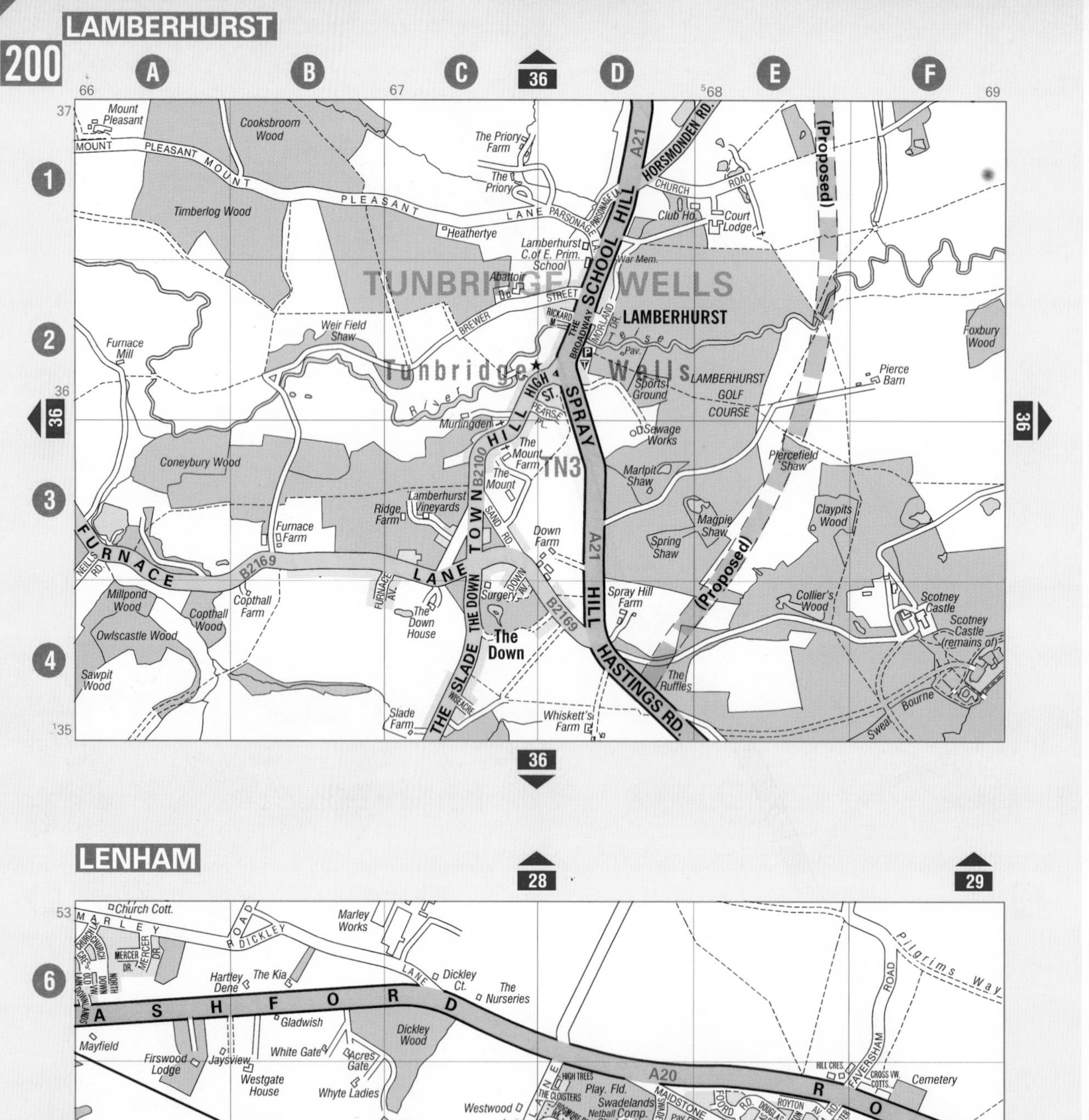

A
B
C
D
E
F
1
2
3
4
36
Mount Pleasant
Cooksbroom Wood
The Priory Farm
The Priory
MOUNT PLEASANT ROAD
PLEASANT LANE
Timberlog Wood
Heathertye
SCHOOL HILL
HORSMONDEN RD.
CHURCH ROAD
Club Ho.
Court Lodge
(Proposed)
Lamberhurst C.of E. Prim. School
War Mem.
Abattoir
TUNBRIDGE WELLS
BREWER STREET
LAMBERHURST
Furnace Mill
Weir Field Shaw
Tunbridge Wells
River Teise
LAMBERHURST GOLF COURSE
Pierce Barn
Foxbury Wood
HIGH ST.
Sports Ground
SPRAY HILL
Murlingden
Sewage Works
Coneybury Wood
The Mount Farm
TN3
The Mount
Marlpit Shaw
Piercefield Shaw
Lamberhurst Vineyards
Ridge Farm
Furnace Farm
Magpie Shaw
Claypits Wood
Spring Shaw
Down Farm
A21
FURNACE LANE
B2169
B2100
TOWN HILL
Copthall Farm
Millpond Wood
Copthall Wood
Owlscastle Wood
Surgery
The Down House
The Down
Spray Hill Farm
Collier's Wood
Scotney Castle
Scotney Castle (remains of)
THE SLADE
HASTINGS RD.
The Ruffles
Sawpit Wood
Slade Farm
Whiskett's Farm
Sweat Bourne

LENHAM

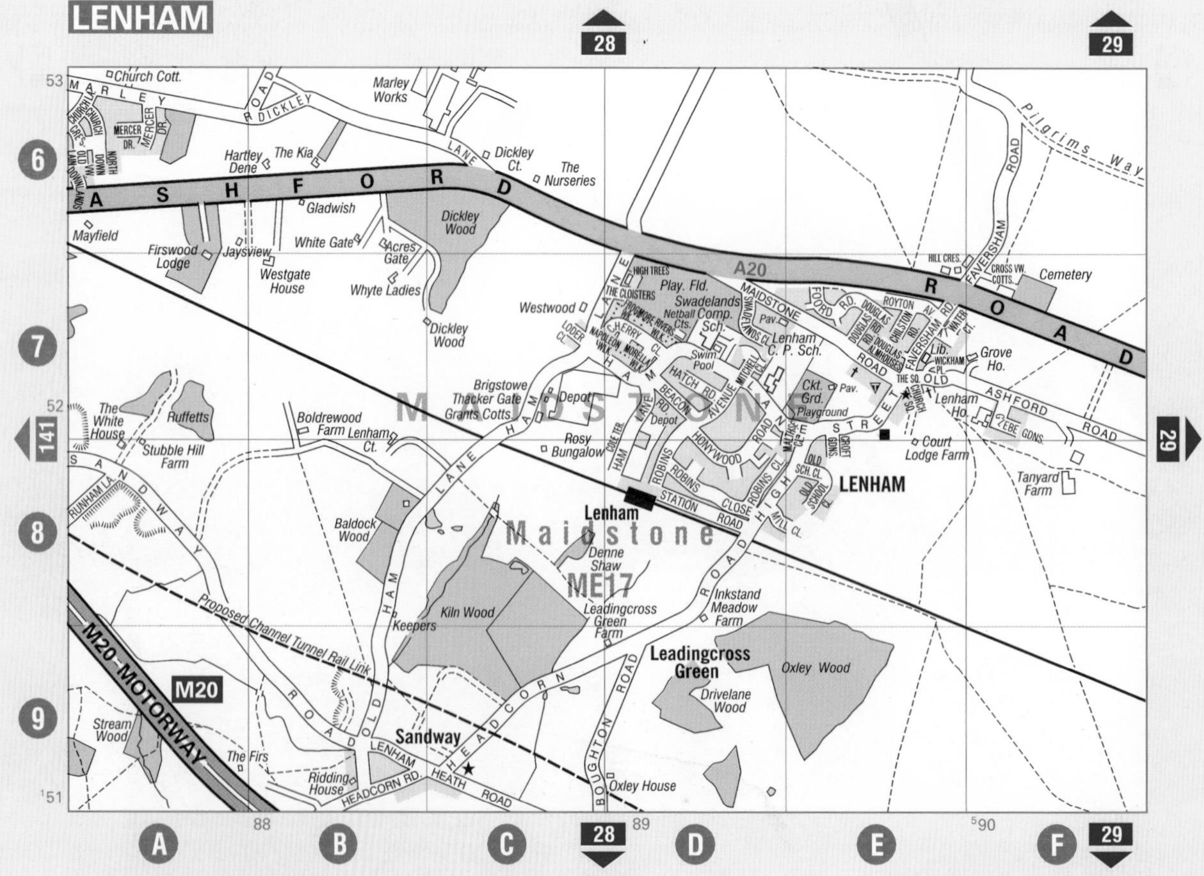

28
29
141
A
B
C
D
E
F
6
7
8
9
Church Cott.
MARLEY ROAD
DICKLEY LANE
Marley Works
MERCER DR.
Hartley Dene
The Kia
Dickley Ct.
The Nurseries
Pilgrims Way
ASHFORD ROAD
Gladwish
Dickley Wood
Mayfield
Firswood Lodge
Jaysview
White Gate
Acres Gate
Westgate House
Whyte Ladies
HIGH TREES
Play. Fld.
Swadelands Comp. Sch.
A20
Cemetery
Westwood
Dickley Wood
Lenham C. P. Sch.
Swim Pool
MAIDSTONE ROAD
FAVERSHAM RD.
Lib.
Grove Ho.
Brigstowe
Thacker Gate
Grants Cotts.
Depot
Ckt. Grd.
Playground
Boldrewood Farm
Lenham Ct.
The White House
Ruffetts
Stubble Hill Farm
Rosy Bungalow
HIGH STREET
Lenham Ho.
Court Lodge Farm
Tanyard Farm
MAIDSTONE
STATION ROAD
LENHAM
Lenham
Baldock Wood
Maidstone
Denne Shaw
ME17
Inkstand Meadow Farm
Kiln Wood
Leadingcross Green Farm
Keepers
Leadingcross Green
Oxley Wood
Drivelane Wood
Proposed Channel Tunnel Rail Link
M20-MOTORWAY
M20
Stream Wood
Sandway
The Firs
Ridding House
HEADCORN RD
HEATH ROAD
BOUGHTON ROAD
Oxley House

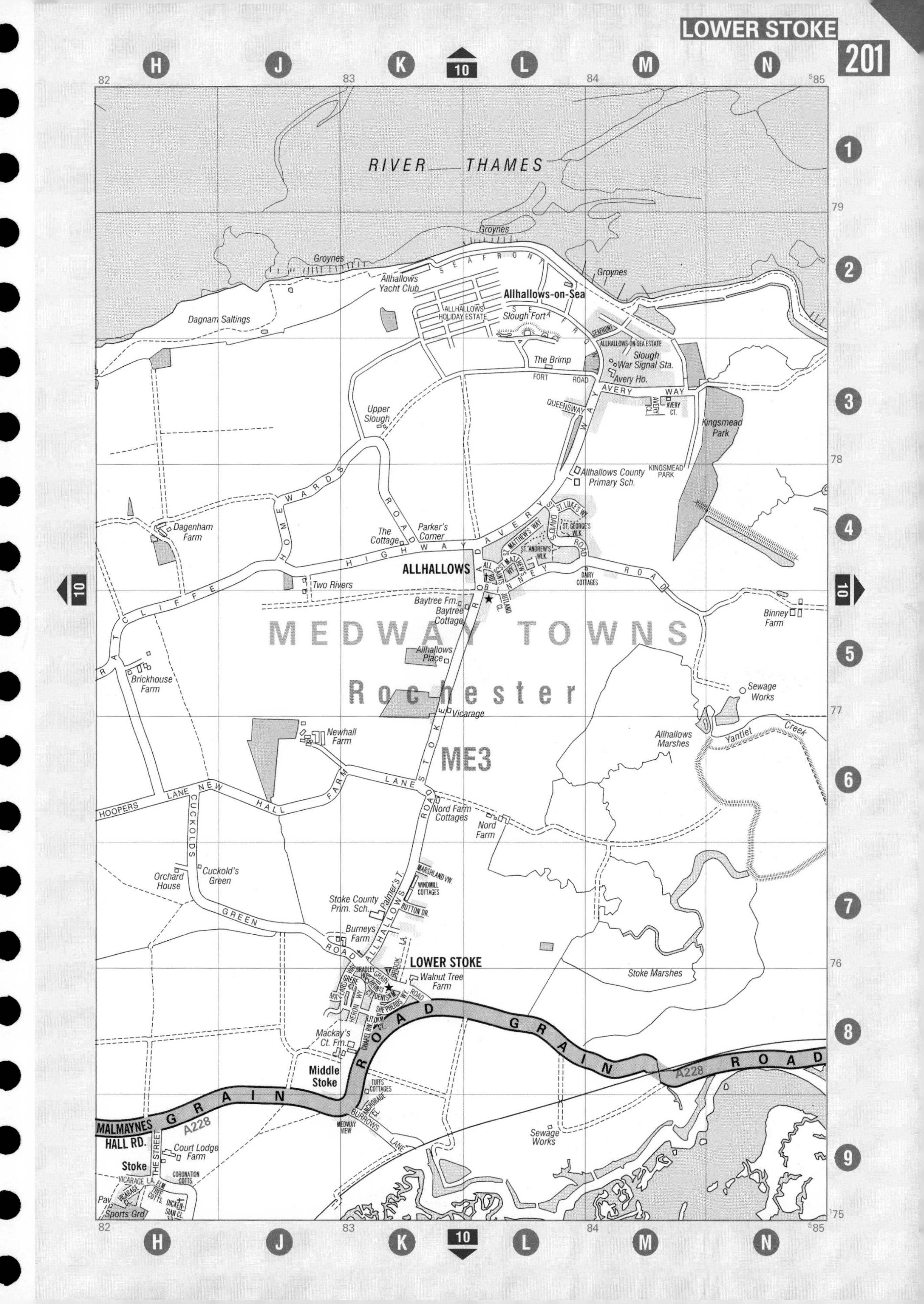

RIVER — THAMES

Groynes

Groynes

Groynes

Dagnam Saltings

Allhallows Yacht Club

ALLHALLOWS HOLIDAY ESTATE

Allhallows-on-Sea

Slough Fort

The Brimp

Slough War Signal Sta.

Avery Ho.

ALLHALLOWS-ON-SEA ESTATE

Upper Slough

SEAFRONT

FORT ROAD

QUEENSWAY

AVERY WAY

AVERY CL.

AVERY CT.

Kingsmead Park

Dagenham Farm

HOMEWARDS ROAD

The Cottage

Parker's Corner

HIGHWAY

ST. LUKE'S WY.

ST. MATTHEW'S WAY

ST. DAVID'S

ST. GEORGE'S WLK.

ST. ANDREW'S WLK.

Allhallows County Primary Sch.

KINGSMEAD PARK

Two Rivers

RATCLIFFE

ALLHALLOWS

ROAD

ALL SAINTS WY.

RUTLAND

JUTLAND

ROAD

Baytree Fm.

Baytree Cottage

DAIRY COTTAGES

Binney Farm

M E D W A Y   T O W N S

Rochester

Allhallows Place

Brickhouse Farm

Vicarage

Sewage Works

Allhallows Marshes

Yantlet Creek

ME3

Newhall Farm

NEW HALL FARM LANE

STOKE ROAD

LANE

Nord Farm Cottages

Nord Farm

HOOPERS LANE

CUCKOLDS LANE

Orchard House

Cuckold's Green

GREEN ROAD

MARSHLAND VW.

WINDMILL COTTAGES

DUTTON DR.

Palmer's St.

Stoke County Prim. Sch.

Burneys Farm

ALLHALLOWS ROAD

BRADLEY RW.

LOWER STOKE

Walnut Tree Farm

HEATON WY.

WHITEHALL RD.

MR.

ROAD

HERON WY.

Stoke Marshes

Mackay's Ct. Fm.

DEWS RD.

SHEPHERD

CHAPEL LN. PCT.

DUTTON RD.

ROAD

GRAIN

ROAD

Middle Stoke

TUFFS COTTAGES

VICARAGE

BURROWS

A228

MALMAYNES HALL RD.

GRAIN

A228

Stoke

THE STREET

Court Lodge Farm

VICARAGE LA.

FREE COTTS.

CORONATION COTTS.

DICKEN- SIAN CL.

Pav.

Sports Grd.

MEDWAY VIEW

LANE

Sewage Works

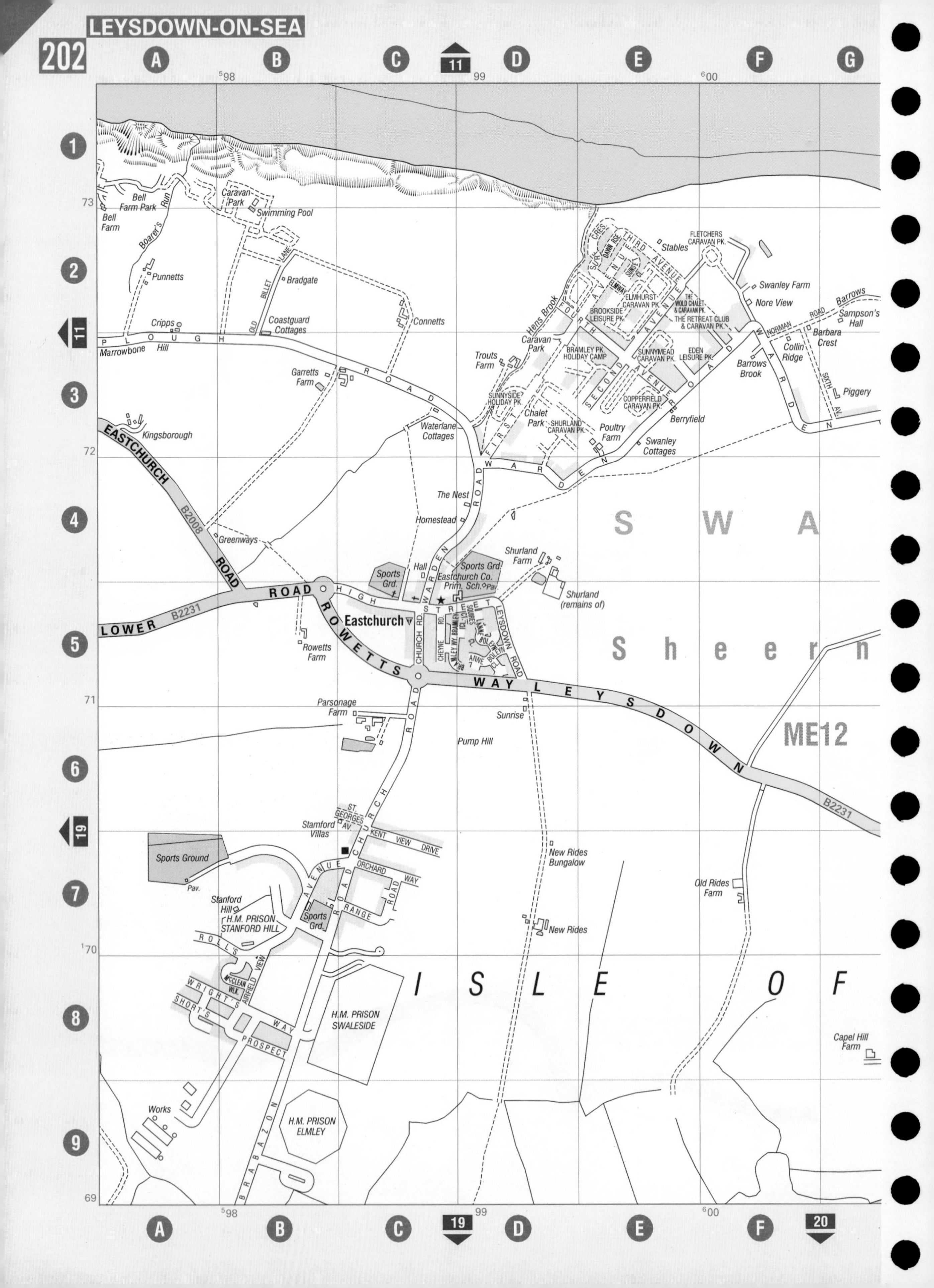

A map of Leysdown-on-Sea and Eastchurch area.

Grid references across top and bottom: A, B, C, 11, D, E, F, G

Eastings: 598, 99, 600

Northings: 73, 72, 71, 70, 69

Rows: 1, 2, 11, 3, 4, 5, 6, 19, 7, 8, 9

Labels visible on map:

Bell Farm Park, Bell Farm, Caravan Park, Swimming Pool, Boarr's Run, Punnetts, Bradgate, Billet Lane, Old Lane, Connetts, Cripps, Coastguard Cottages, Marrowbone Hill, Plough Road, Garretts Farm, Kingsborough, Eastchurch, B2008, Waterlane Cottages, Chalet Park, The Nest, Homestead, Greenways, Sports Grd., Hall, Eastchurch Co. Prim. Sch., Pav., Sports Grd., Shurland Farm, Shurland (remains of), LOWER B2231, ROAD, ROWETTS WAY, High Street, Church Rd., Rowetts Farm, Parsonage Farm, Sunrise, Pump Hill, St. Georges Av., Stamford Villas, Kent View Drive, Orchard Way, Range Road, New Rides Bungalow, New Rides, Old Rides Farm, Sports Ground, Pav., Stanford Hill, H.M. Prison Stanford Hill, Sports Grd., Rolls Avenue, Oclean Wlk., Alfred View, Wright's Way, Shorts, Prospect, Brabazon, H.M. Prison Swaleside, H.M. PRISON ELMLEY, Works, Capel Hill Farm, ISLE OF, SWA, Sheern, ME12, B2231

Caravan park area (top right):
Fletchers Caravan Pk., Stables, Third Avenue, Suey Cres., Dawn Rise, Elmha, Swale, Second Avenue, First Avenue, Herns Brook, Caravan Park, Trouts Farm, Sunnyside Holiday Pk., Copperfield Caravan Pk., Bramley Pk. Holiday Camp, Shurland Caravan Pk., Poultry Farm, Swanley Cottages, Elmhurst Caravan Pk., Brookside Leisure Pk., The Wold Chalet & Caravan Pk., The Retreat Club & Caravan Pk., Sunnymead Caravan Pk., Eden Leisure Pk., Berryfield, Swanley Farm, Nore View, Norman Road, Barrows, Sampson's Hall, Barbara Crest, Collin Ridge, Piggery, Sixth Av., Barrows Brook, Warden Avenue, Warden Road

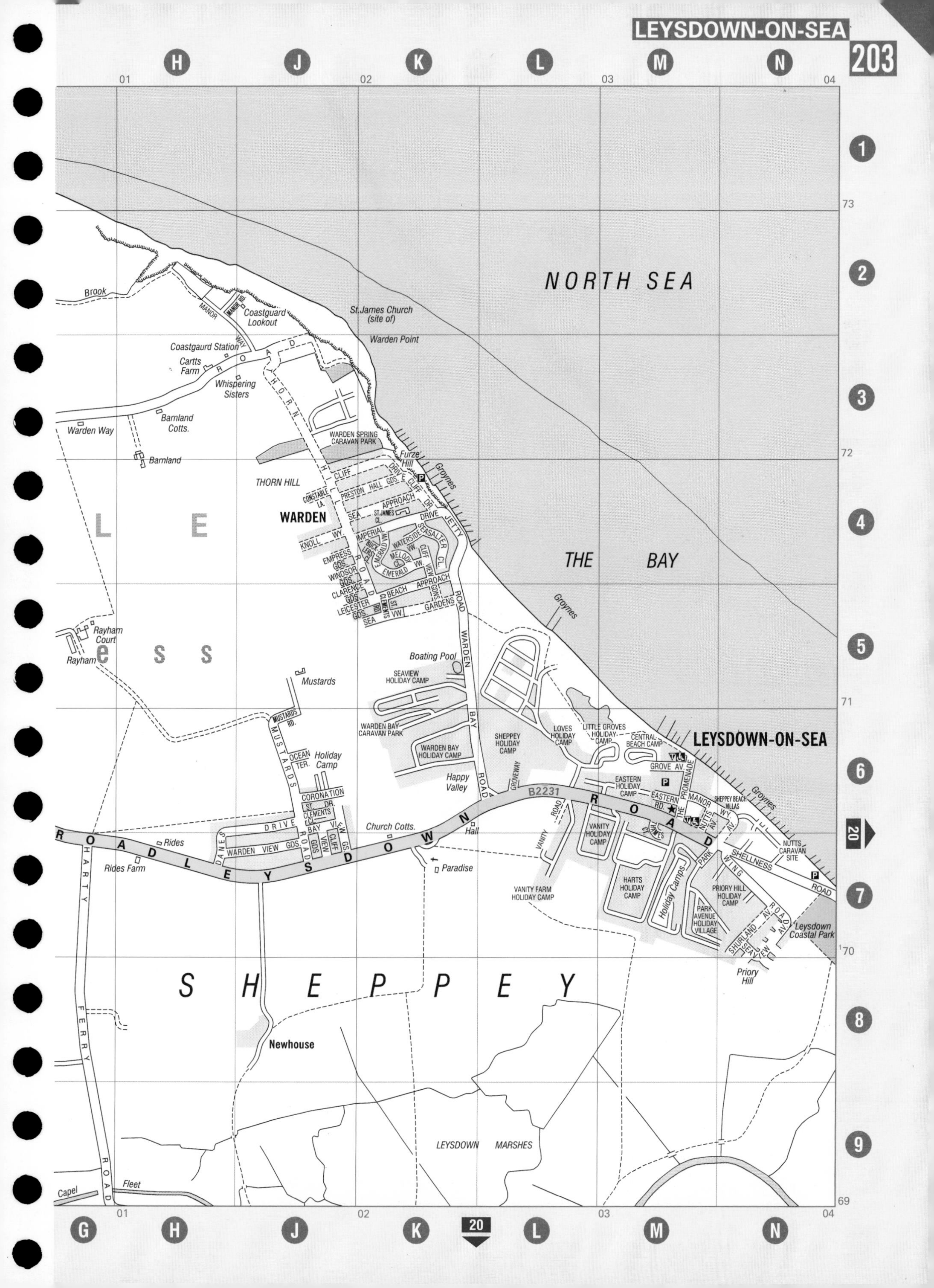

NORTH SEA

THE BAY

LEYSDOWN-ON-SEA

WARDEN

Brook

Coastguard Lookout

St.James Church (site of)

Warden Point

Coastgaurd Station

Cartts Farm

Whispering Sisters

Barnland Cotts.

Warden Way

Barnland

WARDEN SPRING CARAVAN PARK

THORN HILL

Furze Hill

THORN HILL

Groynes

CLIFF

CONSTABLE LA.

PRESTON HALL GDS.

SEA

KNOLL WY.

IMPERIAL

EMPRESS GDS.

WINDSOR GDS.

CLARENCE GDS.

LEICESTER GDS.

SEA

EMERALD

MELODY VW.

EMERALD

BEACH APPROACH

SEA

GARDENS

ST.JAMES CL.

APPROACH

DRIVE

WATERSIDE

CL.

CLIFF

THE SALTER

JETTY

VW.

Groynes

Groynes

WARDEN

ROAD

Rayham Court

Rayham

Mustards

MUSTARDS RD.

MUSTARDS

OCEAN TER.

CORONATION ST.

CLEMENTS

BAY GDS.

DANE

VIEW GDS.

CLIFF VIEW GDS.

Boating Pool

SEAVIEW HOLIDAY CAMP

WARDEN BAY CARAVAN PARK

WARDEN BAY HOLIDAY CAMP

Holiday Camp

Happy Valley

BAY

ROAD

SHEPPEY HOLIDAY CAMP

LOVES HOLIDAY CAMP

LITTLE GROVES HOLIDAY CAMP

CENTRAL BEACH CAMP

GROVE AV.

EASTERN HOLIDAY CAMP

PROMENADE

EASTERN RD.

THE

NUTTS

SHEPPEY BEACH VILLAS

Groynes

MANOR WY.

NUTTS CARAVAN SITE

SHELLNESS

ROAD

ROAD

L E S S

R O A D   L E Y S D O W N

HARTY FERRY ROAD

Rides

Rides Farm

WARDEN VIEW GDS.

DRIVE

Church Cotts.

Hall

Paradise

B2231

GROVEWAY

VANITY

VANITY HOLIDAY CAMP

VANITY FARM HOLIDAY CAMP

HARTS HOLIDAY CAMP

Holiday Camps

PARK AVENUE HOLIDAY VILLAGE

PRIORY HILL HOLIDAY CAMP

SHURLAND

PARK

WING

Leysdown Coastal Park

Priory Hill

S H E P P E Y

Newhouse

LEYSDOWN   MARSHES

Capel

Fleet

FERRY ROAD

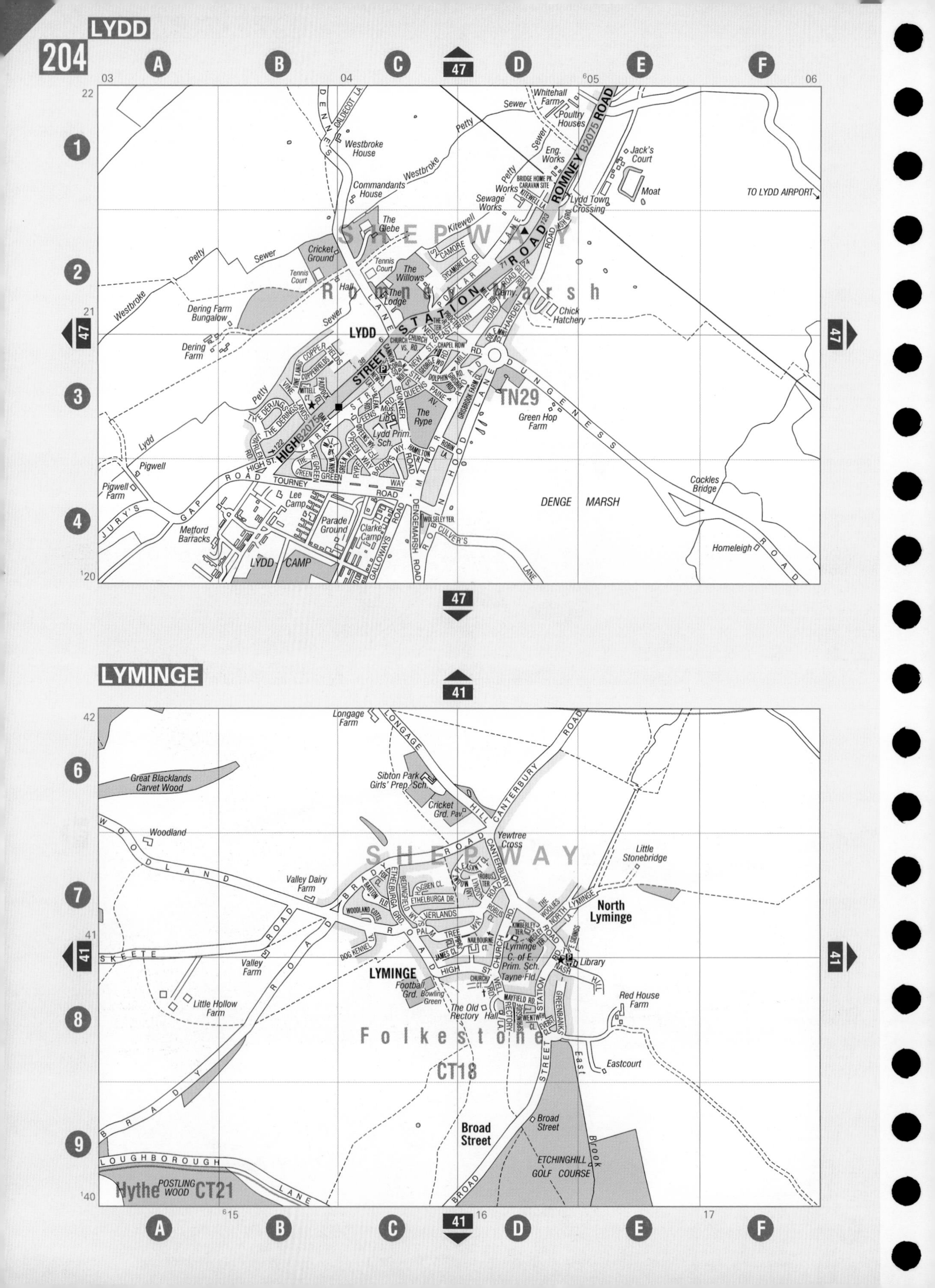

LYDD

A 03 B 04 C **47** D 05 E F 06

22
1
Westbroke House
Westbroke
Petty
Whitehall Farm
Sewer
Poultry Houses
Commandants House
Eng. Works
BRIDGE HOME PK CARAVAN SITE
Jack's Court
Moat
TO LYDD AIRPORT

The Glebe
Petty Works
Sewage Works
Lydd Town Crossing

S H E P W A Y

2
Petty
Sewer
Cricket Ground
Tennis Court
Hall
The Willows
Kitewell
CAMORE
SYCAMORE LA
The Lodge

21
47
Westbroke
Dering Farm Bungalow
LYDD
Tennis Court
S T A T I O N
CHURCH
Chick Hatchery

R o m n e y M a r s h

3
Dering Farm
Petty
Pigwell
S T R E E T
LYDD
STREET
Mus.
The Rype
TN29
Green Hop Farm
DENGENESS
Cockles Bridge

Lydd Prim. Sch.

4
Pigwell Farm
JURY'S
GAP ROAD
Lee Camp
HIGH ST
Metford Barracks
Parade Ground
Clarke Camp
TOURNEY ROAD
DENGEMARSH ROAD
CULVER'S LANE
DENGE MARSH
Homeleigh

20
LYDD - CAMP

47

LYMINGE

41

42
6
Longage Farm
Great Blacklands Carvet Wood
Sibton Park Girls' Prep. Sch.
Cricket Grd. Pav.
Yewtree Cross
Little Stonebridge

Woodland
S H E P W A Y

7
W O O D L A N D R O A D
Valley Dairy Farm
ETHELBURGA DR.
Woodland Cotts.
North Lyminge

41
41
SKEETE
Valley Farm
DOG KENNEL LA
NAILBOURNE CT.
LYMINGE
LYMINGE
C. of E. Prim. Sch.
Library
41

8
Little Hollow Farm
Football Grd.
Bowling Green
The Old Rectory
Rectory Hall
Red House Farm
Eastcourt

F o l k e s t o n e

9
B R A D Y
LOUGHBOROUGH
Broad Street
Broad Street
ETCHINGHILL GOLF COURSE
CT18

40
Hythe POSTLING WOOD CT21
LANE
BROAD

A 15 B C **41** 16 D E F 17

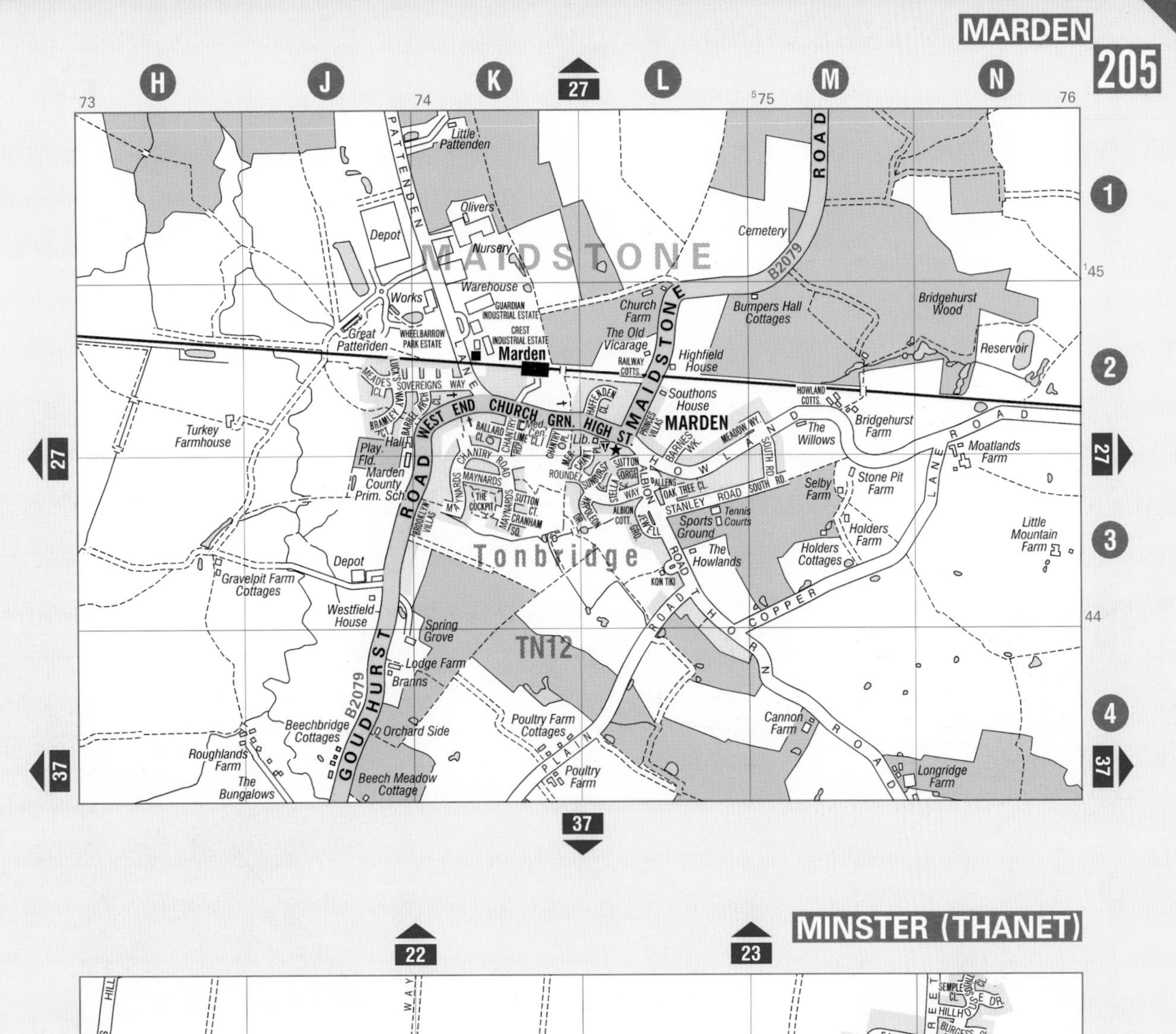
H
J
K
L
M
N
27
73
74
575
76
1
2
3
4
145
44
Little Pattenden
Olivers
Depot
Nursery
MAIDSTONE
Works
Warehouse
GUARDIAN INDUSTRIAL ESTATE
WHEELBARROW PARK ESTATE
CREST INDUSTRIAL ESTATE
Great Pattenden
Marden
Church Farm
The Old Vicarage
RAILWAY COTTS.
Highfield House
Southons House
MARDEN
Cemetery
Bumpers Hall Cottages
Bridgehurst Wood
Reservoir
HOWLAND COTTS.
Bridgehurst Farm
The Willows
Moatlands Farm
Turkey Farmhouse
Play. Fld.
Hall
Marden County Prim. Sch.
SOVEREIGNS WAY
WEST END
CHURCH GRN.
HIGH ST.
MAIDSTONE ROAD
PATTENDEN LANE
B2079
HOWLAND
STANLEY ROAD
SOUTH RD.
OAK TREE CL.
MEADOW WY.
BARNES WK.
Med. Cen.
Lib.
CHANTRY ROAD
MAYNARDS
THE COCKPIT
SUTTON CT.
CRANHAM SQ.
BROOKLYN VILLAS
ALBION ROAD
ALBION COTT.
Sports Ground
Tennis Courts
The Howlands
Selby Farm
Stone Pit Farm
Holders Farm
Holders Cottages
Little Mountain Farm
Tonbridge
KON TIKI
Depot
Gravelpit Farm Cottages
Westfield House
Spring Grove
TN12
Lodge Farm
Branns
COPPER
HORN
LANE
ROAD
Beechbridge Cottages
Orchard Side
Poultry Farm Cottages
Cannon Farm
Roughlands Farm
The Bungalows
Beech Meadow Cottage
PLAIN
Poultry Farm
Longridge Farm
GOUDHURST ROAD
37

MINSTER (THANET)

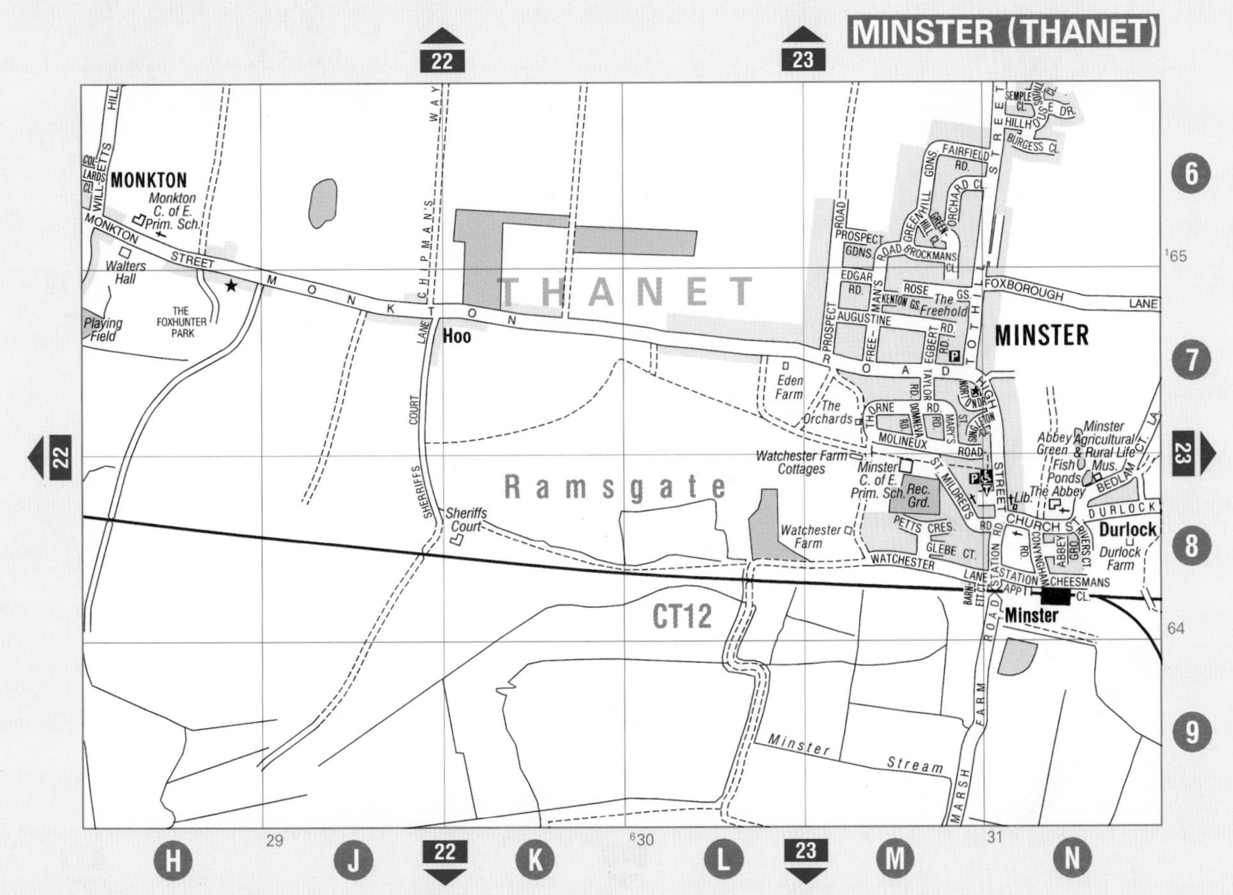
22
23
6
7
8
9
165
64
29
630
31
H
J
K
L
M
N
MONKTON
Monkton C. of E. Prim. Sch.
WILL-BETTS
MONKTON STREET
Walters Hall
THE FOXHUNTER PARK
Playing Field
CHAPMAN'S WAY
COURT LANE
Hoo
MONKTON ROAD
THANET
PROSPECT ROAD
PROSPECT GDNS.
BROCKMANS CL.
EDGAR RD.
ROSE GS.
KENTON GS.
The Freehold
AUGUSTINE RD.
FREE-MAN'S
EGBERT RD.
FAIRFIELD RD.
ORCHARD CL.
GREEN HILL GDNS.
SEMPLE CL.
HILLHOUSE DR.
BURGESS CL.
TOTHILL STREET
FOXBOROUGH LANE
MINSTER
Eden Farm
The Orchards
THORNE RD.
TAYLOR RD.
MOLINEUX ROAD
MARY'S
Watchester Farm Cottages
Minster C. of E. Prim. Sch.
Rec. Grd.
ST. MILDREDS
PETTS CRES.
GLEBE CT.
Watchester Farm
WATCHESTER LANE
Ramsgate
SHERIFFS COURT
Sheriffs Court
Minster Abbey Agricultural Green & Rural Life Fish Mus. Ponds
The Abbey
BEDLAM CT.
Lib.
CHURCH ST.
DURLOCK
Durlock
Durlock Farm
STATION
CHEESMANS CL.
Minster
CT12
STATION ROAD
MARSH FARM LANE
Minster Stream

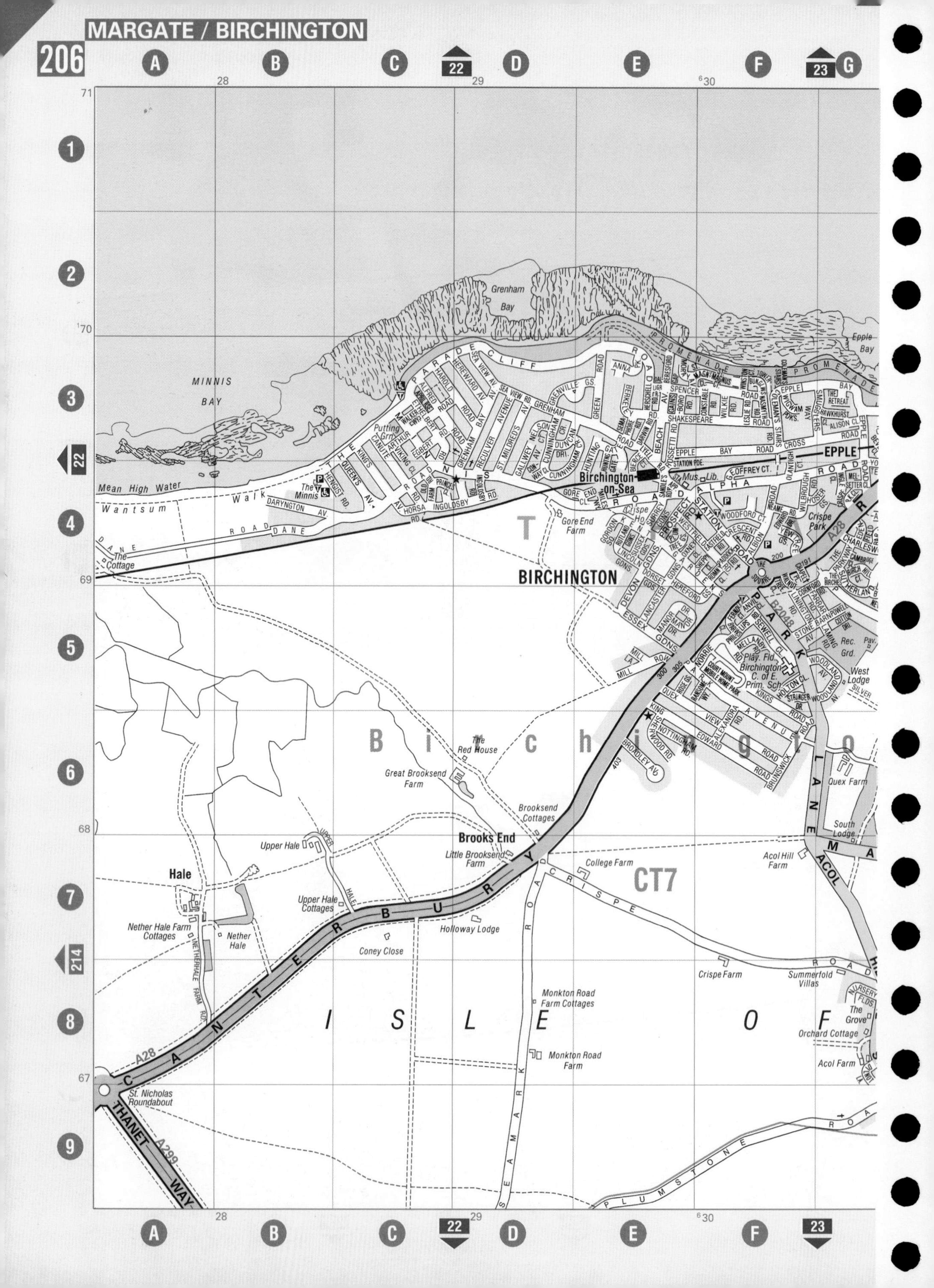
Grenham Bay
MINNIS BAY
Epple Bay
Mean High Water
PARADE
CLIFF
PROMENADE
The Minnis
Putting Grn.
EPPLE
BAY
ROAD
Birchington-on-Sea
Crispe Park
Gore End Farm
BIRCHINGTON
THE SQUARE
B2048
A28
PARK
LANE
Play. Fld.
Birchington C. of E. Prim. Sch.
Rec. Grd.
West Lodge
The Red House
Great Brooksend Farm
Brooksend Cottages
Brooks End
Little Brooksend Farm
Upper Hale
Hale
Nether Hale Farm Cottages
Nether Hale
Upper Hale Cottages
Holloway Lodge
Coney Close
College Farm
CT7
Quex Farm
South Lodge
Acol Hill Farm
ACOL
Crispe Farm
Summerfold Villas
The Grove
Orchard Cottage
Acol Farm
Monkton Road Farm Cottages
Monkton Road Farm
I S L E O F
CANTERBURY ROAD
St. Nicholas Roundabout
THANET WAY
A299
SEAMARK ROAD
PLUMSTONE ROAD
CRISPE ROAD

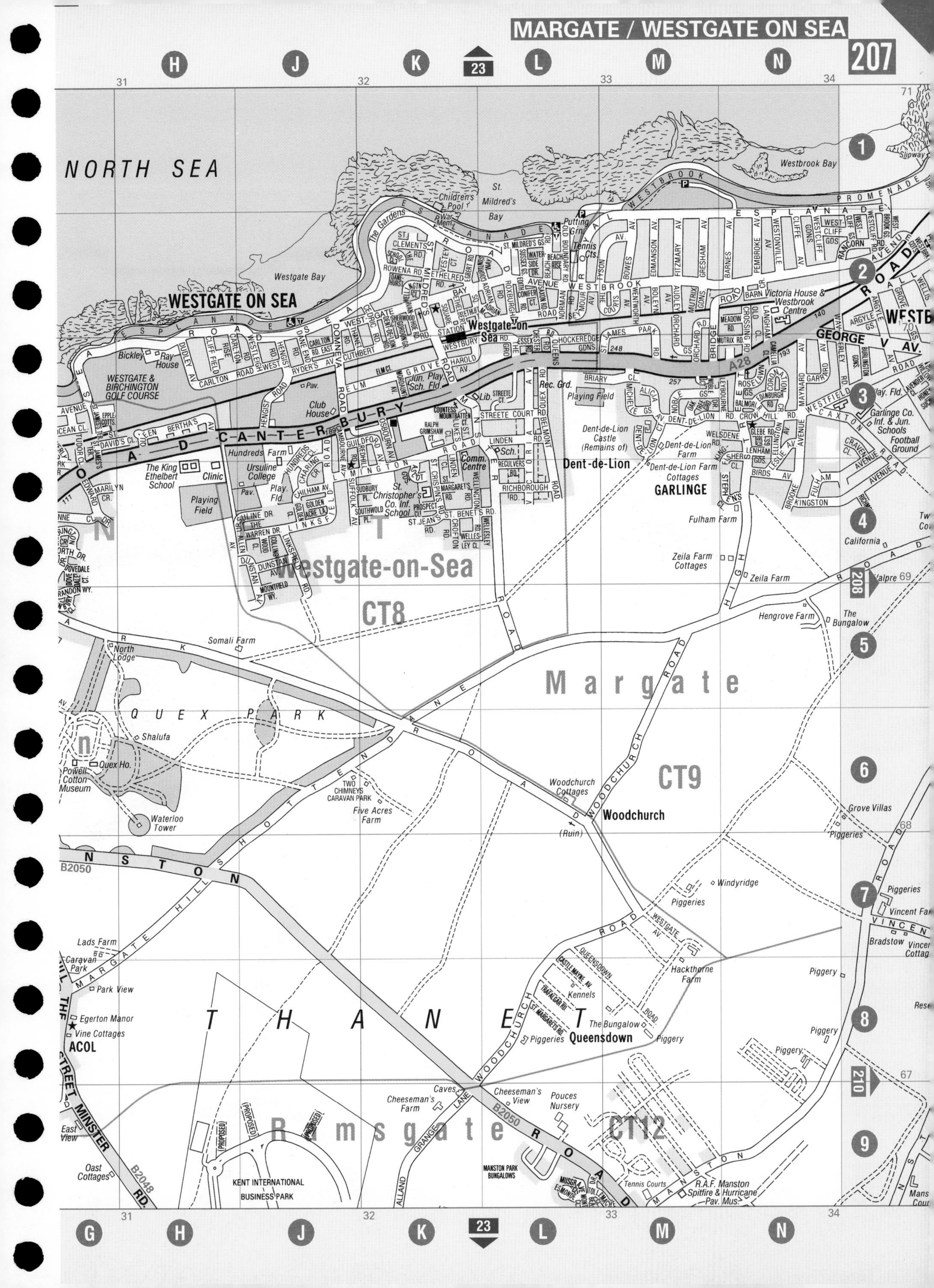
NORTH SEA
WESTGATE ON SEA
Westgate Bay
St. Mildred's Bay
Westbrook Bay
Westgate-on-Sea
CT8
Margate
CT9
GARLINGE
Dent-de-Lion
QUEX PARK
Quex Ho.
Powell Cotton Museum
Waterloo Tower
Woodchurch
Queensdown
THANET
Ramsgate
CT12
ACOL
KENT INTERNATIONAL BUSINESS PARK
R.A.F. Manston Spitfire & Hurricane Pav. Mus.
Westgate & Birchington Golf Course
Ursuline College
The King Ethelbert School
Hengrove Farm
Zeila Farm
Fulham Farm
Somali Farm
Five Acres Farm
Hackthorne Farm
Cheeseman's Farm
Lads Farm
Pouces Nursery
Garlinge Co. Inf. & Jun. Schools
Victoria House & Westbrook Centre
CANTERBURY ROAD
MANSTON ROAD
HOTTEN ROAD
WOODCHURCH ROAD
MINSTER RD.
A28
B2050
B2048

208
210
23

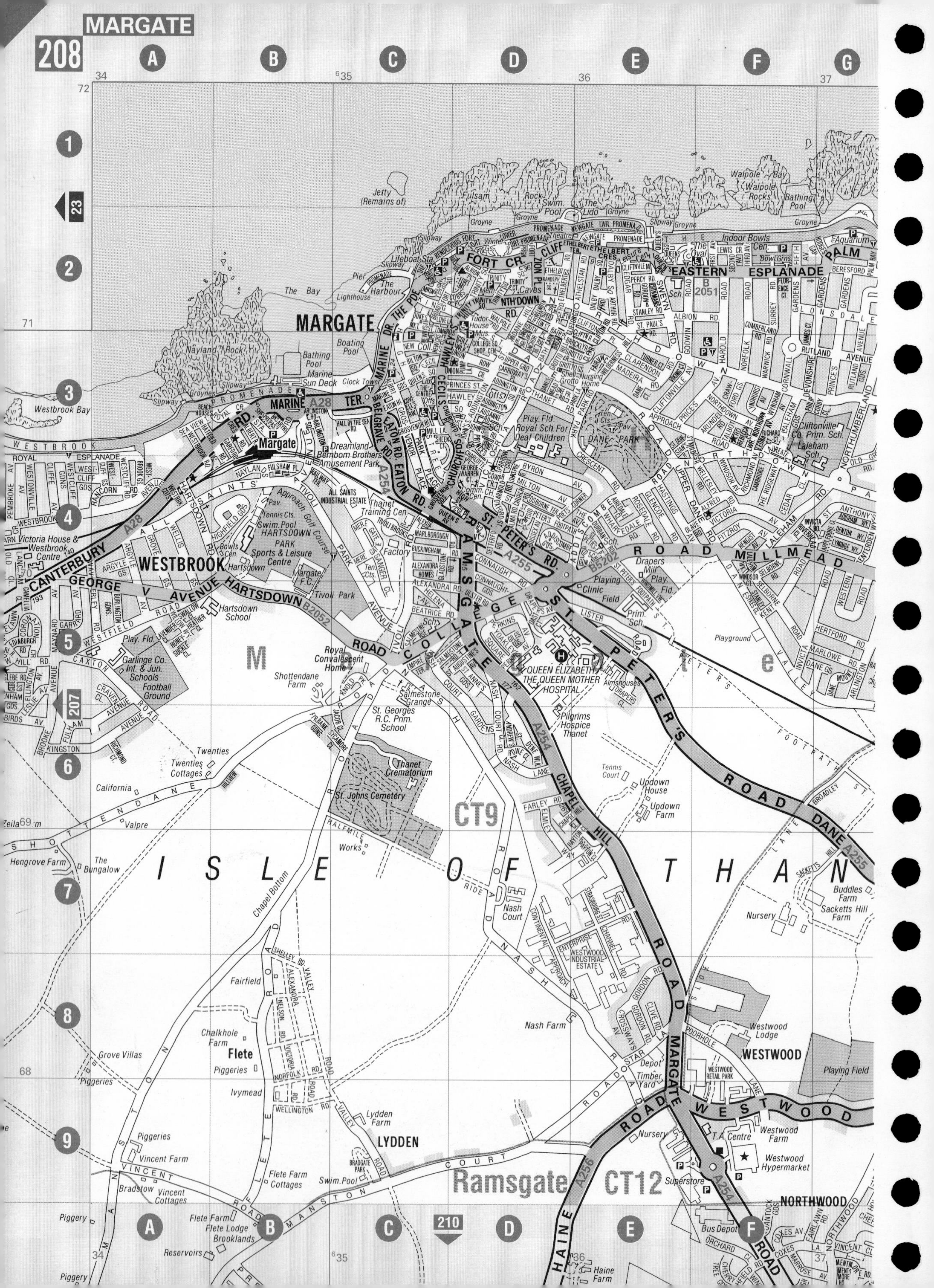
MARGATE
Jetty (Remains of)
Fulsam Rock
Swim. Pool
The Lido
Walpole Bay
Walpole Rocks
Bathing Pool
Groyne
Slipway
Lifeboat Sta.
Pier
The Harbour
Lighthouse
The Bay
Nayland Rock
Bathing Pool
Boating Pool
Marine Sun Deck
Clock Tower
Westbrook Bay
PROMENADE
MARINE TER.
Margate
Dreamland Bembom Brothers Amusement Park
FORT CR.
CLIFF
EASTERN ESPLANADE
PALM
The Oval
Indoor Bowls Cen.
Aquarium
Tudor House Mus.
Caves
Shell Grotto
Play. Fld. Royal Sch For Deaf Children
DANE PARK
Cliftonville Co. Prim. Sch.
Laleham Sch.
ALL SAINTS INDUSTRIAL ESTATE
Thanet Training Cen.
HARTSDOWN PARK Sports & Leisure Centre
Margate F.C.
Tivoli Park
WESTBROOK
Victoria House & Westbrook Centre
CANTERBURY
GEORGE V AVENUE
HARTSDOWN
Hartsdown School
Garlinge Co. Inf. & Jun. Schools
Football Ground
Royal Convalescent Home
Shottendane Farm
Salmestone Grange
St. Georges R.C. Prim. School
QUEEN ELIZABETH THE QUEEN MOTHER HOSPITAL
Almshouses
Pilgrims Hospice Thanet
Drapers Mill
Playing Field
Clinic
ST. PETER'S RD.
ST. PETER'S ROAD
MILLMEAD ROAD
RAMSGATE
COLLEGE ROAD
Twenties
Twenties Cottages
California
Valpre
Thanet Crematorium
St. Johns Cemetery
CT9
Updown House
Updown Farm
Hengrove Farm
The Bungalow
Works
ISLE OF THAN
CHAPEL HILL
DANE ROAD
Buddles Farm
Sacketts Hill Farm
Nursery
Nash Court
WESTWOOD INDUSTRIAL ESTATE
Fairfield
Chalkhole Farm
Flete
Piggeries
Ivymead
Grove Villas
Lydden Farm
LYDDEN
Nash Farm
Westwood Lodge
WESTWOOD
Playing Field
Timber Yard
Depot
WESTWOOD RETAIL PARK
WESTWOOD ROAD
MARGATE ROAD
Westwood Farm
T.A. Centre
Westwood Hypermarket
Superstore
Nursery
Vincent Farm
Flete Farm Cottages
Swim. Pool
Ramsgate
CT12
Bradstow
Vincent Cottages
MANSTON COURT ROAD
NORTHWOOD
Bus Depot
Piggery
Flete Farm
Flete Lodge
Brooklands
Reservoirs
Haine Farm
HAINE
A28
A254
A255
A256
B2051
B2052
B5202
210
207
23

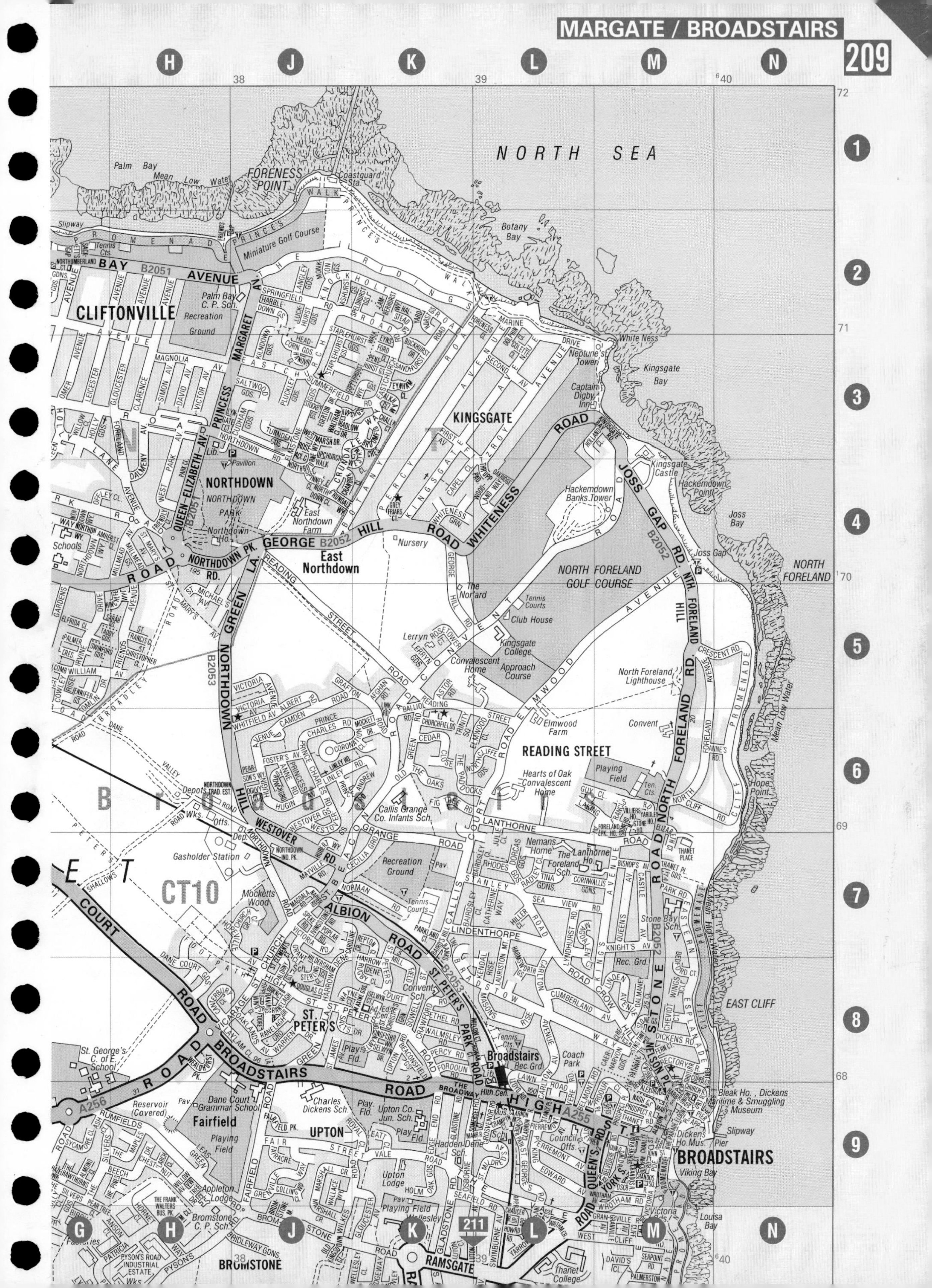
NORTH SEA
Palm Bay
Mean Low Water
FORENESS POINT
Coastguard Sta.
Botany Bay
Miniature Golf Course
CLIFTONVILLE
Palm Bay C. P. Sch.
Recreation Ground
White Ness
Neptune's Tower
Kingsgate Bay
Captain Digby Inn
KINGSGATE
NORTHDOWN
NORTHDOWN PARK
Northdown Ho.
East Northdown Farm
East Northdown
Nursery
Kingsgate Castle
Hackemdown Point
Hackemdown Banks Tower
Joss Bay
Joss Gap
NORTH FORELAND
NORTH FORELAND GOLF COURSE
Club House
Kingsgate College
Convalescent Home
Approach Course
North Foreland Lighthouse
Convent
Elmwood Farm
READING STREET
Hearts of Oak Convalescent Home
Playing Field
Hope Point
Callis Grange Co. Infants Sch.
Gasholder Station
Recreation Ground
Nemans Home
The Foreland Sch.
CT10
Mocketts Wood
Stone Bay Sch.
EAST CLIFF
ST. PETER'S
Convent Sch.
St. George's C. of E. School
Broadstairs Rec. Grd.
Coach Park
Reservoir (Covered)
Dane Court Grammar School
Fairfield
Playing Field
Charles Dickens Sch.
Upton Co. Jun. Sch.
UPTON
Hadden Dene Sch.
Upton Lodge
Council Offs.
Bleak Ho., Dickens Maritime & Smuggling Museum
Slipway
Dickens Ho. Mus.
Pier
BROADSTAIRS
Viking Bay
Appleton Lodge
Bromstone C. P. Sch.
Louisa Bay
BROMSTONE
RAMSGATE
Thanet College
211

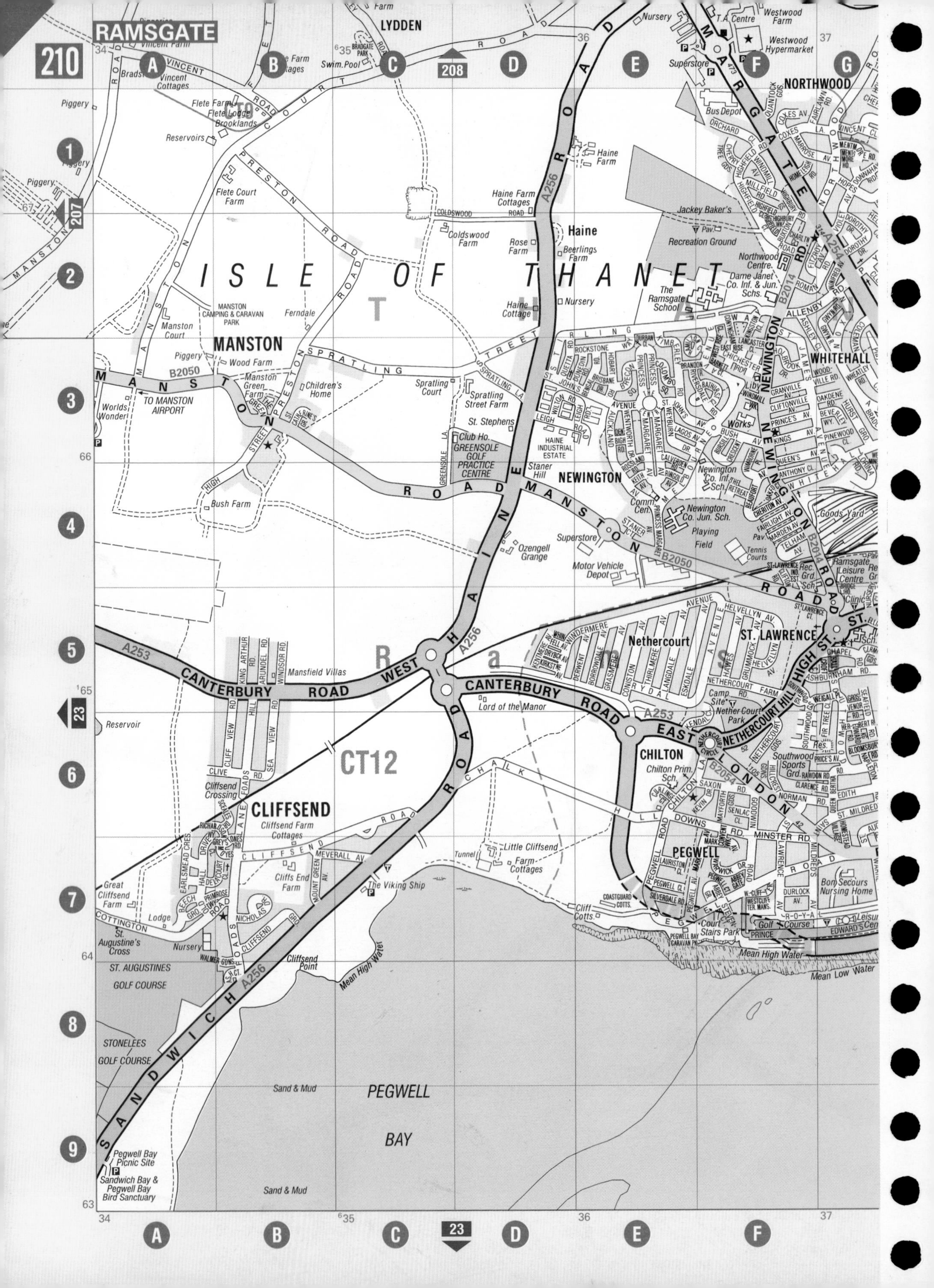
ISLE OF THANET
MANSTON
LYDDEN
NORTHWOOD
WHITEHALL
NEWINGTON
ST. LAWRENCE
Nethercourt
CHILTON
PEGWELL
CLIFFSEND
CT12
PEGWELL
BAY
Haine
Haine Farm
Haine Farm Cottages
Flete Court Farm
Flete Farm
Flete Lodge
Brooklands
Reservoirs
Piggery
Vincent Farm
Vincent Cottages
Manston Court
MANSTON CAMPING & CARAVAN PARK
Ferndale
Wood Farm
Manston Green Farm
Children's Home
Spratling Court
Spratling Street Farm
St. Stephens
Club Ho.
GREENSOLE GOLF PRACTICE CENTRE
HAINE INDUSTRIAL ESTATE
Staner Hill
Coldswood Farm
Rose Farm
Beerlings Farm
Haine Cottage
Nursery
Jackey Baker's
Recreation Ground
Northwood Centre
Dame Janet Co. Inf. & Jun. Schs.
The Ramsgate School
Bus Depot
Superstore
T.A. Centre
Westwood Farm
Westwood Hypermarket
Swim. Pool
Worlds Wonder
TO MANSTON AIRPORT
Bush Farm
Ozengell Grange
Motor Vehicle Depot
Newington Co. Inf. Sch.
Newington Co. Jun. Sch.
Playing Field
Tennis Courts
Goods Yard
Ramsgate Leisure Centre
Mansfield Villas
Lord of the Manor
Camp Site
Nether Court Park
Southwood Sports Grd.
Chilton Prim. Sch.
Cliffsend Farm Cottages
Cliffsend Crossing
Little Cliffsend Farm Cottages
Tunnel
Cliffs End Farm
The Viking Ship
Great Cliffsend Farm
Lodge
St. Augustine's Cross
Nursery
Cliffsend Point
Mean High Water
Mean Low Water
ST. AUGUSTINES GOLF COURSE
STONELEES GOLF COURSE
Sand & Mud
Pegwell Bay Picnic Site
Sandwich Bay & Pegwell Bay Bird Sanctuary
Cliff Cotts.
Court Stairs Park
Golf Course
Bon Secours Nursing Home
Reservoir
CANTERBURY ROAD WEST
CANTERBURY ROAD EAST
SANDWICH ROAD
HAINE ROAD
MANSTON ROAD
MARGATE ROAD
NEWINGTON ROAD
LONDON ROAD
PRESTON ROAD
SPRATLING STREET
NETHERCOURT HILL
HIGH ST.
A253
A256
A254
B2050
B2014
B2054
208
207
23

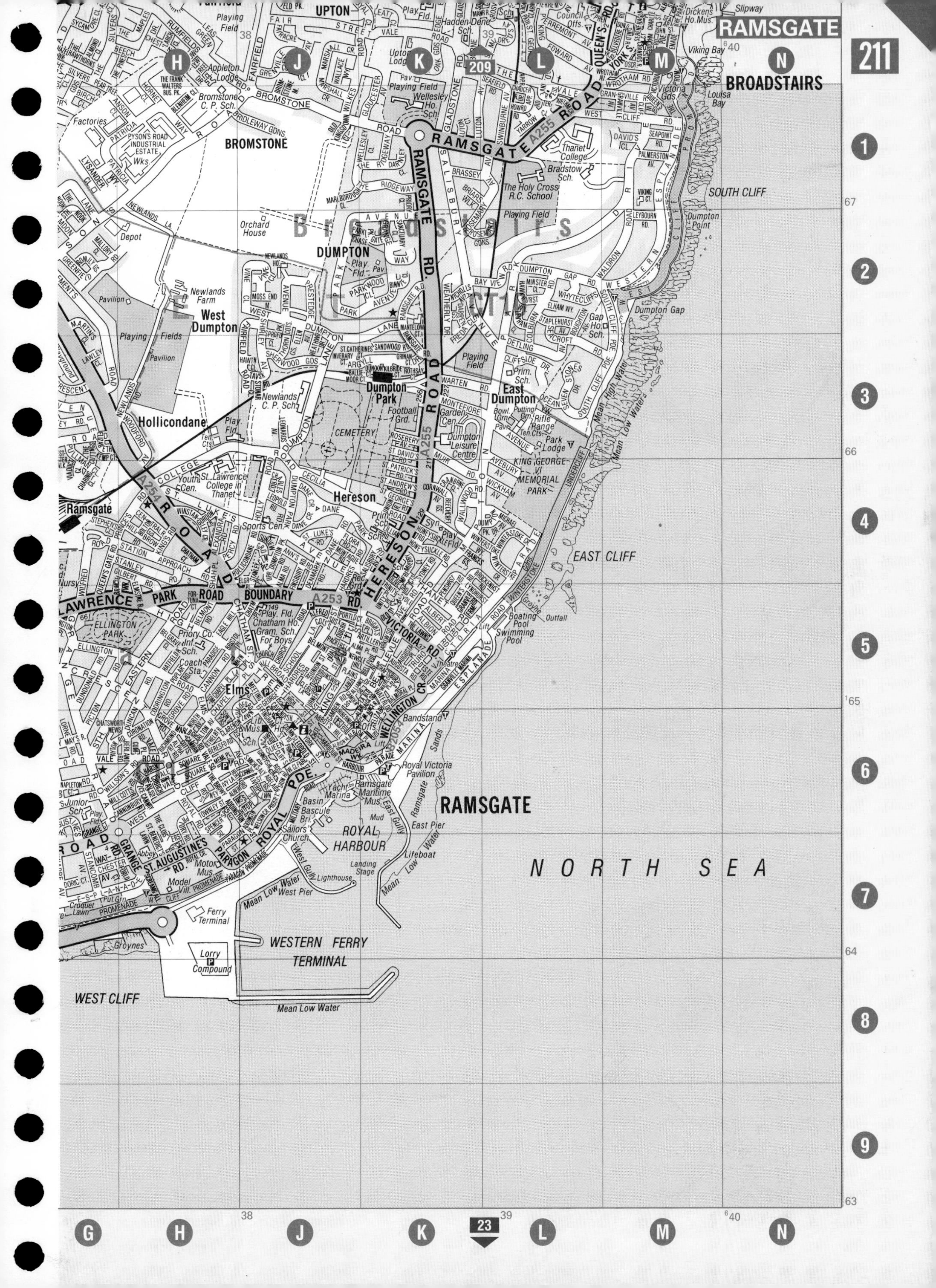
BROADSTAIRS
BROMSTONE
DUMPTON
West Dumpton
Hollicondane
Dumpton Park
East Dumpton
Hereson
RAMSGATE
NORTH SEA
ROYAL HARBOUR
WESTERN FERRY TERMINAL
WEST CLIFF
EAST CLIFF
SOUTH CLIFF
KING GEORGE VI MEMORIAL PARK
CEMETERY
RAMSGATE RD.
RAMSGATE ROAD
HERESON RD.
BOUNDARY ROAD
LAWRENCE PARK ROAD
ROYAL PDE.
Mean Low Water
Dumpton Gap
Dumpton Point
Viking Bay
Louisa Bay
Ellington Park
Lorry Compound
Ferry Terminal
West Pier
Lighthouse
Yacht Marina
Sailors' Church
The Holy Cross R.C. School
Thanet College
Bradstow Sch.
Newlands Farm
Orchard House
Factories
Playing Fields
Ramsgate Maritime Mus.
Royal Victoria Pavilion
Dumpton Leisure Centre

209

23

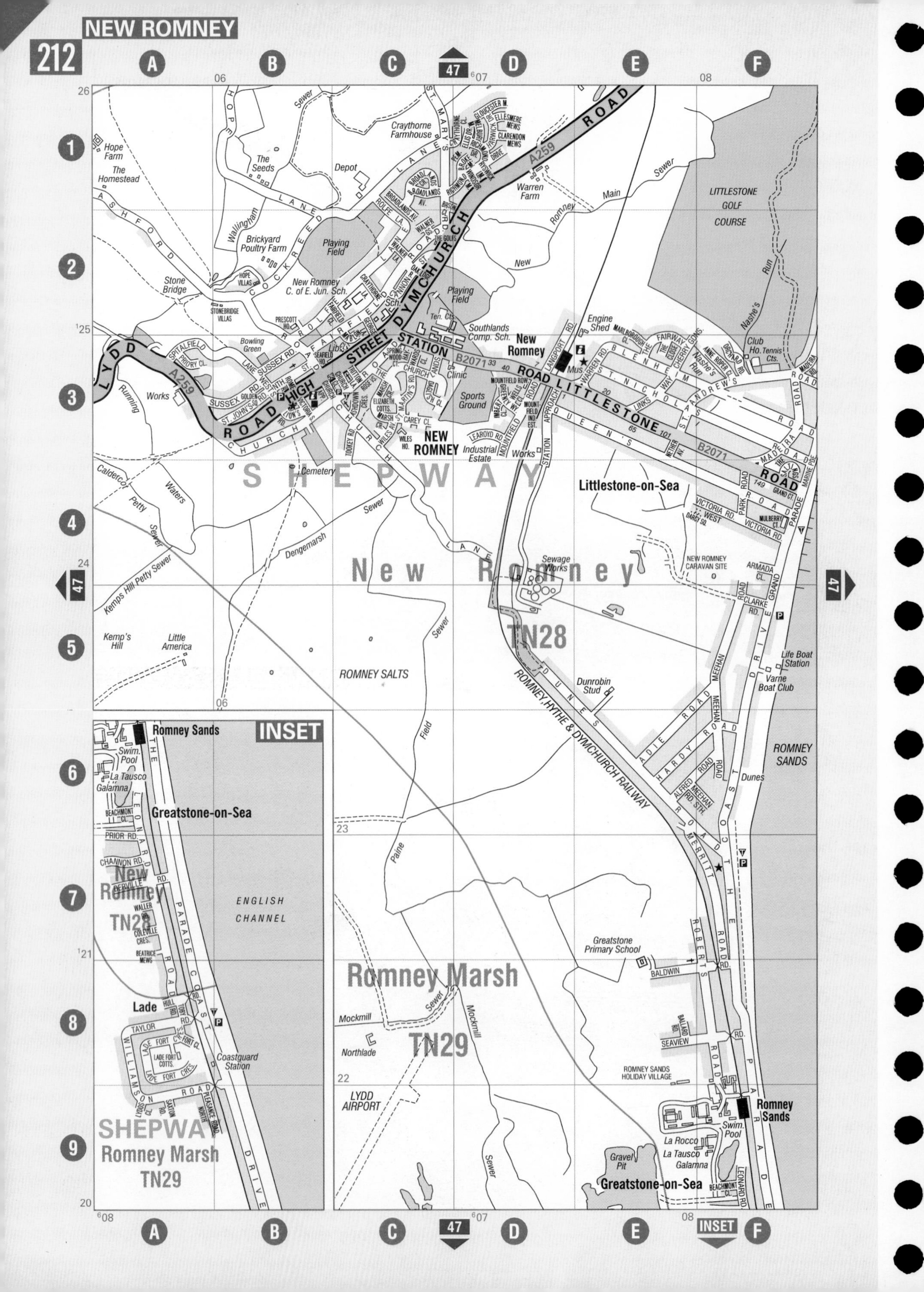
A
B
C
D
E
F
47
Hope Farm
The Homestead
The Seeds
Depot
Craythorne Farmhouse
Warren Farm
Main Romney Sewer
LITTLESTONE GOLF COURSE
Brickyard Poultry Farm
Playing Field
New Romney C. of E. Jun. Sch.
Stone Bridge
STONEBRIDGE VILLAS
Southlands Comp. Sch.
Engine Shed
New Romney
Bowling Green
Works
Sports Ground
Clinic
NEW ROMNEY
Industrial Estate
Cemetery
SHEPWAY
Littlestone-on-Sea
Calder Petty Waters
Dengemarsh Sewer
Kemps Hill Petty Sewer
Kemp's Hill
Little America
New Romney
Sewage Works
NEW ROMNEY CARAVAN SITE
TN28
ROMNEY SALTS
Dunrobin Stud
Life Boat Station
Varne Boat Club
ROMNEY SANDS
Dunes
ROMNEY, HYTHE & DYMCHURCH RAILWAY
LYDD ROAD
HIGH STREET
DYMCHURCH ROAD
STATION ROAD
LITTLESTONE ROAD
A259
B2071
QUEEN'S ROAD
MADEIRA ROAD
GRAND PARADE
COAST DRIVE
DUNES ROAD
HARDY ROAD
MEEHAN ROAD
ROBERTS ROAD
THE PARADE
ASHFORD ROAD
COCKREED LANE
HOPE LANE
ST. MARY'S LANE
Greatstone Primary School
Romney Marsh
TN29
Mockmill
Northlade
LYDD AIRPORT
ROMNEY SANDS HOLIDAY VILLAGE
Romney Sands
Swim. Pool
La Rocco
La Tausco Galamna
Gravel Pit
Greatstone-on-Sea
INSET
Romney Sands
Swim. Pool
La Tausco Galamna
Greatstone-on-Sea
New Romney
TN28
ENGLISH CHANNEL
Lade
Coastguard Station
SHEPWAY
Romney Marsh
TN29

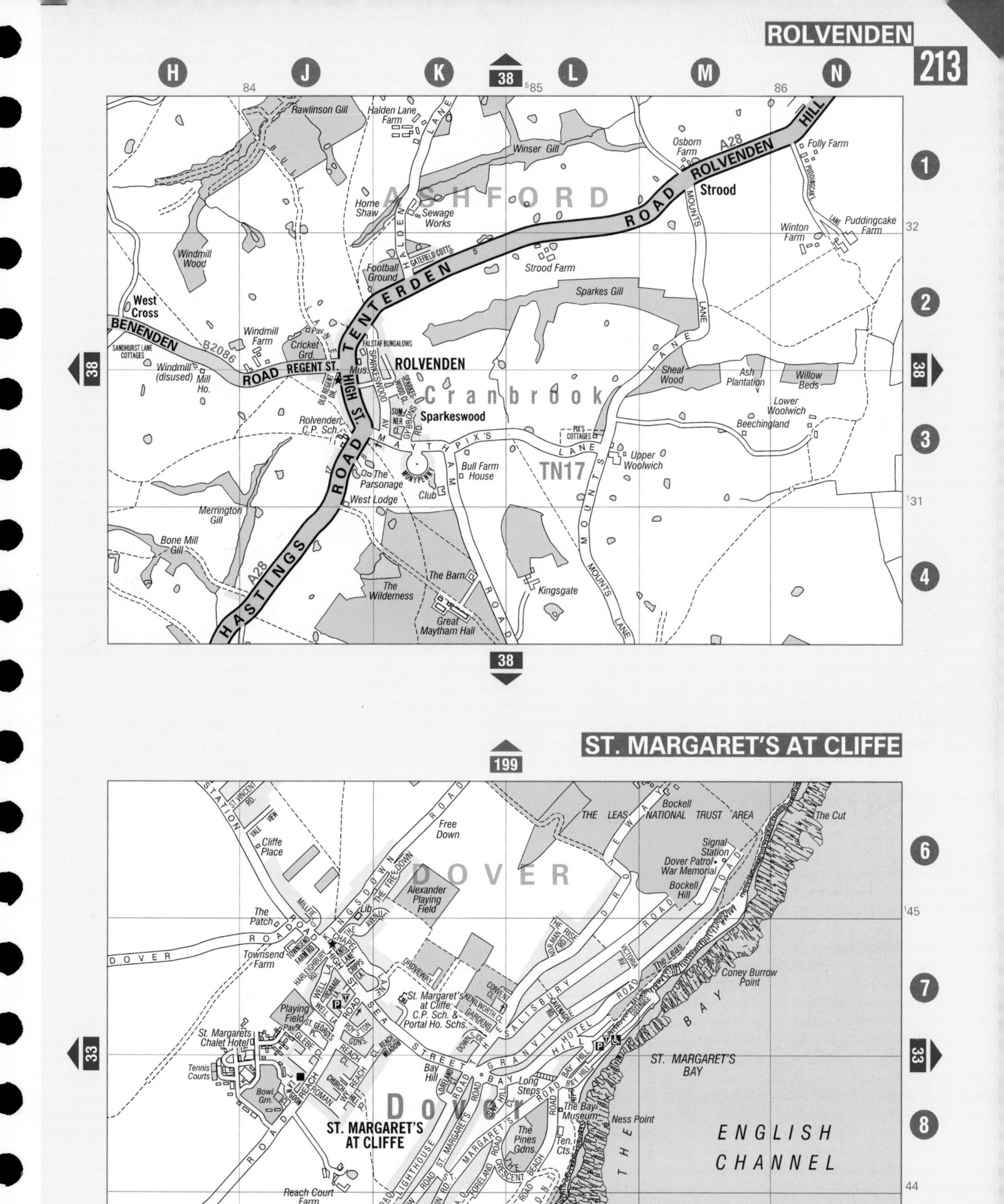
ROLVENDEN
Rawlinson Gill
Halden Lane Farm
Winser Gill
Osborn Farm
Folly Farm
ASHFORD
Strood
ROLVENDEN HILL
A28
Home Shaw
Sewage Works
Windmill Wood
Football Ground
Strood Farm
Winton Farm
Puddingcake Farm
West Cross
Sparkes Gill
Windmill Farm
Cricket Grd.
BENENDEN ROAD
B2086
REGENT ST.
HIGH ST.
TENTERDEN ROAD
ROLVENDEN
Sparkeswood
Cranbrook
Windmill (disused)
Mill Ho.
Sheaf Wood
Ash Plantation
Willow Beds
Lower Woolwich
Beechingland
Rolvenden C.P. Sch.
MAYTHAM
PIX'S LANE
Upper Woolwich
The Parsonage
Bull Farm House
TN17
Club
West Lodge
Merrington Gill
Bone Mill Gill
HASTINGS ROAD
MOUNTS LANE
The Barn
The Wilderness
Kingsgate
Great Maytham Hall
ST. MARGARET'S AT CLIFFE
STATION ROAD
Cliffe Place
Free Down
THE LEAS
Bockell
NATIONAL TRUST AREA
The Cut
Signal Station
Dover Patrol War Memorial
Bockell Hill
DOVER
Alexander Playing Field
The Patch
DOVER ROAD
Townsend Farm
KINGSDOWN ROAD
Playing Field
St. Margaret's at Cliffe C.P. Sch. & Portal Ho. Schs.
SALISBURY ROAD
Coney Burrow Point
The Leas
BAY
St. Margarets Chalet Hotel
Tennis Courts
Bowl. Grn.
SEA STREET
GRANVILLE ROAD
HOTEL ROAD
ST. MARGARET'S BAY
Bay Hill
Long Steps
The Bay Museum
Ness Point
Dover
ST. MARGARET'S AT CLIFFE
The Pines Gdns.
Ten. Cts.
ENGLISH CHANNEL
LIGHTHOUSE ROAD
Reach Court Farm
CT15
SEA VIEW ROAD
GOODWIN ROAD
FORELAND ROAD
THE FRONT
UPPER ROAD
Wanstone Farm
St. Margaret's Bay Smockmill (Closed)
National Trust Area
Mean High Water
Mean Low Water

ST. MARY'S BAY

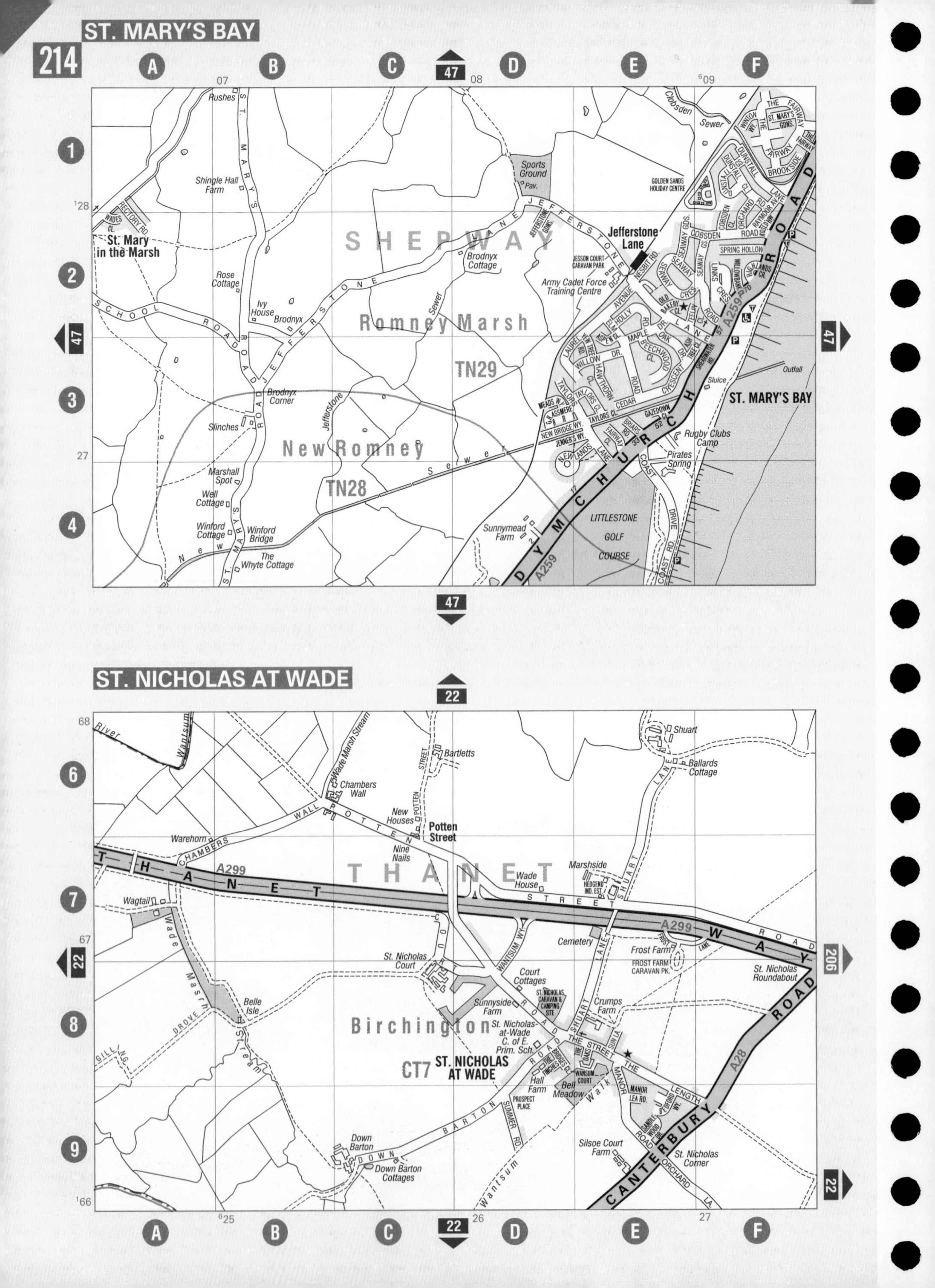
ST. MARY'S BAY
St. Mary in the Marsh
Shingle Hall Farm
Rushes
Sports Ground
Pav.
GOLDEN SANDS HOLIDAY CENTRE
SHEPWAY
Jefferstone Lane
Brodnyx Cottage
JESSON COURT CARAVAN PARK
Army Cadet Force Training Centre
Rose Cottage
Ivy House
Brodnyx
Romney Marsh
TN29
Brodnyx Corner
Slinches
New Romney
TN28
Marshall Spot
Well Cottage
Winford Cottage
Winford Bridge
The Whyte Cottage
Sunnymead Farm
LITTLESTONE GOLF COURSE
Rugby Clubs Camp
Pirates Spring
Sluice
Outfall
DYMCHURCH ROAD
A259
SCHOOL ROAD
JEFFERSTONE LANE
ST. MARY'S ROAD
COAST DRIVE
COAST RD.
ST. NICHOLAS AT WADE
Shuart
Ballards Cottage
Bartletts
Chambers Wall
Wade Marsh Stream
New Houses
Potten Street
Nine Nails
Warehorn
THANET
THANET WAY
A299
Wade House
Marshside
HEDGEND IND. EST.
Wagtail
Cemetery
Frost Farm
FROST FARM CARAVAN PK.
St. Nicholas Court
Court Cottages
ST. NICHOLAS CARAVAN & CAMPING SITE
Crumps Farm
St. Nicholas Roundabout
Belle Isle
Sunnyside Farm
Birchington
St. Nicholas-at-Wade C. of E. Prim. Sch.
CT7
ST. NICHOLAS AT WADE
Hall Farm
Bell Meadow
PROSPECT PLACE
Down Barton
Down Barton Cottages
Silsoe Court Farm
St. Nicholas Corner
CANTERBURY ROAD
A28
BARTON ROAD
SUMMER RD
Wantsum
ORCHARD LA.

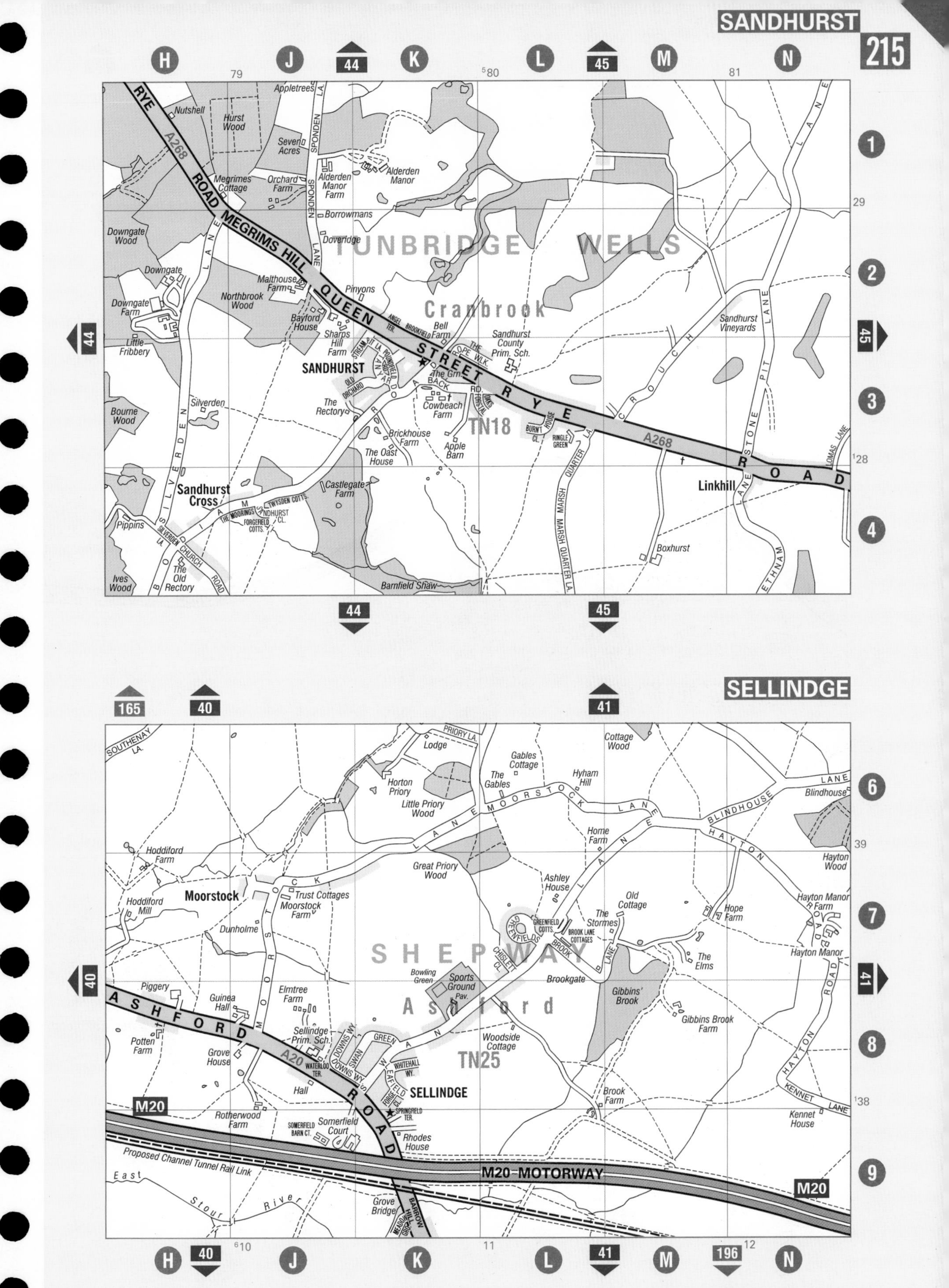

SANDHURST
215
H J K L M N
44 45
79
580
81
RYE
A268
ROAD
MEGRIMS HILL
QUEEN
STREET
RYE
ROAD
A268
Nutshell
Hurst Wood
Appletrees
Seven Acres
SPONDEN LANE
Alderden Manor Farm
Alderden Manor
Megrimes Cottage
Orchard Farm
Borrowmans
Downgate Wood
Doveridge
TUNBRIDGE WELLS
Downgate
Malthouse Farm
Pinyons
Downgate Farm
Northbrook Wood
Cranbrook
Bayford House
Bell Farm
Sandhurst County Prim. Sch.
Sandhurst Vineyards
Little Fribbery
Sharps Hill Farm
THE ROPE WLK.
SANDHURST
The Grn.
BACK
RD.
The Rectory
Silverden
Cowbeach Farm
TN18
Bourne Wood
Brickhouse Farm
Apple Barn
BURNT CL.
RINGLE GREEN
The Oast House
CROUCH LANE
STONE PIT LANE
LOMAS LANE
Sandhurst Cross
Castlegate Farm
Linkhill
TWYSDEN COTTS.
SANDHURST CL.
FORGEFIELD COTTS.
Pippins
SILVERDEN LANE
SILVERDEN LA.
CHURCH ROAD
The Old Rectory
Ives Wood
Barnfield Shaw
MARSH QUARTER LA.
Boxhurst
ETHNAM
1 2 3 4
29
28
44
45
SELLINDGE
165 40 41
SOUTHENAY LA.
PRIORY LA.
Lodge
Cottage Wood
Gables Cottage
Horton Priory
The Gables
Hyham Hill
Little Priory Wood
MOORSTOCK LANE
LANE
Blindhouse
BLINDHOUSE
HAYTON
Home Farm
Hoddiford Farm
Great Priory Wood
Ashley House
Hayton Wood
Moorstock
Trust Cottages
Moorstock Farm
Old Cottage
Hayton Manor Farm
Hoddiford Mill
The Stormes
Hope Farm
GREENFIELDS
GREENFIELD COTTS.
BROOK LANE COTTAGES
Dunholme
BROOK LANE
The Elms
SHEPWAY
Hayton Manor
CHISLET CL.
Bowling Green
Sports Ground Pav.
Brookgate
Piggery
Gibbins' Brook
ASHFORD
Guinea Hall
Elmtree Farm
Ashford
Gibbins Brook Farm
Potten Farm
Sellindge Prim. Sch.
Woodside Cottage
Grove House
A20
WATERLOO TER.
DOWNS WY.
SWAN
GREEN
TN25
HAYTON ROAD
Hall
WHITEHALL WY.
SELLINDGE
Brook Farm
KENNET LANE
M20
ROAD
SPRINGFIELD TER.
Kennet House
Rotherwood Farm
SOMERFIELD BARN CT.
Somerfield Court
Rhodes House
Proposed Channel Tunnel Rail Link
M20-MOTORWAY
M20
East Stour River
Grove Bridge
BARROW HILL
6 7 8 9
39
38
40
41
610
11
12
196

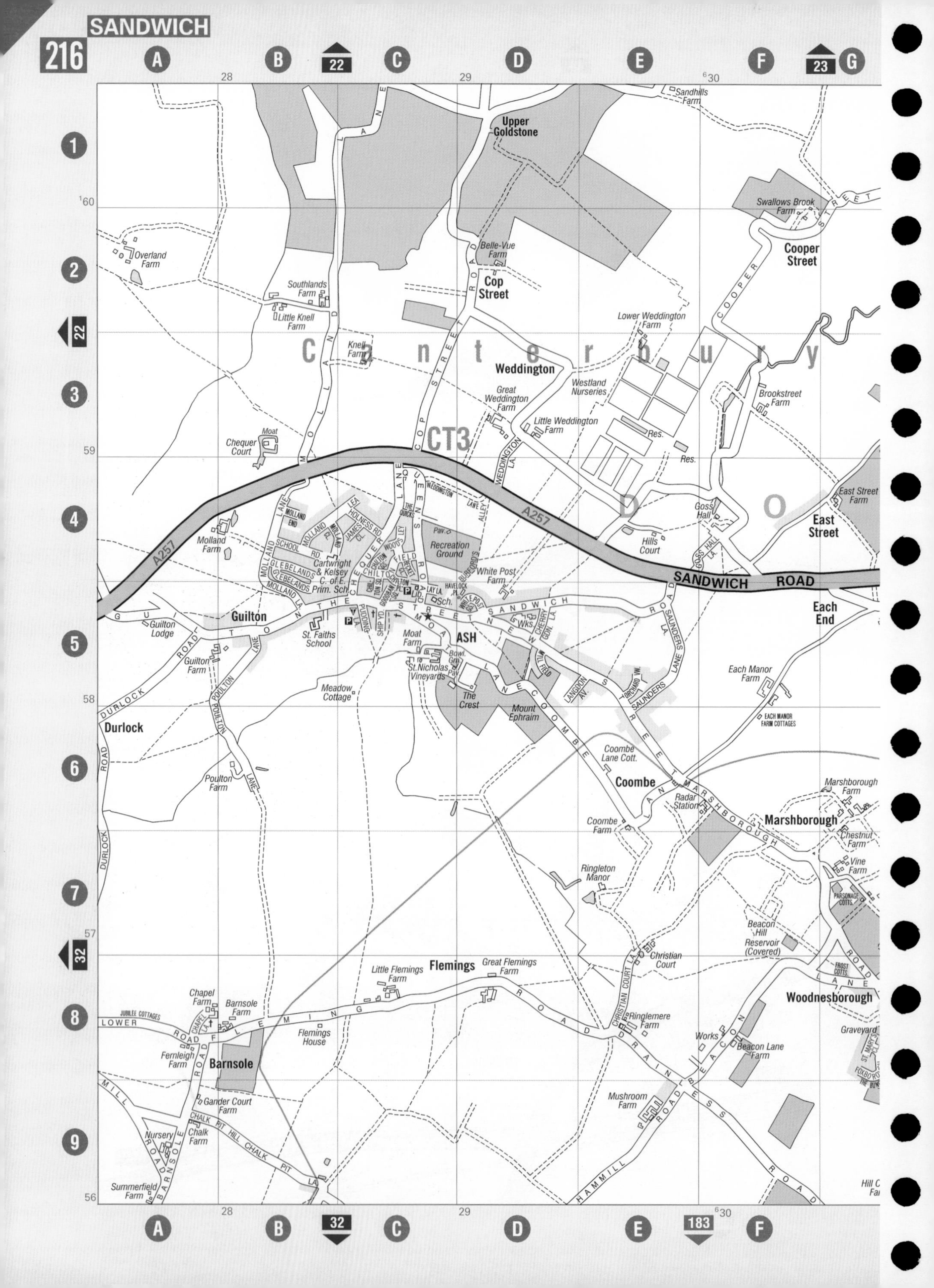
A
B
C
D
E
F
G
22
23
32
183
28
29
30
60
59
58
57
56
1
2
3
4
5
6
7
8
9
Upper Goldstone
Sandhills Farm
Swallows Brook Farm
Cooper Street
Overland Farm
Belle-Vue Farm
Cop Street
Southlands Farm
Little Knell Farm
Knell Farm
Lower Weddington Farm
Canterbury
Weddington
Westland Nurseries
Brookstreet Farm
Great Weddington Farm
Little Weddington Farm
CT3
Chequer Court
Moat
Res.
East Street Farm
East Street
Goss Hall
Hills Court
A257
Molland Farm
Recreation Ground
White Post Farm
SANDWICH ROAD
Cartwright & Kelsey C. of E. Prim. Sch.
Guilton
Guilton Lodge
St. Faiths School
Moat Farm
ASH
Each End
Guilton Farm
St. Nicholas Vineyards
Each Manor Farm
Meadow Cottage
The Crest
Mount Ephraim
EACH MANOR FARM COTTAGES
Durlock
Coombe Lane Cott.
Poulton Farm
Coombe
Radar Station
Marshborough Farm
Coombe Farm
Marshborough
Chestnut Farm
Vine Farm
Ringleton Manor
PARSONAGE COTTS.
Beacon Hill
Reservoir (Covered)
Christian Court
Little Flemings Farm
Flemings
Great Flemings Farm
FROST COTTS.
Woodnesborough
Chapel Farm
Barnsole Farm
JUBILEE COTTAGES
Ringlemere Farm
Graveyard
Flemings House
Works
Beacon Lane Farm
Fernleigh Farm
Barnsole
Gander Court Farm
Mushroom Farm
Nursery
Chalk Farm
Summerfield Farm
Hill C Fa

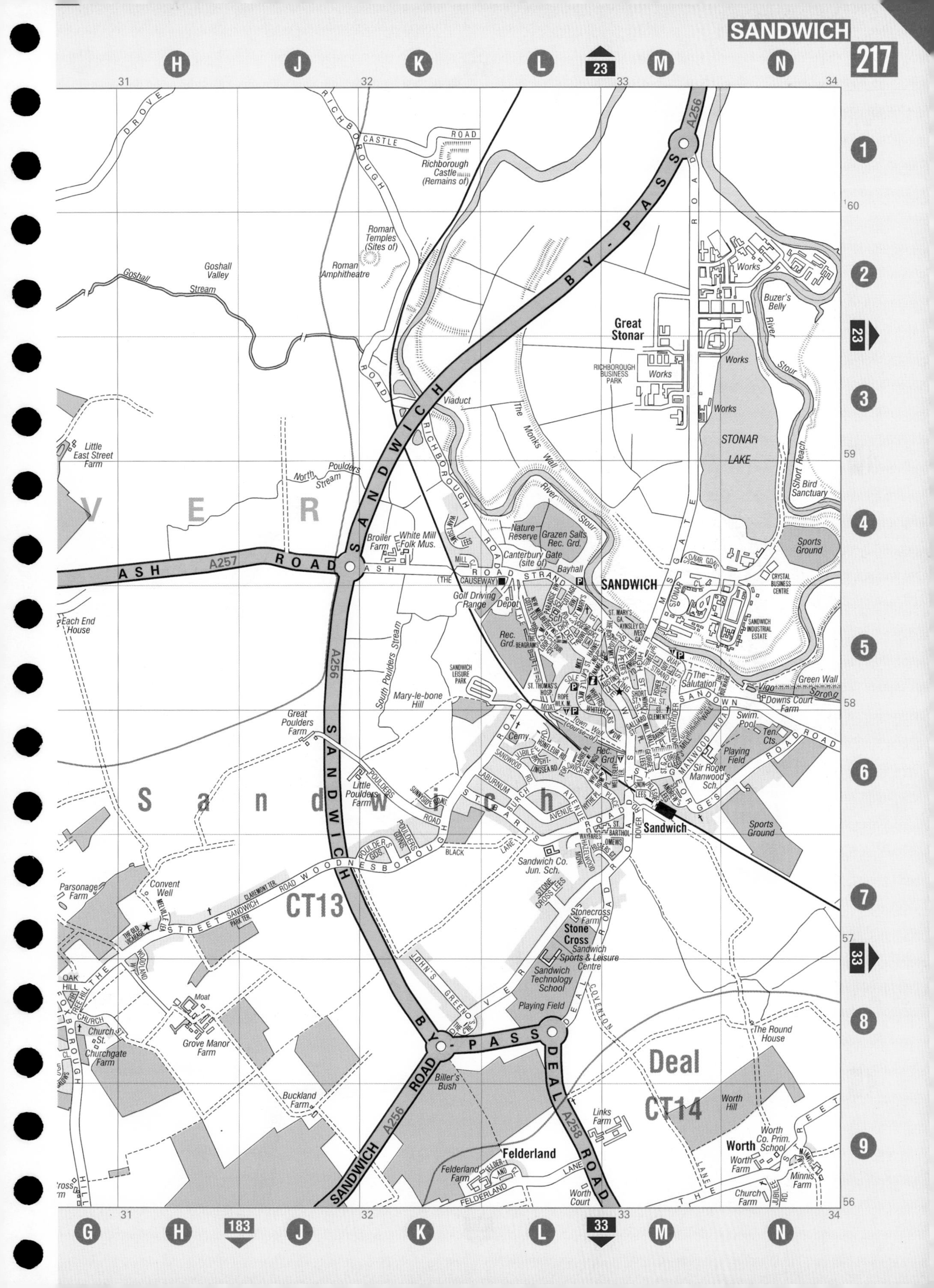
H
J
K
L
M
N
G
23
33
183
1
2
3
4
5
6
7
8
9
31
32
33
34
60
59
58
57
56
DROVE
RICHBOROUGH
CASTLE
ROAD
Richborough Castle (Remains of)
Roman Temples (Sites of)
Roman Amphitheatre
Goshall Valley
Goshall Stream
Great Stonar
RICHBOROUGH BUSINESS PARK
Works
Buzer's Belly
River Stour
Viaduct
The Monks Wall
STONAR LAKE
Short Reach
Bird Sanctuary
Little East Street Farm
North Poulders Stream
SANDWICH BY-PASS
A256
Broiler Farm
White Mill Folk Mus.
Nature Reserve
Grazen Salts Rec. Grd.
Canterbury Gate (site of)
Bayhall
SANDWICH
Sports Ground
CRYSTAL BUSINESS CENTRE
SANDWICH INDUSTRIAL ESTATE
ASH ROAD
A257
THE CAUSEWAY
STRAND
Golf Driving Range
Depot
Rec. Grd.
Each End House
SANDWICH LEISURE PARK
South Poulders Stream
Mary-le-bone Hill
ST. THOMAS'S HOSP.
The Salutation
THE QUAY
Green Wall
Vigo Sprong
Downs Court Farm
SANDOWN ROAD
Great Poulders Farm
Cemy.
Town Wall (course of)
Rec. Grd
Swim. Pool
Ten. Cts.
Playing Field
Sir Roger Manwood's Sch.
MANWOOD ROAD
Little Poulders Farm
POULDERS ROAD
ST. BARTS ROAD
Sandwich
ST. GEORGE'S
Sports Ground
V E R
S a n d w i c h
Parsonage Farm
Convent Well
CT13
WOODNESBOROUGH ROAD
SANDWICH STREET
BLACK LANE
Sandwich Co. Jun. Sch.
STONE CROSS LEES
DOVER ROAD
Stonecross Farm
Stone Cross
Sandwich Sports & Leisure Centre
Sandwich Technology School
Playing Field
THE OLD VICARAGE
PARK TER.
CLAREMONT TER.
OAK HILL
Moat
Church St.
Churchgate Farm
Grove Manor Farm
JOHN'S GREEN
DEAL ROAD
A258
The Round House
Deal
CT14
Biller's Bush
Buckland Farm
Links Farm
Worth Hill
Felderland
Felderland Farm
FELDERLAND LANE
Worth Court
Worth
Worth Co. Prim. School
Worth Farm
Church Farm
Minnis Farm
THE STREET
JUBILEE RD.

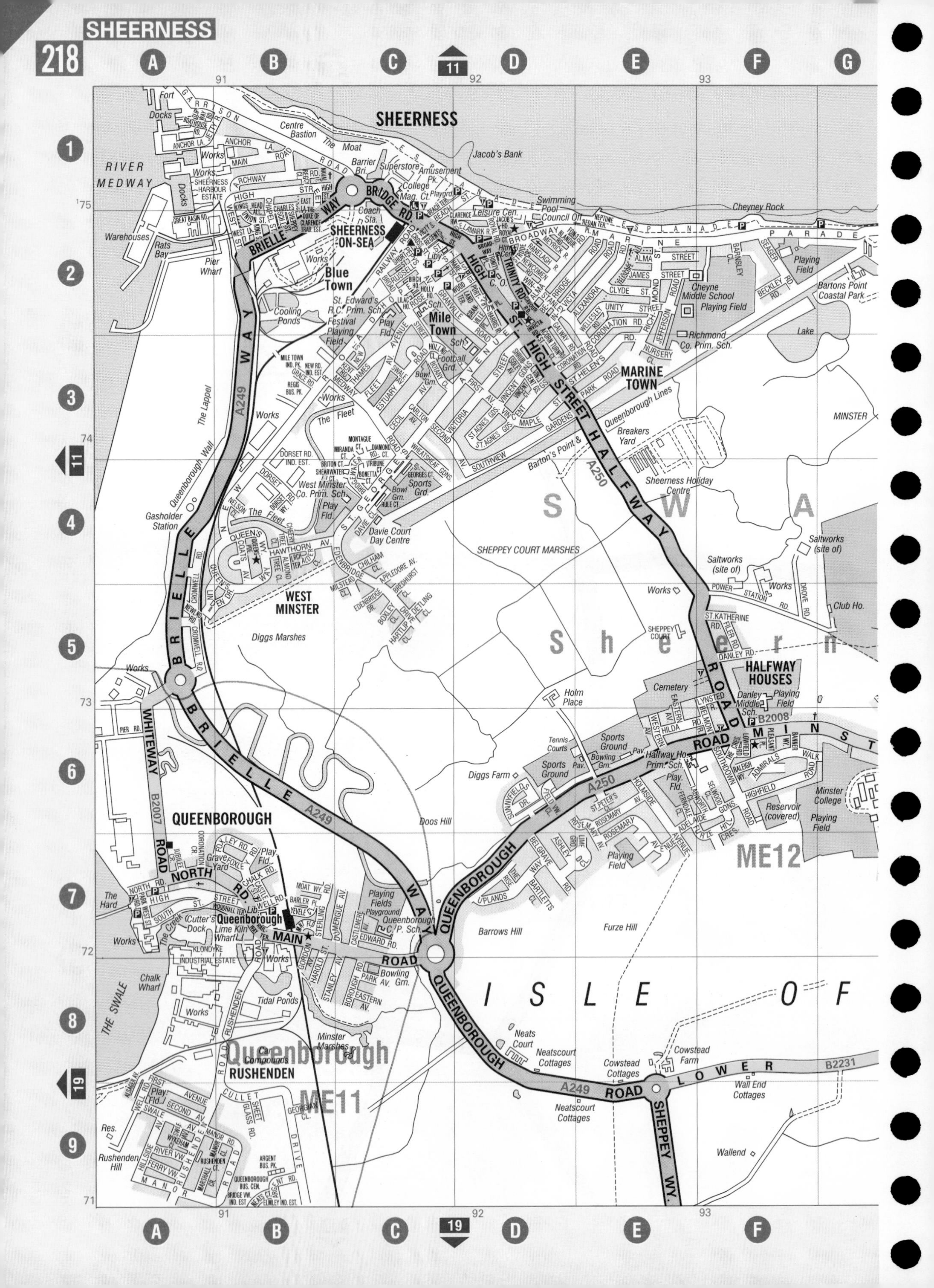

SHEERNESS
218
A
B
C
D
E
F
G
11
19
91
92
93
75
74
73
72
71
1
2
3
4
5
6
7
8
9
SHEERNESS
RIVER MEDWAY
Fort
Docks
Centre Bastion
The Moat
Jacob's Bank
Barrier Bri.
Superstore
Amusement Pk.
College
Swimming Pool
Council Off.
Cheyney Rock
Leisure Cen.
Warehouses
Rats Bay
Pier Wharf
SHEERNESS-ON-SEA
Coach Sta.
Blue Town
Mile Town
St. Edward's R.C. Prim. Sch.
Festival Playing Field
Cooling Ponds
Cheyne Middle School Playing Field
Playing Field
Bartons Point Coastal Park
Lake
Richmond Co. Prim. Sch.
MARINE TOWN
Queenborough Lines
Breakers Yard
MINSTER
Football Grd.
Bowl Grn.
The Fleet
West Minster Co. Prim. Sch.
Sports Grd.
Davie Court Day Centre
Gasholder Station
Queenborough Wall
The Lappel
WEST MINSTER
SHEPPEY COURT MARSHES
Sheerness Holiday Centre
Saltworks (site of)
Club Ho.
Diggs Marshes
HALFWAY HOUSES
Cemetery
Danley Middle Sch.
Holm Place
Sports Ground
Halfway Ho. Prim. Sch.
Diggs Farm
Doos Hill
QUEENBOROUGH
Minster College
Reservoir (covered)
ME12
Playing Field
Playing Fields
Queenborough C.P. Sch.
Barrows Hill
Furze Hill
The Hard
Queenborough
Cutter's Dock
Lime Kiln Wharf
KLONDYKE INDUSTRIAL ESTATE
Chalk Wharf
THE SWALE
Tidal Ponds
Minster Marshes
Neats Court
Neatscourt Cottages
Cowstead Cottages
Cowstead Farm
Wall End Cottages
Queenborough
RUSHENDEN
ME11
Car Compounds
Rushenden Hill
Wallend
ISLE OF
S W A
Sheern
BRIELLE WAY
A249
A250
B2007
B2008
B2231
HIGH STREET
HALFWAY ROAD
QUEENBOROUGH ROAD
MAIN ROAD
LOWER ROAD
SHEPPEY WY.
MARINE PARADE
BROADWAY
WHITEWAY
NORTH ROAD
MINSTER RD.

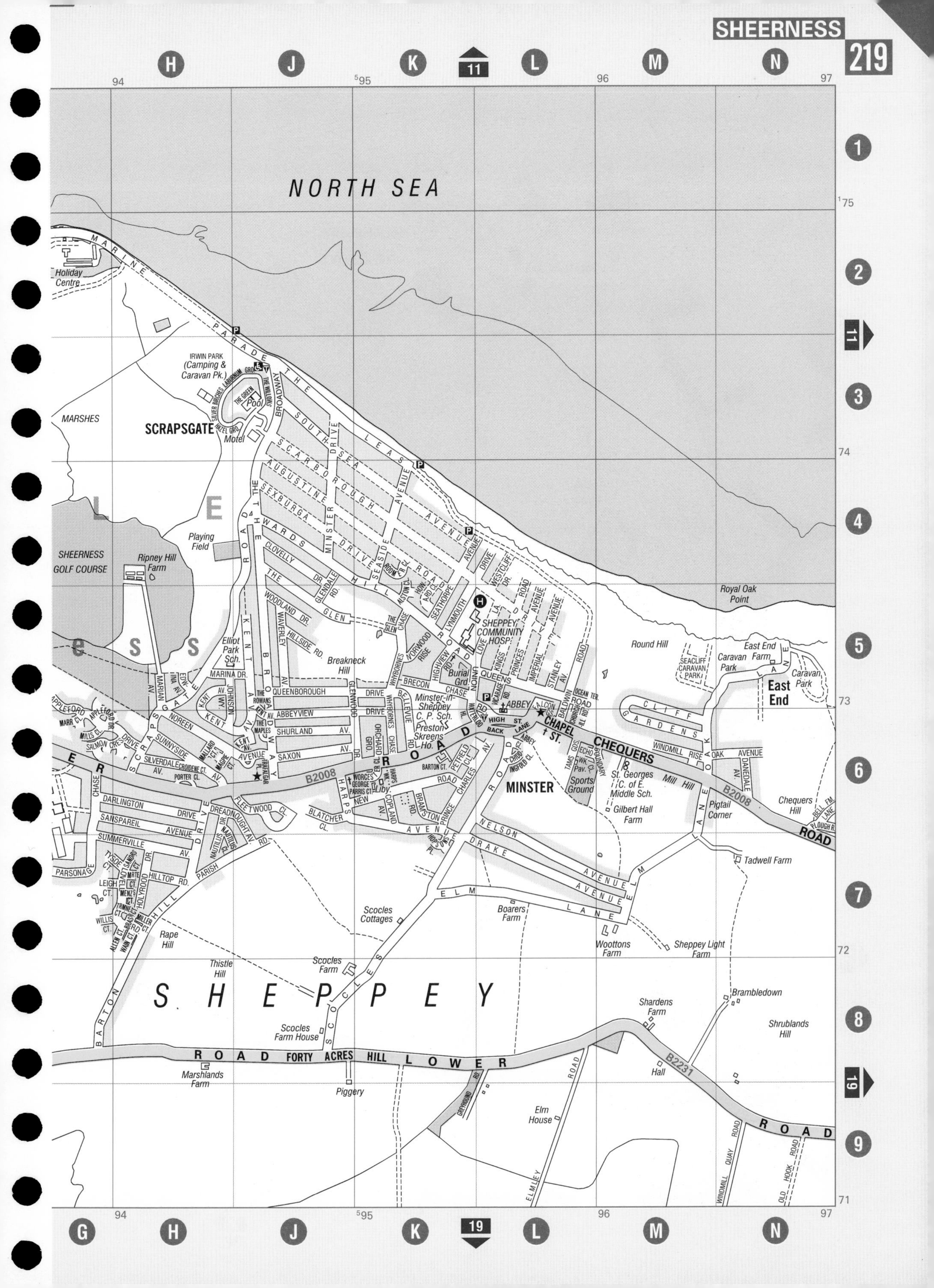

NORTH SEA

Holiday Centre

IRWIN PARK (Camping & Caravan Pk.)

SCRAPSGATE

Motel

MARSHES

Playing Field

SHEERNESS GOLF COURSE

Ripney Hill Farm

Elliot Park Sch.

Breakneck Hill

Minster-in-Sheppey C.P. Sch.

Preston Skreens Ho.

Burial Grd.

SHEPPEY COMMUNITY HOSP.

Royal Oak Point

Round Hill

East End Farm

SEACLIFF CARAVAN PARK

Caravan Park

East End

Caravan Park

Queenborough

ABBEY

CHEQUERS

MINSTER

CHAPEL ST.

St. Georges C. of E. Middle Sch.

Gilbert Hall Farm

Sports Ground

Pigtail Corner

Mill Hill

Chequers Hill

CLIFF GARDENS

Tadwell Farm

Sanspareil

Summerville

Darlington

Drake Avenue

Nelson Avenue

Elm Lane

Scocles Cottages

Boarers Farm

Woottons Farm

Sheppey Light Farm

Rape Hill

Thistle Hill

Scocles Farm

Scocles Farm House

Shardens Farm

Brambledown

Shrublands Hill

SHEPPEY

ROAD FORTY ACRES HILL LOWER ROAD

B2231

Marshlands Farm

Piggery

Hall

Elm House

B2008

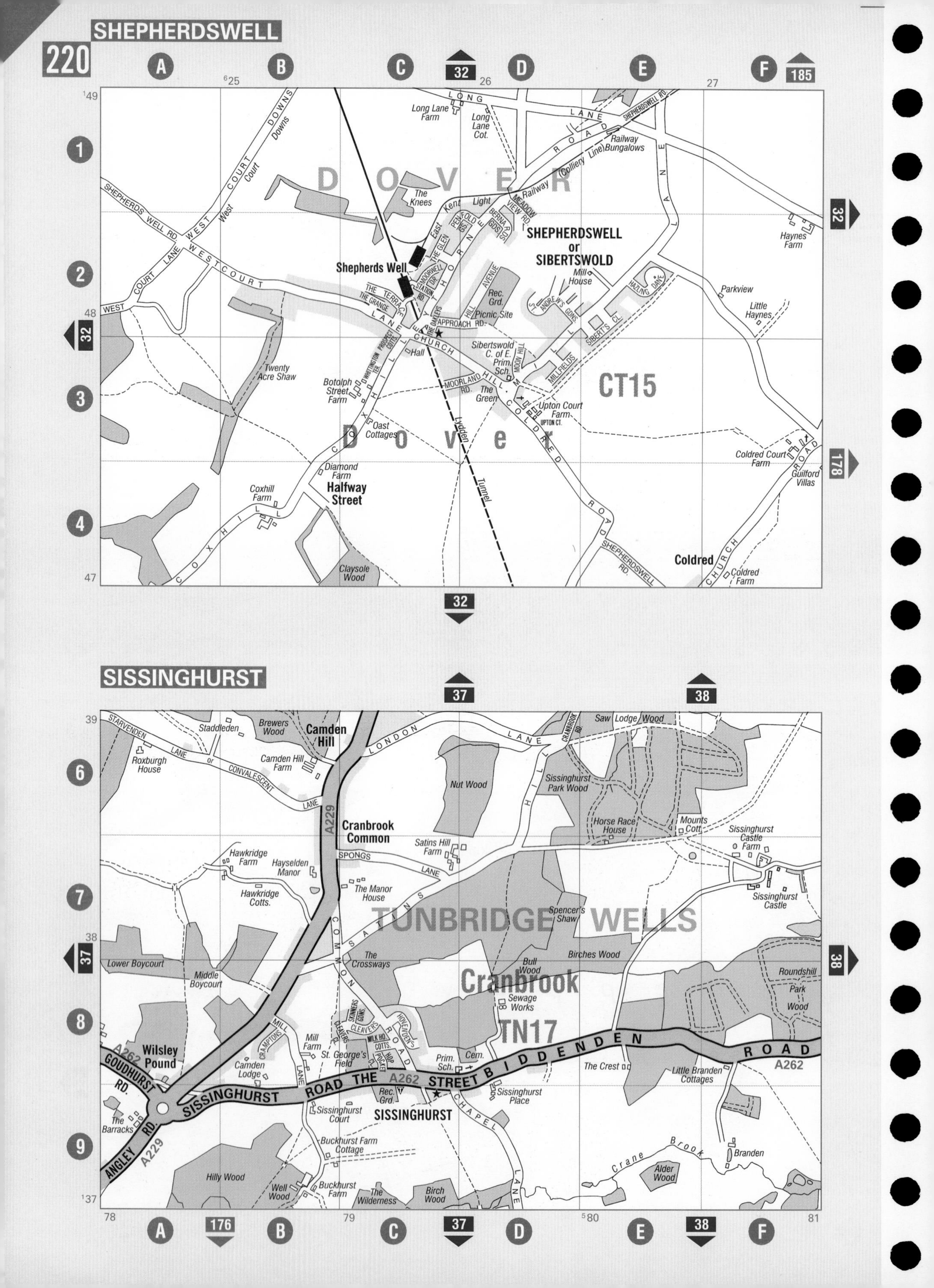
SHEPHERDSWELL
220
SHEPHERDSWELL or SIBERTSWOLD
Shepherds Well
DOVER
Dover
CT15
Long Lane Farm
Long Lane Cot.
LONG LANE
SHEPHERDSWELL RD.
Railway Bungalows
Railway (Colliery Line)
East Kent Light
The Knees
MEADOW VIEW RD.
BERNARDS GDS.
PENFOLD GDS.
THE GLEN
MOORWELL DR.
STATION RD.
AVENUE
Rec. Grd.
Picnic Site
APPROACH RD.
THE OAKLEYS
Mill House
ST. ANDREWS GDNS.
HAZLING DANE
SIBERTS CL.
MILLFIELDS
MOON HILL
Sibertswold C. of E. Prim. Sch.
Hall
CHURCH HILL
MOORLAND RD.
The Green
Upton Court Farm
UPTON CT.
COLDRED ROAD
SHEPHERDSWELL RD.
WEST COURT LANE
West Court Downs
Downs
COURT DOWNS
SHEPHERDS WELL RD.
WESTCOURT LANE
WEST
THE TERRACE
THE GRANGE
PROSPECT COTTS.
WHITTINGTON TER.
Twenty Acre Shaw
Botolph Street Farm
Oast Cottages
COXHILL
Diamond Farm
Halfway Street
Coxhill Farm
Claysole Wood
Lydden Tunnel
Haynes Farm
Parkview
Little Haynes
Coldred Court Farm
Guilford Villas
CHURCH ROAD
Coldred
Coldred Farm
SISSINGHURST
TUNBRIDGE WELLS
Cranbrook
TN17
STARVENDEN LANE or CONVALESCENT LANE
Staddleden
Brewers Wood
Camden Hill
Camden Hill Farm
Roxburgh House
LONDON LANE
Nut Wood
Saw Lodge Wood
CRANBROOK RD.
HILL
Sissinghurst Park Wood
Horse Race House
Mounts Cott.
Sissinghurst Castle Farm
Sissinghurst Castle
A229
Cranbrook Common
Satins Hill Farm
SPONGS LANE
Hawkridge Farm
Hayselden Manor
Hawkridge Cotts.
The Manor House
SATINS COMMON
Spencer's Shaw
The Crossways
Birches Wood
Bull Wood
Lower Boycourt
Middle Boycourt
Sewage Works
Roundshill Park Wood
SKINNERS GDNS.
CLEAVERS
HOVENDEN'S
MILK HO. COTTS.
HOP POCKET CL.
MILL LANE
CRAMPTONS
Mill Farm
St. George's Field
Prim. Sch.
Cem.
Wilsley Pound
A262
GOUDHURST RD.
Camden Lodge
SISSINGHURST ROAD THE STREET BIDDENDEN ROAD
The Crest
Little Branden Cottages
Rec. Grd.
Sissinghurst Place
Sissinghurst Court
CHAPEL LANE
The Barracks
ANGLEY RD.
Buckhurst Farm Cottage
Crane Brook
Branden
Alder Wood
Hilly Wood
Well Wood
Buckhurst Farm
The Wilderness
Birch Wood
176
37
38
32
185
178

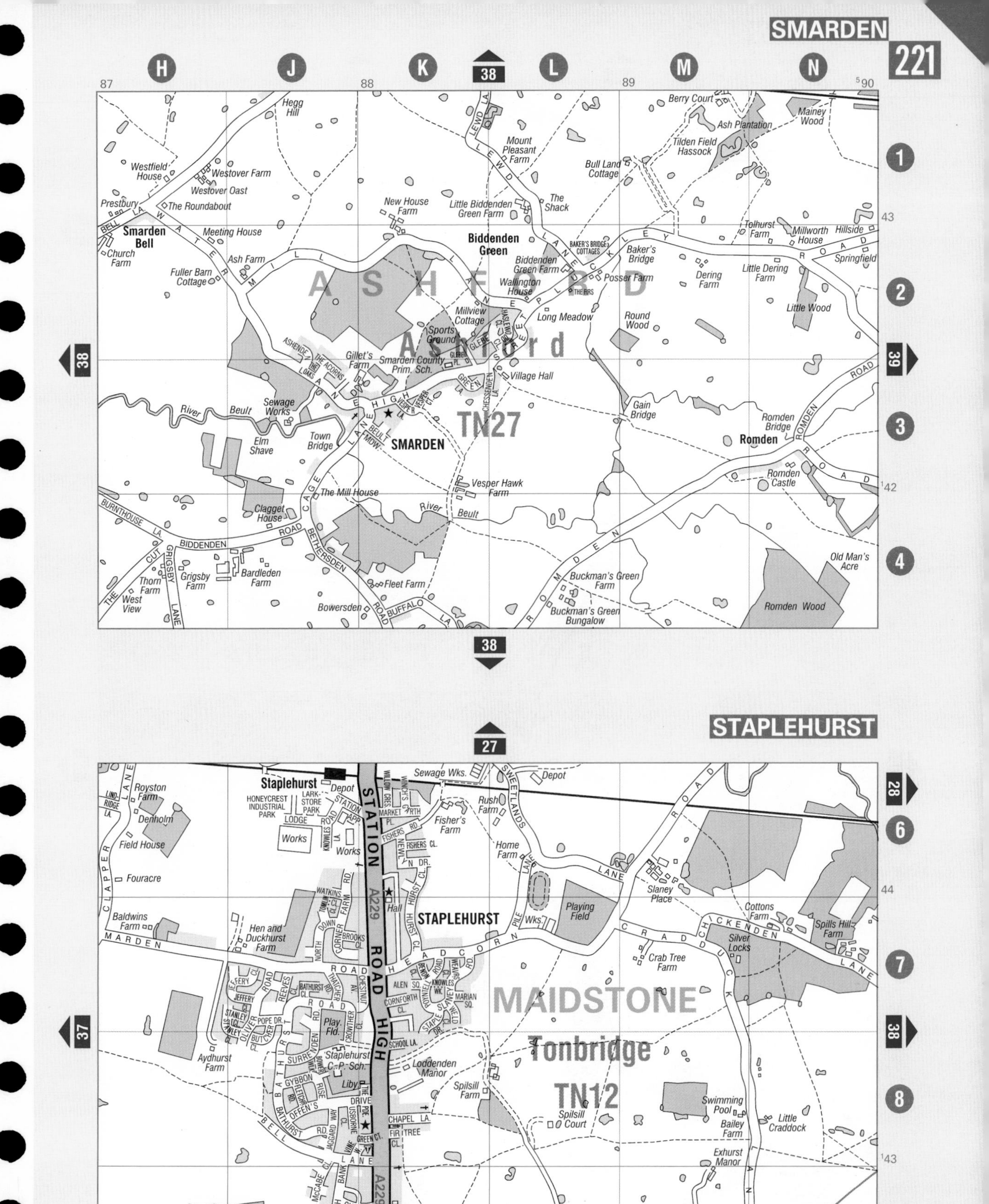
H
J
K
L
M
N
38
87
88
89
590
Hegg Hill
Westfield House
Westover Farm
Westover Oast
The Roundabout
Prestbury
Smarden Bell
Church Farm
Meeting House
Fuller Barn Cottage
Ash Farm
New House Farm
Mount Pleasant Farm
Little Biddenden Green Farm
The Shack
Biddenden Green
Biddenden Green Farm
Wallington House
Millview Cottage
Sports Ground
Gillet's Farm
Smarden County Prim. Sch.
Village Hall
Long Meadow
Berry Court
Ash Plantation
Mainey Wood
Tilden Field Hassock
Bull Land Cottage
BAKER'S BRIDGE COTTAGES
Baker's Bridge
Posser Farm
Dering Farm
Tolhurst Farm
Millworth House
Hillside
Springfield
Little Dering Farm
Little Wood
Round Wood
ASHFORD
Ashford
TN27
Sewage Works
River Beult
Elm Shave
Town Bridge
SMARDEN
Gain Bridge
Romden Bridge
Romden
Romden Castle
Vesper Hawk Farm
The Mill House
Clagget House
BURNTHOUSE LA.
BIDDENDEN ROAD
BETHERSDEN ROAD
THE CUT
GRIGSBY LANE
Thorn Farm
West View
Grigsby Farm
Bardleden Farm
Fleet Farm
Bowersden
BUFFALO LA.
Buckman's Green Farm
Buckman's Green Bungalow
Old Man's Acre
Romden Wood
ROMDEN ROAD
LEWD LA.
MILL LANE
WATER LANE
CAGE LANE
HIGH ST.
BEULT MDW.
CHESSENDEN LA.
GLEBE
1
2
3
4
43
142
39
STAPLEHURST
27
Staplehurst
Depot
HONEYCREST INDUSTRIAL PARK
LARKSTORE PARK
LODGE RD.
Works
Sewage Wks.
Royston Farm
Denholm
Field House
Fouracre
Baldwins Farm
Hen and Duckhurst Farm
MARDEN ROAD
CLAPPER LANE
STATION ROAD
HIGH STREET
A229
Fisher's Farm
Rush Farm
SWEETLANDS LANE
Home Farm
STAPLEHURST
Hall
Wks.
Playing Field
Slaney Place
Cottons Farm
Spills Hill Farm
Silver Locks
Crab Tree Farm
CHICKENDEN LANE
CRADDUCK LANE
HEADCORN ROAD
PILE LANE
MAIDSTONE
Tonbridge
TN12
Play. Fld.
Staplehurst C.P. Sch.
Liby.
Loddenden Manor
Spilsill Farm
Spilsill Court
Aydhurst Farm
Swimming Pool
Bailey Farm
Little Craddock
Exhurst Manor
BELL LANE
CHAPEL LA.
FIR TREE CL.
SCHOOL LA.
Parish Room
Spilsill Lodge
FRITTENDEN ROAD
Ten. Cts.
Ckt. Grd.
Iden Court
Folly Farm
The Warren
September Cottage
TN17
6
7
8
9
44
143
28
37
78
79
580

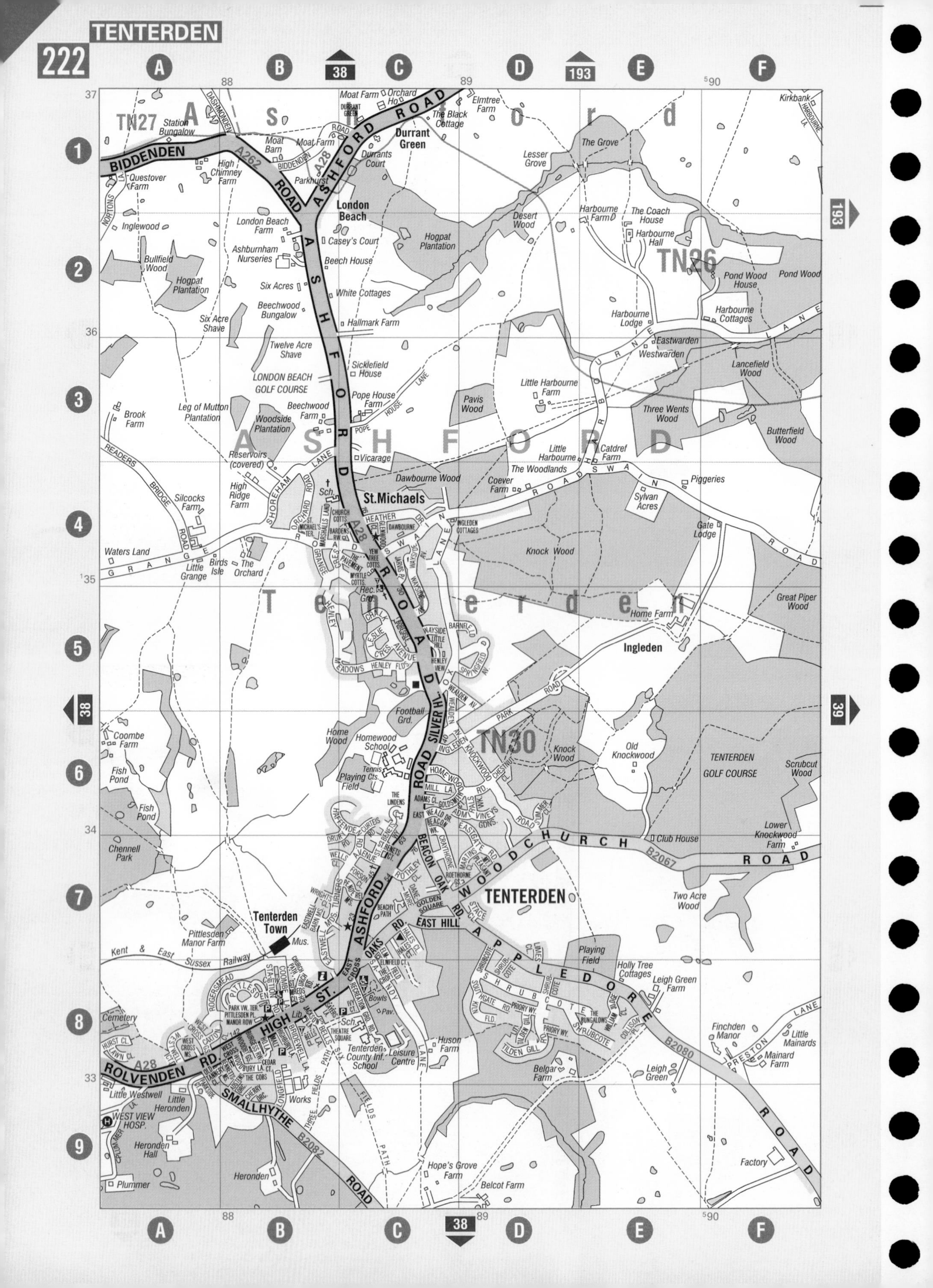

A
B
C
D
E
F
38
193
39
88
89
590
37
36
35
34
33
1
2
3
4
5
6
7
8
9
Ashford
ASHFORD
Tenterden
TN27
TN26
TN30
BIDDENDEN ROAD
A262
ASHFORD ROAD
A28
Station Bungalow
Questover Farm
High Chimney Farm
Moat Barn
Moat Farm
Orchard Ho
Elmtree Farm
The Black Cottage
Durrant Green
Durrants Court
Parkhurst
London Beach
London Beach Farm
Casey's Court
Ashburnham Nurseries
Beech House
Inglewood
Bullfield Wood
Hogpat Plantation
Six Acres
White Cottages
Beechwood Bungalow
Hallmark Farm
Six Acre Shave
Twelve Acre Shave
Sicklefield House
LONDON BEACH GOLF COURSE
Pope House Farm
POPE HOUSE LANE
Beechwood Farm
Leg of Mutton Plantation
Woodside Plantation
Brook Farm
Reservoirs (covered)
Vicarage
READERS BRIDGE ROAD
SHOREHAM LANE
ORCHARD ROAD
High Ridge Farm
Silcocks Farm
St.Michaels
Dawbourne Wood
Waters Land
GRANGE ROAD
Little Grange
Birds Isle
The Orchard
Lesser Grove
The Grove
Desert Wood
Hogpat Plantation
Harbourne Farm
The Coach House
Harbourne Hall
Pond Wood House
Pond Wood
Harbourne Lodge
Harbourne Cottages
Eastwarden
Westwarden
HARBOURNE LANE
Lancefield Wood
Little Harbourne Farm
Pavis Wood
Three Wents Wood
Butterfield Wood
Little Harbourne
Catdref Farm
The Woodlands
Coever Farm
SWAIN ROAD
Piggeries
Sylvan Acres
Gate Lodge
Knock Wood
Great Piper Wood
Home Farm
Ingleden
INGLEDEN COTTAGES
Kirkbank
HARBOURNE LA.
Football Grd.
Home Wood
Homewood School
Tennis Cts.
Playing Field
SILVER HL.
INGLEDEN PARK ROAD
Knock Wood
Old Knockwood
TENTERDEN GOLF COURSE
Scrubcut Wood
Coombe Farm
Fish Pond
Fish Pond
Chennell Park
Club House
Lower Knockwood Farm
WOODCHURCH ROAD
B2067
TENTERDEN
Two Acre Wood
Tenterden Town
Mus.
Pittlesden Manor Farm
Kent & East Sussex Railway
EAST HILL
APPLEDORE ROAD
Playing Field
Holly Tree Cottages
Leigh Green Farm
Cemetery
HIGH ST.
ROLVENDEN RD.
Tenterden County Inf. School
Leisure Centre
Huson Farm
Belgar Farm
Leigh Green
B2080
Finchden Manor
Little Mainards
Mainard Farm
PRESTON LANE
Little Westwell
Little Heronden
WEST VIEW HOSP.
SMALLHYTHE ROAD
B2082
Works
Heronden Hall
Heronden
Plummer
Hope's Grove Farm
Belcot Farm
Factory

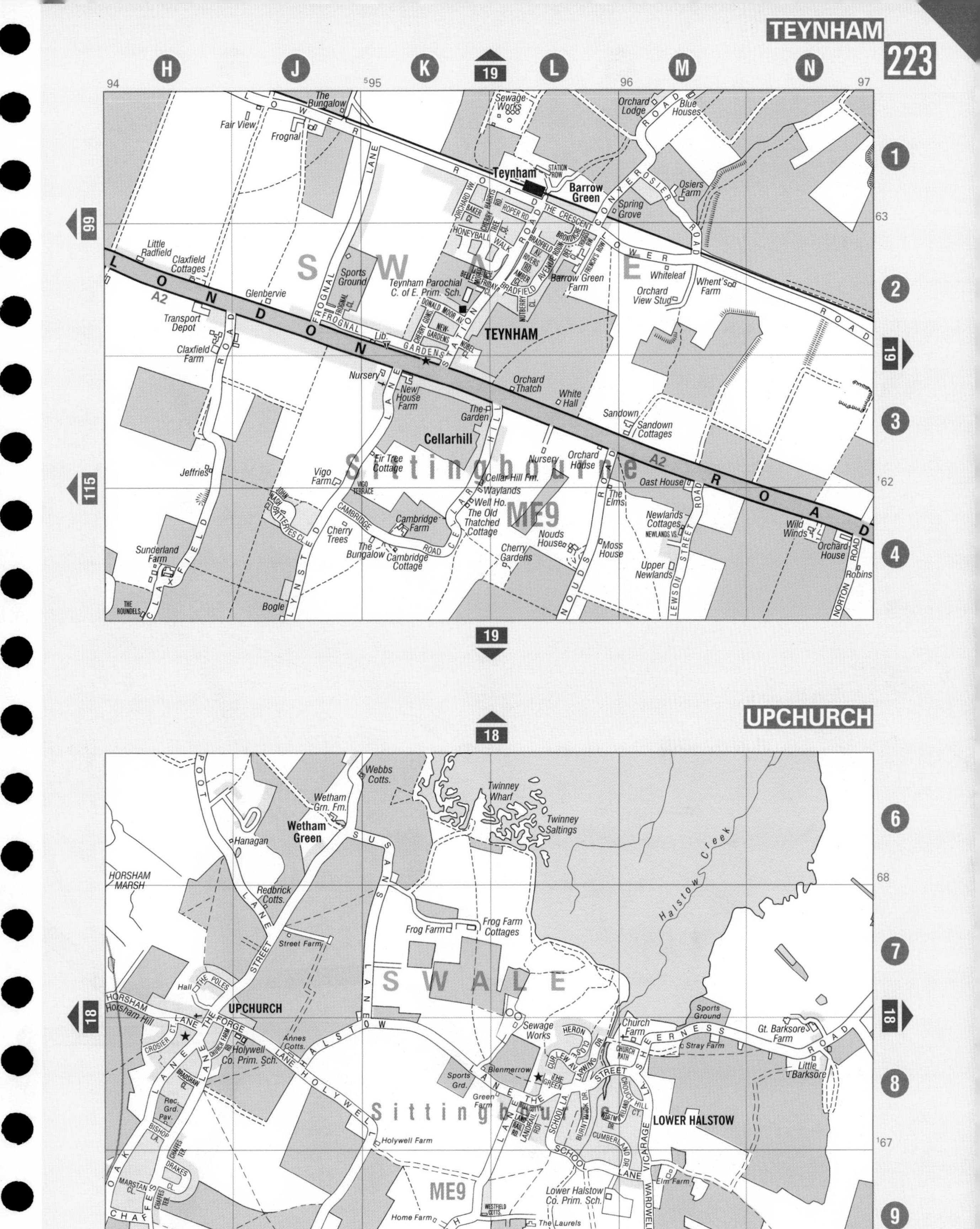
Teynham
Barrow Green
TEYNHAM
Cellarhill
Sittingbourne
ME9
SWALE
LONDON ROAD
A2
Conyer Road
Lower Road
Frognal Lane
Lynsted Lane
Nouds Road
Lewson Street
Norton Road
Claxfield Road
Cellar Hill
Cambridge Road
Station Road
UPCHURCH
Wetham Green
Horsham Marsh
Twinney Wharf
Twinney Saltings
Halstow Creek
Frog Farm
Sewage Works
LOWER HALSTOW
Holywell Farm
Home Farm
Gore Farm
Street Farm
Redbrick Cotts.
Webbs Cotts.
Sheerness Road
Breach Lane
Susans Lane
Halstow Lane
Holywell Lane
Poot Lane
Wardwell Lane
Vicarage Lane
School Lane
Oak Lane
Chaffes Lane
Horsham Lane
Lower Halstow Co. Prim. Sch.
Holywell Co. Prim. Sch.
Gt. Barksore Farm
Little Barksore
Stray Farm
Church Farm
Sports Ground
UPCHURCH

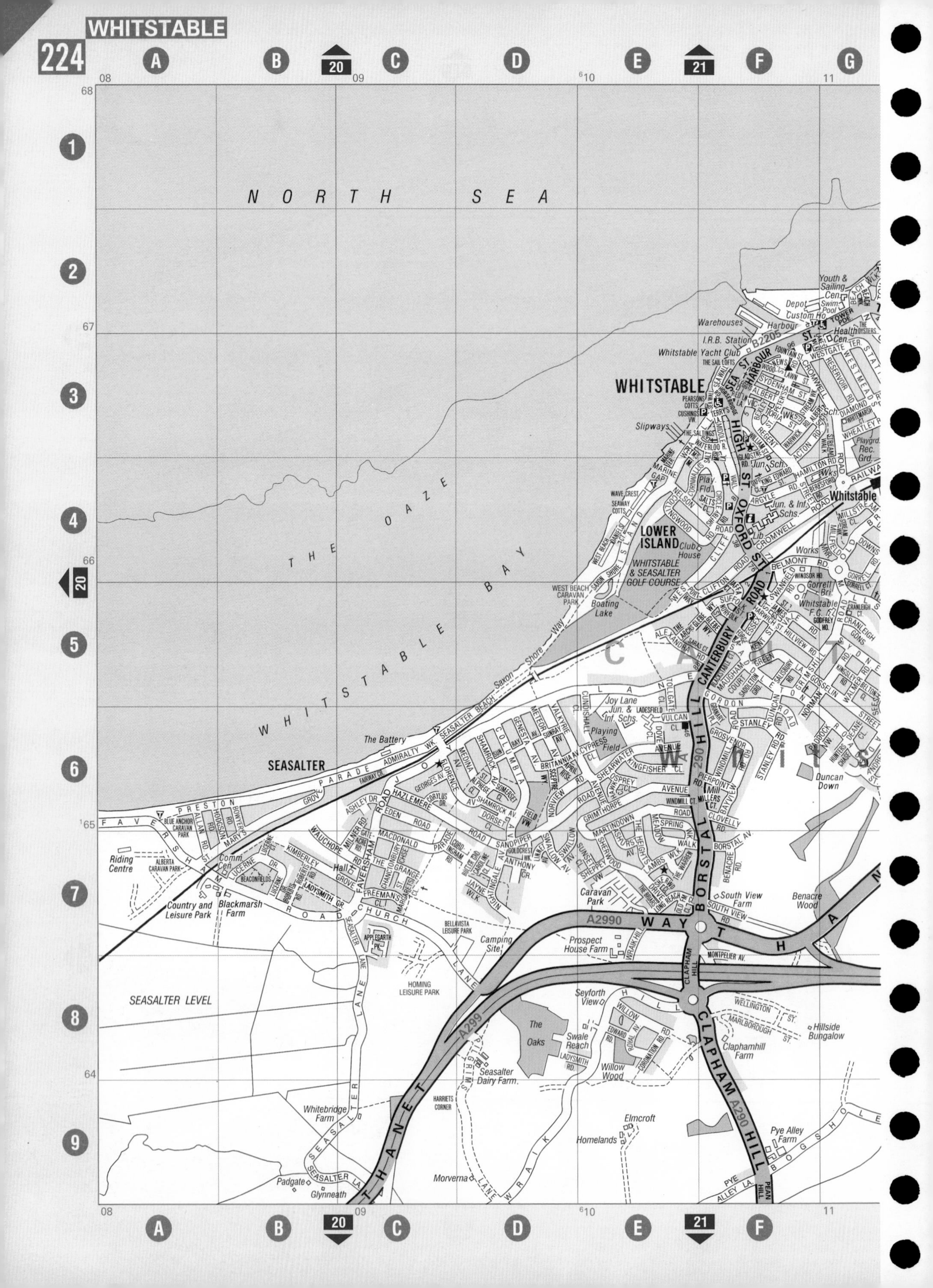

WHITSTABLE
224
NORTH SEA
THE OAZE
WHITSTABLE BAY
WHITSTABLE
SEASALTER
LOWER ISLAND
WHITSTABLE & SEASALTER GOLF COURSE
Club House
Boating Lake
WEST BEACH CARAVAN PARK
Saxon Shore Way
The Battery
Slipways
Warehouses
Harbour
I.R.B. Station
Whitstable Yacht Club
Youth & Sailing Cen.
Depot
Custom Ho.
Swim. Pool
Health Cen.
Whitstable
Works
Gorrell Bri.
Whitstable F.C.
Joy Lane Jun. & Inf. Schs.
Playing Field
Caravan Park
South View Farm
Benacre Wood
Duncan Down
Riding Centre
Country and Leisure Park
Blackmarsh Farm
BLUE ANCHOR CARAVAN PARK
ALBERTA CARAVAN PARK
Comm. Cen.
Hall
SEASALTER LEVEL
BELLAVISTA LEISURE PARK
Camping Site
HOMING LEISURE PARK
APPLEGARTH PK.
Prospect House Farm
Seyforth View
The Oaks
Swale Reach
Willow Wood
Seasalter Dairy Farm
HARRIETS CORNER
Whitebridge Farm
Elmcroft
Homelands
Morverna
Padgate
Glynneath
Claphamhill Farm
Hillside Bungalow
Pye Alley Farm
A2990
A299
A290
B2205
THANET WAY
BORSTAL HILL
CLAPHAM HILL
CANTERBURY ROAD
HIGH ST.
OXFORD ST.
HARBOUR ST.
SEASALTER LANE
SEASALTER BEACH
FAVERSHAM ROAD
JOY LANE
CHURCH LANE
BOGSHOLE LANE
PYE ALLEY LA.
WRAIK HILL

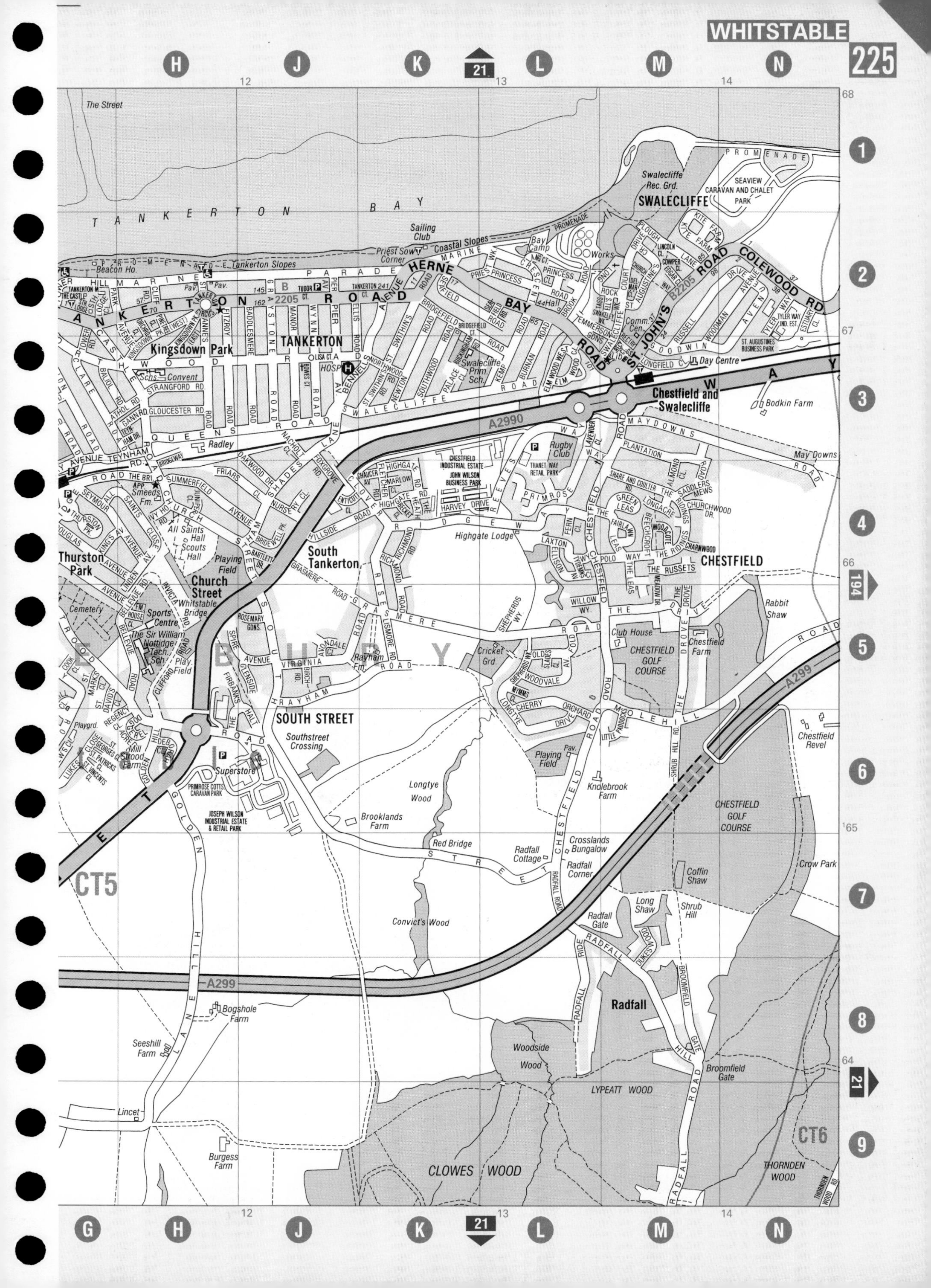
TANKERTON BAY
SWALECLIFFE
TANKERTON
Kingsdown Park
Chestfield and Swalecliffe
South Tankerton
Thurston Park
Church Street
SOUTH STREET
CHESTFIELD
Radfall
CT5
CT6
LYPEATT WOOD
CLOWES WOOD
THORNDEN WOOD
Longtye Wood
Convict's Wood
Woodside Wood
Brooklands Farm
Bogshole Farm
Seeshill Farm
Burgess Farm
Lincet
Red Bridge
Radfall Cottage
Radfall Corner
Radfall Gate
Crosslands Bungalow
Knolebrook Farm
Long Shaw
Shrub Hill
Coffin Shaw
Crow Park
Broomfield Gate
Chestfield Revel
Rabbit Shaw
Bodkin Farm
May Downs
Chestfield Farm
CHESTFIELD GOLF COURSE
Southstreet Crossing
Superstore
Highgate Lodge
Sailing Club
Coastal Slopes
Tankerton Slopes
A2990
A299
B2205
THANET WAY
The Street

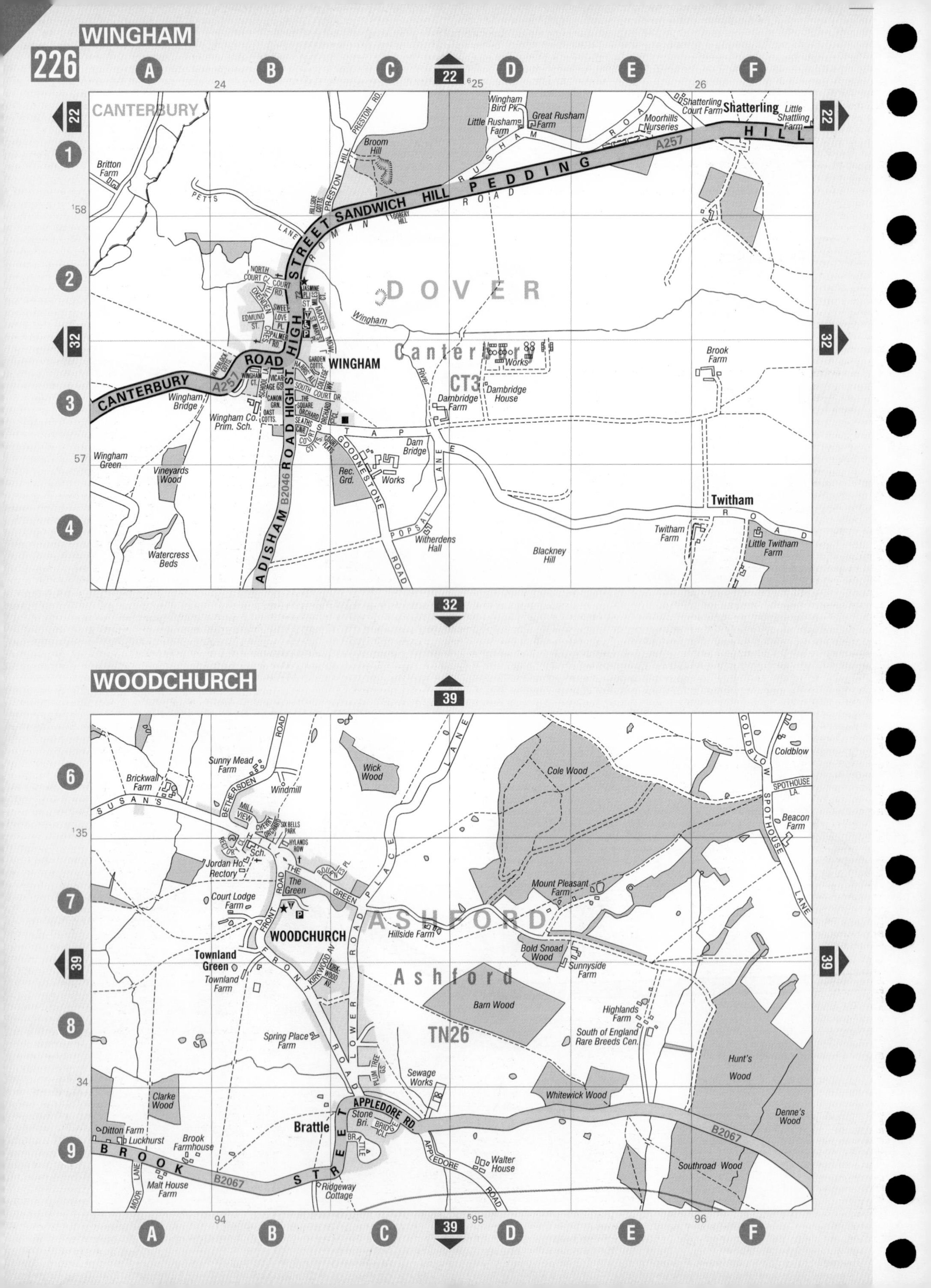
WINGHAM
CANTERBURY
DOVER
Canterbury
CT3
Wingham
Shatterling
Little Shattling Farm
Shatterling Court Farm
Moorhills Nurseries
Great Rusham Farm
Little Rusham Farm
Wingham Bird PK.
Broom Hill
Britton Farm
PEDDING HILL
SANDWICH HILL
RUSHAM ROAD
ROMAN ROAD
PETTS LANE
PRESTON HILL
PRESTON RD.
HIGH STREET
HIGH ST.
CANTERBURY ROAD
ADISHAM ROAD
A257
B2046
Wingham Bridge
Wingham Co. Prim. Sch.
Wingham Green
Vineyards Wood
Watercress Beds
Rec. Grd.
Works
Dam Bridge
Dambridge Farm
Dambridge House
Brook Farm
Twitham
Twitham Farm
Little Twitham Farm
Blackney Hill
Witherdens Hall
GOODNESTONE ROAD
POPSAL
STAPLE LANE
ROAD
NORTH COURT CL.
NORTH COURT RD.
EDMUND ST.
SWEET LOVE PL.
PALMER RD.
JASMINE PL.
ST. MARY'S MDW.
GARDEN COTTS.
COLLEGE WY.
SOUTH COURT DR.
THE SQUARE
ORCHARD CL.
SEATHS CNR.
CANON GRN.
OAST COTTS.
VICARAGE GS.
WINGHAM CT.
WATERLOCK COTTS.
WOODCHURCH
WOODCHURCH
Ashford
ASHFORD
TN26
Brattle
Townland Green
Townland Farm
Sunny Mead Farm
Brickwall Farm
Windmill
Wick Wood
Cole Wood
Coldblow
Beacon Farm
Jordan Ho. Rectory
Court Lodge Farm
The Green
Sch.
Mount Pleasant Farm
Hillside Farm
Bold Snoad Wood
Sunnyside Farm
Barn Wood
Highlands Farm
South of England Rare Breeds Cen.
Spring Place Farm
Sewage Works
Hunt's Wood
Denne's Wood
Whitewick Wood
Southroad Wood
Clarke Wood
Ditton Farm
Luckhurst
Brook Farmhouse
Malt House Farm
Ridgeway Cottage
Walter House
Stone Bri.
BROOK STREET
APPLEDORE RD.
APPLEDORE ROAD
B2067
SUSAN'S
BETHERSDEN ROAD
MILL VIEW
CHERRY ORCHARD
SIX BELLS PARK
HYLANDS ROW
BOURNES PL.
FRONT ROAD
LOWER ROAD
PLACE LANE
KIRKWOOD AV.
PLUM TREE GS.
BRIDGE CL.
BRATTLE
COLDBLOW LANE
SPOTHOUSE LA.
SPOTHOUSE LANE
MOOR LANE
RECTORY CL.

INDEX

Including Streets, Places & Areas, Industrial Estates, Selected Junction Names, Selected Subsidiary Addresses and Selected Tourist Information.

HOW TO USE THIS INDEX

1. Each street name is followed by its Postal District (or, if outside the London Postal District, by its Posttown or Postal Locality), and then by its map reference; e.g. Abbeville Rd. *SW4* —4C **4** is in the South West 4 Postal District and is to be found in square 4C on page **4**. The page number being shown in bold type.
A strict alphabetical order is followed in which Av., Rd., St., etc. (though abbreviated) are read in full and as part of the street name; e.g. Abbeyview Dri. appears after Abbey Trad. Est. but before Abbey Way.

2. Streets and a selection of Subsidiary names not shown on the Maps, appear in the index in *Italics* with the thoroughfare to which it is connected shown in brackets; e.g. *Acacia Ho. S'ness —2C **218** (off Pepys Av.)*

3. Places and areas are shown in the index in **bold type**, the map reference referring to the actual map square in which the town or area is located and not to the place name; eg. **Abbey Gate. —8C 110**

4. Streets that appear on the Street Mapping (red pages) and County Mapping (blue pages) are given two references; e.g. Abbey Rd. *SE2 & Belv* —4M **51** (3B **6**) is to be found in square 4M on page **51** on the Street Mapping and in square 3B on page **6** on the County Mapping.

5. With the now general usage of Postcodes for addressing mail, it is not recommended that this index is used for such a purpose.

GENERAL ABBREVIATIONS

All : Alley
App : Approach
Arc : Arcade
Av : Avenue
Bk : Back
Boulevd : Boulevard
Bri : Bridge
B'way : Broadway
Bldgs : Buildings
Bus : Business
Cvn : Caravan
Cen : Centre
Chu : Church
Chyd : Churchyard
Circ : Circle
Cir : Circus
Clo : Close
Comn : Common
Cotts : Cottages
Ct : Court
Cres : Crescent
Dri : Drive
E : East
Embkmt : Embankment
Est : Estate
Gdns : Gardens
Ga : Gate
Gt : Great
Grn : Green
Gro : Grove
Ho : House
Ind : Industrial
Junct : Junction
La : Lane
Lit : Little
Lwr : Lower
Mnr : Manor
Mans : Mansions
Mkt : Market
M : Mews
Mt : Mount
N : North
Pal : Palace
Pde : Parade
Pk : Park
Pas : Passage
Pl : Place
Quad : Quadrant
Rd : Road
Shop : Shopping
S : South
Sq : Square
Sta : Station
St : Street
Ter : Terrace
Trad : Trading
Up : Upper
Vs : Villas
Wlk : Walk
W : West
Yd : Yard

POSTTOWN AND POSTAL LOCALITY ABBREVIATIONS

Acol : Acol
Acr : Acrise
Adtn : Addington
Adm : Adisham
Adgtn : Aldington
Alk : Alkham
Allh : Allhallows
All : Allington
App : Appledore
Ash : Ash (Aldershot)
Ah : Ash (Canterbury)
As : Ash (Sevenoaks)
Afrd : Ashford
Ash B : Ashford Business Park
Ashl : Ashley
Asht : Ashtead
A'st : Ashurst
Ash W : Ashurst Wood
Ave : Aveley
Ayle : Aylesford
Aysm : Aylesham
Badg D : Badgers Dene
Badg M : Badgers Mount
Bad : Badlesmere
Bans : Banstead
Bap : Bapchild
B'hm : Barham
Bark : Barking
Barm : Barming
B'hurst : Barnehurst
B'le : Barnsole
Bas : Basildon
Batt : Battle
Bean : Bean
Bear : Bearsted
Beck : Beckenham
Beckl : Beckley
Bedd : Beddington
Bek : Bekesbourne
Bells Y : Bells Yew Green
Belv : Belvedere
Bene : Benenden
Ben : Benfleet
Berr G : Berrys Green
Beth : Bethersden
Bett : Betteshanger
Bex : Bexley
Bexh : Bexleyheath
Bic : Bicknor
Bidb : Bidborough
Bidd : Biddenden
Big H : Biggin Hill
Big A : Biggin Hill Airport
Bils : Bilsington
Bilt : Bilting
Birch G : Birchetts Green
Birch : Birchington
Birl : Birling
Bis : Bishopsbourne
Blac : Blackham
Blad : Bladbean
Blean : Blean
Blue B : Blue Bell Hill
Blue T : Blue Town
Bob : Bobbing
Bdm : Bodiam
Bod : Bodsham
Bon : Bonnington
B'den : Borden
Bor G : Borough Green
Bos : Bossingham
Bough B : Bough Beech
Bou L : Boughton Lees
Bou M : Boughton Monchelsea
Bou B : Boughton-under-Blean
Boxl : Boxley
Bchly : Brenchley
B'ling : Brightling
B Oak : Broad Oak
B'lnd : Brookland
B End : Brooks End
Bra L : Brabourne Lees
Bram : Bramling
Bram : Bramshott
Bras : Brasted
Brede : Brede
Bre : Bredgar
Bred : Bredhurst
Bren : Brentford
Bzft : Brenzett
Bri : Bridge
Broad : Broadstairs
Brom : Bromley
Bromp : Brompton
Brook : Brook
Broom : Broomfield
Bkld : Buckland
Bulp : Bulphan
Bur : Burcott
B Hts : Burgoyne Heights
Burh : Burham
Burm : Burmarsh
Cmbr : Camber
Cant : Canterbury
Can I : Canvey Island
Cap F : Capel-le-Ferne
Cars : Carshalton
Cat : Caterham
Chaf H : Chafford Hundred
C'lck : Challock
Charc : Charcott
Char : Charing
Char H : Charing Heath
Cha : Chartham
Cha H : Chartham Hatch
Cha S : Chart Sutton
Chat : Chatham
Chatt : Chattenden
Cheam : Cheam
Chels : Chelsfield
Chel G : Chelwood Gate
Chess : Chessington
Ches : Chestfield
Chev : Chevening
Chid : Chiddingstone
Chid C : Chiddingstone Causeway
Chid H : Chiddingstone Hoath
Chi : Chilham
Chill : Chillenden
Chip : Chipstead
Chst : Chislehurst
C'let : Chislet
Chu H : Church Hougham
Cli : Cliffe
C'snd : Cliffsend
Clif : Clifton
Clift : Cliftonville
Cob : Cobham
Col : Coldred
Cole H : Colemans Hatch
Coll S : Collier Street
Con : Conyer
C'ing : Cooling
Corr : Corringham
Coul : Coulsdon
Cous W : Cousley Wood
Cowd : Cowden
Cox : Coxheath
C'brk : Cranbrook
Cray : Crayford
Crock : Crockenhill
Crook C : Crookham Common
Crock H : Crockham Hill
Crou : Crouch
Crowb : Crowborough
Crow : Crowhurst
Croy : Croydon
Crun : Crundale
Cud : Cudham
Culv : Culverstone
Cux : Cuxton
Dag : Dagenham
Dar : Dargate
Dart : Dartford
Deal : Deal
Dens : Densole
Denst : Denstroude
Dent : Denton
Det : Detling
Dit : Ditton
Dod : Doddington
D'land : Dormansland
Dor P : Dormans Park
Dover : Dover
Dow : Downe
Down : Downswood
Drel : Drellingore
Dunk : Dunkirk
D Grn : Dunks Green
Dun G : Dunton Green
Dur : Durgates
Dym : Dymchurch
E Bra : East Brabourne
E'chu : Eastchurch
E End : East End
E Far : East Farleigh
E Grn : Eridge Green
E Grin : East Grinstead
E Gul : East Guldeford
E Lan : East Langdon
E'ing : Eastling
E Mal : East Malling
E Peck : East Peckham
E'try : Eastry
E Stu : East Studdal
E Sut : East Sutton
E Til : East Tilbury
Eccl : Eccles
Edd B : Eddington Bus. Pk.
Eden : Edenbridge
Eger : Egerton
Elham : Elham
Evtn : Elvington
Eps : Epsom
Eri : Erith
E'ham : Etchingham
Etch : Etchinghill
Ewe : Ewell
Ewe M : Ewell Minnis
Ewh G : Ewhurst Green
Eyns : Eynsford
Eyt : Eythorne
Fair : Fairseat
Farn : Farnborough
F'ham : Farningham
Fav : Faversham
Fawk : Fawkham
Fin : Finglesham
Five G : Five Oak Green
Flete : Flete
Flim : Flimwell
Fob : Fobbing
Folk : Folkestone
Ford : Fordcombe
F'wch : Fordwich
F Row : Forest Row
Four E : Four Elms
Frant : Frant
Free H : Free Heath
Frin : Frinsted
Frit : Frittenden
F'hm : Frogham
Gar : Garlinge
Gill : Gillingham
Gill B : Gillingham Bus. Pk.
God G : Godden Green
Godm : Godmersham
Gold G : Golden Green
Good : Goodnestone
Goud : Goudhurst
Graf G : Grafty Green
G'ney : Graveney
Grav : Gravesend
Grays : Grays
Gt Cha : Great Chart
Gt Mon : Great Mongeham
G'stne : Greatstone
Grnh : Greenhithe
Grn St : Green Street Green
Groom : Groombridge
Guest : Guestling
Gus : Guston
Hackl : Hacklinge
Hdlw : Hadlow
Hall : Halling
Hals : Halstead
Ha : Ham (Kent)
Ham : Ham (Surrey)
Hamm : Hammerwood
Hams : Hamstreet
Harb : Harbledown
H'shm : Harrietsham
Hartf : Hartfield
Hart : Hartley
H'lip : Hartlip
H'lgh : Hastingleigh
H'bury : Hawkenbury
Hawkh : Hawkhurst
H'nge : Hawkinge
Hawl : Hawley
Haw : Hawthorn
Hay : Hayes (Kent)
Hayes : Hayes (Middx)
H'crn : Headcorn
H'ley : Headley
Hem : Hempstead
Hen I : Henwood Ind. Est.
H Bay : Herne Bay
Hern : Hernhill
Her : Hersden
Hever : Hever
Hex : Hextable
High : Higham
H Hal : High Halden
H Hals : High Halstow
Hild : Hildenborough
Hin : Hinxhill
Hoath : Hoath
Hock : Hockley
Hods : Hodsoll Street
Holl : Hollingbourne
Hoo : Hoo
Horn : Hornchurch
Horn H : Horndon-on-the-Hill
Hors : Horsell
Horsm : Horsmonden
Hor K : Horsted Keynes
Hort K : Horton Kirby
Hoth : Hothfield
Hou : Hougham
Huc : Hucking
Hunt : Hunton
Hrst G : Hurst Green
Hythe : Hythe
I'hm : Ickham
I'ham : Icklesham
Ide H : Ide Hill
Iden : Iden
I Grn : Iden Green
Igh : Ightham
Ilf : Ilford
Isle G : Isle of Grain
Ivy : Ivychurch
Ivy H : Ivy Hatch
Iwade : Iwade
Jur G : Jurys Gap
Kear : Kearsney
Kems : Kemsing
Kem : Kemsley
Ken : Kenardington
Kenl : Kenley
Kenn : Kennington
Kes : Keston
Kiln : Kilndown
Kgdn : Kingsdown
King H : Kings Hill
Kgnt : Kingsnorth
Kgtn : Kingston
King T : Kingston upon Thames
Kgswd : Kingswood
Knat : Knatts Valley
Knock : Knockholt
Ladd : Laddingford
Lam : Lamberhurst
Lang H : Langdon Hills
Langl : Langley
L'tn G : Langton Green
Lark : Larkfield
L'lnd : Leaveland
Leeds : Leeds
Leigh : Leigh
Lgh S : Leigh-on-Sea
Len : Lenham
Len H : Lenham Heath
Leyb : Leybourne
Ley S : Leysdown-on-Sea
Limp : Limpsfield
Linf : Linford
Ling : Lingfield
Lin : Linton
L'brne : Littlebourne
L Char : Little Chart
L'stne : Littlestone
Long : Longfield
Loose : Loose
Lwr Hal : Lower Halstow
Lwr Har : Lower Hardres
Lwr Sto : Lower Stoke
Lwr U : Lower Upnor
Ludd : Luddesdown
Lydd : Lydd
Lyd : Lydden
Lydd S : Lydd on Sea
Lym : Lyminge
Lymp : Lympne
Lyn : Lynsted
Maid : Maidstone
Mans : Manston
Mard : Marden
Mgte : Margate
Mark B : Mark Beech
Mark X : Mark Cross
M'boro : Marshborough
M Grn : Marsh Green
M'sde : Marshside
Mart : Martin
Mart M : Martin Mill
Matf : Matfield
Meop : Meopham
Mere : Mereworth
Mer : Mersham
Mid S : Middle Stoke
Mils : Milstead
Mil R : Milton Regis
Min : Minster
Min S : Minster on Sea
Mitc : Mitcham
Mol : Molash
M Hor : Monks Horton
Monk : Monkton
Mord : Morden
M'fld : Mountfield
Murs : Murston
Mys : Mystole
Nack : Nackington
Neth : Netherfield
Nett : Nettlestead
New Ad : New Addington
New Ash : New Ash Green
Newch : Newchurch
Newe : Newenden
N'grn : Newingreen
N'tn : Newington
N Mald : New Malden
Newn : Newnham
New R : New Romney
Non : Nonington
N'fleet : Northfleet
N'iam : Northiam
N Stif : North Stifford
N Hth : Northumberland Heath
Nor : Norton
Oare : Oare
Off : Offham
Old R : Old Romney
Old L : Old Wives Lees
Orp : Orpington
Ors : Orsett
Osp : Ospringe
Otf : Otford
Otham : Otham
O'den : Otterden
O'nge : Ottinge
Oxt : Oxted
Pad W : Paddock Wood
P For : Painters Forstal
Pat : Patrixbourne
P'den : Playden
Peas : Peasmarsh (Guildford)
P'mrsh : Peasmarsh (Rye)
Peene : Peene
Pem : Pembury
P'hst : Penhurst
Pens : Penshurst
P'hm : Petham
Pett : Pett
Pet W : Petts Wood
Pits : Pitsea
Platt : Platt
P Hth : Platts Heath
Plax : Plaxtol
P'ley : Pluckley
Post : Postling
Prat B : Pratts Bottom
Pres : Preston
Purf : Purfleet
Purl : Purley
Pys R : Pysons Road Ind. Est.
Quar W : Quarry Wood
Queen : Queenborough
Rain : Rainham
Ram : Ramsgate
R Min : Rhodes Minnis
R'boro : Richborough
Rich : Richmond
R'wld : Ringwould
Ripp : Ripple
River : River
Riv : Riverhead
Rob : Robertsbridge
Roch : Rochester
Rod : Rodmersham
Rol : Rolvenden
Romf : Romford
Roth : Rotherfield
R Comn : Rough Common
Rough : Roughway
Roy B : Royal British Legion Village
Ruck : Ruckinge
R'den : Rushenden
Rust : Rusthall
Rya : Ryarsh
Rye : Rye
Rye F : Rye Foreign
St D : St Dunstans
St J : St Johns
St Law : St Lawrence
St Mc : St Margarets-at-Cliffe
St Mb : St Margarets Bay
St M : St Mary Cray
St Mh : St Mary Hoo
St Mm : St Mary in the Marsh
St Mar : St Marys Bay
St Mi : St Marys Island
St Mic : St Michaels
St Mil : St Mildreds
St N : St Nicholas at Wade
St P : St Pauls Cray
St Pet : St Peters
Salt : Saltwood
S'gte : Sandgate
Sand : Sandhurst
S'lng : Sandling
S'wy : Sandway
S'wch : Sandwich
S'wch B : Sandwich Bay
Sarre : Sarre
Seal : Seal
Sea : Seasalter
Sed : Sedlescombe
S'ndge : Sellindge
Sell : Selling
Sels : Selsted
Sev : Sevenoaks
Svgtn : Sevington
Shad : Shadoxhurst
Sharp : Sharpthorne
Shtng : Shatterling
S'ness : Sheerness
Shel : Sheldwich
Shel L : Sheldwich Lees
S'wll : Shepherdswell
S'brne : Shipbourne
Shoe : Shoeburyness
Shol : Sholden
Shor : Shoreham
Shorne : Shorne
Short : Shortlands
Shott : Shottenden
Shov G : Shovers Green
Sidc : Sidcup
Siss : Sissinghurst
Sit : Sittingbourne
Smar : Smarden
Sme : Smeeth
Snar : Snargate
Snave : Snave
Snod : Snodland
Snow : Snowdown
Sole S : Sole Street
S'boro : Southborough
S Croy : South Croydon
S Dar : South Darenth
Sth S : Southend-on-Sea
S'fleet : Southfleet
S Grn : South Green
S Ock : South Ockendon
S Stif : South Stifford
S St : South Street
Spar G : Sparrows Green
Speld : Speldhurst
Stal : Stalisfield
Stanf : Stanford
Stan H : Stanford-le-Hope
Stans : Stansted
S'le : Staple
Stapl : Staplecross
S'hrst : Staplehurst
S Min : Stelling Minnis
S'bry : Stockbury
Stod : Stodmarsh
Stone : Stone (Dartford)
Stne : Stone (Tenterden)
Stour : Stourmouth
Stow : Stowting
Stow C : Stowting Common
Str E : Street End
Strood : Strood
Stu X : Stubbs Cross
Sturry : Sturry
Sund : Sundridge
Surb : Surbiton
Sutt : Sutton
S at H : Sutton at Hone
Sut V : Sutton Valence
Swan : Swanley
Swans : Swanscombe
S'fld : Swingfield
Tad : Tadworth
Tats : Tatsfield
Temp E : Temple Ewell
Tent : Tenterden
Tstn : Teston
Tey : Teynham
T Oaks : Three Oaks
T Hth : Thornton Heath
Throw : Throwley
T'hm : Thurnham
Tic : Ticehurst
Til : Tilbury
Tilm : Tilmanstone
T'sey : Titsey
Tonb : Tonbridge
Tonge : Tonge
Ton : Tonwell
Tovil : Tovil
Toys : Toys Hill
Tros : Trottiscliffe
Tud : Tudeley
Tun W : Tunbridge Wells
Tun : Tunstall
T Hill : Tyler Hill
Udi : Udimore
Ulc : Ulcombe
Under : Underriver
Upc : Upchurch
Upm : Upminster
Upnor : Upnor
Up H'lng : Upper Halling
Up Harb : Upper Harbledown
Up Hard : Upper Hardres
Up Har : Upper Hartfield
Up Stok : Upper Stoke
Ups : Upstreet
Van : Vange
Wadh : Wadhurst
Wain : Wainscott
Wald : Waldershare
W'slde : Walderslade
Wallc : Wallcrouch
Wall : Wallington
Walm : Walmer
Walt : Waltham
Ward : Warden
Ware : Ware
W'hrne : Warehorne
Warl : Warlingham
War S : Warren Street
W'bury : Wateringbury
Weald : Weald
Weav : Weavering
Well : Welling
Wemb : Wembley
Wen : Wennington
W Bra : West Brabourne
W'bre : Westbere
Wclf S : Westcliff-on-Sea
Wnhgr : Westenhanger
W'ham : Westerham
W Far : West Farleigh
Westf : Westfield
Wgte S : Westgate-on-Sea
W Hou : West Hougham
W Hyt : West Hythe
W King : West Kingsdown

POSTTOWN AND POSTAL LOCALITY ABBREVIATIONS

INDEX

Alice Bright La.—Ashen Tree La.

Alice Bright La. Crowb —4C 35
Alice Thompson Clo. SE12 —7M 55
Alicia Av. Mgte —3M 207
Alicia Ho. Well —8K 51
Alicia Vs. Cha —8C 170
Alington Ho. Mgte —3B 208
Alison Clo. Birch —3G 206
Alison Clo. Croy —2A 82
Alison Clo. Whitf —7F 178
Alison Cres. Whitf —7F 178
Alkali Row. Mgte —2C 208
(off King St.)
Alkerden La. Grnh & Swans —4J 61 (4E 7)
Alkham. —1B 42
Alkham Clo. Clift —3K 209
Alkham Rd. Alk —1A 180 (1B 42)
Alkham Rd. Maid —5F 126
Alkham Valley Rd. Alk —1A 180
Alkham Valley Rd. Folk —1J 189 (2A 42)
(in two parts)
Allan Clo. Tun W —1C 156
Allandale Pl. Orp —4M 85
Allandale Rd. Tun W —8K 151
Alland Grange La. Mans —9K 207 (2D 23)
Allan Rd. Sea —6A 224
Allard Clo. Orp —1L 85
Allen Av. Wgte S —4J 207
Allenby Av. Deal —5L 177
Allenby Rd. SE23 —8B 54
Allenby Rd. Big H —5E 164
Allenby Rd. Ram —2F 210 (2E 23)
Allenby Wlk. Sit —6C 98
Allen Clo. Chat —5F 94
Allen Ct. Min S —7H 219
Allendale Clo. SE26 —1A 68
Allendale Clo. Dart —6D 60
Allendale St. Folk —5K 189
Allen Field. Afrd —1D 160
Allen Rd. Beck —5A 68
Allen Rd. S'gte —8D 188
Allens. Mard —3L 205
Allens La. Plax —1N 133 (2A 26)
Allen St. Maid —4D 126
Allenswood Rd. SE9 —1A 56
Allerford Rd. SE6 —8E 54
Alleyn Pk. SE21 —4D 5
Allhallows. —5L 201 (3A 10)
Allhallows Holiday Est. Allh —2K 201
Allhallows-on-Sea. —3M 201 (3A 10)
Allhallows-on-Sea Est. Allh —3M 201
Allhallows Rd. Lwr Sto —7K 201 (3A 10)
Alliance Rd. SE18 —6J 51
Alliance Rd. Ram —6K 211
Alliance Way. Pad W —9L 147
Allington. —1A 126 (1D 27)
Allington Clo. Grav —6L 63
Allington Dri. Roch —4J 79
Allington Dri. Tonb —2N 145
Allington Gdns. W'bury —1B 136
Allington Rd. Gill —9K 81
Allington Rd. Orp —3F 84
Allington Rd. Pad W —8L 147
Allington Way. Maid —3M 125
Allison Av. Gill —2H 95
Allnutt Mill Clo. Tovil —7B 126
Allotment La. Sev —4K 119
All Saints' Av. Mgte —4A 208 (1D 23)
All Saints Clo. Swans —3M 61
All Saints Clo. Whits —4G 225
All Saints Ct. Cant —2M 171 (1D 31)
(off All Saints La.)
All Saints Ind. Est. Mgte —4B 208
All Saints La. Cant —2M 171 (1D 31)
All Saints Rise. Tun W —8G 151
All Saints Rd. Allh —4L 201
All Saints Rd. Hawkh —6L 191
All Saints Rd. N'fleet —6E 62
All Saints Rd. Sit —7K 99
All Saints Rd. Sutt —2B 12
All Saints Rd. Tun W —8G 151
Allsop Pl. NW1 —2B 4
All Souls Av. NW10 —2A 4
Allsworth Clo. N'tn —5K 97
Allwood Clo. SE26 —9A 54
Alma Cotts. Sturry —7E 168
Alma Pl. Cant —1N 171
Alma Pl. Hdlw —8D 134
Alma Pl. Ram —5J 211
Alma Pl. Roch —5L 79
Alma Rd. Cars —2B 12
Alma Rd. Eccl —4K 109
Alma Rd. Folk —6D 188
Alma Rd. H Bay —2J 195
Alma Rd. Mgte —4D 208
Alma Rd. Orp —3M 85
Alma Rd. Ram —4J 211
Alma Rd. S'ness —2D 218
Alma Rd. Sidc —8J 57 (4B 6)
Alma Rd. Swans —3M 61
Alma Rd. W Mal —1M 123
Alma St. Cant —1N 171
Alma St. S'ness —2E 218
Alma St. Pas. S'ness —2E 218
(off Telescope All.)
Alma, The. Grav —9L 63
Almery Cotts. Cha S —8L 139
Almond Clo. Afrd —5D 158
Almond Clo. Broad —9G 209
Almond Clo. Brom —1C 84
Almond Clo. Ches —4M 225
Almond Dri. Swan —5E 72
Almond Gro. Hem —7K 95
Almond Ho. Maid —6L 125
Almond Rd. Dart —5C 60
Almonds, The. Bear —5K 127
Almond Tree Clo. S'ness —4B 218
Almond Way. Brom —1C 84
Almon Pl. Roch —7A 80
Almshouse Rd. Stal —2E 29
Alms Row. Bras —6K 117
Alnwick Ct. Dart —4B 60
(off Osbourne Rd.)
Alnwick Rd. SE12 —5L 55
Alpha Clo. Hoo —6N 67
Alpha Rd. Birch —4F 206 (1C 23)
Alpha Rd. Ram —6H 211
Alpine Copse. Brom —5C 70
Alsager Av. Queen —9A 218
Alsike Rd. Eri —3M 51
Alsops Rd. W'boro —2J 161
Alston Clo. Min S —5K 219
Altash Way. SE9 —7B 56
Altbarn Ind. Est. Chat —2F 110
Alton Clo. Bex —6N 57
Alton Cotts. F'ham —2M 87
Alton Gdns. Beck —3D 68
Alton M. Gill —8F 80
Altyre Clo. Beck —8C 68
Altyre Way. Beck —8C 68
Alverstone Gdns. SE9 —6E 56
Alvis Av. H Bay —3B 194
Alwold Cres. SE12 —4L 55
Alwyn Clo. New Ad —8E 82
Amage Rd. Wye —4B 30
Amanda Clo. Chat —8C 94
Amar Ct. SE18 —4H 51
Amar Deep Ct. SE18 —5H 51
Amber Clo. Tey —2L 223
Amberfield Cotts. Cha S —7K 139
Amber Grn. Cotts. Cha S —7H 139
Amber La. Cha S —7J 139 (3E 27)
Amberleaze Dri. Pem —8C 152
Amberley Clo. Orp —6H 85
Amberley Clo. Tonb —7G 144
Amberley Ct. Beck —3C 68
Amberley Ct. Sidc —1L 71
Amberley Rd. SE2 —6M 51
Amber Way. Cha S —7L 139
Amberwood Rise. N Mald —2A 12
Amblecote Clo. SE12 —8L 55
Amblecote Meadows. SE12 —8L 55
Amblecote Rd. SE12 —8L 55
Ambleside. Brom —2G 69
Ambleside. Fav —6J 187
Ambleside. Sit —8K 99
Ambleside Av. SW16 —1C 12
Ambleside Av. Beck —8B 68 (2E 13)
Ambleside Rd. Bexh —9B 52
Ambley Grn. Gill B —3K 95
Ambley Rd. Gill B —2K 95
Ambrooke Rd. Belv —3B 52
Ambrose Clo. Cray —2G 59
Ambrose Clo. Orp —4H 85
Ambrose Hill. Chat —1F 94
Amels Hill. S'bry —2H 113
Ames Av. Bear —5K 127
Amesbury Rd. Brom —6N 69
Ames Rd. Swans —4L 61
Amethyst Av. Chat —5B 94
Amherst Clo. Maid —5A 126
Amherst Clo. Mgte —4G 209
Amherst Clo. Orp —7K 71
Amherst Dri. Orp —7H 71
Amherst Hill. Gill —6D 80
Amherst Hill. Sev —5G 118 (2C 25)
Amherst Redoubt. Gill —7D 80
Amherst Rd. Roch —9A 80
Amherst Rd. Sev —4J 119
Amherst Rd. Tun W —9G 151
Amhurst Bank Rd. Pem —3D 152 (1A 36)
Amhurst Rd. N16 & E8 —1D 5
Amhurst Vs. Maid —4K 137
Amhurst Wlk. SE28 —1J 51
Amies Ho. Maid —6C 138
Amos Clo. Shel L —1A 30
Ampleforth Clo. Orp —5L 85
Ampleforth Rd. SE2 —2K 51
Amsbury Rd. Hunt —6L 137 (3D 27)
Amwell St. EC1 —2C 5
Amy Clo. SE3 —2M 55
Amyruth Rd. SE4 —3D 54
Ancaster M. Beck —6A 68
Ancaster Rd. Beck —6A 68
Ancaster St. SE18 —7G 50
Anchorage Clo. Mid S —9K 201
Anchorage Flats. Pad W —9M 147
Anchor Bay Ind. Est. Eri —6H 53
Anchor Boulevd. Dart —2C 60
Anchor Bus. Pk. Sit —5J 99
Anchor Ct. Eri —7G 53
Anchor Hill. Mgte —3D 208
Anchor La. Deal —4M 177
Anchor La. S'ness —1A 218
(in two parts)
Anchor Rd. Roch —2N 93
Ancona Rd. SE18 —5F 50
Ancress Clo. Cant —7N 167
Andace Pk. Gdns. Brom —5M 69
Anderson Way. Belv —2C 52
Andorra Ct. Brom —4M 69
Andover Rd. Orp —3G 84
Andover Wlk. Maid —2J 139
Andreck Ct. Beck —5E 68
Andrew Broughton Way. Maid —5E 126
Andrew Clo. Dart —3E 58
Andrew Ct. SE23 —7A 54
Andrew Mnr. Gill —6E 80
Andrew Rd. Tun W —6J 151
Andrew's Clo. Orp —5M 71
Andrews Clo. Tun W —9K 151
Andrews Pl. SE9 —4D 56
Andrews Wlk. Sit —6C 98
Andwell Clo. SE2 —2K 51
Anerley. —1D 13
Anerley Clo. Maid —2A 126
Anerley Hill. SE19 —1D 13
Anerley Rd. SE20 & SE19 —1D 13
Angel. (Junct.) —2C 5
Angel Hill. Sutt —2B 12
Angelica Gdns. Croy —2A 82
Angel La. E15 —1E 5
Angel La. Tonb —6H 145
Angel Ter. Sand —2K 215
Angel Wlk. Tonb —6H 145
Anglesea Av. SE18 —4D 50
Anglesea Cen. Grav —4G 62
Anglesea Rd. SE18 —4D 50
Anglesea Rd. Orp —9L 71
Anglesey Av. Maid —2D 138
Anglesey Clo. Chat —4E 94
Angley Ct. Horsm —3C 198
Angley Rd. C'brk —8B 176 (2E 37)
Angley Wlk. C'brk —6D 176
Ankerdine Cres. SE18 —7D 50
Annandale Rd. Sidc —5G 57
Anna Pk. Birch —3E 206
Anne Boleyn Clo. E'chu —5D 202
Anne Boleyn Ct. SE9 —4F 56
Anne Clo. Birch —4G 206
Anne Figg Ct. Roch —8N 79
Anne Grn. Wlk. Cant —9A 168
Anne of Cleeves Ct. SE9 —4F 56
Anne of Cleves Rd. Dart —3L 59
Anne Roper Clo. New R —3F 212
Annesley Dri. Croy —4C 82
Anne's Rd. Broad —6M 209
Anne Sutherland Ho. Beck —3B 68
Annetts Hall. Bor G —1N 121
Annie Rd. Snod —4D 108
Ann's Rd. Ram —4J 211
Ann St. SE18 —5E 50
(in two parts)
Annvera Ho. Gill —5F 80
Ansdore. —3C 31
Ansell Av. Chat —1D 94
Anselm Clo. Sit —7F 98
Anselm Rd. Dover —4F 180
Ansford Rd. Brom —1F 68
Anson Clo. Chat —5F 94
Anson Clo. Pys R —1H 211
Anson Rd. NW2 —1A 4
Anson Rd. W Mal —6L 123
Anstee Rd. Dover —3H 181
Anstridge Path. SE9 —4F 56
Anstridge Rd. SE9 —4F 56
Antelope Rd. SE18 —3B 50
Anthony Clo. Dun G —2F 118
Anthony Clo. Ram —4F 210
Anthony Cres. Whits —7D 224
Anthony La. Swan —4H 73
Anthony Rd. Well —8J 51
Anthony's Way. Roch —3A 80 (1D 17)
(in two parts)
Anvil Clo. Birch —5F 206
Anvil Green. —3C 31
Anvil Grn. Farm Rd. Walt —3C 31
Anvil Grn. Rd. Walt —3C 31
Anzio Cres. B Hts —2K 181
Aperfield. —5E 164 (4A 14)
Aperfield Rd. Big H —5E 164
Aperfield Rd. Eri —6G 53
Aperfields. W'ham —5E 164
Apex Clo. Beck —4E 68
Apiary Bus. Pk. Kgswd —5D 140
Apollo Av. Brom —4L 69
Apollo Way. SE28 —3F 50
Apple Barn Ct. Crou —4B 122
Appleby Clo. Roch —4A 94
Apple Clo. Snod —4D 108
Apple Ct. Pad W —9L 147
Appledore. —1B 46
Appledore Av. Bexh —8D 52
Appledore Av. S'ness —4C 218
Appledore Clo. Brom —8K 69
Appledore Clo. Mgte —4G 208
Appledore Ct. Maid —2N 125
Appledore Cres. Folk —4D 188
Appledore Cres. Sidc —8G 57
Appledore Heath. —4D 39
Appledore Rd. Gill —9K 81
Appledore Rd. Stne & App —1B 46
Appledore Rd. Tent —7D 222 (3C 38)
Appledore Rd. Wdchu —9C 226 (3D 39)
Appledown Way. Cant —5C 172
Appleford Dri. Min S —5G 219
Applegarth. New Ad —8E 82
(in two parts)
Applegarth Dri. Dart —7M 59
Applegarth Ho. Eri —9G 52
Applegarth Pk. Sea —7C 224
Applegarth Rd. SE28 —1K 51
Apple Orchard. Swan —7E 72
Appleshaw Clo. Grav —1F 76
Appleton Dri. Dart —8J 59
Appleton Rd. SE9 —1A 56
Appletons. Hdlw —8D 134
Apple Tree Clo. Barm —7K 125
Apple Tree La. Tun W —6K 151
Appola Rd. H Bay —3K 195
Appold St. Eri —6G 53
Approach Rd. SW20 —1A 12
Approach Rd. Broad —1L 211
Approach Rd. Dover —6F 180
Approach Rd. Mgte —3E 208 (1E 23)
Approach Rd. S'wll —2C 220
Approach Rd. Tats —9B 164
Approach Rd. W'ham —2A 24
Approach, The. Orp —3H 85
April Clo. Orp —6H 85
April Glen. SE23 —8A 54
April Rise. Birch —3C 206
April Rise. Whits —6D 224
Apsledene. Grav —2J 77
Apsley St. Afrd —8F 158
Arabin Rd. SE4 —2B 54
Aragon Clo. Afrd —2C 160
Aragon Clo. Brom —2B 84
Arbor Clo. Beck —5E 68
Arbroath Rd. SE9 —1A 56
Arbrook Clo. Orp —6J 71
Arbuthnot La. Bex —4N 57 (4C 6)
Arcadian Av. Bex —4N 57
Arcadian Clo. Bex —4N 57
Arcadian Flats. Mgte —2C 208
(off Fort Hill)
Arcadian Rd. Bex —4N 57
Arcadia Rd. Grav —4E 76 (1A 16)
Archbishop's Palace. —6C 126
Archcliffe Rd. Dover —7H 181 (1C 43)
Archer Rd. Chat —5E 94
Archer Rd. Folk —5K 189
Archer Rd. Orp —8J 71
Archers Ct. Brom —7L 69
Archer's Ct. Rd. Whitf —7F 178 (4C 33)
Archer Way. Swan —5G 73
Archery Clo. Cli —6M 65
Archery Rd. SE9 —3B 56
Archery Sq. Walm —7N 177 (3E 33)
Archibald Ho. Maid —2D 126
Archway Rd. Ram —6J 211
Archway Rd. S'ness —1B 218
Arcon Clo. Afrd —2E 160
Arcon Rd. Afrd —2E 160
Arcus Rd. Brom —2H 69
Arden Bus. Pk. Roch —5B 80
Arden Ct. Cant —3N 171 (1D 31)
Arden Dri. Afrd —7G 159
Arden Gro. Orp —5D 84
Ardenlee Dri. Maid —4E 126
Arden Rd. Fav —5J 187
Arden Rd. H Bay —5J 195
Arden St. Gill —6F 80
Ardfillan Rd. SE6 —6G 55
Ardgowan Rd. SE6 —5H 55
(in two parts)
Ardingly Clo. Croy —4A 82
Ardley Clo. SE6 —8B 54
Ardmere Rd. SE13 —4G 55
Ardoch Rd. SE6 —7G 54
Arethusa Rd. Roch —3N 93 (2D 17)
Argali Ho. Eri —3N 51
(off Kale Rd.)
Argent Bus. Pk. Queen —9B 218
Argent Rd. Queen —9B 218
Argent St. Grays —3A 8
Argent Ter. Chat —6C 94
Argles Clo. Grnh —3G 60
Argyle Av. Mgte —4A 208
Argyle Cen, The. Ram —6J 211
(off York St.)
Argyle Clo. Roch —3B 94
Argyle Gdns. Mgte —4A 208
Argyle Rd. Sev —7J 119
Argyle Rd. Tun W —4G 151
Argyle Rd. Whits —4F 224
Argyll Dri. Ram —3J 211
Arica Rd. SE4 —2B 54
Ariel Clo. Grav —9L 63
Arisdale Av. S Ock —2E 7
Arkindale Rd. SE6 —8F 54
Ark La. Deal —3M 177
Arkley Rd. H Bay —3G 195
Arklow Sq. Ram —5K 211
Arkwright Rd. NW3 —1B 4
Arkwright Rd. S Croy —3D 13
Arlington. Afrd —9D 158
Arlington Clo. Sidc —5G 56
Arlington Gdns. Mgte —5G 208
Arlington Ho. Mgte —3B 208
(off All Saints' Av.)
Arlington Sq. Mgte —3B 208
Arlott Clo. Maid —3C 126
Armada Clo. L'stne —4F 212
Armada Way. Chat —9C 80
Armourer's Wlk. Dover —1F 180
Armoury Dri. Grav —5H 63
Armoury Way. SW18 —4B 4
Armstrong Aq. H Bay —4B 194
Armstrong Clo. Brom —6A 70
Armstrong Clo. Hals —6C 102
Armstrong Rd. Maid —8D 126
Armytage Clo. Hoo —9H 67
Arne Clo. Tonb —1L 145
Arne Gro. Orp —4H 85
Arne Wlk. SE3 —2J 55
Arngask Rd. SE6 —5G 54
Arnhem Dri. Chat —4C 94
Arnhem Dri. New Ad —3E 13
Arnold Av. Meop —3G 90
Arnold Bus. Pk., The. E Peck —2M 147
Arnolde Clo. Roch —5B 80
Arnold Rd. Cha —8C 170
Arnold Rd. Grav —7J 63
Arnold Rd. Mgte —4D 208
Arnold's La. S at H —2N 73 (1D 15)
Arnott Clo. SE28 —1L 51
Arnsberg Way. Bexh —2B 58 (4C 6)
Arnside Rd. Bexh —8B 52
Arnulf St. SE6 —9E 54
Arpinge. —2E 41
Arragon Gdns. W Wick —4E 82
Arran Clo. Eri —6E 52
Arran M. Cant —9A 168
Arran Rd. SE6 —7E 54
Arran Rd. Maid —2D 138
Arrowhead La. App —1C 46
Arsenal F.C. —1D 5
Arsenal Rd. SE9 —9B 50
Artemis Clo. Grav —5K 63
Arterial Rd. Grays & N Stif —3E 7
Arterial Rd. Purf —3D 7
Arterial Rd. Stan H —2C 8
Arthurdon Rd. SE4 —3D 54
Arthur Gro. SE18 —4E 50
Arthur Kennedy Clo. Bou B —3J 165
Arthur Rd. SW19 —1B 12
Arthur Rd. Big H —3C 164
Arthur Rd. Birch —3C 206
Arthur Rd. Deal —7K 177
Arthur Rd. Gill —3N 95
Arthur Rd. Hythe —7K 197
Arthur Rd. Mgte —2E 208
Arthur Rd. Roch —9A 80
Arthur Salmon Clo. Fav —5F 186
Arthur St. Eri —7G 52
Arthur St. Folk —5L 189
Arthur St. Grav —5F 62
Arthur St. Sit —7F 98
Arthur St. W. Grav —5F 62
Artillery Gdns. Cant —1N 171 (4D 21)
Artillery Ho. SE18 —5C 50
(off Connaught M.)
Artillery Ho. Cant —1N 171 (4D 21)
(off Victoria Row)
Artillery Pl. SE18 —4C 50 (3A 6)
Artillery Rd. Ram —5K 211
Artillery Row. Grav —6H 63
Artillery St. Cant —1N 171 (4D 21)
Artington Clo. Orp —5E 84
Arundel Av. Sit —1F 114
Arundel Clo. Bex —4A 58
Arundel Clo. Chat —1G 110
Arundel Clo. Tonb —7G 144
Arundel Ct. Short —5H 69
Arundel Dri. Orp —6K 85
Arundel Rd. C'snd —5B 210
Arundel Rd. Dart —2K 59
Arundel Rd. Mgte —3F 208
Arundel St. Maid —3C 126
Ascot Clo. Bor G —2A 122
Ascot Clo. Chat —9F 94
Ascot Ct. Bex —5A 58
Ascot Gdns. Wgte S —4K 207
Ascot Ho. Maid —2J 139
(off Epsom Clo.)
Ascot Rd. Grav —8G 63
Ascot Rd. Orp —7H 71
Ascott Fields. Yald —7D 136
Ash. —6K 89 (2E 15)
(nr. Fawkham Green)
Ash. —5C 216 (4C 22)
(nr. Sandwich)
Ashbee Clo. Snod —3E 108
Ashbee Gdns. H Bay —2K 195
Ashborne Clo. Kenn —4H 159
Ashbourne Av. Bexh —7N 51
Ashbourne Rise. Orp —5G 84
Ashburn Gdns. H Bay —2K 195
Ashburnham Clo. Sev —9K 119
Ashburnham Ct. Beck —5F 68
Ashburnham Rd. SW10 —3B 4
Ashburnham Rd. Belv —4D 52
Ashburnham Rd. Maid —1E 126
Ashburnham Rd. Ram —5F 210
Ashburnham Rd. Tonb —4J 145
Ashburton Clo. W'boro —8J 159
Ashburton Rd. Croy —2D 13
Ashby Clo. Hall —7E 92
Ash By-Pass. Ah —4B 22
Ash Clo. Afrd —7C 158
Ash Clo. Ayle —9J 109
Ash Clo. Broad —9G 209
Ash Clo. Chat —2F 94
Ash Clo. Dover —2E 180
Ash Clo. Eden —6B 184
Ash Clo. Gill —9L 81
Ash Clo. H Bay —6G 195
Ash Clo. Orp —8F 70
Ash Clo. Sidc —8K 57
Ash Clo. Swan —5D 72
Ash Clo. Tun W —5K 157
Ashcombe Dri. Eden —3B 184
Ash Ct. C'snd —8B 210
Ash Cres. Her —2K 169
Ash Cres. High —1G 78
Ashcroft Av. Sidc —4J 57
Ashcroft Ct. Dart —5A 60
Ashcroft Cres. Sidc —4J 57
Ashcroft Rd. Pad W —1L 153
Ashdale Rd. SE12 —6L 55
Ashdene Gro. Sturry —5F 168
Ashden Wlk. Tonb —9J 133
Ashdown Clo. Beck —5E 68
Ashdown Clo. Bex —5D 58
Ashdown Clo. H Bay —5J 195
Ashdown Clo. Maid —6A 126
Ashdown Clo. Tun W —1F 156
Ashdown Ct. Afrd —7G 158
Ashdown Cres. New R —3C 212
Ashdown Field. Cha —8B 170
Ashdown Forest Centre. —3A 34
Ashdown Llama Farm. —4A 34
Ashdown Rd. Len & Wich —2C 29
Ashdowns Cotts. Maid —4K 137
Ashenden. Smar —2J 221
Ashenden Clo. Cant —5J 171
Ashenden Clo. Wain —2N 79
Ashenden Wlk. Tun W —6L 151
Ashen Dri. Dart —5H 59
Ashenfield Rd. H'lgh —4C 30
Ashen Gro. Rd. Knat —1B 104
Ashentree La. B'lnd —2C 47
Ashen Tree La. Dover —4K 181

Ashen Vale—Banstead Rd.

Ashen Vale. S Croy —9A 82
Asher Reeds. L'tn G —1A 156
Ashes La. Hdlw —7L 133 (3A 26)
Ashfield Clo. Beck —3D 68
Ashfield La. Chst —2D 70 (1B 14)
(in three parts)
Ashford. —8F 158
Ashford Borough Museum. —8F 158
(off Churchyard)
Ashford Bus. Pk. Ash B —3L 161
Ashford Bus. Point. W'boro —4K 161
Ashford Dri. Kgswd —5F 140
Ashford Rd. Beth —4H 163 (2D 39)
Ashford Rd. Char —3K 175 (3D 29)
Ashford Rd. Cha & Cant
—7A 170 (2C 30)
Ashford Rd. Fav —8G 187 (4A 20)
Ashford Rd. Godm & Chi
—9K 175 (3B 30)
Ashford Rd. Gt Cha —1E 39
Ashford Rd. Hams —6C 190 (3E 39)
Ashford Rd. H Hal —7H 193
Ashford Rd. L'Ind & Shel —2A 30
Ashford Rd. Maid & Holl
—5E 126 (2E 27)
Ashford Rd. N'grn —2A 196 (2D 41)
Ashford Rd. N'tn —4A 188
Ashford Rd. New R & Snave —2A 212
Ashford Rd. S'ndge —8H 215 (2C 40)
Ashford Rd. Shad & Kgnt
—9D 160 (2E 39)
Ashford Rd. Snave & New R —1C 47
Ashford Rd. St Mic & Tent
—2B 222 (2C 38)
Ash Gro. SE12 —6K 55
Ashgrove. Afrd —5D 158
Ash Gro. Evtn —1J 185
Ash Gro. Lydd —2D 204
Ash Gro. Maid —3N 125
Ash Gro. W Wick —3F 82
Ashgrove Rd. Brom —2G 69 (1E 13)
Ashgrove Rd. Sev —9H 119 (2D 25)
Ash Hill. Ruck —3A 40
Ash Ho. New Ash —3L 89
Ashington Clo. Sit —6D 98
Ash Keys. Meop —2G 106
Ash La. As —3E 15
Ash La. W King —3J 105
Ashlar Pl. SE18 —4D 50
Ashleigh Clo. Meop —1E 106
Ashleigh Gdns. H'crn —2L 193
Ashleigh Point. SE23 —8A 54
Ashley. —3C 33
Ashley Av. Eps —3A 12
Ashley Av. Folk —5E 188 (2A 42)
Ashley Clo. Min S —7D 218
Ashley Clo. Ram —2F 210
Ashley Clo. Sev —6J 119
Ashley Dri. Sea —6C 224
Ashley Gdns. Orp —6G 85
Ashley Gdns. Tun W —1C 156 (1E 35)
Ashley Ho. Folk —5E 188
Ashley Mill Cotts. Folk —4F 188
(off Ashley Av.)
Ashley Pk. Tun W —9C 150
Ashley Pk. Clo. Tun W —9C 150
Ashley Rd. Eps —3A 12
Ashley Rd. Gill —1M 95
Ashley Rd. Hild —2E 144
Ashley Rd. Sev —6J 119
Ashmead Clo. Chat —8F 94
Ashmead Ga. Brom —4M 69
Ash Meadow. W'boro —2K 161
Ashmere Av. Beck —5G 68
Ashmore Gro. Well —1F 56
Ashmore La. Kes —1B 164 (3A 14)
Ash Pl. Folk —3L 189
Ash Platt Rd. Seal —3M 119
Ash Platt, The. Seal —2M 119
Ashridge Cres. SE18 —7E 50
Ash Rd. Ah & S'wch —4H 217 (4C 23)
Ash Rd. As & New Ash —5K 89
Ash Rd. Aysm —2B 162
Ash Rd. Croy —3D 82
Ash Rd. Dart —6L 59
Ash Rd. Grav —9H 63
Ash Rd. Hart —6L 75 (1A 16)
Ash Rd. Hawl —9N 59
Ash Rd. Orp —8H 85
Ash Rd. Roch —6K 79
Ash Rd. W'ham —7F 116
Ash Row. Brom —1C 84
Ashtead. —4A 12
Ashtead Dri. Bap —9L 99
Ashtead Park. —4A 12
Ashton Clo. Gt Mon —3D 33
Ashton Way. King N —4M 123
Ashton Way. W Mal —1B 26
Ash Tree Clo. Croy —9B 68
Ashtree Clo. Orp —5D 84
Ash Tree Clo. St Mar —3E 214
Ash Tree Clo. W King —9F 88
Ash Tree Dri. W King —9F 88
Ashtree Ho. Sit —8J 99
(off Woodberry Dri.)
Ash Tree La. Chat —1G 94 (2E 17)
Ash Tree Rd. Folk —5L 189
Ash Tree Way. Croy —8A 68
Ashurst. —3E 154 (2C 35)
Ashurst Av. Whits —7E 224
Ashurst Clo. Dart —1G 58
Ashurst Gdns. Clift —2J 209
Ashurst Hill. A'st —3E 154 (2C 35)
Ashurst Rd. A'st —2F 154 (2C 35)
Ashurst Rd. Maid —4F 126
Ashurstwood. —2A 34
Ashwater Rd. SE12 —6K 55
Ashwood Clo. Cli —6N 65
Ashwood Gdns. New Ad —7E 82
Ashwood Pl. Bean —8H 61
Askern Clo. Bexh —2M 57
Askes Ct. Afrd —1B 160
Askew Rd. W12 —3A 4
Aspdin Rd. N'fleet —8C 62
Aspen Clo. Orp —6J 85
Aspen Clo. St Mar —3E 214
Aspen Clo. Swan —4E 72
Aspen Copse. Brom —5B 70
Aspen Ct. Dart —4A 60
(off Norfolk Clo.)
Aspen Grn. Eri —3A 52
Aspen Ho. Folk —7K 189
Aspen Ho. Sidc —8J 57
Aspen Way. E14 —2E 5
Aspen Way. Chat —7B 94
Aspen Way. Tun W —5J 151
Aspian Dri. Cox —5A 138
Aspinall Rd. SE4 —1A 54
Aspley St. Tun W —1D 156
Asquith Rd. Gill —5M 95
Association Wlk. Roch —4N 93
Astey Ho. Maid —6E 126
Astley Av. Dover —2H 181
Astley Ct. Dover —2H 181
Astley St. Maid —5D 126
Aston Clo. Chat —9D 94
Aston Clo. Sidc —8J 57
Astor Av. Dover —5G 180 (1C 43)
Astor Dri. Deal —5M 177
Astor Rd. Broad —5K 209
Astor Rd. W King —7F 88
Astra Dri. Grav —1K 77
Astrid Rd. Walm —8K 177
Athelney St. SE6 —8D 54
Athelstan Grn. Holl —7E 128
Athelstan Pl. Deal —2M 177
Athelstan Rd. Cant —5J 171
Athelstan Rd. Chat —1C 94
Athelstan Rd. Fav —6F 186
Athelstan Rd. Folk —4K 189
Athelstan Rd. Mgte —2E 208
Athelstan Way. Orp —4J 71
Athenlay Rd. SE15 —3A 54
Athill Ct. Sev —4K 119
Athol Pl. Fav —4E 186
Athol Rd. Afrd —2D 160
Athol Rd. Eri —5D 52
Athol Rd. Whits —3H 225
Athol Ter. Dover —4L 181
Atkins Dri. W Wick —3G 83
Atkinson Clo. Orp —6J 85
Atkinson Wlk. Kenn —5K 159
Atkins Rd. SW12 —4C 4
Atlanta Ct. Chat —9A 80
Atlas Rd. Dart —1N 59
Atterbury Clo. W'ham —8F 116
Attlee Av. Aysm —2C 162
Attlee Cotts. Hall —5E 92
Attlee Dri. Dart —3A 60
Attlee Way. Sit —3F 98
Attwaters La. Hawkh —1M 191 (3E 37)
Atwater Ct. Len —7E 200
Aubretia Wlk. Sit —8H 99
Auckland Av. Ram —3E 210
Auckland Cres. Dover —1H 181
Auckland Dri. Sit —8D 98
Auckland Rd. SE19 —1D 13
Auckland Rd. Tun W —8J 151
Auden Rd. Lark —7E 108
Audley Av. Gill —2H 95
Audley Av. Mgte —2M 207
Audley Av. Tonb —5F 144
Audley Clo. Maid —5M 125
Audley Rise. Tonb —6F 144
Audley Rd. Folk —6F 188
Audley Wlk. Orp —9L 71
Audrey Clo. Beck —9E 68
Augusta Clo. Gill —5F 80
Augusta Gdns. Folk —7J 189
Augusta Pl. Ram —5K 211
Augusta Rd. Ram —5K 211
Augustine Rd. Grav —5H 63
(in two parts)
Augustine Rd. Min —7M 205
Augustine Rd. Min S —4J 219
Augustine Rd. Orp —6M 71
Augustus La. Orp —3J 85
Augustus Rd. SW19 —4B 4
Aultmore Ct. Tun W —2J 157
Austell Mnr. Gill —6F 80
(off Skinner St.)
Austen Clo. SE28 —1K 51
Austen Clo. Grnh —4J 61
Austen Gdns. Dart —2N 59
Austen Rd. Eri —7C 52
Austens Orchard. Tent —9B 222
Austen Way. Lark —6D 108
Austin Av. Brom —8A 70
Austin Av. H Bay —3A 194
Austin Clo. SE23 —5C 54
Austin Clo. Kem —3H 99
Austin Rd. Afrd —3F 160
Austin Rd. N'fleet —6E 62
Austin Rd. Orp —9J 71
Austins La. S'wch —5M 217
Austral Clo. Sidc —8H 57
Autumn Glade. Chat —2G 110
Avalon Clo. Orp —4M 85
Avalon Rd. Orp —3L 85
Avard Gdns. Orp —5E 84
Avards Clo. Hawkh —7J 191
Avebury Av. Ram —4L 211
Avebury Av. Tonb —6H 145
Avebury Rd. Orp —4F 84
Aveley. —2D 7
Aveley By-Pass. S Ock —2E 7
Aveley Clo. Eri —6G 53
Aveley Rd. Upm —1D 7
Aveling Clo. Hoo —7G 66
Aveling Ct. Roch —5M 79
Avenue Du Puy. Tonb —6J 145
Avenue Gdns. Clift —3G 208
Avenue of Rememberance. Sit
—8F 98 (3C 19)
Avenue Rd. NW3 & NW8 —2B 4
Avenue Rd. SE20 —4A 68
Avenue Rd. Belv —4C 52
Avenue Rd. Bexh —1N 57 (4C 6)
Avenue Rd. Dover —3H 181
Avenue Rd. Eps —3A 12
Avenue Rd. Eri —7D 52
(in three parts)
Avenue Rd. H Bay —2F 194 (1E 21)
Avenue Rd. Ram —5K 211
Avenue Rd. Sev —6K 119
Avenue Rd. Sutt —3B 12
Avenue Rd. Tats —8E 164
Avenue, The. NW6 —2A 4
Avenue, The. SE9 —4B 56
Avenue, The. SW4 —4C 4
Avenue, The. W4 —3A 4
Avenue, The. Ayle —9J 109
Avenue, The. Beck —4E 68
Avenue, The. Bex —5M 57
Avenue, The. Bor G —1N 121
Avenue, The. Brom —6N 69
Avenue, The. Cob —6A 78
Avenue, The. Deal —3M 177
Avenue, The. Grav —5F 62
Avenue, The. Grnh —3H 61 (4E 7)
Avenue, The. Her —3K 169
Avenue, The. Hythe —6K 197
Avenue, The. Kes —4N 83
Avenue, The. Kgdn —4M 199
Avenue, The. Mgte —4E 208
Avenue, The. Orp —3H 85
Avenue, The. Sit —5E 114
Avenue, The. St Mc —7J 213
Avenue, The. St P —4K 71
Avenue, The. Temp E —8C 178
Avenue, The. Wemb —1A 4
Avenue, The. W'ham —4B 116
Avenue, The. W Wick —1H 83 (2E 13)
Avenue, The. Wor Pk —2A 12
Averang Gdns. Folk —5H 189
Averenches Rd. Bear —4J 127
Averenches Rd. S. Bear —5J 127
Avereng Rd. Folk —5H 189
Avery Clo. Allh —3M 201
Avery Clo. Maid —8C 126
Avery Ct. Allh —3M 201
Avery Hill. —4F 56 (4B 6)
Avery Hill Rd. SE9 —4F 56 (4B 6)
Avery La. Otham —2N 139 (2A 28)
Avery Way. Allh —4L 201 (3A 10)
Aviemore Clo. Beck —8C 68
Aviemore Gdns. Bear —5J 127
Aviemore Way. Beck —8B 68
Avignon Rd. SE4 —1A 54 (4D 5)
Avington Clo. Maid —8C 126
Avocet M. SE28 —3F 50
Avocet Wlk. Chat —9F 94
Avon Clo. Cant —2B 172
Avon Clo. Grav —7J 63
Avon Clo. Tonb —2J 145
Avondale Clo. Whits —5J 225
Avondale Pl. Mgte —2C 208
(off Market St.)
Avondale Rd. SE9 —7A 56
Avondale Rd. Brom —2J 69
Avondale Rd. Cap F —2C 174
Avondale Rd. Gill —7G 80
Avondale Rd. Well —9L 51
Avon Ho. Maid —9H 127
Avonmouth Rd. Dart —3L 59
Avon Rd. SE4 —1D 54
Avonstowe Clo. Orp —4E 84
Avon St. Tun W —9J 151
Avontar Rd. S Ock —2E 7
Awliscombe Rd. Well —9H 51
Axminster Cres. Well —8L 51
Axtaine Rd. Orp —1M 85
Axtane. S'fleet —3M 75
Axtane Clo. S at H —4C 74
Aycliff. —7G 180 (1C 43)
Aycliffe Clo. Brom —7B 70
Ayelands. New Ash —3L 89
Ayelands La. New Ash —4L 89
Aylesbury Rd. Brom —6K 69
Aylesford. —7L 109 (4D 17)
Aylesford Av. Beck —8B 68
Aylesford Cres. Gill —9L 81
Aylesford Pl. W'boro —2J 161 (1A 40)
Aylesham. —2D 162 (2A 32)
Aylesham Ho. Aysm —2D 162
Aylesham Ind. Est. Aysm —3C 162
Aylesham Rd. Aysm —2E 162
Aylesham Rd. Orp —1H 85
Aylesham Rd. Snow —2B 32
Ayleswade La. H'crn —1B 38
Aylewyn Gn. Kem —3G 99
Aylward Rd. SE23 —7A 54
Aynscombe Angle. Orp —1J 85
Aynsley Ct. S'wch —5M 217
Ayton Rd. Ram —6G 211
Azalea Dri. Swan —7E 72

Babbacombe Rd. Brom —4K 69
Babb's La. Bene —3E 37
Babs Oak Hill. Sturry —4G 168 (3E 21)
Babylon La. Cha S —4E 27
Backfields. Roch —8M 79
Bk. Forge La. Leeds —2A 28
Back La. Bex —5B 58
Back La. Bou M —3E 27
Back La. Cha S —6G 138
Back La. Fav —5H 187
Back La. God G —6A 120
Back La. Horsm —2C 198
Back La. Ide H & Sev —1C 130 (2C 24)
Back La. Igh —6J 121
Back La. Maid —2M 139
Back La. Min S —6L 219 (4D 11)
Back La. Sev —6E 118 (2E 25)
Back La. S'brne —4J 133 (2E 25)
Back Rd. Sand —3K 215
Back Rd. Sidc —9J 57
Back Rd. W. Dover —4L 181
Back St. Leeds —9N 127
Back St. R'wld —4J 199
Baddlesmere Rd. Whits —2J 225
Baden. Belv —3B 52
Baden Powell Rd. Sev —4F 118
Baden Rd. Gill —5G 81
Bader Cres. Chat —4D 94
Bader Wlk. N'fleet —8E 62
Badger Rd. Chat —1F 110
Badgers Bri. Etch —2E 41
Badgers Clo. Blean —4G 166
Badgers Copse. Orp —3H 85
Badgers Croft. SE9 —8C 56
Badgers Hole. Croy —5A 82
Badger's Mount. —1B 102 (3C 14)
Badgers Oak. Afrd —1B 160
Badger's Rise. Badg M —1B 102
Badgers Rise. Dover —1C 180
Badgers Rise. Walm —1M 199
Badgers Rd. Badg M —1C 102
Badlesmere. —2A 30
Badlesmere Clo. Afrd —3C 160
Badlow Clo. Eri —7F 52
Bad Munstereifel Rd. Afrd & Svgtn
—4F 160 (1A 40)
Badsell Park Farm. —3H 153 (1B 36)
Badsell Rd. Five G —8G 147 (4B 26)
Baffin Clo. Chat —1C 94
Bagham. —8L 175 (2C 30)
Bagham La. Chi —8K 175 (2B 30)
Bagham Rd. Chi —8K 175 (2B 30)
Bagshill Rd. L'Ind —2E 29
Bagshot Ct. SE18 —8C 50
Bailey Bri. Rd. Ayle —8K 109
Bailey Ct. Gill —3K 95
Bailey Dri. Gill B —2K 95
Bailey Field. Beth —3K 163
Bailey Pl. SE26 —2A 68
Baileys Field. Afrd —9D 158
Baird's Hill. Broad —7K 209 (1E 23)
Bairdsley Clo. Broad —7K 209
(in two parts)
Bakenham Ho. Roch —2N 93
Baker Beal Ct. Bexh —1C 58
Baker Clo. Tey —1K 223
Bakerhill Clo. N'fleet —9E 62
Baker La. H'crn —1N 193 (4B 28)
Baker La. Sut V —9B 140 (3A 28)
Baker Rd. SE18 —7A 50
Baker Rd. Folk —5E 188
Bakers Av. W King —8E 88
Baker's Bri. Cotts. Smar —2L 221
Bakers Clo. Cant —3J 171
Baker's Cross. —3E 37
Bakers Cross. C'brk —8D 176 (3E 37)
Baker's La. Cha —9D 170 (2C 31)
Bakers La. Ling —1A 34
Bakers M. Grn St —7H 85
Bakers Pas. Dover —4H 181
Baker Street. —2A 8
Baker St. NW1 & W1 —2B 4
Baker Street. (Junct.) —2B 4
Baker St. Burh —1K 109
Baker St. Ors —2A 8
Baker St. Roch —9N 79
Bakers Wlk. Roch —6N 79
Bakery Cotts. S'lng —7B 110
Balaam St. E13 —2A 6
Balaclava La. Spar G —3A 36
Balcaskie Rd. SE9 —3B 56
Balcomb Cres. Mgte —5G 209
Balcombe Clo. Bexh —2M 57
Balcombe La. Sharp & Chel G —4A 34
Balcombes Cotts. Goud —8K 185
Balcombes Hill. Goud —8K 185 (2D 37)
Balder Rise. SE12 —7L 55
Baldric Rd. Folk —6F 188
Baldwin Rd. G'stne —8E 212
Baldwin Rd. Min S —6L 219
Baldwins La. Tun W —6J 151
Baldwin Ter. Folk —5K 189
Baldwyn's Pk. Bex —7E 58 (4C 7)
Baldwyn's Rd. Bex —7E 58
Balfour Ct. Folk —8G 189
Balfour Rd. Brom —8N 69
Balfour Rd. Chat —1B 94
Balfour Rd. Dover —3H 181
Balfour Rd. Walm —8M 177
Balgowan Rd. Beck —5B 68
Balgowan St. SE18 —4H 51
Balham. —4C 4
Balham High Rd. SW17 & SW12 —4C 4
Balham Hill. SW12 —4C 4
Baliol Rd. Whits —3G 225
Ballamore Rd. Brom —8K 55
Ballard Bus. Pk. Roch —7K 79
Ballard Clo. Mard —2K 205
Ballard Ind. Est. Chat —2F 110
Ballard Rd. G'stne —8E 212
Ballards Hill. Goud —4F 198 (2C 37)
Ballards La. Dag —2C 6
Ballards Way. S Croy & Croy —3D 13
Ballard Way. Pad W —8N 147
Ballens Rd. Chat —8E 94
Balliemoor Ct. Ram —3J 211
Ballina St. SE23 —5A 54
Balliol Rd. Broad —6K 209 (1E 23)
Balliol Rd. Well —9K 51
Ball La. Kenn —3J 159 (4A 30)
Balloch Rd. SE6 —6G 54
Balls Ct. Chatt —9C 66
Ball's Grn. With —8C 154
Ball's Green. —8C 154 (2C 35)
Balls Pond Rd. N1 —1D 5
Balmer Clo. Gill —4N 95
Balmoral Av. Beck —7B 68
Balmoral Ct. SE12 —9L 55
Balmoral Ct. Beck —4F 68
Balmoral Gdns. Bex —5A 58
Balmoral Ho. Maid —3J 139
Balmoral Pl. Ram —5K 211
Balmoral Rd. E7 —1A 6
Balmoral Rd. Gill —7F 80 (1E 17)
Balmoral Rd. Kgdn —3M 199
Balmoral Rd. Mgte —3N 207
Balmoral Rd. S at H —3B 74
Balmoral Ter. Sit —7E 98
Balstonia. —2C 8
Baltic Ho. Tun W —1H 157
(off Goods Sta. Rd.)
Baltic Rd. Tonb —8G 145
Baltimore Pl. Well —9H 51
Bamford Rd. Brom —1F 68
Bamford Way. Deal —6M 177
Bampton Rd. SE23 —8A 54
Banavie Gdns. Beck —4F 68
Banbury Vs. Hams —8D 190
Banbury Vs. S'fleet —2M 75
Banckside. Hart —7L 75
Bancroft Gdns. Orp —2H 85
Bancroft Rd. Wro —7M 105
Bangor Rd. Roch —6H 79
Bank Cotts. Holl —6G 129
Bank Ct. Dart —4M 59
Bankfields. H'crn —3K 193
Bankfields Clo. Gill —2D 96
Bankfield Way. Goud —9K 185
Bankfoot Rd. Brom —9H 55
Bankhurst Rd. SE6 —5C 54
Bank La. Hild —6N 131
Bank La. Sev —3D 25
Bank Rd. Adgtn —2B 40
Banks Cotts. W'bury —1C 136
Bankside. Chat —3E 94
Bankside. Dun G —3E 118
Bank Side. Hams —8D 190
Bankside. N'fleet —4B 62
Bankside Clo. Bex —9E 58
Bankside Clo. Big H —6C 164
Banks La. Bexh —2A 58
Banks Rd. Afrd —2E 160
Banks Rd. Roch —4N 79 (1D 17)
Banks, The. Broad —7K 209
Bank St. Afrd —4M 158
Bank St. Chat —9E 80
Bank St. C'brk —7C 176
Bank St. Fav —5G 187
Bank St. Grav —4G 63
Bank St. H Bay —2G 195
Bank St. Hythe —6K 197
Bank St. Maid —5C 126
Bank St. Sev —7J 119
Bank St. Tonb —5H 145
Bankwell Rd. SE13 —2H 55
Banky Meadow. Maid —6K 125
Banner Farm Rd. Tun W —3H 157
Banner Way. Min S —6F 218
Banning St. Roch —4M 79
Bannister Gdns. Orp —6L 71
Bannister Hill. B'den —9C 98 (3C 18)
Bannister Rd. Maid —2D 126
Bannockburn Rd. SE18 —4G 51
Banstead. —4B 12
Banstead Rd. Cars —3B 12
Banstead Rd. Eps & Bans —3A 12
Banstead Rd. Purl —3C 13

Banstead Rd. S.—Beckford Dri.

Banstead Rd. S. *Sutt* —3B **12**
Banwell Rd. *Bex* —4M **57**
Bapchild. —8L 99 (3D 19)
Bapchild Pl. *Orp* —7L **71**
Barbados Ter. *Maid* —2D **126**
Barberry Av. *Chat* —6A **94**
Barbers Almshouses. Ram —6H 211
(off Elms Av.)
Barcham Ct. *Maid* —3C **138**
Barchester Way. *Tonb* —1M **145**
Barclay Av. *Tonb* —2M **145**
Barclay Rd. *Croy* —2D **13**
Barcombe Clo. *Orp* —6J **71**
Bardell Ter. *Roch* —7A **80**
Barden Ct. *Maid* —4E **126**
Barden Park. —6F 144 (4E 25)
Barden Pk. Rd. *Tonb* —6G **144**
Barden Rd. *Speld* —4N **149** (1D **35**)
Barden Rd. *Tonb* —6G **144**
Bardens Row. *St Mic* —4B **222**
Barden St. *SE18* —7G **50**
Bardolph Av. *Croy* —9B **82**
Bardown. —4B 36
Bardown Rd. *Shov G* —4B **36**
Bardsley Clo. *E Peck* —9M **135**
Barfield. *S at H* —4B **74**
Barfield Rd. *Brom* —6C **70**
Barfleur Mnr. Gill —6D 80
(off Middle St.)
Barfreston Clo. *Maid* —7C **126**
Barfrestone. —3B 32
Barfrestone Rd. *Eyt* —2H **185** (3B **32**)
Bargate Clo. *SE18* —5H **51**
Bargates. *Afrd* —3C **160**
Barge Ho. Rd. *E16* —2D **50**
Bargery Rd. *SE6* —6E **54**
Bargrove Cres. *SE6* —7C **54**
Bargrove Rd. *Maid* —4F **126**
Barham. —8D 162 (3A 32)
Barham Clo. *Brom* —2A **84**
Barham Clo. *Chst* —1D **70**
Barham Clo. *Maid* —3H **139**
Barham Ct. *B'hm* —7D **162**
Barham Ct. *Tstn* —9F **124**
Barham Dri. *C'brk* —7D **176**
Barham M. *Tstn* —9F **124**
Barham Rd. *Chst* —1D **70**
Barham Rd. *Dart* —5A **60**
Barham's Mill Rd. *Eger* —4B **28**
Baring Clo. *SE12* —7K **55**
Baring Rd. *SE12* —5K **55** (4A **6**)
Barker Rd. *Maid* —6C **126**
Barkers Ct. *Sit* —7E **98**
Bark Hart Rd. *Orp* —2K **85**
Barking. —1B 6
Barking Northern Relief Rd. *Bark* —1A **6**
Barking Rd. *E13 & E6* —2E **5**
Barkis Clo. *Roch* —4A **94**
Barlby Rd. *W10* —2A **4**
Barler Pl. *Queen* —7B **218**
Barley Clo. *Mart H* —4D **33**
Barleycorn. *Leyb* —9C **108**
Barleycorn Dri. *Gill* —5A **96**
Barley Ct. *H Bay* —5L **195**
Barleyfields. *Weav* —5G **127**
Barleymow Clo. *Chat* —5F **94**
Barling Clo. *Chat* —1A **110**
Barlings Ho. SE4 —2A 54
(off Frendsbury Rd.)
Barlow Clo. *Gill* —6A **96**
Barmeston Rd. *SE6* —7E **54**
Barming. —7K 125 (2D 27)
Barming Heath. —6K 125 (2D 27)
Barming Pl. *Maid* —7K **125**
Barming Rd. *W'bury* —7D **124**
Barmouth Rd. *Croy* —3A **82**
Barnaby Ter. *Roch* —1N **93**
Barnard Clo. *SE18* —3C **50**
Barnard Clo. *Chst* —4F **70**
Barnard Ct. *Chat* —1D **94**
Barnard Ct. Dart —4B 60
(off Clifton Wlk.)
Barnberry Clo. *Afrd* —1C **160**
Barn Clo. *B'den* —9B **98**
Barn Clo. *Hoath* —2A **22**
Barn Clo. *York* —3C **20**
Barn Cotts. *T Hill* —5L **167**
Barn Cres. *Mgte* —2N **207**
Barncroft Clo. *Weav* —5J **127**
Barncroft Dri. *Hem* —7J **95**
Barndale Ct. *Shorne* —1C **78**
Barned Ct. *Maid* —7K **125**
Barnehurst. —1D 58 (4C 7)
Barnehurst Av. *Eri & Bexh* —8D **52**
Barnehurst Clo. *Eri* —8D **52**
Barnehurst Rd. *Bexh* —9D **52** (3C **7**)
Barn End Dri. *Dart* —9K **59**
Barn End La. *Dart* —9K **59** (1D **15**)
Barnes. —3A 4
Barnes Av. *Mgte* —2N **207**
Barnes Ct. *Cant* —4K **171**
Barnes Cray. —2H 59 (4D 7)
Barnes Cray Rd. *Dart* —2H **59**
Barnesdale Cres. *Orp* —9J **71**
Barnesende Ct. *S'wch* —6M **217**
Barnes High St. *SW13* —3A **4**
Barnes La. *SW20* —1A **12**
Barnes La. *Lin* —8N **137** (3D **27**)
Barnes Street. —2G 146 (3B 26)
Barnes Wlk. *Mard* —3L **205**
Barnet Dri. *Brom* —3A **84**
Barnet's La. *B Oak* —2C **168**
Barnett Clo. *Eri* —9G **52**
Barnett Ct. *Min* —8M **205**
Barnett Ct. *Ram* —3F **210**
Barnettfield. *Afrd* —1D **160**
Barnetts Clo. *Tun W* —5J **151**
Barnetts Rd. *Leigh* —5A **144**
Barnetts Way. *Tun W* —5J **151**
Barnet Wood Rd. *Brom* —3M **83**
Barnfield. *Chat* —3D **94**
Barnfield. *Grav* —7F **62**
Barnfield. *H Bay* —5D **194**
Barnfield. *St Mic* —5C **222**
Barnfield. *Tun W* —6F **156**
Barnfield Clo. *Grnh* —4F **60**
Barnfield Clo. *Long* —6C **76**
Barnfield Clo. *Swan* —1D **86**
Barnfield Cres. *Kems* —8M **103**
Barnfield Gdns. *SE18* —6D **50**
Barnfield Pk. La. *Eger* —4D **29**
Barnfield Rd. *SE18* —6D **50**
(in two parts)
Barnfield Rd. *Belv* —6A **52**
Barnfield Rd. *Fav* —4G **186**
Barnfield Rd. *Folk* —4J **189**
Barnfield Rd. *Orp* —6M **71**
Barnfield Rd. *Sev* —5F **118**
Barnfield Rd. *Tats* —8D **164**
Barnfield Wood Clo. *Beck* —9G **69**
Barnfield Wood Rd. *Beck* —9G **68**
Barnham Clo. *Grav* —6L **63**
Barn Hawe. *Eden* —6C **184**
Barn Hill. *Hunt* —7J **137** (3D **27**)
Barnhill Av. *Brom* —8J **69**
Barn Hill Cotts. *Maid* —5K **137**
Barnhouse La. *B'lnd* —2C **47**
Barnhurst La. *H'nge* —7C **192** (1A **42**)
Barnhurst Rd. *Maid* —1D **126**
Barn Meadow. *Up H'lng* —7C **92**
Barnmead Rd. *Beck* —4A **68**
Barn Platt. *Afrd* —1E **160**
Barnsbury. —1C 5
Barnsbury Rd. *N1* —2C **5**
Barns Clo. *Fav* —4F **186**
Barnsley Clo. *S'ness* —2F **218**
Barnsole. —8B 216 (1C 32)
Barnsole Rd. *Gill* —7G **81** (2E **17**)
Barnsole Rd. *S'le* —9A **216** (1B **32**)
Barnstable Ho. SE12 —3J 55
(off Taunton Rd.)
Barnstaple La. *SE13* —2F **54**
Barn Tye Clo. *Gus* —7K **179**
Barntye Rd. *Gus* —8J **179**
Barnwell Rd. *Dart* —1N **59**
Barnwood Clo. *Roch* —3M **93**
Baron Clo. *Bear* —4J **127**
Baron Clo. *Gill* —5H **81**
Barons Ct. *Tun W* —9G **151**
Baron's Wlk. *Croy* —9B **68**
Barrack Hill. *Hythe* —6H **197** (3D **41**)
Barrack Row. *Grav* —4G **62**
Barr Bank Ter. *Wilm* —9K **59**
Barrell Arch Clo. *Mard* —2K **205**
Barretts Rd. *Dun G* —2E **118**
Barretts Rd. *Hawkh* —5L **191**
Barrey Rd. *Ash B* —3L **161**
Barrie Dri. *Lark* —6D **108**
Barrier R. *Chat* —7C **80**
Barrington Clo. *Chat* —6C **94**
Barrington Cres. *Birch* —4G **207**
Barrington Rd. *Bexh* —9M **51**
Barrington Vs. *SE18* —8C **50**
Barrowfields. *Chat* —1G **111**
Barrow Green. —1L 223 (3D 19)
Barrow Grn. Rd. *Oxt* —2A **24**
Barrow Gro. *Sit* —8E **98**
Barrow Hill. —7F 158 (2C 41)
Barrow Hill. *S'ndge* —9K **215** (2C **41**)
Barrow Hill Cotts. *Afrd* —8E **158**
Barrow Hill Pl. *Afrd* —7F **158**
Barrow Hill Rise. *S'ndge* —2C **41**
Barrow Hill Ter. Afrd —7F 158
(off Barrow Hill Pl.)
Barrow La. *L'tn G* —3N **155**
Barrows Clo. *Birch* —5F **206**
Barr Rd. *Grav* —7L **63**
Barry Av. *Bexh* —7N **51**
Barry Clo. *Orp* —4G **84**
Barry Rd. *SE22* —4D **5**
Bartholomew Clo. *Hythe* —5J **197**
Bartholomew La. *Hythe*
—5H **197** (3D **41**)
Bartholomew St. *Dover* —3H **181**
Bartholomew St. *Hythe* —6J **197**
Bartholomew Way. *Swan*
—6F **72** (1C **15**)
Barth Rd. *SE18* —4G **51**
Bartlets La. *Afrd* —4A **160** (2E **39**)
Bartlett Clo. *Chat* —1F **110**
Bartlett Dri. *Whits* —4J **225**
Bartlett Rd. *Grav* —6F **62**
Bartlett Rd. *W'ham* —8E **116**
Bartletts Clo. *Min S* —7D **218**
Bartlett Ter. *Croy* —3B **82**
Bartley Mill. —3A **36**
Bartley Mill Rd. *Lam* —3A **36**
Barton Clo. *Bexh* —3N **57**
Barton Ct. *Min S* —6K **219**
Barton Field. *Lym* —7C **204**
Bartonfields Ct. *Cant* —3A **172**
Barton Hill Dri. *Min S* —8G **219** (1D **19**)
Barton Mill Rd. *Cant* —9A **168**
Barton Path. *Dover* —3H **181**
Barton Rd. *Cant* —4M **172**
Barton Rd. *Dover* —2H **181** (1C **43**)
Barton Rd. *Maid* —7D **126** (2E **27**)
Barton Rd. *Roch* —5L **79**
Barton Rd. *Sidc* —2N **71**
Barton Rd. *S at H* —4B **74**
Bartons Bus. Pk. *Cant* —4C **172**
Barton's Point Coastal Park.
—2G **218** (4D **11**)
Barton View Ter. *Dover* —3H **181**
Bartram Rd. *SE4* —3B **54**
Barts Clo. *Beck* —8D **68**
Barville Clo. *SE4* —2B **54**
Barville Rd. *Wald* —2L **185** (3C **32**)
Barwick Rd. *Dover* —3E **180** (1C **42**)
Barwood Av. *W Wick* —2E **82**
Basden Cotts. *Hawkh* —5L **191**
Bashford Barn La. *Bre* —6A **114** (4B **18**)
Basi Clo. *Roch* —3N **79**
Basildon Rd. *SE2* —5J **51** (3B **6**)
Basildon Zoo. —3C **9**
Basil Gdns. *Croy* —2A **82**
Basilon Rd. *Bexh* —9N **51**
Basing Clo. *Maid* —6E **126**
Basing Dri. *Bex* —4A **58**
Baskerville. *Afrd* —7F **158**
Basket Gdns. *SE9* —3A **56**
Basmere Clo. *Maid* —3F **126**
Bassant Rd. *SE18* —6H **51**
Bassett Clo. *Hythe* —4M **197**
Bassett Gdns. *Hythe* —4L **197**
Bassett Rd. *Sit* —7E **98**
Bassett's Clo. *Orp* —5D **84**
Bassett's Way. *Orp* —5D **84**
Basted. —5M 121 (2A 26)
Basted La. *Crou* —4M **121** (1A **26**)
(in two parts)
Bastion Rd. *SE2* —5J **51**
Baston Mnr. Rd. *Brom* —4L **83**
Baston Rd. *Brom* —3L **83** (2A **14**)
Baston Rd. *Dover* —5H **181**
Bat & Ball. —3K 119 (1D 25)
Bat & Ball Rd. *Sev* —3K **119**
Batchelors. *Pem* —6D **152**
Batchelor St. *Chat* —8D **80**
Batchwood Grn. *Orp* —6J **71**
Bates Clo. *Lark* —7E **108**
Bates Clo. *S'le* —1B **32**
Bates Hill. *Igh* —4J **121** (1E **25**)
Bateson St. *SE18* —4G **50**
Bath Ct. *Folk* —8H **189**
Bath Hard. *Roch* —7A **80**
Bathhurst Clo. *S'hrst* —7J **221**
Bath Pl. *Mgte* —2D **208**
Bath Rd. *W4* —3A **4**
Bath Rd. *Dart* —5J **59**
Bath Rd. *Mgte* —3D **208** (1D **23**)
Bath Rd. *W'boro* —3J **161**
Baths Rd. *Brom* —7N **69**
Bath St. *EC1* —2D **5**
Bath St. *Grav* —4G **62** (4B **8**)
Bathurst Clo. *Ram* —3F **210**
Bathurst Rd. *Folk* —6F **188**
Bathurst Rd. *S'hrst* —8J **221**
Bathway. *SE18* —4C **50**
Batteries Clo. *Lyn* —4J **223**
Battersby Rd. *SE6* —7G **55**
Battersea. —3B 4
Battersea Bri. *SW3 & SW11* —3B **4**
Battersea Bri. Rd. *SW11* —3B **4**
Battersea Pk. Rd. *SW11 & SW8* —3B **4**
Battersea Rise. *SW11* —4B **4**
Battery Point. *S'gte* —9B **188**
Battery Rd. *SE28* —2G **50**
Battery Rd. *Lydd S* —4E **47**
Batteson St. *SE18* —4G **50**
Battle. —4B 44
Battle Abbey. —4B **44**
Battlefields Rd. *Wro* —7M **105** (4A **16**)
Battle Hill. *Batt* —4B **44**
Battle La. *Mard* —4D **27**
Battle of Britain Homes. Dover —5J 181
(off Chapel Pl.)
Battle of Britian Memorial.
—3B **174** (2B **42**)
Battle of Britian Museum.
—9B **192** (2A **42**)
Battle Rd. *Belv & Eri* —4D **52** (3C **7**)
Battle Rd. *Stapl* —3B **44**
Battlesmere Rd. *Cli* —5M **65**
Battle Street. —6L 77
Battle St. *Cob* —6L **77**
Batt's Cotts. *Shorne* —8L **77**
Batt's Rd. *Cob* —2B **16**
Batt's Rd. *Ludd* —8M **77**
Baudwin Rd. *SE6* —7H **55**
Baugh Rd. *Sidc* —1L **71**
Bawden Clo. *Cant* —7N **167**
Baxendale Ct. *Afrd* —2H **161**
Bayard Ct. *Bexh* —2C **58**
Bay Cotts. *St Mc* —7L **213**
Baydon Ct. *Short* —6J **69**
Baye La. *I'hm* —4A **22**
Bayfield. *P For* —4E **19**
Bayfield Ho. SE4 —2A 54
(off Coston Wlk.)
Bayfield Rd. *SE9* —2N **55**
Bayford. —1B 18
Bayford Rd. *Sit* —7H **99**
Bayhall Rd. *Tun W* —2J **157** (2E **35**)
Bayham Abbey. —2B **36**
Bayham Rd. *Sev* —5K **119** (2D **25**)
Bayham Rd. *Tun W* —5H **157** (2E **35**)
Bayham St. *NW1* —2C **4**
Bay Hill. *St Mb* —8K **213** (4E **33**)
Bay Hill Clo. *St Mc* —8K **213**
Bayle Ct. *Folk* —7L **189**
Bayle St. *Folk* —6L **189**
Bayle, The. *Folk* —7L **189**
Bayley's Hill. —3C 25
Bayley's Hill. *Sev* —3C **25**
Bayley's Hill. *Weald* —4F **130**
Bayley's Hill Rd. *Chid C & Weald* —3C **25**
Bayley Wlk. *SE2* —5N **51**
Bayly Rd. *Dart* —4A **60**
Bay Museum, The. —8L **213** (4E **33**)
Baynham Clo. *Bex* —4A **58**
Bay Shop. Cen., The. *Meop* —2F **106**
Bayswater. —2B 4
Bayswater Dri. *Deal* —2N **177**
Bayswater Dri. *Gill* —7A **96**
Bayswater Rd. *W2* —2B **4**
Baythorne St. *E3* —9C **54**
Bay Tree Clo. *Brom* —4N **69**
Baytree Clo. *Sidc* —6H **57**
Bay View. —1A 20
Bay View Gdns. *Ley S* —6J **203**
Bay View Heights. Birch —3C 206
(off Ethelbert Rd.)
Bay View Rd. *Broad* —2L **211**
Bayview Rd. *Kgdn* —5M **199**
Bayview Rd. *Whits* —6F **224**
Baywell. *Leyb* —8C **108**
Bazes Shaw. *New Ash* —3M **89**
(in two parts)
Beach All. Whits —3F 224
(off Island Wall)
Beach App. *Ward* —5K **203**
Beach Av. *Birch* —3E **206** (1C **22**)
Beach Bank Cvn. Site. *Hythe* —9D **196**
Beachborough Rd. *Brom* —9F **54**
Beachborough Rd. *Folk*
—5G **188** (2A **42**)
Beach Ct. *Bene* —3A **38**
Beach Ct. *Deal* —6J **177**
Beach Ct. *Walm* —8N **177**
Beach Houses. *Mgte* —3A **208**
Beach Marine. *S'gte* —8F **188**
Beachmont Clo. *G'stne* —6A **212**
Beach Ride. *Wgte S* —2L **207**
Beach Rd. *Dym* —9D **182**
Beach Rd. *St Mb* —9K **123**
Beach Rd. *Wgte S* —2L **207**
Beach St. *Deal* —3N **177** (2E **33**)
Beach St. *Folk* —6L **189**
Beach St. *H Bay* —2G **194**
Beach St. *S'ness* —2C **218**
Beach Ter. *S'ness* —2C **218**
Beach, The. *Walm* —7N **177** (3E **33**)
Beach Wlk. *Whits* —2G **224**
Beachy Path. *Tent* —7C **222**
Beacon Av. *H Bay* —2J **195**
Beacon Clo. *Gill* —4N **95**
Beacon Cotts. *Beth* —3K **163**
Beacon Dri. *Bean* —8H **61**
Beaconfields. *Sea* —7B **224**
Beaconfields. *Sev* —8G **119**
Beacon Hill. —3A 38
Beacon Hill. *Chat* —2F **94**
Beacon Hill. *H Bay* —2H **195** (1E **21**)
Beacon Hill La. *Chatt* —9C **66**
Beacon La. *Stapl* —3C **44**
Beacon La. *Wdboro* —8F **216** (1C **33**)
Beacon Oak Rd. *Tent* —7C **222** (3C **38**)
Beacon Rise. *Sev* —8H **119**
Beacon Rd. *SE13* —4G **54**
Beacon Rd. *Broad* —7J **209** (1E **23**)
Beacon Rd. *Chat* —1F **94**
Beacon Rd. *Crowb* —4C **35**
Beacon Rd. *Eri* —7J **53**
Beacon Rd. *H Bay* —3H **195**
Beacon Rd. *Len* —7D **200**
Beaconsfield Av. *Dover* —3H **181**
Beaconsfield Av. *Gill* —7H **81**
Beaconsfield Gdns. *Broad* —8K **209**
Beaconsfield Pde. *SE9* —9A **56**
Beaconsfield Rd. *SE9* —7A **56**
Beaconsfield Rd. *W4* —3A **4**
Beaconsfield Rd. *Bex* —7F **58**
Beaconsfield Rd. *Brom* —6N **69**
Beaconsfield Rd. *Cant* —9L **167** (4D **21**)
Beaconsfield Rd. *Chat* —1C **94**
Beaconsfield Rd. *Chel G* —4A **34**
Beaconsfield Rd. *Deal* —5N **177**
Beaconsfield Rd. *Dover* —3H **181**
Beaconsfield Rd. *Maid* —7B **126**
Beaconsfield Rd. *Sit* —8K **99**
Beaconsfield Ter. *Hythe* —7L **197**
Beacons, The. *Cox* —6N **137**
Beacon Ter. *Hythe* —9B **188**
Beacontree Heath. —1C 6
Beacon Wlk. *H Bay* —2H **195**
Beacon Wlk. *Tent* —6C **222**
Beacon Way. *Lymp* —5A **196**
Beacon Wood Country Park. —9H **61**
Beadnell Rd. *SE23* —6A **54**
Beadon Rd. *W6* —3A **4**
Beadon Rd. *Brom* —7K **69**
Beagles Clo. *Orp* —3M **85**
Beagles Wood Rd. *Pem* —7D **152**
Beagrams, The. *S'wch* —5L **217**
Beal Clo. *Well* —8J **51**
Beales La. *N'iam* —2D **45**
Beal's Green. —3K 191 (4E 37)
Beamish Rd. *Orp* —1L **85**
Beamont Clo. *Mans* —9L **207**
Beams, The. *Maid* —8H **127**
Bean. —8H 61 (4E 7)
Bean Clo. *Gt Cha* —9A **158**
(in two parts)
Beaney's La. *Shott* —2A **30**
Bean Hill Cotts. *Grn St* —9J **61**
(in two parts)
Bean La. *Bean* —7H **61** (4E **7**)
Bean Rd. *Bexh* —2M **57**
Bean Rd. *Grnh* —6G **61** (4E **7**)
Beanshaw. *SE9* —9C **56**
Bear's End Ho. *Afrd* —1F **160**
Bear's La. *Afrd* —1E **39**
Bearstead Rd. *Maid* —2F **126**
Bearsted. —5M 127 (2A 28)
Bearsted Clo. *Gill* —9L **81**
Bearsted Grn. Bus. Cen. *Bear* —5M **127**
Bearsted Rise. *SE4* —3C **54**
Bearsted Rd. *W'ing* —1E **27**
Bearsted Ter. *Beck* —4D **68**
Bearsted Vineyard. —8N **127** (2A **28**)
Beatrice Gdns. *N'fleet* —7D **62**
Beatrice M. *G'stne* —7A **212**
Beatrice Rd. *Cap F* —2C **174**
Beatrice Rd. *Mgte* —5C **208** (1D **23**)
Beatrice Wilson Flats. Sev —7J 119
(off Rockdale Rd.)
Beatty Av. *Gill* —9J **81**
Beatty Clo. *Folk* —3L **189**
Beatty Rd. *Folk* —4K **189**
Beatty Rd. *Roch* —3A **94**
Beauchamp Av. *Deal* —7K **177**
Beauchamp Clo. *Kenn* —5J **159**
Beauchamp Pl. *SW3* —3B **4**
Beauchamps La. *Non* —2B **32**
Beaufighter Rd. *W Mal* —6K **123**
Beaufort Av. *Ram* —4F **210**
Beaufort Ct. *Roch* —6B **80**
Beaufort Pk. *Roch* —7B **80**
Beaufort Rd. *Roch* —3J **79**
Beaufort St. *SW3* —3B **4**
Beaufort Wlk. *Maid* —4H **139**
Beaufoy Rd. *Dover* —3F **180**
Beaufoy Ter. *Dover* —3E **180**
Beaulieu Rise. *Roch* —2A **94**
Beaulieu Rd. *Tonb* —3H **145**
Beaulieu Wlk. *Maid* —2N **125**
Beaumanor. *H Bay* —4H **195**
Beaumanor Gdns. *SE9* —9C **56**
Beaumont Davy Clo. *Fav* —7G **187**
Beaumont Dri. *N'fleet* —5D **62**
Beaumont Rd. *SW19* —4B **4**
Beaumont Rd. *Maid* —7M **125**
Beaumont Rd. *Orp* —9F **70**
Beaumont St. *H Bay* —4D **194**
Beaumont Ter. *Fav* —6H **187**
Beauvoir Dri. *Kem* —3H **99**
Beauworth Pk. *Maid* —9H **127**
Beauxfield. *Whitf* —6F **178**
Beaver. —2E 160
Beaverbank Rd. *SE9* —6F **56**
Beavercote Wlk. *Belv* —5A **52**
Beaver Ct. *Afrd* —2E **160**
Beaver Ct. *Beck* —3E **68**
Beaver Ind. Est. *Afrd* —2F **160**
Beaver La. *Afrd* —1C **160** (1E **39**)
(Brookfield Rd.)
Beaver La. *Afrd* —8C **158**
(Leacon Rd.)
Beaver Rd. *Afrd* —2F **160** (1A **40**)
(in three parts)
Beaver Rd. *Maid* —2M **125**
Beavers Lodge. *Sidc* —9H **57**
Beaverwood Rd. *Chst* —1G **71**
Beazley Ct. *Afrd* —2H **161**
Bebbington Rd. *SE18* —4G **50**
Beblets Clo. *Orp* —6H **85**
Beck Ct. *Beck* —6A **68**
Beckenham. —4D 68 (1E 13)
Beckenham Bus. Cen. *Beck* —2B **68**
Beckenham Dri. *Maid* —2A **126**
Beckenham Gro. *Brom* —5G **69**
Beckenham Hill Est. *Beck* —1E **68**
Beckenham Hill Rd. *Beck & SE6*
—2E **68** (1E **13**)
Beckenham La. *Brom* —5H **69** (1E **13**)
Beckenham Pk. *Gill* —2A **18**
Beckenham Pl. Pk. *Beck* —3E **68**
Beckenham Rd. *Beck* —4A **68** (1D **13**)
Beckenham Rd. *W Wick* —1F **82** (2E **13**)
Becket Av. *Cant* —1K **171**
Becket Clo. *Ah* —4C **216**
Becket Clo. *Deal* —2M **177**
Becket Clo. *Whits* —4K **225**
Becket Ho. *Cant* —3N **171** (1D **31**)
Becket M. *Cant* —1M **171** (4D **21**)
Beckets Field. *Pens* —3H **149**
Beckets Wood. *Ups* —3A **22**
Beckett Clo. *Belv* —3A **52**
Beckett Ct. *H'crn* —3L **193**
Becketts Clo. *H'lgh* —4C **30**
Becketts Clo. *Orp* —4H **85**
Beckett St. *Fav* —5G **186**
Beckett Wlk. *Beck* —2B **68**
Beckford Dri. *Orp* —1F **84**

Beck La.—Bexley Rd.

Beck La. Beck —6A 68
Beckley. —3D 45
Beckley Clo. Grav —7N 63
Beckley Furnace. —3D 45
Beckley M. Chat —6C 94
Beckley Pl. Stanf —2D 41
Beckley Rd. N'iam —3D 45
Beckley Rd. S'ness —2F 218
Beckman Clo. Hals —6D 102
Beck River Pk. Beck —4D 68
Becksbourne Clo. Maid —1D 126
Becks Rd. Sidc —8J 57
Beckton. —2A 6
Beckton Rd. E16 —2E 5
Beck Way. Beck —6C 68
Beckwith Grn. Folk —6D 188
Beckworth Pl. Maid —6M 125
Becontree. —1B 6
Becontree Av. Dag —1B 6
Becton Pl. Eri —7C 52
Bedale Wlk. Dart —6B 60
Beddington. —2C 13
Beddington Corner. —2C 12
Beddington Grn. Orp —4H 71
Beddington La. Croy —2C 12
Beddington Path. St P —4H 71
Beddington Rd. Orp —4G 71
Beddlestead La. Warl —8A 164 (4E 13)
Beddow Way. Ayle —8M 109 (4D 17)
Bede Ho. Deal —2N 177
Bedens Rd. Sidc —2N 71
Bedford Av. Gill —2N 95
Bedford Ct. Broad —8M 209
Bedford Hill. SW12 & SW16 —4C 4
Bedford Park. —3A 4
Bedford Pl. Maid —5B 126
Bedford Rd. SW4 —4C 5
Bedford Rd. Dart —5A 60
Bedford Rd. N'fleet —7E 62
Bedford Rd. Orp —3K 85
Bedford Rd. Sidc —8G 57
Bedford Rd. Tun W —5G 150
Bedford Sq. WC1 —2C 4
Bedford Sq. Long —6L 75
Bedford Sq. Ram —2F 210
(off Stirling Way.)
Bedford Ter. Tun W —3G 156
Bedford Vs. Bra L —8J 165
Bedford Way. St N —9E 214
Bedgebury Clo. Maid —3F 126
Bedgebury Clo. Roch —3A 94
Bedgebury Cross. —3C 37
Bedgebury National Pinetum. —3C 37
Bedgebury Rd. SE9 —2N 55
Bedgebury Rd. Goud —9K 185 (3C 37)
Bedingfield Way. Lym —7C 204
Bedivere Rd. Brom —8K 55
Bedlam Ct. La. Min —8N 205 (2C 23)
Bedlam La. Smar & Eger —4B 28
Bedmonton. —1N 129 (4B 18)
Bedonwell Rd. SE2 & Belv —6N 51 (3C 6)
Bedonwell Rd. Bexh —6B 52
Bedson Wlk. Gill —2D 96
Bedwell Rd. Belv —5B 52
Bedwin Clo. Roch —4A 94
Beecham Rd. Tonb —1L 145
Beech Av. Sidc —5J 57
Beech Av. Swan —7G 73
Beech Av. Tats —7D 164
Beech Clo. Fav —5F 186
Beech Clo. Folk —5J 189
Beech Copse. Brom —5B 70
Beech Ct. Beck —3C 68
Beech Ct. Dart —4A 60
Beech Court. —3A 30
Beech Court Gardens. —9B 174
Beechcroft Ches —4M 225
Beechcroft. Chst —3C 70
Beechcroft Av. Bexh —8E 52
Beechcroft Clo. Orp —5F 84
Beechcroft Gdns. Ram —4K 211
Beechcroft Rd. Orp —5F 84
Beech Dell. Kes —5B 84
Beech Dri. Broad —9H 209
Beech Dri. Evtn —1J 185
Beech Dri. Hoth —4E 29
Beech Dri. Maid —4N 125
Beechen Bank Rd. Chat —9D 94
Beechenlea La. Swan —7H 73 (1D 15)
Beechen Pl. SE23 —7A 54
Beeches Av. Cars —3B 12
Beeches, The. Ayle —9J 109
Beeches, The. Chat —7D 94
Beeches, The. Eyt —3L 185
Beeches, The. Hawkh —8J 191
Beeches, The. Sole S —7J 77
Beeches, The. Tun W —9K 151
Beech Farm Rd. Sed —4B 44
Beech Farm Rd. Warl —4E 13
Beechfield Cotts. Brom —5M 69
Beechfield Rd. SE6 —6C 54
Beechfield Rd. Brom —5M 69
Beechfield Rd. Eri —7F 52
Beech Grn. Clo. Eyt —4K 185
Beech Grn. Rd. Blac —3A 154 (2C 34)
Beech Gro. C'snd —7A 210
Beech Gro. Dover —1G 180
Beech Gro. High —1F 78
Beech Haven Ct. Dart —3E 58
(off London Rd.)
Beech Hill. Bri —9J 173
Beech Ho. La. Rob —2B 44
Beech Hurst. Pem —7C 152
Beech Hurst Clo. Maid —7E 126
Beechill Rd. SE9 —3C 56
Beechin Bank Rd. Chat —3E 17
Beeching Rd. Chat —8E 94
Beechings Grn. Gill —9M 81
Beechings Ind. Cen. Gill —8L 81
Beechings Way. Gill —8L 81 (2E 17)
Beeching Way. E Grin —2A 34
Beechin Wood La. Platt —4B 122 (1A 26)
Beechlands Clo. Hart —8N 75
Beech La. Matf —2B 36
Beech Mast. Meop —2G 106
Beechmont Clo. Brom —1H 69
Beechmont Cotts. Sev —3J 131
Beechmont Flats. Weald —3J 131
Beechmont Rise. Tonb —1H 145
Beechmont Rd. Sev —2J 131 (2D 25)
Beechmore Dri. Chat —9D 94
Beecholme Dri. Kenn —5G 158
Beech Rd. Big H —7B 164
Beech Rd. Dart —6L 59
Beech Rd. E Mal —2D 124
Beech Rd. Mere —7G 123 (2B 26)
Beech Rd. Newe —2D 45
Beech Rd. Orp —8J 85
Beech Rd. Roch —6K 79
Beech Rd. Sev —7J 119
Beech St. EC2 —2D 5
Beech St. Tun W —1H 157
Beech Vs. Elham —6N 183
Beech Wlk. Dart —2H 59
Beechway. Bex —4M 57
Beechwood Av. Chat —1G 95
Beechwood Av. Deal —5M 177
Beechwood Av. Orp —7G 84
Beechwood Av. Sit —5F 98
Beechwood Clo. St Mar —3E 214
Beechwood Clo. Whitf —4F 178
Beechwood Ct. River —9D 178
Beechwood Cres. Bexh —1M 57
Beechwood Dri. Kes —5N 83
Beechwood Dri. Meop —2F 106
Beechwood Gdns. Meop —1F 106
Beechwood Rise. Chst —9D 56
Beechwood Rd. Maid —6K 125
Beechy Lees Rd. Otf —8L 103
Beecroft Clo. Cant —7N 167
Beecroft Rd. SE4 —3B 54
Beeken Dene. Orp —5E 84
Beer Cart La. Cant —2M 171 (1D 31)
Beesfield La. F'ham —1A 88 (2D 15)
Beeston Ct. Dart —4B 60
(off Hardwick Cres.)
Beeton Clo. Grnh —3H 61
Beggarsbush La. Old R —2C 47
Beggar's Hill. (Junct.) —3A 12
Beggars La. W'ham —7F 116 (2B 24)
Begonia Av. Gill —1M 95
Beke Rd. Gill —7N 95
Bekesbourne. —6H 173 (2E 31)
Bekesbourne Hill. —5G 173 (1E 31)
Bekesbourne Hill. Bek —5G 173 (1E 31)
Bekesbourne La. Bek —1E 31
Bekesbourne La. Cant & Lit —2D 172
Bekesbourne La. L'brne —4J 173 (1A 32)
Bekesbourne Rd. Bri —2E 31
Bekesbourne Rd. L'brne —4J 173
Belcaire Clo. Lymp —5A 196
Belcroft Clo. Brom —3J 69
Beldam Haw. Hals —3B 102
Belfast Ho. Maid —1H 139
Belfield Rd. Pem —8C 152
Belford Gro. SE18 —4C 50
Belgrave Clo. Orp —7L 71
Belgrave Clo. Ram —5H 211
Belgrave Ho. Roch —5M 79
Belgrave Pl. SW1 —3C 4
Belgrave Rd. SW1 —3C 4
Belgrave Rd. Dover —5G 181
Belgrave Rd. Mgte —3C 208 (1D 23)
Belgrave Rd. Min S —7D 218
Belgrave Rd. Ram —5H 211
Belgrave Rd. Tun W —1H 157
Belgrave Sq. SW1 —3C 4
Belgrave St. Eccl —4K 109
Belgravia. —3C 4
Belgravia Gdns. Brom —2H 69
Belgrove. Tun W —3G 157
Belinda Ct. Folk —4H 189
Bellavista Leisure Pk. Sea —7C 224
Bell Chapel Clo. Kgnt —5G 160
Bell Clo. Grnh —3F 60
Bell Cotts. Lwr Hal —8L 223
Bell Cres. Burh —2K 109
Bellefield Rd. Orp —8K 71
Belle Friday Clo. Tey —2K 223
Bellegrove Clo. Well —9H 51
Bellegrove Pde. Well —1H 57
Bellegrove Rd. Well —9G 51 (3B 6)
Bellevue Av. Ram —5K 211
Belle Vue Cotts. H Bay —4L 195
Bellevue Rd. SW17 —4B 4
Bellevue Rd. Bexh —3A 58
Belle Vue Rd. H Bay —2H 195
Bellevue Rd. Min S —5K 219
Belle Vue Rd. Orp —1C 100
Bellevue Rd. Ram —5K 211 (2E 23)
Bellevue Rd. Whits —5H 225
Bellevue St. Folk —6K 189
Bell Farm La. Min S —6N 219 (4E 11)
Bellfield. Croy —9B 82
Bell Gdns. Orp —8L 71
Bell Green. —9B 54 (1E 13)
Bell Grn. SE26 —8C 54 (1E 13)
Bell Grn. La. SE26 —1C 68 (1E 13)
Bell Gro. Aysm —2D 162
Bellgrove Ct. Chat —2D 110
Bellingham. —8E 54 (4E 5)
Bellingham Grn. SE6 —8D 54
Bellingham Rd. SE6 —8E 54 (4E 5)
Bellingham Trad. Est. SE6 —8E 54
Bellinhgam Way. Lark & Ayle —6F 108
Bell Inn Rd. Hythe —6L 197
Bell La. Bidd & Smar —1B 38
Bell La. Boxl —4K 127 (3E 17)
Bell La. Burh —2K 109 (3D 17)
Bell La. Chat —3C 110
Bell La. Dit —8F 108
(in two parts)
Bell La. S'wch —5M 217
Bell La. Smar —2H 221
Bell La. S'hrst —8J 221
Bellman Av. Grav —6K 63
Bellmeadow. Maid —2H 139
Bellows La. Bor G —2L 121
Bellring Clo. Belv —6B 52
Bell Rd. Maid —2H 139
Bell Rd. Sit —1F 114 (3C 19)
Bells Clo. Tent —8B 222
Bells Farm Rd. Hdlw —9H 135 (3B 26)
Bells Hill Rd. Van —1C 9
Bell Shop. Cen., The. Sit —7G 99
Bell's La. Hoo —6G 66 (4E 9)
Bells La. Tent —8B 222
Bell's Yew Green. —8N 157 (2A 36)
Bells Yew Grn. Rd. Frant —9J 157 (3E 35)
Bell Water Ga. SE18 —3C 50
Bell Way. Kgswd —6G 140
Bellwood Ct. St Mh —2M 67
Bellwood Rd. SE15 —2A 54
Belmarsh Rd. SE28 —2G 51
Belmont. —3B 12
Belmont. Walm —9L 177
Belmont. —1E 29
Belmont Av. Well —1G 56
Belmont Clo. Maid —7K 125
Belmont Ct. Ram —5H 211
(off Park Rd.)
Belmont Gro. SE13 —1G 54
Belmont Hall Ct. SE13 —1G 55
Belmont Hill. SE13 —1F 54 (4E 5)
Belmont La. Chst —1E 70
(in two parts)
Belmont Pde. Chst —1E 70
Belmont Pk. SE13 —2G 55
Belmont Pk. Clo. SE13 —2H 55
Belmont Pl. Afrd —2H 161
(in two parts)
Belmont Rise. Sutt —3B 12
Belmont Rd. Beck —5C 68
Belmont Rd. Broad —9L 209
Belmont Rd. Chst —1D 70
Belmont Rd. Eri —7B 52 (3C 6)
Belmont Rd. Fav —6G 187
Belmont Rd. Gill —8F 80
Belmont Rd. Kenn —4H 159
Belmont Rd. Min S —6F 218
Belmont Rd. Sit —8F 98
Belmont Rd. Wgte S —3L 207
Belmont Rd. Whits —4F 224 (2C 21)
Belmont St. Ram —5J 211
Belmont Ter. E'try —3K 183
Belmore Pk. Afrd —7F 158
Belnor Av. Bob —2N 97
Belsey La. Ewe M —1B 42
Belsize Av. NW3 —1B 4
Belsize Pk. NW3 —1B 4
Belsize Rd. NW6 —2B 4
Belson Rd. SE18 —4B 50
Beltana Dri. Grav —9K 63
Beltinge. —2L 195 (2E 21)
Beltinge Dri. H Bay —2M 195
Beltinge Rd. H Bay —2H 195 (1E 21)
Belton Clo. Whits —5G 224
Belton Gdns. Lgh S —1A 10
Belton Rd. Sidc —9J 57
Belton Way E. Lgh S —1A 10
Belton Way W. Lgh S —1A 10
Beltring. —3N 147 (4B 26)
Beltring Rd. Pad W —3N 147 (4B 26)
Beltring Rd. Tun W —8G 150
Beltwood Rd. Belv —4D 52
Belvedere. —3C 52 (3C 6)
Belvedere Clo. Grav —6H 63
Belvedere Ct. Belv —3A 52
Belvedere Ho. Maid —3J 139
Belvedere Rd. SE2 —1L 51
Belvedere Rd. Bexh —1A 58 (4C 6)
Belvedere Rd. Big H —6F 164
Belvedere Rd. Broad —9M 209
Belvedere Rd. Fav —4H 187
Belvoir Clo. SE9 —8A 56
Benacre Rd. Whits —7F 224
Benares Rd. SE18 —4H 51
Benbury Clo. Brom —1F 68
Bench Hill. Ken —3D 39
Bench St. Dover —5J 181
Bencurtis Pk. W Wick —4G 83
Benden Clo. S'hrst —7K 221
Benden Ho. SE13 —3F 54
(off Monument Gdns.)
Bendmore Av. SE2 —5J 51
Bendon Way. Gill —3N 95
Benedict Clo. Belv —3N 51
Benedict Clo. Hall —7F 92
Benedict Clo. Orp —4G 85
Benenden. —3A 38
Benenden Grn. Brom —8K 69
Benenden Mnr. Gill —9L 81
Benenden Rd. Bidd —3B 38
Benenden Rd. Rol —2H 213 (3A 38)
Benenden Rd. Wain —2N 79
Benfleet Rd. Ben —1E 9
Bengal Rd. Ram —3E 210
Benhall Mill Rd. Tun W —5J 157 (2E 35)
Benhill Av. Sutt —2B 12
Benhill Rd. Sutt —2B 12
Benhilton. —2B 12
Benin St. SE13 —5G 55
Benjamin Ct. Belv —6A 52
Ben Jonson Rd. E1 —2D 5
Bennells Av. Whits —3J 225 (2D 21)
Bennett Clo. Well —9J 51
Bennett Ho. Grav —8E 62
Bennett Pk. SE3 —1J 55
Bennetts Av. Croy —3B 82
Bennetts Av. W King —2J 105
Bennetts Castle La. Dag —1B 6
Bennetts Copse. Chst —2A 70
Bennetts Cotts. Gill —2K 111
Bennetts M. Tent —8B 222
Bennetts Way. Croy —3B 82
Bennett Way. Dart —9D 60
Benover. —3C 27
Benover Rd. Yald —8D 136 (3C 26)
Bensham La. Croy & T Hth —2C 13
Benson Clo. H'nge —8B 192
Benson La. H'nge —8B 192
Bensted. Afrd —4D 160
Bensted Clo. Hunt —9H 137
Benstede Clo. H Bay —6H 195
Bensted Gro. Fav —5E 186
Bentfield Gdns. SE9 —8N 55
Bentham Hill. Bidb —5D 150 (1E 35)
Bentham Rd. SE28 —1H 51 (2B 6)
Bentham Sq. S'ness —1B 218
(off Charles St.)
Ben Tillet Clo. E16 —1B 50
Bentley Av. H Bay —3C 194
Bentley Clo. Chat —9G 94
Bentley Clo. Long —6B 76
Bentley Clo. Roy B —9K 109
Bentley Rd. W'boro —2J 161 (1A 40)
Bentley's Meadow. Seal —2N 119
Bentley St. Grav —4H 63
Bentley St. Ind. Est. Grav —4J 63
Bentlif Clo. Maid —4A 126
Berber Rd. Roch —4M 79
Bercta Rd. SE9 —7E 56
Berengrave La. Gill —2A 96 (2A 18)
Berens Ct. Sidc —9H 57
Berens Rd. Orp —8M 71
Berens Way. Chst —6H 71
Beresford Av. Chat —1B 94
Beresford Av. Wemb —2A 4
Beresford Clo. Kiln —3C 36
Beresford Dri. Brom —6A 70
Beresford Gap. Birch —3E 206
Beresford Gdns. Mgte —2G 208
Beresford Hill. Bou M —5E 138 (3E 27)
Beresford Rd. Ayle —3N 109
Beresford Rd. Dover —1D 180
Beresford Rd. Gill —8G 80
Beresford Rd. Goud —8L 185
Beresford Rd. N'fleet —5D 62
Beresford Rd. Ram —6H 211
Beresford Rd. St Mc —8J 199
Beresford Rd. Whits —4F 224
Beresford Sq. SE18 —4D 50
Beresford St. SE18 —3D 50 (3A 6)
Berger Clo. Orp —9F 70
Bergland Pk. Roch —4A 80
Berkeley Av. Bexh —8M 51
Berkeley Clo. Dunk —3L 165
Berkeley Clo. Folk —4G 189
Berkeley Clo. Orp —1G 84
Berkeley Clo. Pem —7D 152
Berkeley Clo. Roch —3A 94
Berkeley Ct. Sit —8E 98
Berkeley Ct. Swan —7F 72
Berkeley Cres. Dart —6N 59
Berkeley Mt. Chat —8C 80
Berkeley Pl. Tun W —3G 157
Berkeley Rd. Birch —3E 206
Berkeley Rd. Tun W —3G 157
Berkeley St. W1 —2C 4
Berkhampstead Rd. Belv —5B 52
Berkley Cres. Grav —4H 63
Berkley Rd. Grav —4G 63
Berkshire Clo. Chat —3F 94
Berkshire Ho. SE6 —9D 54
Bermondsey. —3D 5
Bermondsey St. SE1 —2D 5
Bernards Gdns. S'wll —2D 220
Bernard St. WC1 —2C 5
Bernard St. Grav —4G 63
Bernel Dri. Croy —4C 82
Berners Hill. Flim —4C 37
Berney Ho. Beck —8B 68
Berridge Rd. S'ness —2D 218
Berryfield. —4E 11
Berryfield Clo. Brom —4A 70
Berryhill. SE9 —2D 56
Berryhill Gdns. SE9 —2D 56
Berrylands. —2A 12
Berrylands. Hart —9N 75
Berrylands. Orp —4L 85
Berryman's La. SE26 —9A 54
Berry's Green. —7D 100 (4B 14)
Berry's Grn. Rd. Berr G —7D 100 (4A 14)
Berry's Hill. Berr G —6D 100 (4A 14)
Berry St. Sit —7G 98
Bertha Hollamby Ct. Sidc —1L 71
(off Sidcup Hill)
Bertie Rd. SE26 —2A 68
Bertrand St. SE13 —1E 54
Berwick. —3D 41
Berwick Cres. Sidc —4G 57
Berwick La. Lymp —5B 196
Berwick Pond Rd. Rain & Upm —2D 7
Berwick Rd. Well —8K 51
Berwick Way. Orp —2J 85
Berwick Way. Sev —2J 119
Berwyn Gro. Maid —2D 138
Bessels Green. —5E 118 (2C 25)
Bessels Grn. Rd. Sev —5E 118
Bessels Meadow. Sev —6E 118
Bessels Way. Sev —6D 118
Bessie's La. H Hals —1K 67
Bessingham Wlk. SE4 —2A 54
(off Aldersford Clo.)
Bessles Grn. Rd. Sev —2C 25
Besson St. SE14 —3D 5
Best Beech Hill. —4A 36
Best La. Cant —2M 171 (1D 31)
Best St. Chat —8C 80 (2D 17)
Best Ter. Swan —8D 72
Beta Rd. Hoo —6N 67
Betchworth Way. New Ad —9F 82
Betenson Av. Sev —4G 118
Bethel Rd. Sev —5K 119
Bethel Rd. Well —1L 57
Bethersden. —2J 163 (1D 39)
Bethersden Clo. Beck —3C 68
Bethersden Ct. Maid —1J 139
Bethersden Rd. Hoth —1D 39
Bethersden Rd. Shad —2D 39
Bethersden Rd. Smar —4J 221 (1B 38)
Bethersden Rd. Wdchu —6B 226 (3D 39)
Bethnal Green. —2D 5
Bethnal Grn. Rd. E2 —2D 5
Betjeman Clo. Lark —7D 108
Betony Clo. Croy —2A 82
Betony Gdns. Weav —4J 127
Betsham. —9M 61 (1E 15)
Betsham Rd. Eri —7G 53
Betsham Rd. Maid —2J 139
Betsham Rd. S'fleet —1K 75 (1E 15)
Betsham Rd. Swans —5L 61
Betterton Dri. Sidc —7N 57
Betteshanger. —2C 33
Betts Clo. Beck —5B 68
Bettscombe Rd. Gill —4N 95
Betty Shelvey Ct. Deal —6M 177
(off Finch M.)
Beulah Hill. SE19 —1C 13
Beulah Rd. T Hth —1D 13
Beulah Rd. Tun W —9H 151
Beult Meadow. Smar —3K 221
Beult Rd. Dart —2H 59
Bevan Pl. Swan —7G 72
Bevan Rd. SE2 —5K 51
Bevans Clo. Grnh —4J 61
Bevan Way. Aysm —2C 162
Bevercote Wlk. Belv —6A 52
Beverley Av. Sidc —5H 57
Beverley Clo. Gill —3B 96
Beverley Ct. SE4 —1C 54
Beverley Cres. Tonb —8F 144
Beverley Gdns. Dym —9D 182
Beverley Ho. Brom —1G 68
(off Brangbourne Rd.)
Beverley Rd. Bexh —9D 52
Beverley Rd. Brom —3A 84
Beverley Rd. Cant —9L 167
Beverley Rd. Dag —1C 6
Beverley Rd. Maid —7K 125
Beverley Rd. Whyt —4D 13
Beverley Way. SW20 & N Mald —1A 12
Beverley Way. Ram —3G 210
Beverly Clo. Birch —3G 207
Bevington Rd. Beck —5E 68
Bevis Clo. Dart —5C 60
Bewlbridge La. Cous W —3B 36
Bewley La. Plax —7J 121 (2E 25)
Bewl Water Visitor Centre. —3B 36
Bewsbury Cres. Whitf —6E 178
Bewsbury Cross La. Whitf —6E 178 (4C 32)
Bexhill Rd. SE4 —4C 54
Bexley. —5C 58 (4C 6)
Bexley Clo. Dart —3F 58
Bexley Cotts. Hort K —7C 74
Bexleyheath. —2B 58 (4C 6)
Bexley High St. Bex —5B 58 (4C 6)
Bexley Ho. SE4 —2B 54
Bexley La. Dart —3F 58
Bexley La. Sidc —9L 57 (1B 14)
Bexley Museum. —4D 58
Bexley Rd. SE9 —3D 56 (4A 6)

Bexley Rd.—Bonetta Ct.

Bexley Rd. Eri —7D 52 (3C 7)
(in two parts)
Bexley St. Whits —3F 224
Bexon. —7C 114 (4C 18)
Bexon La. Bre —5B 114 (3C 18)
Bexon Mnr. Cotts. Bre —7C 114
Beynon Rd. Cars —2B 12
Bhutan Rd. H Bay —3K 195
Bickley. —6A 70 (1A 14)
Bickley Cres. Brom —7A 70
Bickley Pk. Rd. Brom —6A 70 (1A 14)
Bickley Rd. Brom —5N 69 (1A 14)
Bickley Rd. Tonb —7H 145
Bickmore Way. Tonb —4J 145
Bicknor. —8L 113 (4B 18)
Bicknor Clo. Cant —7A 168
Bicknor Farm Cotts. Langl —3K 139
Bicknor La. Bic —8L 113 (4B 18)
Bicknor Rd. Maid —3J 139
Bicknor Rd. Orp —1G 85
Bidborough. —3C 150 (1E 35)
Bidborough Clo. Brom —8J 69
Bidborough Ct. Bidb —3B 150
Bidborough Ridge. Bidb —2C 150 (1E 35)
Biddenden. —8L 163 (2B 38)
Biddenden Clo. Bear —6J 127
Biddenden Clo. Mgte —4G 208
(off Denton Way.)
Biddenden Green. —2L 221 (1C 38)
Biddenden Rd. Frit —1A 38
Biddenden Rd. H'crn —4M 193 (1B 38)
Biddenden Rd. Siss —8D 220 (2E 37)
Biddenden Rd. Smar —4H 221 (1B 38)
Biddenden Rd. St Mic & H Hal —1A 222 (2B 38)
Biddenden Vineyards. —2B 38
Biddenden Way. SE9 —9C 56
Biddenden Way. Grav —3D 76
Biddulph Ho. SE18 —4B 50
Bideford Rd. Brom —8J 55
Bideford Rd. Well —7K 51
Bierce Ct. Birch —4E 206
Bifrons Gdns. Pat —7G 172
Bifrons Hill. Pat —6F 172 (2E 31)
Bifron's Park. —8G 172
Bifrons Rd. Bek —6G 173
Bigbury Rd. Cha H —4C 170 (1C 31)
Biggin Hill. —5D 164 (4A 14)
Biggin Hill Airport. —2D 164
Biggin Hill Airport. —3A 14
Biggin Hill Bus. Pk. Big H —3D 164
Biggin St. Dover —4J 181
Biggins Wood Rd. Folk —4D 188
Biggleswade Pas. Cant —3L 171
Bignell Rd. SE18 —5D 50
Big Pett. Stow C —1C 41
Bilberry Clo. Weav —4H 127
Billet Hill. As —5J 89 (2E 15)
Billet La. Stan H —2C 8
Bill Hamling Clo. SE9 —7B 56
Billingford Clo. SE4 —2A 54
Billingsgate Fish Market. —2E 5
Billings Hill Shaw. Hart —9M 75
Billington Gdns. Kenn —4J 159
Bills Hill. Blad —4E 31
Bill St. Rd. Roch —3N 79 (1D 17)
Bilsby Gro. SE9 —9N 55
Bilsington. —3B 40
Bilsington Clo. Chat —6E 94
Bilsington Rd. Ruck —3A 40
Bilting. —3B 30
Bilting La. Bilt —3B 30
Bilton Rd. Eri —7H 53
Bilton Sq. Mgte —3C 208
Binbury Cotts. Det —6C 112
Binbury La. Det —6B 112 (4A 18)
Bindon Blood Rd. Whitf —8F 178
Bines, The. Pad W —1M 153
Bingham Rd. Croy —2D 13
Bingham Rd. Roch —3N 79
Bingley Rd. Snod —2D 108
Binland Gro. Chat —6A 94
Binnacle Rd. Roch —3N 93
Binney Rd. Allh —4L 201
Binnie Clo. Broad —2K 211
Binsey Wlk. SE2 —2L 51
Birbetts Rd. SE9 —7B 56
Bircham Path. SE4 —2A 54
(off Aldersford Clo.)
Birchanger Rd. SE25 —2D 13
Birch Clo. Broad —1G 211
Birch Clo. Eyns —5L 87
Birch Clo. Hild —3D 144
Birch Clo. Long —5B 76
Birch Clo. Matf —5J 153
Birch Clo. Sev —5J 119
Birch Clo. Tun W —7K 151
Birch Clo. W'boro —8J 159
Birch Ct. B'hm —8D 162
Birch Cres. Ayle —1H 125
Birchden. —7L 155 (2D 35)
Birchdene Dri. SE28 —1J 51
Birch Dri. Chat —1G 111
Birches, The. Birch —4G 206
Birches, The. Orp —5C 84
Birches, The. Swan —5F 72
Birches, The. Tonb —8H 145
Birchett. Afrd —9C 158
Birchetts Av. L'tn G —2M 155
Birchett's Green. —4B 36
Birchetts Grn. La. Birch G & Tic —4B 36
Birchfield Clo. Maid —2E 138
Birchfields. Chat —8D 94
Birchgrove. —4A 34
Birch Gro. SE12 —5J 55
Birch Gro. Hem —7K 95
Birch Gro. Well —2J 57
Birchgrove La. Chel G —4A 34
Birchgrove Rd. Hor K —4A 34
Birch Hill. Croy —6A 82
Birch Hill Ct. Birch —4G 206
Birch Ho. Barm —6L 125
(off Springwood Rd.)
Birch Ho. S'ness —2C 218
Birch Ho. Sit —7J 99
Birchin Cross Rd. Knat —6M 103 (4D 15)
Birchington. —4F 206 (1C 22)
Birchington Clo. Bexh —8C 52
Birchington Clo. Maid —4F 126
Birchington Clo. Orp —2L 85
Birchmead. Orp —3C 84
Bircholt Forstal. —6K 165 (1C 40)
Bircholt Rd. Maid —4J 139
Birch Pl. Grnh —4E 60
Birch Rd. Pad W —9M 147
Birch Rd. Whits —5J 225
Birch Row. Brom —1C 84
Birch Tree Av. W Wick —6J 83
Birch Tree Way. Maid —6E 126
Birch Wlk. Eri —6D 52
Birch Way. Hythe —7G 196
Birch Way. Tun W —7K 151
Birchway. W King —9F 88
Birchwood Av. Beck —7C 68
Birchwood Av. Sidc —8K 57
Birchwood Dri. Dart —9F 58
Birchwood La. Knock —6A 102
Birchwood Pde. Wilm —9F 58
Birchwood Pk. Av. Swan —6F 72
Birchwood Rise. Dover —5H 181
Birchwood Rd. Maid —4N 125
Birchwood Rd. Orp —7F 70
Birchwood Rd. Swan & Dart —4D 72 (1C 15)
Birchwood Wlk. Cant —9L 167
Birdbrook Rd. SE3 —1M 55
Birdcage Wlk. Tun W —2H 157
Birdham Clo. Brom —8A 70
Birdhouse La. Orp —3F 164
Bird in Hand La. Brom —5N 69
Bird in Hand St. Groom —5J 155 (2D 35)
Birds Av. Mgte —4N 207
Birdwood Av. Deal —5K 177
Birkbeck Rd. W3 —2A 4
Birkbeck Rd. Beck —5A 68
Birkbeck Rd. Sidc —8J 57
Birkdale. Tun W —8H 151
Birkdale Clo. Orp —1F 84
Birkdale Ct. Maid —5B 126
Birkdale Dri. Folk —4G 189
Birkdale Gdns. Croy —5A 82
Birkdale Gdns. H Bay —5E 194
Birkdale Rd. SE2 —4J 51
Birken Rd. Tun W —8K 151 (1E 35)
Birkhall Clo. Chat —6D 94
Birkhall Rd. SE6 —6G 55
Birling. —5N 107 (3C 16)
Birling Av. Bear —5J 127
Birling Av. Rain —2N 95 (2A 18)
Birling Clo. Maid —5J 127
Birling Dri. Tun W —4G 157
Birling Hill. Meop —1M 107
Birling Hill. Snod —3B 16
Birling Pk. Av. Tun W —5H 157
Birling Pk. Est. Birl —5A 108
Birling Rd. Afrd —8H 159
Birling Rd. Eri —7E 52
Birling Rd. Rya —6M 107 (4B 16)
Birling Rd. Snod —3D 108 (3C 16)
Birling Rd. Tun W —5G 157 (2E 35)
Birling Rd. W Mal —9N 107 (4C 16)
Birnam Sq. Maid —5B 126
Birtrick Dri. Meop —8E 76
Biscoe Way. SE13 —1G 55
Bishop Butt Clo. Orp —4H 85
Bishop Ct. Mil R —6F 98
(off St Paul's St.)
Bishopden Ct. Cant —7J 167
Bishop La. Upc —8H 223
Bishop's Av. Broad —7M 209
Bishops Av. Brom —5M 69
Bishopsbourne. —2E 31
Bishopsbourne Grn. Gill —8L 81
Bishop's Bri. W2 —2B 4
Bishop's Clo. SE9 —7E 56
Bishops Clo. Nett —2A 136
Bishops Ct. Grnh —3F 60
Bishop's Ct. Tun W —2E 156
Bishop's Down. Tun W —2E 156 (2E 35)
Bishop's Down Pk. Rd. Tun W —1E 156
Bishop's Down Rd. Tun W —2E 156
Bishopsford Rd. Mord —2B 12
Bishopsgate. EC2 —2D 5
Bishops Grn. Afrd —2C 160
Bishops Grn. Brom —4M 69
(off Up. Park Rd.)
Bishop's La. Hunt —9H 137 (3C 27)
Bishop's La. Rob —3A 44
Bishops M. Tonb —7J 145
Bishops Oak Ride. Tonb —1H 145
Bishopsthorpe Rd. SE26 —9A 54
Bishopstone. —2N 195 (1A 22)
Bishopstone Dri. H Bay —1N 195
Bishopstone La. H Bay —2N 195 (1A 22)
Bishops Wlk. Chst —4E 70
Bishops Wlk. Croy —6A 82
Bishops Wlk. Roch —7A 80
Bishop's Way. E2 —2D 5
Bishops Way. Cant —1K 171
Bishopsway. Maid —5C 126
Bitchet Green. —8D 120 (2E 25)
Bixley La. Beckl —3D 45
(in two parts)
Blackberry Field. Orp —4J 71
Blackberry La. Ling —1A 34
Blackberry Rd. Ling —1A 34
Blackbird Hill. NW9 —1A 4
Blackbrook La. Brom —8C 70 (2A 14)
Black Bull Rd. Folk —5K 189 (2A 42)
Blackburn Rd. H Bay —5C 194
Black Bush La. Horn H —2B 8
Black Charles. —3B 132
Black Cotts. Boxl —5G 111
Blackdon Hill. E Grn —3D 35
Blackdown Dri. Afrd —6F 158
Black Eagle Clo. W'ham —9E 116
Blacketts Rd. Tonge —5N 99 (2D 19)
Blackfen. —4J 57 (4B 6)
Blackfen Pde. Sidc —4J 57
Blackfen Rd. Sidc —3G 57 (4B 6)
Blackfriars Bri. SE1 —2C 5
Blackfriars Rd. SE1 —2C 5
Blackfriars St. Cant —1M 171 (4D 21)
(in two parts)
Black Griffin La. Cant —2M 171 (1D 31)
(in two parts)
Blackhall La. Sev —5L 119 (2D 25)
Blackham. —1B 154 (2C 34)
Blackheath. — 1J 55 (4E 5)
Black Heath. —3E 5
Blackheath Hill. SE10 —3E 5
Blackheath Park. —2K 55 (4A 6)
Blackheath Pk. SE3 —1J 55
Blackheath Rd. SE10 —3E 5
Blackheath Village. SE3 —1J 55 (3E 5)
Black Hill. Crowb —4B 34
Black Horse Farm Cvn. & Camping Pk. Dens —4B 192
Black Horse La. Croy —2D 13
Black Horse M. Bor G —2N 121
Blackhorse Rd. Sidc —9J 57
Blackhouse Hill. Hythe —5L 197 (3E 41)
Blackhouse Rise. Hythe —5L 197
Blackhurst. —1A 36
Blackhurst La. Tun W —9L 151
Blacklands E Mal —2D 124
(in two parts)
Blacklands Dri. E Mal —1D 124
Blacklands Rd. SE6 —9F 54
Black La. S'wch —7K 217
Blackman Clo. Hoo —6G 66
Blackmans Clo. Dart —6K 59
Blackman's La. Hdlw —9C 134 (3A 26)
Blackman's La. Warl —3E 13
Blackmanstone Way. Maid —2M 125
Blackmead. Riv —3F 118
Black Mill La. H'crn —3J 193
Blackness La. Kes —8N 83 (3A 14)
Blackness Rd. Crowb —4C 35
Black Prince Interchange. (Junct.) —4C 58 (4C 6)
Black Robin La. Kgtn —3A 32
Black Rock Gdns. Hem —7L 95
Blackshaw Rd. SW17 —1B 12
Blackshots La. Grays —2A 8
Blacksmith Dri. Weav —4G 127
Blacksmith La. Wadh —4B 36
Blacksmith's La. Orp —8L 71 (2B 14)
Blacksole Cotts. Wro —6M 105
Blacksole La. Wro —7M 105
Blacksole Rd. Wro —7M 105
Blackstable Ct. Whits —5F 224
Blackstock Rd. N4 & N5 —1C 5
Blackthorn Av. Chat —8D 94
Blackthorn Av. Tun W —5J 151
Blackthorn Clo. W King —9F 88
Blackthorn Dri. Lark —8F 108
Blackthorne Rd. Gill —3D 96
Blackthorn Gro. Bexh —1N 57
Blackthorn Rd. Big H —4D 164
Blackwall La. N. W'boro —8L 159
Blackwall La. SE10 —3E 5
(in two parts)
Blackwall Rd. Hin —1A 40
Blackwall Rd. W'boro —8M 159
Blackwall Rd. N. W'boro —1A 40
Blackwall Rd. S. W'boro —8L 159 (1A 40)
Blackwall Tunnel Northen App. E3 & E14 —2E 5
Blackwall Tunnel Southern App. SE10 —3E 5
Blackwell Hollow. E Grin —2A 34
Blackwell Rd. E Grin —2A 34
Bladbean. —4E 31
Bladford Gdns. Sit —1F 114
Bladindon Dri. Bex —5L 57
Blagdon Rd. SE13 —4E 54
Blair Clo. Sidc —3G 56
Blair Ct. Beck —4E 68
Blair Dri. Sev —5J 119
Blake Clo. Walm —1L 199
Blake Clo. Well —8G 51
Blake Ct. W'boro —1K 161
Blake Dri. Lark —6D 108
Blake Gdns. Dart —2N 59
Blakemore Way. Belv —3N 51
Blakeney Av. Beck —4C 68
Blakeney Clo. Bear —5L 127
Blakeney Rd. Beck —3C 68 (1E 13)
Blaker Av. Roch —2B 94
Blakes Green. —7D 120
Blake's Grn. W Wick —2F 82
Blakeway. Tun W —7K 151
Blanchard Clo. SE9 —8A 56
Blandford Av. Beck —5B 68
Blandford Rd. Beck —5A 68
Bland St. SE9 —2N 55
Blanmerle Rd. SE9 —6D 56
Blann Clo. SE9 —4N 55
Blashford St. SE13 —5G 55
Blatcher Clo. Min S —6J 219
Blatchford Clo. E Mal —9D 108
Blatchington Rd. Tun W —4H 157
Blaxland Clo. Fav —4F 186
Bleak Hill La. SE18 —6H 51
Bleak House. —9M 209 (1E 23)
Bleak Rd. Lydd —3C 204
Bleakwood Rd. Chat —6C 94
Blean. —5G 167 (3D 21)
Blean Bird Park. —4F 166 (3C 21)
Blean Comn. Blean —4F 166 (3C 21)
Blean Hill. Blean —6G 167 (3D 21)
Blean Rd. Gill —1M 95
Blean Sq. Maid —3F 126
Blean View Rd. H Bay —5C 194
Bleddyn Clo. Sidc —4L 57
Blendon. —4M 57
Blendon Dri. Bex —4M 57
Blendon Path. Brom —3J 69
Blendon Rd. Bex —4M 57 (4B 6)
Blendon Rd. Maid —4F 126
Blendon Ter. SE18 —5E 50
Blenheim Av. Cant —1C 172
Blenheim Av. Chat —1B 94
Blenheim Av. Fav —7J 187
Blenheim Clo. Bear —6J 127
Blenheim Clo. Dart —4K 59
Blenheim Clo. H Bay —6H 195
Blenheim Clo. Meop —3F 90
Blenheim Clo. Pys R —1H 211
Blenheim Ct. Brom —7J 69
Blenheim Ct. Sidc —8F 56
Blenheim Dri. Dover —1H 181
Blenheim Dri. H'nge —8C 192
Blenheim Dri. Well —8H 51
Blenheim Gro. Grav —5H 63
Blenheim Pl. Folk —7F 188
Blenheim Rd. Brom —7A 70
Blenheim Rd. Dart —4K 59
Blenheim Rd. Deal —5N 177
Blenheim Rd. L'stne —3E 212
Blenheim Rd. Orp —3L 85
Blenheim Rd. Sidc —6L 57
Blenheim Rd. Sit —9J 99
Blenheim Rd. W Mal —6L 123
Bleriot Memorial. —3L 181
Blessington Clo. SE13 —1G 55
Blessington Rd. SE13 —2G 55
Bletchenden Rd. H'crn —1A 38
Bletchinglye La. Mark X —4E 35
Blewbury Ho. SE2 —2M 51
Bliby. —2A 40
Bligh Rd. Grav —4F 62
Bligh's Rd. Sev —7K 119
Bligh Way. Roch —5G 78 (1C 17)
Blindgrooms La. Shad —8A 160
Blindhouse La. M Hor —6N 215 (2D 41)
Blind La. Bred —1K 111
Blind La. C'lck —8D 174 (3A 30)
Blind La. Det —2J 111
Blind La. Goud —7K 185 (2D 37)
Blind La. Mer —5N 161 (2B 40)
Blind Mary's La. Bre —6N 113 (4B 18)
Bliss Way. Tonb —2L 145
Blithdale Rd. SE2 —4J 51
Blockmakers Ct. Chat —1E 94
Bloemfontein Rd. W12 —2A 4
Bloodden. —2A 32
Bloomfield Rd. SE18 —5D 50
Bloomfield Rd. Brom —8N 69
Bloomfield Ter. W'ham —7G 116
Bloomsbury Rd. Ram —6G 210
Bloomsbury St. WC1 —2C 4
Bloomsbury Wlk. Maid —5D 126
(off Wyatt St.)
Bloomsbury Way. Kenn —3F 158
Bloors La. Rain —2N 95 (2A 18)
(in two parts)
Bloors Wharf Rd. Gill —2A 18
Blowers Hill. Cowd —1B 34
Blowers Wood Gro. Hem —8L 95
Bloxam Gdns. SE9 —3A 56
Blue Anchor Cvn. Pk. Sea —6A 224
Blue Anchor La. W Til —3B 8
Bluebell Clo. Gill —6J 81
Bluebell Clo. Kgnt —5F 160
Bluebell Clo. Orp —3E 84
Blue Bell Hill. —1A 110 (3D 17)
Blue Bell Hill By-Pass. Chat —1N 109
Blue Bell Hill By-Pass. W'slde —3D 17
Bluebell Railway. —7J 87
Bluebell Rd. Kgnt —5F 160 (2A 40)
Bluebell Woods Cvn. Pk. B Oak —5C 168
Blueberry La. Knock —7L 101 (4B 14)
Blue Boar La. Roch —7N 79
Blue Chalet Ind. Pk. W King —7D 88
Blue Circle Heritage Centre. —4A 8
Blue Coat La. Goud —9H 185 (2C 37)
Bluehouse La. Oxt —2A 24
Blue Ho. La. Salt —1J 197
Blue Line La. Afrd —7F 158
Bluemans La. Sed —4C 44
Bluetown. —1C 29
(nr. Doddington)
Blue Town. —2C 218 (4C 11)
(nr. Minster)
Bluett St. Maid —3D 126
Blue Water. —4E 7
Bluewater Cvn. Pk. Hythe —8E 196
Blue Water Retail Pk. Grnh —5F 60
Blunden La. Yald —7E 136
Blunts Rd. SE9 —3C 56
Blythe Clo. SE6 —5C 54
Blythe Clo. Sit —6K 99
Blythe Ct. Hythe —6L 197
(off Prospect Rd.)
Blythe Hill. —5C 54
Blythe Hill. SE6 —5C 54
Blythe Hill. Orp —4H 71
Blythe Hill La. SE6 —5C 54
Blythe Rd. Maid —5E 126
Blythe Vale. SE6 —6C 54
Blyth Rd. Brom —4J 69
Blyth Wood Pk. Brom —4J 69
Boakes Meadow. Shor —2G 103
Boarders La. E'ham —2A 44
Boarders La. Tic —4B 36
Boarley. —7D 110 (4E 17)
Boarley Ct. S'lng —9C 110
Boarley La. S'lng —9C 110 (4E 17)
(in two parts)
Boarley Rd. S'lng —9C 110
Boarman's La. B'lnd —2C 46
Boarshead. —3D 35
Boathouse Rd. S'ness —1A 218
Boat La. Adgtn —3B 40
Bobbing. —5B 98 (2C 18)
Bobbing Hill. Bob —6A 98 (2B 18)
Bobbin Lodge Hill. Cha —9B 170 (2C 30)
Bockham La. W Bra —1B 40
Bockhanger. —4G 158 (4A 30)
Bockhanger Bus. Pk. Kenn —4F 158
Bockhanger Ct. Kenn —5H 159
Bockhanger La. Kenn —5G 158
(in two parts)
Bockingford Ct. Maid —9C 126
Bockingford Ho. Maid —9C 126
Bockingford La. Maid —9C 126 (2D 27)
Bockingford Mill Cotts. Maid —9C 126
Bodenham Rd. Folk —7G 188
Bodiam. —2B 44
Bodiam Castle. —2C 44
Bodiam Clo. Gill —9M 81
Bodiam Rd. Sand —4H 215 (2C 44)
Bodle Av. Swans —5L 61
Bodmin Clo. Orp —2L 85
Bodsham. —4C 31
Bodsham Cres. Bear —7L 127
Boevey Path. Belv —5A 52
Bogey La. Orp —8C 84
Bogey La. Tun W —1F 156
Bogle La. Lyn —3D 19
Bognor Dri. H Bay —3E 194
Bognor Rd. Well —8M 51
Bogshole La. H Bay —4L 195
(in two parts)
Bogshole La. Whits —9F 224 (3C 21)
Bolderwood Way. W Wick —3E 82
Boley Hill. Roch —6N 79 (1D 17)
Boleyn Av. Mgte —2M 207
Boleyn Ct. Cant —2A 172
Boleyn Gdns. W Wick —3E 82
Boleyn Gro. W Wick —3F 82
Boleyn Rd. N16 —1D 5
Boleyn Rd. Kems —8M 103
Boleyn Way. Swans —5L 61
Bolingbroke Gro. SW11 —4B 4
Bollo La. W3 & W4 —3A 4
Bolner Clo. Chat —9C 94
Bolters La. Bans —3B 12
Bolton Gdns. Brom —2J 69
Bolton Rd. Folk —5K 189
Bolton St. W1 —2C 4
Bolton St. Ram —4H 211
Bolts Hill. Cha —8B 170 (2C 30)
Bombay Ho. Maid —3H 139
Bombers La. W'ham —1F 116
Bonar Pl. Chst —3A 70
Bonaventure Ct. Grav —9L 63
Bonchester Clo. Chst —3C 70
Bond Clo. Knock —6M 101
Bondfield Clo. S'boro —5G 151
Bondfield Rd. E Mal —1D 124
Bondfield Wlk. Dart —1N 59
Bond La. Kgnt —8E 160 (2A 40)
Bond Rd. Afrd —1E 160
Bond Rd. Gill —7A 96
Bond St. Knock —6N 101
Bond Way. SW8 —3C 5
Boneashe La. Platt —3C 122
Boneta Rd. SE18 —3B 50
Bonetta Ct. S'ness —4C 218

Bonfield Rd.—Brent La.

Bonfield Rd. SE13 —2F 54
Bonflower La. Lin —9N 137 (3D 27)
Bonham Dri. Sit —6H 99
Bonner Rd. E2 —2D 5
Bonners All. Whits —3F 224
(off Middle Wall)
Bonney Way. Swan —5F 72
Bonnington. —3B 40
Bonnington Grn. Gill —9M 81
Bonnington Rd. Bils —3B 40
Bonnington Rd. Maid —3F 126
Bonny Bush Hill. Kgtn —2E 31
Bonsor Rd. Folk —5K 189
Bonville Rd. Brom —1J 69
Boones Rd. SE13 —2H 55
Boone St. SE13 —2H 55
Boormans Cotts. W'bury —1A 136
Bootham Clo. Roch —8H 79
Booth Clo. SE28 —1K 51
Booth Pl. Mgte —2D 208
Booth Rd. Chat —1C 94
Borden. —9B 98 (3C 18)
Borden La. B'den —9C 98 (3C 18)
Border Gdns. Croy —5E 82
Bordyke. Tonb —4E 25
Boresisle. St Mic —5C 222
Borgard Rd. SE18 —4B 50
Borkwood Pk. Orp —5H 85
Borkwood Way. Orp —5G 84
Borland Clo. Grnh —3G 61
Borland Rd. SE15 —2A 54
Bornefields. Afrd —2E 160
Borough Green. —2M 121 (1A 26)
Borough Grn. Rd. Bor G —3K 121
(in two parts)
Borough Grn. Rd. Igh —1E 25
Borough Grn. Rd. Wro —4A 16
Borough High St. SE1 —3D 5
Borough Museum. —5M 59
Borough Rd. SE1 —3C 5
Borough Rd. Gill —8G 80
Borough Rd. Queen —8C 218
Borough Rd. Tats —9D 164
Borough, The. —3D 5
Borough, The. Cant —1N 171 (4D 21)
Borrowdale Av. Ram —5E 210
Borstal. —1L 93 (2D 17)
Borstal Av. Whits —7F 224
Borstal Hill. Whits —7F 224 (2C 21)
Borstal M. Roch —1L 93
Borstal Rd. Roch —9L 79 (2D 17)
Borstal St. Roch —1L 93 (2D 17)
Borton Clo. Yald —7D 136
Bosbury Rd. SE6 —8F 54
Bosco Clo. Orp —5H 85
Boscombe Rd. Folk —5J 189
Bosney Banks. Lyd —4B 32
Bossingham. —3D 31
Bossingham Rd. S Min —3D 31
Bossington. —2A 32
Bossington Rd. Adm —2A 32
Bostall Hill. SE2 —5J 51 (3B 6)
Bostall La. SE2 —5K 51
Bostall Mnr. Way. SE2 —4K 51
Bostall Pk. Av. Bexh —7N 51
Bostall Rd. Orp —3K 71
Bostal Row. Bexh —1A 58
Boston Clo. Dover —1G 180
Boston Gdns. Gill —2M 95
Boston Rd. Chat —9F 94
Bosville Av. Sev —5H 119
Bosville Dri. Sev —5H 119
Bosville Rd. Sev —5H 119
Boswell Clo. Orp —9L 71
Bosworth Ho. Eri —5F 52
(off Saltford Clo.)
Botany. Tonb —6J 145
Botany Bay La. Chst —5E 70
Botany Clo. S'ness —3C 218
Botany Rd. Broad —4K 209 (1E 23)
Boteler Cotts. E'try —3J 183
Botolph's Bridge. —8B 196 (3D 41)
Botolph's Bri. Rd. W Hyt —9B 196 (3D 41)
Botsom La. W King —7C 88 (3E 15)
Bottle Cotts. Sev —4H 119
Bottlescrew Hill. Bou M —4E 138 (3E 27)
Bottles La. Rod —5H 115 (3C 19)
Bottom Pond. —8D 114 (4C 18)
Bottom Pond Rd. W'hll —9C 114 (1C 28)
Bott Rd. Dart —9N 59
Boucher Dri. N'fleet —8E 62
Bough Beech. —5A 142 (4C 24)
Bough Beech Rd. Four E —3B 24
Boughton Aluph. —3A 30
Boughton Av. Broad —2L 211
Boughton Av. Brom —1J 83
Boughton Clo. Gill —9M 81
Boughton Corner. —4B 30
Boughton Green. —5E 138 (3E 27)
Boughton Hill. Dunk —3M 165 (4B 20)
Boughton La. Maid —1E 138 (2E 27)
Boughton Lees. —4A 30
Boughton Malherbe. —3C 28
Boughton Monchelsea. —5E 138 (3E 27)
Boughton Monchelsea Place. —3E 27
Boughton Pde. Maid —1D 138
Boughton Rd. SE28 —3G 51
Boughton Rd. S'wy —9C 200 (3C 28)
Boughton Under Blean. —3J 165 (4B 20)
Boulevard Courriers. Aysm —2C 162
Boulevard, The. W'boro —3K 161 (1A 40)
Boundary Clo. Min S —6M 219
Boundary Ct. Cant —4A 172
Boundary Houses. Grav —6E 62
(off Victoria Rd.)
Boundary Rd. E13 —2A 6
Boundary Rd. NW8 —2B 4
Boundary Rd. Cant —4K 171
Boundary Rd. Cars —3C 12
Boundary Rd. Chat —9A 80
Boundary Rd. Kgdn —3N 199
Boundary Rd. Ram —5J 211 (2E 23)
Boundary Rd. Sidc —3G 56
Boundary Rd. Tun W —4K 157
Boundary St. Eri —7G 52
Boundary Ter. Hythe —7H 197
Boundary, The. L'tn G —2B 156
Boundary Way. Croy —6D 82
Boundfield Rd. SE6 —8H 55
Bounds La. Bou B —3K 165
Bounds Oak Way. Tun W —3E 150
Bounds, The. Ayle —9J 109
Bourbon Ho. SE6 —1F 68
Bourchier Clo. Sev —8J 119
Bourg-de-Peage Av. E Grin —2A 34
Bournbrook Rd. SE3 —1N 55
Bourncrete Ho. Sit —6H 99
Bourne Clo. Tonb —4K 145
Bourne Gro. Sit —6D 98
Bourne Ind. Est. Bor G —1N 121
Bourne Ind. Pk., The. Dart —3F 58
Bourne La. Hams —7D 190
Bourne La. Plax —8M 121
Bourne La. Rob —2B 44
Bourne La. Sev —2J 26
Bourne Lodge Clo. Blean —4G 166
Bourne Mead. Bex —3E 58
Bournemouth Dri. H Bay —2E 194
Bournemouth Gdns. Folk —5J 189
Bournemouth Pk. Rd. Sth S —1C 10
Bournemouth Rd. Folk —5J 189
Bourne Pde. Bex —5C 58
Bourne Pk. Gold G —2E 146
Bourne Pk. Rd. Bri —9H 173 (2E 31)
Bourne Rd. Bex & Dart —5C 58 (4C 6)
Bourne Rd. Bon —2B 40
Bourne Rd. Brom —7N 69
Bourne Rd. Grav —7L 63
Bournes Clo. Sturry —4E 168
Bournes Green. —1C 11
Bournes Grn. Chase. Sth S —1C 11
Bournes Hill. Blad —4E 31
Bourneside Gdns. SE6 —1F 68
Bourneside Ter. Holl —7F 128
Bournes Pl. Wdchu —7B 226
Bourne Vale. Brom —2J 83
Bourne Vale. Plax —9N 121
Bourne View. Bri —9E 172
Bourne Way. Brom —3J 83 (2E 13)
Bourne Way. Swan —6D 72
Bournewood. Hams —7D 190
Bournewood Clo. Down —8J 127
Bournewood Rd. SE18 —7J 51
Bournewood Rd. Orp —1L 85
Bournville Av. Chat —2C 94
Bournville Rd. SE6 —5D 54
Bouverie Pl. Folk —7K 189
Bouverie Rd. W. Folk —7G 189 (3A 42)
Bouverie Sq. Folk —7K 189
Boveney Rd. SE23 —5A 54
Bovill Rd. SE23 —5A 54
Bow. —2E 5
Bow Arrow La. Dart —4A 60
Bowater Rd. SE18 —3A 50
Bow Common. —2E 5
Bow Common. La. E3 —2E 5
Bowdell La. B'lnd & Snar —2C 46
Bowden Cres. Folk —5C 188
Boweashe La. Sev —1A 26
Bowen Rd. Folk —5E 188
Bowen Rd. Tun W —9B 150
Bowen's Field. Afrd —9F 158
Bowens Wood. Croy —9C 82
Bower Clo. Maid —5B 126
Bower Cotts. Mer —8M 161
Bower Grn. Chat —1F 110
Bowerland La. Chi —7M 175
Bowerland La. Ling —4A 24
Bowerland La. Old L —6K 175
Bower La. Eyns & Knat —4M 87 (2D 15)
Bower La. Maid —6B 126
Bower Mt. Rd. Maid —6A 126 (2D 27)
Bower Pl. Maid —6B 126
Bower Rd. Mer —8M 161 (2B 40)
Bower Rd. Swan —3H 73
Bowers Av. N'fleet —9E 62
Bowers Rd. Shor —2G 102
Bower St. Maid —5B 126
Bower Ter. Maid —6B 126
Bower Wlk. S'hrst —8J 221
Bowes Av. Mgte —2M 207
Bowes Clo. Sidc —4K 57
Bowes Ct. Dart —4B 60
(off Osbourne Rd.)
Bowes Ct. Whits —3J 225
Bowesden La. Shorne —3C 78
Bowes La. H Bay —4H 195
Bowes Rd. Roch —4M 79
Bowes Wood. New Ash —4M 89
Bowford Av. Bexh —8N 51
Bow Hill. Bos —3D 31
Bow Hill. Up Hard —3D 31
Bow Hill. W'bury & Yald —2C 136
Bow Interchange. (Junct.) —2E 5
Bowland Clo. H Bay —5K 195
Bowler's Town. —3A 46
Bowleswell Gdns. Folk —4M 189
Bowley La. S'wy —3C 28
Bowl Field. H'lgh —4C 30
Bowl Grn. La. Deal —5L 177
Bowling Grn. Row. SE18 —3B 50
Bowling Grn. Ter. Dover —5J 181
Bowling St. S'wch —5L 217
Bowl Rd. Char —1L 175 (3D 29)
Bowls Pl. Pad W —8M 147
Bowman Clo. Chat —6F 94
Bowmans. —5G 59
Bowman's Rd. Dart —5G 58
Bowmead. SE9 —7B 56
Bowness Rd. SE6 —5E 54
Bowness Rd. Bexh —9C 52
Bow Rd. E3 —2E 5
Bow Rd. W'bury —2C 136 (2C 26)
Bowser Clo. Deal —6J 177
Bow St. WC2 —2C 5
Bow Ter. W'bury —1C 136
Bowyer Rd. Sea —6B 224
Bowzell Rd. Weald —6G 130 (3C 25)
Bowzells La. Bough B —5D 142
Bowzell's La. Chid C —4C 25
Boxgrove Rd. SE2 —3L 51
Box La. Osp —4E 19
Boxley. —8F 110 (1E 27)
Boxley. Afrd —1D 160
Boxley Clo. Maid —1E 126
Boxley Clo. S'ness —5C 218
Boxley Grange Cotts. Boxl —5J 111
Boxley Rd. Boxl —1E 27
Boxley Rd. Chat —3E 17
Boxley Rd. Maid —3D 126
Boxley Rd. W'slde —9D 94 (3E 17)
Boxmend Ind. Est. Maid —4J 139
Boxted La. N'tn —2J 97 (2B 18)
Box Tree Wlk. Orp —2M 85
Boyard Rd. SE18 —5D 50
Boyces Hill. N'tn —5L 97 (2B 18)
Boy Ct. Rd. H'crn —4B 28
Boyd Bus. Cen. Roch —5A 80
Boyden Gate. —2A 22
Boyden Ga. Hill. Hoath —2A 22
Boyden Hill. Hoath —6N 195 (2A 22)
Boyes La. Good —2B 32
Boyke La. R Min —9J 183 (1D 41)
Boyland Rd. Brom —1J 69
Boyne Pk. Tun W —1F 156
Boyne Rd. SE13 —1F 54
Boyne Rd. St Mc —9K 199
Boys Hall Rd. W'boro —2K 161 (1A 40)
Boystown Pl. E'try —2L 183
Boyton Ct. Rd. Sut V —9C 140 (3A 28)
Brabazon Rd. E'chu —9B 202
Brabner Clo. Folk —3L 189
Brabourne. —1C 41
Brabourne Clo. Cant —7N 167
Brabourne Cres. Bexh —6A 52
Brabourne Gdns. Folk —6E 188
Brabourne La. Stow C —1C 41
Brabourne Lees. —8J 165 (1B 40)
Brabourne Rise. Beck —8F 68
Brabourne Rd. Brook —4B 30
Bracken Av. Croy —4E 82
Bracken Clo. Kenn —4G 159
Bracken Clo. Tun W —9L 151
Bracken Ct. Broad —8J 209
Bracken Ct. Sit —6K 99
Brackendene. Dart —9F 58
Bracken Hill. Chat —1D 110
Bracken Hill Clo. Brom —4J 69
Bracken Hill La. Brom —4J 69
Bracken Lea. Chat —2F 94
Bracken Rd. Tun W —9L 151
Brackens. Beck —3D 68
Brackens, The. Orp —6J 85
Bracken Wlk. Tonb —1H 145
Brack La. B'lnd —2B 46
Brackley Clo. Maid —4F 126
Brackley Rd. Beck —3C 68
Bracondale Av. Grav —4E 76
Bracondale Rd. SE2 —4J 51
Bradbourne Av. Gill —8M 81
Bradbourne Ct. Sev —3J 119
Bradbourne La. Dit —9F 108
Bradbourne Pk. Rd. E Mal —9E 108
Bradbourne Pk. Rd. Sev —5H 119 (2D 25)
Bradbourne Rd. Bex —5B 58
Bradbourne Rd. Sev —4J 119 (1D 25)
Bradbourne Vale Rd. Sev —4G 118 (1C 25)
Bradbridge Grn. Afrd —1B 160
Bradbury Ct. Grav —6E 62
Braddick Clo. Maid —2E 138
Bradenham Av. Well —2J 57
Bradfield Av. Tey —2L 223
Bradfields Av. Chat —5C 94
Bradfields Av. W. Chat —5C 94
Bradfiled Rd. Kenn —5F 158
Bradfoord Ct. Folk —6K 189
(off Foord Rd.)
Bradford Clo. Brom —2B 84
Bradford St. Tonb —6H 145
Bradgate Pk. Mgte —9C 208
Bradgate Rd. SE6 —4E 54
Bradley Dri. Sit —9F 98 (3C 19)
Bradley Ho. Lwr Sto —8K 201
Bradley La. Blac —9D 148 (1C 35)
Bradley Rd. Folk —5M 189
Bradley Rd. Ram —3G 210
Bradley Rd. Up H'lng —6C 92
Bradshaw Clo. Upc —8H 223
Bradstone Av. Folk —5K 189
Bradstone New Rd. Folk —6K 189
Bradstone Rd. Folk —6K 189
Bradstone St. Folk —2A 42
Bradstow Way. Broad —8K 209
Brady Rd. Lym —9A 204 (1D 41)
Braemar Av. Bexh —2D 58
Braemar Gdns. Sidc —8F 56
Braemar Gdns. W Wick —2F 82
Braeside. Beck —1D 68
Braeside Av. Sev —6G 119
Braeside Clo. Sev —5G 118
Braeside Cres. Bexh —2D 58
Braes, The. High —1G 78
Braesyde Clo. Belv —4A 52
Braggs La. H Bay —9E 194
Braham St. E1 —2D 5
Braidwood Rd. SE6 —6G 54
Brake Av. Chat —6B 94
Brakefield Rd. S'fleet —2A 76
Brake Pl. W King —7E 88
Bramber Ct. Dart —4B 60
(off Bow Arrow La.)
Bramble Av. Bean —8J 61
Bramble Bank. Meop —3E 106
Bramblebury Rd. SE18 —5E 50
Bramble Clo. Croy —5D 82
Bramble Clo. Hild —3E 144
Bramble Clo. Maid —6M 125
Bramble Croft. Eri —4D 52
Brambledown. Chat —3E 94
Brambledown. Folk —5K 189
Brambledown. Hart —7M 75
Brambledown Clo. W Wick —8H 69
Bramblefield Clo. Long —6L 75
Bramblefield La. Iwade —2E 98
(in two parts)
Bramblefields Clo. H Bay —5J 195
Bramble Hall Rd. Off —3F 122
Bramblehill Rd. Fav —4G 187
Bramble La. Sev —1J 131
Bramble La. Upm —2E 7
Bramble La. Wye —1L 159 (4B 30)
Bramble Reed La. Matf —6G 153 (1B 36)
Brambles Clo. Wye —1L 159
Brambles Farm Rd. B Oak —1A 168
Brambles Wildlife Park. —3E 21
Brambletree Cotts. Roch —1J 93
Brambletree Cres. Roch —1K 93
Bramble Wlk. Tun W —7K 151
Brambley Cres. Folk —6E 188
Bramcote Wlk. Ram —5G 211
Bramdean Cres. SE12 —6K 55
Bramdean Gdns. SE12 —6K 55
Bramerton Rd. Beck —6C 68
Bramley Av. Cant —4J 171
Bramley Av. Fav —6J 187
Bramley Bank Nature Reserve. —3D 13
Bramley Clo. Bra L —7K 165
Bramley Clo. E'chu —5C 202
Bramley Clo. Gill —3D 96
Bramley Clo. Grav —3E 76
Bramley Clo. Orp —2D 84
Bramley Clo. Swan —7F 72
Bramley Ct. Mard —2J 205
Bramley Ct. Well —8K 51
Bramley Cres. Bear —6J 127
Bramley Dri. C'brk —8D 176
Bramley Gdns. Afrd —3E 160
Bramley Gdns. Cox —5A 138
Bramley Gdns. Pad W —8K 147
Bramley Hill. S Croy —2C 13
Bramley Pk. Holiday Camp. E'chu —3D 202
Bramley Pl. Dart —2H 59
Bramley Rise. Roch —4J 79
Bramley Rd. E Peck —1L 147
Bramley Rd. Snod —2E 108
Bramleys. H'crn —3M 193
Bramley Way. E'chu —5C 202
Bramley Way. King H —7M 123
Bramley Way. W Wick —3E 82
Bramling. —1A 32
Bramling Rd. Bek —9L 173 (2A 32)
Brampton Bank. Tud —9D 146
Brampton Rd. Bexh & SE2 —1M 57 (3B 6)
Bramshaw Rd. Cant —9L 167
Bramshott Clo. Maid —3N 125
Bramston Rd. Min S —6K 219
Branbridges. —2M 147 (3B 26)
Branbridges Ind. Est. E Peck —2M 147
Branbridges Rd. E Peck
(in two parts) —1M 147 (3B 26)
Branbrook Rd. Goud —8L 185
Brancaster La. Purl —3D 13
Branch Hill. NW3 —1B 4
Branch Rd. Chi —8K 175 (2B 30)
Branch St. Dover —3H 181
Brandfold. —2D 37
Brandon Ho. Beck —1E 68
(off Beckenham Hill Rd.)
Brandon Rd. Dart —5A 60
Brandon Rd. Ram —3E 210
Brandon St. Grav —5G 62
Brandon Way. Birch —5G 206
Brandram Rd. SE13 —1H 55
Brands Hatch Motor Racing Circuit. —6F 88 (2E 15)
Brands Hatch Pk. Fawk —4F 88
Brands Hatch Rd. Fawk —5G 88 (2E 15)
Brangbourne Rd. Brom —1F 68
Branksome Av. Stan H —2C 8
Branscombe Ct. Brom —8J 69
Branscombe St. SE13 —1E 54
Bransell Clo. Swan —9D 72
Bransgore Clo. Gill —4N 95
Branston Cres. Orp —2F 84
Brantingham Clo. Tonb —8F 144
Branton Rd. Grnh —4F 60
Brantwood Av. Eri —7D 52
Brantwood Rd. Bexh —9C 52
Brantwood Way. Orp —6L 71
Brasenose Rd. Gill —9H 81
Brasier Ct. Min S —7H 219
Brassey Av. Broad —1K 211
Brassey Dri. Ayle —1H 125
Brasted. —6L 117 (2B 24)
Brasted Chart. —2B 24
Brasted Clo. Bexh —3M 57
Brasted Clo. Orp —3J 85
Brasted Ct. Roch —3L 79
Brasted Hill. Knock —2J 117 (1B 24)
Brasted Hill Rd. Bras —3K 117 (1B 24)
Brasted La. Knock —1J 117 (1B 24)
Brasted Lodge. SE20 —3D 68
Brasted Rd. Eri —7F 52
Brasted Rd. W'ham —8G 116 (2B 24)
Brattle. —9C 226 (3D 39)
Brattle. Wdchu —9C 226
Brattle Farm Museum. —1E 37
Brattle Wood. Sev —2J 131
Braundton Av. Sidc —6H 57
Braxfield Rd. SE4 —2B 54
Bray Gdns. Maid —3C 138
Braywood Rd. SE9 —2F 56
Breach. —3H 97 (2B 18)
Breach La. Lwr Hal —4H 97 (2B 18)
Breadlands Clo. W'boro —1J 161
Breadlands Rd. W'boro —1K 161
Breakneck Hill. Grnh —3H 61
Breakspears Dri. Orp —4J 71
Breakspears Rd. SE4 —2C 54
Brecknock Rd. N19 & N7 —1C 4
Breckonmead. Brom —5M 69
Brecon Chase. Min S —5K 219
Brecon Rise. Afrd —6F 158
Brecon Sq. Ram —3E 210
Brede. —4D 45
Brede Hill. Brede —4D 45
Brede La. Sed —4C 44
Brede Rd. Westf —4D 45
Brede Waterworks. —4C 45
Bredgar. —5A 114 (3C 18)
Bredgar Clo. Afrd —3D 160
Bredgar Clo. Maid —4E 126
Bredgar Rd. Gill —8K 81
Bredgar Rd. Tun —4B 114 (3C 18)
Bredhurst. —1L 111 (3E 17)
Bredhurst Clo. S'ness —5C 218
Bredhurst Rd. Gill —5L 95
Bredlands La. Hoath —2H 169 (3E 21)
Breedon Av. Tun W —5F 150
Bremner Clo. Swan —7H 73
Brenchley. —6N 153 (1B 36)
Brenchley Av. Deal —6J 177
Brenchley Av. Grav —1G 77
Brenchley Clo. Afrd —3C 160
Brenchley Clo. Brom —9J 69
Brenchley Clo. Chst —4C 70
Brenchley Clo. Roch —1A 94
Brenchley Gdns. SE23 —3A 54 (4D 5)
Brenchley Ho. Maid —4C 126
Brenchley Rd. Gill —1L 95
Brenchley Rd. Horsm —3A 198 (1C 36)
Brenchley Rd. Maid —7C 126
Brenchley Rd. Matf —5K 153 (1B 36)
Brenchley Rd. Orp —5H 71
Brenchley Rd. Sit —9G 98
Brenda Ter. Swans —5L 61
Brendon Av. Chat —8D 94
Brendon Clo. Eri —8F 52
Brendon Clo. Tun W —9K 151
Brendon Dri. Afrd —7F 158
Brendon Rd. SE9 —7F 56
Brenley Gdns. SE9 —2N 55
Brenley La. Bou B —9L 187 (4A 20)
Brenley Rd. Bou B —8N 187 (4B 20)
Brennan Rd. Til —3B 8
Brent Clo. Bex —6N 57
Brent Clo. Chat. —6B 94
Brent Clo. Dart —4B 60
Brentfield. NW10 —1A 4
Brentfield Rd. NW10 —1A 4
Brentfield Rd. Dart —4A 60
Brent Hill. Fav —4G 186 (3A 20)
Brentlands Dri. Dart —6A 60
Brent La. Dart —5N 59

Broomfield—Calgary Cres.

Broomfield. —3F 140 (2A 28)
(nr. Kingswood)
Broomfield Cres. *Clift* —3K 209
Broomfield Ga. *Whits* —8M 225
Broomfield La. *H Bay* —5L 195
Broomfield Rd. *Beck* —6C 68
Broomfield Rd. *Bexh* —3B 58
Broomfield Rd. *Fav* —3G 187
Broomfield Rd. *Folk* —5E 188
Broomfield Rd. *H Bay* —6J 195 (2E 21)
Broomfield Rd. *Kgswd*
—5E 140 (3A 28)
Broomfield Rd. *Sev* —4G 119
Broomfield Rd. *Swans* —3L 61
Broomfields. *Hart* —8L 75
Broom Gdns. *Croy* —4D 82
Broom Hill. —1H 85
Broom Hill. *Flim* —4C 37
Broomhill Bank. —8D 150
Broomhill Pk. Rd. *Tun W* —6E 150
Broom Hill Rise. *Bexh* —3B 58
Broomhill Rd. *Dart* —4J 59
Broomhill Rd. *Orp* —1J 85
Broom Hill Rd. *Roch* —4K 79
Broomhill Rd. *Tun W* —8C 150 (1E 35)
Broomhills. *S'fleet* —9L 61
Broomlands La. *Oxt* —9A 116
Broom La. *L'tn G* —2M 155 (2D 35)
Broom Mead. *Bexh* —3B 58
Broom Pk. *L'tn G* —2M 155
Broom Rd. *Croy* —4D 82
Broom Rd. *Sit* —6K 99
Broomshaw Rd. *Maid* —6K 125
Broomsleigh Bus. Pk. SE26 —1C 68
(off Worsley Bri. Rd.)
Broom Street. —3B 20
Broomwood Clo. *Bex* —6E 58
Broomwood Clo. *Croy* —8A 68
Broomwood Rd. *SW11* —4B 4
Broomwood Rd. *Orp* —5K 71
Broseley Gro. *SE26* —1B 68
Brotherhood Clo. *Cant* —7K 167
Brougham Ct. Dart —4B 60
(off Hardwick Cres.)
Broughton Ct. *Afrd* —9C 158
Broughton Monchelsea Place. —8F 138
Broughton Rd. *Orp* —3F 84
Broughton Rd. *Otf* —7H 103
Brow Clo. *Orp* —1M 85
Brow Cres. *Orp* —2L 85
Brown Cotts. *F'wch* —7F 168
Browndens Rd. *Up H'lng* —7C 92
Brownelow Copse. *W'slde* —1D 110
Brownhill Clo. *Chat* —7D 94
Brownhill Rd. *SE6* —5E 54 (4E 5)
Browning Clo. *Lark* —6D 108
Browning Clo. *Well* —8G 51
Browning Pl. *Folk* —4L 189
Browning Rd. *E12* —1A 6
Browning Rd. *Dart* —2N 59
Brownings. *Eden* —3C 184
Brownings Orchard. *Rod* —3H 115
Brown Rd. *Grav* —6K 63
Browns La. *Eden* —4A 24
Brownspring Dri. *SE9* —9D 56
Brown St. *Rain* —2A 96
Brownswood Rd. *N4* —1C 5
Broxbourne Rd. *Orp* —2H 85
Broxhall Rd. *Up Hard* —3D 31
Broxted Rd. *SE6* —7C 54
Bruce Clo. *Deal* —6L 177
Bruce Clo. *Well* —8K 51
Bruce Ct. *Sidc* —9H 57
Bruce Dri. *S Croy* —9A 82
Bruce Gro. *Orp* —2J 85
Brucks, The. *W'bury* —1C 136
Bruges Ct. *Kem* —2G 98
Brummel Clo. *Bexh* —1D 58
Brunel Clo. *Til* —1G 62
Brunel Rd. *SE16* —3D 5
Brunger's Wlk. *Tonb* —2H 145
Brunner Ho. *SE6* —9F 54
Brunswick Clo. *Bexh* —2M 57
Brunswick Ct. Ram —5J 211
(off Hardres St.)
Brunswick Field. *Con* —2E 19
Brunswick Gdns. *Dover* —1G 180
Brunswick Rd. *Afrd* —8D 158
Brunswick Rd. *Bexh* —2M 57
Brunswick Rd. *Birch* —6F 206
Brunswick Sq. *H Bay* —2F 194
Brunswick St. *Maid* —6D 126
Brunswick St. *Ram* —5J 211
Brunswick St. E. *Maid* —6D 126
Brunswick Wlk. *Grav* —5J 63
Bruswick Ter. *Tun W* —3G 157
Bruton Clo. *Chst* —3B 70
Bruton St. *W1* —2C 4
Bryant Clo. *Nett* —2A 136
Bryant Rd. *Roch* —4L 79
Bryant St. *Chat* —9D 80
Bryden Clo. *SE26* —1B 68
Brymore Clo. *Cant* —9A 168
Brymore Rd. *Cant* —9A 168
Bubblestone Rd. *Otf* —7J 103
Bubhurst La. *Frit* —1A 38
Buckden Clo. *SE12* —4J 55
Buckham Thorns Rd. *W'ham* —8E 116
Buckhold Rd. *SW18* —4B 4
Buckhole Farm Rd. *H Hals* —1F 66
Buckhurst. —1A 38
Buckhurst Av. *Sev* —7K 119
Buckhurst Dri. *Clift* —3K 209
Buckhurst La. *Sev* —7K 119
Buckhurst La. *Wadh* —4A 36
Buckhurst Rd. *W'ham* —3C 116 (1A 24)
Buckingham Av. *Well* —2G 57
Buckingham Clo. *Orp* —1G 84
Buckingham Dri. *Chst* —1E 70
Buckingham Gdns. *H'shm* —3M 141
Buckingham Hill Rd. *Stan H* —2E 9
Buckingham La. *SE23* —5B 54
Buckingham Palace. —3C 4
Buckingham Pal. Rd. *SW1* —3C 4
Buckingham Rd. *Broad* —9M 209
Buckingham Rd. *Gill* —7G 81
Buckingham Rd. *Mgte* —4C 208
Buckingham Rd. *N'fleet* —5C 62
Buckingham Rd. *Tun W* —3H 157
Buckingham Rd. *Whits* —3K 225
Buckingham Row. *Maid* —1H 139
Buckland. —2G 180 (1C 43)
Buckland Av. *Dover* —2G 180 (1C 43)
Buckland Clo. *Chat* —9D 94
Buckland Cres. *NW3* —1B 4
Buckland Hill. *Maid* —4B 126 (1D 27)
Buckland La. *Maid* —3A 126
(in two parts)
Buckland La. *S'le* —2B 32
Buckland Pl. *Maid* —5B 126
Buckland Rd. *Cli* —3B 176
Buckland Rd. *High* —4D 9
Buckland Rd. *Ludd* —5M 91 (2B 16)
Buckland Rd. *Maid* —4B 126
Buckland Rd. *Orp* —5G 85
Buckland Ter. *Dover* —3H 181
Buckland Valley. —1G 181 (1C 43)
Buckler Gdns. *SE9* —8B 56
Bucklers Clo. *Tun W* —2J 157
Bucklers Clo. *Ward* —4K 203
Buckles Ct. *Belv* —4M 51
Buckley Clo. *Dart* —9G 53
Buckmans Grn. La. *Smar* —1C 38
Bucks Cross Rd. *N'fleet* —8E 62
Bucks Cross Rd. *Orp* —6N 85 (2C 14)
Bucksford La. *Afrd* —1B 160 (1E 39)
Buck St. *C'lck* —7E 174 (3A 30)
Buckthorn Clo. *Deal* —3M 177
Buckthorne Rd. *SE4* —3B 54
Buckthorn Ho. Sidc —8H 57
(off Longlands Rd.)
Buckwheat Ct. *Eri* —3M 51
Budds. —2E 25
Budd's Green. —3F 132
Budd's La. *Wit* —2A 46
Budgin's Hill. *Prat B* —3L 101 (3B 14)
Budleigh Cres. *Well* —8L 51
Buenos Aryes. *Mgte* —3B 208
Buffalo La. *Smar* —4K 221 (1C 38)
Buffs Av. *Folk* —5B 188
Buffs Regimental Museum. —2M 171
Bugglesden Rd. *St Mic* —2B 38
Bug Hill. *Wold & Warl* —4D 13
Buglehorn Cotts. *Maid* —2L 139
Bugsby's Way. *SE10 & SE7* —3E 5
Bullace La. *Dart* —4M 59
Bull All. *Well* —1K 57
Bullbanks Rd. *Belv* —4D 52
Bulldog Rd. *Chat* —9E 94
Bulleid Pl. *Afrd* —2H 161
Bullen. —1K 147
Bullen La. *E Peck* —8K 135 (3B 26)
Buller Gro. *Sea* —7D 224
Buller Rd. *Chat* —1C 94
Buller's Av. *H Bay* —3F 194
Bullers Clo. *Sidc* —1N 71
Bullers Wood Dri. *Chst* —3B 70
Bullfields. *Snod* —2E 108
Bullfinch Clo. *Pad W* —1M 153
Bullfinch Clo. *Sev* —4E 118
Bullfinch Dene. *Sev* —4E 118
Bullfinch La. *Sev* —4E 118 (1C 25)
Bull Hill. *Hort K* —7C 74
Bull Hill. *Len H* —3C 29
Bullingstone La. *Speld* —6M 149 (1D 35)
Bullion Clo. *Pad W* —9L 147
Bullivant Clo. *Grnh* —3G 60
Bull La. *Beth* —3H 163 (2C 39)
Bull La. *Bou B* —2J 165 (4B 20)
Bull La. *Chst* —3F 70
Bull La. *Eccl* —7K 109 (4D 17)
Bull La. *High* —6H 65 (4C 9)
Bull La. *Roch* —6N 79
Bull La. *Rol* —1J 213
Bull La. *S'bry* —1G 112 (3B 18)
Bull La. *Wro* —7N 105 (4A 16)
Bullockstone. —7E 194
Bullockstone Hill. *H Bay* —7F 194
Bullockstone Rd. *H Bay* —8F 194
(Canterbury Rd.)
Bullockstone Rd. *H Bay* —6E 194 (2E 21)
(Greenhill Rd.)
Bull Orchard. *Maid* —7K 125
Bull Rd. *Birl* —5A 108 (3C 16)
Bulls Cotts. Hythe —7J 197
(off St Leonard's Rd.)
Bulls Farm Rd. *Tonb* —3B 26
Bulls Head Yd. Dart —4M 59
(off High St. Dartford.)
Bulls Pas. Hythe —6K 197
(off Dental St.)
Bulls Pl. *Pem* —8C 152
Bulltown La. *W Bra* —1B 40
Bullwark Rd. *Deal* —3N 177
Bullwark St. *Dover* —7J 181
Bull Yd. *Grav* —4G 63
Bulphan. —1A 8
Bulphan By-Pass. *Upm* —1B 8
Bulrush Clo. *Chat* —8C 94
Bulrushes, The. *Afrd* —1A 160
Bulwark, The. *S'wch* —5N 217
Bumbles Clo. *Roch* —3A 94
Bunce Ct. Rd. *War S & Stal* —2D 29
Bungalows, The. *Hoo* —8G 67
Bungalows, The. *Leigh* —6M 143
Bungalows, The. *Tent* —8E 222
Bungalows, The. *Wdboro* —9G 216
Bunhill Row. *EC1* —2D 5
Bunkers Hill. *Belv* —4B 52
Bunker's Hill. *Dover* —2F 180
Bunker's Hill. *Hods* —7A 90
Bunkers Hill. *Sev* —2A 16
Bunkers Hill. *Sidc* —8A 58 (4C 6)
Bunkers Hill. *W'mre* —4E 31
Bunkers Hill Av. *Dover* —3F 180
Bunkers Hill Rd. *Dover* —3F 180
Bunkley Meadow. *Hams* —8D 190
Bunny La. *Tun W* —7D 156 (2E 35)
Bunters Hill Rd. *Cli* —8L 65 (4D 9)
Bunton St. *SE18* —3C 50
Burberry La. *Leeds* —4B 140 (2A 28)
Burcharbro Rd. *SE2* —6M 51
Burch Av. *S'wch* —6L 217
Burch Rd. *N'fleet* —4E 62
Burdett Av. *Shorne* —9C 64
Burdett Clo. *Sidc* —1N 71
Burdett Rd. *E3 & E14* —2E 5
Burdett Rd. *Tun W* —1B 156
Burdock Clo. *Croy* —2A 82
Burdon La. *Sutt* —3B 12
Burford Rd. *SE6* —7C 54
Burford Rd. *Brom* —7A 70
Burford's All. *Ah* —4D 216
Burford Way. *New Ad* —7F 82
Burgate. *Cant* —2N 171 (1D 31)
Burgate Clo. *Dart* —1G 58
Burgate La. *Cant* —2N 171 (1D 31)
Burgate Ter. *Mer* —8M 161
Burgess Clo. *Min* —6N 205
Burgess Clo. *Whitf* —6G 178
Burgess Cotts. *Leeds* —3B 140
Burgess Grn. *Hackl* —2D 33
Burgess Hall Dri. *Leeds* —2B 140
Burgess Rd. *Aysm* —2D 162
Burgess Rd. *Roch* —5M 79
Burgess Row. *Tent* —8B 222
Burghclere Dri. *Maid* —7M 125
Burghfield Rd. *Grav* —3E 76
Burgh Heath. —4A 12
Burgh Heath Rd. *Eps* —3A 12
Burgh Hill. —2A 44
Burgh Hill. *E'ham* —2A 44
Burghill Rd. *SE26* —9B 54
Burghley Rd. *SW19* —1B 12
Burgoyne Ct. *Maid* —2C 126
Burgoyne Gro. *Whitf* —8F 178
Burgoyne Heights. *Gus* —2K 181
Burham. —1K 109 (3D 17)
Burham Common. —9L 93 (3D 17)
Burham Court. —3C 17
Burham Rd. *Roch* —4J 93
Burham St. *Burh* —1H 109
Burial Ground La. *Maid* —7B 126
Burial Ground La. *Tovil* —2D 27
Burkestone Clo. *Kem* —3H 99
Burleigh Av. *Sidc* —3H 57
Burleigh Clo. *Roch* —4J 79
Burleigh Dri. *Maid* —9C 110
Burleigh Rd. *Char* —3K 175
Burleigh Wlk. *SE6* —6F 54
Burley Rd. *Sit* —7F 98
Burlings. —8H 101
Burlings La. *Knock* —8H 101 (4B 14)
Burlington Clo. *Orp* —3D 84
Burlington Dri. *H Bay* —2L 195
Burlington Gdns. *Gill* —7A 96
Burlington Gdns. *Mgte* —5A 208
Burlington La. *W4* —3A 4
Burlington Rd. *N Mald* —1A 12
Burlington Rd. W. *N Mald* —1A 12
Burma Cres. *Cant* —1C 172
Burman Clo. *Dart* —5C 60
Burmarsh. —3B 182 (3C 40)
Burmarsh Rd. *Dym* —3B 182
Burmarsh Rd. *Hythe* —9B 196 (3D 41)
Burma Way. *Chat* —5C 94
Burnaby Rd. *N'fleet* —5D 62
Burnan Rd. *Whits* —3L 225
Burnell Av. *Well* —9J 51
Burnett Rd. *Eri* —6L 53
Burnham Clo. *Mil R* —3F 98
Burnham Cres. *Dart* —2K 59
Burnham Rd. *Dart* —2K 59 (4D 7)
Burnham Rd. *Sidc* —7N 57
Burnham Rd. *Woul* —2D 17
Burnham Ter. *Dart* —3L 59
Burnham Trad. Est. *Dart* —2L 59
Burnham Wlk. *Gill* —8A 96
(in two parts)
Burnham Way. *SE26* —1C 68
Burnhill Rd. *Beck* —5D 68
Burnings La. *Knock* —8H 101
Burn Meadow Cotts. *Boxl* —7F 110
Burns Av. *Sidc* —4K 57
Burns Clo. *Eri* —8G 52
Burns Clo. *Well* —8H 51
Burns Cres. *Tonb* —8F 144
Burns Rd. *Gill* —5F 80
Burns Rd. *Maid* —7N 125
Burnt Ash Hill. *SE12* —4J 55 (4E 5)
(in two parts)
Burnt Ash La. *Brom* —3K 69 (1A 14)
Burnt Ash Rd. *SE12* —3J 55 (4E 5)
Burntash Rd. *Quar W* —1J 125
Burnt Ho. Clo. *Sand* —3L 215
Burnt Ho. Clo. *Wain* —2N 79
Burnt Ho. Hill *Stod* —6N 169 (3A 22)
Burnt Ho. La. *Dart* —9M 59
(in two parts)
Burnt Ho. La. *L'tn G* —9N 149 (1D 35)
Burnthouse La. *Smar* —4H 221 (1B 38)
Burnt Lodge La. *Wallc* —4B 36
Burnt Mill Rd. *Eger* —3C 29
Burnt Oak La. *Sidc* —4J 57
Burnt Oak Ter. *Gill* —6F 80
Burnt Oast Rd. *Bou B* —3K 165
Burntwick Dri. *Lwr Hal* —8L 223
Burntwood Gro. *Sev* —9J 119
Burntwood La. *SW17* —4B 4
Burntwood Rd. *Sev* —1J 131
Burnup Bank. *Sit* —6K 99
Burrage Gro. *SE18* —4E 50
Burrage Pl. *SE18* —5D 50
Burrage Rd. *SE18* —5E 50 (3A 6)
Burr Bank Ter. *Dart* —9K 59
Burr Clo. *Bexh* —1A 58
Burrell Clo. *Croy* —9B 68
Burrell Row. *Beck* —5D 68
Burrfield Dri. *Orp* —8M 71
Burritt M. *Roch* —9N 79
Burrow Rd. *Folk* —5L 189
Burrows La. *Mid S* —9K 201
Burrs Hill. —1C 36
Burrs, The. *Sit* —8H 99
Burrstock Way. *Rain* —2D 96
Burrswood. —2C 35
Bursdon Clo. *Sidc* —7H 57
Bursill Cres. *Ram* —3F 210
Burslem Rd. *Tun W* —8K 151
Bursted Hill. *Up Hard* —3D 31
Burston Rd. *Cox* —6M 137
Burton Clo. *Folk* —4G 189
Burton Clo. *Wain* —1N 79
Burton Ct. *Pad W* —9M 147
Burton Fields. *H Bay* —3J 195
Burton Rd. *Kenn* —4J 159
Burtons La. *Mard* —4C 27
Burwash Ct. *St M* —8L 71
Burwash Rd. *SE18* —5F 50
Burwood Av. *Brom* —3L 83
Busbridge Rd. *Loose* —2B 138 (2D 27)
Busbridge Rd. *Snod* —3C 108
Bush Av. *Ram* —3F 210
Bush Clo. *Bre* —5A 114
Bushell Way. *Chst* —1C 70
Bushey Av. *Orp* —1F 84
Bushey Clo. *Bou B* —3H 165
Busheyfields Rd. *H Bay* —9F 194 (2E 21)
Bushey Mead. —1A 12
Bushey Rd. *SW20* —1A 12
Bushey Rd. *Croy* —3D 82
Bushey Way. *Beck* —9G 68
Bushfield Wlk. *Swans* —4L 61
Bushmeadow Rd. *Gill* —1B 96
Bushmoor Cres. *SE18* —7D 50
Bush Rd. *SE8* —3D 5
Bush Rd. *Cux* —9E 78 (2C 16)
Bush Rd. *E Peck* —8K 135 (3B 26)
Bush Row. *Ayle* —7L 109
Bushy Close. —3J 165
Bushy Gill. *L'tn G* —2A 156
Bushy Gro. *Kgswd* —6F 140
Bushy Hill Rd. *W'bre* —4H 169 (3E 21)
Bushy Lees. *Sidc* —4H 57
Bushy Royds. *W'boro* —3H 161
Bushy Ruff Cotts. *Temp E* —9C 178
Buss's Green. —3B 36
Busty La. *Igh* —3K 121
Butcherfield La. *Hartf* —2B 34
Butcher Row. *E1* —2D 5
Butchers Hill. *Shorne* —1C 78
Butcher's La. *Mere* —7J 123 (2B 26)
Butcher's La. *New Ash* —3K 89 (2E 15)
Butchers La. *Non* —3B 32
Butcher's La. *T Oaks* —4D 45
Butcher Wlk. *Swans* —5L 61
Butchery La. *Cant* —2M 171 (1D 31)
Butchery, The. *S'wch* —5M 217
Butler's Hill. *Dar* —3B 20
Butler's Pl. *As* —4L 89
Butterfly Centre, The. —1D 192 (1A 42)
Butterfly La. *SE9* —4D 56
Butterly Av. *Dart* —7N 59
Buttermere. *Fav* —6J 187
Buttermere Clo. *Folk* —5H 189
Buttermere Clo. *Gill* —7J 81
Buttermere Gdns. *Aysm* —1D 162
Buttermere Rd. *Orp* —7M 71
Butterside Rd. *Kgnt* —5G 161
Butter St. *Non* —3F 162 (3B 32)
Butt Field Rd. *Afrd* —1C 160
Butt Grn. La. *Lin* —9D 138 (3D 27)
Butt Law Clo. *Hoo* —8H 67
Buttmarsh Clo. *SE18* —5D 50
Button Cotts. *Lwr Sto* —7K 201
Button Dri. *Lwr Sto* —7K 201
Button Ho. *Chatt* —7B 66
Button La. *Bear* —7L 127
Button St. *Swan* —5K 73 (1D 15)
Butts Hill. *Bou B* —1J 165 (3B 20)
Butts Ho. Cant —1N 171 (4D 21)
(off Artillery Rd.)
Butts La. *Stan H* —2C 8
Buttsole. —2C 33
Butts Rd. *Brom* —1H 69
Butts, The. *Elham* —6N 183
Butts, The. *Otf* —8J 103
Butts, The. *S'wch* —5L 217
Butts, The. *Sit* —7G 99
Buttway La. *Cli* —2B 176 (3D 9)
Buxton Clo. *Chat* —1G 110
Buxton Clo. *Maid* —9D 126
Buxton La. *Cat* —4D 13
Buxton Rd. *Eri* —7E 52
Buxton Rd. *Ram* —2F 210
Bybrook. —5H 159 (4A 30)
Bybrook Ct. *Kenn* —6G 159
Bybrook Field. *S'gte* —8E 188
Bybrook Rd. *Kenn* —6H 159 (4A 30)
Bybrook Way. *S'gte* —7E 188
Bychurch Pl. *Maid* —6D 126
Bycliffe M. *Grav* —5E 62
Bycliffe Ter. *Grav* —5E 62
Bycroft St. *SE20* —3A 68
Bygrove. *New Ad* —7D 82
Bylands Clo. *SE2* —3K 51
Byllan Rd. *Dover* —1D 180
Byng Rd. *Tun W* —9E 150
Bynon Av. *Bexh* —1A 58
Byrneside. *Hild* —3E 144
Byron Av. *Mgte* —4D 208
Byron Clo. *SE26* —1B 68
Byron Clo. *SE28* —1L 51
Byron Clo. *Cant* —3B 172
Byron Cres. *Dover* —9G 178
Byron Dri. *Eri* —7C 52
Byron Ho. *Dart* —3F 58
Byron Rd. *Dart* —2B 60
Byron Rd. *Gill* —9F 80
Byron Rd. *Maid* —2E 126
Bysing Wood Rd. *Fav* —4C 186 (3E 19)
(in three parts)
Bythorne Ct. *Rain* —2D 96
Bywood Av. *Croy* —9A 68

Cabbage Stalk La. *Tun W* —3E 156
Cables Clo. *Belv* —3D 52
Cable St. *E1* —2D 5
Cacket's La. *Cud* —6F 100 (4B 14)
Cacketts Cotts. *Bras* —8L 117
Cackle Street. —4D 45
(nr. Broad Oak)
Cackle Street. —4A 44
(nr. Netherfield)
Cackle St. *Brede* —4D 45
Cade La. *Sev* —1K 131
Cade Rd. *Afrd* —2F 160
Cades Orchard. *P For* —9C 186
Cades Rd. *Hoth* —4E 29
Cadlocks Hill. *Hals* —1A 102 (3C 14)
Cadnam Clo. *Cant* —8L 167
Cadnam Clo. *Roch* —4J 79
Cadogan Av. *Dart* —5D 60
Cadogan Clo. *Beck* —4G 69
Cadogan Gdns. *Tun W* —1H 157
Cadogan Ter. *E9* —1E 5
Cadwallon Rd. *SE9* —7D 56
Caerleon Clo. *Sidc* —1L 71
Caerleon Ter. *SE2* —4K 51
Caernarvon Dri. *Maid* —8C 126
Caernarvon Gdns. *Broad* —8M 209
Caesars Way. *Folk* —4E 188
Cage Green. —2J 145 (3E 25)
Cage Grn. Rd. *Tonb* —2J 145
Cage La. *Smar* —4J 221 (1B 38)
Cairndale Clo. *Brom* —3J 69
Cairns Clo. *Dart* —3L 59
Caister Rd. *Tonb* —6G 145
Caithness Gdns. *Sidc* —4H 57
Calais Cotts. *Fawk* —3G 88
Calais Hill. *T Hill* —5K 167 (3D 21)
Calcott. —1D 168 (3E 21)
Calcott Hill. *Sturry* —1D 168 (3E 21)
Calcott Wlk. *SE9* —9A 56
Calcraft M. *Cant* —9A 168
Calcutta Ho. *Maid* —3H 139
Calcutta Rd. *Til* —3A 8
Caldbec Hill. *Batt* —4B 44
Caldecote Clo. *Rain* —2D 96
Caldecot La. *Lydd* —1C 204 (3D 47)
Calder Rd. *Maid* —2B 126
Calderwood. *Grav* —2K 77
Calderwood St. *SE18* —4C 50
Caldew Av. *Gill* —2M 95
Caldew Gro. *Sit* —8J 99
Caldy Rd. *Belv* —3C 52
Caledonian Ct. *Gill* —3A 96
Caledonian Rd. *N1 & N7* —2C 5
Caledon Ter. *Cant* —3N 171
Calehill Clo. *Maid* —3F 126
Calehill Rd. *L Char* —4D 29
Caley Rd. *Tun W* —6K 151
Calfstock La. *F'ham* —7N 73
Calgary Cres. *Folk* —3L 189

Calgary Ter.—Catford Gyratory. (Junct.)

Calgary Ter. Dover —1G 181
Caling Croft. New Ash —2M 89
Caliph Clo. Grav —8L 63
Callaghan Clo. SE13 —2H 55
Callams Clo. Gill —5N 95
Calland. Sme —8J 165
Callander Rd. SE6 —7E 54
Callaways La. N'tn —5K 97
Callenders Cotts. Belv —2E 52
Calleywell La. Adgtn —2B 40
Callis Ct. Rd. Broad —7K 209 (1E 23)
Callis Way. Gill —6N 95
Calmont Rd. Brom —2G 69 (1E 13)
Calonne Rd. SW19 —1A 12
Calshot Ct. Dart —4B 60
(off Osbourne Rd.)
Calthorpe St. WC1 —2C 5
Calton Av. SE21 —4D 5
Calverden Rd. Ram —3E 210
Calverley Clo. Beck —2E 68
Calverley Ct. Tun W —1H 157
Calverley Pk. Tun W —2H 157
Calverley Pk. Cres. Tun W —2H 157
Calverley Pk. Gdns. Tun W —1H 157 (2E 35)
Calverley Rd. Tun W —1H 157 (2E 35)
Calverley Row. Tun W —1H 157
Calverley St. Tun W —1H 157
Calvert Clo. Belv —4B 52
Calvert Clo. Sidc —2N 71
Calvin Clo. Orp —6M 71
Camber. —4B 46
Camber Castle. —4A 46
Camber Rd. E Gul —3A 46
Cambert Way. SE3 —2L 55
Camberwell. —3D 5
Camberwell Chu. St. SE5 —3D 5
Camberwell Grn. SE5 —3D 5
Camberwell Green. (Junct.) —3D 5
Camberwell La. Ide H —3A 130
Camberwell New Rd. SE5 —3C 5
Camberwell Rd. SE5 —3D 5
Camborne Mnr. Gill —6F 80
Camborne Rd. Sidc —8L 57
Camborne Rd. Well —9H 51
Cambourne Av. Wgte S —3J 207
Cambrai Ct. Cant —1C 172
Cambray Rd. Orp —1H 85
Cambria Av. Roch —1K 93
Cambria Clo. Sidc —6F 56
Cambria Cres. Grav —9K 63
Cambria Ho. Eri —7F 52
(off Larner Rd.)
Cambrian Cotts. Ram —6H 211
Cambrian Gro. Grav —5F 62
Cambrian Rd. Tun W —7J 151
Cambridge Av. S'wch B —1E 33
Cambridge Av. Well —2H 57
Cambridge Barracks Rd. SE18 —4B 50
Cambridge Clo. Birch —4G 206
Cambridge Cres. Maid —1G 138
Cambridge Dri. SE12 —3K 55
Cambridge Gdns. W10 —2A 4
Cambridge Gdns. Folk —6K 189
Cambridge Gdns. Tun W —3H 157
Cambridge Grn. SE9 —6D 56
Cambridge Heath Rd. E1 & E2 —2D 5
Cambridge Ho. Maid —1G 139
Cambridge La. Lyn —3D 19
Cambridge Rd. SE20 —1D 13
Cambridge Rd. SW11 —3B 4
Cambridge Rd. Brom —3K 69
Cambridge Rd. Cant —3M 171
Cambridge Rd. Dover —6J 181
Cambridge Rd. Fav —6F 186
Cambridge Rd. Gill —5M 95
Cambridge Rd. King T —1A 12
Cambridge Rd. Roch —4L 79
Cambridge Rd. Sidc —9G 57
Cambridge Rd. Sit —9J 99
Cambridge Rd. Tey —4J 223
Cambridge Rd. Walm —7N 177
Cambridge Rd. Wclf S —1B 10
Cambridge Row. SE18 —5D 50
Cambridge St. Tun W —2J 157
Cambridge Ter. Chat —8C 80
Cambridge Ter. Dover —5K 181
Cambridge Ter. Folk —6L 189
Cambridge Ter. Mgte —4F 208
Cambridge Way Cant —4M 171
Camdale Rd. SE18 —7H 51
Camden Av. Pem —8B 152
Camden Clo. Chat —6E 94
Camden Clo. Chst —4E 70
Camden Clo. Grav —6B 62
Camden Cotts. Ram —6J 211
(off Camden Rd.)
Camden Ct. Belv —5B 52
Camden Ct. Pem —8C 152
Camden Ct. Tun W —1H 157
Camden Cres. Dover —5K 181
Camden Gro. Chst —2D 70
Camden High St. NW1 —2C 4
Camden Hill. —6C 220 (2E 37)
Camden Hill. Tun W —2H 157
Camden Park. —3J 157 (2E 35)
Camden Pk. Tun W —3J 157
(in three parts)
Camden Pk. Rd. NW1 —1C 4
Camden Pk. Rd. Chst —3B 70
Camden Rd. NW1 & N7 —1C 4
Camden Rd. Bex —6A 58
Camden Rd. Broad —6J 209
Camden Rd. Gill —5G 80
Camden Rd. Ram —6J 211
Camden Rd. Sev —4J 119
Camden Rd. Tun W —1H 157 (2E 35)
Camden Sq. Ram —5J 211
Camden St. NW1 —2C 4
Camden St. Maid —4D 126
Camden Ter. Seal —3N 119
Camden Ter. W'boro —9J 159
Camden Town. —2C 4
Camden Way. Chst —3B 70
Camellia Clo. Gill —4N 95
Camellia Clo. Mgte —3N 207
Camelot Clo. SE28 —2F 50
Camelot Clo. Big H —4C 164
Camel Rd. E16 —1A 50
Camer. —2B 16
Camer Gdns. Meop —9H 77
Cameron Clo. Bex —8F 58
Cameron Clo. Chat —3E 94
Cameron Ct. Dover —6F 180
Cameron Rd. SE6 —7C 54
Cameron Rd. Brom —8K 69
Cameron Ter. SE12 —8L 55
Camer Park Country Park. —1H 91
Camer Pk. Rd. Meop —1G 91 (2B 16)
Camer Rd. Meop —9G 77 (2B 16)
Camer St. Meop —9H 77
Camlan Rd. Brom —9J 55
Camomile Dri. Weav —4J 127
Campbell Clo. SE18 —8C 50
Campbell Clo. H Bay —4K 195
Campbell Rd. E3 —2E 5
Campbell Rd. Grav —6E 62
Campbell Rd. Maid —6D 126
Campbell Rd. Tun W —8G 150
Campbell Rd. Walm —7N 177
Campden Hill Rd. W8 —2B 4
Camperdown Mnr. Gill —6D 80
(off River St.)
Campfield Rd. SE9 —5N 55
Campfield Rd. Shoe —1D 11
Camp Hill. Chid C —5G 142 (4D 25)
Campion Clo. Chat —8B 94
Campion Clo. N'fleet —9D 62
Campion Cres. C'brk —3D 37
Campion Pl. SE28 —1J 51
Campleshon Rd. Gill —6N 95
Campshill Pl. SE13 —3F 54
Campshill Rd. SE13 —3F 54
Campus Way. Gill B —3K 95
Camp Way. Maid —1F 138
Camrose Av. Eri —6C 52
Camrose Clo. Croy —1B 82
Camrose St. SE2 —5J 51
Canada Clo. Folk —5C 188
Canada Farm Rd. S Dar & Dart —7G 75 (1E 15)
Canada Gdns. SE13 —3F 54
Canada Rd. Eri —7J 53
Canada Rd. Walm —6M 177
Canada Ter. Maid —2D 126
Canadia. —4B 44
Canadian Av. SE6 —5E 54 (4E 5)
Canadian Av. Gill —8H 81 (2E 17)
Canal Basin. Grav —4J 63
Canal Bridge. (Junct.) —3D 5
Canal Ind. Pk. Grav —4J 63
Canal Rd. Grav —4H 63
Canal Rd. High —5E 64 (4C 9)
Canal Rd. Strood —5N 79
Canary Wharf Tower. —2E 5
Canberra Gdns. Sit —7D 98
Canberra Rd. SE7 —6A 50 (3A 6)
Canberra Rd. Bexh —6M 51
Canbury Path. Orp —7J 71
Canfield Gdns. NW6 —1B 4
Canham Rd. SE25 —1D 13
Cann Hall. —1E 5
Cann Hall Rd. E11 —1E 5
Canning St. Maid —3D 126
Canning Town. —2A 6
Canning Town. (Junct.) —2E 5
Cannizaro Rd. SW19 —1A 12
Cannonbury Rd. Ram —6H 211
Cannongate Av. Hythe —5L 197
Cannongate Clo. Hythe —6M 197
Cannongate Gdns. Hythe —5M 197
Cannongate Rd. Hythe —5L 197 (3E 41)
Cannon Gro. S'ness —2F 218
Cannon La. Tonb —5K 145 (4E 25)
Cannon La. W'bury —2C 26
Cannon Pl. SE7 —5A 50
Cannon Rd. Bexh —8N 51
Cannon Rd. Ram —5H 211
Cannon St. EC4 —2D 5
Cannon St. Deal —3M 177
Cannon St. Dover —4J 181
Cannon St. Lydd —3C 204 (3D 47)
Cannon St. New R —2C 212
Cannon St. Rd. E1 —2D 5
Canon Appleton Ct. Cant —3L 171
Canonbury. —1C 5
Canonbury Pk. N. N1 —1D 5
Canonbury Rd. N1 —1C 5
Canon Clo. Roch —1M 93
Canon Grn. W'hm —3B 226
Canon La. W'bury —7A 124
Canon Rd. Brom —6M 69
Canons Ga. Rd. Dover —4K 181
Canon's Wlk. Croy —4A 82
Canon Woods Way. Kenn —4K 159
Cansiron La. Ash W & Eden —2A 34
Cansiron La. Cowd —2B 34
Canterbury. —2M 171 (1D 31)
Canterbury Av. Sidc —7K 57
Canterbury Bus. Cen., The. Cant —2M 171 (1D 31)
Canterbury Cathedral. —2N 171 (1D 31)
Canterbury City Retail Pk. Cant —7C 168
Canterbury Clo. Beck —4E 68
Canterbury Clo. Broad —8H 209
Canterbury Clo. Dart —5A 60
Canterbury Ct. SE12 —8L 55
Canterbury Ct. Afrd —8H 159
Canterbury Cres. Tonb —2K 145
Canterbury Hill. T Hill —6L 167 (3D 21)
Canterbury Ho. Eri —7G 52
Canterbury Ho. Maid —1G 138
Canterbury Ind. Pk. Her —2L 169
Canterbury La. Cant —2N 171 (1D 31)
Canterbury La. Gill —1D 96 (2A 18)
Canterbury La. H'lgh —4C 30
Canterbury Rd. Afrd —7G 158 (1A 40)
(in two parts)
Canterbury Rd. B'hm —3A 32
Canterbury Rd. Bou B —3L 165 (4B 20)
Canterbury Rd. Bra L —8K 165 (1C 40)
Canterbury Rd. B End & Birch —8A 206
Canterbury Rd. C'lck —8A 174
Canterbury Rd. Char —1N 175 (3E 29)
Canterbury Rd. Chi —8L 175 (2B 30)
Canterbury Rd. Croy —2C 13
Canterbury Rd. Dens & H'nge —4C 192 (2A 42)
Canterbury Rd. E Bra —1C 41
Canterbury Rd. Elham —9L 183
Canterbury Rd. Etch —2E 41
Canterbury Rd. Fav —7H 187 (3A 20)
(in two parts)
Canterbury Rd. Folk —2J 189 (2A 42)
Canterbury Rd. Grav —7H 63
Canterbury Rd. H Bay —8F 194 (2E 21)
(Herne Rd.)
Canterbury Rd. H Bay —4H 195 (2E 21)
(Thanet Way, in two parts)
Canterbury Rd. L'brne —3M 173 (1E 31)
Canterbury Rd. Lyd —4B 32
Canterbury Rd. Lym —7D 204 (1E 41)
Canterbury Rd. Pem —8D 152
Canterbury Rd. Sarre & Wgte S, —9E 214 (2B 22)
Canterbury Rd. Sit —8J 99 (3C 19)
(in two parts)
Canterbury Rd. Wgte S & Mgte —3J 207
Canterbury Rd. Whits —5F 224 (2C 21)
Canterbury Rd. W'boro —3J 161 (1A 40)
Canterbury Rd. W'hm —3A 226 (1A 32)
Canterbury Rd. E. Ram —5D 210 (2D 23)
Canterbury Rd. W. C'snd —5A 210 (2D 23)
Canterbury St. Gill —7F 80 (1E 17)
Canterbury Tales, The. —2M 171
Cantwell Rd. SE18 —7D 50
Canute Rd. Birch —3C 206
Canute Rd. Deal —1M 177
Canute Rd. Fav —6G 186
Canute Wlk. Deal —1M 177
Canvey Island. —2E 9
Canvey Rd. Can I —2E 9
Canvey Village. —2E 9
Canvey Way. Pits & Can I —1E 9
Cape Cotts. Maid —3C 138
Capel. —9E 146 (4A 26)
Capelands. New Ash —3N 89
Capel Clo. Broad —4K 209
Capel Clo. Brom —2A 84
Capel Clo. Gill —7M 95
Capel Ct. Pk. Cap F —2D 174
Capel Cross. —3E 198 (1C 37)
Capell Clo. Cox —5N 137
Capel-Le-Ferne. —2C 174 (2B 42)
Capel Pl. Dart —9K 59
Capel Rd. E7 —1A 6
Capel Rd. Fav —5F 186
Capel Rd. Hams —3E 39
Capel Rd. P'hm —3C 31
Capel Rd. Sit —9F 98
Capel St. Cap F —2B 174 (2B 42)
(in two parts)
Capel Ter. Sth S —1C 10
Capetown Ho. Maid —3J 139
Capstan Ct. Dart —2C 60
Capstan Row. Deal —3N 177
Capstone. —2E 17
Capstone Farm Country Park. —5G 95
Capstone Rd. Brom —9J 55
Capstone Rd. Chat —2F 94 (2E 17)
Captain's Clo. Sut V —3A 28
Captian Webb Memorial. —5K 181
(off Marine Pde.)
Carage Clo. Eri —6D 52
Cardens Rd. Cli —5M 65
Cardiff St. SE18 —7G 50
Cardinal Clo. Chst —4G 70
Cardinal Clo. Tonb —7K 145
Cardine Clo. Sit —4F 98
Cardwell Rd. SE18 —4C 50
Carey Clo. New R —3C 212
Carey Ct. Bexh —3C 58
Carey Ho. Cant —3M 171 (1D 31)
(off Station Rd. E.)
Carholme Rd. SE23 —6C 54
Caring. —8N 127 (2A 28)
Caring Farm Cotts. Leeds —8N 127
Caring La. Leeds —9N 127 (2A 28)
Caring Rd. Otham & Leeds —7M 127 (2A 28)
Carisbrooke Av. Bex —6M 57
Carisbrooke Ct. Dart —4B 60
(off Osbourne Rd.)
Carisbrooke Dri. Maid —4A 126
Carisbrooke Rd. Brom —7M 69
Carisbrooke Rd. Roch —3J 79
Carl Ekman Ho. Grav —5C 62
Carleton Pl. Hort K —7C 74
Carleton Rd. Dart —5A 60
Carlisle Clo. Roch —6G 79
Carlisle Ho. Maid —1G 139
Carlisle Rd. Dart —4A 60
Carlsden Clo. Dover —1F 180
Carlton Av. Broad —8L 209
Carlton Av. Gill —8H 81
Carlton Av. Grnh —4E 60
Carlton Av. Ram —6H 211
Carlton Av. S'ness —3C 218
Carlton Clo. Tonb —9K 133
Carlton Cres. Chat —3G 94
Carlton Cres. Tun W —1J 157
Carlton Gdns. Maid —9D 126
Carlton Hill. H Bay —3D 194
Carlton Leas. Folk —7J 189
Carlton Mans. Mgte —2E 208
Carlton Pde. Orp —1K 85
Carlton Pde. Sev —4K 119
Carlton Rise. Wgte S —3H 207
Carlton Rd. Afrd —8E 158
Carlton Rd. Eri —6C 52 (3C 6)
Carlton Rd. Kgdn —3M 199
Carlton Rd. Sidc —1H 71
Carlton Rd. S Croy —3D 13
Carlton Rd. Tun W —1J 157
Carlton Rd. Well —1K 57
Carlton Rd. Whits —1D 166
Carlton Rd. E. Wgte S —3J 207
Carlton Rd. W. Wgte S —3H 207
Carlton Vale. NW6 —2B 4
Carlyle Av. Brom —6N 69
Carlyle Rd. SE28 —1L 51 (2B 6)
Carlys Clo. SE20 —5A 68
Carman's Clo. Loose —6C 138
Carmelite Way. Hart —8M 75
Carmichael Rd. SE25 —2D 13
Carnatation Clo. E Mal —9E 108
Carnation Cres. E Mal —1D 124
Carnation Dri. Roch —5H 79
Carnation Rd. Roch —5H 79
Carnation St. SE2 —5K 51
Carn Brea. Mgte —3D 208
Carnbrook Rd. SE3 —1N 55
Carnecke Gdns. SE9 —3A 56
Caroland Clo. Sme —8J 165
Caroland Vs. Bra L —9J 165
Caroline Clo. Whits —7D 224
Caroline Ct. Brom —9G 54
Caroline Cres. Broad —7J 209
Caroline Cres. Maid —2A 126
Caroline Sq. Mgte —2D 208
Carolyn Dri. Orp —4J 85
Carpeaux Clo. Chat —8D 80
Carpenters Clo. Roch —1B 94
Carpenters La. Hdlw —5B 134 (3A 26)
Carpenter's Rd. E15 —1E 5
Carpinus Clo. Chat —1E 110
Carrack Ho. Eri —5F 52
(off Saltford Clo.)
Carr Gro. SE18 —4A 50
Carr Ho. Dart —3F 58
Carriage M. Cant —1M 171
Carriage Way, The. Bras —6M 117
Carrick Clo. Tonb —9L 133
Carrick Dri. Sev —5J 119
Carriers Pl. Blac —1C 154
Carriers Rd. C'brk —7D 176
Carrill Way. Belv —3M 51
Carrington Clo. Croy —1B 82
Carrington Clo. Gill —6J 81
Carrington Rd. Dart —4N 59
Carroll Gdns. Lark —7D 108
Carronade Pl. SE28 —3E 50
Carroway's Pl. Mgte —3D 208
Carrs Corner. Tun W —1H 157
Carshalton. —2B 12
Carshalton Beeches. —3B 12
Carshalton on the Hill. —3B 12
Carshalton Pk. Rd. Cars —3B 12
Carshalton Rd. Bans —3B 12
Carshalton Rd. Mitc —2C 12
Carshalton Rd. Sutt & Cars —2B 12
Carsington Gdns. Dart —7L 59
Carstairs Rd. SE6 —8F 54
Carston Clo. SE12 —3J 55
Carswell Rd. SE6 —5F 54
Carter La. B'lnd —2C 46
Carter Rd. Bek —7K 173 (2A 32)
Carter's Hill. —2B 132 (2D 25)
Carter's Hill. Under —3B 132 (3D 25)
Carters Hill Clo. SE9 —6M 55
Carter's Hill La. Meop —9E 90
Carters La. SE23 —7B 54
Carters Rd. Folk —6F 188
Carters Row. N'fleet —6E 62
Carters Wood. Hams —8D 190
Cartmel Rd. Bexh —8B 52
Carton Clo. Roch —1A 94
Carton Rd. High —1F 78
Carville Av. Tun W —5F 150
Carvoran Way. Gill —6M 95
Cascade Clo. Orp —6L 71
Casino Sq. Gus —2K 181
Caslocke St. Fav —5G 186
Cassilda Rd. SE2 —4J 51
Cassland Rd. E9 —1D 5
Casslee Rd. SE6 —5C 54
Casstine Clo. Swan —3G 73
Castalia Cotts. Walm —7N 177
(off Cambridge Rd.)
Castalia Ct. Dart —1N 59
Castelnau. —3A 4
Castelnau. SW13 —3A 4
Casterbridge Rd. SE3 —1K 55
Castile Rd. SE18 —4C 50
Castillon Rd. SE6 —7H 55
Castlands Rd. SE6 —7C 54
Castleacres Ind. Est. Sit —5J 99
Castle Av. Broad —7M 209
Castle Av. Dover —3J 181
Castle Av. Hythe —5J 197
Castle Av. Roch —8N 79
Castle Bay. S'gte —8C 188
Castle Clo. Brom —6H 69
Castle Clo. Lymp —6A 196
Castle Clo. S'gte —8F 188
Castlecombe Rd. SE9 —9A 56
Castle Cotts. Westw —2D 158
Castle Ct. SE26 —9B 54
Castle Cres. Salt —4K 197
Castle Dean. Maid —1B 126
Castle Dri. Kems —8M 103
Castle Dri. Whitf —7E 178
Castle Farm Rd. Sev —3C 15
Castle Farm Rd. Shor —9G 87
Castlefields. Grav —4E 76
Castlefields. Hartf —3C 34
Castlefields. Tonb —5H 145
Castleford Av. SE9 —6D 56
Castle Hill. —1C 36
Castle Hill. Det —1N 127 (4A 18)
Castle Hill. Folk —3G 188
Castle Hill. Hart —8K 75 (2E 15)
Castle Hill. Roch —6N 79
Castle Hill Av. Folk —6J 189 (2A 42)
Castle Hill Av. New Ad —9E 82
Castle Hill Pas. Folk —6J 189
Castle Hill Rd. Dover —3K 181 (1D 43)
Castle La. Grav —7N 63 (4B 8)
Castlemaine Av. Gill —6J 81
Castle Mkt. S'wch —5L 217
Castle Mayne Av. Wdchu —8L 207
Castlemere Av. Queen —7C 218
Castle M. Deal —7L 177
Castlemount Ct. Dover —4K 181
Castlemount Rd. Dover —3J 181
Castle Point Transport Museum. —2A 10
Castle Rd. All —3N 125
Castle Rd. Chat —1D 94 (2E 17)
Castle Rd. Eyns —7J 87
Castle Rd. Maid —1D 27
Castle Rd. R'boro —1K 217
Castle Rd. Salt —4J 197 (3D 41)
Castle Rd. S'gte —8F 188
Castle Rd. Sev & Dart —3D 15
Castle Rd. Sit —7H 99 (2C 19)
Castle Rd. Swans —4M 61
Castle Rd. Tun W —3G 156
Castle Rd. Whits —3G 225 (2C 21)
Castle Rd. Bus. Precinct. Sit —6J 99
Castle Rd. Technical Cen. Sit —6J 99
Castle Rough La. Kem —2G 99
Castle Row. Cant —3M 171 (1D 31)
Castle St. Afrd —8F 158
Castle St. Cant —3M 171 (1D 31)
Castle St. Dover —5J 181
Castle St. Grnh —3G 61
Castle St. Queen —7B 218
Castle St. S'boro —4F 150
Castle St. Swans —4M 61
Castle St. Tonb —5H 145
Castle St. Tun W —3G 157
Castle St. Upnor —3B 80
Castle St. Woul —7G 92
Castle Ter. Hdlw —8D 134
Castle Ter. Hawkh —4K 191
Castle, The. Whits —2G 225
Castleton Av. Bexh —8E 52
Castleton Clo. Croy —9B 68
Castleton Rd. SE9 —9N 55
Castle View. Hdlw —8D 134
Castleview Ct. Dover —3G 180
Castle View Rd. Roch —5K 79
Castle Wlk. Deal —1N 177
Castle Way. Leyb —9B 108 (4C 16)
Castlewood Dri. SE9 —9N 55
Caterfield La. Crow & Oxt —4A 24
Caterham Rd. SE13 —1F 54
Catford. —5E 54 (4E 5)
Catford B'way. SE6 —5E 54
Catford Greyhound Stadium. —4D 54 (4E 5)
Catford Gyratory. (Junct.) —5E 54 (4E 5)

Chartway—Church Cres.

Chartway. Sev —6K 119
Chartway Street. —7E 140
Chartway St. Sut V —7A 140 (3A 28)
Chartwell. —3B 24
Chartwell Av. H Bay —3L 195
Chartwell Clo. SE9 —7F 56
Chartwell Clo. Roch —3M 79
Chartwell Ct. Gill —7G 80
Chartwell Dri. Orp —6F 84
Chartwell Gro. Sit —8D 98
Chartwell House. —3B 24
Chartwell Lodge. Beck —3D 68
Chase Rd. NW10 —2A 4
Chase Sq. Grav —4G 62
Chase, The. Bexh —1C 58
Chase, The. Brom —6L 69
Chase, The. Chat —1A 94
Chase, The. Gill —1K 95
Chase, The. Kems —7M 103
Chase, The. St Mc —9J 199
Chase, The. Tonb —2J 145
Chase, The. Tun W —3H 157
Chastilian Rd. Dart —5G 58
Chater Ct. Deal —6M 177
Chatham. —8C 80 (2E 17)
Chatham Av. Brom —1J 83
Chatham Ct. Ram —4H 211
Chatham Gro. Chat —2C 94
Chatham Hill. Chat —9E 80 (2E 17)
Chatham Hill Rd. Sev —3K 119
Chatham Maritime. —3E 80 (1E 17)
Chatham Pas. Ram —5J 211
(off Chatham St.)
Chatham Pl. Ram —5J 211
Chatham Rd. Blue H —3D 17
Chatham Rd. Chat —3D 17
Chatham Rd. Roch —1A 110
Chatham Rd. S'lng —3D 17
Chatham St. Ram —5H 211 (2E 23)
Chatsworth Av. Brom —9L 55
Chatsworth Av. Sidc —6J 57
Chatsworth Clo. W Wick —2J 83
Chatsworth Dri. Roch —3M 79
Chatsworth Dri. Sit —6C 98
Chatsworth M. Ram —6G 211
Chatsworth Pde. Orp —8E 70
Chatsworth Rd. E5 —1D 5
Chatsworth Rd. NW2 —1A 4
Chatsworth Rd. Dart —3K 59
Chatsworth Rd. Gill —6F 80
Chattenden. —9C 66 (4D 9)
Chattenden Ct. Maid —2E 126
Chattenden La. Chatt —9C 66 (4D 9)
Chattenden Ter. Chatt —9C 66
Chatterton Rd. Brom —7N 69
Chaucer Av. Whits —4K 225
Chaucer Bus. Pk. Kems —9D 104
Chaucer Clo. Cant —3B 172
Chaucer Clo. Maid —1H 139
Chaucer Clo. Roch —5B 80
Chaucer Ct. Cant —3A 172
Chaucer Cres. Dover —1G 180
Chaucer Gdns. Tonb —8F 144
Chaucer M. Up Harb —1E 170
Chaucer Pk. Dart —5N 59
Chaucer Rd. Broad —1L 211
Chaucer Rd. Cant —1A 172
Chaucer Rd. Evtn —2J 185
Chaucer Rd. Gill —9G 80
Chaucer Rd. N'fleet —8C 62
Chaucer Rd. Sidc —6L 57
Chaucer Rd. Sit —8E 98
Chaucer Rd. Well —8G 51
Chaucer Way. Dart —2A 60
Chaucer Way. Lark —7D 108
Chaundrye Clo. SE9 —4B 56
Chave Rd. Dart —8M 59
Cheam. —3B 12
Cheam Comn. Rd. Wor Pk —2A 12
Cheam Rd. Eps & Sutt —3A 12
Cheam Rd. Sutt —3B 12
Cheam Village. (Junct.) —3B 12
Cheddar Clo. Afrd —7F 158
Cheeselands. Bidd —7K 163
Cheeseman's Green. —7K 161 (2A 40)
Cheeseman's Grn. Afrd —8H 161 (2A 40)
Cheesmans Clo. Min —8N 205
Chegwell Dri. Chat —7E 94
Chegworth. —2H 141 (2B 28)
Chegworth Gdns. Sit —1E 114
Chegworth Mill Cotts. H'shm —2J 141
Chegworth Rd. H'shm —1H 141 (2B 28)
Chelford Rd. Brom —1G 68
Chelmar Rd. Chat —8E 80
Chelmsford Ho. Maid —2H 139
Chelmsford Rd. Roch —6H 79
Chelsea. —3B 4
Chelsea Bri. SW1 & SW8 —3C 4
Chelsea Bri. Rd. SW1 —3C 4
Chelsea Ct. Brom —7A 70
Chelsea Ct. Hythe —7K 197
Chelsea Embkmt. SW3 —3B 4
Chelsea F.C. —3B 4
Chelsea Rd. Cant —7B 168
Chelsfield. —6K 85 (2B 14)
Chelsfield Hill. Orp —9L 85 (3B 14)
Chelsfield Ho. Maid —4A 126
Chelsfield La. Badg M —8B 86 (3C 14)
Chelsfield La. Orp —1M 85 (2B 14)
Chelsfield Rd. Orp —9L 71 (2B 14)
Chelsfield Village. —6N 85 (2C 14)
Chelsham. —4E 13
Chelsham Comn. Rd. Warl —4E 13
Chelsham Ct. Rd. Warl —4E 13
Chelsham Rd. Warl —4E 13
Chelsiter Ct. Sidc —9H 57
Chelsworth Dri. SE18 —6F 50
Cheltenham Clo. Grav —1H 77
Cheltenham Clo. Maid —2J 139
Cheltenham Gdns. E6 —2A 6
Cheltenham Rd. SE15 —3A 54 (4D 5)
Cheltenham Rd. Orp —4J 85
Chelwood Common. —4A 34
Chelwood Gate. —4A 34
Chelwood Ga. Rd. Chel G —4A 34
Chelwood Wlk. SE4 —2B 54
Cheney Clo. Gill —6N 95
Cheney Ct. SE23 —6A 54
Cheney Hill. Sit —4H 115 (3C 19)
Cheney Rd. Fav —5K 187
Chenies Clo. Tun W —5G 156
Chenies St. WC1 —2C 4
Chenies, The. Orp —9G 70
Chenies, The. Wilm —9F 58
Chennell Pk. Rd. Tent —3B 38
Chennels, The. H Hal —7H 193
(in two parts)
Chepstow Ho. Maid —2J 139
Chepstow Rd. W2 —2B 4
Chepstow Rd. Croy —2D 13
Chepstow Vs. W11 —2B 4
Chequer La. Ah —4C 216 (4C 22)
Chequers Clo. Chat —2D 110
Chequers Clo. Grav —5D 76
Chequers Clo. Orp —7H 71
Chequers Cotts. Goud —8M 185
Chequers Ct. Roch —3L 79
Chequers Hill. Bough B —5A 142 (4C 24)
Chequers Hill. Dod —1D 29
Chequers Hill. P'hm —3D 31
Chequers La. Dag —2C 6
Chequers Pde. SE9 —4B 56
Chequers Pk. Wye —3M 159
Chequers Rd. Goud —7L 185 (2D 37)
Chequers Rd. Min S —6M 219 (4E 11)
Chequers Shop. Cen. Maid —5D 126
Chequers Street. —7H 65
Chequertree. —2A 40
Chequer Tree La. H Hal —2D 39
Chequertree Rd. Mer —9K 161 (2A 40)
Cherbourg Cres. Chat —4C 94
Cheriton. —5E 188 (2E 41)
Cheriton Av. Brom —8J 69
Cheriton Av. Ram —4F 210
Cheriton Ct. SE12 —5K 55
Cheriton Ct. Rd. Folk —5C 188
Cheriton Dri. SE18 —7F 50
Cheriton Gdns. Folk —6J 189 (3A 42)
Cheriton High St. Folk —5B 188 (2E 41)
Cheriton Hill. —2D 188
Cheriton Pl. Folk —7K 189
Cheriton Pl. Walm —6N 177
Cheriton Rd. Folk —5F 188 (2A 42)
Cheriton Rd. Gill —4N 95
Cheriton Rd. Walm —6N 177
Cheriton Way. Maid —2N 125
(in two parts)
Cheriton Wood Ho. Folk —4D 188
Cherries, The. Maid —7K 125
Cherry Amber Clo. Gill —3B 96
Cherry Av. Cant —9K 167
Cherry Av. Swan —7E 72
Cherry Brook Rd. Folk —5E 188
Cherry Clo. Len —7D 200
Cherry Clo. Sit —5E 98
Cherrycot Hill. Orp —5F 84
Cherrycot Rise. Orp —5E 84
Cherry Ct. Afrd —9F 158
Cherry Ct. Cant —5J 171
Cherry Ct. Folk —5G 188
Cherrydown Rd. Sidc —7M 57
Cherry Dri. Cant —9J 167
Cherryfields. Bene —3A 38
Cherry Fields. Sit —6B 98
Cherry Garden Av. Folk —5G 188 (2A 42)
Cherry Garden La. Ah —5D 216
Cherry Garden La. Folk —4F 188 (2A 42)
Cherry Garden La. Wye —2N 159
Cherry Garden Rd. Cant —9K 167
Cherry Gdns. Broad —1G 210
Cherry Gdns. Elham —6N 183
Cherry Gdns. H Bay —4F 194
Cherry Gdns. L'stne —3E 212
Cherry Gdns. Tey —2K 223
Cherry Gdns. Hill. Groom —9G 155 (3C 35)
Cherry Glebe. Mer —9M 161
Cherry Gro. Evtn —1J 185
Cherry Hill Ct. N'tn —5K 97
Cherry La. Gt Mon —3D 33
Cherry Orchard. —6M 125
Cherry Orchard. Ches —6L 225
Cherry Orchard. Dit —1G 124
Cherry Orchard. Old L —6K 175
Cherry Orchard. Tent —9B 222
Cherry Orchard. Wdchu —6B 226
Cherry Orchard Clo. Orp —8L 71
Cherry Orchard La. Bon —3B 40
Cherry Orchard Rd. Brom —3A 84
Cherry Orchard Rd. Croy —2D 13
Cherry Orchard, The. Hdlw —7D 134
Cherry Orchard Way. Maid —6M 125
Cherry Tree Av. Dover —3H 181 (1C 43)
Cherry Tree Clo. S'ness —4B 218
Cherry Tree Clo. Tey —2K 223
Cherry Tree Gdns. Ram —1F 210
Cherry Tree Gro. Knat —1B 104
Cherry Tree La. Rain —2C 7
Cherry Tree La. Wilm —8G 59
Cherrytree Rd. Char H —3D 29
Cherry Tree Rd. Gill —3B 96
Cherry Tree Rd. Tun W —4E 156
Cherry Trees. Hart —8M 75
Cherry Tree Wlk. Beck —7C 68
Cherry Tree Wlk. Big H —4C 164
Cherry Tree Wlk. W Wick —5J 83
Cherry View. Bou M —5E 138
Cherry Wlk. Brom —2K 83
Cherry Waye. Eyt —4K 185
Cherrywood Dri. N'fleet —9D 62
Cherrywood Rise. Afrd —6D 158
Cherville La. Bram —1A 32
Chervilles. Maid —7L 125
Chervil M. SE28 —1K 51
Cherwell Clo. Tonb —2H 145
Chesfield Clo. Hdlw —8E 134
Chesham Av. Orp —9D 70
Chesham Dri. Gill —5A 96
Chesham Pl. SW1 —3B 4
Cheshire Rd. Maid —1H 139
(Westmorland Rd.)
Cheshire Rd. Maid —6H 127
(Willington St.)
Cheshire St. E2 —2D 5
Cheshunt Clo. Meop —8F 76
Cheshunt Rd. Belv —5B 52
Chesney Cres. New Ad —8F 82
Chesney Ho. SE13 —2G 55
(off Mercator Rd.)
Chessenden La. Smar —3K 221
Chessington Av. Bexh —7N 51
Chessington Rd. Eps —3A 12
Chessington Way. W Wick —3E 82
Chester Av. Beth —2J 163
Chester Av. Tun W —3K 157
Chester Clo. Roch —6H 79
Chesterfield Clo. Orp —7N 71
Chesterfield Dri. Dart —3J 59
Chesterfield Dri. Sev —3E 118
Chester Rd. Sidc —3G 57
Chester Rd. Wgte S —3L 207
Chesterton Rd. W10 —2A 4
Chesterton Rd. Cli —3C 176
Chesterton Rd. Lark —6D 108
Chestfield. —4L 225 (2D 21)
Chestfield Clo. Gill —1A 96
Chestfield Ind. Est. Ches —4K 225
Chestfield Rd. Ches —4L 225 (2D 21)
Chestnut Av. Blean —5G 166
Chestnut Av. Chat —8B 94 (3D 17)
Chestnut Av. S'hrst —7K 221
Chestnut Av. Tun W —6G 151
Chestnut Av. W'ham —4A 116
Chestnut Av. W Wick —6H 83
Chestnut Clo. SE6 —1F 68
Chestnut Clo. Afrd —7C 158
Chestnut Clo. Eden —5B 184
Chestnut Clo. Frit —1A 38
Chestnut Clo. Hythe —7F 196
Chestnut Clo. King H —7M 123
Chestnut Clo. Meop —8F 76
Chestnut Clo. N'fleet —4E 62
Chestnut Clo. Orp —6J 85
Chestnut Clo. Sidc —6H 57
Chestnut Clo. Tent —6D 222
Chestnut Clo. Tun W —6H 151
Chestnut Clo. Ulc —3B 28
Chestnut Clo. Whitf —5F 178
Chestnut Ct. Bou B —3J 165
Chestnut Dri. Bexh —1M 57
Chestnut Dri. Broad —9H 209
Chestnut Dri. Cox —5M 137
Chestnut Dri. H Bay —5E 194
Chestnut Dri. Kgswd —6F 140
Chestnut Dri. Sturry —4F 168
Chestnut Dri. Worth —2D 33
Chestnut Gro. Dart —1E 72
Chestnut Ho. Barm —6L 125
(off Springwood Rd.)
Chestnut La. Kgnt —5G 160
Chestnut La. Matf —5J 153 (1B 36)
Chestnut La. Meop —2G 107
Chestnut La. Sev —6J 119
Chestnut Pl. Cowd —1B 34
Chestnut Rise. SE18 —6F 50
Chestnut Rd. Dart —6L 59
Chestnut Rd. Dover —5G 180
Chestnut Rd. Roch —6J 79
Chestnuts, The. Adtn —7H 107
Chestnuts, The. Hawkh —7J 191
Chestnuts, The. Sme —8J 165
Chestnut Street. —7N 97 (3B 18)
Chestnut St. B'den —7N 97 (3B 18)
Chestnut Ter. Hythe —7H 197
Chestnut Wlk. Lark —8F 108
Chestnut Wlk. Sev —1N 131
Chestnut Wlk. Tonb —5F 144
(in two parts)
Chestnut Wood La. B'den —8N 97
Cheston Av. Croy —3B 82
Cheswick Clo. Dart —2G 58
Chesworth Clo. Eri —9F 52
Chetney Clo. Roch —5G 79
Chetwynd Rd. NW5 —1C 4
Chevalier Rd. Dover —5F 180
Cheveney Wlk. Brom —6K 69
Chevening. —1A 118 (1C 24)
Chevening Clo. Chat —6D 94
Chevening La. Knock —7N 101
Chevening Rd. NW6 —2A 4
Chevening Rd. Chev & Chip —1A 118 (1C 24)
Chevening Rd. Sund —5N 117 (2C 24)
Chevenings, The. Sidc —8L 57
Cheviot Clo. Bexh —9F 52
Cheviot Clo. Tonb —3J 145
Cheviot Ct. Broad —8M 209
Cheviot Gdns. Down —8K 127
Cheviot Ho. Grav —4C 62
(off Laburnum Gro.)
Cheviot Way. Afrd —6G 158
Cheyne Clo. Brom —4A 84
Cheyne Clo. Kem —3G 99
Cheyne Rd. E'chu —5C 202
Cheyne Wlk. SW10 & SW3 —3B 4
Cheyne Wlk. Long —6L 75
Cheyne Wlk. Meop —3F 90
Chicago Av. Gill —7J 81
Chichele Rd. NW2 —1A 4
Chichester Clo. Afrd —9F 158
Chichester Clo. Gill —3C 96
Chichester Dri. Sev —7G 119
Chichester Ho. Maid —1G 138
Chichester Pl. Elham —7N 183
(off New Rd.)
Chichester Rise. Grav —9J 63
Chichester Rd. Grnh —4F 60
Chichester Rd. Ram —3F 210
Chichester Rd. S'gte —7E 188
Chichester Rd. Sth S —1C 10
Chichester Rd. Tonb —7G 145
Chickenden La. S'hrst —7M 221 (1E 37)
Chickfield Gdns. Chat —1F 94
Chicks La. Kiln —3C 36
Chiddingfold Clo. Min S —6L 219
Chiddingstone. —8D 142 (4C 24)
Chiddingstone. SE13 —3F 54
Chiddingstone Av. Bexh —7A 52
Chiddingstone Castle. —8C 142 (4C 24)
Chiddingstone Causeway. —5G 143 (4C 25)
Chiddingstone Clo. Maid —2J 139
Chiddingstone Hoath. —4C 148 (1C 34)
Chidley Cross. —1K 147
Chidley Cross Rd. E Peck —1K 147 (3B 26)
Chieftain Clo. Gill B —2L 95
Chieveley Dri. Tun W —4K 157
Chieveley Pde. Bexh —2C 58
Chieveley Rd. Bexh —2C 58
Chiffinch Gdns. N'fleet —8D 62
Childgate Rd. York —3C 20
Childsbridge La. Kems —9M 103
Childsbridge La. Sev —4D 15
Childsbridge Way. Seal —2N 119
Childs Cres. Swans —4K 61
Childscroft Rd. Gill —1B 96
Child's Hill. —1B 4
Childs Way. Wro —7M 105
Chilham. —8J 175 (2B 30)
Chilham Av. Wgte S —4J 207
Chilham Castle. —9J 175 (2B 30)
Chilham Clo. Bex —5A 58
Chilham Clo. Chat —9B 80
Chilham Clo. S'ness —4C 218
Chilham Rd. SE9 —9A 56
Chilham Rd. Folk —5E 188
Chilham Rd. Gill —9K 81
Chilham Rd. Maid —2N 125
Chilham Way. Brom —1K 83
Chillenden. —2B 32
Chillenden Windmill. —2B 32
Chilling St. Sharp —4A 34
Chillington Clo. Up H'lng —7C 92
Chillington St. Maid —3C 126
Chillmill. —1B 36
Chillwack Rd. Chatt —8C 66
Chilmington Cvn. Pk. Gt Cha —3A 160
Chilmington Green. —4A 160 (1E 39)
Chilmington Grn. La. Gt Cha —1E 39
Chilston Clo. Tun W —9G 151
Chilston Rd. Len —7E 200
Chilston Rd. Tun W —9G 151
Chiltern Clo. Bexh —8F 52
Chiltern Clo. Down —8J 127
Chiltern End. Afrd —7F 158
Chiltern Gdns. Brom —7J 69
Chiltern Rd. N'fleet —8D 62
Chiltern Rd. Sutt —3B 12
Chiltern Wlk. Tun W —1K 157
Chiltern Way. Tonb —3J 145
Chilthorne Clo. SE6 —5C 54
Chilton. —6E 210 (2E 23)
Chilton Av. Sit —8G 99
Chilton Av. Temp E —1B 180
Chilton Ct. Folk —5L 189
Chilton Ct. Gill —2A 96
Chilton Dri. High —1F 78
Chilton Field. Ah —4C 216
Chilton Gdns. Ah —4C 216
Chilton Hills. —9F 64
Chiltonian Ind. Est. SE12 —4J 55
Chilton La. Ram —6E 210 (2E 23)
Chilton Pl. Ah —4C 216
Chilton Sq. Ah —5C 216
Chilton Way. Dover —1C 180
Chimes, The. Roch —7N 79
Chimington Cvn Pk. Afrd —3A 160
Chinbrook Cres. SE12 —8L 55
Chinbrook Rd. SE12 —8L 55 (4A 6)
Chingley Clo. Brom —2H 69
Chinnery Ct. Meop —9F 76
Chipman's Way. Ram —7J 205
Chippendale Clo. Chat —1C 110
Chippendayle Dri. H'shm —2M 141
Chippenham Rd. W9 —2B 4
Chipperfield Rd. Orp —4J 71 (1B 14)
Chipstead. —4D 118 (1C 25)
Chipstead Bottom. —4B 12
Chipstead Clo. Maid —3A 126
Chipstead La. Sev —4E 118 (1C 25)
Chipstead Pk. Sev —4E 118
Chipstead Pk. Clo. Sev —4D 118
Chipstead Pl. Gdns. Sev —4D 118
Chipstead Rd. Eri —7F 52
Chipstead Rd. Gill —7N 95
Chipstead Sq. Sev —4D 118
Chipstead Valley Rd. Coul —4C 12
Chislehurst. —2D 70 (1A 14)
Chislehurst Caves. —4C 70 (1A 14)
Chislehurst Clo. Maid —2J 139
Chislehurst Rd. Brom & Chst —5N 69 (1A 14)
Chislehurst Rd. Orp —7G 71 (1B 14)
Chislehurst Rd. Sidc —1J 71 (1B 14)
Chislehurst West. —1C 70 (1A 14)
Chislet. —2A 22
Chislet Clo. Beck —3D 68
Chislet Ct. H Bay —2F 194
Chislet Forstal. —2A 22
Chislett Clo. S'ndge —7L 215
Chislet Wlk. Gill —7N 95
Chisnall Rd. Dover —9D 178
Chiswell St. EC1 —2D 5
Chiswick. —3A 4
Chiswick Bri. W4 —3A 4
Chiswick High Rd. W4 & Bren —3A 4
Chiswick House. —3A 4
Chiswick La. N. W4 —3A 4
Chiswick Roundabout. (Junct.) —3A 4
Chitcombe. —3C 45
Chitcombe Rd. B Oak —3C 45
Chittenden's La. St Mm —1D 47
Chitty. —2A 22
Chitty La. C'let —2A 22
Chive Clo. Croy —2A 82
Chobham Rd. E15 —1E 5
Chorleywood Cres. Orp —5H 71
Chrisp St. E14 —2E 5
Christchurch Av. Eri —6E 52
Christ Chu. Av. Tun W —2G 157
Christchurch Ct. Chat —1F 94
Christchurch Ct. Dover —5J 181
Christ Chu. Cres. Grav —5H 63
Christchurch Ho. Maid —3H 139
Christchurch Rd. SW2 —4C 5
Christ Chu. Rd. SW14 —4A 4
Christchurch Rd. SW19 —1B 12
Christchurch Rd. Afrd —9F 158
Christ Chu. Rd. Beck —5D 68
Christchurch Rd. Dart —5K 59
Christ Chu. Rd. Eps —3A 12
Christ Chu. Rd. Folk —6J 189
Christchurch Rd. Grav —5H 63
Christchurch Rd. Sidc —9H 57
Christchurch Way. Dover —1G 181
Christen Way. Maid —5J 139
Christian Ct. La. Wdboro —8E 216
Christian Fields. —9J 63
Christian Fields Av. Grav —9H 63
Christie Clo. Chat —5E 94
Christie Dri. Lark —6D 108
Christies Av. Badg M —1B 102
Christmas La. H Hals —2H 67 (4E 9)
Christmas St. Gill —5H 81
Christopher Clo. Sidc —4H 57
Christopher Ho. Sidc —7J 57
(off Station Rd.)
Christy Rd. Big H —3C 164
Chrysler Av. H Bay —3B 194
Chuck Hatch. —3B 34
Chudleigh. Sidc —9K 57
Chudleigh Rd. SE4 —3C 54
Chulkhurst. Bidd —8K 163
Chulkhurst Clo. Bidd —7K 163
Church All. Grav —4G 63
Church App. Cud —6E 100
Church App. New R —3B 212
Church Av. Beck —4D 68
Church Av. Ram —6H 211
Church Av. Sidc —1J 71
Churchbury Rd. SE9 —5N 55
Church Cliff. Kgdn —3N 199
Church Clo. Bchly —1C 36
Church Clo. Cli —2C 176
Church Clo. Mere —9J 123
Church Clo. Mer —9M 161
Church Clo. New R —3C 212
Church Cotts. F'wch —7F 168
Church Cotts. St Mic —4C 222
Church Ct. Lym —8D 204
Church Ct. Gro. Broad —7J 209
Church Cres. E9 —1D 5
Church Cres. H'shm —6A 200

Churchdown—Claydown M.

Churchdown. Brom —9H 55
Church Dri. W Wick —4H 83
Church Elm La. Dag —1C 6
Church End. —1A 4
Church Farm Clo. Hoo —9H 67
Church Farm Clo. Swan —9D 72
Church Farm Rd. Upc —8H 223
Churchfield. Adtn —8H 107
Church Field. Dart —7L 59
Churchfield. Eden —6D 184
Church Field. Snod —1F 108
Church Field. Stanf —2D 41
Churchfield Pl. Mgte —3C 208
Churchfield Rd. W3 —2A 4
Churchfield Rd. Well —1J 57
Churchfields. Broad —6K 209
Churchfields. Mgte —4D 208 (1D 23)
Church Fields. Sev —4G 118
Church Fields. W Mal —1N 123
Churchfields Rd. Beck —5A 68
Churchfields Ter. Roch —8M 79
Churchfield Way. Wye —2L 159 (4B 30)
Church Grn. Mard —2K 205 (4D 27)
Church Grn. Roch —4N 79
Church Grn. S'hrst —9J 221
Church Grn. Cotts. Bra L —9H 165
Church Gro. SE13 —3E 54
Church Haven. R'wld —4J 199
Church Hill. SE18 —3B 50
Church Hill. Bap —7M 99
Church Hill. Beth —2J 163 (1D 39)
Church Hill. Bou M —6E 138
Church Hill. Char H —3D 29
Church Hill. Chat —1F 94
Church Hill. Chi —8J 175 (2B 30)
Church Hill. Cray —2F 58
Church Hill. Crowb —3C 34
Church Hill. Cud —6E 100 (4B 14)
Church Hill. Dart —7L 59 (4D 7)
Church Hill. Dod —1D 29
Church Hill. E'ham —2A 44
Church Hill. Eyt —3J 185 (3B 32)
Church Hill. Grnh —3E 60
Church Hill. Harb —1J 171 (4D 21)
Church Hill. H'shm —3E 27
Church Hill. Hern —1J 165 (3B 20)
Church Hill. H Hal —7K 193 (2C 39)
Church Hill. Hythe —6K 197
Church Hill. Kgnt —6E 160 (2A 40)
Church Hill. Leigh —5N 143
Church Hill. Orp —1J 85
Church Hill. Plax —9L 121 (2A 26)
Church Hill. Ram —5J 211
Church Hill. Sed —4B 44
Church Hill. S'wll —3C 220 (4B 32)
Church Hill. Stan H —2C 8
Church Hill. Stne —2A 46
Church Hill. S'bry —3H 113 (3B 18)
Church Hill. Sutt —3D 33
Church Hill. Tats —1A 24
Church Hill. Temp E —8C 178
Church Hill Rd. Sutt —2A 12
Church Hill Wood. Orp —8H 71
Church Hougham. —8A 180 (1C 42)
Church Ho. Deal —3M 177
Church Hyde. SE18 —6G 50
Churchill Av. Chat —5C 94
Churchill Av. Folk —2A 42
Churchill Av. H Bay —3L 195
Churchill Av. Walm —8M 177
Churchill Clo. Bri —9E 172
Churchill Clo. Dart —6B 60
Churchill Clo. Folk —3K 189
Churchill Clo. St Mc —8J 213
Churchill Clo. W'ham —8F 116
Churchill Cotts. Leeds —3B 140
Churchill Ct. Farn —6E 84
Churchill Ct. Hythe —7J 197
Churchill Ho. Bri —9E 172
Churchill Ho. Dover —1G 181
(off Hudson Clo.)
Churchill Ho. Folk —6F 188
(off Coolinge La.)
Churchill Ho. Maid —7M 125
Churchill Ho. Sit —6J 99
Churchill Pk. Dart —3A 60
(off Attlee Dri.)
Churchill Rd. Cant —4B 172
Churchill Rd. Dover —6F 180
Churchill Rd. Grav —6E 62
Churchill Rd. Hort K —7C 74
Churchill Rd. Min S —6L 219
Churchill Sq. King H —6M 123
Churchills Rope Wlk. Goud —8K 185
Churchill St. Dover —3H 181
Churchill Wlk. H'nge —8B 192
Churchill Way. Big A —3D 164
Churchill Way. Brom —6K 69
Churchill Way. Fav —3F 186
Churchlands. Chat —2C 94
Churchlands, The. New R —3C 212
Church La. SW17 —1B 12
Church La. Adm —2A 32
Church La. Adgtn —2B 40
Church La. B'hm —7D 162 (3A 32)
Church La. Barm —8J 125 (2D 27)
Church La. Bear —5M 127
Church La. Beckl —3D 45
Church La. Bos —3D 31
Church La. Bztt —1C 47
Church La. Brom —2A 84
Church La. Cant —1N 171 (4D 21)
(St Radigund's St.)
Church La. Cant —2M 171 (1D 31)
(Stour St.)
Church La. C'lck —9D 174 (3A 30)
Church La. Cha —7D 170 (2C 31)
Church La. Chat —6C 80
Church La. Chst —4E 70
Church La. C'let —2A 22
Church La. Chu H —7A 180
Church La. Crun —3C 30
Church La. Deal —3D 33
Church La. Dod —9N 115 (1D 29)
Church La. E Peck —9K 135 (3B 26)
Church La. E Sut —8D 140 (3A 28)
Church La. E'ham —2A 44
Church La. Five G —1E 152 (4A 26)
Church La. F'wch —7F 168
Church La. Frant —9H 157 (3E 35)
Church La. Grav —7A 64 (4C 8)
Church La. H'shm —2N 141 (2B 28)
Church La. Hoth —4E 29
Church La. Iden —3A 46
Church La. Kems —8B 104
Church La. Kgnt —6F 160
Church La. Kgtn —3E 31
Church La. Lwr Har —2D 31
Church La. Lyd —4B 32
Church La. Nack —8N 171
Church La. N'tn —5K 97 (2B 18)
Church La. New R —3C 212 (2E 47)
Church La. N'iam —2D 45
Church La. Oxt —2A 24
Church La. P'mrsh —3E 45
Church La. R'wld —4J 199 (3D 33)
Church La. Ripp —9H 177
Church La. Sea —7C 224 (2C 20)
Church La. S'ndge —1C 41
Church La. Sell —1A 30
Church La. Shad —2E 39
Church La. Shol & Deal —5J 177
(in two parts)
Church La. S Min —3D 31
Church La. S'bry —2G 112 (3B 18)
Church La. Sturry —6E 168
Church La. Tats —9D 164
Church La. Tonb —5J 145
Church La. Tros —5F 106 (3A 16)
Church La. Upm —1A 8
Church La. Walt —3C 31
Church La. Warl —4E 13
Church La. W'bre —4H 169 (3E 21)
Church La. W'ham —1A 24
Church La. W Far —1H 137
Church La. Westf —4C 45
Church La. Westw —4A 30
Church La. Wom —3A 32
Church Manorway. SE2 —4J 51
Church Manorway. Eri —4E 52
Church Meadows. Deal —4K 177
Church M. Rain —3B 96
Church Path. Deal —6K 177
(in three parts)
Church Path. Gill —6G 81
(Parr Av.)
Church Path. Gill —6E 80
(Prince Arthur Rd.)
Church Path. Grnh —3F 60
Church Path. Lwr Hal —8M 223
Church Path. N'fleet —4B 62
Church Path. Strood —5M 79
Church Path. Swan —4J 73
Church Path. Tent —8B 222
Church Path. Walm —9M 177
Church Pl. Dover —4J 181
Church Pl. Woul —6G 93
Church Rise. SE23 —7A 54
Church Rd. E10 —1E 5
Church Rd. E12 —1A 6
Church Rd. NW10 —1A 4
Church Rd. SE19 —1D 13
Church Rd. SW13 —3A 4
Church Rd. SW19 & Mitc —1B 12
(Merton)
Church Rd. SW19 —1B 12
(Wimbledon)
Church Rd. As —6L 89 (2A 16)
Church Rd. Afrd —9F 158
Church Rd. Bexh —9A 52 (4C 6)
Church Rd. Big H —5D 164
Church Rd. Bra L —9H 165 (2B 40)
Church Rd. Bras —6K 117
Church Rd. Broad —9M 209
Church Rd. Brom —5K 69
Church Rd. Bulp —1A 8
Church Rd. Burm —3A 182
Church Rd. Char —3D 29
Church Rd. Cha S —8M 139 (3A 28)
Church Rd. Chels —8L 85 (3B 14)
Church Rd. Cob —5H 77 (1B 16)
Church Rd. Col —4F 220 (4B 32)
Church Rd. Corr —2C 9
Church Rd. Crowb —4C 35
Church Rd. Dover —5F 180
Church Rd. E'chu —1E 19
Church Rd. Eps —3A 12
Church Rd. Eri —5E 52
Church Rd. Farn —6E 84 (2B 14)
Church Rd. Fav —4H 187
(Bramblehill Rd.)
Church Rd. Fav —5H 187
(East St.)
Church Rd. Folk —5C 188 (2E 41)
Church Rd. Goud —8K 185 (2D 37)
Church Rd. Graf G —9N 141 (3B 28)
Church Rd. Grnh —3F 60
Church Rd. Hals —2N 101 (3C 14)
Church Rd. H'shm —2N 141
Church Rd. Hart —8M 75 (2A 16)
Church Rd. H'lgh —4C 30
Church Rd. Hoath —2A 22
Church Rd. H'sham —2B 28
Church Rd. Huc —9F 112 (4A 18)
Church Rd. Hythe —6K 197
Church Rd. Igh —2E 25
Church Rd. Ken —3E 39
Church Rd. Kenn —4J 159 (4A 30)
Church Rd. Kes —8N 83 (3A 14)
Church Rd. Kiln —3C 36
Church Rd. Lam —1D 200
Church Rd. Ling —1A 34
Church Rd. L'brne —2M 173 (1A 32)
Church Rd. Lydd —3C 204
Church Rd. Lym —7D 204 (1E 41)
Church Rd. Mgte —4D 208
Church Rd. Mer —9L 161 (2B 40)
Church Rd. Mol —2A 30
Church Rd. M'fld —3A 44
Church Rd. Murs —7J 99 (2C 19)
Church Rd. New Ash —3M 89
Church Rd. New R —3B 212 (2E 47)
Church Rd. Oare —2F 186 (3A 20)
Church Rd. Off —2J 123
Church Rd. Otham —2E 27
Church Rd. Pad W —8M 147 (4B 26)
Church Rd. Pem —5C 152
Church Rd. Ram —5J 211
Church Rd. Rob —2B 44
Church Rd. Roth —4D 35
Church Rd. Rya —7L 107
Church Rd. Sand —4H 215 (2C 44)
Church Rd. Seal —3N 119
Church Rd. Sev —5E 120 (3D 25)
Church Rd. Svgtn —3L 161 (1A 40)
Church Rd. Short —6H 69 (1E 13)
Church Rd. Sidc —9J 57
Church Rd. Sole S —2H 77
Church Rd. S'boro —4F 150 (1E 35)
Church Rd. Stal —3E 29
Church Rd. Sund —9N 117 (2C 24)
Church Rd. S at H —3M 73 (1D 15)
Church Rd. Swan —1E 86 (2C 15)
(Crockenhill)
Church Rd. Swan —4L 73 (1D 15)
(Swanley Village)
Church Rd. Swans —4M 61
Church Rd. Tent —8B 222
Church Rd. Til —3B 8
Church Rd. Tonge —7M 99 (2D 19)
Church Rd. Tovil —7B 126 (2D 27)
Church Rd. Tun W —2F 156 (2E 35)
Church Rd. Weald —5J 131
Church Rd. Well —9K 51
Church Rd. W'ham —2B 24
Church Rd. W King —8E 88
Church Rd. W Mal —1B 26
Church Rd. W Peck —2F 134 (2B 26)
Church Rd. W'boro —1K 161 (1A 40)
(in two parts)
Church Rd. Wor Pk —2A 12
Church Rd. Bus. Cen. Sit —5J 99
Church Rd. Cotts. Off —9K 107
Church Row. Chst —4E 70
Church Row. Snod —3E 108
Church Row M. Chst —3E 70
Churchsettle La. Shov G —4B 36
Churchside. Meop —2F 106
(in two parts)
Churchside Clo. Big H —5C 164
Church Sq. Broad —9M 209
Church Sq. Len —7E 200
Church Street. —4H 65 (4C 9)
(nr. Higham)
Church Street. —4H 225
(nr. Whitstable)
Church St. E16 —1D 50
Church St. Bou M —5E 138 (3E 27)
Church St. Broad —7J 209 (1E 23)
Church St. Bur —3D 17
Church St. Burh —2J 109
Church St. Chat —8D 80
(in two parts)
Church St. Cli —4C 176
Church St. Clif —4D 9
Church St. Cowd —1B 34
Church St. Croy —2D 13
Church St. Dover —5J 181
Church St. E'try —3L 183
Church St. Eden —6C 184
Church St. Eps —3A 12
Church St. Fav —4H 187
Church St. Folk —7K 189
Church St. Gill —6H 81 (1E 17)
Church St. Grav —4G 62
Church St. Hdlw —8D 134
Church St. H'shm —3N 141 (2B 28)
Church St. High —7G 65 (4C 9)
Church St. Hoo —9H 67 (4E 9)
Church St. Loose —3C 138 (2D 27)
Church St. Maid —5D 126
Church St. Mgte —4D 208
Church St. Mil R —6F 98
Church St. Min —8N 205 (2C 23)
Church St. Non —3F 162 (2B 32)
Church St. Roch —8A 80
Church St. Rod —3K 115 (3D 19)
Church St. S'wch —5M 217
Church St. Seal —3A 120 (1D 25)
Church St. Shor —2G 103 (3C 15)
Church St. Sit —7F 98
Church St. S'fleet —1N 75
Church St. St D —1L 171 (4D 21)
Church St. Tstn —1E 136
Church St. Tic —4C 36
Church St. Tonb —5J 145
Church St. Tovil —7B 126
Church St. Walm —9L 177
Church St. Whits —4H 225 (2C 21)
Church St. Wdboro —8G 217
Church St. Wye —2M 159 (4B 30)
Church St. St Mary's. S'wch —5L 217
Church St. St Paul's. Cant —2N 171 (1D 31)
Church Ter. SE13 —1H 55
Church Ter. Chat —1F 94
Church Ter. Maid —6E 126
Church Trad. Est., The. Eri —7G 53
Church Vale. SE23 —7A 54
Church View. Adgtn —2B 40
Church View. Bidd —7K 163
Church View. H Bay —3K 195
Church View. Newch —4B 40
Church View. Swan —6E 72
Church Vs. Lydd —3C 204
Church Vs. Sev —4F 118
Church Wlk. Ayle —7K 109
Church Wlk. Dart —8L 59
Church Wlk. E Mal —2E 124
Church Wlk. Elham —7N 183
(off Pound La.)
Church Wlk. Eyns —4M 87
Church Wlk. Grav —6J 63
Church Wlk. Hawkh —6L 191
Church Wlk. H'crn —3K 193
Church Way. S Croy —3D 13
Church Way. Whits —2M 225
Church Whitfield. —5G 179 (4C 33)
Church Whitfield Rd. Wald —3F 178
Church Whitfield Rd. Whitf —4C 33
Church Wood Clo. R Comn —9H 167
Churchwood Dri. Ches —4M 225
Church Yd. Afrd —8F 158
Churn La. Horsm —1C 36
Chute Clo. Gill —7N 95
Chyngton Clo. Sidc —8H 57
Cibber Rd. SE23 —7A 54
Cimba Wood. Grav —9K 63
Cinderford Way. Brom —9H 55
Cinder Hill. —4D 25
Cinder Hill La. Leigh —6K 143 (4D 25)
Cinder Path. Broad —9L 209
Cinnabar Clo. Chat —1D 110
Cinque Ports Av. Hythe —7J 197
Cinque Ports St. Rye —3A 46
Circular Rd. Bett —2D 33
Circular Rd. Dover —3N 181
Circular Way. SE18 —6B 50
Circus Rd. NW8 —2B 4
Cirrus Cres. Grav —1K 77
Citadel Cres. Dover —6G 181
Citadel Heights. Dover —6G 181
Citadel Rd. Dover —6G 181
Citroen Clo. H Bay —3C 194
City. —2D 5
City Bus. Pk. Cant —8B 168
City Rd. EC1 —2C 5
City View. Cant —2J 171
City Way. Roch —8A 80 (2D 17)
Clacket La. W'ham —6A 116 (2A 24)
Clackhams La. Crowb —4D 35
Clacton Rd. E6 —2A 6
Claire Ct. Broad —8M 209
Claire Ho. Maid —4B 126
Clairville Point. SE23 —8A 54
(off Dacres Rd.)
Clandon Rd. Chat —9G 94 (3E 17)
Clanricarde Gdns. Tun W —2G 157
Clanricarde Rd. Tun W —2G 157
Clanwilliam Rd. Deal —5N 177
Clapham. —4C 4
Clapham Common. (Junct.) —4C 4
Clapham Comn. N. Side. SW4 —4C 4
Clapham Comn. S. Side. SW4 —4C 4
Clapham Comn. W. Side. SW4 —4B 4
Clapham High St. SW4 —4C 4
Clapham Hill. Whits —8E 224 (2C 21)
Clapham Junction. —4B 4
Clapham Park. —4C 4
Clapham Pk. Rd. SW4 —4C 4
Clapham Rd. SW9 —4C 5
Claphatch La. Birch G —3B 36
Clap Hill. —2B 40
Clapper Hill. —2B 38
Clapper Hill. S Min —4D 31
Clapper La. S'hrst —7H 221 (4E 27)
Clappers, The. Rob —3A 44
Clapton Park. —1D 5
Clara Pl. SE18 —4C 50
Clare Av. Tonb —6F 144
Clare Corner. SE9 —5D 56
Clare Dri. H Bay —5D 194
Clare La. E Mal —1C 124 (1C 26)
Claremont Av. N Mald —2A 12
Claremont Clo. E16 —1C 50
Claremont Clo. Kgdn —3M 199
Claremont Clo. Orp —5C 84
Claremont Cres. Dart —2F 58
Claremont Gdns. Ram —5G 210
Claremont Gdns. Tun W —3H 157
Claremont Pl. Cant —3M 171
Claremont Pl. Chat —9D 80
Claremont Pl. Grav —5G 62
Claremont Pl. Ram —4J 211
Claremont Rd. NW2 —1A 4
Claremont Rd. Brom —7A 70
Claremont Rd. Deal —5L 177
Claremont Rd. Folk —6J 189
Claremont Rd. Kgdn —3M 199
Claremont Rd. Maid —4E 126
Claremont Rd. Swan —3F 72
Claremont Rd. Tun W —3H 157
Claremont St. E16 —2C 50
Claremont St. H Bay —4D 194
Claremont Ter. Wdboro —7J 217
Claremont Way. Chat —9C 80
Clarence Av. Brom —7A 70
Clarence Av. Clift —3H 209
Clarence Av. N Mald —1A 12
Clarence Av. Roch —8N 79
Clarence Ct. Weav —5H 127
Clarence Cres. Sidc —8K 57
Clarence Gdns. Ward —5J 203
Clarence La. SW15 —4A 4
Clarence Pl. Deal —3N 177
Clarence Pl. Dover —7J 181
Clarence Pl. Grav —5G 62
Clarence Rd. SE9 —7A 56
Clarence Rd. Bexh —2N 57
Clarence Rd. Big H —6F 164
Clarence Rd. Brom —6N 69
Clarence Rd. Cap F —3B 174
Clarence Rd. Chat —1E 94
Clarence Rd. Grays —3A 8
Clarence Rd. H Bay —2E 194
Clarence Rd. Ram —6F 210
Clarence Rd. Sidc —8K 57
Clarence Rd. Tun W —2G 157
Clarence Rd. Walm —7N 177 (3E 33)
Clarence Row. Grav —5G 63
Clarence Row. S'ness —2D 218
Clarence Row. Tun W —2G 156
Clarence St. Folk —6K 189
Clarence St. H Bay —2F 194
Clarenden Pl. Wilm —1F 72
Clarendon. —5G 181
Clarendon Clo. Bear —5K 127
Clarendon Clo. Sit —1G 114
Clarendon Clo. St P —6J 71
Clarendon Ct. Beck —4E 68
(off Albemarle Rd.)
Clarendon Gdns. Dart —5D 60
Clarendon Gdns. Ram —6H 211
Clarendon Gdns. Roch —3L 79
Clarendon Gdns. Tun W —4G 156
Clarendon Grn. Orp —7J 71
Clarendon Gro. St P —7J 71
Clarendon M. Bex —6C 58
Clarendon M. Broad —9L 209
Clarendon M. New R —1D 212
Clarendon Path. St P —7J 71
(in two parts)
Clarendon Pl. Dover —5H 181
Clarendon Pl. Maid —5D 126
(off King St.)
Clarendon Pl. Sev —7H 119
Clarendon Rise. SE13 —2F 54
Clarendon Rd. W11 —2B 4
Clarendon Rd. Aysm —2D 162
Clarendon Rd. Broad —9L 209
Clarendon Rd. Dover —5H 181
Clarendon Rd. Grav —4H 63
Clarendon Rd. Mgte —3E 208
Clarendon Rd. Sev —6H 119
Clarendon St. Dover —5G 181
Clarendon St. H Bay —3D 194
Clarendon Way. Chst & St M —6H 71
Clarendon Way. Tun W —4F 156
Clarens St. SE6 —7C 54
Clare Rd. Whits —3G 225
Clareville Rd. Orp —3E 84
Clare Way. Bexh —8N 51
Clare Way. Sev —1K 131
Clare Wood Dri. E Mal —1C 124
Clark Clo. Eri —8H 53
Clarke Cres. Kenn —5J 159
Clarke Rd. G'stne —5F 212
Clarkes Clo. Deal —6J 177
Clarke's Grn. Rd. Sev —5A 104 (3D 15)
Clark M. Roy B —9K 109
Clarks La. Hals —3A 102
Clarks La. Warl & Tats —5A 116 (2A 24)
Claston Clo. Dart —2F 58
Clavadel Rd. Pad W —8M 147
Clavell Clo. Gill —8A 96
Clavering Ho. SE13 —2G 55
(off Blessington Rd.)
Claverton St. SW1 —3C 4
Claxfield Rd. Lyn —4H 223 (3D 19)
Claxton Path. SE4 —2A 54
(off Coston Wlk.)
Claybank Gro. SE13 —1E 54
Claybridge Rd. SE12 —9M 55
Claydown M. SE18 —5C 50

Clay Farm Rd.—Colyton Rd

Clay Farm Rd. SE9 —7E 56
Claygate. —4C 27
(nr. Collier Street)
Claygate. —3A 26
(nr. Shipbourne)
Claygate. Afrd —4C 160
Claygate. Maid —8G 127
Claygate Cres. New Ad —7F 82
Claygate Cross. —6N 121 (2A 26)
Claygate La. S'brne —3M 133 (2A 26)
Claygate Rd. Ladd —4C 26
Clayhill. —3D 45
Clayhill. Goud —8J 185 (2C 37)
Clayhill Cres. SE9 —9N 55
Clay Hill Rd. Lam —2B 36
Clayton Croft Rd. Dart —7H 59
Clayton's La. A'st —4F 154
Clay Tye Rd. Upm —1E 7
Claywood Clo. Orp —1G 84
Claywood La. Bean —8K 61
Clayworth Clo. Sidc —4K 57
Cleanthus Clo. SE18 —8D 50
Cleanthus Rd. SE18 —8D 50
Clearmount Dri. Char —2K 175
Clearway. Adtn —9F 106
Clearways Bus. Est. W King —8E 88
Clearways Cvn. Pk. W King —8D 88
Cleave Av. Orp —7G 84
Cleaver La. Ram —5J 211
Cleave Rd. Gill —1H 95
Cleavers. Siss —8C 220
Cleavers Clo. Siss —8C 220
Cleavesland. Ladd —3C 26
Cleeve Av. Tun W —3K 157
Cleeve Pk. Gdns. Sidc —7K 57
Cleeves View. Dart —4L 59
(off Priory Pl.)
Clematis Av. Gill —6L 95
Clement Clo. Cant —1A 172
Clement Ct. Maid —4A 126
Clementine Clo. H Bay —3L 195
Clement Rd. Beck —5A 68
Clement's Rd. Ram —2G 210
Clement Street. —2L 73
Clement St. Swan —2K 73 (1D 15)
Clenches Farm La. Sev —8H 119
Clenches Farm Rd. Sev —8H 119
Clendon Way. SE18 —4F 50
Clerke Dri. Kem —3H 99
Clerkenwell. —2C 5
Clerkenwell Rd. EC1 —2C 5
Clerks Field. H'crn —3K 193
Clermont Clo. Hem —8K 95
Clevedon Ct. C'lck —7C 174
Clevedon Rd. SE20 —4A 68
Cleveland Clo. Dover —1G 181
Cleveland Ho. Grav —4C 62
Cleveland Ho. Maid —7M 125
Cleveland Rd. Gill —6G 81
Cleveland Rd. Well —9H 51
Cleveland St. W1 —2C 4
Cleve Rd. NW6 —1B 4
Cleve Rd. Sidc —8M 57
Cleves Ct. Dart —5M 59
Cleves Rd. Kems —8M 103
Cleves Way. Afrd —1C 160
Clewer Ho. SE2 —2M 51
(off Wolvercote Rd.)
Clewson Rise. Maid —1E 126
Cley Ho. SE4 —2A 54
Cliff Av. H Bay —2K 195
Cliff Clo. Hythe —5L 197
Cliff Dri. H Bay —3D 194
Cliff Dri. Ward —4J 203
Cliffe. —2C 176 (3D 9)
Cliffe Av. Mgte —2N 207
Cliffe Ho. Folk —8G 189
Cliffe Rd. Kgdn —3N 199 (3E 33)
Cliffe Rd. Roch —1D 17
Cliffe Rd. Strood —2L 79
Cliffe Woods. —5M 65 (4D 9)
Cliff Field. Wgte S —3H 207
Cliff Gdns. Lgh S —1B 10
Cliff Gdns. Min S —6M 219
Cliff Hill. Bou M —4F 138 (3E 27)
Cliff Hill Rd. Bou M —3E 27
Cliff Hill Rd. Langl —4F 138
Clifford Av. SW14 —3A 4
(in two parts)
Clifford Av. Chst —2B 70
Clifford Gdns. Deal —8L 177
Clifford Pk. Cvn. Site. Walm —1L 199
Clifford Rd. SE25 —1D 13
Clifford Rd. Whits —5H 225
Cliff Pde. Lgh S —1B 10
Cliff Promenade. Broad —6N 209
Cliff Rd. Birch —3D 206 (1C 22)
Cliff Rd. Broad —6M 209
Cliff Rd. Folk —8G 188
Cliff Rd. Hythe —5L 197 (3E 41)
Cliff Rd. Whits —2H 225
Cliff Sea Gro. H Bay —3D 194
Cliffsend. —7B 210 (2D 23)
Cliffsend Gro. C'snd —7B 210
Cliffsend Rd. C'snd —7B 210 (2D 23)
Cliffside Dri. Broad —3L 211
Cliffstone Ct. Folk —6H 189
Cliff St. Ram —6J 211
Cliff Ter. Mgte —2D 208 (1D 23)
Clifftown Gdns. H Bay —3C 194
Clifftown Pde. Sth S —1B 10
Cliff View Gdns. Ley S —7J 203
Cliff View Gdns. Ward —4K 203
Cliffview Rd. SE13 —1D 54
Cliff View Rd. C'snd —6B 210
Clifton Clo. Maid —4E 126
Clifton Clo. Orp —6E 84
Clifton Clo. Roch —6K 79
Clifton Cotts. Tun W —6K 151
Clifton Cres. Folk —8H 189
Clifton Gdns. W9 —2B 4
Clifton Gdns. Cant —9K 167
Clifton Gdns. Folk —7J 189
Clifton Gdns. Mgte —2D 208
Clifton Gro. Grav —5G 62
Clifton Lawn. Ram —7H 211
Clifton Mans. Folk —7J 189
Clifton Marine Pde. Grav —4E 62
Clifton Pl. Mgte —2D 208
Clifton Pl. Tun W —3H 157
Clifton Rd. Folk —7J 189 (3A 42)
Clifton Rd. Gill —5F 80
Clifton Rd. Grav —4F 62
Clifton Rd. Mgte —3E 208
(in two parts)
Clifton Rd. Ram —4F 210
Clifton Rd. Sidc —9G 57
Clifton Rd. Tun W —7J 151
Clifton Rd. Well —1L 57
Clifton Rd. Whits —5F 224
Clifton St. Mgte —2D 208
Cliftonville. —2G 209 (1E 23)
Cliftonville Av. Mgte —3E 208
Cliftonville Av. Ram —3F 210
Cliftonville Ct. SE12 —6K 55
Cliftonville Ct. Mgte —2E 208
(off Edgar Rd.)
Cliftonville M. Clift —2E 208
Clifton Wlk. Dart —4B 60
Clim Down. Kgdn —3N 199
Clinch St. H Hals —1K 67 (3E 9)
Clinton Av. Roch —4H 79
Clinton Av. Well —2J 57
Clinton Clo. Cox —5M 137
Clinton La. Bough B —5A 142 (4B 24)
Clints La. Dent —3A 32
Clipper Boulevd. Dart —2E 60
Clipper Boulevd. W. Dart —1D 60
Clipper Clo. Roch —5B 80
Clipper Ct. Roch —5B 80
Clipper Cres. Grav —9L 63
Clipper Way. SE13 —2F 54
Clive Av. Dart —4G 58
Clive Dennis Ct. W'boro —9J 159
Cliveden Pl. SW1 —3C 4
Clive Ho. Roy B —1K 125
Clive Rd. Belv —4B 52
Clive Rd. C'snd —6B 210
Clive Rd. Grav —4G 62
Clive Rd. Mgte —8E 208
Clive Rd. Roch —9N 79
Clive Rd. Sit —6C 98
Clock House. —3C 12
Clockhouse. Afrd —9C 158
Clockhouse. Tun W —8M 151
Clockhouse Ct. Beck —5B 68
Clockhouse La. Grays —3E 7
Clock Ho. La. Sev —5H 119
Clockhouse Pk. C'lck —7D 174
Clock Ho. Rd. Beck —6B 68 (1E 13)
Clock Tower M. Snod —1E 108
Cloisterham Rd. Roch —4A 94
Cloisters Av. Brom —8B 70
Cloisters Ct. Bexh —1C 58
Cloisters, The. Cant —1M 171 (4D 21)
(off King St.)
Cloisters, The. Dart —4M 59
(off Orchard St.)
Cloisters, The. Len —7D 200
Cloisters, The. Ram —7H 211
Cloisters, The. Sit —7F 98
Cloonmore Av. Orp —5H 85
Clopton Ct. Gill —3N 95
Close Rd. Cant —4L 171
Close, The. Adtn —7H 107
Close, The. Afrd —2D 160
Close, The. Beck —7B 68
Close, The. Berr G —7D 100
Close, The. Bex —4B 58
Close, The. Birl —5N 107
Close, The. Bor G —1N 121
Close, The. Bough B —5B 142
Close, The. Bri —9E 172
Close, The. Cant —7M 167
(Downs Rd.)
Close, The. Cant —8J 167
(Thomas' Hill)
Close, The. Fav —6G 187
Close, The. Folk —3K 189
(off Fleming Way)
Close, The. Groom —7K 155
Close, The. Igh —3K 121
Close, The. Long —5A 76
Close, The. Lyd —4B 32
Close, The. Orp —9G 70
Close, The. Roch —8N 79
Close, The. Salt —4J 197
Close, The. Sev —6F 118
Close, The. Sidc —9K 57
Close, The. Tun W —6J 151
Close, The. Wilm —8L 59
Close, The. Wye —2M 159
Cloth Hall Gdns. Bidd —7L 163
Clothworkers Rd. SE18 —7F 50
Cloudesley Clo. Roch —2M 93
Cloudesley Rd. Bexh —8A 52
Cloudesley Rd. Eri —8G 52
Clovelly Dri. Min S —4J 219
Clovelly Rd. Bexh —6N 51
Clovelly Rd. Whits —6F 224
Clovelly Way. Orp —9H 71
Clover Bank View. Chat —5E 94
Clover Ct. Sit —6J 99
Cloverdale Gdns. Sidc —4H 57
Clover Lay. Rain —1C 96
Clover Rise. Whits —4K 225
Clovers, The. N'fleet —9D 62
Clover St. Chat —8C 80
(in two parts)
Clover Wlk. Eden —4D 184
Clowders Rd. SE6 —8C 54
Clowes Ct. Cant —7J 167
Clubb's La. B'Ind —2B 46
Club Cotts. Hild —8D 132
Club Gdns. Rd. Hay —1K 83
Cluny Rd. Fav —5K 187
Clyde Rd. Tonb —1J 145
Clydesdale Ho. Eri —2N 51
(off Kale Rd.)
Clyde St. Cant —1N 171
Clyde St. S'ness —2E 218
Clydon Clo. Eri —6F 52
Clynton Way. Afrd —3E 160
Coach Dri. Hoth —4E 29
Coach Dri., The. Meop —3D 106
Coach & Horses Pas. Tun W —3G 156
(off Pantiles, The)
Coach Ho. M. SE23 —4A 54
Coachman's M. Roch —7N 79
Coach Rd. Acr —4A 192 (1A 42)
Coach Rd. S'wy & Eger —3C 28
Coach Rd. Sev —6G 121 (2E 25)
Coach Rd. Tun W —1C 156 (2E 35)
Coalhouse Fort. —3C 8
Coalpit La. Frin —1C 29
Coast Dri. G'stne —6F 212 (3E 47)
Coast Dri. Lydd S & TN29 —8A 212 (3E 47)
Coast Dri. St Mar —4E 214 (2E 47)
Coastguard Cotts. Dover —4M 181
Coastguard Cotts. H Bay —3A 194
Coastguard Cotts. Hythe —7J 197
Coastguard Cotts. Isle G —3C 190
Coastguard Cotts. Kgdn —5N 199
Coastguard Cotts. Ram —7E 210
Coastguard Ho. Cvn. Pk. H Bay —3A 194
Coast Rd. L'stne —4E 214 (2E 47)
Coates Hill Rd. Brom —5C 70
Coats Av. S'ness —4B 218
Cobay Clo. Hythe —6L 197
Cobbarn. —3D 35
Cobb Clo. Roch —4H 79
Cobb Ct. Mgte —2D 208
(off Cobbs Pl.)
Cobbett Clo. E Mal —1D 124
Cobbett Rd. SE9 —1A 56
Cobbett's Ride. Tun W —4F 156
Cobblers Bri. Rd. H Bay —3E 194 (2E 21)
Cobblestones. Hem —6J 95
Cobbs Clo. Pad W —9L 147
Cobbs Clo. W'bury —1C 136
Cobbs Hill. Old L —6K 175 (2B 30)
Cobbs M. Folk —7J 189
(off Christ Chu. Rd.)
Cobbs Pas. Hythe —6K 197
Cobbs Pl. Mgte —2D 208
Cobbs Wood Ind. Est. Afrd —8D 158
(in two parts)
Cobb Wlk. Fav —4F 186
Cobden Ct. Brom —7M 69
Cobden Pl. Cant —1N 171 (4D 21)
Cobden Rd. Chat —1E 94
Cobden Rd. Folk —5E 188
Cobden Rd. Hythe —7J 197
Cobden Rd. Orp —5F 84
Cobden Rd. Sev —5K 119
Cobdown Clo. Dit —8F 108
Cobdown Gro. Gill —1C 96
Cob Dri. Shorne —1C 78
Cobfield. Cha S —7K 139
Cobham. —7M 77 (1B 16)
Cobham Av. Sit —1F 114
Cobhambury Rd. Cob —7M 77 (1B 16)
Cobham Chase. Fav —4F 186
Cobham Clo. Brom —1A 84
Cobham Clo. Cant —4B 172
Cobham Clo. Maid —5B 126
Cobham Clo. Roch —5J 79
Cobham Clo. Sidc —4K 57
Cobham Hall. —6A 78 (1C 16)
Cobham Ho. Eri —7G 52
Cobham Pl. Bexh —2N 57
Cobhams. Speld —6A 150
Cobham St. Grav —5F 62
Cobham Ter. Grnh —4H 61
Cobham Ter. N'fleet —6E 62
(off Southfleet Rd.)
Cobland Rd. SE12 —9M 55
Coborn Rd. E3 —2E 5
Cobs Clo. Igh —3J 121
Cobsden Clo. St Mar —2F 214
Cobsdene. Grav —2J 77
Cobsden Rd. St Mar —2F 214
Cobs, The. Tent —9B 222
Cobtree Clo. Chat —3F 94
Cobtree Rd. Cox —5N 137
Cockerhurst Rd. Shor —7E 86 (3C 15)
Cockering Rd. Cha & Cant
(in two parts) —9D 170 (2C 31)
Cockham Cotts. Hoo —9G 67
Cockhill Rd. SE2 —3K 51
Cock La. Elham —7N 183
Cock La. Hams —8D 190 (3A 40)
Cockmannings La. Orp —2M 85 (2B 14)
Cockmannings Rd. Orp —1M 85 (2B 14)
Cock Marling. —4E 45
Cockpit, The. Mard —3K 205
Cockreed La. New R —2B 212 (2E 47)
Cocksett Av. Orp —7G 84
Cockshot. —6K 191
Cock Street. —6G 138 (3E 27)
Cocksure La. Sidc —8B 58 (4C 6)
Codrington Cres. Grav —1H 77
Codrington Gdns. Grav —1J 77
Codrington Hill. SE23 —5B 54
Codrington Rd. Ram —5H 211
Cogans Ter. Cant —4L 171
Cogate Rd. Pad W —9K 147
Coggan Ho. Cant —3M 171 (1D 31)
(off Station Rd. E.)
Colburn Rd. Broad —2L 211
Colchester Clo. Chat —4C 94
Cold Arbor Rd. Sev —6E 118 (2C 25)
Coldblow. —6D 58 (4C 7)
Coldblow. Wdchu —6F 226
Coldblow Cotts. Bou M —6D 138
Cold Blow Cres. Bex —6E 58
Coldblow La. T'hm —2B 128 (1A 28)
Coldblow Rd. Walm —1K 199 (3E 33)
Coldblow Rd. Wdchu —3D 39
Coldbridge La. Graf G & Eger —4B 28
Cold Harbour. —4A 98 (2B 18)
(nr. Sittingbourne)
Coldharbour. —7G 132 (3E 25)
(nr. Tonbridge)
Cold Harbour. Cant —1N 171
Coldharbour Crest. SE9 —8C 56
Coldharbour La. RM13 —1G 53
Coldharbour La. SW9 & SE5 —4C 5
Coldharbour La. Ayle —1L 125
(in two parts)
Cold Harbour La. Bob —5A 98 (2B 18)
Coldharbour La. Hild —1D 144 (3E 25)
Coldharbour La. Iden —3A 46
Coldharbour La. Kem —2G 98
Coldharbour La. Old R —2C 47
Coldharbour La. Pat —2E 31
Coldharbour La. T'hm —1D 128 (4A 18)
Coldharbour La. Wye —2N 159 (4B 30)
Coldharbour Rd. Chid H —7E 148 (1C 35)
Coldharbour Rd. I Grn —3E 37
Cold Harbour Rd. Len —2D 29
Coldharbour Rd. N'fleet —7D 62 (4A 8)
Coldred. —4E 220 (4B 32)
Coldred Hill. Col —4B 32
Coldred Rd. Eyt —4B 32
Coldred Rd. Maid —4J 139
Coldred Rd. S'wll —3D 220 (4B 32)
Coldred Rd. Wald —1A 178
Coldrum La. Tros —4H 107
Coldrum Long Barrow. —4H 107 (3B 16)
Coldswood Rd. Ram —1C 210
Colebrooke Ct. Sidc —9K 57
(off Granville Rd.)
Colebrooke Rise. Brom —5H 69
Colebrook Ind. Est. Tun W —5L 151
Colebrook Rd. Tun W —7J 151
Cole Clo. SE28 —1K 51
Colegate Dri. Bear —5M 127
Colegates Clo. Oare —2E 186
Colegates Ct. Oare —2F 186
Colegates Rd. Oare —2E 186 (3A 20)
Coleman Cres. Ram —2G 210
Coleman Rd. Belv —4B 52
Colemans Clo. Lydd —3D 204
Coleman's Hatch. —3B 34
Coleman's Hatch Rd. Wych X & Cole H —3A 34
Colemans Heath. SE9 —8C 56
Coleman's Stairs. Birch —3F 206
Coleman's Stairs Rd. Birch —3F 206
Coleman's Yd. Ram —6J 211
Colepits Wood Rd. SE9 —3F 56
Coleridge Clo. Lark —6D 108
Coleridge Gdns. Aysm —1D 162
Coleridge Rd. Dart —2B 60
Coleridge Way. Orp —9J 71
Cole Rd. Fav —5J 187
Colesburg Rd. Beck —6C 68
Coleshall Cotts. Iwade —9B 198
Coleshill Clo. Maid —2J 139
Coles La. Bras —5L 117 (2B 24)
Cole Ter. Len —8D 200
Colets Orchard. Otf —7J 103
Colette Clo. Broad —3L 209
Coleville Cres. G'stne —7A 212
Colewood Dri. Roch —4F 78
Colewood Rd. Whits —2N 225 (2D 21)
Colfe & Hatcliffe Glebe. SE13 —3F 54
(off Lewisham High St.)
Colfe Rd. SE23 —6B 54
Colfe Way. Kem —3H 99
Colin Blythe Rd. Tonb —2M 145
Colin Clo. Croy —4C 82
Colin Clo. Dart —4B 60
Colin Clo. W Wick —4J 83
Colin's Way. Hythe —8A 188
Colkins. —9L 187 (4A 20)
Collard Clo. H Bay —3H 195
Collard Ho. Cant —2B 172
Collard Rd. W'boro —2L 161
Collards Clo. Monk —6H 205
Collards La. Elham —8L 183
Collection Of Historic Vehicles. —2J 213
College Av. Gill —8E 80
College Av. Maid —6C 126
College Av. Tonb —8F 144
College Ct. Afrd —8G 158
College Ct. Maid —6D 126
College Cres. NW3 —1B 4
College Dri. Tun W —1K 157
College La. E Grin —2A 34
College Pk. Clo. SE13 —2G 54
College Rd. SE21 & SE19 —4D 5
College Rd. Brom —4K 69 (1A 14)
College Rd. Cant —2A 172
College Rd. Chat —5C 80
College Rd. Deal —2N 177 (2E 33)
College Rd. Eps —3A 12
College Rd. Lark —7F 108
College Rd. Maid —7C 126 (2D 27)
College Rd. Mgte —5C 208 (1D 23)
College Rd. N'fleet —3A 62
College Rd. Ram —4H 211 (2E 23)
College Rd. Sit —8E 98 (3C 18)
College Rd. Swan —4F 72 (1C 15)
College Row. Dover —5G 180
(off Elms Vale Rd.)
College Slip. Brom —4K 69
College Sq. Shop. Cen. Mgte —3D 208
College St. NW1 —1C 4
College View. SE9 —6N 55
College Wlk. Maid —6D 126
College Wlk. Mgte —3D 208
College Way. W'hm —3B 226
College Yd. Roch —6N 79
Coller Cres. Dart —1E 74
Collet Rd. Kems —8M 103
Collet Wlk. Gill —7N 95
Collier's Green. —2D 37
(nr. Goudhurst)
Collier's Green. —3C 44
(nr. Staplecross)
Colliers Grn. Rd. C'brk —2D 37
Colliers Shaw. Kes —6N 83
Collier Street. —4C 27
Colliers Water La. T Hth —2C 13
Collier's Wood. —1B 12
Colliers Wood. (Junct.) —1B 12
Collindale Av. Eri —7C 52
Collindale Av. Sidc —6J 57
Collingbourne. Afrd —3C 160
Collings Wlk. Gill —7N 95
Collington Clo. N'fleet —5D 62
Collington Ter. Maid —4H 139
Collingwood Clo. Broad —9J 209
Collingwood Clo. Wgte S —4J 207
Collingwood Ct. Folk —6E 188
(off Collingwood Rise)
Collingwood Ho. Grnh —3J 61
Collingwood Ind. Cen. Langl —6A 140
Collingwood Rise. Folk —6E 188
Collingwood Rd. Ayle —3N 109
Collingwood Rd. St Mc —9H 199
Collingwood Rd. Sutt —2B 12
Collingwood Rd. Whits —4E 224
Collingwood Rd. E. St Mc —8K 199
Collingwood Wlk. Sit —5C 98
Collins Rd. H Bay —5D 194
Collins St. SE3 —1H 55
Collison Pl. Tent —8E 222
Collis St. Roch —4L 79
Colman Pde. Maid —5D 126
Colne Rd. Tonb —2H 145
Colney Rd. Dart —4N 59
Colombo Sq. Ram —3E 210
Colonade, The. Hawkh —5L 191
Colonel's La. Bou B —3K 165 (4B 20)
Colonel Stephens Railway Museum. —7B 222
Colonels Way. Tun W —4G 151
Colorado Clo. Dover —1G 180
Colston Av. Cars —2B 12
Coltness Cres. SE2 —5K 51
Colton Cres. Dover —9G 179
Coltsfoot Dri. Weav —5J 127
Colt's Hill. —2G 153 (1B 36)
Coltstead. New Ash —3L 89
Columbia Av. Whits —6D 224
Columbia Rd. E2 —2D 5
Columbine Clo. E Mal —9D 108
Columbine Clo. Roch —5J 79
Columbine Rd. E Mal —9D 108
Columbine Rd. Roch —5J 79
Columbus Ct. Eri —7G 53
Columbus Sq. Eri —6G 53
Colview Ct. SE9 —6N 55
Colyer Clo. SE9 —7D 56
Colyer Rd. N'fleet —7B 62
Colyers Clo. Eri —8E 52
Colyers La. Eri —8D 52 (3C 7)
Colyers Wlk. Eri —8F 52
Colyton Clo. Well —8M 51
Colyton Rd. SE22 —4D 5

Combe Bank Dri. *Sund* —4N **117**
Combeside. *SE18* —7H **51**
Combwell Cres. *SE2* —3J **51**
Combwell Priory. —3C **37**
Comerford Rd. *SE4* —2B **54**
Command Rd. *Maid* —1C **126**
Commerce Way. *Eden* —4C **184**
Commercial Pl. *Grav* —4H **63**
Commercial Rd. *E1 & E14* —2D **5**
Commercial Rd. *Pad W* —9L **147** (4B **26**)
Commercial Rd. *Roch* —5L **79** (1D **17**)
(in two parts)
Commercial Rd. *Tonb* —7H **145**
Commercial Rd. *Tun W* —9H **151**
Commercial St. *E1* —2D **5**
Commercial Way. *SE15* —3D **5**
Commissioners Rd. *Strood* —4N **79**
Commodore Rd. *Maid* —4F **126**
Common La. *C'den* —4D **9**
Common La. *Cli* —2D **176**
Common La. *Clif* —3D **9**
Common La. *Dart* —7H **59** (4D **7**)
Common La. *Dover* —1D **180** (1C **42**)
Common Rd. *Chat* —8L **93** (3D **17**)
Common Rd. *Cli* —8M **65**
Common Rd. *Hdlw* —6D **134** (3A **26**)
Common Rd. *Igh* —5H **121** (2E **25**)
Common Rd. *Rust* —1C **156**
Common Rd. *Siss* —7B **220** (2E **37**)
Commonside. *Kes* —5M **83** (2A **14**)
Commonside E. *Mitc* —1C **12**
Commonside W. *Mitc* —1B **12**
Common, The. —6E 134
Common, The. *Roch* —6N **79**
Common Wall. *Cli* —2E **176**
Common Way. Hoth —4E 29
(off School Rd.)
Commonwealth Clo. *Sit* —8J **99**
Commonwealth Way. *SE2* —5K **51**
Commority Rd. *Meop* —1G **107** (3B **16**)
Como Rd. *SE23* —7B **54**
Comp. —3D 122 (1A 26)
Compass Cen. *Chat* —4E **80**
Compass Clo. *Roch* —2N **93**
Compasses La. *Stapl* —3B **44**
Compasses Rd. *Charc* —4J **143**
Compasses Rd. *Leigh* —4D **25**
Comp La. *Platt* —3B **122** (1A **26**)
Comp Rd. *Wro H* —3D **122**
Compton Clo. *Chat* —9G **95**
Compton Pl. *Eri* —6G **52**
Concord Av. *Chat* —6B **94**
Concord Clo. *Pad W* —9K **147**
Concord Clo. *Tun W* —1J **157**
Concorde Bus. Pk. *Big H* —3D **164**
Condover Cres. *SE18* —7D **50**
Conduit Rd. *SE18* —5D **50**
Conduit St. *W1* —2C **4**
Conduit St. *Fav* —4H **187**
Coneyburrow Rd. *Tun W* —9L **151**
Coney Hall. —4H 83 (2E 13)
Coney Hall Pde. *W Wick* —4H **83**
Coney Hill Rd. *W Wick* —3H **83** (2E **13**)
Coney M. *Chat* —2D **94**
Conference Rd. *SE2* —4L **51**
Conference Wlk. Cant —2B 172
(off Russett Rd.)
Congelow. —9D 136 (3C 26)
Conghurst La. *Hawkh* —9M **191** (1B **44**)
Congleton Gro. *SE18* —5E **50**
Congo Rd. *SE18* —5F **50**
Congress Rd. *SE2* —4L **51**
Congreve Rd. *SE9* —1B **56**
Conifer Av. *Hart* —9L **75**
Conifer Clo. *Orp* —5F **84**
Conifer Ct. *Wgte S* —2L **207**
Conifer Dri. *Chat* —1G **110**
Conifer Dri. *Meop* —9E **90**
Conifer Ho. SE4 —2C 54
(off Brockley Rd.)
Conifer Way. *Swan* —4D **72**
Coniffe Ct. *SE9* —3D **56**
Conisborough Ct. Dart —4B 60
(off Osbourne Rd.)
Conisborough Cres. *SE6* —8F **54**
Conisclife Clo. *Chst* —4C **70**
Coniston Av. *Ram* —5E **210**
Coniston Av. *Tun W* —1E **156**
Coniston Av. *Well* —1G **56**
Coniston Clo. *Bexh* —8D **52**
Coniston Clo. *Dart* —6J **59**
Coniston Clo. *Eri* —7F **52**
Coniston Clo. *Gill* —6K **81**
Coniston Dri. *Aysm* —2D **162**
Coniston Ho. *Maid* —1H **139**
Coniston Rd. *Bexh* —8D **52**
Coniston Rd. *Brom* —2H **69**
Coniston Rd. *Folk* —5H **189**
Conker Clo. *Afrd* —6G **161**
Connaught Bri. *E16* —2A **6**
Connaught Clo. *Maid* —4J **139**
Connaught Gdns. *Mgte* —4D **208**
Connaught M. *SE18* —5C **50**
Connaught M. *Chat* —1F **94**
Connaught Rd. *SE18* —5C **50**
Connaught Rd. *Chat* —1E **94**
Connaught Rd. *Dover* —3J **181** (1C **43**)
Connaught Rd. *Folk* —6K **189**
Connaught Rd. *Gill* —7G **80**
Connaught Rd. *Mgte* —4D **208**
Connaught Rd. *Sit* —8F **98**
Connaught St. *W2* —2B **4**
Connaught Way. *Tun W* —9F **150**
Connections Ind. Cen. *Sev* —1K **119**
Connors Ho. *Cant* —1A **172**
Conquest Ind. Est. *Roch* —7L **79**
Conrad Av. *Cant* —8B **168**
Conrad Clo. *Gill* —7N **95**
(in two parts)
Consort Clo. *Maid* —4E **126**
Constable Rd. *Birch* —3F **206**
Constable Rd. *N'fleet* —8D **62**
Constable Rd. *Tonb* —2L **145**
Constables Rd. *Dover* —3K **181**
Constable View. *Walm* —7M **177**
Constance Cres. *Brom* —1J **83**
Constance St. *E16* —1A **50**
Constitutional Hill Rd. *Tun W* —5E **150** (1E **35**)
Constitution Cres. Grav —6H 63
(off Constitution Hill)
Constitution Hill. *Chat* —9E **80**
Constitution Hill. *Grav* —6H **63**
Constitution Hill. *Snod* —2D **108** (3C **16**)
Constitution Rise. *SE18* —8C **50**
Constitution Rd. *Chat* —9E **80**
Consul Clo. *H Bay* —3C **194**
Consul Gdns. *Swan* —3H **73**
Contessa Clo. *Orp* —6G **84**
Continental App. *Mgte* —7D **208**
Convalescent La. *Siss* —6B **220**
Convent Clo. *Beck* —3F **68**
Convent Clo. *St Mc* —7K **213**
Convent Rd. *Broad* —5K **209** (1E **23**)
Convent Wlk. *Ram* —7F **210**
Conway Clo. *Birch* —4D **206**
Conway Clo. *Roch* —3J **79**
Conway Clo. *Salt* —4J **197**
Conway Rd. *SE18* —4F **50**
Conway Rd. *Maid* —3N **125**
Conways Rd. *Ors* —2B **8**
Conyer. —2E 19
Conyerd Rd. *Bor G* —2M **121**
Conyer Rd. *Con* —2E **19**
Conyer Rd. *Tey* —2L **223** (3E **19**)
Conyers Wlk. *Gill* —7N **95**
Conyngham Clo. *Ram* —2F **210**
Conyngham La. *Bri* —8F **172**
Conyngham Rd. *H Bay* —2L **195**
Conyngham Rd. *Min* —8N **205**
Cooden Clo. *Brom* —3L **69**
Cooden Clo. *Gill* —1C **96**
Cook Clo. *Chat* —5F **94**
Cook Ct. *Eri* —7G **53**
Cook Gro. *Eden* —6C **184**
Cookham Dene Clo. *Chst* —4F **70**
Cookham Hill. *Orp* —4B **86**
Cookham Hill. *Roch* —1L **93**
Cookham Rd. *Swan* —4B **72** (1C **14**)
Cookham Wood Pl. *Bear* —6K **127**
Cookham Wood Rd. *Roch* —3M **93**
Cookhill Rd. *SE2* —2K **51**
Cook La. *Afrd* —2F **160**
Cooks Cotts. *W'bury* —1A **136**
Cook's La. *Sit* —5F **98**
Cook's Lea. *E'try* —3K **183**
Cookson Gro. *Eri* —7C **52**
Cook Sq. *Eri* —7G **53**
Cooling. —4F 176 (4D 9)
Cooling Clo. *Maid* —3F **126**
Cooling Comn. *Cli* —5N **65** (4D **9**)
Coolinge. —6F 188 (2A 42)
Coolinge La. *Folk* —6F **188** (2A **42**)
Coolinge Rd. *Folk* —6J **189**
Cooling Rd. *Cli* —4C **176**
(in two parts)
Cooling Rd. *Clif* —4D **9**
Cooling Rd. *C'ing* —1E **66**
Cooling Rd. *H Hals* —1F **66**
Cooling Rd. *Roch* —2M **79** (1D **17**)
Cooling Street. —3A 66 (4D 9)
Cooling St. *Cli* —4E **176** (4D **9**)
Coombe. —6E 216 (1C 32)
Coombe Av. *Sev* —2J **119**
Coombe Clo. *Chat* —8E **94**
Coombe Clo. *Dover* —3F **180**
Coombe Clo. *Snod* —3E **108**
Coombe Ct. *Dover* —3F **180**
Coombe Ct. *Sev* —2J **119**
Coombe Dri. *Sit* —7K **99**
Coombe Farm La. *St Mh* —3A **10**
Coombe Gro. *Hoth* —4E **29**
Coombelands. *Wit* —2E **45**
Coombe La. *SW20* —1A **12**
Coombe Lane. (Junct.) —1A **12**
Coombe La. *Ah* —6D **216** (1C **32**)
Coombe La. *Croy* —2D **13**
Coombe La. *Tent* —8B **222**
Coombe La. Flyover. *King T & SW20* —1A **12**
Coombe La. W. *King T* —1A **12**
Coombe Lea. *Brom* —6A **70**
Coombe Rd. *Croy* —2D **13**
Coombe Rd. *Dover* —5A **180** (1B **42**)
(in two parts)
Coombe Rd. *Folk* —5F **188**
Coombe Rd. *Grav* —7H **63**
Coombe Rd. *Hoo* —8H **67**
Coombe Rd. *King T* —1A **12**
Coombe Rd. *Maid* —7C **126**
Coombe Rd. *N Mald* —1A **12**
Coombe Rd. *Otf* —6K **103**
Coombe Valley Rd. *Dover* —4F **180** (1C **43**)
Coombe Wlk. *York* —1A **166** (3C **20**)
Coombe Way. *H'nge* —8E **192**
Coombe Wood La. *H'nge* —8E **192**
Coombfield. *Eden* —7C **184**
Coombfield Dri. *Dart* —9D **60**
Coomb Hill. —2B 16
Cooper Clo. *Grnh* —3F **60**
Cooper Rd. *Chat* —8D **94**
Cooper Rd. *Snod* —4D **108**
Coopers Clo. *S Dar* —4D **74**
Cooper's Corner. —8A 130 (3C 24)
Coopers Hill. *H Bay* —2G **195**
Cooper's La. *SE12* —7L **55**
Coopers La. *Cant* —3L **171**
Coopers La. *Ford* —7K **149** (1D **35**)
Cooper's La. *S'ndge* —2C **40**
Cooper's La. *W Til* —3B **8**
Coopers Rd. *N'fleet* —6E **62**
Coopers Rd. *Swans* —4M **61**
Cooper Street. —2F 216 (4C 23)
Cooper St. Drove. *Ah* —2F **216** (4C **23**)
Coote Rd. *Bexh* —8A **52**
Cooting La. *Adm* —2A **32**
Cooting Rd. *Aysm* —2B **162** (2A **32**)
Copenhagen Rd. *Gill* —7F **80**
Copenhagen St. *N1* —2C **5**
Copers Cope Rd. *Beck* —3C **68**
Copinger Clo. *Cant* —7N **167**
Copland Av. *Min S* —6K **219**
Copley Dene. *Brom* —4N **69**
Coppards La. *N'iam* —2D **45**
Coppelia Rd. *SE3* —2J **55**
Copper Beech Clo. *Grav* —5J **63**
Copper Beech Clo. *Orp* —8L **71**
Copperfield Cvn. Pk. *E'chu* —3E **202**
Copperfield Clo. *Grav* —6M **63**
Copperfield Clo. *Kenn* —4G **159**
Copperfield Ct. *Broad* —8M **209**
Copperfield Cres. *High* —2G **78**
Copperfield Dri. *Langl* —4A **140**
Copperfield Ho. *Chat* —8C **80**
Copperfield Rd. *Roch* —1N **93**
Copperfields. *Beck* —4F **68**
Copperfields. Dart —4M 59
(off Spital St.)
Copperfields. *Kems* —8N **103**
Copperfields. *Lydd* —3B **204**
Copperfields Clo. *Kems* —8N **103**
Copperfields Orchard. *Kems* —8N **103**
Copperfields, The. *Roch* —8M **79**
Copperfields Wlk. *Kems* —8N **103**
Copperfield Way. *Chst* —2E **70**
Coppergate. *Cant* —9M **167**
Coppergate. *Hem* —6J **95**
Coppergate Clo. *Brom* —4L **69**
Copperhouse La. *Gill* —6L **81**
Copperhouse Rd. *Roch* —5G **79**
Copperhurst Wlk. *Clift* —3J **209**
Copper La. *Mard* —3M **205** (4D **27**)
Copperpenny Dri. *Hem* —8L **95**
Coppers La. *Matf* —5K **153** (1B **36**)
Copper Tree Ct. *Maid* —3D **138**
Coppertree Wlk. *Chat* —1F **110**
Copperwood. *Afrd* —6G **159**
Coppice Ct. *Hem* —7L **95**
Coppice Rd. *Chat* —9F **94**
Coppice, The. *Ayle* —9J **109**
Coppice, The. *Meop* —2G **106**
Coppice, The. *Pem* —7C **152**
Coppice, The. *Sturry* —5E **168**
Coppice View. *Weav* —3H **127**
Coppings Rd. *Charc* —4J **143**
Copping's Rd. *Leigh* —4D **25**
Coppins' Corner. —4J 175 (3D 29)
Coppins La. *B'den* —9C **98**
Coppins, The. *New Ad* —7E **82**
Coppin St. *Deal* —4N **177**
Copse Av. *W Wick* —4E **82**
Copse Bank. *Seal* —2N **119**
Copse Hill. —1A 12
Copse Hill. *SW20* —1A **12**
Copsehill. *Leyb* —8C **108**
Copse Rd. *Hild* —3E **144**
Copse Side. *Hart* —6L **75**
Copse, The. *Afrd* —7B **158**
Copse, The. *Hoo* —1H **81**
Copse View. *S Croy* —9A **82**
Copsewood Clo. *Sidc* —4G **56**
Copsewood Way. *Bear* —6K **127**
Cop Street. —2D 216 (4C 22)
Cop St. Rd. *Ah* —3C **216** (4C **22**)
Copt Clo. *Sturry* —4E **168**
Coptefield Dri. *Belv* —3M **51**
Copthall Av. *Hawkh* —6L **191**
Copthall Gdns. *Folk* —6K **189**
Copt Hall Rd. *Cob* —7G **76** (1B **16**)
Copt Hall Rd. *Igh* —5G **121** (2E **25**)
Copthorne Av. *Brom* —3B **84**
Copton. —9H 187 (4A 20)
Coralline Wlk. *SE2* —2L **51**
Corbets Tey. —1E 7
Corbets Tey Rd. *Upm* —1D **7**
Corbett Ct. *SE26* —9C **54**
Corbylands Rd. *Sidc* —6G **56**
Cordelia Cres. *Roch* —1K **93**
Cordingham Rd. *Sea* —7C **224**
Cordova Ct. *Folk* —7H **189**
Cordwell Rd. *SE13* —3H **55**
Corelli Rd. *SE3* —9A **50**
Corhaven Ho. *Eri* —7F **52**
Corinthian Ct. *Isle G* —3C **190**
Corinthian Manorway. *Eri* —4E **52**
Corinthian Rd. *Eri* —4E **52**
Cork La. *S'hrst* —1E **37**
Corkscrew Hill. *W Wick* —3F **82** (2E **13**)
Cork St. *Eccl* —4K **109**
Corkwell St. *Chat* —9B **80**
Cormorant Clo. *Roch* —5G **78**
Cornel Ho. *Sidc* —8J **57**
Cornelia Pl. *Eri* —6F **52**
Cornell Clo. *Sidc* —2N **71**
Corner Farm Rd. *S'hrst* —7J **221**
Corner Field. *Kgnt* —4F **160**
Corner, The. —1C 37
Corn Exchange, The. Maid —5C 126
(off Market Bldgs.)
Cornfield Way. *Tonb* —1K **145**
Cornflower Clo. *Weav* —5H **127**
Cornflower La. *Croy* —2A **82**
Cornford Clo. *Brom* —8K **69**
Cornford Clo. *Tun W* —8B **152**
Cornford La. *Tun W* —1L **157** (2A **36**)
Cornford Pk. *Pem* —8B **152**
Cornford Rd. *Birch* —5F **206**
Cornforth Clo. *S'hrst* —7K **221**
Cornhill. *Ram* —6J **211**
Corniche, The. *S'gte* —8C **188**
Corn Mill Dri. *Orp* —1J **85**
Cornmill La. *SE13* —1F **54**
Cornwall Av. *Ram* —4K **211**
Cornwall Av. *Well* —1G **57**
Cornwall Clo. *Maid* —1H **139**
Cornwall Cres. *W11* —2B **4**
Cornwall Cres. *Woul* —7H **93**
Cornwall Dri. *Orp* —3L **71**
Cornwall Gdns. *Cant* —3C **172**
Cornwall Gdns. *Clift* —3F **208**
Cornwall Ga. *Purf* —4D **52**
Cornwall Ho. *Deal* —5K **177**
Cornwall Ho. Dover —5J 181
(off Military Rd.)
Cornwallis Av. *SE9* —7F **56**
Cornwallis Av. *Aysm* —2D **162**
Cornwallis Av. *Chat* —2B **94**
Cornwallis Av. *Folk* —5H **189** (2A **42**)
Cornwallis Av. *Gill* —8J **81** (2E **17**)
(in two parts)
Cornwallis Av. *H Bay* —4K **195**
Cornwallis Av. *Lin* —9B **138**
Cornwallis Av. *Tonb* —3L **145** (4A **26**)
Cornwallis Circ. *Whits* —4E **224**
Cornwallis Clo. *Eri* —6G **53**
Cornwallis Clo. *Folk* —5H **189**
Cornwallis Clo. *W'boro* —2M **161**
Cornwallis Cotts. *Langl* —6B **138**
Cornwallis Gdns. *Broad* —7L **209**
Cornwallis Ho. S'ness —2B 218
(off Sheppey St.)
Cornwallis Rd. *Maid* —5A **126**
Cornwallis Wlk. *SE9* —1B **56**
Cornwall Rd. *Dart* —1N **59**
Cornwall Rd. *Gill* —6G **80**
Cornwall Rd. *H Bay* —5C **194**
Cornwall Rd. *Roch* —9N **79**
Cornwall Rd. *Walm* —7M **177** (3E **33**)
Cornwell Av. *Grav* —8H **63**
Corona Rd. *SE12* —5K **55**
Corona Ter. *Snod* —4D **108**
Coronation Clo. *Bex* —4M **57**
Coronation Clo. *Broad* —6J **209**
Coronation Cotts. Folk —5D 188
(off Cheriton High St.)
Coronation Cotts. *Rod* —1L **115**
Coronation Cotts. *Up Stok* —9H **201**
Coronation Ct. *Eri* —7E **52**
Coronation Cres. *Mgte* —3N **207**
Coronation Cres. *Queen* —7A **218**
Coronation Dri. *Gt Cha* —9A **158**
Coronation Dri. *Horn* —1D **7**
Coronation Dri. *Ley S* —6J **203**
Coronation Flats. *Chat* —9C **80**
Coronation Pde. *Folk* —6M **189**
Coronation Rd. *NW10* —2A **4**
Coronation Rd. *Chat* —1F **94**
Coronation Rd. *Isle G* —3C **190**
Coronation Rd. *Ram* —6H **211**
Coronation Rd. *S'ness* —3D **218**
Coronation Rd. *Whits* —8E **224**
Coronation Sq. *Lydd* —3C **204**
Coronation Vs. *Eyt* —4K **185**
Corone Clo. *Folk* —4G **188**
Corporation Cotts. *Ayle* —7J **109**
Corporation Rd. *Gill* —6G **81**
Corporation St. *Roch* —6N **79** (1D **17**)
Corporation Yd. *Gill* —8M **81**
Corral Clo. *Chat* —1G **94**
Corrall Almshouses. *Maid* —6D **126**
Corrance Grn. *Maid* —9D **126**
Correnden Rd. *Tonb* —3G **144**
Corringham. —2C 9
Corringham Rd. *Stan H* —2C **8**
Corseley Rd. *Groom* —7J **155** (3D **35**)
Corsican Wlk. *H Bay* —4K **195**
Cortland Clo. *Sit* —5F **98**
Cortland M. *Sit* —5F **98**
Corunna Clo. *Hythe* —6H **197**
Corunna Pl. *B Hts* —1K **181**
Corylus Dri. *Whits* —6C **224**
Corys Rd. *Roch* —6N **79**
Coryton. —2D 9
Cossack St. *Roch* —9N **79**
Cossington Rd. *Cant* —3N **171** (1D **31**)
Cossington Rd. *Chat* —2D **110**
(in two parts)
Costells Meadow. *W'ham* —8F **116**
Coston Wlk. *SE4* —2A **54**
Costume Museum. —5N **177**
Cotchford Hill. *Hartf* —3B **34**
Cot La. *Bidd* —6M **163** (2B **38**)
Cotleigh Av. *Bex* —7M **57**
Cotmandene Cres. *Orp* —5K **71**
Cotman's Ash. —6D 104 (4D 15)
Cotman's Ash La. *Kems* —5B **104** (3D **15**)
Cotman Way. *E Peck* —1K **147**
Coton Rd. *Well* —1J **57**
Coton St. *E14* —2E **5**
Cotswold Clo. *Afrd* —6F **158**
Cotswold Clo. *Bexh* —9F **52**
Cotswold Gdns. *Down* —8K **127**
Cotswold Rise. *Orp* —9H **71**
Cotswold Rd. *N'fleet* —8D **62**
Cotswold Rd. *Sutt* —3B **12**
Cottage Av. *Brom* —2A **84**
Cottage Field Clo. *Sidc* —6L **57**
Cottage Ind. Est. *Ayle* —8M **109**
Cottage La. *Sed* —4C **44**
Cottage Rd. *Chat* —6C **80**
Cottage Rd. *Ram* —6J **211**
Cottage Row. *S'wch* —5L **217**
Cottall Av. *Chat* —1C **94**
Cottenham Clo. *E Mal* —2D **124**
Cottenham Park. —1A 12
Cottenham Pk. Rd. *SW20* —1A **12**
Cottingham Rd. *SE20* —3A **68**
Cottington Rd. *C'snd* —7A 210 (2D **23**)
Cottongrass Clo. *Croy* —2A **82**
Cotton Hill. *Brom* —9F **54**
Cotton Hill Houses. Hams —8D 190
(off Ruckinge Rd.)
Cotton Hill Wlk. *Hams* —8D **190**
Cotton La. *Dart & Grnh* —4C **60** (4E **7**)
Cotton Rd. *Win I* —3K **171**
Couldridge La. *Eri* —3M **51**
Coulgate St. *SE4* —1B **54**
Coulman St. *Gill* —8G **81**
Coulsdon. —4C 12
Coulsdon La. *Coul* —4C **12**
Coulsdon Rd. *Coul & Cat* —4C **13**
Coulson Gro. *N'brne* —3D **33**
Coulter Ho. *Grnh* —3J **61**
Coulter Rd. *H Bay* —5C **194**
Coulters Clo. *Weav* —5G **127**
Coulton Av. *N'fleet* —5D **62**
Council Av. *N'fleet* —4B **62**
Council Cotts. *Maid* —4L **137**
Countess Mountbatten Ct. *Wgte S* —3K **207**
Country's Field. *Dym* —7B **182**
Country Way. Afrd —5F 160
(off Roman Way)
County Ga. *SE9* —8E **56**
County Gro. *W Mal* —1N **123**
County Rd. *Maid* —4D **126**
County Sq. *Afrd* —8F **158**
Coupland Pl. *SE18* —5E **50**
Coursehorn La. *C'brk* —7F **176** (3E **37**)
Course, The. *SE9* —8C **56**
Court App. *Folk* —7J **189**
Court-at-Street. —3C 40
Courtauld Clo. *SE28* —1J **51**
Court Av. *Belv* —5A **52**
Court Broomes. *E Sut* —8E **140**
Court Cotts. *W'hm* —3B **226**
Court Cres. *Swan* —7F **72**
Court Downs Rd. *Beck* —5E **68**
Court Dri. *Maid* —5A **126**
Courtenay Dri. *Beck* —5G **68**
Courtenay Rd. *SE20* —2A **68**
Courtenay Rd. *Deal* —2M **177**
Courtenay Rd. *Dunk* —4N **165** (4B **20**)
Courteney Rd. *Gill* —4L **95**
Courtenwell. *L'tn G* —1M **155**
Court Farm Rd. *SE9* —7N **55**
Courtfield Av. *Chat* —9E **94**
Courtfield Rise. *W Wick* —4G **83**
Court Flats. *W'hm* —3B **226**
Court Hall. Queen —7A 218
(off North Rd.)
Court Hall Museum. —5F **98** (2C **19**)
Court Hill. *L'brne* —8K **169** (4A **22**)
Court Hill Ho. *Temp E* —9D **178**
Courthill Rd. *SE13* —2F **54** (4E **5**)
Courthope. *Pad W* —9M **147**
Courtland Av. *Whitf* —7F **178**
Courtland Dri. *Dover* —9D **178**
Courtlands. *Tstn* —9E **124**
Courtlands. *Tonb* —3G **145**
Courtlands. *Walm* —3N **199**
Courtlands Av. *SE12* —3L **55**
Courtlands Av. *Brom* —2H **83**
Courtlands Way. *Wgte S* —2L **207**
Court La. *SE21* —4D **5**
Court La. *Det* —5M **111** (3A **18**)
Court La. *Hdlw* —8E **134** (3A **26**)
Court La. *Pres* —3B **22**
Court La. Pl. *Hdlw* —8E **134**
(in two parts)
Courtleet Dri. *Eri* —8C **52**
Court Lodge. *Belv* —5B **52**
Court Lodge. *Shorne* —2C **78**

Court Lodge Cotts.—Crownfields

Court Lodge Cotts. H'shm —1M 141
(in two parts)
Court Lodge Cotts. Maid —1L 137
Court Lodge Rd. App —1B 46
Court Lodge Rd. Gill —6J 81
Court Lodge Rd. H'shm —9L 129
Court Meadow. Wro —7M 105
Court Meadows. L'brne —2L 173
Court Mt. Mobile Home Pk. Birch —5F 206
Courtnay Rd. Maid —7C 126
Court Pl. Folk —7J 189
(off Castle Hill Av.)
Courtrai Rd. SE23 —4B 54
Court Rd. SE9 —4B 56 (4A 6)
Court Rd. Bur —3C 17
Court Rd. Burh —1H 109
Court Rd. Dart —1E 74
Court Rd. Gill —3C 96
Court Rd. Orp —1K 85 (2B 14)
Court Rd. S'gte —9B 188
Court Rd. Sit —4G 98
Court Rd. St N —7C 214 (2B 22)
Court Rd. Tun W —1E 156
Court Rd. Walm —9K 177 (3E 33)
Courts, The. Mgte —2M 207
Court St. Brom —5K 69
Court St. Fav —5H 187
Courtwood Dri. Sev —6H 119
Court Wood La. Croy —9C 82
Court Wurtin. Afrd —2E 160
Court Yd. SE9 —4B 56
Courtyard, The. Gill B —3K 95
Courtyard, The. W'ham —9F 116
Cousley Wood. —3B 36
Cousley Wood Rd. Spar G & Cous W —3A 36
Coutts Av. Shorne —9C 64
Covell's Row. Mgte —3C 208
Coventina Ho. Ram —5H 211
(off High St. Ramsgate,)
Coventon La. S'wch & Worth —8L 217
Coventry Clo. Roch —6H 79
Coventry Gdns. H Bay —2L 195
Coventry Ho. Maid —1G 138
Coventry Rd. Tonb —2K 145
Coverack Clo. Croy —1B 82
Coverdale Av. Maid —2G 138
Coverdale Clo. Chat —4E 94
Covert La. W'wd —3E 31
Covert Rd. Aysm —3C 162
Covert, The. Chat —1D 110
Covert, The. Meop —3D 106
Covert, The. Orp —9G 70
Covet La. Kgtn —7A 162
Covet Wood Clo. Orp —9H 71
Covey Hall Rd. Snod —2E 108
Cowbeck Clo. Gill —5N 95
Cowden. —1B 34
Cowden Clo. Hawkh —8J 191
Cowden La. Hawkh —8J 191
Cowden M. Cowd —1B 34
Cowden Pound. —1B 34
Cowden Rd. Maid —4F 126
Cowden Rd. Orp —1H 85
Cowden St. SE6 —9D 54
Cowdray Rd. Deal —7K 177
Cowdray Sq. Deal —7L 177
Cowdrey Clo. Maid —8M 125
Cowdrey Clo. Roch —1M 93
Cowdrey Clo. W'boro —2L 161
Cowdrey Ct. Dart —5J 59
Cowdrey Pl. Cant —4A 172
Cowgate Hill. Dover —5J 181
Cowgate La. H'nge —6E 192 (1A 42)
Cow La. Dover —5F 180
Cow La. Mark B —1B 34
Cow La. Win I —3K 171
Cowley Av. Grnh —3F 60
Cowley Rise. Mgte —5G 209
Cowper Clo. Brom —7N 69
Cowper Clo. Well —3J 57
Cowper Clo. Whits —2M 225
Cowper Rd. Belv —4B 52
Cowper Rd. Brom —7N 69
Cowper Rd. Deal —5L 177
Cowper Rd. Dover —2D 180
Cowper Rd. Gill —9G 80
Cowper Rd. Mgte —4D 208
Cowper Rd. Sit —7J 99
Cowstead La. Gill —2A 18
Cowstead Rd. H'lip —8F 96 (3A 18)
Coxes Av. Ram —1F 210
Coxett Hill. Osp —7B 186 (3E 19)
Coxheath. —5N 137 (3D 27)
Coxhill. S'wll —4A 220 (4B 32)
Coxhill Cres. Dover —1C 180
Coxhill Gdns. Dover —1C 180
Coxland. App —1B 46
Cox La. Chess —2A 12
Cox's Clo. Snod —2D 108
Cox St. Det —6M 111
Coxwell Rd. SE18 —5F 50
Cozenton Clo. Gill —2A 96
Crabble. —1E 180 (1C 42)
Crabble Av. Dover —2F 180
Crabble Clo. Dover —2E 180
Crabble Corn Mill. —1E 180 (1C 42)
(off Lower Rd.)
Crabble Hill. Dover —1F 180 (1C 43)
Crabble La. Dover —3D 180 (1C 42)
Crabble Meadows. Dover —2F 180
Crabble Mill Cotts. Dover —1E 180
Crabble Rd. Dover —1F 180 (1C 42)
Crabbs Croft Clo. Orp —6E 84
Crab Hill. Beck —3G 68
Crabtree Clo. King H —7M 123
Crabtree La. Len H —3C 29
Crabtree Manorway N. Belv —2D 52
Crabtree Manorway S. Belv —3D 52
(in two parts)
Crabtree Rd. Gill —3N 95
Craddock Dri. Cant —1A 172
Craddock Ho. Cant —1A 172
Craddock Rd. Cant —1A 172
Craddocks Av. Asht —4A 12
Craddock Way. Gill —6N 95
Cradduck La. S'hrst —7M 221 (1E 37)
Cradle Bri. Dri. W'boro —1N 159
Cradles Rd. S'bry —1E 112 (3A 18)
Cradley Rd. SE9 —6F 56
Crafford St. Dover —4J 181
Cragie Wlk. Gill —7A 96
Craigholm. SE18 —9C 50
Craigton Rd. SE9 —2B 56
Crammavill St. Grays —2A 8
Cramonde Ct. Well —9J 51
Crampton Ct. Broad —9L 209
Cramptons. Siss —8B 220
Cramptons Rd. Sev —2J 119
Crampton Tower Museum. —9L 209 (2E 23)
Cranborne Av. Maid —9E 126
Cranborne Wlk. Cant —8L 167
Cranbourne Clo. Ram —4K 211
Cranbrook. —7D 176 (3E 37)
Cranbrook Clo. Brom —9K 69
Cranbrook Clo. Clift —4J 209
Cranbrook Clo. Gill —9M 81
Cranbrook Clo. Maid —1J 139
Cranbrook Common. —7C 220 (2E 37)
Cranbrook Dri. Sit —1E 114
Cranbrook Ho. Eri —7G 52
(off Boundary St.)
Cranbrook Rd. Bene —3E 37
Cranbrook Rd. Bexh —8A 52
Cranbrook Rd. Bidd —2A 38
Cranbrook Rd. Goud —8L 185 (2D 37)
Cranbrook Rd. Hawkh —3K 191 (3D 37)
Cranbrook Rd. Ilf —1A 6
Cranbrook Rd. Siss —6D 220 (2A 38)
Cranbrook Rd. S'hrst —1E 37
Cranbrook Rd. Tent —3B 38
Cranbrooks. Mer —5N 161
Cranbrook Windmill. —8D 176 (2E 37)
Crandalls. Leigh —6N 143
Crane La. C'brk —7D 176
Cranfield Rd. SE4 —1C 54
Cranford Clo. Gill —2N 95
Cranford Rd. Dart —6M 59
Cranford Rd. Tonb —2N 145
Cranham Sq. Mard —3K 205
Cranleigh Clo. Bex —4C 58
Cranleigh Clo. Orp —4J 85
Cranleigh Ct. Whits —5G 224
Cranleigh Dri. Lgh S —1B 10
Cranleigh Dri. Swan —7F 72
Cranleigh Dri. Whitf —6F 178
Cranleigh Gdns. Chat —9A 80
Cranleigh Gdns. Maid —2N 125
Cranleigh Gdns. Whits —5G 224
Cranley Pde. SE9 —9A 56
(off Beaconsfield Rd.)
Cranmer Clo. Bek —6G 173
Cranmer Ct. Maid —9E 126
Cranmere Ct. Strood —4N 79
Cranmer Ho. Cant —1K 171
Cranmer Rd. Mitc —1B 12
Cranmer Rd. Sev —5F 118
Cranmore Rd. Brom —8J 55
Cranmore Rd. Chst —1B 70
Cranston Rd. SE23 —6B 54 (4E 5)
Cranston Rd. E Grin —2A 34
Crantock Rd. SE6 —7E 54
Cranwell Rd. Tun W —1C 156
Crathie Rd. SE12 —4L 55
Craufurd Grn. Folk —6D 188
Craven Clo. Mgte —5A 208
Craven Hill. W2 —2B 4
Craven Pk. NW10 —2A 4
Craven Pk. Rd. NW10 —2A 4
Craven Rd. W2 —2B 4
Craven Rd. Orp —4M 85
Crawford Gdns. Mgte —3F 208
Crawford Rd. Broad —8K 209
Crawfords. Swan —3F 72
Crawley Ct. Grav —3G 62
Crawshay Clo. Sev —5H 119
Cray Av. Orp —9K 71 (2B 14)
Craybrooke Rd. Sidc —9K 57
Crayburne. S'fleet —1M 75
Craybury End. SE9 —7E 56
Cray Clo. Dart —2H 59
Craydene Rd. Eri —8G 53
Crayfield Ind. Pk. Orp —5L 71
Crayford. —3F 58 (4C 7)
Crayford Clo. Maid —3F 126
Crayford Greyhound Stadium. —4F 58
Crayford High St. Dart —3F 58
Crayford Ind. Est. Cray —3G 58
Crayford Rd. Dart —3G 58 (4C 7)
Crayford Way. Dart —3G 58 (4C 7)
Craylands. Orp —6L 71
Craylands La. Swans —3K 61 (4E 7)
Craylands Sq. Swans —3K 61
Craymill Sq. Dart —9G 53
Cray Rd. Belv —6B 52
Cray Rd. Sidc —2L 71 (1B 14)
Cray Rd. Swan —9D 72 (2C 15)
Crayside Ind. Est. Dart —2J 59
Crays Pde., The. St P —5L 71
Craythorne. Tent —7C 222
Craythorne Clo. Hythe —7B 188
Craythorne Clo. New R —1D 212
Craythorne La. New R —2C 212
Cray Valley Rd. Orp —8J 71
Crazy La. Sed —4C 44
Creat Viewpoint, The. —3E 106
Credenhall Dri. Brom —2B 84
Creek La. Up Stok —4A 10
Creekmouth. —2B 6
Creek Rd. SE8 & SE10 —3E 5
Creek, The. Grav —3A 62
Creeland Gro. SE6 —6C 54
Creffield Rd. W5 & W3 —2A 4
Creighton Flats. S'wch —5L 217
(off School Rd.)
Crematorium Cotts. Weav —3G 127
Cremer Clo. Cha —8C 170
Cremer Pl. Fav —4E 186
Cremers Rd. Sit —6J 99
Cremorne Rd. SW10 —3B 4
Cremorne Rd. N'fleet —5E 62
Crendon Pk. S'boro —5G 150
Crescent Cotts. Sev —2F 118
Crescent Dri. Orp —9D 70
Crescent Gdns. Swan —5D 72
Crescent Rd. SE18 —5D 50
Crescent Rd. Beck —5E 68
Crescent Rd. Birch —4F 206
Crescent Rd. Broad —5M 209
Crescent Rd. Brom —3K 69
Crescent Rd. Eri —6G 53
Crescent Rd. Fav —3A 20
Crescent Rd. Mgte —3B 208
Crescent Rd. Ram —5G 211 (2E 23)
Crescent Rd. Sev —2F 118
Crescent Rd. Sidc —8H 57
Crescent Rd. Tun W —2H 157 (2E 35)
Crescent St. Sit —7G 98
Crescent, The. Beck —4D 68
Crescent, The. Bex —5L 57
Crescent, The. Bor G —1N 121
Crescent, The. Bou B —3K 165
(in two parts)
Crescent, The. Cant —8M 167
(Manwood Av.)
Crescent, The. Cant —3M 171 (1D 31)
(off Castle Row)
Crescent, The. Cha —9D 170 (2C 31)
Crescent, The. Eyt —4K 185
Crescent, The. Grnh —3J 61
Crescent, The. Kem —2G 99
Crescent, The. Long —6L 75
Crescent, The. Maid —1C 126
Crescent, The. Min S —6F 218
Crescent, The. N'fleet —7E 62
Crescent, The. S'gte —8E 188
Crescent, The. S'wch —8K 217
Crescent, The. Sev —3L 119
Crescent, The. Sidc —9H 57
Crescent, The. Snow —4E 162
Crescent, The. St Mc —8K 213
Crescent, The. Tey —1L 223 (3D 19)
Crescent, The. Tonb —5H 145
Crescent, The. Tun W —2E 150
Crescent, The. W Wick —9H 69
Crescent Way. SE4 —1D 54
Crescent Way. Chat —6A 94
Crescent Way. Orp —6G 85
Cressey Ct. Chat —8B 80
Cressfel. Sidc —1K 71
Cressfield. Afrd —9D 158
Cressingham Rd. SE13 —1F 54
Cress Way. Fav —5E 186
Cresswell Pk. SE3 —1J 55
Cresta Clo. H Bay —3A 194
Crest Clo. Badg M —2C 102
Crest Ind. Est. Mard —2K 205
Crest Rd. Brom —1J 83
Crest Rd. Roch —2N 93
Crest View. Grnh —2H 61
Crest View Dri. Pet W —8D 70
Crestway. Chat —3E 94
Crete Hall Rd. Grav —4C 62
Crete Rd. E. Folk —2J 189 (2A 42)
Crete Rd. W. Folk —2D 188 (2A 42)
Creteway Clo. Folk —3K 189
Creton St. SE18 —3C 50
Creve Coeur Clo. Bear —4K 127
Crichton Ho. Sidc —2M 71
Cricketers Clo. Eri —5F 52
Cricketers Clo. H'shm —2M 141
Cricketers Clo. H'nge —6D 192
Cricketers Clo. Kem —2G 98
Cricketers Dri. Meop —4F 90
Cricketfield Rd. E5 —1D 5
Cricket Grn. Mitc —1B 12
Cricket Ground Rd. Chst —4D 70
Cricket La. Beck —2B 68
Cricklewood. —1A 4
Cricklewood B'way. NW2 —1A 4
Cricklewood La. NW2 —1A 4
Crimond Av. Dym —9D 182
Criol La. Shad —2E 39
Cripple Hill. H Hal —2C 38
Cripple St. Maid —9C 126 (2D 27)
Cripps Clo. Aysm —2C 162
Cripp's Corner. —3B 44
Cripps La. St Mc —7J 213
Crismill Cotts. Bear —6A 128
Crismill La. Bear & T'hm —6A 128
(in two parts)
Crispe Clo. Gill —7N 95
(in two parts)
Crispe Pk. Clo. Birch —4G 206
Crispe Rd. Acol —7D 206 (2C 22)
Crispin Clo. Fav —4H 187
Crispin Ct. Cox —5N 137
Crispin Dri. King H —6M 123
Crispin Rd. Roch —4J 79
Criterion Pas. S'ness —1B 218
(off High St. Sheerness,)
Crit Hill. —3E 37
Crittall's Corner. (Junct.) —3L 71 (1B 14)
Crittenden Cotts. Maid —4K 137
Crittenden Rd. Matf —2G 153 (1B 36)
Crockenhall Way. Grav —3D 76
Crockenhill. —9E 72 (2C 15)
Crockenhill La. Eyns —1H 87
Crockenhill La. Swan & Eyns —2D 15
Crockenhill Rd. Eger —4C 28
Crockenhill Rd. Orp & Swan —8M 71 (2B 14)
Crockenhill Rd. Swan —9C 72
Crockham Hill. —3A 24
Crockham La. Dunk —1M 165
Crockham La. Hern —3B 20
Crockham La. Stow C —4D 31
Crockham Rd. Dunk —1M 165
Crockham Rd. Hern —3B 20
Crockham Way. SE9 —9C 56
Crockhurst Street. —8B 146 (4A 26)
Crockshard La. W'hm W —2B 32
Crocus Clo. Croy —2A 82
Croft Av. W Wick —2F 82
Croft Clo. Belv —5A 52
Croft Clo. Chat —1F 110
Croft Clo. Chst —1B 70
Croft Clo. Tonb —3M 145
Croft Ct. SE13 —4F 54
Croft Ct. Eden —6C 184
Crofters Clo. Hythe —8F 196
Crofters Mead. Croy —9C 82
Crofters, The. Rain —4B 96
Croft Gdns. Len —8E 200
Croft La. Eden —6C 184
Croft La. Folk —6F 188
Crofton. —3F 84 (2B 14)
Crofton Av. Bex —5M 57
Crofton Av. Orp —3E 84
Crofton Clo. Kenn —4G 159
Croftongate Way. SE4 —3B 54
Crofton La. Orp —2F 84 (2B 14)
Crofton Park. —3C 54
Crofton Pk. Rd. SE4 —4C 54
Crofton Rd. Orp —4C 84 (2A 14)
Crofton Rd. Wgte S —4K 207
Crofton Roman Villa. —3G 85
(adjacent Orpington Station)
Croft Rd. Afrd —8H 159
Croft Rd. Brom —2K 69
Croft Rd. Crowb —4C 35
Croft Rd. W'ham —8D 116
Croftside. Meop —2F 106
Croft's Pl. Broad —9M 209
Croft, The. Leyb —8C 108
Croft, The. Swan —6D 72
Croft, The. Tent —8C 222
Croft Vs. Afrd —8H 159
(off Croft Rd.)
Croft Way. Sev —7G 118
Croft Way. Sidc —8G 56
Croftwood. Afrd —3B 160
Croham Rd. S Croy —2D 13
Croham Valley Rd. S Croy —3D 13
Croidene Ct. Min S —6H 219
Crombie Rd. Sidc —6F 56
Cromer Pl. Orp —2F 84
Cromer Rd. Roch —4M 79
Cromers Rd. Sit —2F 114 (3C 19)
Cromer St. Tonb —6G 145
Cromford Clo. Orp —4G 85
Cromlix Clo. Chst —5D 70
Crompton Gdns. Maid —6E 126
Crompton Pl. Eri —6G 52
Cromwell Av. Brom —7L 69
Cromwell Clo. Brom —7L 69
Cromwell Lodge. Bexh —3N 57
Cromwell Pk. Pl. Folk —7D 188
Cromwell Rd. SW5 & SW7 —3B 4
Cromwell Rd. Beck —5B 68
Cromwell Rd. Cant —4N 171
Cromwell Rd. Maid —4D 126
Cromwell Rd. S'ness —5A 218
Cromwell Rd. Tun W —2J 157
Cromwell Rd. Whits —3F 224 (2C 21)
Cromwell Ter. Chat —9D 80
Cronin Clo. Lark —6D 108
Crooked La. Grav —4G 63
Crooked's Rd. Deal —2H 199 (3D 33)
Crookenden Pl. B'hm —9D 162
Crook Log. Bexh —1M 57 (4B 6)
Crook Rd. Bchly —5N 153 (1C 36)
Crook's Ct. La. W Hou —2B 42
Crookston Rd. SE9 —1C 56
Croom's Hill. SE10 —3E 5
Crosfield Pavilion. Roy B —1K 125
Crosier Ct. Upc —8H 223
Crosley Rd. Gill —1G 95
Cross-at-Hand. —4E 27
Crossbrook Rd. SE3 —1A 56
Cross Dri. Kgswd —7D 140
Cross Keys. —9H 119 (2D 25)
Cross Keys. Bear —5M 127
Cross Keys Clo. Sev —9H 119
Cross Keys Cotts. Bear —5M 127
Cross Keys Cotts. Sev —9H 119
Cross La. Bex —5A 58
Cross La. Fav —5G 187 (2E 29)
Cross La. Sit —5F 98
(off Brewery Rd.)
Cross La. Tic —4C 36
Cross La. E. Grav —7G 63 (4B 8)
Cross La. W. Grav —7G 62 (4B 8)
Crossley Av. H Bay —3A 194
Crossley Clo. Big H —3D 164
Crossmead. SE9 —6B 56
Crossness Footpath. Eri —1A 52
Cross Rd. Birch —3F 206
Cross Rd. Brom —3A 84 (2A 14)
Cross Rd. Dart —4K 59
Cross Rd. Hawl —9N 59
Cross Rd. N'fleet —4E 62
Cross Rd. Orp —8K 71
Cross Rd. Sidc —9K 57
Cross Rd. St Mc —9J 213
Cross Rd. Walm —9K 177 (3E 33)
Cross Stile. Afrd —1D 160
Cross St. N1 —2C 5
Cross St. Cant —1L 171 (4D 21)
Cross St. Chat —8D 80
Cross St. Eri —6F 52
Cross St. Gill —6F 80
Cross St. Grav —4G 63
Cross St. H Bay —4E 194
Cross St. Maid —3D 126
Cross St. Roch —4M 79
Cross St. S'ness —2C 218
Cross, The. E'try —3K 183
Cross View Cotts. Len —7F 200
Crossway. SE28 —2B 6
Crossway. SW20 —1A 12
Crossway. Chat —5B 94
Crossway. Orp —7F 70
Cross Way. Roch —9N 79
Crossways. Cant —7M 167
Crossways. Sit —1F 114
Crossways. S Croy —8B 82
Crossways. Tats —8C 164
Crossways Av. Mgte —8E 208
Crossways Boulevd. Dart —2C 60 (4E 7)
Crossways Clo. Dym —5D 182
Crossways Rd. Beck —7D 68
Crossways 25 Bus. Pk. Dart —2C 60
Crossway, The. SE9 —7N 55
Crossway, The. Tun W —3D 156
Crothall Haven. Afrd —7F 158
(off Blue Line La.)
Crouch. —5A 122 (2A 26)
Crouch. Sidc —1K 71
Crouch Clo. Beck —2D 68
Crouch Croft. SE9 —8C 56
Crouch Hill Ct. Lwr Hal —8M 223
Crouch Ho. Cotts. Eden —5B 184
Crouch House Green. —5B 184
Crouch Ho. Rd. Eden —4A 184 (4A 24)
Crouch La. Bor G —2N 121 (1A 26)
Crouch La. Sand —3M 215 (1C 45)
Crouch La. Sell —1B 30
Crowborough. —4C 35
Crowborough Hill. Crowb —4D 35
Crowborough Warren. —4C 35
Crowbourne Cottage. Goud —8J 185
Crowbridge Rd. W'boro —2J 161 (1A 40)
Crowders La. Bapc —4A 44
Crowdleham. —8D 104
Crow Dri. Hals —6D 102
Crow Hill. Bor G —2N 121
Crow Hill. Broad —8M 209 (1E 23)
Crow Hill Rd. Bor G —2N 121
Crow Hill Rd. Mgte —3N 207
Crowhurst. —4A 24
Crowhurst La. Bor G —6K 121
Crowhurst La. Igh —2E 25
Crowhurst La. W King —9G 89 (3E 15)
Crowhurst Rd. Bor G —3M 121
Crowhurst Rd. Crow —4A 24
Crowhurst Village Rd. Crow —4A 24
Crowhurst Way. Orp —8L 71
Crow La. Roch —7N 79
Crown Acres. E Peck —1M 147
Crown Ash La. Warl & Big H —4A 164
Crown Clo. Orp —5J 85
Crown Ct. SE12 —4L 55
Crown Ct. Deal —4N 177
(off Middle St.)
Crown Crest Ct. Sev —3K 119
(off Seal Rd.)
Crown Dale. SE19 —1C 13
Crowndale Rd. NW1 —2C 4
Crownfield. Afrd —1D 160
Crownfield Rd. E15 —1E 5
Crownfields. Sev —7J 119
Crownfields. Weav —5J 127

E. Northdown Clo.—Ely Gdns.

E. Northdown Clo. Clift —4J 209
East Northdown Farm. —4J 209
E. Park Rd. Roy B —9L 109
East Peckham. —1L 147 (3B 26)
East Rise. Ram —3F 210
East Rd. N1 —2D 5
East Rd. Folk —7D 188
East Rd. Well —9K 51
E. Rochester Way. Bex —4C 58
E. Rochester Way. Sidc —2G 56 (4B 6)
E. Roman Ditch. Dover —4L 181
East Row. Roch —7N 79 (1D 17)
Eastry. —3K 183 (2C 33)
Eastry Av. Brom —9J 69
Eastry By-Pass. E'try —4L 183 (2C 33)
Eastry Clo. Afrd —3E 160
Eastry Clo. Maid —2N 125
Eastry Ct. Aysm —2D 162
Eastry Rd. Eri —7B 52
East Sheen. —4A 4
E. Smithfield. E1 —2D 5
E. Stour Ct. Afrd —9H 159
East Stourmouth. —3B 22
East Street. —7K 107 (nr. Addington)
East Street. —4F 216 (4C 23) (nr. Sandwich)
East St. Adtn —8J 107 (in two parts)
East St. Afrd —8F 158
East St. Bexh —2B 58
East St. Brom —5K 69
East St. Cant —8B 168
East St. Chat —9D 80
East St. Dover —4H 181
East St. Eps —3A 12
East St. Fav —5H 187 (3A 20)
East St. Folk —6L 189
East St. Gill —6G 80
East St. H'shm —2M 141 (2B 28)
East St. H Bay —2H 195
East St. Hunt —9K 137 (3D 27)
East St. Hythe —6L 197 (3E 41)
East St. Sit —7H 99
East St. Snod —2F 108
East St. Sth S —1B 10
East St. Tonb —5J 145 (4E 25)
East Studdal. —3D 33
East Sutton. —8E 140 (3A 28)
E. Sutton Rd. E Sut —8E 140
E. Sutton Rd. H'crn —4A 28
E. Sutton Rd. Sut V —9B 140 (3A 28)
East Ter. Grav —4H 63
East Ter. Sidc —6G 57
E. Thurrock Rd. Grays —3A 8
East Tilbury. —3B 8
E. Tilbury Rd. Linf —3B 8
East View. Her —2L 169
Eastview Av. SE18 —7G 51
East Way. E15 —1E 5
East Way. Brom —1K 83
East Way. Croy —3B 82
E. Weald Dri. Tent —6C 222
Eastwell Barn M. Tent —7B 222
Eastwell Clo. Beck —3B 68
Eastwell Clo. Maid —4F 126
Eastwell Clo. Pad W —8K 147
Eastwell Clo. Shad —2E 39
Eastwell Meadows. Tent —8B 222
East Wickham. —8L 51 (3B 6)
Eastwood. —3B 28
Eastwood Rd. Lgh S —1A 10
Eastwood Rd. Sit —6E 98
E. Woodside. Bex —6N 57
Eatenden La. Batt —4A 44
Eaton Hill. Mgte —3C 208
Eaton Rd. Dover —5G 180 (1C 43)
Eaton Rd. Mgte —3C 208 (1D 23)
Eaton Rd. Sidc —7M 57
Eaton Sq. SW1 —3C 4
Eaton Sq. Long —6L 75
Eaves Rd. Dover —5F 180
Ebbsfleet Ind. Est. N'fleet —3N 61
Ebbsfleet La. Ram —2D 23
Ebbsfleet Wlk. N'fleet —4A 62
Ebdon Way. SE3 —1L 55
Ebony Wlk. Maid —6M 125
Ebsworth St. SE23 —5A 54
Ebury Bri. Rd. SW1 —3C 4
Ebury Clo. Kes —4A 84
Eccles. —4K 109 (3D 17)
Eccles Row. Eccl —4K 109
Eccleston Clo. Orp —2F 84
Eccleston Rd. Tovil —7C 126
Eccleston St. SW1 —3C 4
Echo Clo. Maid —2J 139
Echo Ct. Grav —7H 63
Echo Ho. Sit —8J 99
Echo Sq. Grav —7H 63
Echo Wlk. Min S —6L 219
Ector Rd. SE6 —7H 55
Edam Ct. Sidc —8J 57
Eddie Willet Rd. H Bay —4C 194
Eddington. —4G 194 (2E 21)
Eddington Bus. Pk. Edd B —4G 194
Eddington Clo. Maid —2E 138
Eddington La. H Bay —4E 194 (2E 21)
Eddington Way. Edd B —2E 21
Eddington Way. H Bay —4F 194
Eddystone Rd. SE4 —3B 54
Eden Av. Chat —4C 94
Edenbridge. —6C 184 (4B 24)
Edenbridge Clo. Orp —7M 71
Edenbridge Dri. S'ness —4C 218
Edenbridge Ho. Cant —2A 172
Edenbridge Rd. Hartf —2B 34
Edenbridge Trad. Cen. Eden —7D 184
Eden Clo. Bex —9E 58
Eden Ct. Hawkh —5L 191
Eden Ct. H Bay —3E 194
Edendale Rd. Bexh —8E 52
Edenfield. Birch —4G 206
Edenhurst. Sev —7H 119
Eden Leisure Pk. E'chu —3E 202
Eden Park. —8D 68 (2E 13)
Eden Pk. Av. Beck —7B 68 (1E 13) (in two parts)
Eden Pl. Grav —5G 63
Eden Rd. Beck —7B 68
Eden Rd. Bex —9D 58
Eden Rd. H Hals —1H 67
Eden Rd. Sea —6C 224
Eden Rd. Tun W —3G 157
Eden Wlk. Tun W —3G 157
Eden Way. Beck —8C 68
Edgar Clo. Swan —6G 72
Edgar Clo. Whits —2M 225
Edgar Ho. Deal —7L 177
Edgar Pl. Maid —5D 126
Edgar Rd. Cant —1A 172
Edgar Rd. Dover —3G 181
Edgar Rd. Kems —8M 103
Edgar Rd. Mgte —2E 208
Edgar Rd. Min —7M 205
Edgar Rd. Tats —9D 164
Edgeborough Way. Brom —3N 69
Edgebury. Chst —9D 56
Edgebury Wlk. Chst —9E 56
Edgecoombe. S Croy —9A 82
Edge End Rd. Broad —9K 209
Edgefield Clo. Dart —6B 60
Edge Hill. SE18 —6D 50
Edgehill Clo. Folk —7D 188
Edge Hill Ct. Sidc —9H 57
Edgehill Gdns. Grav —4E 76
Edgehill Rd. Chst —8E 56
Edgehill Rd. Purl —3C 13
Edgeler Ct. Snod —3C 108
Edgewood Dri. Orp —6J 85
Edgewood Grn. Croy —2A 82
Edgeworth Rd. SE9 —2M 55
Edgington Way. Sidc —3L 71 (1B 14)
Edgware Rd. NW2 —1A 4
Edgware Rd. W2 & W9 —2B 4
Edinburgh Ct. Eri —7E 52
Edinburgh Ho. Deal —5K 177
Edinburgh Ho. Dover —5J 181 (off Durham Hill)
Edinburgh Pl. Folk —8H 189 (off Earls Av.)
Edinburgh Rd. Afrd —8F 158
Edinburgh Rd. Chat —1F 94
Edinburgh Rd. Gill —7G 80
Edinburgh Rd. Isle G —3B 190
Edinburgh Rd. Mgte —3N 207
Edinburgh Sq. Maid —2F 138
Edinburgh Wlk. Mgte —3N 207 (off Edinburgh Rd.)
Edington Rd. SE2 —3K 51
Edisbury Wlk. Gill —6N 95
Edison Gro. SE18 —7H 51 (3B 6)
Edison Rd. SE18 & Well —3B 6
Edison Rd. Brom —5K 69
Edison Rd. Well —8H 51
Edith Gro. SW10 —3B 4
Edith Rd. Fav —6G 186
Edith Rd. Orp —6J 85
Edith Rd. Ram —6G 210
Edith Rd. Wgte S —2L 207
Ediva Rd. Meop —8F 76
Edmanson Av. Mgte —2M 207
Edmonton Ho. Dover —1G 181 (off Alberta Clo.)
Edmund Clo. Barm —6L 125
Edmund Clo. Meop —8F 76
Edmund Rd. Orp —9L 71
Edmund Rd. Well —1J 57
Edmunds Av. Orp —6M 71
Edmund St. W'hm —2B 226
Edna Rd. Maid —2C 126
Edred Dri. Dover —4G 181
Edward Ct. Chat —2F 94
Edward Dri. Birch —4G 207 (Canterbury Rd.)
Edward Dri. Birch —4F 206 (Neame Rd.)
Edward Rd. SE20 —2A 68
Edward Rd. Big H —6E 164
Edward Rd. Brom —3L 69
Edward Rd. Cant —2N 171 (1D 31)
Edward Rd. Chst —1D 70
Edward Rd. Folk —5K 189
Edward Rd. Kgdn —3M 199
Edward Rd. Queen —7C 218
Edward Rd. Whits —8E 224
Edwards Clo. Gill —6M 95
Edwards Gdns. Swan —7E 72
Edwards Pas. S'ness —1B 218 (off High St. Sheerness,)
Edwards Rd. Belv —4B 52
Edwards Rd. Dover —4J 181
Edward St. SE14 —3E 5
Edward St. Chat —9D 80
Edward St. Roch —5M 79
Edward St. Rust —1B 156
Edward St. S'boro —5F 150
Edward Ter. Folk —5L 189
Edward Tyler Rd. SE12 —7L 55
Edward Wlk. E Mal —1D 124
Edwina Av. Min S —5H 219
Edwin Arnold Ct. Sidc —9H 57
Edwin Clo. Bexh —6A 52
Edwin Petty Pl. Dart —5C 60
Edwin Rd. Dart —8J 59
Edwin Rd. Gill —3L 95 (2A 18)
Edwin St. Grav —5G 63
Edyngham Clo. Kem —3H 99
Effingham Cres. Dover —4J 181
Effingham Pas. Dover —5J 181
Effingham Rd. SE12 —3H 55
Effingham St. Dover —4J 181
Effingham St. Ram —6J 211
Effra Rd. SW2 —4C 5
Egbert Rd. Fav —6F 186
Egbert Rd. Min —7M 205
Egbert Rd. Wgte S —2K 207
Egdean Wlk. Sev —5K 119
Egdert Rd. Birch —3C 206
Egerton. —4C 29
Egerton Av. Swan —3G 72
Egerton Clo. Dart —6J 59
Egerton Dri. SE10 —3E 5
Egerton Dri. Clift —3J 209
Egerton Forstal. —4C 28
Egerton Ho. Rd. Eger —4C 28
Egerton La. Eger & P'ley —4C 29
Egerton Rd. Char H —3D 29
Egerton Rd. Dover —9D 178
Egerton Rd. Maid —2B 126
Egerton Rd. P Hth —6N 141 (3B 28)
Egerton Vs. Folk —4L 189
Eggarton La. Godm —3B 30
Eggpie La. Hild —7K 131
Eggpie La. Weald —3D 25
Eggringe. Afrd —9C 158
Eglantine La. F'ham —1A 88 (2D 15)
Eglinton Hill. SE18 —6D 50
Eglinton Rd. SE18 —6C 50
Eglinton Rd. Swans —4L 61
Egremont Rd. Bear —7J 127
Egypt Pl. Bear —5M 127
Eighteen Acre La. Old R —2C 47
Elaine Av. Roch —5J 79
Elaine Ct. Roch —6J 79
Elbridge Hill. Sturry —7K 169 (4A 22)
Elchin Hill. H'lgh —4C 31
Elder Clo. Kgswd —6F 140
Elder Clo. Sidc —6H 57
Elder Cotts. H Bay —4L 195
Elder Ct. Gill —5L 95
Elder Rd. SE27 —1D 13
Elderslie Clo. Beck —9E 68
Elderslie Rd. SE9 —3C 56
Elders, The. L'brne —1L 173
Elderton Rd. SE26 —9B 54
Eldertree Rd. Can I —2A 10
Eldon Av. Croy —3A 82
Eldon Pl. Broad —9M 209
Eldon St. Chat —8D 80
Eldon Way. Pad W —8L 147
Eldred Dri. Orp —3L 85
Eleanor Wlk. SE18 —4A 50
Elephant & Castle. (Junct.) —3C 5
Elford Clo. SE3 —2L 55
Elford Rd. Cli —3C 176
Elfrida Clo. Mgte —5G 209
Elfrida Cres. SE6 —9D 54
Elgal Clo. Orp —6D 84
Elgar Clo. Tonb —1L 145
Elgar Pl. Ram —4J 211
Elgin Av. W9 —2B 4
Elgin Cres. W11 —2B 4
Elgin Gdns. Roch —7H 79
Elham. —7N 183 (1E 41)
Elham Clo. Brom —3N 69
Elham Clo. Gill —1L 95
Elham Clo. Mgte —4G 208 (off Lyminge Way.)
Elham Pk. S Min —4E 31
Elham Rd. Cant —4L 171
Elham Valley Railway Museum. —3A 188
Elham Valley Rd. B'hm —4E 31
Elham Valley Vineyard. —4E 31
Elham Way. Broad —2L 211
Elibank Rd. SE9 —2B 56
Eling Ct. Maid —9D 126
Eliot Pk. SE13 —1F 54
Eliot Rd. Dart —3B 60
Elizabeth Carter Av. Deal —6J 177
Elizabeth Clo. Maid —5D 126
Elizabeth Cotts. New R —3C 212
Elizabeth Ct. Broad —6M 209
Elizabeth Ct. Eri —7E 52 (off Valence Rd.)
Elizabeth Ct. Gill —2M 95
Elizabeth Ct. Grav —4F 62
Elizabeth Ct. H Bay —2G 194 (off Queen St.)
Elizabeth Dri. Cap F —2B 174
Elizabeth Gdns. Hythe —7J 197
Elizabeth Garlick Ct. Tun W —9H 151
Elizabeth Garrett Anderson Ho. Belv (off Ambrooke Rd.) —3B 52
Elizabeth Ho. Maid —3D 126
Elizabeth Huggins Cotts. Grav —7G 62
Elizabeth Kemp Ct. Ram —3G 211
Elizabeth Rd. Dover —6J 181
Elizabeth Rd. Grays —3A 8
Elizabeth Rd. Ram —6K 211
Elizabeth Smith Ct. E Mal —2D 124
Elizabeth St. Grnh —3E 60
Elizabeth Ter. SE9 —4B 56
Elizabeth Way. H Bay —4J 195
Elizabeth Way. Orp —8L 71
Eliza Ct. Char —3K 175
Elkstone Rd. W10 —2B 4
Ellen Av. Ram —3J 211
Ellenborough Rd. Sidc —1M 71
Ellen Clo. Brom —6N 69
Ellenden Ct. Cant —7J 167
Ellens Rd. Deal —7H 177 (3D 33)
Ellenswood Clo. Down —8J 127
Ellenwhorne La. Stapl —3C 44
Ellerdale St. SE13 —2E 54
Ellerslie. Grav —5J 63
Ellesmere Av. Beck —5F 68
Ellesmere M. New R —1D 212
Ellesmere Rd. W4 —3A 4
Ellingham Ind. Est. Afrd —4F 160
Ellingham Leas. Maid —1F 138
Ellingham Way. Afrd —4E 160
Ellington Av. Mgte —3N 207
Ellington Pl. Ram —5G 210
Ellington Rd. Ram —5G 211
Elliot Clo. Cant —8B 168
Elliott Rd. Brom —7N 69
Elliotts La. Bras —6L 117
Elliotts Pl. Fav —5H 187
Elliott St. Grav —5J 63
Ellis Clo. SE9 —7E 56
Ellis Clo. Swan —7E 72
Ellis Dri. New R —1D 212
Ellison Clo. Ches —4L 225
Ellison Ct. Fav —6J 187
Ellison Rd. Sidc —6F 56
Ellisons Wlk. Cant —2B 172 (off Nonsuch Clo.)
Ellison Way. Gill —1C 96
Ellis Rd. Whits —2J 225
Ellis Way. Dart —7N 59
Ellis Way. H Bay —5K 195
Elm Av. Chat —2B 94
Elm Av. Chatt —9D 66 (in two parts)
Elm Bank Dri. Brom —5M 69
Elmbourne Dri. Belv —4C 52
Elmbourne Trad. Est. Belv —3C 52
Elmbridge Av. Surb —2A 12
Elmbrook Gdns. SE9 —2A 56
Elm Clo. Dart —6K 59
Elm Clo. Eger —4C 29
Elm Clo. High —1G 79
Elm Ct. SE13 —1G 55
Elm Ct. Hythe —7F 196
Elm Ct. Wgte S —3K 207
Elm Ct. Ind. Est. Hem —8H 95
Elm Cres. E Mal —1D 124
Elmcroft Av. Sidc —5H 57
Elmcroft Rd. Orp —1J 85
Elmdene Clo. Beck —9C 68
Elmdene Rd. SE18 —5D 50
Elm Dri. Swan —5E 72
Elmer Rd. SE6 —5F 54
Elmers End. —7B 68 (1E 13)
Elmers End Rd. SE20 & Beck —6A 68 (1D 13)
Elmerside Rd. Beck —7B 68
Elmfield. Gill —9K 81
Elmfield. Tent —7C 222
Elmfield Clo. Grav —6G 62
Elmfield Ct. Cox —5N 137
Elmfield Ct. Tent —8C 222
Elmfield Ct. Well —8K 51
Elmfield Pk. Brom —6K 69
Elmfield Rd. Brom —5K 69
Elm Fields. Old R —2D 47
Elm Gdns. Hythe —6M 197
Elm Gro. Cant —8J 167
Elm Gro. Eri —7E 52
Elm Gro. Hild —3F 144
Elm Gro. Maid —6E 126
Elm Gro. Orp —2H 85
Elm Gro. Sit —7J 99
Elm Gro. Wgte S —3J 207
Elmhurst. Belv —6N 51
Elmhurst. Grnh —4H 61
Elmhurst Av. Pem —6C 152
Elmhurst Cvn. Pk. E'chu —2E 202
Elmhurst Gdns. Chat —9A 80
Elmhurst Rd. SE9 —7A 56
Elmington Clo. Bex —4C 58
Elmira St. SE13 —1E 54
Elm La. SE6 —7C 54
Elm La. Min S —7K 219 (4D 11)
Elm La. Tonb —4J 145
Elmlee Clo. Chst —2B 70
Elmleigh Rd. L'brne —2M 173
Elmley Ind. Est. Queen —9B 218
Elmley Rd. Min S —9L 219
Elmley St. SE18 —5F 50
Elmley Way. Mgte —6D 208
Elm Pde. Sidc —9J 57
Elm Park. —1D 7
Elm Pk. Av. Horn —1C 7
Elm Pk. Gdns. Dover —5E 180
Elm Pas. Hythe —6J 197
Elm Pl. Afrd —2D 160
Elm Rd. Aysm —2C 162
Elm Rd. Beck —5C 68
Elm Rd. Dart —6L 59
Elm Rd. Eri —8H 53
Elm Rd. Folk —5L 189
Elm Rd. Gill —6H 81
Elm Rd. Grav —8H 63
Elm Rd. Grnh —4E 60
Elm Rd. Lgh S —1B 10
Elm Rd. Orp —8J 85
Elm Rd. Shoe —1D 11
Elm Rd. Sidc —9J 57 (1B 14)
Elm Rd. St Mar —2E 214
Elm Rd. Tun W —5F 150
Elm Rd. W'ham —7G 116
Elms. —5H 211
Elms Av. Ram —5H 211
Elmscott Rd. Brom —1H 69
Elmscroft Farm Cotts. Maid —2J 137
Elms Hill. Hou —6B 180 (1C 42)
Elmshurst Gdns. Tonb —9J 133
Elmside. New Ad —7E 82
Elmsleigh Dri. Lgh S —1B 10
Elmstead. —2B 70 (1A 14)
Elmstead Av. Chst —1B 70
Elmstead Clo. Sev —4F 118
Elmstead Glade. Chst —2B 70
Elmstead La. Chst —3A 70 (1A 14)
Elmstead Pl. Folk —6L 189
Elmstead Rd. Eri —8F 52
Elmsted. —4D 31
Elmsted Cres. Well —6L 51
Elms, The. Her —2K 169
Elmstone. —3B 22
Elmstone Clo. Maid —7M 125
Elmstone Gdns. Clift —4J 209
Elmstone Hole Rd. Graf G —8M 141 (3B 28)
Elmstone La. Maid —7M 125
Elmstone Rd. Gill —4N 95
Elmstone Rd. Ram —5H 211
Elmstone Ter. St M —7L 71
Elms Vale Rd. Dover —6C 180 (1C 42)
Elm Ter. SE9 —4C 56
Elmton La. Eyt —2K 185
Elm Tree Cotts. Up Stok —9H 201
Elm Tree Dri. Roch —1L 93
Elm Vs. Cant —9J 167
Elm Vs. Chatt —8C 66
Elm Wlk. Ayle —9J 109
Elm Wlk. Orp —4B 84
Elmway. E'chu —2E 202
Elmwood Av. Broad —6L 209 (1E 23)
Elmwood Clo. Broad —6L 209
Elm Wood Clo. Whits —3L 225
Elmwood Dri. Bex —5N 57 (4B 6)
Elmwood Rd. Chatt —7C 66
Elm Wood W. Whits —3L 225
Elphicks. —2C 37
Elphick's Pl. Tun W —5H 157
Elphinstone Ho. Maid —2C 126
Elrick Clo. Eri —6F 52
Elsa Ct. Beck —4C 68
Elsa Rd. Well —9K 51
Elsdale St. E9 —1D 5
Elsiemaud Rd. SE4 —3C 54
Elsinore Rd. SE23 —6B 54
Elspeth Rd. SW11 —4B 4
Elstan Way. Croy —1B 82
Elstow Clo. SE9 —3C 56 (in two parts)
Elstree Gdns. Belv —4N 51
Elstree Hill. Brom —3H 69
Elswick Rd. SE13 —1E 54
Eltham. —4B 56 (4A 6)
Eltham Grn. SE9 —3N 55
Eltham Grn. Rd. SE9 —2M 55
Eltham High St. SE9 —4B 56 (4A 6)
Eltham Hill. SE9 —3N 55 (4A 6)
Eltham Palace. —5A 56 (4A 6)
Eltham Pal. Rd. SE9 —4M 55
Eltham Park. —2C 56
Eltham Pk. Gdns. SE9 —2C 56
Eltham Place. —4A 6
Eltham Rd. SE12 & SE9 —3K 55 (4E 5)
Elthruda Rd. SE13 —4G 55
Elventon Clo. Folk —4E 188
Elverland La. P For —4E 19
Elvington. —2J 185 (3B 32) (nr. Eythorne)
Elvington. —9A 192 (nr. Hawkinge)
Elvington Clo. Maid —4A 126
Elvington Grn. Brom —8J 69
Elvington La. H'nge —9A 192 (2A 42)
Elvino Rd. SE26 —1B 68
Elwick Ct. Dart —2H 59
Elwick La. Afrd —8F 158
Elwick Rd. Afrd —8F 158 (1A 40)
Elwill Way. Beck —7F 68
Elwill Way. Grav —4E 76
Elwyn Gdns. SE12 —5K 55
Ely Clo. Eri —9G 52
Ely Clo. Gill —1A 96
Ely Ct. Tun W —1H 157
Ely Gdns. Tonb —3K 145

Ely Ho.—Farnborough Av.

Ely Ho. *Maid* —1G **139**
Ely La. *Tun W* —1H **157**
Elysian Av. *Orp* —9H **71**
Embassy Clo. *Gill* —2J **95**
Embassy Ct. *Sidc* —8K **57**
Embassy Ct. *Well* —1K **57**
Embassy Gdns. *Beck* —4C **68**
Ember Clo. *Orp* —1E **84**
Embleton Rd. *SE13* —2E **54**
Emerald Clo. *Roch* —4A **94**
Emerald View. *Ward* —4K **203**
Emersons Av. *Swan* —3G **73**
Emerton Clo. *Bexh* —2N **57**
Emes Rd. *Eri* —7D **52**
Emily Jackson Clo. *Sev* —6J **119**
Emily Rd. *Chat* —5E **94**
Emmanuel Rd. *SW12* —4C **4**
Emmerson Gdns. *Whits* —2L **225**
Emmet Hill La. *Ladd* —4C **26**
Emmetts. —2B **24**
Emmetts La. *W'ham* —2B **24**
Empire Ter. *Mgte* —5C **208**
Empire Way. *Wemb* —1A **4**
Empress Dri. *Chst* —2D **70**
Empress Gdns. *Ward* —4J **203**
Empress Rd. *Grav* —5K **63**
Emsworth Gro. *Maid* —3G **126**
Enbrook Rd. *S'gte* —6E **188** (2A **42**)
Enbrook Valley. *Folk* —6E **188** (2A **42**)
Encombe. *S'gte* —8D **188**
Endell St. *WC2* —2C **5**
Endwell Rd. *SE4* —1B **54** (3E **5**)
Enfield Rd. *Deal* —3N **177**
Engate St. *SE13* —2F **54**
Engineer Clo. *SE18* —6C **50**
Engineers Ct. *Afrd* —8F **158**
Engineers Way. *Wemb* —1A **4**
Englands La. *NW3* —1B **4**
Englefield Clo. *Orp* —7H **71**
Englefield Cres. *Cli* —6M **65**
Englefield Cres. *Orp* —7H **71**
Englefield Path. *Orp* —7J **71**
Englefield Rd. *N1* —1D **5**
Engleheart Rd. *SE6* —5E **54**
Ennerdale. *Fav* —6J **187**
Ennerdale Gdns. *Aysm* —1D **162**
Ennerdale Ho. *Maid* —1H **139**
Ennerdale Rd. *Bexh* —8B **52**
Ennersdale Rd. *SE13* —3G **54**
Ennis Rd. *SE18* —6E **50**
Ensfield Rd. *Leigh* —7M **143** (4D **25**)
Ensign Cotts. *Cha* —8B **170**
Enslin Rd. *SE9* —5C **56**
Enterprise Bus. Est. *Roch* —5B **80**
Enterprise Cen., The. *Beck* —1B **68**
Enterprise Cen., The. *Chat* —2F **110**
Enterprise Clo. *Roch* —4A **80**
*Enterprise Ho. Tonb —6H **145***
(off Avebury Av.)
Enterprise Rd. *Maid* —8D **126**
Enterprise Rd. *Mgte* —7D **208**
Enterprise Way. *Eden* —4B **184**
Enticott Clo. *Whits* —4J **225**
Epaul La. *Roch* —6N **79**
Ephraim Ct. *Tun W* —1F **156**
Epping Clo. *H Bay* —5J **195**
Epple. —3G 206
Epple Bay Av. *Birch* —3F **206** (1C **23**)
Epple Bay Rd. *Birch* —3E **206**
Epple Cotts. *Birch* —3G **207**
Epple Rd. *Birch* —3G **206** (1C **23**)
Epps Rd. *Sit* —8F **98**
Epsom. —3A 12
Epsom Clo. *Bexh* —1C **58**
Epsom Clo. *Maid* —2J **139**
Epsom Clo. *W Mal* —1M **123**
Epsom Downs. —4A 12
Epsom La. N. *Eps & Tad* —4A **12**
Epsom Racecourse. —4A **12**
Epsom Rd. *Asht* —4A **12**
Epsom Rd. *Croy* —2C **13**
Epsom Rd. *Eps* —3A **12**
Epsom Rd. *Sutt & Mord* —2B **12**
Epstein Rd. *SE28* —1J **51**
Eresby Dri. *Beck* —2D **82**
Erica Ct. *Swan* —7F **72**
Erica Gdns. *Croy* —4E **82**
Erica Ho. *SE4* —1C **54**
Eric Rd. *Dover* —2G **180**
*Ericson Ho. SE13 —2G **55***
(off Blessington Rd.)
Eridge. —3D 35
Eridge Green. —9B 156 (3D 35)
Eridge Grn. Clo. *Orp* —2L **85**
Eridge Rd. *Crowb* —4C **35**
(in two parts)
Eridge Rd. *E Grn* —9B **156** (3D **35**)
Eridge Rd. *Groom* —9L **155** (3D **35**)
Eridge Rd. *Tun W* —5E **156**
Erin Clo. *Brom* —3H **69**
Erindale. *SE18* —6F **50**
Erindale Ter. *SE18* —6F **50**
Erith. —5F 52 (3C 7)
Erith Clo. *Maid* —1D **126**
Erith High St. *Eri* —5F **52** (3C **7**)
Erith Library & Museum. —5F **52**
*Erith Museum. —5F **52** (3C **7**)*
(off Walnut Tree Rd.)
Erith Rd. *Belv & Eri* —2C **58** (3C **6**)
Erith Rd. *Bexh & N Hth* —2C **58** (4C **6**)
Erith Small Bus. Cen. *Eri* —6G **52**
Erith St. *Dover* —3G **181**
Ermine Rd. *SE13* —2E **54**
Ermington Rd. *SE9* —7E **56**
Ernest Clo. *Beck* —8D **68**
Ernest Gro. *Beck* —8C **68**
Ernest Rd. *Chat* —9D **80**
Ernwell Rd. *Folk* —5K **189**
Erriff Dri. *S Ock* —2E **7**
Erriottwood. —7N 115 (4D 19)
Ersham Rd. *Cant* —3N **171** (1D **31**)
Erskine Ho. *Sev* —7H **119**
Erskine Pk. Rd. *Tun W* —1B **156**
Erskine Rd. *Meop* —2G **106** (3B **16**)
Erwood Rd. *SE7* —5A **50**
Eschol Rd. *Hoo* —4A **10**
Escott Gdns. *SE9* —9A **56**
Escreet Gro. *SE18* —4C **50**
Eshcol Rd. *Hoo* —7M **67**
Esher Clo. *Bex* —6N **57**
Eskdale Av. *Ram* —5E **210**
Eskdale Clo. *Dart* —6C **60**
Eskdale Rd. *Bexh* —9B **52**
Esmonde Dri. *Mans* —9L **207**
Esplanade. *Roch* —9L **79** (2D **17**)
Esplanade. *S'ness* —1C **218**
Esplanade. *Strood* —6M **79**
Esplanade. *Wgte S* —2H **207**
Esplanade, The. *Dover* —6J **181**
Esplanade, The. *S'gte* —9C **188** (3E **41**)
Essella Pk. *Afrd* —9J **159**
Essella Rd. *Afrd* —9J **159**
Essenden Rd. *Belv* —5B **52**
Essetford Rd. *Afrd* —2D **160**
Essex Av. *H Bay* —3C **194**
Essex Clo. *Tun W* —5F **156**
Essex Gdns. *Birch* —5E **206** (1C **22**)
Essex Rd. *N1* —2C **5**
Essex Rd. *Cant* —3C **172**
Essex Rd. *Dart* —4L **59**
(in two parts)
Essex Rd. *Grav* —6F **62**
Essex Rd. *Hall* —6E **92**
Essex Rd. *Long* —5K **75**
Essex Rd. *Maid* —2H **139**
Essex Rd. *Wgte S* —3L **207**
Essex St. *Whits* —5F **224**
Essex Way. *Ben* —1E **9**
Estcots Dri. *E Grin* —2A **34**
Estelle Clo. *Roch* —4A **94**
Esther Ct. *Mil R* —3F **98**
Estridge Way. *Tonb* —2M **145**
Estuary Clo. *Whits* —2N **225**
Estuary Rd. *S'ness* —3C **218**
Etchden Rd. *Beth* —1L **163** (1D **39**)
Etchingham. —2A 44
Etchinghill. —2E 41
Etfield Gro. *Sidc* —1K **71**
Ethelbert Clo. *Brom* —5K **69**
Ethelbert Cres. *Mgte* —2E **208** (1E **23**)
Ethelbert Gdns. *Mgte* —2D **208**
Ethelbert Rd. *Birch* —3C **206**
Ethelbert Rd. *Brom* —6K **69**
Ethelbert Rd. *Cant* —4N **171** (1D **31**)
Ethelbert Rd. *Dart* —9M **59**
Ethelbert Rd. *Deal* —1M **177**
Ethelbert Rd. *Dover* —4H **181**
Ethelbert Rd. *Eri* —7D **52**
Ethelbert Rd. *Fav* —6F **186**
Ethelbert Rd. *Folk* —4K **189**
Ethelbert Rd. *Mgte* —2D **208** (1D **23**)
Ethelbert Rd. *Orp* —6M **71**
Ethelbert Rd. *Ram* —6H **211**
Ethelbert Rd. *Roch* —8N **79**
Ethelbert Sq. *Wgte S* —2K **207**
Ethelbert Ter. *Mgte* —2D **208** (1E **23**)
Ethelburga Dri. *Lym* —7C **204**
Ethelburga Gro. *Lym* —7C **204**
Ethel-Maud Ct. *Gill* —5G **80**
Ethelred Ct. *Fav* —6G **186**
Ethelred Rd. *Wgte S* —2K **207**
Ethel Rd. *Broad* —8K **209**
Ethel Ter. *Orp* —9L **85**
Etherington Hill. *Speld* —7B **150** (1E **35**)
Ethnam La. *Sand* —4N **215** (2C **45**)
Ethronvi Rd. *Bexh* —1N **57**
Eton Clo. *Chat* —7C **94**
Eton Gro. *SE13* —1H **55**
Eton Rd. *Orp* —5K **85**
Eton Way. *Dart* —2K **59**
Ettrick Ter. *Hythe* —6H **197**
Eureka Science & Bus. Pk. *Kenn* —3F **158**
Eurogate Bus. Pk. *Kenn* —5E **158**
Eurolink Commercial Pk. *Sit* —6H **99**
Eurolink Ind. Est. *Sit* —7J **99**
Eurolink Way. *Sit* —7G **98** (2C **19**)
Europa Trad. Est. *Eri* —5E **52**
Europe Rd. *SE18* —3B **50**
Eustace Pl. *SE18* —4B **50**
Euston Rd. *NW1* —2C **4**
Euston Underpass. (Junct.) —2C **4**
Evans Clo. *Grnh* —3G **60**
Evans Rd. *SE6* —7H **55**
Evans Rd. *W'boro* —2L **161**
Eva Rd. *Gill* —9G **80**
Evegate Farm Museum. —2B **40**
Evelina Rd. *SE15* —4D **5**
*Evelings All. Whits —3F **224***
(off Middle Wall)
Evelyn Ct. *Hythe* —6N **197**
Evelyn Rd. *Maid* —6B **126**
Evelyn Rd. *Otf* —7K **103**
Evelyn St. *SE8* —3D **5**
Evenden Rd. *Meop* —1F **90**
Evenhill Rd. *L'brne* —2K **173**
Evening Hill. *Beck* —3F **68**
Evenlode Ho. *SE2* —1B **51**
Everard Av. *Brom* —2K **83**
Everard Way. *Fav* —4F **186**
Everest Clo. *N'fleet* —8D **62**
Everest Dri. *Hoo* —9H **67**
Everest La. *Roch* —3M **79**
Everest M. *Hoo* —9H **67**
Everest Pl. *Swan* —7E **72**
Everest Rd. *SE9* —3B **56**
Everett Wlk. *Belv* —5A **52**
Everglade. *Big H* —6D **164**
Everglade Clo. *Hart* —7M **75**
Everglades, The. *Hem* —5J **95**
Evergreen Clo. *Hem* —6K **95**
Evergreen Clo. *High* —1F **78**
Evergreen Clo. *Iwade* —8B **198**
Evergreen Clo. *Leyb* —8C **108**
Evering Rd. *N16 & E5* —1D **5**
Everist Clo. *Lym* —8D **204**
*Everist Ct. Lym —8D **204***
(off Station Rd.)
Eversholt St. *NW1* —2C **4**
Eversley Av. *Bexh* —9E **52**
Eversley Clo. *Maid* —3N **125**
Eversley Cross. *Bexh* —9F **52**
Eversley Rd. *Hythe* —8A **188**
Eversley Way. *Croy* —4D **82**
Eversley Way. *Folk* —6F **188**
Evesham Rd. *Grav* —7J **63**
Evington. —4C 31
Evington Pk. *H'lgh* —4C **30**
Evison Clo. *Dover* —2G **181**
Evry Rd. *Sidc* —2L **71**
Ewart Rd. *SE23* —5A **54**
Ewart Rd. *Chat* —2B **94**
Ewehurst La. *Speld* —8N **149**
Ewell. —3A 12
Ewell Av. *W Mal* —1M **123**
Ewell By-Pass. *Eps* —3A **12**
Ewell La. *W Far* —3G **137** (2C **27**)
Ewell Minnis. —1B 42
Ewell Rd. *Surb* —2A **12**
Ewell Rd. *Sutt* —3A **12**
Ewhurst Green. —2C 44
Ewhurst La. *N'iam* —3C **45**
Ewhurst Rd. *SE4* —4C **54**
Ewins Clo. *Pad W* —9M **147**
Exbury Rd. *SE6* —7D **54**
Exchange St. *Deal* —3N **177**
Exedown Rd. *Sev* —5H **105** (3E **15**)
Exeter Clo. *Folk* —5D **188**
Exeter Clo. *Tonb* —3J **145**
Exeter Ho. *Maid* —1G **139**
Exeter Rd. *Grav* —8J **63**
Exeter Rd. *Well* —9H **51**
Exeter Wlk. *Roch* —4N **93**
Exford Gdns. *SE12* —6L **55**
Exford Rd. *SE12* —7L **55**
Exhibition Rd. *SW7* —3B **4**
Exmoor Rise. *Afrd* —6F **158**
Exmouth Rd. *Gill* —5F **80**
Exmouth Rd. *Well* —8L **51**
Exted. —6L 183 (4E 31)
Exted Hill. *Elham* —6L **183** (4E **31**)
Exton Clo. *Chat* —9F **94**
Exton Gdns. *Weav* —3J **127**
Eyebright Clo. *Croy* —2A **82**
Eyhorne Green. —7E 128
Eyhorne Street. —7E 128 (2A 28)
Eyhorne St. *Holl* —8D **128** (2A **28**)
Eynesford Rd. *Sev* —3D **15**
Eynsford. —3M 87 (2D 15)
Eynsford Castle. —3M **87** (2D **15**)
Eynsford Clo. *Clift* —3K **209**
Eynsford Clo. *Orp* —1E **84**
Eynsford Cres. *Bex* —6L **57**
Eynsford Rise. *Eyns* —5L **87**
Eynsford Rd. *F'ham* —2N **87** (2D **15**)
Eynsford Rd. *Grnh* —3J **61**
Eynsford Rd. *Maid* —2A **126**
Eynsford Rd. *Shor & Eyns* —8J **87**
Eynsford Rd. *Swan* —9E **72** (2C **15**)
Eynsham Dri. *SE2* —4J **51** (3B **6**)
Eynswood Dri. *Sidc* —1K **71**
Eysdown Rd. *SE9* —7A **56**
Eythorne. —4K 185 (3C 32)
Eythorne Clo. *Kenn* —5H **159**
Eythorne Green. —4L 185
Eythorne Rd. *S'wll* —2C **220** (3B **32**)

Fackenden La. *Shor* —4J **103** (3D **15**)
Factory Cotts. *Cux* —9H **79**
Factory Cotts. *Woul* —7G **93**
Factory Rd. *E16* —3A **6**
Factory Rd. *N'fleet* —4B **62**
Faesten Way. *Bex* —8F **58**
Fagus Clo. *Chat* —1E **110**
Fairacre. *Broad* —9J **209**
Fairacre Pl. *Hart* —6L **75**
Fair Acres. *Brom* —8K **69**
Fair Acres. *Croy* —9C **82**
Fairacres Clo. *H Bay* —3K **195**
Fairbank Av. *Orp* —3D **84**
Fairbourne Ct. Cotts. *H'shm* —5L **141**
Fairbourne Heath. —7K 141 (3B 28)
Fairbourne La. *H'shm* —6K **141** (3B **28**)
Fairby Grange. *Hart* —8L **75**
Fairby La. *Hart* —9L **75**
Fairby Rd. *SE12* —3L **55**
Fairchildes Rd. *Warl* —3E **13**
Fair Cross. —1B 6
Faircrouch La. *Wadh* —3A **36**
Fairfax Bus. Cen. *Maid* —4J **139**
Fairfax Clo. *Folk* —7D **188**
Fairfax Clo. *Gill* —6N **95**
Fairfax Dri. *H Bay* —2N **195**
Fairfax Dri. *Wclf S* —1B **10**
Fairfax Ho. *Maid* —3H **139**
Fairfield. —9H 209 (2B 46)
Fairfield. *Elham* —6N **183**
Fairfield. *Shol* —4J **177**
Fairfield Av. *Tun W* —9J **151**
Fairfield Clo. *Kems* —9A **104**
Fairfield Clo. *New R* —2C **212**
Fairfield Clo. *Sidc* —4H **57**
Fairfield Cres. *Tonb* —7J **145**
Fairfield Pk. *Broad* —9J **209**
Fairfield Rd. *E3* —2E **5**
Fairfield Rd. *Beck* —5D **68**
Fairfield Rd. *Bexh* —9A **52**
Fairfield Rd. *Bor G* —1M **121**
Fairfield Rd. *Broad* —9J **209** (2E **23**)
Fairfield Rd. *Brom* —3K **69**
Fairfield Rd. *Croy* —2D **13**
Fairfield Rd. *Min* —6M **205**
Fairfield Rd. *New R* —3B **212** (2E **47**)
Fairfield Rd. *Orp* —9F **70**
Fairfield Rd. *Ram* —2J **211**
Fairfield St. *SW18* —4B **4**
Fairfield St. *Whits* —6E **224**
Fairfield Ter. *Hams* —8D **190**
Fairfield Way. *Hild* —2E **144**
Fairford. *SE6* —6D **54**
Fairford Av. *Bexh* —8E **52**
Fairford Av. *Croy* —8A **68**
Fairford Clo. *Croy* —8B **68**
Fairglen Rd. *Wadh* —4A **36**
Fairhaven Av. *Croy* —9A **68**
Fairhurst Dri. *E Far* —4M **137**
*Fairings, The. Tent —7C **222***
(off Ashford Rd.)
Fairland Ho. *Brom* —7L **69**
Fairlands Ct. *SE9* —4C **56**
Fair La. *Rob* —3B **44**
Fairlawn. *Ches* —4M **225**
Fairlawn Av. *Bexh* —9M **51**
Fairlawn Clo. *Tstn* —9E **124**
Fairlawn Pk. *SE26* —1B **68**
Fairlawn Rd. *Ram* —1F **210**
Fairlead Rd. *Roch* —2A **94**
Fairleas. *Sit* —9J **99**
Fairlight Av. *Ram* —4F **210**
Fairlight Clo. *Tun W* —4G **151**
Fairlight Ct. *Tonb* —3H **145**
Fairlight Cross. *Long* —6A **76**
Fairlight Rd. *Hythe* —5H **197**
Fairline Ct. *Beck* —5F **68**
Fairman's La. *Bchly* —7N **153** (1B **36**)
Fairman's Rd. *Bchly* —8N **153** (1B **36**)
Fairmead. *Brom* —7B **70**
Fairmead Clo. *Brom* —7B **70**
Fairmeadow. *Maid* —5C **126** (1D **27**)
Fairmead Rd. *Eden* —2C **184**
Fairmile Rd. *Tun W* —9L **151**
Fairmont Clo. *Belv* —5A **52**
Fairoak Clo. *Orp* —1D **84**
Fairoak Dri. *SE9* —3F **56**
Fairoaks. *H Bay* —3J **195**
Fairseat. —3B 106 (3A 16)
Fairseat La. *Fair* —9N **89** (3A **16**)
Fairseat La. *Wro* —6A **106** (3A **16**)
Fairservice Clo. *Sit* —6K **99**
Fair St. *Broad* —9J **209**
Fairtrough Rd. *Orp* —3K **101** (3B **14**)
Fairview. *Eri* —7G **52**
Fairview. *Fawk* —4H **89**
Fairview. *Hawkh* —5N **191**
Fairview. *Lymp* —5B **196**
Fairview Av. *Gill* —6L **95** (2E **17**)
Fairview Clo. *SE26* —1B **68**
Fairview Clo. *Mgte* —3E **208**
Fairview Clo. *Tonb* —9H **145**
Fairview Cotts. *Loose* —3C **138**
Fairview Cotts. *W Far* —2J **137**
Fairview Dri. *High* —9F **64**
Fairview Dri. *Orp* —5F **84**
Fairview Gdns. *Deal* —8K **177**
Fairview Gdns. *Meop* —8F **76**
Fairview Gdns. *Sturry* —5F **168**
Fairview La. *Tun W* —5B **156** (2D **35**)
Fairview Rd. *Evtn* —2J **185**
Fairview Rd. *Grav* —3C **76**
Fairview Rd. *Sit* —8H **99**
Fairwater Av. *Well* —2J **57**
Fairway. *Bexh* —3N **57**
Fairway. *Grays* —2A **8**
Fairway. *Orp* —8F **70** (2B **14**)
Fairway Av. *Folk* —4G **188**
Fairway Clo. *Croy* —8B **68**
Fairway Clo. *Roch* —2N **93**
Fairway Clo. *St Mar* —3E **214**
Fairway Cres. *Sea* —6C **224**
Fairway Dri. *Dart* —5B **60**
Fairway Gdns. *Beck* —9G **68**
Fairways, The. *Tun W* —7G **151**
Fairway, The. *Brom* —8B **70**
Fairway, The. *Deal* —2M **177**
Fairway, The. *Grav* —7G **62**
Fairway, The. *H Bay* —5E **194**
Fairway, The. *Hythe* —7K **197**
Fairway, The. *L'stne* —3E **212**
Fairway, The. *Roch* —2N **93**
Fairway, The. *Sit* —1F **114**
Fairwood Ind. Est. *Afrd* —9E **158**
Fairwyn Rd. *SE26* —9B **54**
Falala Way. *Cant* —1A **172**
Falcon Av. *Brom* —7A **70**
Falcon Clo. *Dart* —3N **59**
Falcon Ct. *Sit* —9H **99**
Falcon Gdns. *Min S* —5L **219**
Falcon Grn. *Lark* —9D **108**
Falcon M. *Grav* —6D **62**
Falcons Clo. *Big H* —5D **164**
Falcon Way. *Afrd* —2C **160**
Falconwood. —2H 57 (4B 6)
Falconwood. (Junct.) —2E **56** (4B **6**)
Falconwood Av. *Well* —9F **50**
Falconwood Pde. *Well* —2H **57**
Falconwood Rd. *Croy* —9C **82**
Falkland Ho. *SE6* —9F **54**
Falkland Pl. *Chat* —1B **110**
Fallowfield. *Chat* —3E **94**
Fallowfield. *Sit* —9H **99**
Fallowfield Clo. *Weav* —5H **127**
Falmouth Clo. *SE12* —3J **55**
Falmouth Pl. *Five G* —8H **147**
Falstaf Bungalows. *Rol* —2J **213**
Fambridge Clo. *SE26* —9C **54**
Fanconi Rd. *Chat* —8E **94**
Fancy Row. *Bear* —4M **127**
Fane Way. *Gill* —7M **95**
(in two parts)
Fanshawe Av. *Bark* —1B **6**
Fans La. *Iwade* —8B **198**
Fant. —6A 126 (2D 27)
Fantail, The. (Junct.) —4B **84** (2A **14**)
Fant La. *Maid* —7M **125** (2D **27**)
Faraday Av. *Sidc* —7J **57** (4B **6**)
Faraday Ride. *Tonb* —9K **133**
Faraday Rd. *Maid* —2F **126**
Faraday Rd. *Well* —1J **57**
Faraday Way. *Orp* —7K **71**
Fareham Wlk. *Maid* —2J **139**
Faringdon Av. *Brom* —1C **84**
Farleigh. —4E 13
Farleigh Av. *Brom* —1J **83**
Farleigh Bri. *E Far* —9L **125**
Farleigh Ct. *Maid* —7L **125**
Farleigh Ct. Rd. *Warl* —3E **13**
Farleigh Green. —2J 137 (2D 27)
Farleigh Hill. *Tovil* —8B **126** (2D **27**)
Farleigh Hill Retail Pk. *Tovil* —8B **126**
Farleigh La. *Maid* —7L **125** (2D **27**)
Farleigh Rd. *Cant* —8N **167**
Farleigh Rd. *Warl* —4D **13**
Farleigh Trad. Est. *Tovil* —8B **126**
Farley Clo. *Chat* —9G **94**
Farley Clo. *Shad* —2E **39**
Farleycroft. *W'ham* —8E **116**
Farley La. *W'ham* —8D **116** (2A **24**)
Farley Nursery. *W'ham* —9E **116**
Farley Rd. *SE6* —5E **54**
Farley Rd. *Grav* —6L **63**
Farley Rd. *Mgte* —6D **208**
Farley Rd. *S Croy* —3D **13**
Farlow Clo. *N'fleet* —8E **62**
Farm Av. *Swan* —6D **72**
Farm Clo. *Afrd* —2C **160**
Farm Clo. *W Wick* —4J **83**
Farmcombe Clo. *Tun W* —3H **157**
Farmcombe La. *Tun W* —3H **157**
Farmcombe Rd. *Tun W* —3H **157**
Farmcote Rd. *SE12* —6K **55**
Farm Cotts. *Maid* —8G **127**
Farm Ct. *Non* —2B **32**
Farm Ct. *Tun W* —5E **156**
Farm Cres. *Sit* —9H **99**
Farmcroft. *Grav* —7F **62**
Farmdale Av. *Roch* —1K **93**
Farm Dri. *Croy* —3C **82**
Farmer Clo. *Hythe* —5L **197**
Farmer Clo. *Leeds* —2C **140**
Farmfield Rd. *Brom* —1H **69**
Farm Hill Av. *Roch* —3K **79**
Farm Holt. *New Ash* —2M **89**
Farmhouse Clo. *B'hm* —9D **162**
Farm Ho. Clo. *Whits* —5H **225**
Farming World. —4B **20**
Farmland Wlk. *Chst* —1D **70**
Farm La. *Asht & Eps* —4A **12**
Farm La. *Croy* —3C **82**
Farm La. *Shol* —4J **177**
Farm La. *Tonb* —3G **144**
Farm Pl. *Dart* —2H **59**
Farm Rd. *Chat* —8B **94**
Farm Rd. *Hams* —8D **190**
Farm Rd. *Mord* —2B **12**
Farm Rd. *Sev* —2K **119**
Farmstead Dri. *Eden* —4C **184**
Farmstead Rd. *SE6* —9E **54**
Farm Vale. *Bex* —4C **58**
Farmworld. —2D **45**
Farnaby Dri. *Sev* —8G **119**
Farnaby Rd. *SE9* —2M **55**
Farnaby Rd. *Brom* —3G **69** (1E **13**)
Farnborough. —6E 84 (2B 14)
Farnborough Av. *S Croy* —9A **82**

Farnborough Clo.—Forelands Sq.

Farnborough Clo. Maid —7N 125
Farnborough Comn. Orp —4B 84 (2A 14)
Farnborough Cres. Brom —2J 83
Farnborough Cres. S Croy —9B 82
Farnborough Hill. Orp —6F 84 (2B 14)
Farnborough Way. Orp —5E 84 (2A 14)
Farncombe Way. Whitf —6G 178
Farne Clo. Maid —2D 138
Farnham. L'tn G —2A 156
Farnham Beeches. L'tn G —1A 156
Farnham Clo. L'tn G —2A 156
Farnham Clo. Rain —2D 96
Farnham La. L'tn G —2D 35
Farnham Rd. Well —9L 51
Farningham. —1N 87 (2D 15)
Farningham Clo. Maid —3F 126
Farningham Hill Rd. F'ham —8K 73
Farnol Rd. Dart —3A 60
Faro Clo. Brom —5C 70
Farquhar Rd. SE19 —1D 13
Farraday Clo. Roch —3A 94
Farrance Ct. Tun W —1H 157
Farrant Clo. Orp —8J 85
Farrar Rd. Birch —5F 206
Farren Rd. SE23 —7B 54
Farrer's Pl. Croy —5A 82
Farrers Wlk. Kgnt —5F 160
Farrier Clo. Afrd —5D 158
Farrier Clo. Weav —4H 127
Farriers Clo. Grav —6L 63
Farrier St. Deal —3N 177
Farringdon Rd. EC1 —2C 5
Farrington Av. Orp —6K 71
Farrington Pl. Chst —3F 70
Farrow Ct. Afrd —3E 160
Fartherwell Av. W Mal —1M 123
Fartherwell Rd. W Mal —2L 123 (1B 26)
Farthing Barn La. Orp —9C 84
Farthing Clo. Dart —2N 59
Farthing Common. —1D 41
Farthingfield. Wro —7N 105
Farthing Green. —4A 28
Farthingloe. —1C 42
Farthingloe Rd. Dover —6F 180
Farthings Cotts. S'lng —9C 110
Farthings Ct. Cant —7J 167
Farthing Street. —9B 84 (3A 14)
Farthing St. Orp —8B 84 (3A 14)
Farthing Wall. Cli —1C 176
Farwell Rd. Sidc —9K 57
Farwig La. Brom —4J 69
Fashoda Rd. Brom —7N 69
Fathom Ho. Roch —2N 93
Fauchon's Clo. Bear —6J 127
Fauchon's La. Bear —6J 127
Faulkners La. Harb —2F 170 (1C 31)
Faussett Hill. Str E —2D 31
Faversham. —5H 187 (3A 20)
Faversham Ind. Est. Fav —5K 187
Faversham Reach. Fav —3H 187
Faversham Rd. SE6 —5C 54
Faversham Rd. Afrd —2G 159 (4A 30)
Faversham Rd. Beck —5C 68
Faversham Rd. Bou L —3A 30
Faversham Rd. C'lck —6D 174 (2A 30)
Faversham Rd. Char —1M 175 (3E 29)
Faversham Rd. Kenn —4A 30
Faversham Rd. Len —7E 200 (2C 29)
Faversham Rd. Mord —2B 12
Faversham Rd. Newn —1D 29
Faversham Rd. Osp —7A 186 (4E 19)
Faversham Rd. Sea —6A 224 (2B 20)
Fawke Common. —9B 120 (2D 25)
Fawke Comn. Under —8A 120 (2D 25)
Fawkes Av. Dart —7N 59
Fawke Wood Rd. Sev —2D 25
Fawke Wood Rd. Under —1A 132
Fawkham. —1H 89 (2E 15)
Fawkham Av. Long —6B 76
Fawkham Green. —3H 89 (2E 15)
Fawkham Grn. Rd. Fawk —4H 89 (2E 15)
Fawkham Rd. Fawk & W King —5F 88 (2E 15)
Fawkham Rd. Long —7K 75 (1E 15)
Fawley Clo. Maid —2B 126
Faygate Cres. Bexh —3B 58
Featherbed La. Croy & Warl —8C 82 (3E 13)
Featherbed La. Sell —1A 30
Featherby Rd. Gill —1K 95 (2E 17)
(in two parts)
Featherbys Cotts. Gill —6J 81
Federation Rd. SE2 —4K 51
Feenan Highway. Til —3B 8
Felborough Clo. Chi —8K 175
Felday Rd. SE13 —4E 54
Felderland. —9L 217 (2D 33)
Felderland Clo. Maid —3G 139
Felderland Clo. Worth —9L 217
Felderland Dri. Maid —3H 139
Felderland La. Worth —1M 183 (2C 33)
Felderland Rd. Maid —3H 139
Felhampton Rd. SE9 —8D 56
Felix Mnr. Chst —2G 70
Felixstowe Rd. SE2 —3K 51
Fell Mead. E Peck —1L 147
Fellowes Way. Hild —2E 144
Fellows Clo. Gill —6L 95
Felspar Clo. SE18 —5H 51
Felstead Rd. Orp —3J 85
Felton Clo. Orp —9D 70
Felton Lea. Sidc —1H 71
Fendyke Rd. Belv —4M 51
Fen Gro. Sidc —3H 57
Fen La. Ors —2A 8
Fen La. Upm —1E 7
Fen Meadow. Igh —9J 105
Fenn Clo. Brom —2K 69
Fennel Clo. Croy —2A 82
Fennell St. SE18 —6C 50
Fenner Clo. S'gte —7E 188
Fenner Rd. Grays —3E 7
Fenn Street. —2L 67 (4E 9)
Fenoulhet Way. H Bay —2H 195
Fen Pond Cotts. Sev —9J 105
Fen Pond Rd. Igh —7J 105 (4E 15)
Fens Way. Swan —2H 73
Fenswood Clo. Bex —4B 58
Fentiman Rd. SW8 —3C 5
Fenton Clo. Chst —1B 70
Fenton Ct. Shol —4L 177
Fenwick Clo. SE18 —6C 50
Ferbies. Speld —7A 150
Ferbies Clo. Speld —7A 150
Ferby Ct. Sidc —9H 57
(off Main Rd.)
Ferdi Lethert Ho. Kenn —5J 159
Ferguson Av. Grav —9H 63
Ferguson Clo. Brom —6G 68
Ferguson Clo. Hythe —6N 197
Ferholt. Tonb —9J 133
Fermor Rd. SE23 —6B 54
Fermor Rd. Crowb —4C 35
Fern Bank. Eyns —3N 87
Fernbank Clo. Chat —9B 94
Fern Bank Cres. Folk —5K 189
Fernbrook Av. Sidc —3G 57
Fernbrook Cres. SE13 —4H 55
(off Fernbrook Rd.)
Fernbrook Rd. SE13 —4H 55
Fern Clo. Ches —4L 225
Fern Clo. Eri —8J 53
Fern Clo. H'nge —6E 192
Fern Ct. Bexh —2B 58
Fern Ct. Broad —8M 209
Ferndale. —9J 151 (1E 35)
Ferndale. Brom —5M 69
Ferndale. Sev —4K 119
Ferndale. Tun W —1J 157
Ferndale Clo. Bexh —8N 51
Ferndale Clo. Min S —6E 218
Ferndale Clo. Tun W —1J 157
Ferndale Ct. Birch —5F 206
Ferndale Gdns. Tun W —1J 157
Ferndale Point. Tun W —1J 157
Ferndale Rd. Gill —7H 81
Ferndale Rd. Grav —7G 63
Ferndale Way. Orp —6F 84
Ferndell Av. Bex —8E 58
Ferndene. Long —6C 76
Fern Down. Meop —2G 106
Ferndown Av. Orp —2F 84
Ferndown Clo. Hem —6K 95
Ferndown Rd. SE9 —5N 55
Ferne La. Ewe M —1B 42
Ferne Way. Folk —5E 188
Fernfield. H'nge —6E 192
Fernfield La. H'nge —6E 192 (1A 42)
Fernhead Rd. W9 —2B 4
Fernheath Way. Dart —1E 72
Fern Hill Pl. Farn —6E 84
Fernhill Rd. Maid —7L 125
Fernhill St. E16 —1B 50
Fernholme Rd. SE15 —3A 54
Fernhurst Cres. Tun W —4G 151
Fernlea Av. H Bay —3F 194
Fernlea Rd. SW12 —4C 4
Fernleigh. Sit —9E 98
Fernleigh Clo. Dunk —3L 165
Fernleigh Rise. Dit —8F 108
Fernleigh Ter. Sit —9E 98
Fernside La. Sev —2L 131
Ferns, The. Lark —9F 108
Ferns, The. Platt —7B 106
Ferns, The. Tun W —1J 157
Fern Wlk. Sit —6K 99
Fernwood. Croy —9B 82
Fernwood Clo. Brom —5M 69
Ferox Hall. Tonb —5J 145
Ferrier Clo. Gill —7A 96
Ferringham. Tun W —1F 156
Ferris Av. Croy —4C 82
Ferry App. SE18 —3C 50
Ferry Hill. W'sea —4A 46
Ferry La. Rain —2C 7
Ferry La. Woul —7G 92
Ferry Pl. SE18 —3C 50
Ferry Rd. Ben —1E 9
Ferry Rd. Hall —7E 92
Ferry Rd. Iwade —8C 198 (2C 19)
Ferry Rd. Rye —3A 46
Ferry Rd. Til —1F 62 (4A 8)
Ferry View. Queen —9A 218
Festival Av. Long —6C 76
Festival Clo. Bex —6M 57
Festival Clo. Eri —7G 53
Fetter La. EC4 —2C 5
Ffinch Clo. Dit —1H 125
Fickleshole. —3E 13
Fiddlers Clo. Grnh —2H 61
Fiddling La. Stow —1C 41
Field Av. Cant —8C 168
Field Clo. Brom —5M 69
Field Clo. Chat —5B 94
Field Dri. Eden —4D 184
Field End. W'boro —9K 159
Field End Pl. Bou B —3K 165
Fielder Clo. Sit —6K 99
Field Ga. Sit —9F 98
Fielding Dri. Lark —7E 108
Fieldings, The. Sit —9F 98
Fielding St. Fav —5G 187
Field Mill Rd. Eger —3C 29
Fieldside Clo. Orp —5E 84
Fieldside Rd. Brom —1G 69
Fields La. W'bury —1C 136
Fieldspar Clo. Chat —1C 110
Field View. Kgnt —5E 160
Field View. Whits —6D 224
Field View Clo. Min S —6D 218
Field Way. New Ad —8E 82 (3E 13)
Fieldway. Orp —9F 70
Field Way. Sturry —6E 168
Fieldways. Hawkh —6L 191
Fieldworks Rd. Gill —5D 80
Fiennes Way. Sev —9K 119
Fiesta Wlk. Cant —3B 172
Fife Rd. SW14 —4A 4
Fife Rd. H Bay —5C 194
Fifield Path. SE23 —8A 54
Fifth Av. Clift —2F 208
Fifth Way. Wemb —1A 4
Fig Street. —1H 131
Fig St. Sev —2G 131
Fig Tree Rd. Broad —6K 209
Fiji Ter. Maid —2D 126
Filborough Way. Grav —7N 63
Filer Rd. Min S —5F 218
Filey Clo. Big H —7B 164
Filmer La. Sev —3M 119
Filmer Rd. Bri —9E 172
Filston La. Sev —7E 102
Filston Rd. Eri —5D 52
Finchale Rd. SE2 —3J 51
Finchcocks Museum of Music. —2C 37
Finch Ct. Maid —2B 126
Finch Ct. Sidc —8K 57
Finches, The. Sit —8G 99
Finches, The. St N —8D 214
Finch Gro. Hythe —8E 196
Finchley Clo. Dart —4A 60
Finchley Rd. NW11, NW3 & NW8 —1B 4
Finch M. Deal —6M 177
Findlay Clo. Gill —6N 95
Findley Ct. Hythe —6J 197
Findley Ho. Maid —2C 126
Finglesham. —2D 33
Finglesham Clo. Orp —2M 85
Finglesham Ct. Maid —9F 126
Finland Rd. SE4 —1B 54
Finlay Clo. Fav —5F 186
Finn Farm Rd. Kgnt —7F 160
Finsbury. —2C 5
Finsbury Ct. Ram —4J 211
(off Finsbury Rd.)
Finsbury Park. —1C 5
Finsbury Rd. Ram —5J 211
Finsbury Way. Bex —4A 58
Fintonagh Dri. Maid —2E 126
Finucane Dri. Orp —1L 85
Finwell Rd. Gill —1C 96
Firbank Gdns. Mgte —6B 208
Firbanks. Whits —5H 225
Fir Ct. W'boro —9K 159
Fircroft Way. Eden —4C 184
Fir Dene. Orp —4C 84
Firecrest Clo. Long —6A 76
Fire Sta. M. Beck —4E 68
Firethorn Clo. Gill —6J 81
Firhill Rd. SE6 —9D 54
Firmingers Rd. Orp —6C 86 (2C 14)
Firmin Rd. Dart —3K 59
Firsby Av. Croy —2A 82
Firs Clo. SE23 —5B 54
Firs Clo. Ayle —9J 109
Firs Clo. Folk —5D 188
Firs Ct. Tun W —8F 150
Firside Gro. Sidc —6H 57
Firs La. Folk —5D 188
Firs La. Holl —7A 128
Firs Rd. W Vil —3A 32
First Av. Bexh —7L 51
First Av. Broad —3K 209
First Av. Chat —1F 94
First Av. E'chu —3D 202
(in two parts)
First Av. Gill —1H 95
First Av. Mgte —2F 208
First Av. N'fleet —6D 62
First Av. Queen —9A 218
First Av. S'ness —3D 218
First Av. Stan H —2C 8
First Av. Wclf S —1B 10
Firs, The. Bex —6E 58
Firs, The. Deal —2N 177
Firs, The. Her —2K 169
Firs, The. Sidc —8H 57
Firs, The. Smar —2L 221
First St. L'tn G —2N 155
First Way. Wemb —1A 4
Fir Tree Clo. Hild —2E 144
Fir Tree Clo. Orp —6H 85
Fir Tree Clo. Ram —6G 210
Firtree Clo. R Comn —8G 167
Fir Tree Clo. S'hrst —8K 221
Firtree Gdns. Croy —5D 82
Fir Tree Gro. Bred —1L 111
Fir Tree Gro. Chat —1G 110
Fir Tree Hill. Blad —4E 31
Fir Tree Hill. Wdboro —8G 217 (1C 33)
Fir Tree Rd. Eps & Bans —4A 12
Fir Tree Rd. Tun W —2F 156
Fisher Clo. Hythe —7L 197
Fishermans Wlk. SE28 —2G 50
Fishermans Wharf. S'wch —5M 217
(off Quay, The)
Fishermens Hill. N'fleet —3A 62
Fisher Rd. Cant —1K 171
Fisher Rd. Chat —4E 94
Fishers Clo. S'hrst —6K 221
Fishers La. S Min —4E 31
Fishers Oak. Sev —3K 119
Fishers Rd. S'hrst —6K 221
Fisher St. Maid —3D 126
Fisher St. S'wch —5M 217
Fisher St. Rd. Bad —2A 30
Fishers Way. Belv —1D 52
Fishmarket Rd. Rye —3A 46
Fishmonger's La. Dover —5K 181
Fishponds Rd. Kes —6N 83 (2A 14)
Fitzjohn's Av. NW3 —1B 4
Fitzmary Av. Mgte —2M 207
Fitzroy Av. Broad —3K 209
Fitzroy Av. Mgte —4F 208
Fitzroy Av. Ram —2F 210
Fitzroy Ct. Dart —6B 60
(off Churchill Clo.)
Fitzroy Rd. Whits —2H 225
Fitzwalter Ct. Dover —9G 178
Fitzwilliam Rd. Bear —4J 127
Fiveash Rd. Grav —5E 62
Five Bells La. Roch —8A 80
Five Elms Rd. Brom —3L 83 (2A 14)
Five Fields La. Four E —4B 24
Five Oak Green. —8G 147 (4B 26)
Five Oak Grn. Rd. Tonb —8L 145 (4A 26)
Five Oak La. S'hrst —1E 37
Five Vents La. Old R —2D 47
Fiveways. (Junct.) —7D 56 (4A 6)
Fiveways Corner. (Junct.) —2C 13
Fiveways Ct. Chat —8D 80
Fiveways Rise. Deal —5J 177
Five Wents. —6N 139 (3A 28)
Five Wents. Swan —5H 73
Flack Gdns. Hoo —8H 67
Flackley Ash. —3E 45
Flag Clo. Croy —2A 82
Flamborough Clo. Big H —7B 164
Flamingo Clo. Chat —4D 94
Flamsteed House. —3E 5
Flamsteed Rd. SE7 —5A 50
Flanders Clo. Kem —2G 98
Flanders Field. Mer —8M 161
Flatford Ho. SE6 —9F 54
Flats, The. Grnh —3J 61
Flax Ct. La. Eyt —4K 185
Flaxlands La. P'hm —3C 31
Flaxman Ct. Belv —5B 52
(off Hoddesdon Rd.)
Flaxman Dri. Maid —3N 125
Flaxmans Ct. Bromp —6D 80
Flaxmore Pk. Tun W —4G 151
Flaxmore Pl. Beck —9G 68
Flaxpond Rd. Afrd —2D 160
Flaxton Rd. SE18 —7G 50
Fleet Av. Dart —6C 60
Fleet Av. S'ness —3C 218
Fleetdale Pde. Dart —6C 60
Fleet Downs. —6C 60 (4E 7)
Fleet Houses. S'fleet —2A 76
Fleet Rd. NW3 —1B 4
Fleet Rd. Dart —6C 60
Fleet Rd. N'fleet —8B 62
Fleet Rd. Roch —2A 94
Fleet Rd. St Mc —8K 199
Fleets La. T Hill —4K 167
Fleet St. EC4 —2C 5
Fleet Vs. Kenn —3H 159
(off Grosvenor Rd.)
Fleetwood Av. H Bay —3E 194 (2E 21)
Fleetwood Clo. Min S —6J 219
Fleming Rd. S'le & Wdboro —8B 216 (1C 32)
Flemings. —8C 216 (1C 32)
Fleming Way. Folk —3K 189
Fleming Way. Tonb —9L 133
Fletcher Rd. S'hrst —8J 221
Fletcher Rd. Whits —4K 225
Fletchers Cvn. Pk. E'chu —2E 202
Fletchers Clo. Brom —7L 69
Fletcher's Green. —7K 131 (3D 25)
Flete. —8B 208
Flete Rd. Mgte —9B 208 (2D 23)
Fleur De Lis Cotts. Leigh —6N 143
Flimwell. —4C 37
Flimwell. Afrd —3B 160
Flimwell Bird Park. —4D 37
Flimwell Clo. Brom —1H 69
Flimwell Clo. Flim —4C 37
Flint Clo. Grn St —7H 85
Flint Down Clo. Orp —4J 71
Flint Grn. Chat —9F 94
Flint La. Len —2C 28
Flintmill Cres. SE3 —9A 50
Floats, The. Riv —3F 118
Flood Hatch. Maid —7A 126
Flood La. Fav —5G 186
Flood Pas. SE18 —2B 50
Flood St. Mer —9L 161 (2B 40)
Florance La. Groom —7J 155
Flora Rd. Ram —4J 211
Flora St. Belv —5A 52
Florence Av. Whits —6C 224
Florence Ct. Mgte —2F 208
Florence Farm Mobile Home Pk. W King —7D 88
Florence Rd. SE2 —4M 51
Florence Rd. SE14 —3E 5
Florence Rd. Beck —5B 68
Florence Rd. Brom —4K 69
Florence Rd. Maid —6B 126
Florence Rd. Ram —6H 211
Florence St. Roch —4M 79
Florida Clo. Dover —1G 180
Flowerfield. Otf —8G 102
Flowerhill Way. Grav —3D 76
Flower Rise. Maid —3C 126
Fludyer St. SE13 —2H 55
Fluer De Lis Heritage Centre. —5H 187
Flume End. Maid —7A 126
Flyers Way, The. W'ham —8F 116
Flying Horse La. Dover —5K 181
Foads Hill. C'snd —6B 210 (2D 23)
Foads La. C'snd —8B 210 (2D 23)
Foalhurst Clo. Tonb —3L 145
Fobbing. —2C 9
Fobbing Rd. Corr —2C 9
Foksville Rd. Can I —2A 10
Foley Clo. W'boro —2L 161
Foley Ct. Dart —6B 60
(off Churchill Clo.)
Foley Rd. Big H —6D 164
Foley St. Maid —4D 126
Folkestone. —6L 189 (3A 42)
Folkestone Ho. Maid —2J 139
(off Fontwell Clo.)
Folkestone Museum & Art Gallery. —6K 189
Folkestone Pier Head Lighthouse. —7M 189
Folkestone Racecourse. —2B 196 (2D 41)
Folkestone Rd. Chu H —8B 180 (2C 42)
Folkestone Rd. E Gul —3A 46
Folly Rd. Folk —5L 189
Fonblanque Rd. S'ness —2D 218
Fonthill Rd. N4 —1C 5
Fontridge La. E'ham —3A 44
Fontwell Clo. Maid —2J 139
Fontwell Dri. Brom —8C 70
Foord Almshouses. Roch —9M 79
Foord Rd. Folk —6K 189 (2A 42)
Foord Rd. Len —7E 200
Foord Rd. N. Folk —5K 189
Foord Rd. S. Folk —6K 189
Foord St. Roch —8N 79
Footbury Hill Rd. Orp —9J 71
Foots Cray. —2L 71 (1B 14)
Foots Cray High St. Sidc —2L 71
Foots Cray La. Sidc —6L 57 (4B 6)
Footscray Rd. SE9 —4C 56 (4A 6)
Forbes Rd. Fav —6G 187 (3A 20)
Force Green. —6F 116 (2B 24)
Force Grn. La. W'ham —6F 116 (2B 24)
Ford. —7M 195 (2A 22)
Ford Clo. Bri —9E 172
Ford Clo. H Bay —3B 194
Fordcombe. —9J 149 (1D 35)
Fordcombe Clo. Maid —1J 139
Fordcombe La. Ford —9J 149 (1D 35)
Fordcombe Rd. Ford —9J 149 (1D 35)
Fordcombe Rd. Pens —4H 149 (1D 35)
Fordcroft Rd. Orp —8K 71
Forde Av. Brom —6M 69
Fordel Rd. SE6 —6G 54
Ford Hills. Hoath —8M 195 (2A 22)
Fordingbridge Clo. Maid —4M 125
Ford La. Rain —1C 7
Ford La. Tros —9E 106 (4A 16)
Ford La. Wro —9E 106
Fordmill Rd. SE6 —7D 54
Fordoun Rd. Broad —8K 209
Ford Pl. Cotts. Wro H —8E 106
Ford Rd. N'fleet —3A 62
Ford Wlk. York —1A 166 (3C 20)
Ford Way. Afrd —9D 158
Fordwich. —7F 168 (3E 21)
Fordwich Clo. Maid —2M 125
Fordwich Clo. Orp —1H 85
Fordwich Grn. Gill —9M 81
Fordwich Gro. Broad —6J 209
Fordwich Pl. S'wch —6L 217
Fordwich Rd. Sturry —6E 168 (3E 21)
Fordwich Town Hall. —7F 168 (4E 21)
Fordyce Rd. SE13 —4F 54
Fore Cotts. Afrd —9A 158
Foreland Av. Folk —5M 189
Foreland Av. Mgte —3H 209 (1E 23)
Foreland Ct. Ram —7H 211
Foreland Ct. St Mc —8K 213
Foreland Pk. Ho. Broad —6M 209
Forelands Sq. Deal —7L 177

Foreland St.—Gainsborough Gdns.

Foreland St. *SE18* —4F **50**
Foreland, The. *Cant* —5A **172**
Foremans Barn Rd. *Maid* —5K **137** (3D **27**)
Foreness Clo. *Broad* —2L **209**
Forestall Meadow. *Afrd* —5F **160** (2A **40**)
Forest Clo. *Chst* —4C **70**
Forest Cotts. *C'lck* —7E **174**
Forestdale. —8C 82 (3E 13)
Forestdale Cen., The. *Croy* —8C **82**
Forestdale Rd. *Chat* —2D **110**
Forest Dri. *E12* —1A **6**
Forest Dri. *Chat* —9C **94**
Forest Dri. *Kes* —5A **84**
Foresters Clo. *Chat* —9C **94**
Foresters Cres. *Bexh* —2C **58**
Foresters Dri. *Wall* —3C **12**
Forester's Way. *Folk* —6K **189**
Forest Gate. —1A 6
Forest Gro. *Tonb* —2J **145**
Forest Hill. —7A 54 (4D 5)
Forest Hill. *Maid* —8C **126**
Forest Hill Rd. *SE22 & SE23* —4D **5**
Forest La. *E15 & E7* —1E **5**
Forest Ridge. *Beck* —6D **68**
Forest Ridge. *Kes* —5A **84**
Forest Rd. *Eri* —8H **53**
Forest Rd. *Pad W* —9L **147**
Forest Rd. *Sutt* —2B **12**
Forest Rd. *Tun W* —5G **157** (2E **35**)
Forest Row. —3A 34
Forest Way. *King H* —6M **123**
Forest Way. *Orp* —8H **71**
Forest Way. *Pem* —6C **152**
Forest Way. *Sidc* —5F **56**
Forest Way. *Tun W* —4J **157**
Forge Bungalows. *Maid* —8G **126**
Forge Clo. *Brom* —2K **83**
Forge Clo. *Eyt* —4K **185**
Forge Clo. *Fav* —6H **187**
Forge Clo. *Five G* —8G **147**
Forge Clo. *Pens* —2J **149**
Forge Clo. *S'ndge* —8K **215**
Forge Clo. *Sturry* —6E **168**
Forge Cotts. Bear —5M 127
(off Green, The)
Forge Cotts. *Langl* —5E **138**
Forge Cotts. *Nett* —6A **136**
Forge Cotts. *Weald* —6K **131**
Forge Croft. *Eden* —6C **184**
Forge Field. *Beth* —2J **163**
Forge Field. *Big H* —4D **164**
Forgefield Cotts. *Sand* —4J **215**
Forgefields. *H Bay* —7H **195**
Forge Hill. *Adgtn* —2B **40**
Forge Hill. *Beth* —2K **163** (1D **39**)
Forge La. *Afrd* —8F **158** (1A **40**)
Forge La. *Boxl* —7F **110**
Forge La. *Bred* —9J **95** (3E **17**)
Forge La. *E Far* —1M **137** (2D **27**)
Forge La. *Eger* —4C **28**
Forge La. *Gill* —6H **81**
Forge La. *Grav* —7L **63**
Forge La. *H'crn* —3L **193** (4A **28**)
Forge La. *High* —2G **78** (1C **17**)
Forge La. *H Hals* —2H **67**
Forge La. *Hort K* —7C **74** (1E **15**)
Forge La. *Leeds* —1A **140** (3E **27**)
Forge La. *Len* —2C **29**
Forge La. *Maid* —2A **26**
Forge La. *M'sde* —2A **22**
Forge La. Ram —5G 210
(off High St. St Lawrence,)
Forge La. *Shorne* —1C **78** (1C **16**)
Forge La. *Sutt* —1L **179** (4D **33**)
Forge La. *Upc* —8H **223** (2B **18**)
Forge La. *W King* —1G **105**
Forge La. *W Peck* —2E **134**
Forge La. *Whitf* —5E **178** (4C **32**)
Forge La. *Whits* —5F **224**
Forge La. *Yald* —4C **27**
Forge Meadow. *H'shm* —2M **141**
Forge Meadow. *Stne* —2B **46**
Forge Meadows. *H'crn* —3K **193**
Forge Meads. *Wit* —2A **46**
Forge Path. *Whitf* —5F **178**
Forge Rd. *Groom* —3D **35**
Forge Rd. *Sit* —5F **98**
Forge Rd. *Tun W* —5F **150**
Forge Sq. *Leigh* —5N **143**
Forge Way. *Pad W* —8M **147**
Forge Way. *Shor* —2G **103**
Formby Rd. *Hall* —5E **92** (2C **17**)
Formby Ter. *Hall* —5E **92**
Forrester Clo. *Cant* —9B **168**
Forrester Pl. *Afrd* —1G **160**
Forsham La. *Cha S* —4E **27**
Forson Clo. *Tent* —7C **222**
Forstal. —8N 109 (4D 17)
Forstal Clo. *Brom* —6K **69**
Forstal Cotts. *Ayle* —8M **109**
Forstall. *L'tn G* —1A **156**
Forstal La. *Cox* —4A **138** (3D **27**)
Forstall, The. *Leigh* —5A **144**
Forstal Rd. *Ayle* —8L **109** (4D **17**)
Forstal Rd. *Eger* —4C **28**
Forstal Rd. *W Vil* —3A **32**
Forstal, The. —2B 40
Forstal, The. *E Grn* —3D **35**
Forstal, The. *Hdlw* —8E **134**
Forstal, The. *Pem* —6C **152**
Forstal, The. *Pres* —3B **22**
Forster Ho. *Brom* —8G **54**
Forster Rd. *Beck* —6B **68**
Forsters. *Langl* —4A **140**
Forsyth Clo. *E Mal* —9E **108**
Forsyth Ct. *Gill* —5F **80**
Forsythe Shades Ct. *Beck* —4F **68**
Fort Amherst. —7C **80** (1E **17**)
Fort Bridgewood. *Roch* —4M **93**
Fort Clo. *Lydd S* —8A **212**
Fort Clo. *Tun W* —2J **157**
Fort Cres. *Mgte* —2D **208** (1D **23**)
Fortess Rd. *NW5* —1C **4**
Fort Hill. *Mgte* —2C **208** (1D **23**)
Fort Lwr. Promenade. *Mgte* —2D **208**
Fort Luton. —2D **94** (2E **17**)
Fort Mt. *Mgte* —2D **208**
Fort Pde. *Mgte* —2D **208**
Fort Paragon. *Mgte* —2D **208**
Fort Pitt Hill. *Chat* —8B **80** (2D **17**)
Fort Pitt St. *Chat* —9B **80**
Fort Promenade. *Mgte* —2D **208**
Fort Rd. *Broad* —9M **209**
Fort Rd. *Hals* —6D **102**
Fort Rd. *Hythe* —6H **197**
Fort Rd. *Mgte* —2C **208**
Fort Rd. *Til* —2G **62** (4B **8**)
Fortrye Clo. *N'fleet* —7D **62**
Fort St. *Roch* —8A **80**
Fortuna Clo. *Hart* —7M **75**
Fortuna Ct. *Ram* —5H **211**
Fortune Green. —1B 4
Fortune Grn. *NW6* —1B **4**
Fortune Wlk. SE28 —3F 50
(off Broadwater Rd.)
Forty Acres Hill *Min S* —8J **219**
Forty Acres Rd. *Cant* —1L **171** (4D **21**)
Forty Av. *Wemb* —1A **4**
Forty Foot Rd. *SE9* —5E **56**
Forty La. *Wemb* —1A **4**
Forum, The. *Sit* —7G **98**
Fosse Bank Clo. *Tonb* —8G **145**
Fosse Rd. *Tonb* —5H **145**
Fosset Lodge. *Bexh* —8D **52**
Fossil Rd. *SE13* —1D **54**
Fossington Rd. *Belv* —4M **51**
Fostall. —3B 20
Fostall Grn. *Afrd* —2D **160**
Fostall Rd. *Fav* —3G **187**
Fosten Green. —2A 38
Fosten La. *Bidd* —8J **163** (2B **38**)
Foster Clark Est. *Maid* —7E **126**
Foster Rd. *Ash B* —3L **161**
Foster's Av. *Broad* —6J **209**
Fosters Clo. *Chst* —1B **70**
Fosters Clo. *Folk* —4E **188**
Foster St. *Maid* —6D **126**
Foster Way. *Deal* —5L **177**
Fostington Way. *Chat* —1B **110**
Fostington Way. *W'slde* —3D **17**
Fougeres Way. *Afrd* —6E **158** (1A **40**)
Foulds Clo. *Gill* —6L **95**
Fountain Ct. *SE23* —7A **54**
Fountain Ct. *Eyns* —3M **87**
Fountain Ct. *Sidc* —4K **57**
Fountain Dri. *SE19* —1D **13**
Fountain Enterprise Pk. *Maid* —8D **126**
Fountain La. *Maid* —7L **125** (2D **27**)
Fountain Pas. S'ness —2B 218
(off West St.)
Fountain Rd. *Roch* —3J **79**
Fountains Clo. *W'boro* —9L **159**
Fountain St. *Sit* —7F **98**
Fountain St. *Whits* —3F **224**
Fountain Wlk. *N'fleet* —4D **62**
Four Acres. *E Mal* —4F **124**
Fouracres Copse. *Wye* —3M **159**
Fouracre View. *Big H* —5C **164**
Four Elms. —3B 24
Four Elms Hill. *Chatt* —9C **66** (1D **17**)
Four Elms Rd. *Eden* —5C **184** (4B **24**)
Four Oaks. —4C 186 (3E 19)
Four Oaks Rd. *H'bury & H'crn* —2H **193** (4A **28**)
Fourteen Acre La. *T Oaks* —4D **45**
Fourth Av. *E12* —1A **6**
Fourth Av. *E'chu* —2D **202**
Fourth Av. *Gill* —8H **81**
Four Throws. —1B 44
Fourth Way. *Wemb* —1A **4**
Four Wents. —1M 191 (3E 37)
(nr. Hawkhurst)
Four Wents. —6J 139
(nr. Maidstone)
Fourwents Rd. *Hoo* —7G **66**
Fowey Clo. *Chat* —6F **94**
Fowler Clo. *Gill* —8M **95**
Fowlers Clo. *Sidc* —1N **71**
Foxberry Ct. SE4 —2C 54
(off Foxberry Rd.)
Foxberry Rd. *SE4* —1B **54**
Foxborough Clo. *Wdboro* —8G **216**
Foxborough Gdns. *SE4* —3D **54**
Foxborough Hill. *Wdboro* —8G **217** (1C **33**)
Foxborough La. *Min* —7N **205** (2C **23**)
Foxburrow Clo. *Gill* —6N **95**
Foxbury. *New Ash* —4L **89**
Foxbury Av. *Chst* —2F **70**
Foxbury Clo. *Brom* —2L **69**
Foxbury Clo. *Orp* —6J **85**
Foxbury Dri. *Orp* —7J **85**
Foxbury Rd. *Brom* —2K **69**
Foxbush. *Hild* —1C **144**
Fox Clo. *Lym* —7C **204**
Fox Clo. *Orp* —6J **85**
Foxcombe. *New Ad* —7E **82**
(in two parts)
Foxcroft Rd. *SE18* —8D **50**
Foxden Dri. *Down* —8J **127**
Foxdown Clo. *Cant* —9L **167**
Foxearth Clo. *Big H* —6E **164**
Foxendown. —2B 16
Foxendown La. *Meop* —2G **91** (2B **16**)
Foxendown Rd. *Meop* —2G **90**
Foxes Dale. *SE3* —1K **55**
Foxes Dale. *Brom* —6G **69**
Foxfield Rd. *Orp* —3F **84**
Foxglove Cres. *Chat* —7B **94**
Foxglove Grn. *W'boro* —8J **159**
Foxglove Rise. *Maid* —2B **126**
Foxglove Rd. *W'boro* —9J **159**
Foxgrove. *Mil R* —4F **98**
Foxgrove Av. *Beck* —3E **68**
Foxgrove Rd. *Beck* —3E **68**
Foxgrove Rd. *Whits* —4J **225**
Foxgrove Row. *Hall* —6D **92**
Fox Hill. *Bap* —8L **99** (3D **19**)
Fox Hill. *Kes* —6M **83**
Fox Hill. *Sturry* —2D **168**
Foxhole. —1B 36
Foxhole La. *Hawkh* —1B **44**
Foxhole La. *Matf* —6G **153** (1B **36**)
Foxhole Rd. *SE9* —3A **56**
Fox Hollow Clo. *SE18* —5G **50**
Fox Hollow Dri. *Bexh* —1M **57**
Fox Holt Rd. *S'fld* —2C **192**
Foxhome Clo. *Chst* —2C **70**
Foxhounds La. *S'fleet* —8M **61** (4A **8**)
Fox Ho. Rd. *Belv* —4C **52**
(in two parts)
Foxhunter Pk., The. *Monk* —7H **205**
Fox La. *Kes* —6L **83** (2A **14**)
Foxleas Ct. *Brom* —3H **69**
Foxley Hill Rd. *Purl* —3C **13**
Foxley La. *Purl* —3C **12**
Foxley Rd. *SW9* —3C **5**
Foxley Rd. *Queen* —7B **218**
Fox's Cross Hill. *York* —3C **20**
Fox's Cross Rd. *Whits* —1C **166** (3C **20**)
Fox St. *Gill* —6F **80**
Foxtail Clo. *St Mi* —2E **80**
Foxton Ho. E16 —2C 50
(off Albert Rd.)
Fox Way. *B'hm* —8D **162**
Foxwell M. *SE4* —1B **54**
Foxwell St. *SE4* —1B **54**
Foxwood Gro. *Prat B* —1L **101**
Foxwood Rd. *SE3* —2J **55**
Foxwood Rd. *Bean* —8H **61**
Foxwood Way. *Long* —5C **76**
Foyle Dri. *S Ock* —2E **7**
Foys Pas. *Hythe* —6K **197**
Framley Rd. *Tonb* —2M **145**
Framlingham Cres. *SE9* —9A **56**
Frampton Rd. *Hythe* —6H **197**
Francemary Rd. *SE4* —3D **54**
France Rd. *Whitf* —8F **178**
Frances Cotts. *Hoo* —7H **67**
Frances Gdns. *Ram* —4K **211**
Frances St. *SE18* —4B **50** (3A **6**)
Francis Av. *Bexh* —9B **52**
Francis Av. *S'wch B* —1E **33**
Francis Dri. *Chat* —9D **94**
Francis Est. *Maid* —4K **139**
Francis La. *Maid* —3J **139**
Francis M. *SE12* —5K **55**
Francis Rd. *E10* —1E **5**
Francis Rd. *Afrd* —1F **160**
Francis Rd. *Broad* —6M **209**
Francis Rd. *Dart* —3L **59**
Francis Rd. *Hild* —1D **144**
Francis Rd. *Orp* —6M **71**
Francissan Way. Cant —2M 171 (1D 31)
(off Water La.)
Frank Apps Clo. *N'tn* —5K **97**
Frankel Mt. *SE9* —3N **55**
Frankfield Rise. *Tun W* —4G **156**
Franklin Dri. *Weav* —5G **127**
Franklin Pas. *SE9* —1A **56**
Franklin Rd. *SE20* —4A **68**
Franklin Rd. *Bexh* —8N **51**
Franklin Rd. *Gill* —7G **80**
Franklin Rd. *Grav* —1J **77**
Franklins Cotts. *Maid* —3N **137**
Franklyn Ho. *Sturry* —6E **168**
Franklyn Rd. *Cant* —3J **171**
Franks Ct. *Gill* —1L **95**
Frank's Hollow Rd. *Bidb* —5C **150** (1E **35**)
Franks La. *Hort K* —8B **74** (2D **15**)
Franks Wood Av. *Orp* —8D **70** (2A **14**)
Frank Walters Bus. Pk., The. *Broad* —9H **209**
Frank Woolley Rd. *Tonb* —2M **145**
Frant. —9J 157 (3E 35)
Frantfield. *Eden* —6D **184**
Franthorne Way. *SE6* —7E **54**
Frant Rd. *T Hth* —2C **13**
Frant Rd. *Tun W* —3G **156** (2E **35**)
Frant Rd. *Wadh* —3A **36**
Fraser Clo. *Bex* —6D **58**
Fraser Rd. *Eri* —5E **52** (3C **7**)
Freda Clo. *Broad* —3K **211**
Frederick Pl. *SE18* —5D **50**
Frederick Rd. *Deal* —7K **177**
Frederick Rd. *Gill* —8F **80**
Frederick St. *Sit* —7F **98**
Freedown, The. *St Mc* —6K **213**
Free Heath. —3B 36
Free Heath Rd. *Free H & Hook G* —3B **36**
Freehold, The. *E Peck* —1L **147**
Freehold, The. *Hdlw* —7C **134**
Freeland Ct. *Sidc* —8J **57**
Freelands Av. *S Croy* —9A **82**
Freelands Gro. *Brom* —4L **69**
Freelands Rd. *Brom* —4L **69** (1A **14**)
Freelands Rd. *Snod* —2D **108**
Freeland Way. *Eri* —8H **53**
Freeman Rd. *Grav* —8K **63**
Freeman's Clo. *Sea* —7C **224**
Freemans Gdns. *Chat* —1C **94**
Freeman's Rd. *Min* —7M **205**
Freeman's Way. *Deal* —7L **177**
Freeman Way. *Maid* —9H **127**
Freemasons Rd. *E16* —2A **6**
Freesia Clo. *Gill* —7J **81**
Freesia Clo. *Orp* —6H **85**
Freight La. *C'brk* —9C **176**
Fremantle Rd. *Belv* —4B **52**
Fremantle Rd. *Folk* —6E **188**
Fremlin Clo. *Rust* —1B **156**
Fremlins Rd. *Bear* —5M **127**
Frencham Clo. *Cant* —7N **167**
French's Row. *Tey* —2L **223**
French Street. —2B 24
French St. *W'ham* —2B **24**
Frendsbury Rd. *SE4* —2B **54** (4D **5**)
Frensham Clo. *Sit* —7J **99**
Frensham Dri. *New Ad* —8F **82**
Frensham Rd. *SE9* —7F **56**
Frensham Rd. *Rol* —4B **38**
Frensham Wlk. *Chat* —1C **110**
Freshfield Clo. *SE13* —2G **54**
Freshfield La. *Salt* —4H **197**
Freshfields. *Croy* —2C **82**
Freshland Rd. *Maid* —5M **125**
Freshlands. *H Bay* —2M **195**
Freshwater Clo. *H Bay* —4C **194**
Freshwater Rd. *Chat* —4E **94**
Freshwood Clo. *Beck* —4E **68**
Freta Rd. *Bexh* —3A **58**
Frewing Clo. *Chst* —2B **70**
Friar Rd. *Orp* —8J **71**
Friars Av. *Chat* —9C **94**
Friars Clo. *Whits* —4H **225**
Friars Ct. *Maid* —5D **126**
Friar's Gate. —3C 34
Friars M. *SE9* —3C **56**
Friars Pl. La. *W3* —2A **4**
Friars, The. *Cant* —2M **171** (4D **21**)
Friars, The. —8J **109** (4D **17**)
Friars Wlk. *SE2* —5M **51**
Friar's Way. *Dover* —1F **180**
Friars Way. *Tun W* —8K **151**
Friarswood. *Croy* —9B **82**
Friary Pl. *Roch* —5M **79**
Friary Precinct. *Roch* —5M **79**
Friary Rd. *W3* —2A **4**
Friary Way. *Cant* —9K **167**
Friday Rd. *Eri* —5E **52**
Friday St. *E Sut* —9D **140** (3A **28**)
Friendly Clo. *Mgte* —4H **209**
Friends Av. *Mgte* —5H **209**
Friend's Gap. *Clift* —2H **209**
Friesian Way. *Kenn* —3G **159**
Friezeland Rd. *Tun W* —4D **156**
Friezley. —2E 37
Friezley La. *C'brk* —2E **37**
Frimley Clo. *New Ad* —8F **82**
Frimley Ct. *Sidc* —1L **71**
Frimley Cres. *New Ad* —8F **82**
Frindsbury. —3N 79 (1D 17)
Frindsbury Hill. *Roch* —3N **79** (1D **17**)
Frindsbury Rd. *Strood* —4M **79** (1D **17**)
Frininghain. —8B 112 (4A 18)
Frinstead Wlk. *Maid* —2N **125**
Frinsted. —1C 28
Frinsted Clo. *Gill* —9M **81**
Frinsted Clo. *Orp* —7M **71**
Frinsted Rd. *Eri* —7E **52**
Frinton Rd. *Sidc* —7N **57**
Friston Way. *Roch* —3A **94**
Friswell Pl. *Bexh* —2B **58**
Frith Rd. *Adgtn* —2A **40**
Frith Rd. *Croy* —2D **13**
Frith Rd. *Dover* —3H **181** (1C **43**)
Frithwood Clo. *Down* —8J **127**
Frittenden. —1A 38
Frittenden Clo. *Afrd* —3C **160**
Frittenden Rd. *Bidd* —1A **38**
Frittenden Rd. *S'hrst* —9K **221** (1E **37**)
Frittenden Rd. *Wain* —2A **80**
Frizlands La. *Dag* —1C **6**
Frobisher Ct. *Mil R* —5F **98**
Frobisher Gdns. *Roch* —1N **93**
Frobisher Rd. *Eri* —7G **53**
Frobisher Way. *Grav* —1K **77**
Frobisher Way. *Grnh* —2H **61**
Frogham. —3B 32
Froghole. —3B 24
Froghole La. *Eden* —3B **24**
Frogholt. —2E 41
Frog La. *Bis* —2E **31**
Frog La. *Tun W* —3G **157**
Frog La. *W Mal* —1A **124**
Frogmore Wlk. *Len* —7D **200**
Frognal. *NW3* —1B **4**
Frognal Av. *Sidc* —2J **71** (1B **14**)
Frognal Clo. *Tey* —2J **223**
Frognal Corner. (Junct.) —2H **71** (1B **14**)
Frognal Gdns. *Tey* —2J **223**
Frognal La. *NW3* —1B **4**
Frognal La. *Tey* —2J **223** (3D **19**)
Frognal Pl. *Sidc* —2J **71**
Frogs Hole La. *Bene* —3B **38**
Frog's La. *Rol* —4B **38**
Froissart Rd. *SE9* —3N **55**
Fromandez Dri. *Horsm* —3B **198**
Frome Ct. *Tonb* —2H **145**
Front Brents. *Fav* —4H **187**
Front La. *Upm* —1E **7**
Front Rd. *Wdchu* —7B **226** (3D **39**)
Front St. *R'wld* —4J **199** (3D **33**)
Front, The. *St Mb* —9K **213**
Frost Cotts. *Wdboro* —8G **216**
Frost Cres. *Chat* —4D **94**
Frost Farm Cvn. Pk. *St N* —8E **214**
Frost La. *St N* —7E **214**
Froyle Clo. *Maid* —3N **125**
Fruiterer's Clo. *Rod* —3H **115**
Fry Clo. *Isle G* —2B **190**
Fryman's La. *Brede* —4C **45**
Frythe Clo. *C'brk* —8D **176**
Frythe Cres. *C'brk* —8D **176**
Frythe Wlk. *C'brk* —8D **176**
Frythe Way. *C'brk* —8D **176**
Fuchsia St. *SE2* —5K **51**
Fuggles Clo. *Pad W* —9K **147**
Fuggles Ct. *Bene* —3A **38**
Fulbert Dri. *Bear* —4J **127**
Fulbert Rd. *Dover* —8G **178**
Fulham. —3B 4
Fulham Av. *Mgte* —4N **207**
Fulham Broadway. (Junct.) —3B **4**
Fulham F.C. —3A **4**
Fulham High St. *SW6* —3B **4**
Fulham Pal. Rd. *W6 & SW6* —3A **4**
Fulham Rd. *SW6, SW10 & SW3* —3B **4**
Fuller Clo. *Orp* —6H **85**
Fullers Clo. *Bear* —5K **127**
Fullers Hill. *W'ham* —8F **116**
Fuller St. *Sev* —2B **120** (1D **25**)
Fuller's Wood. *Croy* —5D **82**
Fulmar Rd. *Roch* —6H **79**
Fulmor Ct. St Mar —3E 214
(off Cedar Cres.)
Fulsham Pl. *Mgte* —4B **208**
Fulston Pl. *Sit* —8H **99**
Fulwich Rd. *Dart* —4N **59**
Funton. —2B 18
Furfield Clo. *Maid* —3H **139**
Furnace Av. *Lam* —4B **200**
Furnace La. *B Oak* —3D **45**
Furnace La. *Horsm* —1B **198** (1C **36**)
Furnace La. *Lam* —3A **200** (3B **36**)
Furner Clo. *Dart* —1G **58**
Furness Rd. *Mord* —2B **12**
Furnival Ct. *Tun W* —5F **156**
Furrells Rd. *Roch* —7A **80**
Further Grn. Rd. *SE6* —5H **55**
Further Quarter. —2C 38
Furtherwick Rd. *Can I* —2E **9**
Furzedown. —1C 12
Furzefield Av. *Speld* —6A **150**
Furzefield Clo. *Chst* —2D **70**
Furze Hill Cres. *Min S* —7F **218**
Furzehill Sq. *St M* —7K **71**
Fusilier Av. *Folk* —5B **188**
Futzgerald Av. *H Bay* —4D **194**
Fyfe Way. *Brom* —5K **69**
Fyfield Clo. *Brom* —7G **68**
Fysie La. *E'ham* —2A **44**

Gable Clo. *Dart* —3H **59**
Gable Cotts. *Loose* —3C **138**
Gable Cotts. *Otham* —1L **139**
Gables Clo. *SE12* —6K **55**
Gables, The. *Brom* —3L **69**
Gables, The. *Long* —5B **76**
Gabriel Gdns. *Grav* —1K **77**
Gabriel's Hill. *Maid* —5D **126**
Gabrielspring Rd. *Fawk* —3D **88**
Gabrielspring Rd. E. *Fawk* —3E **88**
Gabriel St. *SE23* —5A **54**
Gadby Rd. *Sit* —6D **98**
Gadshill. —2G 78 (1C 17)
Gads Hill. *Gill* —5J **81** (1E **17**)
Gads Hill Pl. *High* —2G **78**
Gadwall Way. *SE28* —2F **50**
Gagetown Ter. *Maid* —2C **126**
Gaggs Hill. *Ashl* —3C **33**
Gainsborough Av. *Dart* —3K **59**
Gainsborough Clo. *Beck* —3D **68**
Gainsborough Clo. *Folk* —4G **189**
Gainsborough Clo. *Gill* —5N **95**
Gainsborough Clo. *Sit* —6C **98**
Gainsborough Dri. *H Bay* —2M **195**
Gainsborough Dri. *Maid* —5M **125**
Gainsborough Dri. *N'fleet* —8C **62**
Gainsborough Gdns. *Tonb* —2L **145**

Gainsborough Rd. Birch —3E 206
Gainsborough Sq. Bexh —1M 57
Gaitskell Rd. SE9 —6E 56
Galahad Av. Roch —6J 79
Galahad Rd. Brom —9K 55
Galbri Dri. Roch —6L 79
Galena Clo. Chat —1D 110
Gale St. Dag —1B 6
Gallants La. E Far —1K 137 (2D 27)
Gallards Almshouses. S'boro —5G 150
Galleon Boulevd. Dart —2D 60
Galleon Clo. Eri —4E 52
Galleon Clo. Roch —3N 93
Gallery Rd. SE21 —4D 5
Galley Hill Ind. Est. Swans —3L 61
Galley Hill Rd. Swans & N'fleet —3M 61 (4A 8)
Galliard St. S'wch —6M 217
Gallions Entrance. E16 —1E 50
Gallops, The. Meop —3E 106
Gallosson Rd. SE18 —4G 50
Galloways Rd. Lydd —4C 204 (4D 47)
Gallow's Corner. Hythe —6H 197
Gallows Wood. Fawk —5G 89
Gallus Sq. SE3 —1L 55
Gallwey Av. Birch —4D 206
Gallypot Hill. Hartf —3B 34
Gallypot Street. —3B 34
Galpins Rd. T Hth —1C 13
Galsworthy Clo. SE28 —1K 51
Galsworthy Rd. King T —1A 12
Galway Rd. S'ness —2D 218
Gamma Rd. Hoo —6N 67
Gammon's Farm La. Newch —4B 40
Gander Grn. La. Sutt —2B 12
Gandy's La. Bou M —6F 138 (3E 27)
Gann Rd. Whits —3H 225
Gaol La. Dover —5J 181
(off Queen St.)
Gapp Clo. W King —8E 88
Gap Rd. SW19 —1B 12
Gap, The. Blean —4G 166
Gap, The. Cant —5A 172
Garden Av. Bexh —1B 58
Garden Clo. SE12 —8L 55
Garden Clo. Maid —1H 139
Garden Clo. R Comn —9G 167
Garden Clo. Toy —3B 24
Garden Cotts. Leigh —5A 144
Garden Cotts. St P —5L 71
Garden Cotts. W'hm —3B 226
Gardeners Quay. S'wch —5M 217
(off Up. Strand St.)
Gardenia Clo. Roch —2M 79
Garden La. Brom —2L 69
Garden of England Mobile Home Pk., The. H'shm —1K 141
Garden Pl. Dart —8L 59
Garden Rd. Brom —3L 69
Garden Rd. Folk —5K 189
Garden Rd. Sev —4L 119
Garden Rd. Tonb —5J 145
Garden Rd. Tun W —1H 157
Garden Row. N'fleet —8E 62
Gardens, The. Beck —5G 68
Gardens, The. Cox —5N 137
(in two parts)
Gardens, The. Ivy —2D 47
Garden St. Gill —6D 80
Garden St. Tun W —1H 157
Garden Ter. Seal —3A 120
Garden Wlk. Beck —4C 68
Garden Wlk. Deal —3M 177
Garden Way. King H —7M 123
Gardiner Clo. Orp —5L 71
Gardiner St. Gill —6F 80
Gardner Ind. Est. Beck —1B 68
Gardner's Hill. Iden —2A 46
Gardyne M. Tonb —7H 145
Gareth Gro. Brom —9K 55
Garfield Pl. Fav —5H 187
Garfield Rd. Gill —6G 81
Garfield Rd. Mgte —3B 208
Garibaldi St. SE18 —4G 51
Garland Rd. SE18 —7F 50
Garlands. Hild —8D 132
Garlies Rd. SE23 —8B 54
Garlinge. —3N 207 (1D 23)
Garlinge Green. —2C 31
Garlinge Grn. Rd. P'hm —2C 31
Garlinge Rd. Tun W —5G 150
Garnet St. E1 —2D 5
Garnett Clo. SE9 —1B 56
Garrad's Rd. SW16 —4C 4
Garrard Av. Mgte —3N 207
Garrard Clo. Bexh —1B 58
Garrard Clo. Chst —1D 70
Garratt La. SW18 & SW17 —4B 4
Garratts La. Bans —4B 12
Garrick Dri. SE28 —3F 50
Garrick St. Grav —4G 62
Garrington Clo. Maid —3F 126
Garrison Clo. SE18 —7C 50
Garrison Rd. S'ness —1A 218
Garrolds Clo. Swan —5F 72
Garrow. Long —6A 76
Garside Clo. SE28 —3F 50
Garside Grn. SE9 —9B 50
Garsington M. SE4 —1C 54
Garthorne Rd. SE23 —5A 54
Garth Rd. Mord —2A 12
Garth Rd. Sev —1K 131
Garvock Dri. Sev —8H 119
Gascoigne Rd. Bark —2B 6
Gascoigne Rd. New Ad —9F 82 (3E 13)
Gascoyne Dri. Dart —1G 59
Gascoyne Rd. E9 —1D 5
Gas Ho. Rd. Roch —6N 79
Gas La. Bou B —3H 165
Gas Pas. Cant —3M 171 (1D 31)
Gas Rd. Murs —5J 99
Gas Rd. Sit —6G 98
Gasson Rd. Swans —4L 61
Gassons Rd. Snod —2C 108
Gas St. Cant —3M 171 (1D 31)
Gasworks La. Afrd —9F 158
Gatcombe Clo. Chat —6D 94
Gatcombe Clo. Maid —4M 125
Gatcombe Ct. Beck —3D 68
Gateacre Ct. Sidc —9K 57
Gateacre Rd. Sea —7C 224
Gate Farm Rd. Bidb —1C 150 (4E 25)
Gatefield Cotts. Rol —2K 213
Gatefield La. Fav —5H 187
(in two parts)
Gate Hill. Dunk —9A 166 (4C 20)
Gate La. R Min —7H 183 (1D 41)
Gateley Ho. SE4 —2A 54
(off Coston Wlk.)
Gates Ct. E Peck —9M 135
Gates Grn. Rd. W Wick —4J 83 (2E 13)
Gateway Ct. Ram —5K 211
(off Victoria Pde.)
Gateway Pde. Grav —9L 63
Gateway, The. Dover —5K 181
Gatland La. Maid —8L 125 (2D 27)
Gatling Rd. SE2 —5J 51
Gattons Way. Sidc —9A 58
Gatwick Rd. Grav —8G 63
Gault Clo. Bear —7K 127
Gaunt's Clo. Deal —6K 177
Gavestone Cres. SE12 —5L 55
Gavestone Rd. SE12 —5L 55
Gayhurst Clo. Gill —5N 95
Gayhurst Dri. Sit —6D 98
Gaynesford Rd. SE23 —7A 54
Gayton Rd. SE2 —3L 51
Gaza Trad. Est. Hild —9K 131
Gazedown Clo. St Mar —3E 214
Gaze Hill Av. Sit —8H 99
Gazelle Glade. Grav —1L 77
Gean Clo. Chat —1D 110
Geddes Pl. Bexh —2B 58
Geddinge La. Woot —4A 32
Gedge's Hill. Matf —5K 153 (1B 36)
Geffery's Ct. SE9 —8A 56
Gellatly Rd. SE14 —3D 5
General Gordon Pl. SE18 —4D 50
General Wolfe Rd. SE10 —3E 5
Genesta Av. Whits —6D 224
Genesta Clo. Sit —4F 98
Genesta Glade. Grav —1M 77
Genesta Rd. SE18 —6D 50
Genesta Rd. Wclf S —1B 10
Geneva Av. Gill —1K 95
Gentian Clo. Chat —7B 94
(in two parts)
Gentian Clo. Weav —4H 127
Geoffrey Ct. SE4 —1C 54
Geoffrey Ct. Birch —4F 206
Geoffrey Rd. SE4 —1C 54
George All. Deal —4N 177
George V Av. Mgte —3N 207 (1D 23)
George Gurr Cres. Folk —3K 189
George Hill. Rob —3A 44
George Hill Rd. Broad —4K 209 (1E 23)
George Hill Rd. Mgte —4J 209
George La. SE13 —4E 54
George La. Bou B —3J 165
George La. Brom —2L 83
George La. Folk —7K 189
George La. Leeds —1C 140 (2A 28)
George La. New R —2C 212
George La. Roch —6N 79
George Marsham Ho. Maid —5C 138
George Parris Ct. Min S —6K 219
George Roche Rd. Cant —4M 171
Georges Av. Whits —6C 224
Georges Clo. Orp —6L 71
George's Rd. Tats —8D 164
George St. W1 —2B 4
George St. Afrd —9F 158
George St. Bztt —2C 47
George St. Croy —2D 13
George St. Dover —3G 181
George St. Hunt —9L 137 (3D 27)
George St. Maid —6D 126
George St. Ram —5J 211
George St. Sit —8J 99
George St. S'hrst —4E 27
George St. Tonb —7H 145
George St. Tun W —2J 157
George Summers Clo. Roch —4B 80
George Warren Ct. Mgte —4D 208
George Wood Clo. Lydd —3C 204
Georgian Clo. Brom —2L 83
Georgian Clo. Queen —9B 218
Georgian Dri. Cox —5A 138
Georgian Way. Gill —7M 95
Geraint Rd. Brom —9K 55
Gerald Av. Chat —1C 94
Geraldine Rd. Folk —5F 188
Gerald Palmby Ct. Deal —3M 177
Gerald Rd. Grav —5K 63
Gerda Rd. SE9 —7E 56
Gerdview Dri. Dart —9K 59
Gerlach Ho. Kenn —5G 158
German St. W'sea —4A 46
Gerpins La. Upm —2D 7
Gerrard Av. Roch —3A 94
Gerrards Dri. Sit —9G 98
Gertrude Rd. Belv —4B 52
Ghent St. SE6 —7D 54
Gibbet La. Horsm —2B 198
Gibbett La. Horsm —2B 198 (1C 36)
Gibbetts. L'tn G —2N 155
Gibbon Rd. SE15 —3D 5
Gibbons Rd. Sit —6C 98
Gibbs Brook La. Oxt —3A 24
Gibbs Hill. H'crn —3M 193
Gibbs Hill. Nett —3N 135 (2B 26)
Gibney Ter. Brom —9J 55
Gibraltar. —2A 42
Gibraltar Av. Gill —5D 80
Gibraltar Hill. Chat —8C 80 (2D 17)
Gibraltar La. H'nge —9A 192 (2A 42)
Gibraltar La. Maid —1B 126
Gibralter Sq. Gus —1K 181
Gibson Clo. N'fleet —8E 62
Gibson Dri. King H —5L 123 (2B 26)
Gibson St. Sit —7F 98
Gidds Pond Cotts. Weav —3H 127
Giddyhorn La. Maid —5N 125
Gideon Clo. Belv —4C 52
Gifford Clo. Gill —9M 81
Giffords Cross Rd. Corr —2C 9
Gigger's Grn. Rd. Bon —3B 40
Gigghill Rd. Lark —7D 108
Gigghill Rd. Leyb —4C 16
Giggs Hill. Orp —5J 71
Gilbert Clo. SE3 —8B 50
Gilbert Clo. Hem —6K 95
Gilbert Clo. Swans —4K 61
Gilbert Pl. S'gte —8E 188
Gilbert Rd. Afrd —8F 158
Gilbert Rd. Belv —3B 52 (3C 6)
Gilbert Rd. Brom —3K 69
Gilbert Rd. Ram —4H 211
Gilbert Ter. Maid —2D 126
Gilbourne Rd. SE18 —6H 51
Gilchrist Av. H Bay —5D 194
Gilchrist Cotts. Weald —6K 131
Gildenhill Rd. Swan —3K 73 (1D 15)
Gildersome St. SE18 —6C 50
Gildrage Hill. S Min —4D 31
Giles Gdns. Mgte —5D 208
Giles La. Cant —8J 167 (4D 21)
Giles Young Ct. Mil R —6F 98
(off St Paul's St.)
Gilford Rd. Deal —5M 177 (2E 33)
Gilham Gro. Deal —6L 177
Gillan Ct. SE12 —8L 55
Gill Av. Wain —1A 80
Gill Cres. N'fleet —8E 62
Gillespie Rd. N5 —1C 5
Gillett Rd. Lydd —2D 204
Gilletts La. E Mal —3E 124
Gillian St. SE13 —3E 54
Gillies Rd. W King —6E 88
Gillingham. —7F 80 (1E 17)
Gillingham Bus. Cen. Gill —2J 95
Gillingham Bus. Pk. Gill —2K 95
Gillingham Drove. Cant —8A 214
Gillingham F.C. —1E 17
Gillingham Ga. Rd. Gill —5F 80
Gillingham Grn. Gill —6H 81
Gillingham Northern Link Rd. Chat —4E 80
Gillingham Rd. Gill —8F 80 (1E 17)
Gill La. Mer —2A 40
Gill La. Ruck —3A 40
Gillman Clo. H'nge —8B 192
Gillmans Rd. Orp —2K 85
Gillon M. Cant —1A 172
Gill's Cotts. Roch —7B 80
Gills Ct. Roch —5B 80
Gill's Green. —2K 191 (3D 37)
Gills Rd. S Dar —4E 74 (1E 15)
Gill, The. Pem —6D 152
Gilmore Rd. SE13 —2G 54
Gilroy Way. Orp —1K 85
Gilton Rd. SE6 —8H 55
Giltspur St. EC1 —2C 5
Gimble Way. Pem —6C 152
Gingerbread La. Hawkh —4D 37
Ginsbury Clo. Roch —6B 80
Ginsbury Ho. Roch —6A 80
Gipps Cross La. L'tn G —2N 155
Gipsy Hill. SE19 —1D 13
Gipsy Rd. SE27 —1D 13
Gipsy Rd. Well —9M 51
Giraud Dri. Fav —4F 186
Girton Gdns. Croy —4D 82
Girton Rd. SE26 —1A 68
Gittens Clo. Brom —9J 55
Glack Rd. Deal —6J 177
Glade Gdns. Croy —1B 82
Gladeside. Croy —9A 68
Glades Pl. Brom —5K 69
Glades Shop. Cen., The. Brom —5K 69
Glades, The. Grav —2J 77
Gladeswood Rd. Belv —4C 52
Glade, The. Brom —5N 69
Glade, The. Chat —9D 94
Glade, The. Croy —1B 82 (2D 13)
Glade, The. Sev —5J 119
Glade, The. Shol —4J 177
Glade, The. Tonb —9L 133
Glade, The. W Wick —4E 82
Gladiator St. SE23 —5B 54
Gladstone Rd. Broad —1K 211 (2E 23)
Gladstone Rd. Chat —1B 94
Gladstone Rd. Dart —4N 59
Gladstone Rd. Folk —5L 189
Gladstone Rd. Maid —3D 126
Gladstone Rd. Mgte —4C 208
Gladstone Rd. Orp —6E 84
Gladstone Rd. Tonb —6H 145
Gladstone Rd. Tun W —1B 156
Gladstone Rd. Walm —7M 177
Gladstone Rd. Whits —3F 224
Gladstone Rd. W'boro —3J 161 (1A 40)
Gladwell Rd. Brom —2K 69
Gladwyn Clo. Gill —7N 95
(in two parts)
Glamford Rd. Roch —7H 79
Glamis Clo. Chat —1B 94
Glanfield Rd. Beck —7C 68
Glanville Rd. Brom —6L 69
Glanville Rd. Gill —7G 81
Glanville Rd. Roch —5L 79
Glasbrook Rd. SE9 —5N 55
Glasford St. SW17 —1B 12
Glasgow Ho. Maid —1H 139
Glassenbury. —2D 37
Glassenbury Rd. C'brk —2D 37
Glassmill La. Brom —5J 69 (1E 13)
(in two parts)
Glass Yd. SE18 —3C 50
Glastonbury Clo. Orp —2L 85
Glastonbury Ho. SE13 —3J 55
(off Wantage Rd.)
Gleaming Wood Dri. Chat —2F 110 (3E 17)
Gleaners Clo. Weav —5H 127
Gleanings M. Roch —7N 79
Glebe Clo. Smar —2K 221
Glebe Clo. St Mc —7J 213
Glebe Cotts. E'Lng —1E 29
Glebe Ct. SE3 —1H 55
Glebe Ct. Ram —8M 205
Glebe Ct. Sev —8J 119
Glebefield, The. Sev —5G 118
Glebe Gdns. Len —7F 200
Glebe Gdns. Mgte —3N 207
Glebe Ho. Dri. Brom —2L 83
Glebeland. Eger —4C 29
Glebeland. Mer —8M 161
Glebelands Alk —1B 42
(in two parts)
Glebelands. Ah —4B 216
Glebelands. Bidb —3C 150
Glebelands. Bidd —8K 163
Glebelands. Dart —2G 58
Glebelands. H'shm —3N 141
Glebelands. Pens —3H 149
Glebe La. Maid —8K 125 (2D 27)
Glebe La. Sev —9J 119
Glebe La. Sit —9J 99
Glebe Meadow. W'bury —1C 136
Glebe Pl. Hort K —7C 74
Glebe Pl. Smar —3K 221
Glebe Rd. Brom —4K 69
Glebe Rd. Gill —9H 81
Glebe Rd. Grav —6E 62
Glebe Rd. Mgte —3N 207
Glebe Rd. Weald —5J 131 (3D 25)
Glebe, The. SE3 —1H 55
Glebe, The. Bidb —3C 150
Glebe, The. Chst —4E 70
Glebe, The. Cux —1G 92
Glebe, The. Pem —6C 152
Glebe, The. Pens —3H 149
Glebe Way. Eri —6F 52
Glebe Way. Kenn —3H 159
Glebe Way. W Wick —3F 82 (2E 13)
Glebe Way. Whits —5F 224
Gleeson Dri. Orp —5H 85
Glenalvon Way. SE18 —4A 50
Glen Av. H Bay —2K 195
Glenavon Ho. Broad —6M 209
(off Francis Rd.)
Glenavon Lodge. Beck —3D 68
Glenbarr Clo. SE9 —1D 56
Glenbervie Dri. H Bay —2M 195
Glenbow Rd. Brom —2H 69
Glenbrook Clo. H Bay —2L 195
Glenbrook Gro. Sit —4F 98
Glencoe Rd. Chat —1D 94
Glencoe Rd. Mgte —4E 208
Glen Ct. Sidc —9J 57
Glendale. Swan —8G 72
Glendale Clo. SE9 —1C 56
Glendale M. Beck —4E 68
Glendale Rd. Eri —4D 52
Glendale Rd. Min S —5J 219
Glendale Rd. N'fleet —9D 62
Glendower Cres. Orp —9J 71
Glendown Rd. SE2 —5J 51
Glen Dunlop Ho., The. Sev —4K 119
Gleneagles Clo. Orp —2F 84
Gleneagles Ct. Chat —9C 94
Gleneagles Dri. Maid —8C 126
Gleneagles Grn. Orp —2F 84
Glenesk Rd. SE9 —1C 56
Glenfarg Rd. SE6 —6F 54
Glenfield Rd. Dover —1G 180
Glengall Rd. Bexh —1N 57
Glen Gro. Dover —5G 181
Glenhead Clo. SE9 —1D 56
Glen Ho. E16 —1C 50
(off Storey St.)
Glenhouse Rd. SE9 —3C 56
Glenhurst. Beck —4F 68
Glenhurst Av. Bex —6A 58
Glen Iris Av. Cant —9J 167
Glen Iris Clo. Cant —9J 167
Glenister St. E16 —1C 50
Glenlea Rd. SE9 —3B 56
Glenlyon Rd. SE9 —3C 56
Glenmore Lodge. Beck —4E 68
Glenmore Pk. Tun W —5F 156
Glenmore Rd. Well —7H 51
Glenmount Path. SE18 —5E 50
Glen Rd. Kgdn —3M 199 (3E 33)
Glenrosa Gdns. Grav —1M 77
Glenrose Ct. Sidc —1K 71
Glensdale Rd. SE4 —1C 54
Glenshiel Rd. SE9 —3C 56
Glenside. Whits —5J 225
Glenside Av. Cant —9A 168
Glen, The. Brom —5H 69
Glen, The. Croy —4A 82
Glen, The. Min S —4J 219
(in two parts)
Glen, The. Orp —4C 84
Glen, The. S'wll —2C 220
Glen, The. Ups —3A 22
(off Nethergoing Hill)
Glenthorne Rd. W6 —3A 4
Glenton Rd. SE13 —2H 55
Glentrammon Av. Orp —7H 85
Glentrammon Clo. Orp —6H 85
Glentrammon Gdns. Orp —7H 85
Glentrammon Rd. Orp —7H 85
Glenure Rd. SE9 —3C 56
Glenview. SE2 —6M 51
Glen View. Grav —6H 63
Glenview Rd. Brom —5N 69
Glen Wlk. York —3C 20
Glenwood Clo. Chat —2F 94
Glenwood Clo. Hem —5K 95
Glenwood Clo. Maid —4N 125
Glenwood Clo. St Mic —4C 222
Glenwood Ct. Sidc —9J 57
Glenwood Dri. Min S —5J 219
Glenwood Rd. SE6 —6D 54
Glenwood Way. Croy —9A 68
Glimpsing Grn. Eri —3N 51
Glistening Glade. Gill —5A 96
Gload Cres. Orp —3M 85
Globe La. Chat —8C 80
(in two parts)
Globe Rd. E2 & E1 —2D 5
Globe Town. —2D 5
Glory La. H'lgh —4C 31
Gloster Ropewalk. Dover —7H 181
Gloster Way. Dover —7H 181
Gloucester Av. NW1 —2C 4
Gloucester Av. Broad —1K 211
Gloucester Av. Clift —3H 209
Gloucester Av. Sidc —7G 57
Gloucester Av. Well —2H 57
Gloucester Clo. Gill —3C 96
Gloucester M. New R —1D 212
Gloucester Pde. Sidc —3J 57
Gloucester Pl. NW1 & W1 —2B 4
Gloucester Pl. Folk —6K 189
Gloucester Rd. SW7 —3B 4
Gloucester Rd. Belv —5A 52
Gloucester Rd. Dart —5J 59
Gloucester Rd. Grav —9H 63
Gloucester Rd. King T —1A 12
Gloucester Rd. Maid —9G 127
Gloucester Rd. Whits —3H 225
Gloucester Ter. W2 —2B 4
Glover Clo. SE2 —4L 51
Glover Rd. W'boro —9J 159
Glovers Cres. Sit —8G 98
Glovers Mill. Roch —9A 80
Gloxinia Rd. S'fleet —2A 76
Glyn Davis Clo. Dun G —2F 118
Glyndebourne Pk. Orp —3D 84
Glynde Rd. Bexh —1M 57
Glynde St. SE4 —4C 54
Glyndon Rd. SE18 —4E 50
Glyn Dri. Sidc —9K 57
Glynne Clo. Gill —5N 95
Goatham Green. —4C 45
Goatham La. B Oak —3C 45
Goathurst Common. —3C 130 (2C 24)
Goat Lees. —2G 159
Goat Rd. Mitc —2B 12
Goatsfield Rd. Tats —8C 164
Gobery Hill. W'hm —1C 226
Goddard Rd. Beck —7A 68 (1D 13)
Goddards Clo. C'brk —8B 176
(in two parts)
Goddard's Green. —8B 176 (3E 37)
Goddard's Grn. Rd. Bene —3A 38
Godden Green. —6A 120 (2D 25)
Godden Rd. Cant —7N 167
Godden Rd. Snod —2D 108
Goddings Dri. Roch —9L 79
Goddington. —4L 85 (2B 14)

Goddington Chase—Greenbank

Goddington Chase. Orp —5K 85
Goddington La. H'shm —2K 141 (2B 28)
Goddington La. Orp —4L 85 (2B 14)
Goddington Rd. Roch —4M 79
Godfrey Clo. Roch —3K 79
Godfrey Evans Clo. Tonb —2M 145
Godfrey Hill. SE18 —4A 50
Godfrey Ho. Whits —5G 224
Godfrey Rd. SE18 —4B 50
Godfrey Wlk. Afrd —1F 160
Godington La. Ashf —5A 158
Godington Rd. Ind. Est. Afrd —8E 158
Godington Way. Afrd —8E 158
Godinton House. —6A 158 (1E 39)
Godinton La. Gt Cha & Afrd —1E 39
Godinton Rd. Afrd —7D 158 (1A 40)
(in two parts)
Godlands, The. Tovil —8C 126
Godmersham. —3B 30
Godric Cres. New Ad —9G 82
Godstone Rd. Purl & Whyt —3C 13
Godstow Rd. SE2 —2L 51
Godwin Clo. Kem —2G 98
Godwin Rd. Brom —6M 69
Godwin Rd. Cant —4J 171
Godwin Rd. Clift —3E 208
Godwin Rd. Dover —4L 181
Godwyn Ct. Dover —3J 181
Godwyne Clo. Dover —4J 181
Godwyne Path. Dover —3J 181
Godwyne Rd. Dover —4J 181
Godwyn Rd. Deal —2M 177 (2E 33)
Godwyn Rd. Folk —6G 189
Goffers Rd. SE3 —3E 5
Gogway. Walt —4D 31
Goldcrest Wlk. Whits —7D 224
Goldcrest Way. New Ad —9G 82 (3E 13)
Golden Acre La. Wgte S —4J 207
Golden Clo. Wgte S —4J 207
Golden Green. —2E 146 (3A 26)
Golden Hill. Elham —4E 31
Golden Hill. Whits —6H 225 (2C 21)
(in two parts)
Golden La. EC1 —2D 5
Golden Sands Holiday Cen. St Mar —1E 214
Golden Sq. New R —3B 212
Golden Sq. Tent —7C 222
Golden St. Deal —3N 177
Golden Wood Clo. Chat —2G 110
Goldfinch Clo. Fav —3G 186
Goldfinch Clo. H Bay —5K 195
Goldfinch Clo. Lark —8E 108
Goldfinch Clo. Orp —6J 85
Goldfinch Clo. Pad W —1M 153
Goldfinch Rd. SE28 —3F 50
Goldhawk Rd. W6 & W12 —3A 4
Gold Hill. Westw —4E 29
Golding Clo. Dit —9G 109
Golding Gdns. E Peck —1M 147
Golding Rd. Sev —4K 119
Goldings. Pad W —1K 153
Goldings Clo. King H —7M 123
Goldings, The. Gill —3M 95
Goldsel Rd. Swan —8E 72 (2C 15)
Goldsmid Rd. Tonb —8J 145 (4E 25)
Goldsmid St. SE18 —5G 51
Goldsmith Ct. Tent —6C 222
Goldsmith Rd. W3 —2A 4
Goldsmith Rd. Gill —6A 96
Goldsmith's Row. E2 —2D 5
Goldstone Drove. Ah —3C 22
Goldstone Wlk. Chat —1D 110
Gold Street. —8K 77
Gold St. Sole S & Ludd —8J 77 (2B 16)
Goldsworth Dri. Roch —3L 79
Goldthorne Clo. Maid —5F 126
Goldups La. Shott —2B 30
Goldwell Clo. Adgtn —2B 40
Goldwell La. Adgtn —2B 40
Goldwell La. Gt Cha —1E 39
Golf Ct. Deal —1M 177
Golf Ho. Rd. Oxt —2A 24
Golf Links Av. Grav —1G 76
Golford. —2E 37
Golford Rd. C'brk —8E 176 (3E 37)
Golf Rd. Brom —6C 70
Golf Rd. Deal —1M 177 (2E 33)
Golfs, The. New R —2C 212
Golgotha. —3B 32
Goodall Clo. Gill —6A 96
Goodall Ho. SE4 —2A 54
Goodban Sq. Ah —5C 216
Goodbury Rd. Knat —4B 104
Goodcheap La. Hin —1B 40
Goodfellow Way. Dover —4J 181
Goodge St. W1 —2C 4
Goodhart Way. W Wick —1H 83
Good Hope. Deal —6J 177
Goodley Stock. —2A 24
Goodley Stock Rd. Crock H & W'ham —9D 116 (3A 24)
Goodmayes. —1B 6
Goodmayes La. Ilf —1B 6
Goodmead Rd. Orp —1J 85
Goodnestone. —2B 32
(nr. Aylesham)
Goodnestone. —3B 20
(nr. Faversham)
Goodnestone Hill. Good —2B 32
Goodnestone Park. —2B 32
Goodnestone Rd. Sit —8J 99
Goodnestone Rd. W'hm —3C 226 (1B 32)
Goods Sta. Rd. Tun W —1G 157
Goods Way. NW1 —2C 5
Goodwin Av. Whits —3M 225
Goodwin Dri. Maid —1E 126
Goodwin Dri. Sidc —8M 57
Goodwin Rd. Cli —6M 65
Goodwin Rd. Ram —6F 210
Goodwin Rd. St Mb —9J 213
Goodwins, The. Tun W —4F 156
Goodwood Clo. H Hals —2H 67
Goodwood Clo. Maid —2J 139
Goodwood Cres. Grav —2H 77
Goodwood Pde. Beck —7B 68
Goodworth Rd. Wro —7M 105
Goosander Way. SE28 —3F 50
Gooseberry Hall La. Good —2B 32
Goose Clo. Chat —4D 94
Goose Green. —9J 163 (2B 38)
(nr. Biddenden)
Goose Green. —6G 134 (3B 26)
(nr. Hadlow)
Goose Grn. Clo. Orp —5J 71
Gooseneck La. H'crn —3K 193
Gordon Av. Queen —8B 218
Gordonbrock Rd. SE4 —3D 54
Gordon Clo. Sit —7K 99
Gordon Cotts. Bre —4C 114
Gordon Cotts. Bri —8H 173
Gordon Ct. Maid —5B 138
Gordon Gro. Wgte S —2K 207
Gordon Henry Ho. Eden —6C 184
Gordon Ho. Rd. NW5 —1C 4
Gordon Pl. Grav —4H 63
Gordon Promenade. Grav —4H 63
Gordon Promenade E. Grav —4J 63
Gordon Rd. Beck —6C 68
Gordon Rd. Belv —4D 52
Gordon Rd. Cant —3M 171 (1D 31)
Gordon Rd. Cars —3B 12
Gordon Rd. Chat —1D 94
(Magpie Hall Rd.)
Gordon Rd. Chat —5D 80
(South Rd.)
Gordon Rd. Corr —2C 8
Gordon Rd. Dart —5L 59
Gordon Rd. Fav —4J 187
Gordon Rd. Folk —5D 188
Gordon Rd. Gill —7H 81
Gordon Rd. H Bay —3G 195
Gordon Rd. Hoo —8G 66
Gordon Rd. Mgte —2E 208
Gordon Rd. N'fleet —5D 62
Gordon Rd. Ram —4H 211
Gordon Rd. Roch —5L 79
Gordon Rd. Sev —7J 119
Gordon Rd. Sidc —3G 57
Gordon Rd. Tun W —7J 151
Gordon Rd. W'wd —8E 208
Gordon Rd. Whitf —8F 178
Gordon Rd. Whits —5F 224
Gordon Sq. WC1 —2C 4
Gordon Sq. Birch —4E 206
Gordon Sq. Fav —5J 187
Gordon Ter. Lydd —4C 204
(off Rodin Hood La.)
Gordon Ter. Roch —8N 79
Gordon Way. Brom —4K 69
Gore. —2K 183 (2C 33)
Gore Clo. E'try —3K 183
Gore Cotts. Grn St —8C 60
Gore Ct. Rd. Otham —3J 139 (2E 27)
Gore Ct. Rd. Sit —9F 98 (3C 19)
Gore End Clo. Birch —4D 206
Gore Green. —6H 65
Gore Grn. La. High —4C 9
Gore Grn. Rd. High —7H 65
Gore La. E'try —3J 183 (2C 33)
Gore La. Goud —2D 37
Gore M. Cant —9A 168
Gore Rd. Bre —5A 114 (3B 18)
Gore Rd. Dart —7C 60 (4E 7)
Gore Rd. E'try —2K 183 (2C 33)
Goresbrook Rd. Dag —2B 6
Gore Street. —2B 22
Gore St. Monk —3B 22
Gore Ter. E'try —2K 183
Gorham Clo. Snod —3D 108
Gorham Dri. Down —8K 127
Gorham Dri. Tonb —7K 145
Gorley Ho. Dover —5J 181
Gorman Rd. SE18 —4B 50
Gorrell Ct. Whits —5G 224
Gorrell Rd. Whits —4G 224
Gorringe Av. S Dar —5D 74
Gorse Av. Chat —7B 94
Gorse Cres. Dit —1H 125
Gorse Hill. F'ham —1A 88 (2D 15)
Gorse La. H Bay —5K 195 (2E 21)
Gorse Mead. Afrd —1D 160
Gorse Rd. Croy —5D 82
Gorse Rd. Orp —3B 86 (2C 14)
Gorse Rd. Roch —4K 79
(in two parts)
Gorse Rd. Sit —6J 99
Gorse Rd. Tun W —9L 151
Gorse Way. Hart —8M 75
Gorsewood Rd. Hart —8M 75
(in two parts)
Gorst St. Gill —7F 80
Goschen Rd. Dover —4G 180
Gosfield Rd. H Bay —3H 195
Gosmere. —1A 30
Gospel Oak. —1C 4
Gossage Rd. SE18 —5F 50
Gosselin St. Whits —5F 224
Gosset St. E2 —2D 5
Goss Hall La. Ah —4F 216
Goss Hill. Swan —2K 73 (1D 15)
Gosshill Rd. Chst —5C 70
Gossington Clo. Chst —9D 56
Goswell Rd. EC1 —2C 5
Goteley Mere. Kenn —3G 159
Gothic Clo. Dart —8L 59
Gothic Clo. Walm —9L 177
Gothic Cotts. Afrd —9A 158
Goudhurst. —8K 185 (2D 37)
Goudhurst Clo. Cant —7N 167
Goudhurst Clo. Maid —5B 126
Goudhurst Rd. Brom —1H 69
Goudhurst Rd. C'brk —8A 220 (2D 37)
Goudhurst Rd. Gill —9L 81
Goudhurst Rd. Horsm —3C 198 (1C 37)
Goudhurst Rd. Lam —2C 36
Goudhurst Rd. Mard —4J 205 (1D 37)
Goudhurst Rd. S'hrst —1E 37
Gouge Av. N'fleet —6D 62
Gough Rd. S'gte —8E 188
Gould Rd. Chat —8E 94
Goulston. Maid —2J 137
Gourock Rd. SE9 —3C 56
Gover Hill. —2D 134 (2A 26)
Gover Hill. Rough —3C 134 (2A 26)
Gover View. Rough —1D 134
Gower St. WC1 —2C 4
Gowland Pl. Beck —5C 68
Grace Av. Bexh —9A 52
Grace Av. Maid —3A 126
(in two parts)
Grace Clo. SE9 —8N 55
Grace Hill. Folk —6K 189 (2A 42)
Grace Meadow. Whitf —6E 178
Grace Rd. S'ness —3B 218
Grace Wlk. Deal —5K 177
Gracious La. Sev —3H 131 (2D 25)
Gracious La. Bri. Sev —2H 131
Gracious La. End. Sev —3G 131
Grafton Av. Roch —3B 94
Grafton Rise. H Bay —4D 194
Grafton Rd. Broad —5J 209
Grafton Rd. Sit —7G 99
Grafton Rd. Wor Pk —2A 12
Grafton Way. Sit —7H 99
Grafty Green. —9N 141 (3B 28)
Graham Clo. Croy —3D 82
Graham Clo. Gill —6C 80
Graham Rd. E8 —1D 5
Graham Rd. Bexh —2A 58
Graham Ter. Sidc —4K 57
(off Westerham Dri.)
Grain. —2C 190 (3C 10)
Grainey Field. H'lip —7G 96
Grainger Wlk. Tonb —1L 145
Grain Rd. Gill —7L 95
Grain Rd. Isle G —4A 190 (4B 10)
Grain Rd. Mid S —9H 201 (4A 10)
Grampian Clo. Orp —9H 71
Grampian Clo. Tun W —9K 151
Grampian Way. Down —8K 127
Grampion Clo. Afrd —7G 158
Gram's Rd. Walm —9L 177 (3E 33)
Granada St. Maid —5D 126
Granary. Pad W —9N 147
Granary Clo. Gill —2B 96
Granary Clo. Weav —4H 127
Granary Ct. Rd. Sme —9M 165 (1C 40)
Granary Pl. Whits —6F 224
Granby Rd. SE9 —9B 50
Granby Rd. Grav —4B 62
Grand Acre. Walt —4C 31
Grand Ct. Folk —8H 189
(off Earls Av.)
Grand Ct. L'stne —4F 212
Grand Depot Rd. SE18 —5C 50 (3A 6)
Grand Dri. SW20 —1A 12
Grand Dri. H Bay —2C 194 (2E 21)
Grand Dri. Lgh S —1B 10
Grand Pde. Lgh S —1B 10
Grand Pde. L'stne —5F 212 (2E 47)
Grand Shaft. —6J 181
Grandshore La. Frit —1E 37
Grandsire Gdns. Hoo —7H 67
Grandstand Rd. Eps —4A 12
Grand View Av. Big H —5C 164
Grange. —6L 81 (1E 17)
Grange Clo. Eden —6C 184
Grange Clo. Leyb —8A 108
Grange Clo. Sidc —8J 57
Grange Clo. W'ham —8E 116
Grange Cotts. Maid —2M 139
Grange Ct. Folk —7J 189
(off Ingles Rd.)
Grange Ct. Ram —7G 211
Grange Cres. Dart —4B 60
Grange Cres. St Mic —4B 222
Grange Dri. Chst —2A 70
Grange Dri. Orp —9L 85
Grange Gdns. Tun W —1D 156
Grange Hill. Chat —9E 80
Grange Hill. Plax —9L 121 (2A 26)
Grangehill Pl. SE9 —1B 56
Grangehill Rd. SE9 —2B 56
Grange Ho. Eri —9H 53
Grange Ho. Grav —5F 62
Grange Ho. Maid —7L 125
Grange La. Hart —1N 89 (2A 16)
Grange La. S'lng —8C 110 (4E 17)
(in two parts)
Grange M. Fav —5H 187
Grangemill Rd. SE6 —8D 54
Grangemill Way. SE6 —7D 54
Grange Rd. E13 —2E 5
Grange Rd. SE1 —3D 5
Grange Rd. Broad —6K 209 (1E 23)
Grange Rd. Deal —5L 177
Grange Rd. Folk —5E 188
Grange Rd. Gill —6H 81 (1E 17)
Grange Rd. Grav —5F 62
Grange Rd. H Bay —3J 195
(in two parts)
Grange Rd. Orp —4F 84
Grange Rd. Platt —2B 122 (1A 26)
Grange Rd. Ram —5G 211 (2E 23)
Grange Rd. Roch —5M 79
Grange Rd. Salt —4J 197 (3D 41)
Grange Rd. Sev —9H 119
Grange Rd. S'brne —3K 133
Grange Rd. St Mic —4A 222 (3B 38)
Grange Rd. T Hth & SE19 —1D 13
Grange Rd. Tun W —1D 156
Grange, The. Croy —3C 82
Grange, The. E Mal —2E 124
Grange, The. Sea —7C 224
Grange, The. S'wll —2C 220
Grange, The. S Dar —4D 74
Grange, The. W King —9F 88
Grange Way. Broad —2K 211
Grange Way. Eri —7J 53
Grange Way. Hart —9M 75
Grange Way. Roch —9N 79
Grangeways Clo. N'fleet —9E 62
Grangewood. Bex —6A 58
Grangewood La. Beck —2C 68
Granite St. SE18 —5H 51
Grannies La. Chill —2B 32
Granny's La. Bos —3D 31
Grant Clo. Broad —7J 209
Grant Clo. Gill B —2L 95
Grantham Av. Deal —5K 177
Grantley Clo. Afrd —2E 160
Granton Rd. Sidc —2L 71
Grant Rd. Wain —1N 79
Grants La. Oxt & Eden —3A 24
Granville Av. Broad —1M 211
Granville Av. Ram —3F 210
Granville Clo. Fav —5G 186
Granville Ct. Maid —3D 126
Granville Dri. H Bay —5C 194
Granville Farm. Ram —5K 211
Granville Gro. SE13 —1F 54
Granville Marina. Ram —5K 211
Granville Marina Ct. Ram —5K 211
(off Granville Marina)
Granville M. Sidc —9J 57
Granville Pde. S'gte —8E 188
Granville Pk. SE13 —1F 54
Granville Pl. S'ness —2D 218
Granville Rd. Broad —1M 211
Granville Rd. Gill —7H 81
Granville Rd. Grav —5E 62
Granville Rd. Kgdn —6N 199
Granville Rd. Maid —3D 126
Granville Rd. Sev —6H 119
Granville Rd. S'ness —2C 218 (4C 11)
Granville Rd. Sidc —9J 57
Granville Rd. St Mb —8K 213 (4E 33)
Granville Rd. Tun W —9J 151
Granville Rd. Walm —8M 177 (3E 33)
Granville Rd. Well —1L 57
Granville Rd. W'ham —8E 116
Granville Rd. E. S'gte —8F 188
Granville Rd. W. S'gte —8E 188
Granville St. Deal —5N 177
Granville St. Dover —3H 181
Grapple Rd. Maid —2C 126
Grasdene Rd. SE18 —7J 51
Grasmere Av. Orp —4D 84
Grasmere Av. Ram —5E 210
Grasmere Gdns. Folk —4H 189
Grasmere Gdns. Orp —4D 84
Grasmere Gro. Roch —3N 79
Grasmere Rd. Bexh —9D 52
Grasmere Rd. Brom —4J 69
Grasmere Rd. Kenn —4G 159
Grasmere Rd. Orp —3D 84
Grasmere Rd. Purl —3C 13
Grasmere Rd. Whits —4J 225
(in two parts)
Grasmere Way. Aysm —1D 162
Grassington Rd. Sidc —9J 57
Grasslands. Afrd —2B 160
Grasslands. Langl —4A 140
Grassmere. Leyb —9D 108
Grassmere. St Mar —3D 214
Grass Rd. Long —8B 76
Grassy Glade. Hem —5L 95
Grassy La. Sev —8J 119
Grave La. Mard —4E 27
Gravel Castle. —8E 162 (3A 32)
Gravel Castle Rd. B'hm —9D 162 (3A 32)
Gravel Hill. Bexh —3C 58 (4C 6)
Gravel Hill. Cha H —3C 170
Gravel Hill. Croy —7A 82 (3D 13)
Gravel Hill Clo. Bexh —3C 58
Gravel La. Sev —3E 130
Gravel La. W Hou —2B 42
Gravelly Bottom Rd. Kgswd —5B 140 (3A 28)
Gravelly Ways. Ladd —4C 26
Gravel Pit La. SE9 —3D 56
Gravel Pits La. Bough B —5A 142
Gravel Pit Way. Orp —3J 85
Gravel Rd. Brom —4A 84 (2A 14)
Gravel Rd. S at H —3B 74
Gravel Wlk. Cant —2M 171 (1D 31)
Gravel Wlk. Roch —7A 80
Gravelwood Clo. Chst —8E 56
Graveney. —3B 20
Graveney Clo. Cli —6N 65
Graveney Rd. Fav —5K 187 (3A 20)
Graveney Rd. Maid —1J 139
Gravesend. —4G 63 (4B 8)
Gravesend Rd. High —2H 79 (1C 17)
Gravesend Rd. Roch —1D 17
Gravesend Rd. Shorne —8B 64 (1C 16)
Gravesend Rd. Wro —6N 105 (4A 16)
Gravesham Ct. Grav —5G 63
Gravesham Museum. —4G 63
Grayland Clo. Brom —4N 69
Grayne Av. Isle G —3C 190
Grays. —3A 8
Grays Farm Rd. Orp —4K 71
Grayshott Clo. Sit —8G 99
Gray's Inn Rd. WC1 —2C 5
Grays Rd. W'ham —3D 116 (1A 24)
Graystone Rd. Whits —2J 225
Grays Way. Cant —4H 171
Grazeley Clo. Bexh —3D 58
Gt. Bounds Dri. Tun W —3E 150
Gt. Brooms Rd. Tun W —6H 151
Great Buckland. —7M 91 (3B 16)
Great Budds. —3F 132
Great Burgh. —4A 12
Gt. Burton Houses. Kenn —5J 159
(off Dudley Rd.)
Gt. Central Way. NW10 —1A 4
Great Chart. —9A 158 (1E 39)
Gt. Chart By-Pass. Afrd —1A 160 (1E 39)
Gt. Chertsey Rd. W4 —3A 4
Great Comp Garden. —3D 122 (1A 26)
Gt. Conduit St. Hythe —6K 197
Gt. Courtlands. L'tn G —1A 156
Great Dixter. —2C 45
Gt. Dover St. SE1 —3D 5
Gt. Eastern Rd. E15 —1E 5
Gt. Eastern St. EC2 —2D 5
Great Elms. Hdlw —7D 134
Gt. Elms Rd. Brom —7M 69
Greatfield Clo. SE13 —2D 54
Gt. Footway. L'tn G —2N 155
Gt. Hall Arc. Tun W —2H 157
Gt. Harry Dri. SE9 —8C 56
Greathed Manor. —1A 34
Gt. Higham Farm Cotts. Dod —9K 115
Great Holt. Bod —4C 31
Gt. Ivy Mill Cotts. Maid —1C 138
Great Job's Cross. —1D 45
Great Lines. —8E 80
Great Lines. Gill —7D 80
Gt. Marlborough St. W1 —2C 4
Great Maytham Hall. —4K 213 (4B 38)
Gt. Mead. Eden —4C 184
Great Mongeham. —3D 33
Greatness. —3L 119 (1D 25)
Greatness La. Sev —3K 119
Greatness Rd. Sev —3K 119
Gt. Norman St. Ide H —2A 130
Gt. Norman St. Sev —2C 24
Gt. Oak Row. Afrd —5F 160
Gt. Portland St. W1 —2C 4
Gt. Queen St. WC2 —2C 5
Gt. Queen St. Dart —4N 59
Gt. South Av. Chat —2D 94
Great Stonar. —2M 217 (4D 23)
Greatstone-on-Sea. —6A 212 (3E 47)
Gt. Tattenhams. Eps —4A 12
Gt. Thrift. Orp —7E 70
Gt. Till Clo. Otf —7G 102
Gt. Western Rd. W9 & W11 —2B 4
Gt. West Rd. W4 & W6 —3A 4
(Chiswick)
Gt. West Rd. W4 —3A 4
(Gunnersbury)
Greatwood. Chst —3C 70
Grebe Clo. H'nge —8C 192
Grebe Clo. Lwr Sto —8K 201
Grebe Ct. Lark —9D 108
Grebe Cres. Hythe —8D 196
Grecian Rd. Tun W —3H 157
Grecian St. Maid —3D 126
Greenacre. Dart —7L 59
Greenacre. Kgtn —3E 31
Green Acre Clo. Chat —6D 94
Greenacre Clo. Swan —7F 72
Greenacre Dri. Walm —9M 177
Greenacres. SE9 —4C 56
Green Acres. Eyt —4L 185
Greenacres. Sidc —9J 57
Green Acres Clo. H Bay —4J 195
Greenacres Clo. Orp —5E 84
Greenbank. Chat —3E 94
Greenbank. Kenn —4H 159

Green Bank Clo.—Hadlow Dri.

Green Bank Clo. *Hem* —6K **95**
Greenbanks. *Dart* —7M **59**
Greenbanks. *Lym* —8D **204**
Greenborough Clo. *Maid* —2H **139**
Green Clo. *Brom* —6H **69**
Green Clo. *Roch* —1A **94**
Green Cloth M. Cant —9A 168
(off Brymore Clo.)
Green Ct. *Bri* —8H **173**
Green Ct. *Folk* —4L **189**
Green Ct. *S'hrst* —8K **221**
Greencourt Rd. *Orp* —8F **70**
Green Ct. Rd. *Swan* —9E **72** (2C **15**)
Greencroft. *Afrd* —3B **160**
Greendale Wlk. *N'fleet* —9D **62**
Green Dell. *Cant* —7N **167**
Green Farm Clo. *Orp* —6H **85**
Green Farm La. *Shorne* —7C **64** (4C **8**)
Greenfield. *Eden* —6D **184**
Greenfield Clo. *Eccl* —4L **109**
Greenfield Clo. *Tun W* —9C **150**
Greenfield Cotts. *Boxl* —7F **110**
Greenfield Cotts. *Cant* —3M **171**
Greenfield Cotts. *S'ndge* —7L **215**
Greenfield Dri. *Brom* —5M **69**
Greenfield Gdns. *Orp* —1F **84**
Greenfield Rd. *Dart* —1E **72**
Greenfield Rd. *Folk* —4L **189**
Greenfield Rd. *Gill* —6H **81**
Greenfield Rd. *Ram* —2G **211**
Greenfields. *Maid* —9H **127**
Greenfields. *S'ndge* —7L **215**
Greenfields Clo. *Wain* —1A **80**
Greenfinches. *Hem* —5J **95**
Greenfinches. *Long* —6A **76**
Greenfrith Dri. *Tonb* —9H **133**
Green Gdns. *Orp* —6E **84**
Greengates. *Whitf* —5F **178**
Greengate St. *E13* —2A **6**
Greenhill. —5E 194 (2E 21)
(nr. Herne Bay)
Green Hill. —9L 127 (2E 27)
(nr. Maidstone)
Green Hill. *SE18* —5B **50**
Green Hill. *Orp* —3B **100**
Green Hill. *Otham* —9L **127**
Greenhill Bri. Rd. *H Bay* —4E **194**
Greenhill Clo. *Min* —6M **205**
Greenhill Cotts. *Maid* —9L **127**
Greenhill Gdns. *H Bay* —4E **194**
Greenhill Gdns. *Min* —6M **205**
Grn. Hill La. *Eger* —4C **29**
Green Hill La. *H'shm* —8M **141**
Greenhill Pk. *NW10* —2A **4**
Greenhill Rd. *H Bay* —5C **194** (2D **21**)
Greenhill Rd. *N'fleet* —7E **62**
Greenhill Rd. *Otf* —6K **103**
Green Hills. *B'hm* —9A **162** (3E **31**)
Greenhill Ter. *SE18* —5B **50**
Greenhithe. —2H 61 (4E 7)
Greenhithe. *Maid* —6C **126**
Greenhithe Clo. *Sidc* —5G **56**
Greenholm Rd. *SE9* —3D **56**
Greenhouse La. *Cant* —9L **167**
Greenhurst La. *Oxt* —3A **24**
Greening St. *SE2* —4L **51**
Greenlands. *Platt* —2A **122**
Greenlands. *Sole S* —8J **77**
Greenlands Rd. *Kems* —1B **120**
Green La. *SE9 & Chst* —6D **56** (4A **6**)
Green La. *SE20* —3A **68** (1D **13**)
Green La. *SW16 & T Hth* —1C **13**
Green La. *Afrd* —4C **160**
Green La. *B'le* —2B **32**
Green La. *Bean* —3A **38**
Green La. *Bou M* —5E **138** (3E **27**)
Green La. *Broad* —8J **209** (1E **23**)
Green La. *Cap F* —1D **41**
Green La. *C'lck* —8B **174** (3E **29**)
Green La. *Cha S* —3E **27**
Green La. *Cli* —2C **176**
Green La. *Coll S* —4C **27**
Green La. *Crowb* —4D **35**
Green La. *Dover* —2G **180** (1C **43**)
Green La. *E End* —3A **38**
Green La. *Eyt* —4L **185** (3C **32**)
Green La. *Folk* —5L **189**
Green La. *Four E* —8A **130** (3B **24**)
Green La. *Frit* —1A **38**
Green La. *Hythe* —6H **197**
Green La. *Ilf & Dag* —1B **6**
Green La. *Isle G* —2C **190**
Green La. *Lam* —2B **36**
Green La. *Langl* —5A **140** (3A **28**)
Green La. *Mgte* —5H **209** (1E **23**)
Green La. *Meop* —1G **90** (2B **16**)
Green La. *Mord* —2B **12**
Green La. *Old L* —6K **175**
Green La. *P Hth* —3B **28**
Green La. *R Min* —8H **183**
Green La. *Rod* —3J **115** (3C **19**)
Green La. *Shorne* —2B **78**
Green La. *Smar* —3K **221**
Green La. *Stal* —2D **29**
Green La. *St Mc* —9H **199**
Green La. *S'bry* —1G **113**
Green La. *Stod* —4A **22**
Green La. *Temp E* —8C **178**
(in two parts)
Green La. *Tros* —5E **106**
Green La. *Walm* —9L **177**
Green La. *W Bra* —1B **40**
Green La. *Whits* —5F **224**
Green La. Av. *Hythe* —6H **197**
Green La. Cotts. *Langl* —5A **140**
Green Lanes. *N4 & N16* —1D **5**
Green La., The. *Leigh* —6N **143**
Greenlaw St. *SE18* —3C **50**
Green Leas *Ches* —4M **225**
Greenleas. *Pem* —8B **152**
Greenleigh Av. *St P* —7K **71**
Greenly Way. *New R* —3D **212**
Green Mnr. Way. *Grav* —2M **61**
Greenmead. *Eri* —3N **51**
Green Meadows. *Dym* —5C **182**
Greenoak Rise. *Big H* —6C **164**
Green Pl. *Dart* —3F **58**
Green Porch Clo. *Sit* —4G **99**
Green Rd. *Birch* —3E **206**
Green Rd. *Dart* —1E **15**
Green Rd. *Horsm* —2C **198**
Green Rd. *S'brne* —4A **26**
Greensands. *W'slde* —2F **110**
Greensand Way. *Rough* —3D **134**
Green's Cotts. *Maid* —4L **137**
Green's End. *SE18* —4D **50**
Greenside. *Bex* —6N **57**
Greenside. *H Hal* —7K **193**
Greenside. *Maid* —6E **126**
Greenside. *Swan* —5E **72**
Greenside Clo. *SE6* —7G **54**
Greenside Wlk. *Big H* —6B **164**
Greensole La. *Ram* —4C **210**
Green St. *E7 & E13* —1A **6**
Green St. *Dart* —4D **7**
Green St. *Gill* —7F **80**
Green Street Green. —2G 75 (1E 15)
(nr. Dartford)
Green Street Green. —7H 85 (3B 14)
(nr. Orpington)
Green St. Grn. Rd. *Dart* —6B **60**
Green, The. *Adtn* —7J **107**
Green, The. *Bear* —5M **127** (2A **28**)
Green, The. *Bene* —3A **38**
Green, The. *Bexh* —8B **52**
Green, The. *Blean* —5G **167**
Green, The. *Bou M* —5E **138** (3E **27**)
Green, The. *Brom* —8K **55**
(in two parts)
Green, The. *Burm* —3B **182**
Green, The. *Cha* —7D **170** (2C **31**)
Green, The. *Col* —4B **32**
Green, The. *Croy* —9C **82**
Green, The. *E Far* —1M **137**
Green, The. *Eyt* —4L **185**
Green, The. *Groom* —5K **155** (2D **35**)
Green, The. *Hay* —1K **83**
Green, The. *L'tn G* —2M **155** (2D **35**)
Green, The. *Leigh* —6N **143**
Green, The. *L'brne* —3L **173** (1A **32**)
Green, The. *Lwr Hal* —8L **223**
Green, The. *Lydd* —4B **204**
Green, The. *Mans* —3B **210**
Green, The. *Matf* —6J **153** (1B **36**)
Green, The. *Min S* —3J **219**
Green, The. *Orp* —6D **84** (2A **14**)
Green, The. *Otf* —7J **103**
Green, The. *Salt* —4J **197** (3D **41**)
Green, The. Seal —3N 119
(off Church Rd.)
Green, The. *Sev* —4L **119**
Green, The. *Sidc* —9J **57** (1B **14**)
Green, The. *St P* —3K **71**
Green, The. *Til* —3B **8**
Green, The. *Up Harb* —1E **170**
Green, The. *Warl* —4D **13**
Green, The. *Well* —2G **56**
Green, The. *W'ham* —8F **116**
Green, The. *W Mal* —1A **124**
Green, The. Wickh —4A 22
(off List, The)
Green, The. *Wdchu* —7B **226** (3D **39**)
Green, The. W Grn —3A 32
(off Forstal Rd.)
Green, The. *Wye* —2M **159** (4A **30**)
Green, The. Yald —7D 136
(off Vicarage Rd.)
Greentrees Av. *Tonb* —2M **145**
Green Vale. *Bexh* —3M **57**
Greenvale Gdns. *Gill* —1L **95**
Greenvale Rd. *SE9* —2B **56**
Greenview Av. *Beck* —9B **68**
Greenview Av. *Croy* —9B **68**
Green View Av. *Leigh* —6A **144**
Greenview Cres. *Hild* —3E **144**
Greenview Wlk. *Gill* —8K **81**
Green Wlk. *Dart* —3G **58**
Green Way. *SE9* —3N **55**
Green Way. *Brom* —9A **70**
Greenway. *Chat* —6A **94**
Greenway. *Chst* —1C **70**
Greenway. *C'brk* —8B **176**
Greenway. *Fav* —4F **186**
Green Way. *Hart* —8L **75**
Green Way. *Lydd* —4B **204**
Green Way. *Maid* —6M **125**
Greenway. *Tats* —8C **164**
Green Way. *Tun W* —6L **151**
Greenway Ct. Rd. *Holl* —7G **128** (2B **28**)
Greenway Gdns. *Croy* —4C **82**
Greenway La. *H'shm* —1H **141** (2B **28**)
Greenways. *Beck* —6D **68**
Greenways. *Long* —6C **76**
Greenways. *Sit* —8J **99**
Greenways. *Weav* —4J **127**
Greenways, The. *Pad W* —1L **153**
Greenway, The. *Orp* —9K **71**
Greenwich. —3E 5
Greenwich Borough Museum.
(off Speranza St.) —5H 51 (3B 6)
Greenwich Clo. *Chat* —7F **94**
Greenwich Clo. *Maid* —5A **126**
Greenwich High Rd. *SE10* —3E **5**
Greenwich La. *Ewe M* —1B **42**
Greenwich Park. —3E **5**
Greenwich S. St. *SE10* —3E **5**
Greenwood Clo. *Orp* —9G **70**
Greenwood Clo. *Sidc* —7J **57**
Greenwood Ho. *SE4* —2A **54**
Greenwood Ind. Est. *Fav* —2F **186**
Greenwood Pl. *Wro* —8N **105**
Greenwood Rd. *Bex* —9E **58**
Greenwood Way. *Sev* —7G **119**
Green Wrythe La. *Cars* —2B **12**
Greggs Wood Rd. *Tun W* —8L **151**
Gregory Clo. *Brom* —7J **69**
Gregory Clo. *Gill* —7A **96**
Gregory Clo. *Kem* —3H **99**
Gregory Clo. *Shor* —2H **103**
Gregory Ct. *Wye* —2M **159**
Gregory Cres. *SE9* —5N **55**
Grenadier Clo. *Rain* —1D **96**
Grenadier St. *E16* —1C **50**
Grenham Bay Av. *Birch* —3D **206**
Grenham Rd. *Birch* —3D **206**
Grenville Clo. *Meop* —3F **90**
Grenville Gdns. *Birch* —3D **206**
Grenville Rd. *New Ad* —9F **82**
Grenville Way. *Broad* —9J **209**
Gresham Av. *Hart* —8M **75**
Gresham Av. *Mgte* —2M **207**
Gresham Clo. *Bex* —4A **58**
Gresham Clo. *Rain* —2B **96**
Gresham Rd. *Beck* —5B **68**
Gresham Rd. *Cox* —5A **138**
Gresswell Clo. *Sidc* —8J **57**
Greville Pl. *NW6* —2B **4**
Greybury La. *M Grn* —1A **34**
Greycot Rd. *Beck* —1D **68**
Greyfriars. *Maid* —4A **126**
Greyfriars. —2M **171**
Grey Friars Cotts. *Cant* —2M **171** (1D **31**)
Grey Friars Ct. *Broad* —4K **209**
Greyhound Commercial Cen., The. *Dart* —3F **58**
Greyhound La. *SW16* —1C **12**
Greyhound Rd. *Min S* —9K **219**
Greyhound Ter. *SW16* —1C **12**
Greyhound Way. *Dart* —3F **58**
Greys Pk. Clo. *Kes* —6N **83**
Greystone Pk. *Sund* —7N **117**
Greystones Clo. *Kems* —8M **103**
Greystones Rd. *Bear* —7K **127**
Greystones Rd. *C'snd* —7B **210**
Grey Wethers. *S'lng* —6B **110**
Grey Willow Gdns. *Afrd* —1B **160**
Gribble Bri. La. *Bidd* —2B **38**
Grice Av. *Big H* —3A **164**
Grierson Rd. *SE23* —5A **54**
Grieves Rd. *N'fleet* —8E **62**
Griffin Mnr. Way. *SE28* —3F **50**
Griffin Rd. *SE18* —5F **50** (3B **6**)
Griffin St. *Deal* —3N **177**
Griffin Wlk. *Grnh* —3F **60**
Grigg. —4B 28
Grigg La. *H'crn* —3M **193** (4B **28**)
Griggs App. *Ilf* —1B **6**
Griggs Way. *Bor G* —2N **121**
Grigsby La. *Smar* —4H **221** (1B **38**)
Grimshill Ct. *Cant* —7J **167**
Grimshill Rd. *Whits* —5F **224**
Grimston Av. *Folk* —6H **189** (3A **42**)
Grimston Gdns. *Folk* —7H **189**
Grimthorpe Av. *Whits* —6E **224**
Grinan Ct. *Ram* —3K **211**
Grinsell Hill. *Ram* —2D **23**
Grisbrook Farm Clo. *Lydd* —3D **204**
Grisbrook Rd. *Lydd* —3C **204**
Grizedale Clo. *Roch* —3A **94**
Gromenfield. *Groom* —6K **155**
Groombridge. —6K 155 (2D 35)
Groombridge Clo. *Well* —3J **57**
Groombridge Hill. *Groom* —6K **155** (2D **35**)
Groombridge La. *E Grn* —3D **35**
Groombridge Place. —5K **155** (2D **35**)
Groombridge Rd. *Groom* —4H **155** (2D **35**)
Groombridge Sq. *Maid* —2J **139**
Grosmont Rd. *SE18* —6H **51**
Grosvenor Av. *N5* —1D **5**
Grosvenor Av. *Cars* —3B **12**
Grosvenor Av. *Chat* —9B **80**
Grosvenor Bri. *Tun W* —9H **151** (1E **35**)
Grosvenor Cres. *Dart* —3L **59**
Grosvenor Gdns. *SW1* —3C **4**
Grosvenor Gdns. *Mgte* —4C **208** (1D **23**)
Grosvenor Hill. *Mgte* —3C **208**
Grosvenor Ho. *Maid* —3J **139**
Grosvenor Pk. *Tun W* —1G **157**
Grosvenor Pl. *SW1* —3C **4**
Grosvenor Pl. *Mgte* —3C **208**
Grosvenor Pl. *Tun W* —8H **151**
Grosvenor Rd. *Belv* —6B **52**
Grosvenor Rd. *Bexh* —3M **57**
Grosvenor Rd. *Broad* —9L **209**
Grosvenor Rd. *Gill B* —2J **95**
Grosvenor Rd. *Kenn* —3G **159**
Grosvenor Rd. *Orp* —9G **71**
Grosvenor Rd. *Ram* —5G **210**
Grosvenor Rd. *Tun W* —1G **157** (2E **35**)
Grosvenor Rd. *Wall* —3C **12**
Grosvenor Rd. *W Wick* —2E **82**
Grosvenor Rd. *Whits* —6F **224**
Grosvenor Sq. *Long* —6L **75**
Grosvenor St. *W1* —2C **4**
Grosvenor Ter. Folk —5L 189
(off Tram Rd., The)
Grosvenor Wlk. *Tun W* —1G **157**
Grote Ct. Folk —6K 189
(off Dover Rd.)
Grotto Gdns. *Mgte* —3D **208**
Grotto Hill. *Mgte* —3D **208**
Grotto Rd. *Mgte* —3D **208**
Grove. —3A 22
Grove Av. *Ley S* —6M **203**
Grove Av. *Tun W* —3G **157**
Grovebury Clo. *Eri* —6E **52**
Grovebury Ct. *Bexh* —3C **58**
Grovebury Rd. *SE2* —2K **51**
Grove Clo. *SE23* —6B **54**
Grove Clo. *Brom* —3K **83**
Grove Clo. *Fav* —6E **186**
Grove Cottage. *Tonb* —5K **145**
Grove End. —3C 18
Grove End Rd. *NW8* —2B **4**
Gro. Ferry Hill. *Ups* —3A **22**
Grove Gdns. *Mgte* —4A **208**
Grove Green. —4H 127 (1E 27)
Grove Grn. La. *Weav* —4H **127**
Grove Grn. Rd. *E10 & E11* —1E **5**
Grove Grn. Rd. *Weav* —4J **127**
Groveherst Rd. *Dart* —1N **59**
Grove Hill. —3A 22
Grovehill Ct. *Brom* —2J **69**
Grove Hill Gdns. *Tun W* —3H **157**
Grove Hill Rd. *Tun W* —2H **157** (2E **35**)
Grovehurst. —2F 198 (1C 37)
(nr. Horsmonden)
Grovehurst. —2F 98
(nr. Kemsley)
Grovehurst Av. *Kem* —3G **98** (2C **19**)
Grovehurst La. *Horsm* —3E **198** (1C **37**)
Grovehurst Rd. *Iwade* —9C **198** (2C **19**)
(in two parts)
Groveland Rd. *Beck* —6C **68**
Grovelands Rd. *Orp* —3J **71**
Grove La. *SE5* —3D **5**
Grove La. *Bztt* —2C **46**
Grove La. *Hunt* —8G **137**
Grove La. *Iden* —3A **46**
Grove Mkt. Pl. *SE9* —4B **56**
Grove Park. —8L 55 (4A 6)
Grove Pk. Av. *Sit* —6C **98**
Grove Pk. Rd. *SE9* —8M **55** (4A **6**)
Grove Pk. Rd. *W4* —3A **4**
Grove Rd. *E3* —2D **5**
Grove Rd. *Belv* —6A **52**
Grove Rd. *Bexh* —2D **58**
Grove Rd. *Chat* —1E **94**
Grove Rd. *Chid H* —6E **148** (1C **35**)
Grove Rd. *Folk* —6L **189**
Grove Rd. *Gill* —6K **81**
Grove Rd. *Maid* —2F **138**
Grove Rd. *Mitc* —1C **12**
Grove Rd. *Monk* —3B **22**
Grove Rd. *N'fleet* —3A **62**
Grove Rd. *Ram* —6H **211**
Grove Rd. *Roch* —4M **79**
Grove Rd. *Seal* —4A **120** (1D **25**)
Grove Rd. *Sell* —2A **30**
Grove Rd. *Sev* —3K **119**
Grove Rd. *S'le* —1B **32**
Grove Rd. *Sutt* —3B **12**
Grove Rd. *Tats* —8C **164**
Grove Rd. *Up H'lng* —6C **92**
Grove Rd. *Walm* —7N **177**
Grove Rd. *Wickh* —4A **22**
Grover St. *Tun W* —1H **157**
Groves, The. *Snod* —3D **108**
Grove St. *SE8* —3E **5**
Grove Ter. *Cant* —3L **171**
Grove Ter. Folk —5L 189
(off Dover Rd.)
Grove, The. *E15* —1E **5**
Grove, The. (Junct.) —4D **5**
Grove, The. *B'hm* —8D **162**
Grove, The. *Bear* —6K **127**
Grove, The. *Bexh* —2M **57**
Grove, The. *Big H* —6D **164**
Grove, The. *Deal* —4M **177**
Grove, The. *Dover* —3H **181**
Grove, The. *Grav* —5G **63**
Grove, The. *H Bay* —5D **194**
Grove, The. *Hythe* —6K **197**
Grove, The *Kenn* —4J **159**
Grove, The. *Pem* —6C **152**
Grove, The. *Sidc* —9N **57**
Grove, The. *Swan* —6G **72**
Grove, The. *Swans* —3M **61**
Grove, The. *Wgte S* —3L **207**
Grove, The. *W King* —1F **104**
Grove, The. *W Wick* —3F **82**
Grove Vale. *SE22* —4D **5**
Grove Vale. *Chst* —2C **70**
Groveway. *Ley S* —6L **203**
Grovewood Ct. *Weav* —5H **127**
Grovewood Dri. *Maid* —1E **27**
Grovewood Dri. *Weav* —5G **127**
Grubb Street. —4H 75 (1E 15)
Grummock Av. *Ram* —5F **210**
Grundy's Hill. *Ram* —6J **211**
Guardian Ct. *SE12* —3H **55**
Guardian Ct. *Gill* —2M **95**
Guardian Ind. Est. *Mard* —2K **205**
Guestling Thorn. —4D 45
Guestwick. *Tonb* —2M **145**
Guibal Rd. *SE12* —5L **55**
Guildables La. *Eden* —3A **24**
Guildcount La. *S'wch* —5L **217**
Guildersome St. *SE18* —6C **50**
Guildford Av. *Wgte S* —3J **207**
Guildford Ct. *Walm* —8N **177**
Guildford Gdns. *Roch* —6G **79**
Guildford Ho. *Maid* —1G **138**
Guildford Lawn. *Ram* —6H **211**
Guildford Rd. *Cant* —4M **171**
Guildford Rd. *Tun W* —2H **157**
Guildhall St. *Cant* —2M **171** (1D **31**)
Guildhall St. *Folk* —6K **189**
Guildhall St. N. *Folk* —6K **189**
Guild Rd. *SE7* —6A **50**
Guild Rd. *Eri* —7G **52**
Guilford Av. *Whitf* —5E **178**
Guilford Rd. *S'wch B* —1D **33**
Guilford St. *WC1* —2C **5**
Guilton. —5B 216 (4B 22)
Guilton. *Ah* —5A **216** (4B **22**)
Guldeford La. *E Gul* —3B **46**
Guldeford Lane Corner. —3B 46
Guldeford Rd. *E Gul* —3A **46**
Gullands. *Langl* —4A **140**
Gulliver Rd. *Sidc* —7F **56**
Gumping Rd. *Orp* —3E **84**
Gun Back La. *Horsm* —3C **198**
Gundulph Ho. *Roch* —6N **79**
Gundulph Rd. *Brom* —6M **69**
Gundulph Rd. *Chat* —8B **80**
Gundulph Sq. *Roch* —6N **79**
Gunfleet Clo. *Grav* —5K **63**
Gun Green. —4N 191 (4E 37)
Gun Hill. *W Til* —3B **8**
Gunlands. *Horsm* —2C **198**
Gun La. *Strood* —5L **79** (1D **17**)
Gunner La. *SE18* —5C **50**
Gunnersbury. —3A 4
Gunnersbury Av. *W5 & W3* —3A **4**
Gunnersbury La. *W3* —3A **4**
Gunning St. *SE18* —4G **51**
Gunnis Clo. *Gill* —7N **95**
Gunn Rd. *Swans* —4L **61**
Gunter Gro. *SW10* —3B **4**
Gurling Rd. *St Mc* —8J **199**
Gushmere. —1A 30
Guston. —7K 179 (4D 33)
Guston Rd. *Dover* —3K **181** (1D **43**)
Guston Rd. *Maid* —4F **126**
Guthrie Gdns. *Dover* —1D **180**
Guy Barnett Gro. *SE3* —1K **55**
Guy Clo. *Broad* —6L **209**
Guyscliff Rd. *SE13* —3F **54**
Gwillim Clo. *Sidc* —3J **57**
Gwydor Rd. *Beck* —6A **68**
Gwydyr Rd. *Brom* —6J **69**
Gwynne Av. *Croy* —1A **82**
Gwynn Rd. *N'fleet* —7B **62**
Gwyn Rd. *Ram* —2G **210**
Gybbon Rise. *S'hrst* —8J **221**
Gybbons Rd. *Rol* —3K **213**
Gypsy Corner. (Junct.) —2A **4**

Hackbridge. —2C 12
Hackbridge Rd. *Wall* —2C **12**
Hacket Ho. *Maid* —2D **126**
Hackfield. *Afrd* —9D **158**
Hackington Clo. *Cant* —7L **167**
Hackington Cres. *Beck* —2D **68**
Hackington Pl. *Cant* —9M **167**
Hackington Rd. *T Hill* —1K **167** (3D **21**)
Hackington Ter. *Cant* —9M **167**
Hacklinge. —2D 33
Hacklinge Hill. *Hackl* —2D **33**
Hackney. —1D 5
Hackney Rd. *E2* —2D **5**
Hackney Rd. *Maid* —7N **125** (2D **27**)
Hackney Wick. —1E 5
Hackney Wick. (Junct.) —1E **5**
Hacton. —1D 7
Hacton La. *Horn & Upm* —1D **7**
Hadden Rd. *SE28* —3G **50**
Haddington Rd. *Brom* —8G **55**
Haddon Gro. *Sidc* —5H **57**
Haddon Rd. *Orp* —8L **71**
Hadleigh. —1A 10
Hadleigh Castle. —1A **10**
Hadleigh Ct. *Hem* —8K **95**
Hadleigh Gdns. *H Bay* —2J **195**
Hadleigh Rd. *Lgh S* —1A **10**
Hadley Clo. *Meop* —3G **90**
Hadley Ct. *Tun W* —8F **150**
Hadley Gdns. *Holl* —7G **128**
Hadley Rd. *Belv* —4A **52**
Hadlow. —8D 134 (3A 26)
Hadlow Dri. *Clift* —3J **209**

Halsted Clo.—Herald Wlk.

Hasted Clo. Grnh —4J 61
Hasted Rd. N'tn —4K 97
Hasteds. Holl —7F 128
Haste Hill. —5D 138
Haste Hill Clo. Bou M —5D 138
Haste Hill Rd. Bou M —5D 138 (3E 27)
Hastingleigh. —4C 30
Hastings Av. Mgte —4E 208
Hastings Pl. S'wch —6L 217
Hastings Rd. Batt —4B 44
Hastings Rd. Brom —2A 84 (2A 14)
Hastings Rd. Flim —4C 37
Hastings Rd. Hawkh —8K 191 (1B 44)
Hastings Rd. I'ham —4E 45
Hastings Rd. Lam —4D 200 (3B 36)
Hastings Rd. Maid —6E 126 (2E 27)
Hastings Rd. Newe & Rol —4H 213 (1D 45)
Hastings Rd. N'iam —3D 45
Hastings Rd. Pem —8C 152 (1A 36)
Hatchard Gro. Swan —5G 73
Hatches La. E Peck —9H 135 (3B 26)
Hatch La. Cha H —4B 170 (1C 31)
Hatch Rd. Len —7D 200
Hatch St. Fav —5G 186
Hatcliffe Clo. SE3 —1J 55
Hatfield Rd. Mgte —3A 208
Hatfield Rd. Ram —5H 211
Hatfield Rd. Roch —4L 79
Hatham Grn. La. Stans —1K 105 (3E 15)
Hathaway Clo. Brom —2B 84
Hathaway Ct. Gill —3N 95
Hathaway Ct. Roch —7M 79
Hathaway Rd. Grays —3A 8
Hatherall Rd. Maid —3E 126
Hatherley Ct. Mgte —2E 208 (off Percy Rd.)
Hatherley Cres. Sidc —7J 57
Hatherley Gdns. E6 —2A 6
Hatherley Rd. Sidc —9J 57
Hathern Gdns. SE9 —9C 56
Hatmill La. Bchly —8M 153 (1B 36)
Hattersfield Clo. Belv —4A 52
Hatton Clo. SE18 —7F 50
Hatton Clo. N'fleet —8D 62
Hatton Garden. EC1 —2C 5
Hatton Rd. Chat —8F 94
Hault Farm. —3C 31
Havant Wlk. Maid —2J 139
Havelock Pl. Ah —5C 216
Havelock Rd. Belv —4A 52
Havelock Rd. Brom —7M 69
Havelock Rd. Dart —5J 59
Havelock Rd. Grav —5E 62
Havelock Rd. Tonb —4H 145
Havelock Rd. Walm —7M 177
Havelock St. Cant —2N 171 (1D 31)
Haven Clo. SE9 —8B 56
Haven Clo. Grav —4E 76
Haven Clo. Roch —1N 93
Haven Clo. Sidc —2L 71
Haven Clo. Swan —5G 72
Haven Ct. Beck —5F 68
Haven Dri. H'nge —8C 192
Haven Dri. H Bay —1N 195
Havengore Av. Grav —5K 63
Haven Hill. Hods —7N 89 (3A 16)
Haven Rd. Can I —2E 9
Haven St. Wain —7M 65 (4D 9)
Haven, The. Hythe —7D 196
Haven, The. Kgnt —4D 160
Haventhorpe. Afrd —7F 158
Haven Way. St Mi —3E 80
Havering Clo. Tun W —8M 151
Haverstock Ct. Orp —5K 71 (off Cotmandene Cres.)
Haverstock Hill. NW3 —1B 4
Haverthwaite Rd. Orp —3F 84
Haviker Street. —4D 27
Haviker St. Coll S —4C 27
Havisham Clo. Roch —1A 94
Havisham Rd. Grav —6M 63
Havock La. Maid —5C 126
Hawbeck Rd. Gill —8M 95
Hawden Clo. Hild —3F 144
Hawden La. Hild —3F 144
Hawden Rd. Tonb —5H 145
Hawe Clo. Cant —7N 167
Hawe Farm Way. H Bay —6J 195
Hawe La. Sturry —4F 168 (3E 21)
Hawes Av. Ram —5F 210
Hawes La. W Wick —2F 82
Hawes Rd. Brom —4L 69 (in two parts)
Hawes, The. Elham —6J 183
Hawes, The. S Min —4D 31
Hawfield Bank. Orp —4M 85
Hawk Clo. Whits —6E 224
Hawkenbury. —3K 157 (2E 35)
Hawkenbury Clo. Tun W —3K 157
Hawkenbury Mead. Tun W —4K 157
Hawkenbury Rd. H'bury —4A 28
Hawkenbury Rd. Tun W —3K 157 (2E 35)
Hawkesbury St. Dover —7J 181
Hawkesdown Rd. Walm —1M 199
Hawkesfield Rd. SE23 —7B 54
Hawkes Pl. Sev —9H 119
Hawkes Rd. Eccl —5K 109
Hawkhurst. —5L 191 (4D 37)
Hawkhurst Clo. Birch —3G 206
Hawkhurst Rd. Gill —9K 81
Hawkhurst Rd. Flim —4C 37
Hawkhurst Rd. Hawkh —1K 191 (3D 37)
Hawkhurst Way. Broad —2L 211
Hawkhurst Way. W Wick —3E 82
Hawkinge. —7D 192 (1A 42)
Hawkinge Wlk. Orp —6K 71
Hawkins Av. Grav —9H 63
Hawkins Clo. Chat —6C 80
Hawkins Clo. Mil R —4F 98
Hawkins Ct. SE18 —4A 50
Hawkins Rd. Folk —5D 188
Hawkins Way. SE6 —1D 68
Hawksbrook La. Beck —9E 68
Hawksdown. —1L 199
Hawksdown. Walm —1L 199
Hawkshead Clo. Brom —3H 69
Hawkshill Rd. Walm —1N 199
Hawkslade Rd. SE15 —3A 54
Hawk's La. Cant —2M 171 (1D 31)
Hawksmoor Clo. SE18 —5G 51
Hawks Rd. H Bay —5C 194
Hawks Rd. King T —1A 12
Hawkstone Rd. SE16 —3D 5
Hawks Way. Afrd —2C 160
Hawkwood. Maid —4M 125
Hawkwood Clo. Roch —8A 80
Hawkwood La. Chst —4E 70
Hawley. —9N 59 (1D 15)
Hawley Ct. Maid —5B 126
Hawley Rd. NW1 —1C 4
Hawley Rd. Dart —7M 59 (4D 7)
Hawley's Corner. —3D 116 (1A 24)
Hawley Sq. Mgte —3D 208
Hawley St. Mgte —3C 208 (1D 23)
Hawley Ter. Dart —1A 74
Hawley Vale. Dart —1A 74
Hawser Rd. Roch —2N 93
Hawstead La. Orp —6A 86 (2C 14)
Hawstead Rd. SE6 —4E 54
Hawthordene Rd. Beck —3J 83
Hawthorn. App —1B 46
Hawthorn Av. Big H —3D 164
Hawthorn Av. Cant —9N 167
Hawthorn Av. S'ness —4B 218 (4C 11)
Hawthorn Clo. Aysm —3C 162
Hawthorn Clo. Dover —2D 180
Hawthorn Clo. Eden —5C 184
Hawthorn Clo. Grav —9H 63
Hawthorn Clo. Hythe —8F 196
Hawthorn Clo. Orp —9F 70
Hawthorn Clo. Ram —3J 211
Hawthorn Clo. St Mar —3E 214
Hawthorn Corner. —2A 22
Hawthorn Cotts. Well —1J 57 (off Hook La.)
Hawthorndene Clo. Brom —3J 83
Hawthorndene Rd. Brom —3J 83
Hawthorn Dri. W Wick —5H 83
Hawthorne Av. Gill —2M 95
Hawthorne Clo. Brom —6B 70
Hawthorne Clo. Eyt —4L 185
Hawthorne Rd. Brom —6B 70
Hawthorne Ho. Barm —6L 125 (off Springwood Rd.)
Hawthorn Ho. Chat —6C 94
Hawthorn La. Sev —4G 118
Hawthorn Pl. Eri —5D 52
Hawthorn Rd. NW10 —1A 4
Hawthorn Rd. Bexh —2A 58
Hawthorn Rd. Dart —7L 59
Hawthorn Rd. Kgnt —5F 160
Hawthorn Rd. Roch —6H 79
Hawthorn Rd. Sit —7F 98
Hawthorns. Chat —1C 110
Hawthorns. Hart —7M 75
Hawthorns, The. Ayle —9J 109
Hawthorns, The. Broad —9G 209
Hawthorn Wlk. Tonb —9J 133
Hawthorn Wlk. Tun W —6L 151
Haxted. —4A 24
Haxted Mill. —4A 24
Haxted Mill & Museum. —4A 24
Haxted Rd. Brom —4L 69
Haxted Rd. Ling & Eden —4A 24
Haydens Clo. Orp —9L 71
Haydens M. Tonb —4J 145
Haydens, The. Tonb —4J 145
Haydons Rd. SW19 —1B 12
Hayes. —2L 83 (2A 14)
Hayes All. Whits —3F 224 (off Middle Wall)
Hayes Chase. W Wick —9G 69
Hayes Clo. Brom —3K 83
Hayes Clo. High —1G 78
Hayesden La. Tun W —2A 150 (1D 35)
Hayesford Pk. Dri. Brom —8J 69
Hayes Garden. Brom —2K 83
Hayes Hill. Brom —2H 83
Hayes Hill Rd. Brom —2J 83 (2E 13)
Hayes La. Beck —6F 68 (1E 13)
Hayes La. Brom —8K 69 (2A 14)
Hayes La. Kenl —4C 13 (in two parts)
Hayes La. Peas —3D 45
Hayes La. S'bry —4H 113
Hayes Mead Rd. Brom —2H 83
Hayes Rd. Brom —7K 69 (1A 14)
Hayes Rd. Grnh —5E 60
Hayes St. Brom —2L 83 (2A 14)
Hayes Ter. Shorne —1C 78
Hayes Way. Beck —7F 68
Hayes Wood Av. Brom —2L 83
Hayfield. Leyb —5C 108
Hayfield Rd. Orp —8J 71
Hayfields. Chat —9G 95
Hay Hill. E'try & Ha —3M 183 (2C 33)
Hay La. Ham —2D 33
Hay La. Ha —4N 183
Hayle Mill Cotts. Maid —9C 126
Hayle Mill Rd. Maid —8C 126
Hayle Rd. Maid —6D 126 (2E 27)
Hayles Clo. Tent —7C 222
Hayley Clo. Cux —1F 92
Haymakers La. Afrd —1B 160
Haymans Hill. Horsm —1D 198 (1C 37)
Hayman Wlk. Eccl —4K 109
Haymarket. SW1 —2C 4
Haymen St. Chat —9B 80
Hayne Rd. Beck —5C 68
Haynes Clo. SE3 —1H 55
Haynes Rd. N'fleet —8E 62
Hayrick Clo. Weav —4H 127
Haysden Country Park. —7E 144
Haysel. Sit —9H 99
Hays Mead. Ludd —9L 77
Hays Rd. Snod —4D 108
Hayton Rd. Stanf —8N 215 (2C 41)
Haywain Clo. Pad W —1M 153
Haywain Clo. Weav —5J 127
Hayward Av. Roch —4M 79
Hayward Clo. Dart —3E 58
Hayward Clo. Deal —6K 177
Hayward Clo. W'boro —1L 161
Hayward Dri. Dart —8N 59
Haywards Clo. New R —3C 212
Haywards Hill. Hock —2E 29
Hayward's Ho. Roch —6N 79
Haywards Yd. SE4 —3C 54 (off Lindal Rd.)
Haywood Rise. Orp —6G 85
Haywood Rd. Brom —7N 69
Hazebrouch Rd. Fav —5E 186
Hazel Av. Maid —4N 125
Hazelbank. L'tn G —2N 155
Hazelbank Rd. SE6 —7G 55 (4E 5)
Hazel Clo. Croy —1A 82
Hazel Clo. Eyt —4K 185
Hazelden Clo. W King —9G 88
Hazeldene Rd. Well —9L 51
Hazeldon Rd. SE4 —3B 54
Hazeldown Clo. River —2D 180
Hazel Dri. Eri —8J 53
Hazel End. Swan —8F 72
Hazel Gro. SE26 —9A 54
Hazel Gro. Chat —3E 94
Hazel Gro. Min S —3H 219
Hazel Gro. Orp —3D 84
Hazelhurst. Beck —4G 68
Hazelhurst Ct. SE6 —1F 68 (off Beckenham Hill Rd.)
Hazelmere Dri. H Bay —2L 195
Hazelmere Rd. Orp —7E 70
Hazelmere Way. Brom —9K 69
Hazel Rd. Dart —7L 59
Hazel Rd. Eri —8H 53
Hazel Shaw. Tonb —9J 133
Hazels, The. Gill —6L 95
Hazel Street. —7J 113 (4B 18) (nr. Bicknor)
Hazel Street. —4A 198 (2C 36) (nr. Horsmonden)
Hazel St. Rd. S'bry —8J 113 (4B 18)
Hazel Wlk. Broad —9G 209
Hazel Wlk. Brom —9C 70
Hazelwood. —2F 100 (3B 14)
Hazelwood Clo. Tun W —6K 151
Hazelwood Dri. Maid —4M 125
Hazelwood Houses. Short —6H 69
Hazelwood La. Coul —4B 12
Hazelwood Meadow. S'wch —7L 217
Hazelwood Rd. Cud —3F 100
Hazlemere Dri. Gill —7J 81
Hazlemere Rd. Sea —6C 224
Hazling Dane. S'wll —2E 220
Hazlitt Dri. Maid —4A 126
Headcorn. —3K 193 (4A 28)
Headcorn Dri. Cant —7N 167
Headcorn Flower Centre & Vineyard. —3M 193 (4B 28)
Headcorn Gdns. Clift —3J 209
Headcorn Rd. Bidd —6L 163 (1B 38)
Headcorn Rd. Brom —1J 69
Headcorn Rd. Frit —1A 38
Headcorn Rd. Gill —8L 81
Headcorn Rd. Graf G & Len —9N 141 (4B 28)
Headcorn Rd. S'wy & Len —9B 200
Headcorn Rd. Smar —1B 38
Headcorn Rd. S'hrst —7K 221 (1E 37)
Headcorn Rd. Sut V —9A 140 (3A 28)
Headcorn Rd. Ulc —4B 28
Head Hill Rd. Good —3B 20
Headingley Rd. Maid —3M 125
Headley Ct. Eden —5D 184
Headley Dri. New Ad —8E 82 (3E 13)
Headley Rd. Eps —4A 12
Head Race, The. Maid —7A 126
Heaf Gdns. Roy B —9K 109
Healy Dri. Orp —4H 85
Heard Way. Sit —6J 99
Hearnden Green. —4A 28
Hearne Clo. Sit —6K 99
Hearn's Rd. Orp —7L 71
Heartenoak Rd. Hawkh —5L 191 (4D 37)
Heart In Hand Rd. Haw —5N 195 (2A 22)
Hearts Delight. —1C 114 (3C 18)
Hearts Delight. B'den —1C 114 (3C 18)
Hearts Delight Rd. Tun —1C 114 (3C 18)
Heath Av. Bexh —6M 51
Heath Clo. Orp —1L 85
Heath Clo. Sturry —4E 168
Heathclose. Swan —5F 72
Heathclose Av. Dart —5J 59
Heathclose Rd. Dart —6H 59 (4D 7)
Heathdene Dri. Belv —4C 52
Heath End Rd. Bex —6F 58
Heatherbank. SE9 —9B 50
Heatherbank. Chst —5C 70
Heatherbank Clo. Dart —4F 58
Heather Clo. SE13 —5G 54
Heather Clo. Chat —7C 94
Heather Clo. Mgte —5A 208
Heather Clo. Sit —8H 99
Heather Ct. Sidc —2M 71
Heather Dri. Dart —5H 59
Heather Dri. Maid —7E 126
Heather Dri. St Mic —4C 222
Heather End. Swan —7E 72
Heather Rd. SE12 —6K 55
Heatherside Rd. Sidc —8M 57
Heathers, The. C'brk —9A 176
Heather Wlk. Tonb —9H 133 (in two parts)
Heather Way. S Croy —9A 82
Heatherwood Clo. Kgswd —6G 140
Heathfield. Chst —2E 70
Heathfield. Langl —4A 140
Heathfield Av. Dover —2G 181
Heathfield Av. Maid —2F 126
Heathfield Clo. Chat —4E 94
Heathfield Clo. Kes —6M 83
Heathfield Clo. Maid —2E 126
Heathfield Cotts. Swan —5E 72 (off London Rd.)
Heathfield Gdns. Rob —3A 44
Heathfield La. Chst —2D 70 (1A 14)
Heathfield Pde. Swan —5D 72
Heathfield Rd. Afrd —7G 158
Heathfield Rd. Bexh —2A 58
Heathfield Rd. Brom —3J 69
Heathfield Rd. Kes —6M 83 (2A 14)
Heathfield Rd. Maid —2E 126
Heathfield Rd. Sev —4G 118
Heathfields. Tun W —1K 157
Heathfield Ter. SE18 —6G 51
Heathfield Ter. W4 —3A 4
Heathfield Vale. S Croy —9A 82
Heathfield Way. B'hm —8D 162
Heath Gdns. Dart —6K 59
Heath Gro. Maid —7L 125
Heath Ho. Sidc —9H 57
Heathlands Rise. Dart —4J 59
Heath La. SE3 —1H 55
Heath La. Dart —4D 7
Heath La. (Lower) Dart —6K 59
Heath La. (Upper) Dart —7H 59
Heathlee Rd. SE3 —2J 55
Heathlee Rd. Dart —4F 58
Heathley End. Chst —2E 70
Heathorn St. Maid —4E 126
Heath Pk. Dri. Brom —6A 70
Heath Rise. Brom —9J 69
Heath Rd. App —4D 39
Heath Rd. Bex —6D 58
Heath Rd. Cox & Lin —5N 137
Heath Rd. Dart —4G 59
Heath Rd. Grays —2A 8
Heath Rd. Langl —4A 140 (3A 28)
Heath Rd. Maid —6K 125 (2D 27)
Heath Rd. W Far & E Far —3J 137 (3D 27)
Heath Side. —8G 58
Heathside. App —4D 39
Heathside. Orp —1F 84
Heathside Av. Bexh —9N 51
Heathside Av. Cox —4N 137
Heath St. NW3 —1B 4
Heath St. Dart —5L 59
Heath Ter. Horsm —2B 198
Heath, The. E Mal —4C 124 (1C 26)
Heath, The. Whits —4K 225
Heathview Av. Dart —4F 58
Heathview Cres. Dart —6J 59
Heathview Dri. SE2 —6M 51
Heath Vs. SE18 —5H 51
Heathway. (Junct.) —2C 6
Heathway. Croy —3C 82
Heathway. Dag —1C 6
Heath Way. Eri —8D 52
Heathwood Dri. Ram —3J 211
Heathwood Gdns. SE7 —4A 50
Heathwood Gdns. Swan —5D 72
Heathwood Point. SE23 —8A 54
Heathwood Wlk. Bex —6F 58
Heaton Rd. Cant —4L 171
Heaverham. —8E 104 (4E 15)
Heaverham Rd. Kems —8B 104 (4D 15)
Heavitree Clo. SE18 —5F 50
Heavitree Rd. SE18 —5F 50
Hectorage Rd. Tonb —7J 145 (4E 25)
Hector St. SE18 —4G 50
Hedge Barton Mobile Homes. Ford —9G 149
Hedgemans Rd. Dag —1B 6
Hedgend Ind. Est. St N —7E 214
Hedge Pl. Rd. Grnh —4F 60 (4E 7)
Hedgerows. Afrd —2B 160
Hedgerows, The. N'fleet —7D 62
Hedgerow, The. Weav —4H 127
Hedges, The. Maid —2D 126
Hedge Wlk. SE6 —1E 68
Hedgley M. SE12 —3J 55
Hedgley St. SE12 —3J 55
Hedley St. Maid —4D 126 (in two parts)
Heel La. B Oak —3B 168
Heel Rd. Stal —2E 29
Heights Ter. Dover —6H 181
Heights, The. Beck —3F 68 (in two parts)
Heights, The. Whits —6E 224
Helder Gro. SE12 —5J 55
Helding Clo. H Bay —5J 195
Helena Av. Mgte —5C 208 (1D 23)
Helena Corniche. S'gte —8C 188
Helena Rd. Cap F —2C 174
Helena Vs. S'gte —8B 188
Helen Clo. Dart —5J 59
Helen Keller Ct. Tonb —2J 145
Helen St. SE18 —4D 50
Helen Thompson Clo. Iwade —8C 198
Hellfire Corner & Underground Hospital. (off East Norman Rd.) —4L 181
Hellyer Ct. Roch —8N 79
Helmdon Clo. Ram —2G 210
Helvellyn Av. Ram —5F 210
Helvetia St. SE6 —7C 54
Hemmings Clo. Sidc —7K 57
Hempstead. —5K 95 (2E 17)
Hempstead La. Bap —8M 99 (3D 19)
Hempstead Rd. Hem —8J 95 (3E 17)
Hempstead St. Afrd N —8F 158 (off Godinton Rd.)
Hempstead Valley Dri. Hem —5K 95 (2E 17)
Hempstead Valley Shop. Cen. Hem —8K 95
Hempton Hill. M Hor —2D 41
Hemsted. —1D 41
Hemsted Rd. Eri —7F 52
Henbane Clo. Weav —4H 127
Henbury La. W'mre —4E 31
Henderson Dri. Dart —2N 59 (4D 7)
Henderson Rd. Big H —2B 164
Hendley Dri. C'brk —7C 176
Hendon Way. NW4 & NW2 —1B 4
Hendry Ho. Chatt —7B 66
Hendy Clo. Whits —2L 225
Hendy Rd. Snod —2F 108
Henfield Clo. Bex —4B 58
Hengist Av. Mgte —4F 208
Hengist Ct. Maid —5D 126
Hengist Field. B'den —2A 114
Hengist Rd. SE12 —5L 55
Hengist Rd. Birch —4B 206
Hengist Rd. Deal —3N 177
Hengist Rd. Eri —7C 52
Hengist Rd. Wgte S —3J 207
Hengist Way. Brom —7H 69
Hengrave Rd. SE23 —5A 54
Hengrove Ct. Bex —6N 57
Henham Gdns. E Peck —1M 147
Henhurst. —4K 77 (1B 16)
Henhurst Rd. Cob —5K 77
Henhurst Rd. Sole S —1B 16
Heniker La. Sut V —3A 28
Henley Bus. Pk. Roch —5A 80
Henley Clo. Chat —5D 94
Henley Clo. Gill —3N 95
Henley Clo. Tun W —9J 151
Henley Ct. Sev —5J 119
Henley Deane. N'fleet —9D 62
Henley Fields. St Mic —5C 222
Henley Fields. Weav —3H 127
Henley Meadows. Tent —5B 222
Henley Rd. E16 —2B 50
Henley Street. —9L 77 (2B 16)
Henley St. Ludd —9L 77 (2B 16)
Henley View. St Mic —5C 222
Hennel Clo. SE23 —8A 54
Henniker Clo. Whitf —8E 178
Henniker Gdns. E6 —2A 6
Henry Cooper Way. SE9 —8N 55
Henry Ct. Cant —3M 171 (1D 31)
Henryson Rd. SE4 —3D 54
Henry St. Brom —4L 69
Henry St. Chat —9E 80
Henry St. Gill —2C 96
Henshill La. Hawkh —7J 191
Henson Clo. Orp —3D 84
Henville Rd. Brom —4L 69
Henwick Rd. SE9 —1N 55
Henwood. Hen I —8H 159
Henwood Green. —8D 152 (1A 36)
Henwood Grn. Rd. Pem —7C 152 (1A 36)
Henwood Ind. Est. Afrd —7J 159
Henwoods Cres. Pem —8C 152
Henwoods Mt. Pem —8D 152
Hepburn Gdns. Brom —2H 83
Hepplewhite M. Chat —1C 110
Herald Wlk. Dart —3N 59

Hildenborough Ho.—Hook Farm Rd.

Hildenborough Ho. Beck —3C 68
(off Bethersden Clo.)
Hildenborough Rd. Leigh —5N 143 (4D 25)
Hildenborough Rd. S'brne —4D 132 (3E 25)
Hilden Dri. Eri —7J 53
Hildenlea Pl. Brom —5H 69
Hilden Park. —2F 144
Hilden Pk. Rd. Hild —3F 144
Hilders Clo. Eden —3B 184
Hildersham Clo. Broad —8J 209
Hilders La. Eden —3A 184
Hillary Av. N'fleet —8D 62
Hillary Rd. Maid —2D 126
Hill Av. S'wll —2D 220
Hillborough. —3N 195 (2A 22)
Hillborough Av. Sev —4L 119
Hillborough Bus. Pk. H Bay —3N 195
Hillborough Dri. H Bay —1N 195
Hillborough Gro. Chat —8D 94
Hillborough Rd. H Bay —2J 195
Hill Brow. Bear —4K 127
Hill Brow. Brom —4N 69
Hill Brow. Dart —4G 59
Hill Brow. Sit —9E 98
Hillbrow Av. H Bay —5J 195
Hillbrow Av. Sturry —4E 168
Hill Brow Clo. Bex —9E 58
Hillbrow La. Afrd —9D 158
Hillbrow Rd. Brom —3H 69
Hillbrow Rd. Ram —4H 211
Hillbury Rd. Whyt —4D 13
Hill Chase. Chat —8B 94
Hill Clo. Chst —1D 70
Hill Clo. Grav —3D 76
Hill Clo. St Mc —8J 213
Hill Ct. Chatt —9C 66
Hill Cres. Aysm —2C 162
Hill Cres. Bex —6D 58
Hill Cres. Len —7E 200
Hillcrest. Four E —3B 24
Hill Crest. Maid —3C 138
Hill Crest. Sev —4H 119
Hillcrest. Sidc —5J 57
Hillcrest. Tun W —6H 151
Hillcrest Clo. Beck —9C 68
Hillcrest Clo. Kenn —4J 159
Hill Crest Dri. Cux —1G 92
Hillcrest Dri. Grnh —3G 61
Hillcrest Dri. Tun W —7K 151
Hillcrest Gdns. Deal —8K 177
Hillcrest Rd. Big H —4D 164
Hillcrest Rd. Brom —1K 69
Hillcrest Rd. Chat —1C 94
Hillcrest Rd. Dart —5F 58
Hillcrest Rd. Eden —3C 184
Hillcrest Rd. Hythe —5J 197
Hillcrest Rd. Kgdn —5M 199
Hillcrest Rd. L'brne —2K 173
Hillcrest Rd. Orp —3J 85
Hillcrest View. Beck —9C 68
Hillcroft Rd. H Bay —4J 195
Hillcroome Rd. Sutt —3B 12
Hillcross Av. Mord —2A 12
Hilden Shaw. Maid —9D 126
Hilldown Rd. Brom —2H 83
Hill Dri. E'try —2K 183
Hilldrop Rd. Brom —2L 69
Hillend. SE18 —8C 50
Hill End. Orp —3H 85
Hiller Clo. Broad —7L 209
Hill Farm Clo. H Hals —2H 67
Hillfield Rd. Dun G —2F 118
Hillgarth. Tun W —6G 151
Hill Green. —1E 112 (3A 18)
Hill Grn. Rd. S'bry —1D 112 (3A 18)
Hillgrove Rd. NW6 —1B 4
Hill Hoath. —9C 142
Hill Ho. Rd. Dart —5C 60
Hilliers La. Croy —2C 13
Hillingdale. Big H —6B 164
Hillingdon Av. Sev —3K 119
Hillingdon Rise. Sev —4L 119
Hillingdon Rd. Bexh —9D 52
Hillingdon Rd. Grav —7G 62
Hill La. Peene —3B 188 (2E 41)
Hillman Av. H Bay —3B 194
Hillmarton Rd. N7 —1C 5
Hillmore Ct. SE13 —1G 54
(off Belmont Hill)
Hillmore Gro. SE26 —1B 68
Hill Park. —5D 116
Hillreach. SE18 —5B 50 (3A 6)
Hill Rise. Dart —1D 74
Hill Rd. Dart —7M 59
Hill Rd. Folk —3K 189 (2A 42)
(in two parts)
Hill Rd. Roch —1L 93
Hill Rd. Woul —6J 93
Hillsgrove Clo. Well —7L 51
Hillshaw Cres. Roch —7H 79
Hillside. —4D 52
Hillside. NW10 —2A 4
Hillside. Dart —1E 74
Hillside. Eri —4E 52
Hillside. F'ham —1N 87
Hillside. Roch —1L 93
Hillside. S'gte —8E 188
Hillside. Tonb —8G 144
Hillside. W'hm —1B 226
Hillside Av. Cant —1J 171
Hillside Av. Grav —7J 63
Hillside Av. Queen —9A 218
Hillside Av. Roch —4M 79
Hillside Cotts. Cha —8E 170
Hillside Ct. Hythe —6K 197
Hillside Ct. Roch —5L 79
Hillside Ct. Swan —7H 73
Hillside Ct. W'bury —1C 136
Hillside Dri. Grav —7J 63
Hillside La. Brom —3J 83
(in two parts)
Hillside Rd. Brom —6J 69 (1E 13)
Hillside Rd. Chat —8D 80
Hillside Rd. Dart —4H 59
Hillside Rd. Dover —2F 180
Hillside Rd. Kems —8N 103
Hillside Rd. Min S —5J 219
Hillside Rd. Sev —5L 119
Hillside Rd. Stal —2D 29
Hillside Rd. Tats —7E 164
Hillside Rd. Whits —4J 225
Hillside St. Hythe —6J 197
Hillside, The. Orp —9K 85
Hills La. Knat —4B 104 (3D 15)
Hill's Ter. Chat —9C 80
Hill Street. —4C 31
Hill St. Tun W —9H 151
Hill St. Bottom. H'lgh & Bod —4C 31
Hill, The. Char —2K 175 (3D 29)
Hill, The. C'brk —8D 176
Hill, The. L'brne —2K 173 (1A 32)
Hill, The. N'fleet —4B 62 (4A 8)
Hill Top. —5N 153
Hill Top. C'brk —1D 37
Hilltop. Hunt —5H 137 (3C 27)
Hilltop. Tonb —8H 145
Hill Top Cotts. Langl —6B 138
Hilltop Gdns. Dart —3N 59
Hilltop Gdns. Orp —3G 84
Hill Top Rd. H Bay —2J 195
Hilltop Rd. Min S —7H 219
Hilltop Rd. Roch —3N 79
Hill View. Afrd —6G 159
Hillview. Bor G —5M 121
(Basted)
Hill View. Bor G —2N 121
(Borough Green)
Hillview. Mgte —6B 208
Hill View Clo. Bor G —2N 121
Hill View Cres. Orp —2H 85
Hill View Dri. Well —9G 50
Hillview Ho. Grav —6H 63
Hillview Rd. Cant —9J 167
Hillview Rd. Chst —1C 70
Hill View Rd. Hild —2F 144
Hill View Rd. Long —6A 76
Hill View Rd. Orp —2G 85
Hill View Rd. Tun W —1C 156
Hillview Rd. Whits —5F 224
Hill View Way. Chat —6B 94
Hillworth. Beck —5E 68
Hillydeal Rd. Otf —6K 103
Hillyfield Clo. Roch —3K 79
Hillyfield Rd. Afrd —1E 160
Hilly Fields Cres. SE4 —1D 54
Hillyfields Rise. Afrd —9E 158
Hilton Dri. Sit —5C 98
Hilton Ho. SE4 —2A 54
Hilton Rd. Afrd —8D 158
Hilton Rd. Cli —6M 65
Hinchliffe Way. Mgte —5H 209
Hind Clo. Dym —7B 182
Hind Cres. N Hth —6E 52
Hinde Clo. Sit —4G 98
Hindsley's Pl. SE23 —7A 54
Hines Ter. Chat —2F 94
Hinksey Path. SE2 —3M 51
Hinstock Rd. SE18 —6E 50
Hinton Clo. SE9 —6A 56
Hinton Cres. Hem —5K 95
Hinton Rd. SE24 —4C 5
Hinxhill. —1B 40
Hinxhill Rd. W'boro —1N 161 (1B 40)
Hirst Clo. Dover —9G 178
Historic Dockyard, The. —5C 80 (1E 17)
Hitchen Hatch La. Sev —6H 119
Hither Chantlers. L'tn G —3A 156
Hitherfield. Char —3J 175
Hither Green. —4H 55 (4E 5)
Hither Grn. La. SE13 —3F 54 (4E 5)
Hive La. N'fleet —4A 62
Hive, The. N'fleet —4A 62
Hoad Common. —4J 133
Hoaden. —3B 22
Hoades Wood Rd. Sturry —4F 168
Hoadleys La. Crowb —3C 35
Hoads Wood Gdns. Afrd —4C 158
Hoath. —2A 22
Hoath Clo. Gill —4L 95
Hoath Corner. —3C 148 (1C 34)
Hoath Hill. M'fld —3B 44
Hoath La. Gill —4L 95 (2E 17)
Hoath Meadow. Horsm —2C 198
Hoath Rd. Hoath —4G 168
Hoath Rd. Sturry —3E 21
Hoath Way. Gill —4L 95 (2E 17)
Hobart Cres. Dover —1G 181
Hobart Gdns. Sit —7D 98
Hobart Rd. Ram —3E 210
Hobbs La. Beckl —2E 45
Hoblands End. Chst —2G 71
Hockenden. —6B 72 (1C 14)
Hockenden La. Swan —6B 72 (1C 14)
Hockeredge Gdns. Wgte S —3L 207
Hockers Clo. Det —1K 127
Hockers La. Weav —3J 127 (1E 27)
Hockley. —2E 29
Hoddesdon Rd. Belv —5B 52
Hode La. Bri —6D 172 (2E 31)
Hodges Gap. Mgte —2G 208
Hodgson Cres. Snod —1E 108
Hodgson Rd. Sea —6A 224
Hodsoll Ct. Orp —8M 71
Hodsoll Street. —9C 90 (3A 16)
Hodsoll St. Sev —9C 90 (3A 16)
Hodson Cres. Orp —8M 71
Hoever Ho. SE6 —9F 54
Hogarth Clo. H Bay —2M 195
Hogarth La. W4 —3A 4
Hogarth Roundabout. (Junct.) —3A 4
Hogbarn La. H'shm —2B 28
Hogben Clo. Lym —7C 204
Hogben's Hill. —1A 30
Hogbrook Hill La. Alk —1B 42
Hogg La. Grays —3A 8
Hogg La. Up Hard —3D 31
Hog Green. Elham —7N 183
Hog Hill. Bear —5L 127
Hoghole La. Lam —3B 36
Hognore La. Sev —5C 106
Hogs La. Grav —8C 62
Hogs Orchard. Swan —4J 73
Hogtrough Hill. Bras —2H 117 (1B 24)
Holbeach Gdns. Sidc —4H 57
Holbeach Rd. SE6 —5E 54
Holbeam Rd. Stal —2E 29
Holborn. —2C 5
Holborn. EC1 —2C 5
Holborn La. Chat —7C 80
Holborn Viaduct. EC1 & EC4 —2C 5
Holborough. —9E 92 (3C 17)
Holborough M. Snod —1E 108
Holborough Rd. Snod —2E 108 (3C 17)
Holbourn Clo. H Bay —7J 195
Holbrook Dri. Ram —3F 210
Holbrook Ho. Chst —4F 70
Holbrook La. Chst —3F 70
Holbrook Way. Brom —9B 70 (2A 14)
Holburne Rd. SE3 —8A 50
Holcombe Rd. Chat —1C 94
Holcombe Rd. Roch —9N 79
Holcote Clo. Belv —3N 51
Holdenby Rd. SE4 —3B 54
Holden Corner. Tun W —5E 150
Holdenhurst. Afrd —3C 160
Holden Pk. Rd. Tun W —6F 150
Holden Rd. Tun W —5E 150 (1E 35)
Holder Clo. Chat —5F 94
Holding St. Gill —2B 96
Hole La. Eden —1A 184 (3A 24)
Holford St. Tonb —6H 145
Holiday Sq. Mgte —2C 208
Holland. —3A 24
Holland Av. Sutt —3B 12
Holland Clo. Broad —3L 209
Holland Clo. Brom —3J 83
Holland Clo. S'ness —3C 218
Holland Dri. SE23 —8B 54
Holland Ho. Roch —8A 80
Holland La. Oxt —3A 24
Holland Pk. Av. W11 —2A 4
Holland Park Roundabout. (Junct.) —3B 4
Holland Rd. W14 —3A 4
Holland Rd. Chat —7B 94
Holland Rd. Maid —4D 126 (1E 27)
Holland Rd. Oxt —3A 24
Hollands Av. Folk —4M 189
Hollands Clo. Shorne —1C 78
(in two parts)
Holland Way. Brom —3J 83
Hollicondane. —3H 211
Hollicondane Rd. Ram —4H 211
Hollies Av. Sidc —7H 57
Hollies, The. Grav —2J 77
Hollies, The. Long —6B 76
Holligrave Rd. Brom —4K 69
Hollin Clo. Tun W —1F 156
Hollingbourne. —6G 129 (2B 28)
Hollingbourne Av. Bexh —8A 52
Hollingbourne Hill. Holl —6H 129 (2B 28)
Hollingbourne Rd. Gill —9M 81
Hollingrove. —3A 44
Hollington Ct. Chst —2D 70
Hollington Pl. Afrd —7G 158
Hollingworth Rd. Maid —3J 139
Hollingworth Rd. Orp —1D 84
Hollingworth Way. W'ham —8F 116
Holloway. —1C 4
Holloway Rd. N19 & N7 —1C 4
Hollow La. Cant —4L 171 (1D 31)
Hollow La. D'land & E Grin —1A 34
Hollow La. H'lip —6G 96 (2B 18)
Hollow La. Snod —3D 108 (3C 16)
Hollowmede. Cant —4L 171
Hollow Rd. Hoath —2A 22
Hollows Trees Dri. Leigh —5A 144
Hollow Street. —3A 22
Hollow Wood Rd. Dover —4D 180
Holly Bank. Bchly —6N 153
Hollybank Hill. Sit —7F 98
Hollybrake Clo. Chst —3F 70
Holly Bush Clo. Sev —6K 119
Holly Bush Ct. Sev —6K 119
Hollybushes. —1C 29
Holly Bush La. Orp —7B 86
Holly Bush La. Sev —6K 119
Hollybush La. Stod —8K 169 (4A 22)
Hollybush Rd. Grav —7H 63
Holly Clo. Broad —1G 210
Holly Clo. Chat —2F 94
Holly Clo. E'try —3L 183
Holly Clo. Folk —4L 189
Holly Clo. Gill —6H 81
Holly Ct. Sidc —9K 57
(off Sidcup Hill)
Holly Cres. Beck —8C 68
Hollycroft. Cux —1G 92
Hollydale Dri. Brom —4B 84
Hollydown Way. E11 —1E 5
Holly Farm Rd. Otham —2M 139
Hollyfield Rd. Surb —2A 12
Holly Gdns. Mgte —3G 209
Holly Hedge Ter. SE13 —3G 54
Holly Hill. —3B 16
Holly Hill. Elham —4E 31
Holly Hill Rd. Belv & Eri —5C 52
Holly Hill Rd. Dunk —2N 165
Holly Hill Rd. Meop —8L 91 (3B 16)
Holly Ho. S'ness —2C 218
Holly La. Bans —4B 12
Holly La. Mgte —3G 209
Hollymeoak Rd. Coul —4C 12
Holly Rd. Dart —6L 59
Holly Rd. Orp —8J 85
Holly Rd. Ram —4J 211
Holly Rd. Roch —6J 79
Holly Rd. St Mar —2E 214
Holly Rd. Wain —2A 80
Hollyshaw Clo. Tun W —3J 157
Hollytree Av. Swan —5F 72
Hollytree Clo. Kgswd —6G 140
Hollytree Dri. High —1F 78
Holly Tree Ho. SE4 —1C 54
(off Brockley Rd.)
Hollytree Pde. Sidc —2L 71
(off Sidcup Hill)
Holly Vs. Bear —5M 127
(off Street, The)
Holly Vs. W Far —2H 137
Hollywood La. Wain —2N 79 (1D 17)
Hollywood La. W King —2F 104
Hollywood Way. Eri —7J 53
Holman M. Cant —3N 171 (1D 31)
Holmbury Gro. Croy —8C 82
Holmbury Mnr. Sidc —9J 57
Holmbury Pk. Brom —3A 70
Holm Ct. SE12 —8L 55
Holmcroft Way. Brom —8B 70
Holmdale Rd. Chst —1E 70
Holmdene Clo. Beck —5F 68
Holme Lacey Rd. SE12 —4J 55
Holme Oak Clo. Cant —4M 171
Holmes Clo. H Hals —2H 67
Holmesdale Clo. Loose —5C 138
Holmesdale Hill. S Dar —4C 74 (1E 15)
Holmesdale Rd. Bexh —9M 51
Holmesdale Rd. Sev —5L 119
Holmesdale Rd. S Dar —4C 74 (1E 15)
Holmes Dale Ter. Folk —7K 189
(off Sandgate Rd.)
Holmesley Rd. SE23 —4B 54
Holmestead Village. Ram —7G 210
Holmestone Rd. Dover —3D 180
Holmewood Ridge. L'tn G —2M 155
Holmewood Rd. Tun W —7J 151
Holmhurst Clo. Tun W —1F 156
Holmhurst Rd. Belv —5C 52
Holmlea Clo. W'boro —9J 159
Holmleigh Av. Dart —3K 59
Holm Mill La. H'shm —2K 141 (2B 28)
Holm Oak Gdns. Broad —9K 209
Holmoaks. Gill —1A 96
Holmoaks. Maid —4F 126
Holmoaks Ho. Beck —5F 68
Holmscroft Rd. H Bay —2L 195
Holmsdale Gro. Bexh —9F 52
Holmshaw Clo. SE26 —9B 54
Holmside. Gill —1H 95
Holmside Av. Min S —6E 218
Holmwood Rd. Afrd —2C 160
Holness Rd. Ah —4C 216
Holstein Way. Eri —3M 51
Holters La. Cant —9M 167
Holt Hill. —1H 125
Holton Clo. Birch —5F 206
Holt Rd. E16 —1A 50
Holt St. Non —4F 162 (3B 32)
Holt Wood Av. Ayle —1H 125
Holtwood Clo. Gill —6N 95
Holtye. —2B 34
Holtye Cres. Maid —7E 126
Holtye Rd. E Grin —2A 34
Holwood Pk. Av. Orp —5B 84
Holy Ghost All. S'wch —5M 217
(off St Peter's St.)
Holyoake Mt. Grav —6J 63
Holyoake Ter. Sev —6H 119
Holyrood Dri. Min S —7H 219
Holywell Av. Folk —3J 189
Holywell Ho. Folk —3J 189
Holywell La. Upc —8J 223 (2B 18)
Home Cotts. Cha —7D 170
Homedean Rd. Chip —4D 118 (2C 25)
Home Farm Clo. Leigh —4A 144
Home Farm Ct. Frant —9J 157
Home Farm La. Tun W —6L 151
Homefern Ho. Mgte —2D 208
(off Cobbs Pl.)
Homefield Av. Deal —4L 177
Homefield Clo. St P —7K 71
Homefield Clo. Swan —6G 72
Homefield Dri. Rain —1D 96
Homefield Ho. SE23 —8A 54
Homefield M. Beck —4D 68
Homefield Rise. Orp —2J 85
Homefield Rd. Brom —4M 69 (1A 14)
Homefield Rd. Sev —4F 118
Homefield Rd. S at H —5N 73
Homefield Row. Deal —4L 177
Homefleet Ho. Ram —5K 211
(off Wellington Cres.)
Home Gdns. Dart —4D 7
Home Hill. Swan —3G 73
Home Lea. Orp —6H 85
Homeleigh Rd. SE15 —3A 54
Homeleigh Rd. Ram —1F 210
Homemead. Grav —5G 63
Homemead. Grnh —4H 61
Home Mead Clo. Grav —5G 63
Homemead Rd. Brom —8B 70
Home Orchard. Dart —4M 59
(in two parts.)
Home Pk. Rd. SW19 —4B 4
Home Peak. Hythe —6J 197
(off Bartholomew St.)
Homer Clo. Bexh —8D 52
Homer Rd. Croy —9A 68
Homerton. —1D 5
Homerton High St. E9 —1D 5
Homerton Rd. E9 —1E 5
Homesdale Rd. Brom —7M 69 (1A 14)
Homesdale Rd. Orp —1G 84
Homeside Farm. Bos —3D 31
Homespire Ho. Cant —1N 171 (4D 21)
(off Knott's La.)
Homestall Ct. Cant —7J 167
Homestall Farm. —6M 187 (3A 20)
Homestall Rd. SE22 —4D 5
Homestall Rd. Ash W —2A 34
Homestall Rd. Good —6M 187 (3A 20)
Homestead. Afrd —1B 160
Homestead Clo. Mgte —4D 208
Homestead La. E Stu —3C 33
Homestead Rd. SW6 —3B 4
Homestead Rd. Eden —2B 184
Homestead Rd. Orp —8K 85
Homestead, The. Dart —3F 58
(off Crayford High St.)
Homestead, The. Dart —4K 59
(West Hill Dri.)
Homestead View. B'den —9C 98
Homevale Houses. S'gte —8E 188
Home View. Sit —7J 99
Homewards Rd. Allh —4J 201 (3A 10)
Homewood Av. Sit —8E 98 (3C 18)
Homewood Cres. Chst —2G 71
Homewood Rd. L'tn G —2N 155
Homewood Rd. Sturry —5F 168
Homewood Rd. Tent —6C 222
Homing Leisure Pk. Sea —8C 224
Honduras Ter. Maid —2D 126
Hone St. Roch —4M 79
Honeyball Wlk. Tey —2K 223
Honey Bee Glade. Gill —6A 96
Honeybourne Way. Orp —2F 84
Honey Clo. Hem —6K 95
Honeycrest Ind. Est. S'hrst —6J 221
Honeycrock Hill. S'bry —2H 113 (3B 18)
Honeyden Rd. Sidc —2N 71
Honeyfield. Afrd —9C 158
Honey Hill. —4F 166 (3C 21)
Honey Hill. Whits —2E 166 (3C 21)
Honey La. Otham —2L 139 (2E 27)
Honeypot Clo. Roch —4M 79
Honeypot La. Eden —4A 24
Honeypot La. Hods —9B 90
Honeypot La. Kems —1C 120 (1D 25)
Honeysuckle Clo. Chat —7B 94
Honeysuckle Clo. Hem —7J 95
Honeysuckle Clo. Mgte —5A 208
Honeysuckle Ct. Sit —6J 99
Honeysuckle Gdns. Croy —1A 82
Honeysuckle Rd. Ram —4K 211
Honeysuckle Way. H Bay —5L 195
Honeywell Parkwell. Dover —8G 178
Honeywood Clo. Cant —9A 168
Honeywood Clo. Lymp —5B 196
Honeywood Rd. Whitf —7F 178 (4C 33)
Honfleur Rd. S'wch —6L 217
Honiton Rd. Well —9H 51
Honley Rd. SE6 —5E 54
Honor Oak. —4A 54 (4D 5)
Honor Oak Pk. SE23 —4A 54 (4D 5)
Honor Oak Park. —5B 54 (4E 5)
Honor Oak Rd. SE23 —4D 5
Honywood Rd. Len —8D 200
Hoo. —7J 205 (2C 22)
Hoo Comn. Chatt —9D 66
Hood Av. Orp —8K 71
Hook Clo. Chat —6B 94
Hook Clo. Folk —6F 188
Hook Farm Rd. Brom —8N 69

Hookfields—Iris Cres.

Hookfields. N'fleet —8D 62
Hook Green. —9H 59 (nr. Dartford)
Hook Green. —2N 75 (1A 16) (nr. Gravesend)
Hook Green. —9G 76 (2B 16) (nr. Meopham)
Hook Grn. La. Dart —8G 59 (4C 7)
Hook Grn. Rd. Meop —1A 16
Hook Grn. Rd. S'fleet —3L 75
Hook Hill. Birch G —3B 36
Hook La. B'Ind —2C 46
Hook La. Char —3H 175 (3D 29)
Hook La. H'shm —2L 141
Hook La. Well —3H 57 (4B 6)
Hook Rise N. Surb —2A 12
Hook Rise S. Surb —2A 12
Hook Rd. Eps —3A 12
Hook Rd. Snod —2D 108
Hook Stead. H Hal —7H 193
Hook Wall. B'Ind —2C 46
Hookwood Cotts. Prat B —2L 101
Hookwood Rd. Orp —2L 101 (3B 14)
Hoo Marina Pk. Hoo —1H 81
Hoopers La. H Bay —5L 195
Hoopers La. St Mh —6H 201 (3A 10)
Hooper's Rd. Roch —8N 79
Hoopers Yd. Sev —8K 119
Hoo Rd. Wain —1A 80 (1D 17)
Hoo St Werburgh. —8H 67 (4E 9)
Hope Av. Hdlw —7C 134
Hope Clo. SE12 —8L 55
Hope Cotts. Maid —3D 138
Hope La. New R —1B 212 (2D 47)
Hope Pk. Brom —3J 69
Hope Rd. Deal —5N 177
Hope Rd. Swans —4M 61
Hope's Green. —1E 9
Hopes Gro. H Hal —7J 193
Hopes Hill. Dod —1D 29
Hopes La. Ram —1G 210
Hope St. Chat —9D 80
Hope St. Maid —3C 126
Hope St. S'ness —2C 218
Hope Ter. High —6H 65
Hope Vs. New R —2B 212
Hopeville Av. Broad —7H 209
Hopewell Dri. Chat —3F 94
Hopewell Dri. Grav —1L 77
Hop Farm. —4M 147 (4B 26)
Hopgarden Clo. Eden —4D 184
Hop Garden Cotts. Cant —4L 171
Hopgarden La. Sev —1H 131
Hopgarden Rd. Tonb —2K 145
Hoppers. Five G —8G 147
Hoppers Way. Afrd —1B 160
Hop Pocket Clo. Siss —8C 220
Hopsons Pl. Min S —7K 219
Hopton Ct. Hay —2K 83
Hopwood Gdns. Tun W —8G 151
Horden. —1D 37
Horizon Clo. Tun W —6H 151
Horizon Ho. Swan —7F 72
Horley Clo. Bexh —3B 58
Horley Rd. SE9 —9A 56
Horlingham Clo. Tonb —9K 133
Hornash La. Shad —9A 160 (2E 39)
Hornbeam Av. Chat —9E 94
Hornbeam Av. Tun W —5K 151
Hornbeam Clo. Afrd —7D 158
Hornbeam Clo. Lark —9F 108
Hornbeam Clo. Pad W —1L 153
Hornbeam La. Bexh —9D 52
Hornbeams. Meop —2G 106
Hornbeam Way. Brom —9C 70
Horncastle Clo. SE12 —5K 55
Horncastle Rd. SE12 —5K 55
Horndon on the Hill. —2B 8
Horndon Rd. Horn H —2B 8
Hornes Place Chapel. —4D 39
Hornet Clo. Pys R —1H 211
Hornfair Rd. SE7 —3A 6
Hornfield Cotts. Meop —8G 91
Horniman Museum. —4D 5
Horning Clo. SE9 —9A 56
Horn La. W3 —2A 4
Horn Park. —3L 55
Hornpark Clo. SE12 —3L 55
Hornpark La. SE12 —3L 55
Horns Corner. —1B 44
Horns Cross. —4E 60 (4E 7)
Hornsey Rd. N19 & N7 —1C 5
Horns Green. —8G 100 (4B 14)
Horns Hill. —2B 24
Horns Hill. Hrst G & Hawk —1A 44
Hornshurst Rd. Roth —4D 35
Horns La. Mere —7J 123 (2B 26)
Horns Lodge. Tonb —8J 133
Horns Lodge La. Sev —3A 16
Horns Lodge Rd. Stans —1N 105
Horn's Oak Rd. Meop —5G 91 (2B 16)
Horns Rd. Hawkh —7H 191 (1A 44)
Horn Street. —7B 188 (3E 41) (nr. Hythe)
Horn Street. —4C 108 (3C 16) (nr. Snodland)
Horn St. Hythe —8B 188 (3E 41)
Horn Yd. Grav —4G 63
Horsa Rd. SE12 —5M 55
Horsa Rd. Birch —4C 206
Horsa Rd. Deal —2N 177
Horsa Rd. Eri —7C 52
Horsebridge Rd. Whits —3F 224
Horsecroft Clo. Orp —2K 85
Horseferry Rd. SW1 —3C 4
Horselees. —4K 165 (4B 20)
Horselees Rd. Bou B —4K 165 (4B 20) (in two parts)
Horsell Rd. Orp —4K 71
Horseshoe Clo. Weav —4H 127
Horseshoe Green. —1C 34
Horseshoe La. Beckl —3D 45
Horseshoes La. Langl —4N 139 (3A 28)
Horseshore Clo. Hem —6J 95
Horsewash La. Roch —6N 79
Horsfeld Gdns. SE9 —3A 56
Horsfeld Rd. SE9 —3N 55
Horsfield Clo. Dart —5C 60
Horsford Wlk. Fav —4E 186
Horsham La. Gill —7H 223 (2A 18)
Horsham Rd. Bexh —3B 58
Horshams, The. H Bay —2L 195
Horsley Clo. H'nge —9C 192
Horsley Dri. New Ad —8F 82
Horsley Rd. Brom —4L 69
Horsley Rd. Roch —8M 79
Horsmonden. —2C 198 (1C 37)
Horsmonden Clo. Orp —1H 85
Horsmonden Rd. SE4 —3C 54
Horsmonden Rd. Bchly —6N 153 (1B 36)
Horsmonden Rd. Lam —1D 200 (2B 36)
Horsmonden St. Works. Horsm —2F 198
Horsted Av. Chat —2B 94
Horsted Retail Pk. Chat —5A 94
Horsted Way. Roch —4A 94 (2D 17)
Horton. —7F 170 (2C 31)
Horton Downs. Down —8J 127
Horton Kirby. —7C 74 (1E 15)
Horton Kirby Trad. Est. S Dar —4C 74
Horton La. Eps —3A 12
Horton Park Farm. —3A 12
Horton Pl. W'ham —8F 116
Horton Rd. Cha —7E 170
Horton Rd. Hort K —7C 74 (1E 15)
Horton St. SE13 —1E 54
Hortons Way. W'ham —8F 116 (in two parts)
Horton Way. Croy —8A 68
Horton Way. F'ham —1N 87
Horwood Clo. Roch —3M 93
Hoselands View. Hart —7L 75
Hoser Av. SE12 —7K 55
Hoser Gdns. Birch —4F 206
Hosey Comn. La. W'ham —2B 24
Hosey Comn. Rd. Eden & W'ham —3B 24
Hosey Hill. —2B 24
Hosey Hill. W'ham —9G 116 (2B 24)
Hospital Hill. Hythe —3E 41
Hospital Hill. S'gte —8B 188
Hospital La. Cant —2M 171 (1D 31)
Hospital La. Roch —8B 80
Hospital Rd. Holl —9G 128 (2B 28)
Hospital Rd. Sev —3K 119
Hospital Way. SE13 —5G 54
Hostier Clo. Hall —7F 92
Hotel Rd. Gill —1K 95
Hotel Rd. St Mb —7L 213 (4E 33)
Hotham Clo. S at H —3B 74
Hotham Clo. Swan —4J 73
Hothfield. —4E 29
Hothfield Rd. Rain —2B 96
Hottsfield. Hart —6L 75
Hougham Ct. La. Chu H —2B 42
Houghton Av. Hem —8L 95
Houghton Ct. La. Chu H —9A 180
Houghton Green. —3A 46
Houghton Ho. Folk —6J 189
Houghton La. P'den —3A 46
House Field. W'boro —8K 159
Housefield Rd. Stal —2E 29
Houselands Rd. Tonb —5H 145
Houston Rd. SE23 —7B 54
Hovenden Clo. Cant —7N 167
Hovendens. Siss —8C 220
Howard Av. Bex —6L 57
Howard Av. Roch —8A 80
Howard Av. Sit —5E 98
Howard Clo. Min S —5K 219
Howard Dri. Maid —3M 125
Howard Gdns. Tun W —4G 156
Howard Rd. Broad —1L 211
Howard Rd. Brom —3K 69
Howard Rd. Dart —4A 60
Howard Rd. E Mal —1D 124
Howards Crest Clo. Beck —5F 68
Howarth Rd. SE2 —5J 51
Howbury La. Eri —9H 53 (3C 7)
Howbury Wlk. Gill —7N 95
Howells Clo. W King —7E 88
Howe Rd. St Mc —9J 199
Howfield Clo. Cha H —4C 170
Howfield La. Cha H —1C 31
How Green. —4B 24
How Grn. La. Hever —4B 24
Howland Cotts. Mard —2M 205
Howland Rd. Mard —3L 205 (4D 27)
How La. Coul —4B 12
Howletts Zoo. —3K 173 (1E 31)
Howlsmere Clo. Hall —7F 92
Howson Rd. SE4 —2B 54
Howt Green. —2E 98 (2C 18)
Hoxton. —2D 5
Hoxton Clo. Afrd —1B 160
Hoystings Clo., The. Cant —3N 171
Hubart Pl. Sturry —6E 168
Hubbards Hill. Len —2C 29
Hubbard's Hill. Weald —4J 131 (3D 25)
Hubbard's La. Bou M —6D 138 (3E 27)
Hubble Dri. Maid —1H 139
Hubert Pas. Dover —4K 181
Hubert Way. Broad —7J 209
Hucking. —9G 113 (4B 18)
Huckleberry Clo. Chat —8E 94
Hudson Clo. Dover —1G 181
Hudson Clo. Gill —2M 95
Hudson Clo. Sturry —5E 168
Hudson Gdns. Grn St —7H 85
Hudson Pl. SE18 —5E 50
Hudson Rd. Bexh —9A 52
Hudson Rd. Cant —9A 168
Hughes Cotts. Bra L —8J 165
Hughes Dri. Wain —2A 80
Hugh Pl. Fav —5H 187
Hugh Price Clo. Murs —6K 99
Hugin Av. Broad —6J 209
Huguenot Pl. SW18 —4B 4
Hulberry. —3H 87
Hulkes La. Roch —8B 80
Hull Pl. Shol —4J 177
Hull Rd. Lydd S —8A 212
Hulme Clo. Til —1F 62
Hulsewood Clo. Dart —8J 59
Humber Av. H Bay —3A 194
Humber Cres. Roch —5K 79
Humber Ho. Maid —9H 127
Humber Rd. Dart —3L 59
Humboldt Ct. Tun W —9K 151
Hume Av. Til —1G 62 (4B 8)
Hume Ct. Hythe —7L 197
Hump Bk. h'lgh —4C 30
Hundredhouse La. Udi —4D 45
Hundreds Clo. Wgte S —4J 207
Hunger Hatch La. Char —3D 29
Hungershall Park. —3E 156 (2E 35)
Hungershall Pk. Tun W —3D 156 (2E 35)
Hunsdon Dri. Sev —5J 119
Hunstanton Clo. Gill —8A 96
Hunt Clo. H'nge —8C 192
Hunter Av. W'boro —2J 161 (1A 40)
Hunter Clo. W'boro —1J 161
Hunter Rd. W'boro —1J 161 (1A 40)
Hunters Chase. H Bay —5K 195
Hunters Chase. Whits —6G 224
Hunters Clo. Bex —8F 58
Huntersfield Clo. Chat —1F 110
Hunters Forstal. —5J 195 (2E 21)
Hunters Forstal Rd. H Bay —5J 195 (2E 21)
Hunters Gro. Orp —5D 84
Hunters Wlk. Knock —5N 101
Hunters Wlk. Shol —4K 177
Hunters Way. Gill —2H 95
Hunters Way. Shel L —1A 30
Hunters Way. Tun W —4F 156
Hunters Way W. Chat —1G 95
Huntingdon Wlk. Maid —1H 139
Huntingfield. Croy —8C 82
Huntingfield Rd. Meop —1F 90
Hunting Ga. Birch —3E 206
Huntington Clo. C'brk —8D 176
Huntington Rd. Cox —5M 137
Huntley Av. N'fleet —4A 62
Huntley Gdns. Tun W —8E 150
Huntley Mill Rd. Tic —4C 36
Huntleys Pk. Tun W —9F 150
Hunton. —9H 137 (3C 27)
Hunton Gdns. Cant —7N 167
Hunton Hill. Hunt —7K 137 (3D 27)
Hunton Rd. Mard —3D 27
Hunt Rd. N'fleet —8D 62
Hunt Rd. Tonb —1L 145
Hunts Farm Clo. Bor G —2N 121
Huntsford Clo. Gill —6N 95
Hunts La. Goud —8K 185
Huntsman La. Maid —5E 126 (in two parts)
Huntsman La. Wro —9D 106
Huntsman La. Wro H —9D 106
Huntsmans Clo. Chat —2B 94
Huntsmans Clo. Ct. Chat —2A 94
Huntsmead Clo. Chst —4B 70
Hunts Slip Rd. SE21 —4D 5
Hunt St. Nett & W Far —4C 136
Hunt St. W Far —2C 26
Hurlfield. Dart —8K 59
Hurlingham. —4B 4
Hurlingham Rd. Bexh —7A 52
Huron Clo. Grn St —7H 85
Huron Ter. Dover —1G 181 (off Toronto Clo.)
Hurren Clo. SE3 —1H 55
Hurricane Rd. W Mal —6L 123
Hurstbourne Rd. SE23 —6B 54
Hurst Clo. Brom —2J 83
Hurst Clo. Chat —5B 94
Hurst Clo. S'hrst —7K 221
Hurst Clo. Tent —8A 222
Hurst Ct. Sidc —7J 57
Hurstdene Av. Brom —2J 83
Hurst Farm Rd. E Grin —2A 34
Hurst Farm Rd. Weald —5J 131
Hurstfield. Brom —8K 69
Hurstford La. Char —4D 29
Hurst Green. —3A 24
Hurst Grn. Rd. Oxt —3A 24
Hurst Gro. Ram —3G 210
Hurst Hill. Chat —9B 94
Hurstings, The. Maid —7A 126
Hurstlands. Oxt —3A 24
Hurst La. SE2 —5M 51
Hurst La. Cap F —1B 174 (2B 42)
Hurst La. Char H —3D 29
Hurst La. Kem —2G 98
Hurst La. O'den —2D 29
Hurst La. Sed —4C 44
Hurst La. Weald —6J 131
Hurst La. Est. SE2 —5M 51
Hurst Pl. Dart —4K 59
Hurst Pl. Gill —3B 96
Hurst Rd. Eri —8D 52
Hurst Rd. Kenn —3F 158
Hurst Rd. Sidc & Bex —7J 57 (4B 6)
Hurst Springs. Bex —6N 57
Hurst, The. Crou —7B 122
Hurst, The. Sev & Ton —2A 26
Hurst, The. Tun W —7L 151
Hurst Way. Maid —7K 125
Hurst Way. Sev —9K 119
Hurstwood. Chat —7B 94
Hurstwood Av. Bex —6N 57
Hurstwood Av. Eri & Bexh —8F 52
Hurstwood Dri. Brom —6B 70
Hurstwood La. Hay H —4A 34
Hurstwood La. Tun W —1E 156
Hurstwood Pk. Tun W —2F 156
Hurstwood Rd. Bred —1L 111
Hurtis Hill. Crowb —4C 35
Husheath Hill. S'hrst —1D 37
Husseywell Cres. Brom —2K 83
Hutchings Clo. Sit —6K 99
Hutson Ct. Hawkh —5L 191
Huxbear St. SE4 —3C 54
Huxley Ct. Roch —8A 80 (off King St.)
Huxley Rd. Well —1H 57
Hyacinth Rd. Roch —6H 79
Hybrid Clo. Roch —2A 94
Hyde Ct. Dover —5H 181
Hyde Dri. St P —6K 71
Hyde Park Corner. (Junct.) —3C 4
Hyde Pk. St. W2 —2B 4
Hyde Pl. Aysm —2D 162
Hyde Rd. Bexh —9A 52
Hyde Rd. Maid —3A 126
Hyders Forge. Plax —9N 121 (in two parts)
Hyde's Orchard. H'crn —3M 193
Hyde, The. Cha —8B 170
Hyde Vale. SE10 —3E 5
Hylands Row. Wdchu —7B 226
Hylton St. SE18 —4H 51
Hyndewood. SE23 —8A 54
Hyperion Dri. Roch —3K 79
Hythe. —6K 197 (3E 41)
Hythe Av. Bexh —7N 51
Hythe Clo. Folk —6F 188
Hythe Clo. St M —7L 71
Hythe Clo. Tun W —5G 150
Hythe Pl. S'wch —6L 217
Hythe Rd. Afrd & W'boro —8H 159 (1A 40)
Hythe Rd. Dym —7B 182 (4C 41)
Hythe Rd. N'grn —3C 196 (3D 41)
Hythe Rd. Sit —6E 98 (2C 18)
Hythe Rd. W'boro & S'ndge —1B 40
Hythe St. Dart —4M 59 (in two parts)
Hyton Clo. Deal —4L 177
Hyton Dri. Shol —4L 177

Ian's Wlk. Hythe —8A 188
Ickham. —4A 22
Icklesham. —4E 45
Ickleton Rd. SE9 —9A 56
Ide Hill. —4A 130 (2C 24)
Ide Hill Rd. Four E —3B 24
Ide Hill Rd. Ide H —5A 130
Ide Hill Rd. Sev —3C 24 (in two parts)
Iden. —2A 46
Iden Clo. Brom —6H 69
Iden Cres. S'hrst —9J 221
Iden Croft Herbs. —9L 221 (1E 37)
Iden Green. —4A 38 (nr. Benenden)
Iden Green. —2D 37 (nr. Goudhurst)
Iden Grn. Rd. I Grn —4A 38
Iden La. Eger —4C 29
Iden Rd. Iden —3A 46
Iden Rd. Roch —3N 79
Iden Ter. Lydd —3C 204 (off Queens Rd.)
Idenwood Clo. Gill —5N 95
Idleigh Ct. Rd. Meop —3A 90 (2A 16)
Iffin La. Cant —9L 171 (2D 31)
Ifield Clo. Maid —1J 139
Ifield Rd. Meop —6D 90
Ifield Way. Grav —2J 77
Ightham. —3J 121 (1E 25)
Ightham By-Pass. Igh —3J 121 (1E 25)
Ightham Common. —5H 121 (2E 25)
Ightham Ho. Beck —3C 68 (off Bethersden Clo.)
Ightham Mote. —2E 25
Ightham Rd. Eri —7B 52
Ightham Rd. Sev —2E 25
Ightham Rd. S'brne —2J 133
Igtham Mote. —9G 121
Ilderton Rd. SE16 & SE15 —3D 5
Ilex Rd. Folk —5F 188
Ilford. —1B 6
Ilford Hill. Ilf —1A 6
Ilford La. Ilf —1A 6
Ilfracombe Rd. Brom —8J 55
Illustrious Clo. Chat —6D 94
Imbert Clo. New R —3D 212
Impala Gdns. Tun W —8H 151
Imperial Av. Min S —5L 219
Imperial Bus. Est. Grav —4E 62
Imperial Dri. Grav —1L 77
Imperial Dri. Ward —4K 203
Imperial Rd. SW6 —3B 4
Imperial Rd. Gill —9F 80
Imperial Way. Chst —9E 56
Impton La. Chat —2C 110
Inca Dri. SE9 —5D 56
Ince Rd. Sturry —4E 168
Inchmery Rd. SE6 —7E 54
Inchwood. Croy —5E 82
Independents Rd. SE3 —1J 55
Ingham Clo. S Croy —9A 82
Ingham Rd. S Croy —9A 82
Ingleby Way. Chst —1C 70
Ingle Clo. Birch —4G 206
Ingleden. —5E 222
Ingleden Clo. Kem —3G 99
Ingleden Cotts. St Mic —4D 222
Ingleden Pk. Rd. Tent —6C 222
Ingledew Rd. SE18 —5F 50
Inglemere Rd. SE23 —8A 54
Inglenorth Ct. Swan —9D 72
Ingle Rd. Chat —1C 94
Ingleside Clo. Beck —3D 68
Ingles La. Folk —6J 189
Ingles M. Folk —7J 189
Ingles Pas. Folk —7J 189 (off Ingles Pl.)
Ingles Pl. Folk —7J 189
Ingles Rd. Folk —7J 189
Ingleton Av. Well —3J 57
Inglewood. Croy —9B 82
Inglewood. Swan —5F 72
Inglewood Copse. Brom —5A 70
Inglewood Rd. Bexh —2E 58
Inglis Rd. W5 —2A 4
Ingoldsby Rd. Birch —4C 206
Ingoldsby Rd. Cant —4K 171
Ingoldsby Rd. Folk —4L 189
Ingoldsby Rd. Grav —6K 63
Ingram Rd. Dart —6M 59
Ingram Rd. Gill —1E 17
Ingram Rd. T Hth —1D 13
Ingrebourne Ho. Brom —1G 68 (off Brangbourne Rd.)
Ingrebourne Rd. Rain —2D 7
Ingress Gdns. Grnh —3K 61
Ingress Pk. Grnh —3J 61
Ingress Ter. Grnh —2H 61
Ingress Ter. S'fleet —9L 61
Inigo Jones Rd. SE7 —7A 50
Inner Lines. Gill —6D 80
Inner Pk. Rd. SW19 —4A 4
Inspirations Way. Orp —1J 85
Institute Rd. Chat —8D 80
Institute Rd. Fav —5H 187
Instone Rd. Dart —5L 59 (4D 7)
Inverary Ct. Ram —3J 211
Inverary Pl. SE18 —6F 50
Invermore Pl. SE18 —4E 50
Inverness Ho. Maid —1H 139
Inverness Ter. W2 —2B 4
Inverness Ter. Broad —1L 211
Inverton Rd. SE15 —2A 54
Invicta Clo. Chst —1C 70
Invicta Ct. Sit —4G 98
Invicta Ho. Cant —3M 171 (1D 31)
Invicta Ho. Mgte —4F 208
Invicta Pde. Sidc —9K 57
Invicta Rd. Dart —4B 60
Invicta Rd. Folk —4K 189
Invicta Rd. Mgte —5F 208
Invicta Rd. S'ness —3D 218 (4D 11)
Invicta Rd. Whits —5H 225
Invicta Vs. Bear —5M 127
Inwood Clo. Croy —3B 82
Iona Clo. SE6 —5D 54
Iona Clo. Chat —1G 110
Iona Rd. Maid —1D 138
Ipswich Ho. SE4 —3A 54
Irchester St. Ram —5K 211 (off Balmoral Pl.)
Ireland Ter. Afrd —3E 160
Irene Astor Ct. Folk —6K 189 (off St John's St.)
Irene Rd. Orp —1H 85
Iris Av. Bex —4N 57
Iris Clo. Chat —2D 110
Iris Clo. Croy —2A 82
Iris Cres. Bexh —6A 52

Iron Bar La. Cant —2N 171 (1D 31)
Iron Mill La. Dart —2F 58 (4C 7)
Iron Mill Pl. Dart —2G 58
Ironside Clo. Chat —3D 94
Ironstones. L'tn G —2B 156
Irvine Dri. Mgte —5G 209
Irvine Rd. High —1F 78
Irvine Way. Orp —1H 85
Irving Wlk. Swans —5L 61
Irving Way. Swan —5E 72
Irwin Av. SE18 —7G 51
Irwin Pk. Min S —3H 219
Isabella Dri. Orp —5E 84
Isard Ho. Hay —2L 83
Isis Clo. Lymp —5B 196
Island Rd. Sturry —6E 168 (3E 21)
Island Wall. Whits —4E 224
Island Way W. Chat —3E 80
Isla Rd. SE18 —6E 50
Isledon Rd. N7 —1C 5
Islehurst Clo. Chst —4C 70
Islingham Farm Rd. Chatt —1A 80
Islington. —2C 5
Islington Pk. St. N1 —1C 5
Ismays Rd. Ivy H —7H 121
Ismays Rd. Sev —2E 25
Istead Rise. —4E 76 (1A 16)
Istead Rise. Grav —3E 76
Itchingwood Common. —3A 24
Itchingwood Comn. Rd. Oxt —3A 24
Ivanhoe Rd. H Bay —4H 195
Ivanhoe Rd. Wgte S —2K 207
Iveagh Ct. Beck —6F 68
Ivedon Rd. Well —9L 51
Ivens Way. H'shm —2M 141
Iverhurst Clo. Bexh —3M 57
Iversgate Clo. Gill —1B 96
Iverson Rd. NW6 —1B 4
Ivers Way. New Ad —8E 82
Ives Ga. S'wch —5M 217
Ives Rd. Tonb —6F 144
Ivor Gro. SE9 —6D 56
Ivory Clo. Fav —3E 186
Ivorydown. Brom —9K 55
Ivy Bower Clo. Grnh —3H 61
Ivybridge Ct. Chst —4C 70
(off Old Hill)
Ivychurch. —2D 47
Ivychurch Gdns. Clift —3J 209
Ivychurch Rd. Bztt —2C 47
Ivy Clo. Dart —4A 60
Ivy Clo. Etch —2E 41
Ivy Clo. Grav —8H 63
Ivy Clo. Kgswd —6F 140
Ivy Cottage Hill. Ram —2D 23
Ivy Cotts. Afrd —8E 158
Ivy Cotts. Gt Cha —1A 160
Ivy Ct. Tent —8C 222
Ivy Ct. T Hill —5L 167
Ivydale Rd. SE15 —1A 54 (4D 5)
Ivy Hatch. —8H 121 (2E 25)
Ivy Ho. La. Sev —9E 102 (4C 15)
Ivy Ho. Rd. Whits —4H 225
Ivy La. Cant —2N 171 (1D 31)
Ivy La. Knock —7N 101
Ivy La. Ram —6H 211
Ivy M. Kgswd —6G 140
Ivy Pl. Cant —3L 171
Ivy Pl. Deal —3N 177
Ivy Pl. Roch —1L 93
Ivy Rd. SE4 —2C 54
Ivy St. Gill —3B 96
Ivy Vs. Grnh —3G 61
Ivy Way. Folk —4L 189
Iwade. —8C 198 (1C 19)
Iwade Rd. N'tn —4L 97 (2B 18)
Izane Rd. Bexh —2A 58

Jackass La. Kes —6L 83 (2A 14)
Jacklin Clo. Chat —9C 94
Jackson Av. Roch —3B 94
Jackson Clo. Gill —2M 95
Jackson Clo. Grnh —3F 60
Jackson Rd. Brom —3B 84
Jackson Rd. Win I —3L 171
Jacksons La. Tent —8B 222
Jackson St. SE18 —6C 50
Jackson's Way. Croy —4D 82
Jackson Way. Bene —3A 38
Jacob Clo. Mgte —6C 208
Jacob Ho. Eri —2M 51
Jacob's Ho. S'ness —2D 218
Jacob's La. Hoo —7L 67 (4E 9)
Jacobs La. Hort K —6C 74
Jacob Yd. Fav —5H 187
(off Preston St.)
Jade Hill. Hall —5E 92
Jaffa Ct. Whits —5F 224
Jaffray Rd. Brom —7N 69
Jaggard Way. S'hrst —8J 221
Jagger Clo. Dart —5C 60
Jago Clo. SE18 —6E 50
Jail La. Big H —3D 164 (4A 14)
Jamaica Rd. SE1 & SE16 —3D 5
Jamaica Ter. Maid —2D 126
James Alchin Dri. Kenn —6K 159
James Allchin Gdns. Kenn —6K 159
James Clo. Ah —4C 216
James Clo. Lym —7C 204
James Ct. Folk —7G 188
James Ct. Mgte —3F 208
James Hall Gdns. Walm —7M 177
James Haney Dri. Kenn —5K 159
James Newham Ct. SE9 —8C 56
James Rd. Cux —1F 92
James Rd. Dart —5H 59
James St. W1 —2C 4
James St. Afrd —8E 158
James St. Beck —6C 68
James St. Chat —8C 80
(in two parts)
James St. Folk —4L 189
James St. Gill —6F 80 (1E 17)
James St. Maid —4D 126
James St. Ram —6H 211
James St. Roch —8N 79
James St. S'ness —2E 218
James Whatman Way. Maid —4C 126
Jane Grn. M. Cant —9A 168
Jane Seymour Ct. SE9 —5F 56
Janton Clo. Cli —6M 65
Japonica Clo. Chat —9F 94
Jarlen Rd. Lydd —3B 204
Jarman's Field. Wye —2N 159
Jarrett Av. Wain —2N 79
Jarrett Ho. Folk —7J 189
Jarretts Ct. Sit —7J 99
(off Wykeham Rd.)
Jarvis Brook. —4D 35
Jarvis Dri. W'boro —2L 161
Jarvis Ho. Maid —2C 126
Jarvis La. Goud —7M 185 (2D 37)
Jarvis Pl. St Mic —4C 222
Jarvist Pl. Kgdn —3N 199
Jashoda Ho. SE18 —5C 50
(off Connaught M.)
Jasmin Ct. SE12 —4K 55
Jasmine Clo. Chat —7C 94
Jasmine Clo. E Mal —1D 124
Jasmine Clo. Orp —3D 84
Jasmine Gdns. Croy —4E 82
Jasmine Pl. W'hm —2B 226
Jasmine Rd. E Mal —1D 124
Jason Wlk. SE9 —9C 56
Jasper Av. Roch —1N 93
Javelin Rd. W Mal —6L 123
Jay Gdns. Chst —9B 56
Jaynes Ind. Est., The. Dover —4D 180
Jayne Wlk. Whits —7D 224
Jefferson Clo. Afrd —9D 158
Jefferson Dri. Gill —2M 95
Jefferson Rd. S'ness —3E 218
Jefferson Wlk. SE18 —6C 50
Jefferstone Gdns. St Mar —2D 214
Jefferstone La. St Mar —3B 214 (2E 47)
Jeffery. Sidc —1K 71
Jeffery Clo. S'hrst —7J 221
Jeffery St. Gill —6F 80 (1E 17)
Jeffrey Row. SE12 —3L 55
Jeffrey St. Maid —4D 126
Jeffries Cotts. Maid —5H 137
Jeken Rd. SE9 —2M 55
Jellicoe Av. Grav —8H 63
Jellicoe Av. W. Grav —8H 63
Jellicoe Clo. W'boro —2L 161
Jellicoe Pavilion. Roy B —1K 125
Jemmett La. Mer —5N 161 (2B 40)
Jemmett Rd. Afrd —2E 160
Jenkins Dale. Chat —9C 80
Jenkins Dri. Maid —3M 139
Jenner Rd. Roch —8N 79
Jenner's Way. St Mar —3D 214
Jenner Way. Eccl —4K 109
Jennifer Ct. Hoo —8H 67
Jennifer Gdns. Mgte —5G 209
Jennifer Rd. Brom —8J 55
Jenningtree Rd. Eri —7J 53
Jenningtree Way. Belv —2D 52
Jenton Av. Bexh —9N 51
Jermyn St. SW1 —2C 4
Jerome Rd. Lark —6D 108
Jerrard St. SE13 —1E 54
Jersey Clo. Kenn —2G 159
Jersey Dri. Orp —9F 70
Jersey La. P'hm —2D 31
Jersey Rd. Roch —5L 79
Jeskyns Rd. Cob & Sole S —6H 77
Jeskyns Rd. Meop & Grav —1B 16
Jesmond St. Folk —5K 189
Jessamine Pl. Dart —5C 60
Jesse's Hill. Kgtn —3E 31
Jessett Clo. Eri —4E 52
Jessica M. Cant —1A 172
Jessica M. Sit —4F 98
Jesson Ct. Cvn. Pk. St Mar —2E 214
Jessup Clo. SE18 —4E 50
Jesuit Clo. Cant —7N 167
Jetty Rd. Hoo —6N 67
Jetty Rd. S'ness —1A 218
Jetty Rd. Ward —4K 203 (1A 20)
Jevington Way. SE12 —6L 55
Jewell Gro. Mard —3L 205
Jewels Hill. Warl —3A 14
Jewry La. Cant —2M 171 (1D 31)
Jeyes Rd. Gill —8F 80
Jezreels Rd. Gill —1G 94
Jillian Way. Afrd —2C 160
Jim Bradley Clo. SE18 —4C 50
Jiniwin Rd. Roch —4A 94
Joan Cres. SE9 —5N 55
Jockey La. C'brk —7D 176
Jodrell Rd. E9 —1E 5
Johanesburg Rd. Dover —9H 179
Johannesburg Ho. Maid —3H 139
John Badger Clo. Kenn —5J 159
John Graham Ct. Cant —4N 171
John Hall Ct. Fav —2F 186
John Islip St. SW1 —3C 4
John Nash Clo. Lyn —4J 223
John Newton Ct. Well —1K 57
John's Cross. —3B 44
John's Cross Rd. Rob —3A 44
John's Grn. S'wch —8K 217
John's Hole. —5D 60
Johnson Av. Chat —5E 80
Johnson Clo. N'fleet —8C 62
Johnson Clo. W'boro —2L 161
Johnson Ct. Fav —3F 186
Johnson Rd. Brom —8N 69
Johnson Rd. Sit —7E 98
Johnson's Av. Badg M —1C 102
Johnsons Ct. Seal —3N 119
Johnson's Way. Grnh —4J 61
Johnson Way. Min S —5H 219
John's Rd. Meop —8E 76
John's Rd. Tats —8D 164
Johnstone Ho. SE13 —1G 54
(off Belmont Hill)
John St. Broad —9M 209
John St. Maid —3D 126
John St. Roch —8N 79
John St. Tun W —9G 150
John Tapping Clo. Walm —9L 177
John Wilson Bus. Pk. Ches —4K 225
John Wilson St. SE18 —3C 50 (3A 6)
John Woolley Clo. SE13 —2H 55
Joiners Ct. Chat —1E 94
Jointon Rd. Folk —7H 189
Jonas La. Dur —3A 36
Jordan Clo. Maid —3H 139
Jordan Ho. SE4 —2A 54
(off St Norbert Rd.)
Joseph Conrad Ho. Cant —1K 171
Joseph Wilson Ind. Est. & Retail Pk.
Whits —6H 225
Joss Gap Rd. Broad —4M 209 (1E 23)
Joyce Clo. C'brk —8C 176
Joyce Green. —2N 59 (4D 7)
Joyce Grn. La. Dart —2N 59
Joyce Grn. Wlk. Dart —2N 59
Joydens Wood. —9E 58 (1C 15)
Joydens Wood Rd. Bex —9E 58
Joyes Clo. Folk —4L 189
Joyes Clo. Whitf —6G 178
Joyes Rd. Folk —4K 189 (2A 42)
Joyes Rd. Whitf —6F 178
Joy La. Whits —6C 224 (2C 20)
Joy Rd. Grav —6H 63
Jubilee Clo. Grnh —4J 61
Jubilee Clo. Hythe —8E 196
Jubilee Cotts. B'le —8A 216
Jubilee Cotts. F'wch —7E 168
Jubilee Cotts. Sev —2J 119
Jubilee Ct. Broad —9M 209
(off Oscar Rd.)
Jubilee Ct. Dart —5L 59
(off Spring Vale S.)
Jubilee Cres. Grav —7K 63
Jubilee Cres. Igh —3J 121
Jubilee Cres. Queen —7A 218
Jubilee Dri. Walm —7N 177
Jubilee Fields. Wit —2A 46
Jubilee Rise. Seal —3N 119
Jubilee Rd. L'brne —2L 173 (1A 32)
Jubilee Rd. Orp —7B 86 (3C 14)
Jubilee Rd. S'wch —6L 217
Jubilee Rd. Worth —9N 217 (2D 33)
Jubilee St. E1 —2D 5
Jubilee St. Sit —6F 98
Jubilee Ter. Gill —6F 80
Jubilee Way. SW19 —1B 12
Jubilee Way. Chess —2A 12
Jubilee Way. Sidc —7J 57
Jubilee Way. Whitf —4C 33
Judd Rd. Fav —5E 186
Judd Rd. Tonb —8H 145
Judd St. WC1 —2C 5
Judeth Gdns. Grav —1K 77
Judkins Clo. Chat —5F 94
Jug Hill. Big H —4D 164
Juglans Rd. Orp —2J 85
Julian Rd. Folk —6H 189
Julian Rd. Orp —7J 85
Julians Clo. Sev —9H 119
Julians Way. Sev —9H 119
Julie Clo. Broad —7L 209
Julien Pl. W'boro —1L 161
Juliette Way. S Ock —2N 53
Jumper's Town. —3B 34
Junction App. SE13 —1F 54
Junction Rd. N19 —1C 4
Junction Rd. Bdm —2B 44
Junction Rd. Dart —4L 59
Junction Rd. Gill —8G 81
Junction Rd. H Bay —5D 194
Juniper Clo. Afrd —8C 158
Juniper Clo. Big H —5E 164
Juniper Clo. Cant —4N 171
Juniper Clo. Chat —7D 94
Juniper Clo. Maid —3M 125
Juniper Clo. Tun W —5K 151
Juniper Clo. Whits —4H 225
Juniper Wlk. Swan —5E 72
Jury's Gap. —4C 46
Jury's Gap. Jur G —4C 46
Jury's Gap Rd. Lydd —4A 204 (4C 47)
Jury St. Grav —4G 62
Jutland Clo. Allh —5L 201
Jutland Rd. SE6 —5F 54

Kake St. Walt —3C 31
Kale Rd. Eri —2N 51
Kane Hythe Rd. Batt —4A 44
Kangley Bri. Rd. SE26 —1C 68
Kangley Bus. Cen. SE26 —1C 68
Karen Ct. Brom —4J 69
Kashgar Rd. SE18 —4H 51
Katherine Ct. Chat —9E 94
Katherine Gdns. SE9 —2N 55
Katherine Rd. E7 & E6 —1A 6
Katherine Rd. Eden —7C 184
Katie Gdns. Dart —2A 60
Kaysland Cvn Pk. W King —8E 88
Kays La. Hern —3B 20
Kay St. Well —8K 51
Kearsney. —9C 178 (4C 32)
Kearsney Av. Dover —9D 178
Kearsney Ct. Temp E —9B 178
Keary Rd. Swans —5L 61
Keat Farm Clo. H Bay —2N 195
Keats Ho. Cray —3F 58
(off Bexley La.)
Keats Rd. Belv —3D 52
Keats Rd. Lark —7D 108
Keats Rd. Well —8G 51
Kechill Gdns. Brom —1K 83
Keddow's Clo. Hythe —8E 196
Kedleston Dri. Orp —8H 71
Keedonwood Rd. Brom —1H 69
Keefe Clo. Chat —1A 110
Keel Ct. Roch —4A 80
Keel Gdns. Tun W —6E 150
Keeling Rd. SE9 —3N 55
Keemor Clo. SE18 —7C 50
Keepers Cotts. Det —3M 127
Keeper's Hill. Pat —7H 173 (2E 31)
Keepers La. Folk —1E 41
Keightley Dri. SE9 —6E 56
Keith Av. Ram —4E 210
Keith Av. S at H —2B 74
Keith Pk. Cres. Big H —2A 164
Kelbrook Rd. SE3 —9A 50
Kelby Path. SE9 —8D 56
Kelchers La. Gold G —2E 146
Kellaway Rd. Chat —9D 94
Kellerton Rd. SE13 —3H 55
Kelley Dri. Gill —5F 80
Kelling Rd. SE9 —3N 55
Kellner Rd. SE28 —3H 51
Kelly Ho. Roch —4N 93
Kelsey Ga. Beck —5E 68
Kelsey La. Beck —5D 68
Kelsey Pk. Av. Beck —5E 68
Kelsey Pk. Rd. Beck —5D 68
Kelsey Rd. Orp —5K 71
Kelsey Sq. Beck —5D 68
Kelsey Way. Beck —6D 68
Kelso Dri. Grav —9L 63
Kelvedon Rd. SW6 —3B 4
Kelvedon Rd. Walm —8M 177
Kelvin Clo. Tonb —9K 133
Kelvington Clo. Croy —1B 82
Kelvington Rd. SE15 —3A 54
Kelvin Pde. Orp —2G 84
Kelvin Rd. Well —1J 57
Kemble Clo. Tun W —7L 151
Kemble Dri. Brom —4A 84
Kemble Rd. SE23 —6A 54
Kembleside Rd. Big H —6C 164
Kemerton Rd. Beck —5E 68
Kemnal Rd. Chst —3E 70
Kemp All. Whits —4F 224
(off Middle Wall)
Kemp Clo. Chat —7B 94
Kempe's Corner. —4A 30
Kemp Rd. Whits —3L 225
Kemps Gdns. SE13 —3F 54
Kemps Wharf Rd. Gill —2A 18
Kempthorne St. Grav —4G 62
Kempton Clo. Chat —8F 94
(in two parts)
Kempton Clo. Eri —6D 52
Kempton Wlk. Croy —9B 68
Kempt St. SE18 —6C 50
Kemsdale Rd. Hern —1J 165 (3B 20)
Kemsing. —8B 104 (4D 15)
Kemsing Clo. Bex —5N 57
Kemsing Clo. Brom —3J 83
Kemsing Gdns. Cant —7A 168
Kemsing Rd. Sev —8G 104 (4E 15)
Kemsley. —2G 98 (2C 19)
Kemsley Clo. Grnh —4H 61
Kemsley Clo. N'fleet —9E 62
Kemsley Down. —2J 99
Kemsley Rd. Tats —7D 164
Kemsley Street. —1N 111 (3A 18)
Kemsley St. Rd. Bred —9L 95 (3E 17)
Kenardington. —3E 39
Kenardington Rd. App —4D 39
Kenbrook. Kenn —3G 159
Kencot Way. Eri —2A 52
Kendal Clo. Ram —6E 210
Kendal Clo. Tonb —5J 145
Kendal Dri. Tonb —5J 145
Kendale Rd. Brom —1H 69
Kendall Av. Beck —5B 68
Kendall Ct. Sidc —8J 57
Kendall Rd. Beck —5B 68
Kendal Pk. Tun W —9E 150
Kendal Pl. Maid —9F 126
Kendal Rise. Broad —8L 209
Kendal Rd. NW10 —1A 4
Kendal Way. Gill —3N 95
Kender St. SE14 —3D 5
Kendon Bus. Pk. Roch —4A 80
Kenfield Rd. P'hm —2C 31
Kengate Ind. Est. Hythe —7G 197
Kenia Wlk. Grav —8L 63
Kenilworth Clo. St Mb —7K 213
Kenilworth Ct. Dart —4B 60
(off Bow Arrow La.)
Kenilworth Ct. Sit —6D 98
Kenilworth Dri. Gill —4N 95 (2A 18)
Kenilworth Gdns. SE18 —9D 50
Kenilworth Gdns. Gill —4N 95
Kenilworth Ho. Maid —7M 125
Kenilworth Rd. SE20 —4A 68
Kenilworth Rd. Orp —9E 70
Kenley. —4D 13
Kenley Airfield. —4D 13
Kenley Clo. Bex —5B 58
Kenley Clo. Chst —6G 71
Kenley La. Kenl —4D 13
Kenley Rd. King T —1A 12
Kenmere Rd. Well —9L 51
Kennard Clo. Roch —1K 93
Kennard St. E16 —1B 50
Kennedy Clo. Fav —4H 187
Kennedy Clo. Orp —2F 84
Kennedy Ct. Beck —9C 68
Kennedy Ct. Croy —9C 68
Kennedy Dri. Walm —8L 177
Kennedy Gdns. Sev —4L 119
Kennedy Ho. Grav —8D 62
Kennedy Ho. Ram —5K 211
(off Newcastle Hill)
Kennel Barn Rd. S'bry —6K 113 (4B 18)
Kennel Hill. Eyt —4L 185 (3C 32)
Kennelling Rd. Char —3D 29
Kennet La. Stanf —8N 215 (2D 41)
Kennet Rd. Dart —1H 59
Kennett Ct. Swan —6F 72
(off Oakleigh Clo.)
Kennett Dri. Deal —8K 177
Kenninghall Rd. E5 —1D 5
Kennington. —3H 159 (4A 30)
Kennington Clo. Gill —8M 81
Kennington Clo. Maid —1J 139
Kennington La. SE11 —3C 5
Kennington Oval. SE11 —3C 5
Kennington Oval. (Junct.) —3C 5
Kennington Pk. Rd. SE11 —3C 5
Kennington Pl. Kenn —3H 159
Kennington Rd. SE1 & SE11 —3C 5
Kennington Rd. W'boro
—8L 159 (1A 40)
Kensal Green. —2A 4
Kensal Rise. —2A 4
Kensal Rd. W10 —2A 4
Kensal Town. —2B 4
Kensington. —3B 4
Kensington Av. T Hth —1C 13
Kensington Chu. St. W8 —2B 4
Kensington Gore. SW7 —3B 4
Kensington High St. W14 & W8 —3B 4
Kensington Ho. Maid —7L 125
Kensington Palace. —2B 4
Kensington Pk. Rd. W11 —2B 4
Kensington Rd. SW7 —3B 4
Kensington Rd. Cant —7B 168
Kenswick Ct. SE13 —3E 54
Kent Av. Afrd —7F 158
Kent Av. Cant —2B 172
Kent Av. Maid —8F 126
Kent Av. Min S —6H 219
Kent Av. Sit —8E 98
Kent Av. Well —3H 57
Kent Clo. Orp —7G 84
Kent Clo. Pad W —9M 147
Kent Clo. Roch —3N 93
Kent County Cricket Ground. —1D 31
Kent County Showground.
—7M 111 (4A 18)
Kent & East Sussex Railway.
—7B 222 (3B 38)
Kent Gdns. Birch —4E 206
Kent Garden Vineyard. —2A 28
Kent Ga. Way. Croy —7C 82 (3E 13)
Kent Hatch. —3A 24
Kent Hatch Rd. Oxt & Crock H —2A 24
Kent Ho. Folk —7H 189
Kent Ho. Maid —6D 126
Kent Ho. La. Beck —1B 68 (1E 13)
Kent Ho. Rd. SE20 & SE26 —1D 13
Kent Ho. Rd. SE26 & Beck —1B 68
Kent International Bus. Pk. Ram
—9J 207 (2C 23)
Kentish Gdns. Tun W —5E 156
Kentish Rd. Belv —4B 52
Kentish Town. —1C 4
Kentish Town Rd. NW1 & NW5 —1C 4
Kentish Way. Brom —5K 69 (1A 14)
Kent Kraft Ind. Est. N'fleet —3M 61

Kent La.—Knock Rd.

Kent La. B'ling —3A 44
Kentmere Av. Ram —5D 210
Kentmere Rd. SE18 —4G 51
Kenton Ct. SE26 —9B 54
(off Adamsrill Rd.)
Kenton Gdns. Min —7M 205
Kenton Rd. E9 —1D 5
Kent Pl. Ram —6K 211
Kent Rd. Dart —4L 59
Kent Rd. Folk —4E 188
Kent Rd. Grav —6F 62
Kent Rd. Hall —5E 92 (2C 17)
Kent Rd. Long —5K 75
Kent Rd. Mgte —5F 208
Kent Rd. Orp —2B 14
Kent Rd. S'ness —3C 218
Kent Rd. Snod —4E 108
Kent Rd. St M —9L 71
Kent Rd. Tun W —8G 150
Kent Rd. W Wick —2E 82
Kent Street. —7L 123 (2B 26)
Kent St. Mere —7K 123 (2B 26)
Kent St. Sed —4C 44
Kent St. Whits —5F 224
Kent Ter. High —6H 65
Kent Ter. Meop —4F 90
Kent Ter. Ram —6K 211
(off Harbour Pde.)
Kent View Dri. E'chu —7C 202
Kentwell Clo. SE4 —2B 54
Kenward. —3C 26
Kenward Ct. Hdlw —8D 134
Kenward Rd. SE9 —3M 55
Kenward Rd. Maid —4N 125
Kenward Rd. Yald —4C 136 (3C 26)
Kenwood Av. Chat —7D 94
Kenwood Av. Long —6B 76
Kenwood Dri. Beck —6F 68
Kenworthy Rd. E9 —1E 5
Kenwyn Rd. Dart —3L 59
Kenya Ter. Maid —2D 126
Kenyon Wlk. Gill —8L 95
Kersey Gdns. SE9 —9A 56
Kerton Rd. Lydd S —4E 47
Kesteven Clo. Hall —6E 92
Kestlake Rd. Bex —4L 57
Kestner Ind. Est. Grnh —2G 60
Keston. —6M 83 (2A 14)
Keston Av. Kes —6M 83
Keston Clo. Well —7L 51
Keston Gdns. Kes —5M 83
Keston Mark. —5A 84 (2A 14)
Keston Mark. (Junct.) —4A 84 (2A 14)
Keston Pk. Clo. Kes —4B 84
Keston Postmill. —6N 83 (2A 14)
Kestrel Clo. Eden —4C 184
Kestrel Clo. Sit —9H 99
Kestrel Ct. Dover —1G 181
Kestrel Ho. Gill —7E 80
(off Marlborough Rd.)
Kestrel Rd. Chat —9F 94
Kestrel Way. New Ad —9G 83
Keswick Av. Sit —8K 99
Keswick Clo. Tonb —5J 145
Keswick Ct. Short —7J 69
Keswick Dri. Maid —4M 125
Keswick Rd. Bexh —8B 52
Keswick Rd. Orp —2H 85
Keswick Rd. W Wick —3H 83
Kettle Corner. —1J 137
Kettle Hill. E'lng —2E 29
Kettle Hill Rd. E'lng —1E 29
(in two parts)
Kettle La. E Far —3J 137 (2D 27)
Kettlewell Ct. Swan —5G 72
Kevin Dri. Ram —6F 210
Kevington. —9N 71 (2C 14)
Kevington Clo. Croy —1B 82
Kevington Clo. Orp —7H 71
Kevington Dri. Chst & Orp —7H 71
Kew. —3A 4
Kew Bridge. (Junct.) —3A 4
Kew Bri. Bren & Rich —3A 4
Kew Bri. Rd. Bren —3A 4
Kew Gdns. Rd. Rich —3A 4
Kewlands. Maid —3F 126
Kew Rd. Rich —3A 4
Keycol. —6N 97 (2B 18)
Keycol Hill. N'tn —6N 97 (2B 18)
Keyes Av. Chat —1C 94
Keyes Gdns. Tonb —8F 144
Keyes Pl. Folk —3L 189
Keyes Rd. Dart —2N 59
Keymer Clo. Big H —4C 164
Keynsham Gdns. SE9 —3A 56
Keynsham Rd. SE9 —3N 55
Key's Green. —2B 36
Key Street. —6B 98 (2C 18)
Key St. Sit —6B 98 (2C 18)
Keyworth Clo. Pad W —9L 147
Keyworth M. Cant —9A 168
Khalsa Dri. Grav —5H 63
Khartoum Pl. Grav —4H 63
Khartoum Rd. Chat —7C 80
Khartoum Sq. Whitf —8F 178
Khyber Rd. Chat —5D 80
Kibbles La. Tun W —5E 150 (1E 35)
Kidbrooke. —3A 6
Kidbrooke Est. SE3 —1M 55
Kidbrooke La. SE9 —2A 56
Kidbrooke Park. —3A 34
Kidbrooke Park. —3A 34
Kidbrooke Pk. Rd. SE3 —1M 55 (3A 6)
Kidd Pl. SE7 —5A 50
Kidd's Hill. Cole H —3B 34
Kilbride Ct. Ram —3K 211
Kilburn. —2B 4
Kilburn High Rd. NW6 —1B 4
Kilburn Ho. Maid —4D 126
Kilburn La. W10 & W9 —2A 4
Kilburn Pk. Rd. NW6 —2B 4
Kilburn Priory. NW6 —2B 4
Kilgour Rd. SE23 —4B 54
Killearn Rd. SE6 —6G 54
Killewarren Way. Orp —9L 71
Killick Clo. Dun G —2F 118
Killick Rd. Hoo —8G 67
Killigarth Ct. Sidc —9J 57
Kilmorie Rd. SE23 —6B 54
Kiln Barn Rd. Dit & E Mal —1G 124 (1C 27)
Kiln Clo. C'lck —8D 174
Kiln Clo. Sit —8H 99
Kilndown. —3C 37
Kilndown. Grav —2J 77
Kilndown Clo. Afrd —3C 160
Kilndown Clo. Maid —2N 125
Kilndown Gdns. Cant —7N 167
Kilndown Gdns. Clift —3J 209
Kilndown Rd. Kiln —2C 37
Kiln Field. Tent —8D 222
Kilnfields. Orp —7B 86
Kiln La. Beth —3L 163 (2D 39)
Kiln La. Leigh —6N 143
Kiln Rd. Adgtn —3B 40
Kiln Way. Pad W —1M 153
Kilnwood. Hals —4A 102
Kimberely Rd. Beck —5A 68
Kimberley Av. SE15 —4D 5
Kimberley Clo. Dover —1H 181
Kimberley Ct. Wgte S —2K 207
(off Sea Rd.)
Kimberley Dri. Sidc —7M 57
Kimberley Ga. Brom —3H 69
Kimberley Gro. Sea —7B 224
Kimberley Rd. Beck —5A 68
Kimberley Rd. Gill —9G 80
Kimberley Rd. Ram —3E 210
Kimberley Ter. Lym —7D 204
Kimberley Wlk. Dover —9H 179
Kimbolton Clo. SE12 —4J 55
Kimmeridge Gdns. SE9 —9A 56
Kimmeridge Rd. SE9 —9A 56
Kincraig Dri. Sev —5H 119
King Alfred Av. SE6 —9D 54
(in two parts)
King Arthur Rd. C'snd —5B 210
King Arthurs Dri. Roch —3K 79
King Charles Ct. Walm —8N 177
King Charles Rd. Surb —2A 12
Kingcup Clo. Croy —1A 82
King Edward Av. Broad —9L 209
King Edward Av. Dart —4L 59
King Edward Av. H Bay —3J 195
King Edward Ct. H Bay —3J 195
King Edward Rd. Birch —5E 206
King Edward Rd. Chat —1C 94
King Edward Rd. Deal —2N 177 (2E 33)
King Edward Rd. Gill —6J 81
King Edward Rd. Grnh —3G 60
King Edward Rd. Maid —7C 126
King Edward Rd. Ram —6G 210
King Edward Rd. Roch —7N 79
King Edwards Rd. Bark —2B 6
King Edward St. Whits —4F 224
Kingfisher Av. Hythe —8D 196
Kingfisher Clo. Iwade —8C 198
Kingfisher Clo. Mgte —4N 207
Kingfisher Clo. Orp —7M 71
Kingfisher Clo. Svgtn —2L 161
Kingfisher Clo. Whits —6E 224
Kingfisher Ct. Dover —2G 181
(off Maresfield Clo.)
Kingfisher Ct. H Bay —4E 194
Kingfisher Ct. W King —8E 88
Kingfisher Dri. Chat —4F 94
Kingfisher Gdns. Hythe —8D 196
Kingfisher Ho. S'ness —2B 218
(off Sheppey St.)
Kingfisher M. SE13 —2E 54
Kingfisher Pl. S Dar —5C 74
Kingfisher Rd. Lark —8D 108
Kingfisher Wlk. Broad —8K 209
Kingfisher Way. Beck —8A 68
King George V Hill. Tun W —9J 151
King George Rd. Chat —8B 94 (3D 17)
King George VI Av. Big H —4D 164
King Harolds Way. Bexh —7M 51 (3B 6)
King Henry M. Orp —6H 85
King Henry's Dri. New Ad —9E 82 (3E 13)
King Hill. W Mal —5L 123 (2B 26)
King John's Wlk. SE9 —6N 55
King Lear's Way. Dover —7G 181
King & Queen Clo. SE9 —9A 56
Kings Acre. Down —8J 127
Kingsand Rd. SE12 —7K 55
King's Av. SW12 & SW4 —4C 4
King's Av. Afrd —8E 158
Kings Av. Birch —3C 206
King's Av. Broad —8M 209
Kings Av. Brom —2J 69
Kings Av. Ram —3F 210
King's Av. Roch —9N 79
King's Av. S'wch B —1D 33
King's Av. Whits —4G 225
King's Bank. —3D 45
King's Bank La. Beckl —3D 45
Kings Bastion. Gill —7D 80
King's Bri. Cant —2M 171 (1D 31)
Kingsbridge Ct. Folk —6L 189
(off Harbour Way)
King's Clo. Dart —2F 58
King's Clo. Kgdn —4M 199
King's Cotts. Leeds —2B 140
King's Cotts. Nett —2B 136
King's Cotts. Yald —7D 136
Kings Ct. Walm —7N 177
(off King St.)
Kings Cross. (Junct.) —2C 5
King's Cross Rd. WC1 —2C 5
Kingsdale Ct. Chat —2F 94
Kingsdale Ct. Swans —4L 61
Kingsdale Rd. SE18 —7H 51
Kingsdale Rd. SE20 —3A 68
Kingsdown. —4N 199 (3E 33)
(nr. Deal)
Kingsdown. —6M 115 (4D 19)
(nr. Sittingbourne)
Kingsdown Clo. Grav —6L 63
Kingsdown Clo. Hem —7K 95
Kingsdown Clo. Maid —5B 126
Kingsdown Hill. Kgdn —4M 199 (4E 33)
Kingsdown Park. —2H 225
Kingsdown Pk. Whits —2C 21
Kingsdown Rd. Kgdn —7J 115 (4C 19)
Kingsdown Rd. St Mc —7J 213
Kingsdown Rd. Walm —8N 177 (3E 33)
Kingsdown Way. Brom —9K 69
Kings Dri. Grav —8G 63
Kings Farm. —8H 63 (4B 8)
Kingsferry Bridge. —1C 19
Kingsfield Ho. SE9 —8N 55
Kingsfield Rd. H Bay —5J 195
Kingsfield Ter. Dart —3L 59
Kingsford Clo. Mer —7M 161
Kingsford Ct. Dover —3G 181
Kingsford St. Mer —7L 161 (1B 40)
Kingsford Ter. Afrd —3E 160
Kingsgate. —4K 209 (1E 23)
Kingsgate Av. Broad —4K 209
Kingsgate Bay Rd. Broad —3M 209 (1E 23)
Kingsgate Clo. Bexh —8N 51
Kingsgate Clo. Maid —5N 125
Kingsgate Clo. Orp —5L 71
Kingsground. SE9 —5N 55
Kingshall M. SE13 —1F 54
Kings Hall Rd. Beck —3B 68 (1E 13)
Kings Head All. S'ness —1B 218
King's Head La. Hythe —6K 197
(off Dental St.)
King's Highway. SE18 —6G 51 (3B 6)
Kings Hill. —6M 123 (2B 26)
Kings Hill Av. King H —5M 123 (2B 26)
Kingshill Dri. Hoo —7G 67
(in two parts)
King's Hill Village. —6M 123
Kingsholm Gdns. SE9 —2N 55
Kingshurst Rd. SE12 —5K 55
Kingsingfield Clo. W King —8E 88
Kingsingfield Rd. W King —9E 88
Kings Keep. Brom —6H 69
Kingsland. —1D 5
Kingsland Cotts. Westw —2D 158
Kingsland Gdns. Walm —1L 199
Kingsland Gro. H'crn —3L 193
Kingsland High St. E8 —1D 5
Kingsland Hollow. St Mar —2F 214
Kingsland La. Eger —4C 29
Kingsland La. Westw —3C 158 (4E 29)
Kingsland Rd. E2 & E8 —2D 5
Kings La. Mard —4C 27
Kingsleigh Wlk. Brom —7J 69
Kingsley Av. Dart —3A 60
Kingsley Ct. Bexh —3B 58
Kingsley M. Chst —2D 70
Kingsley Rd. Maid —6D 126
Kingsley Rd. Orp —8H 85
Kingsley Rd. Whits —5G 224
Kingsley Wood Dri. SE9 —8B 56
Kingsman Pde. SE18 —3B 50
Kingsman St. SE18 —3B 50
Kingsmarsh La. Old R —3D 47
Kingsmead. Big H —4D 164
Kingsmead. Folk —3H 189
Kingsmead Clo. Sidc —7J 57
Kingsmead Cotts. Brom —2A 84
Kings Meadow. Kenn —3J 159
Kingsmead Pk. Allh —4M 201
Kingsmead Rd. Cant —9N 167 (4D 21)
King's M. Cant —1N 171
Kings Mill Clo. Sit —6F 98
Kingsmill Down. E Bra —1C 41
Kingsnorth. —6E 160 (2E 39)
(nr. Ashford)
Kingsnorth. —7N 67 (4A 10)
(nr. Hoo St Werburgh)
Kingsnorth Clo. Hoo —7H 67
Kingsnorth Ct. Folk —6H 189
Kingsnorth Gdns. Folk —6H 189
Kingsnorth Ind. Est. Afrd —3F 160
Kingsnorth Ind. Est. Hoo —6N 67
Kingsnorth Rd. Afrd —4E 160 (1A 40)
Kingsnorth Rd. Fav —6G 186
Kingsnorth Rd. Gill —8M 81
King's Orchard. SE9 —4A 56
Kings Orchard. Roch —7N 79
Kings Pde. Afrd —8F 158
(off High St. Ashford,)
Kings Pk. Cant —1A 172
Kings Pk. Tun W —2K 157
King's Pl. Ram —6J 211
(off Abbot's Hill)
Kingsridge Gdns. Dart —4L 59
King's Rd. SW6, SW10 & SW3 —3B 4
Kings Rd. Aysm —2D 162
Kings Rd. Big H —4C 164
Kings Rd. Birch —5F 206
Kings Rd. Chat —2G 94
Kings Rd. Dover —5F 180
King's Rd. Fav —6G 186
Kings Rd. Folk —5D 188
Kings Rd. H'crn —3K 193 (4A 28)
Kings Rd. H Bay —3G 194 (2E 21)
King's Rd. King T —1A 12
Kings Rd. Min S —5L 219
King's Rd. Orp —5H 85
King's Rd. Ram —4H 211
King's Rd. Tonb —8J 145
King's Rd. Wclf S —1B 10
Kings Ropewalk. Dover —7G 181
Kings Row. Maid —8D 126
Kings Standing Bus. Pk. Tun W —5M 151
Kings St. Stan H —2C 8
Kingstanding Way. Tun W —4M 151
Kingsthorpe Rd. SE26 —9A 54
Kings Toll Rd. Pem —8E 152 (1B 36)
Kingston. —3E 31
Kingston Av. Maid —9D 126
Kingston Av. Mgte —4N 207
Kingston Clo. H Bay —2N 195
Kingston Clo. Ram —2F 210
Kingston Clo. River —1E 180
Kingston Ct. N'fleet —3A 62
Kingston Cres. Beck —4C 68
Kingston Cres. Chat —7E 94
Kingstone Ct. Folk —7H 189
Kingston Hill. King T —1A 12
Kingston Rd. SW15 —4A 4
Kingston Rd. SW20 & SW19 —1A 12
Kingston Rd. Eps —3A 12
Kingston Rd. King T & N Mald —1A 12
Kingston Rd. Wor Pk & Eps —2A 12
Kingston upon Thames. —1A 12
Kingston Vale. —4A 4
Kingston Vale. SW15 —1A 12
King St. W6 —3A 4
King St. Blue T —2B 218
King St. B'lnd & Bztt —2B 46
King St. Cant —1M 171 (4D 21)
King St. Chat —8D 80
King St. Deal —4N 177
King St. Dover —5J 181
King St. F'wch —7F 168 (4E 21)
King St. Gill —7F 80
King St. Grav —4G 63
King St. Maid —5D 126 (2E 27)
King St. Mgte —2C 208 (1D 23)
King St. Ram —6J 211 (2E 23)
King St. Roch —7N 79
King St. S'wch —5M 217
King St. Sit —6F 98
King St. Walm —7N 177
King St. W Mal —1A 124
Kingsway. WC2 —2C 5
Kingsway. Chat —2G 95
(in three parts)
Kingsway. Dym —6C 182
Kingsway. Orp —8F 70
Kingsway. W Wick —4H 83 (2E 13)
Kingswear Gdns. Strood —5N 79
Kingswood. —6G 140 (3B 28)
Kingswood. Kenn —5H 159
Kingswood. W'wd —3E 31
Kingswood Av. Belv —4A 52
Kingswood Av. Brom —7H 69
Kingswood Av. Chat —1C 94
Kingswood Av. Swan —7G 73
Kingswood Clo. Dart —4K 59
Kingswood Clo. Orp —1F 84
Kingswood Clo. Tun W —2J 157
Kingswood Dri. SE19 —1D 13
Kingswood Pl. SE13 —2H 55
Kingswood Rd. Ayle —2A 110
Kingswood Rd. Brom —7G 69
Kingswood Rd. Dun G —2F 118
Kingswood Rd. Gill —7G 80
Kingswood Rd. Tun W —2J 157 (2E 35)
Kings Wood St. Dover —4K 181
Kingswood Vs. Dover —2F 180
Kingsworth Clo. Beck —8B 68
King William Rd. Gill —5F 80
King Wood Hill. B Oak —4D 45
Kinlet Rd. SE18 —8E 50
Kinnaird Av. Brom —2J 69
Kinnaird Clo. Brom —2J 69
Kinnings Row. Tonb —5J 145
Kinross Clo. Chat —4E 94
Kinveachy Gdns. SE7 —5A 50
Kipling Dri. Lark —6D 108
Kipling Rd. Afrd —8F 158
Kipling Rd. Bexh —8N 51
Kipling Rd. Dart —3B 60
Kipping's Cross. —9F 152 (2B 36)
Kippington. —8H 119 (2C 25)
Kippington Clo. Sev —6G 119
Kippington Dri. SE9 —6N 55
Kippington Grange. Sev —9H 119
(off Grange Rd.)
Kippington Rd. Sev —6H 119
Kirby Clo. C'brk —8D 176
Kirby Ct. L'tn G —2A 156
Kirby Rd. Chatt —8C 66
Kirby Rd. Dart —5D 60
Kirby's La. Cant —1M 171 (4D 21)
Kirkcourt. Sev —5H 119
Kirkdale. SE26 —4D 5
Kirkdale. Loose —3C 138
Kirkdale Clo. Chat —9G 94
Kirkdale Cotts. Maid —3C 138
Kirkdale Rd. Maid —2C 138
Kirkdale Rd. Tun W —1H 157
Kirk Gdns. Walm —8L 177
Kirkham St. SE18 —6G 50
Kirkins Clo. Horsm —2C 198
Kirkland Clo. Sidc —4G 56
Kirk La. SE18 —6E 50
Kirkstone Av. Ram —5D 210
Kirkstone Pl. Maid —2C 138
Kirkstone Way. Brom —3H 69
Kirkwood Av. Wdchu —8B 226
Kirtley Rd. SE26 —9B 54
Kitchener Av. Chat —2C 94
Kitchener Av. Grav —9H 63
Kitchener Clo. B'hm —8C 162
Kitchener Rd. C'den —4D 9
Kitchener Rd. Chatt —8C 66
Kitchener Rd. Dover —5F 180
Kitchener Rd. Roch —4L 79
Kitchener Sq. Folk —3L 189
Kitchenour La. Beckl —3E 45
Kite Farm. Whits —2M 225
Kite La. Bchly —8M 153 (1B 36)
Kitewell La. Lydd —1D 204
Kither Rd. Afrd —2E 160
Kit Hill. Sell —1B 30
Kit Hill Av. Chat —8B 94
Kit's Coty. —3A 110 (3D 17)
Kit's Coty House. —4N 109 (3D 17)
Kittington La. Evtn —1J 185 (2B 32)
Kitto Rd. SE14 —3D 5
Klondyke Ind. Est. Queen —7A 218
Knapmill Rd. SE6 —7D 54
Knapmill Way. SE6 —7E 54
Knares, The. Bas —1C 8
Knatchbull Way. Bra L —8K 165
Knatts La. Knat —2D 104 (3E 15)
Knatts Valley. —1D 104 (3E 15)
Knatts Valley Rd. Knat —7D 88 (3E 15)
Knaves Acre. H'crn —3L 193
Knaves Acre Ct. Gill —6N 95
Knave's Ash. —3E 21
Knave Wood Rd. Kems —8M 103
Knee Hill. SE2 —4L 51 (3B 6)
Kneehill Cres. SE2 —4L 51
Kneller Rd. SE4 —2B 54
Knight Av. Cant —2J 171
Knight Av. Gill —6G 81
Knight Clo. Pem —7C 152
Knighton Pk. Rd. SE26 —1A 68
Knighton Rd. Otf —7F 102
Knightrider St. Maid —6D 126
Knightrider St. S'wch —6M 217
Knight Rd. Roch —7L 79 (1D 17)
(in two parts)
Knights All. Whits —3F 224
(off Middle Wall)
Knight's Av. Broad —7M 209
Knightsbridge. —3B 4
Knightsbridge. SW1 —3B 4
Knightsbridge Clo. Tun W —9F 150
Knights Clo. Hoo —8H 67
Knights Ct. Brom —8J 55
Knights Croft. New Ash —4M 89
Knightsfield Rd. Sit —5E 98
Knights Hill. SE27 —1C 13
Knights Mnr. Way. Dart —3N 59
Knights Pk. Tun W —6M 151
Knights Pk. Ind. Est. Roch —6L 79
Knight's Pl. Pem —7C 152
Knights Ridge. Orp —6K 85
Knights Ridge. Pem —7C 152
Knights Rd. Dover —4K 181
Knights Rd. Hoo —8G 66
Knights Templar. Dover —6H 181
Knights Templar Church. —6H 181
Knights Way. Dover —1F 180
Knight's Way. H'crn —3L 193
Knightswick Rd. Can I —2E 9
Knockhall. —3J 61 (4E 7)
Knockhall Chase. Grnh —3H 61
Knockhall Rd. Grnh —4J 61 (4E 7)
Knock Hill. Stne —2A 46
Knockholt. —8K 101 (4B 14)
Knockholt Main Rd. Knock —1H 117 (4B 14)
Knockholt Pound. —6N 101 (4C 14)
Knockholt Rd. SE9 —3N 55
Knockholt Rd. Clift —2J 209 (1E 23)
Knockholt Rd. Hals —5A 102 (3C 14)
Knockmill. —3E 104 (3E 15)
Knock Mill La. Sev —4G 104 (3E 15)
Knock Rd. Afrd —2E 160

Knockwood La.—Laws La.

Knockwood La. Mol —3A 30
Knockwood Rd. Tent —6D 222
Knold Pk. Mgte —5C 208
Knole. —8L 119 (2D 25)
Knole Clo. Weald —6J 131
Knole Ga. Sidc —8G 57
Knole House & Park. —8M 119
Knole La. Sev —8K 119
Knole Park. —7L 119
Knole Rd. Chat —8F 94
Knole Rd. Dart —5H 59
Knole Rd. Sev —5L 119
Knole, The. SE9 —9C 56
Knole, The. Fav —5F 186
Knole, The. Grav —3D 76
Knole Way. Sev —7K 119
Knoll Hill. Adgtn —3B 40
Knoll Ho. Folk —7J 189
Knoll La. Afrd —2C 160 (1E 39)
Knoll Pl. Walm —9M 177
Knoll Rise. Orp —2H 85
Knoll Rd. Bex —5B 58
Knoll Rd. Sidc —1K 71 (1B 14)
Knoll, The. Beck —4E 68
Knoll, The. Brom —2K 83
Knoll, The. E'try —2K 183
(off Woodnesborough La.)
Knoll Way. Ward —4J 203
Knott Ct. Maid —3D 126
Knott Cres. W'boro —2L 161
Knott's La. Cant —1N 171 (4D 21)
Knotts La. St Mc —7J 213
Knotts Pl. Sev —6H 119
Knotts Sq. Afrd —8G 158
(off North St.)
Knowle Av. Bexh —7N 51
Knowle Clo. L'tn G —2M 155
Knowle Hill. —3B 28
(nr. Kingswood)
Knowle La. Pad W —1C 36
Knowle Rd. Bchly —1C 36
Knowle Rd. Brom —3B 84
Knowle Rd. Maid —3D 126
Knowle Rd. Woul —7G 93 (3C 17)
Knowler Way. H Bay —2K 195
Knowles Gdns. H'crn —3L 193
Knowles Hill Cres. SE13 —3G 54
Knowles Wlk. S'hrst —7K 221
Knowles Way. Folk —6J 189
Knowle, The. —1C 36
Knowlton. —2B 32
Knowlton Gdns. Maid —7M 125
Knowlton Grn. Brom —8J 69
Knowlton Wlk. Cant —1A 172
Knowsley Way. Hild —1D 144
Knox Bridge. —1E 37
Knught Rd. Tonb —1L 145
Kohima Pl. B Hts —2L 181
Kon Tiki. Mard —3L 205
Koonowla Clo. Big H —3D 164
Kowlam Pl. Gus —1L 181
Kydbrook Clo. Orp —1E 84
Kyetop Wlk. Gill —5N 95
Kymbeline Ct. Deal —6L 177
Kynaston Rd. Brom —1K 69
Kynaston Rd. Orp —1K 85

La Belle Alliance Sq. Ram —5J 211
Labour in Vain Rd. Wro —4K 105 (3E 15)
Laburnham Pl. Sit —7F 98
Laburnum Av. Dart —6K 59
Laburnum Av. S'wch —6L 217
Laburnum Av. Swan —6E 72
Laburnum Clo. Dover —9D 178
Laburnum Dri. Lark —8E 108
Laburnum Gdns. Croy —2A 82
Laburnum Gro. Min S —3H 219
Laburnum Gro. N'fleet —5C 62
Laburnum Ho. Brom —4H 69
Laburnum Ho. S'ness —2C 218
(off Russell St.)
Laburnum La. Sturry —4G 168
Laburnum Rd. Roch —7J 79
Laburnum Way. Brom —1C 84
Labworth Clo. Min S —6E 218
Lacarno Av. Gill —1K 95
Lacebark Clo. Sidc —5H 57
Lacey Clo. Langl —4A 140
Laceys La. Lin —8N 137 (3D 27)
Lachlan Way. S'gte —8F 188
Lackenden Cotts. L'brne —4J 173
Lacton Oast. W'boro —1M 161
Lacton Way. W'boro —1L 161
Ladbroke Gdns. W11 —2B 4
Ladbroke Gro. W10 & W11 —2A 4
Ladbrooke Cres. Sidc —8M 57
Ladbrooke Ho. Maid —4D 126
Laddingford. —3C 26
Ladds La. Snod —8B 92
Ladds La. Up Hall —3C 16
Ladds Way. Swan —7E 72
Lade. —8A 212 (3E 47)
Lade Fort Cotts. Lydd S —8A 212
Lade Fort Cres. Lydd S —8A 212
Ladesfield. Whits —6E 224
Ladham Rd. Goud —7L 185 (2D 37)
Ladies Mile. With —9D 154 (3C 35)
Lady Amherst's Dri. Ide H —4C 130
Ladyclose Av. Cli —6L 65
Ladycroft Gdns. Orp —6E 84
Ladycroft Rd. SE13 —1E 54
Ladycroft Way. Orp —6E 84
Ladyfields. H Bay —5L 195
Ladyfields. N'fleet —9E 62
Lady Garne Rd. W Hou —1B 42
Ladygrove. Croy —9B 82
Lady Oak La. Flim & Kiln —3C 37
Lady's Gift Rd. Tun W —6F 150
Ladysmith Gro. Sea —7B 224
Ladysmith Rd. SE9 —4C 56
Ladysmith Rd. Whits —8D 224
Lady's Wlk. Sev —6G 120
Lady Vane Clo. S'brne —3J 133
Ladywell. —3E 54 (4E 5)
Ladywell Clo. SE4 —3D 54
Ladywell Heights. SE4 —4C 54
Ladywell Ho. Dover —4J 181
(off Park St.)
Ladywell Pk. Pl. Dover —4J 181
Ladywell Rd. SE13 —3D 54 (4E 5)
Ladywood Av. Orp —8G 71
Ladywood Rd. Cux —1F 92
Ladywood Rd. Dart —1E 74
Ladywood Rd. Sturry —4E 168
Lady Wootton's Grn. Cant —2N 171 (1D 31)
Lagonda Way. Dart —2K 59
Lagoon Rd. Orp —8L 71
Lagos Av. Ram —3E 210
Lake Av. Brom —2K 69
Lakedale Rd. SE18 —6G 50 (3B 6)
Lake Dri. High —7G 65
Lake Footpath. SE2 —2M 51
Lake Ho. Rd. E11 —1A 6
Lakelands. H'shm —2N 141
Lakelands. Maid —1D 138
Lakemead. Afrd —1C 160
Lake Rd. Croy —3C 82
Lake Rd. Quar W —2J 125
Lake Rd. Tun W —1E 156
Laker Rd. Roch —5N 93
Lakeside. SE2 —3M 51
Lakeside. Beck —6E 68
Lakeside. Snod —4D 108
Lakeside Av. SE28 —2J 51
Lakeside Clo. Bough B —3A 142
Lakeside Clo. Sidc —3L 57
Lakeside Dri. Brom —4A 84
Lakeside Pk. Roch —5B 80
Lakes Rd. Kes —6M 83
Lake St. Mark X —4E 35
Lakeswood Rd. Orp —9E 70
Lakeview Clo. Snod —4E 108
Lake View Rd. Sev —5H 119
Lakeview Rd. Well —2K 57
Lakewood Dri. Gill —5M 95
Laking Av. Broad —6L 209
Laleham Gdns. Mgte —3F 208
Laleham Rd. SE6 —5F 54
Laleham Rd. Mgte —4F 208 (1E 23)
Laleham Wlk. Mgte —4F 208
Lambarde Av. SE9 —9C 56
Lambarde Clo. Hall —7E 92
Lambarde Dri. Sev —5H 119
Lambarde Rd. Sev —4H 119
Lambardes. New Ash —4M 89
Lambardes Clo. Prat B —2L 101
Lambard Ho. Maid —4D 126
Lambarton Rd. Dover —3F 180
Lambden Rd. P'ley —4D 29
Lamberden. —2D 45
Lamberhurst. —2D 200 (2B 36)
Lamberhurst Clo. Orp —2M 85
Lamberhurst Quarter. —2B 36
Lamberhurst Rd. Gill —9L 81
Lamberhurst Rd. Horsm —4A 198 (2C 36)
Lamberhurst Rd. Maid —2M 125
Lamberhurst Vineyards. —3C 200 (3B 36)
Lamberhurst Way. Clift —2K 209
Lambersart Clo. Tun W —5K 151
Lambert Clo. Big H —4D 164
Lambert Ct. Eri —6D 52
(off Park Cres.)
Lambert Ho. Deal —7L 177
Lambert M. Snod —2E 108
Lamberts Pl. Horsm —3D 198
Lamberts Rd. Tun W —6K 151 (1E 35)
Lambert's Yd. Tonb —6H 145
Lambes Ct. Gill —6N 95
Lambeth. —3C 5
Lambeth Bri. SW1 & SE1 —3C 5
Lambeth Clo. Chat —7E 94
Lambeth Pal. Rd. SE1 —3C 5
Lambeth Rd. SE1 —3C 5
Lambeth Rd. Cant —7B 168
Lambourne Dri. King H —7L 123
Lambourne Pl. Gill —1C 96
Lambourne Rd. Bear —7J 127
Lambourne Wlk. Cant —2B 172
(off Sturmer Clo.)
Lambourn Way. Chat —8F 94
Lambourn Way. Tun W —4K 157
Lambs Bank. Tonb —8H 145
Lambscroft Av. SE9 —8M 55
Lamb's Cross. —3E 27
Lambsfrith Gro. Hem —8L 95
Lambs Mobile Home Pk. Pad W —7M 147
Lambs Wlk. Whits —7E 224
Lamerock Rd. Brom —9J 55
Laming Rd. Birch —5G 206
Lamkin Wall. Stod —5N 169 (3A 22)
Lammas Dri. Mil R —5F 98
Lammas Ga. Fav —4H 187
Lamorbey. —6H 57
Lamorbey Clo. Sidc —6H 57
Lamorna Av. Grav —7J 63
Lamorna Clo. Orp —1J 85
Lampington Row. L'tn G —2M 155
Lampits Hill. Corr —1C 9
Lamplighters Clo. Dart —4N 59
Lamplighters Clo. Hem —6J 95
Lampmead Rd. SE12 —2J 55
Lamport Clo. SE18 —4B 50
Lanain Ct. SE12 —5J 55
Lanbury Rd. SE15 —2A 54
Lancashire Rd. Maid —1H 139
Lancaster Av. SE27 —4C 5
Lancaster Av. Cap F —2B 174
Lancaster Clo. Brom —7J 69
Lancaster Ct. Gill —4M 95
Lancaster Ct. Grav —8H 63
Lancaster Gdns. Birch —5E 206
Lancaster Gdns. H Bay —2L 195
Lancaster Ho. Deal —5K 177
Lancaster Ho. Dover —5J 181
(off Lancaster Rd.)
Lancaster Pl. WC2 —2C 5
Lancaster Rd. NW10 —1A 4
Lancaster Rd. SE25 —1D 13
Lancaster Rd. Cant —4M 171
Lancaster Rd. Dover —5J 181
Lancaster St. SE18 —7G 50
Lancaster Way. W Mal —6L 123
Lance Croft. New Ash —3M 89
Lancelot Av. Roch —6J 79
Lancelot Clo. Roch —6J 79
Lancelot Ct. Orp —3K 85
Lancelot Rd. Well —2J 57
Lances Clo. Meop —1F 90
Lancester Clo. Ram —3F 210
Lancet La. Maid —2C 138
Lancet Pl. Maid —2C 138
Lancey Clo. SE7 —4A 50
Lanchester Clo. H Bay —4B 194
Lancing Rd. Orp —3J 85
Landale Gdns. Dart —5K 59
Landau Way. Eri —5L 53
Landbury Wlk. Afrd —6D 158
Landgate. Rye —3A 46
Landon Rd. H Bay —2K 195
Landor Ct. Hem —8K 95
Landrail Rd. Lwr Hal —8L 223
Landseer Av. N'fleet —8C 62
Landseer Clo. Tonb —1L 145
Landstead Rd. SE18 —7F 50
Land Way. High —9H 65
Landway. Seal —2N 119
Landway, The. Bear —6J 127 (2E 27)
Landway, The. Bor G —2M 121
Landway, The. Kems —8A 104
Landway, The. Orp —6L 71
Landway, The. Sev —4D 15
Lane Av. Grnh —4J 61
Lane End. —9D 60 (1E 15)
Lane End. Bexh —1C 58
Lane End. H Bay —2E 194
Lanes Av. N'fleet —8E 62
Laneside. Chst —1E 70
Lanes, The. Min —2C 23
Lane's Wlk. Whits —3F 224
Lane, The. SE3 —1K 55
Lane, The. Gus —7K 179 (4D 33)
Lanfranc Gdns. Harb —1J 171
Lanfranc Rd. Deal —2M 177
Langafel Clo. Long —5L 75
Langbrook Rd. SE3 —1N 55
Lang Ct. Whits —2L 225
Langdale. Afrd —9C 158
Langdale Av. Ram —5E 210
Langdale Clo. Gill —2M 95
Langdale Clo. Orp —4D 84
Langdale Cres. Bexh —7B 52
Langdale Rise. Maid —4N 125
Langdale Wlk. N'fleet —8D 62
Langdon Av. Ah —5D 216
Langdon Clo. St Mc —8J 213
Langdon Rd. Brom —6L 69
Langdon Rd. Folk —4D 188
Langdon Rd. Roch —8N 79
Langdon Shaw. Sidc —1H 71
Langford Pl. Sidc —8J 57
Langham Clo. Mgte —2N 207
Langham Gro. Maid —5N 125
Langholm Rd. Afrd —2E 160
Langholm Rd. L'tn G —1N 155
Langhorne Gdns. Folk —7J 189
(off Leas, The)
Langhurst. —3A 24
Langland Gdns. Croy —3C 82
Langlands Dri. Dart —1E 74
Langley. —4M 139 (3A 28)
Langley Bottom. —4A 12
Langley Gdns. Brom —7M 69
Langley Gdns. Clift —2J 209
Langley Gdns. Orp —9D 70
Langley Gro. N Mald —1A 12
Langley Heath. —4A 140 (3A 28)
Langley Pk. Farm Cotts. Langl —4L 139
Langley Rd. Beck —7B 68
Langley Rd. Sit —5G 98
Langley Rd. S Croy —9A 82
Langley Rd. Well —6L 51
Langley Vale Rd. Eps —4A 12
Langley Way. W Wick —2G 82
Langmore Ct. Bexh —1M 57
Langney Dri. Afrd —3B 160
Langport Rd. New R —3D 212
Langthorne Ct. Brom —9F 54
Langthorne Rd. E11 —1E 5
Langton Cliffs Viewpoint. —3M 181
Langton Clo. Deal —2M 177
Langton Clo. Maid —4F 126
Langton Green. —2M 155 (2D 35)
Langton La. Cant —6N 171
Langton Rd. L'tn G & Tun W —3L 155 (2D 35)
Langton Rd. Speld —9N 149 (1D 35)
Langworth Clo. Dart —8L 59
Lanier Rd. SE13 —4G 54
Lankester Parker Rd. Roch —5N 93
Lankton Clo. Beck —4F 68
Lannoy Rd. SE9 —6E 56
Lanridge Rd. SE2 —3M 51
Lansbury Cres. Dart —3A 60
Lansdell Rd. Mitc —1C 12
Lansdown Cotts. Cant —3N 171
Lansdowne Av. Bexh —7M 51
Lansdowne Av. Maid —2F 138
Lansdowne Av. Orp —2D 84
Lansdowne Ct. Chat —8C 80
Lansdowne Dri. E8 —1D 5
Lansdowne Rd. Brom —3K 69
Lansdowne Rd. Chat —1B 94
Lansdowne Rd. Sev —4L 119
Lansdowne Rd. Tonb —4H 145
Lansdowne Rd. Tun W —1H 157 (2E 35)
Lansdowne Sq. N'fleet —4E 62
Lansdowne Sq. Tun W —1H 157
Lansdown Pl. N'fleet —6E 62
Lansdown Rd. Cant —3N 171
Lansdown Rd. Grav —6E 62
Lansdown Rd. Sidc —8K 57 (4B 6)
Lansdown Rd. Sit —7K 99
Lanterns Shop. Cen., The. Folk —7K 189
Lanthorne Rd. Broad —6L 209 (1E 23)
Lapins La. King H —7L 123
Lapis Clo. Grav —6N 63
La Providence. Roch —7N 79
Lapwing Clo. Eri —7J 53
Lapwing Dri. Lwr Hal —8L 223
Lapwing Rd. Isle G —3C 190
Lapwings. Long —6A 76
Lapwings, The. Grav —7J 63
Lapworth Clo. Orp —3L 85
Lara Clo. SE13 —4F 54
Larch Clo. Broad —9H 209
Larch Clo. Lark —8F 108
Larch Cres. Tonb —1J 145
Larchcroft. Chat —7D 94
Larch Dene. Orp —3C 84
Larches, The. Fav —4E 186
Larches, The. High —1G 79
Larches, The. Whits —5E 224
Larches Viewpoint, The. —8J 111
Larch Gro. Pad W —9L 147
Larch Gro. Sidc —6H 57
Larch Ho. Brom —4H 69
Larch Rd. Dart —5L 59
Larch Rd. Evtn —2J 185
Larch Ter. S'ness —4B 218
Larch Tree Way. Croy —4D 82
Larch Wlk. Kenn —4G 159
Larch Wlk. Swan —5E 72
Larch Way. Brom —1C 84
Larch Wood Clo. Chat —1G 110
Larchwood Rd. SE9 —7D 56
Largo Wlk. Eri —8F 52
Larkbere Rd. SE26 —9B 54
Larkey View. Cha —9E 170
Larkfield. —8E 108 (4C 17)
Larkfield. Five G —8F 146
Larkfield Av. Gill —8H 81
Larkfield Av. Sit —5F 98
Larkfield Clo. Brom —3J 83
Larkfield Clo. Lark —9E 108
Larkfield Rd. Lark —9E 108
Larkfield Rd. Sev —5D 118
Larkfield Rd. Sidc —8H 57
Larkfields. N'fleet —8D 62
Larkfield Trad. Est. Lark —5F 108
Larkin Clo. Roch —2M 79
Larks Field. Hart —7M 75
Larksfield Rd. Fav —3G 187
Larkspur Clo. E Mal —9E 108
Larkspur Clo. Orp —3L 85
Larkspur Lodge. Sidc —8K 57
Larkspur Rd. Chat —7B 94
Larkspur Rd. E Mal —9D 108
Larkstore Pk. S'hrst —6J 221
Larkswood Clo. Eri —8H 53
Larkwell La. Hart —7M 75
Larner Rd. Eri —7F 52
Lascelles Rd. Dover —6F 180
Laser Quay. Roch —5A 80
Lashenden. —1B 38
Lashenden (Headcorn) Airfield. —1B 38
Lassa Rd. SE9 —3A 56
Last La. Dover —5J 181
(off Queen La.)
Latchgate. S'gte —8C 188
Latchmere Rd. SW11 —3B 4
La-Tene. Deal —8L 177
Latham Clo. Big H —4C 164
Latham Rd. Bexh —3B 58
Lathe Barn. —2C 182
Lathe Barn Farm. —3C 41
Lathe Barn Farm Museum. —2C 182
Lathkill Ct. Beck —4C 68
Latimer Clo. H Bay —5C 194
Latimer Pl. Gill —5F 80
Latona Dri. Grav —1L 77
La Tourne Gdns. Orp —4E 84
Latters Flats. Hdlw —8D 134
Latymers. Pens —2J 149
Lauderdale Rd. W9 —2B 4
Launcelot Rd. Brom —9K 55
Launder's La. Rain —2D 7
Launder Way. Maid —7B 126
Laundry Rd. Min —2C 23
Laura Dri. Swan —3H 73
Laura Pl. Roch —1K 93
Laureate Clo. Mgte —3F 208
Laurel Av. Grav —7H 63
Laurel Av. St Mar —3D 214
Laurel Bank. Tun W —7H 151
Laurelbrook. SE6 —8H 55
Laurel Clo. Dart —6K 59
Laurel Clo. Folk —5E 188
Laurel Clo. Sidc —8J 57
Laurel Cres. Croy —4D 82
Laurel Gro. SE26 —9A 54
Laurel Gro. Kgswd —6F 140
Laurel Ho. Brom —4H 69
Laurel La. I'ham —4E 45
Laurel Rd. Gill —5F 80
Laurel Rd. Tun W —7K 151
Laurels, The. Brom —6K 69
Laurels, The. Dart —8K 59
Laurels, The. H Hal —7H 193
Laurels, The. Long —6C 76
Laurels, The. Maid —7N 125
Laurels, The. Mils —6G 115
Laurel Wlk. Gill —5A 96
Laurel Way. Tun W —7K 151
Laureston Pl. Dover —4K 181
Laurie Gray Av. Chat —1A 110
Lauriston Clo. Ram —7E 210
Lauriston Mt. Broad —8L 209
Lauriston Rd. E9 —1D 5
Lausanne Rd. SE15 —3D 5
Lausanne Rd. Mgte —3D 208
Lavenda Clo. Hem —7K 95
Lavender Av. Mitc —1B 12
Lavender Clo. Brom —9A 70
Lavender Clo. Chat —7B 94
Lavender Clo. Ches —3L 225
Lavender Clo. E Mal —1D 124
Lavender Clo. Mgte —5A 208
Lavender Ct. Sit —8H 99
Lavender Ct. Tun W —4E 156
Lavender Hill. SW11 —4B 4
Lavender Hill. Swan —6E 72
Lavender Hill. Tonb —7J 145
Lavender Rd. E Mal —1D 124
Lavenders Rd. W Mal —3A 124 (1C 26)
Lavender Wlk. E Mal —1D 124
Lavender Way. Croy —9A 68
Lavernock Rd. Bexh —9B 52
Laverstoke Rd. All —1N 125
Lavidge Rd. SE9 —7A 56
Lavinia Rd. Dart —4N 59
Lavisham Ho. Brom —1L 69
Lawford Gdns. Dart —3K 59
Lawley Clo. Ram —3G 211
Lawn Clo. Brom —2L 69
Lawn Clo. Chat —1E 94
Lawn Clo. Swan —5D 72
Lawn Clo. Tent —8A 222
Lawn Pk. Sev —9J 119
Lawn Rd. Beck —3C 68
Lawn Rd. Broad —8L 209
Lawn Rd. Grav —3B 62
Lawn Rd. Tonb —7H 145
Lawn Rd. Walm —9M 177
Lawnside. SE3 —2J 55
Lawns, The. SE3 —1J 55
Lawns, The. Bchly —6N 153
Lawns, The. Ram —5K 211
Lawns, The. Sidc —9L 57
Lawn Ter. SE3 —1H 55
Lawn Vs. Ram —6J 211
(off Guildford Lawn)
Lawrance Sq. N'fleet —7E 62
Lawrence Av. Ram —7F 210
Lawrence Clo. Folk —5F 188
Lawrence Clo. Maid —1D 138
Lawrence Ct. Folk —5L 189
Lawrence Dri. Cob —7M 77
Lawrence Gdns. H Bay —3K 195
Lawrence Hill Gdns. Dart —4K 59
Lawrence Hill Rd. Dart —4K 59
Lawrence Rd. Eri —7C 52
Lawrence Rd. Tonb —1L 145
Lawrence Rd. W Wick —5K 83
Lawrence St. Gill —7F 80
Lawrie Pk. Av. SE26 —1D 13
Lawrie Pk. Rd. SE26 —1D 13
Laws La. Mer —2B 40

Lawson Clo.—Liptraps La.

Lawson Clo. Cha —9D 170
Lawson Ct. Gill —6J 81
Lawson Gdns. Dart —3L 59
Lawson Rd. Dart —2L 59
Laxey Rd. Orp —7H 85
Laxey, The. Tovil —7B 126
Laxton Clo. Bear —6J 127
Laxton Dri. Cha S —7K 139
Laxton Gdns. Pad W —8K 147
Laxton Way. Cant —3B 172
Laxton Way. Ches —4L 225
Laxton Way. Fav —7J 187
Laxton Way. Sit —5E 98
Layfield Rd. Gill —5J 81
Layhams Rd. W Wick & Kes —5H 83 (2E 13)
Laylam Clo. Broad —8H 209
Lay La. Ah —5C 216
Laymarsh Clo. Belv —3A 52
Layzell Wlk. SE9 —6N 55
Lea Bridge. —1D 5
Lea Bri. Rd. E5, E10 & E17 —1D 5
Lea Clo. Hythe —4J 197
Leacon La. Char —4D 29
Leacon Rd. Afrd —9C 158
Leacon, The. —9A 190 (3E 39)
Leadingcross Green. —9D 200 (3C 28)
Leafield. S'ndge —8K 215
Leafield La. Sidc —8A 58
Leafy Glade. Gill —5L 95
Leafy Gro. Kes —6M 83
Leafy La. Meop —8F 90
Leafy Oak Rd. SE12 —9M 55
Leahurst Ct. River —9D 178
Leahurst Rd. SE13 —3G 55
Lea Interchange. (Junct.) —1E 5
Leake Ho. Roch —2N 93
Lealands Av. Leigh —6A 144
Lealands Clo. Groom —7K 155
Leaman Clo. H Hals —1H 67
Leamington Av. Brom —1M 69
Leamington Av. Orp —5G 84
Leamington Clo. Brom —9M 55
Leamington Pk. W3 —2A 4
Leander Dri. Grav —9L 63 (1B 16)
Leander Rd. Roch —4N 93
Leander Wlk. Roch —4N 93
Lea Rd. Beck —5D 68
Lea Rd. Sev —9K 119
Learoyd Rd. New R —3D 212
Leas Dale. SE9 —8C 56
Leas Grn. Broad —9H 209
Leas Grn. Chst —2H 71
Leaside Cotts. Hythe —5J 197
Leas Rd. Deal —6L 177
Leas Rd. Warl —4D 13
Leas, The. Ches —4M 225
Leas, The. Fav —4F 186
Leas, The. Folk —8G 189 (3A 42)
Leas, The. Kgdn —5N 199
Leas, The. Min S —3J 219
Leas, The. Wclf S —1B 10
Leatherbottle Grn. Eri —3A 52
Leather Bottle La. Belv —4N 51
Leatt Clo. Broad —9K 209
Lea Vale. Dart —2E 58
Leaveland. —2A 30
Leaveland Clo. Afrd —3D 160
(in two parts)
Leaveland Clo. Beck —7D 68
Leaves Green. —3A 14
Leaves Grn. Rd. Kes —9N 83 (3A 14)
Lebanon Gdns. Big H —5D 164 (4A 14)
Lebrun Sq. SE3 —2L 55
Leckwith Av. Bexh —6N 51
Leconfield Clo. Tonb —8F 144
Leda Rd. SE18 —3B 50
Ledgers Rd. Warl —4E 13
Lee. —3J 55 (4E 5)
Lee Bri. SE13 —1F 54
Leechcroft Av. Sidc —3H 57
Leechcroft Av. Swan —6G 73
Lee Chu. St. SE13 —2H 55
Lee Ct. SE13 —2G 55
Leeds. —2B 140 (2A 28)
Leeds Castle. —1F 140 (2A 28)
Leeds Clo. Orp —3M 85
Leeds Ho. Hdlw —8D 134
(off High St. Hadlow,)
Leeds Rd. Langl —6N 139 (3A 28)
Leeds Sq. Gill —9L 81
Leeford Vineyards. —4B 44
Leegate. SE12 —3J 55
Lee Green. —7L 65
Lee Grn. Orp —8J 71
Lee Green. (Junct.) —3J 55 (4E 5)
Lee Grn. La. C'den —1D 17
Lee High Rd. SE13 & SE12 —1F 54 (4E 5)
Lee Pk. SE3 —2J 55
Lee Rd. SE3 —1J 55 (4E 5)
Lee Rd. Snod —1D 108
Lees Clo., The. Bra L —8J 165
Lees Ct. Rd. Shel L —1A 30
Leesons Hill. Chst & St M —6G 71 (1B 14)
Leeson's Way. Orp —5H 71
Lees Rd. Bra L —8J 165 (1B 40)
Lees Rd. Ladd & Yald —3C 26
Lees Rd. W'boro —9L 159 (1A 40)
(in two parts)
Lees Rd. Yald —9C 136
Lees Ter. Old L —6K 175
Lees, The. —8D 174 (3A 30)
Lees, The. Croy —3C 82
Lees, The. H Bay —2K 195
(in two parts)
Leet Clo. Gill —6H 81
Lee Ter. SE3 —4E 5
Lee Ter. SE13 & SE3 —1H 55
Leeward Rd. Roch —2N 93
Leewood Clo. SE12 —4J 55
Leewood Pl. Swan —7E 72
Lee Wootens La. Bas —1C 9
Legatt Rd. SE9 —3N 55
Legge La. Birl —3B 108
Legge St. SE13 —3F 54
Leggetts La. Whits —3F 224
Leggs La. L'tn G —9L 149 (1D 35)
Leghorn Rd. SE18 —5F 50
Legsheath La. E Grin —3A 34
Leicester Av. Clift —3G 209
Leicester Dri. Tun W —5F 156
Leicester Gdns. Ward —5J 203
Leicester Rd. Maid —1G 139
Leigh. —6N 143 (4D 25)
Leigham Ct. Rd. SW16 —4C 5
Leigh Av. Maid —2E 138
Leigh Beck. —2A 10
Leigh Ct. Min S —7G 219
Leigh Cres. New Ad —8E 82
Leigh Green. —3C 39
Leigh Heritage Centre. —1A 10
Leigh Hill. Lgh S —1B 10
Leigh-on-Sea. —1A 10
Leigh Pl. Well —9J 51
Leigh Rd. Grav —7G 62
Leigh Rd. Hild —5D 144 (4E 25)
Leigh Rd. Lgh S —1B 10
Leigh Rd. Ram —3D 210
Leigh Rd. Wain —1N 79
Leigh Ter. Orp —6K 71
Leigh Ter. Tstn —8E 124
Leighton Clo. Tun W —7G 150
Leighton Ct. Dover —3H 181
Leighton Rd. NW5 —1C 4
Leighton Rd. Dover —3H 181
Leighville Dri. H Bay —3E 194
Leinster Ter. W2 —2B 4
Leitch Row. Gill —5D 80
(off Admiralty Ter.)
Leith Hill. Orp —4J 71
Leith Hill Grn. Orp —4J 71
Leith Pk. Rd. Grav —6G 63
Leivers Rd. Deal —7K 177
Leman St. E1 —2D 5
Le May Av. SE12 —8L 55
Lemonwell Dri. SE9 —4E 56
Lenacre Av. Whitf —6E 178
Lenacre La. Whitf —6E 178 (4C 32)
Lenacre St. Westw —1F 158 (4A 30)
Lenderyou Ct. Dart —5L 59
(off Phoenix Pl.)
Lendon Rd. Bor G —3M 121
Lendrim Clo. Gill —6D 80
(off Westcourt St.)
Leneda Dri. Tun W —5E 156
Leney Cotts. Up H'lng —6C 92
Leney Rd. W'bury —1C 136
Lenfield Av. Maid —5E 126
Length, The. St N —8E 214 (2B 22)
Lenham. —7E 200 (2C 28)
Lenham Clo. Broad —2L 211
Lenham Forstal. —3C 29
Lenham Forstal Rd. Len H —3C 29
Lenham Gdns. Mgte —3N 207
Lenham Heath. —3C 29
Lenham Heath Rd. S'wy —9B 200 (3C 28)
Lenham Rd. SE12 —2J 55
Lenham Rd. Bexh —6A 52
Lenham Rd. H'crn —2L 193 (4A 28)
Lenham Rd. Kgswd —6G 140 (3B 28)
Lenham Way. Gill —9K 81
Lennard Av. W Wick —3H 83
Lennard Clo. W Wick —3H 83
Lennard Ct. Folk —6L 189
(off Lennard Rd.)
Lennard Rd. SE20 & Beck —2A 68 (1D 13)
Lennard Rd. Brom —2B 84
Lennard Rd. Dun G —2F 118
Lennox Av. Grav —4F 62
Lennox Ho. Belv —3B 52
(off Picardy St.)
Lennox Rd. Grav —4E 62 (4A 8)
Lennox Rd. E. Grav —5F 62
Lennox Row. Gill —5D 80
Lenor Clo. Bexh —2N 57
Lensbury Way. SE2 —3L 51
Lenside Dri. Bear —7K 127
Lentmead Rd. Brom —8J 55
Lenton Rd. SE18 —4F 50
Leof Cres. SE6 —1E 68
Leona Ct. Mgte —3F 208
Leonard Av. Otf —6J 103
Leonard Av. Swans —5L 61
Leonard Clo. Maid —3M 125
Leonard Rd. SW16 —1C 12
Leonard Rd. Chat —9E 80
Leonard Rd. G'stne —6A 212
Leonards Av. Ram —3J 211
Leonard St. E16 —1A 50
Leopold Rd. SW19 —1B 12
Leopold Rd. Chat —9D 80
Leopold Rd. Ram —4J 211
Leopold Rd. NW2 —1B 4
Leopold St. Ram —6J 211 (2E 23)
Lerryn Gdns. Broad —5K 209
Lescombe Clo. SE23 —8B 54
Lescombe Rd. SE23 —8B 54
Lesley Av. Cant —4N 171
Lesley Chalk Ho. Afrd —8G 158
Lesley Clo. Bex —5C 58
Lesley Clo. Grav —4E 76
Lesley Clo. Swan —6E 72
Lesley Pl. Maid —4B 126
Leslie Av. Mgte —4N 207
Leslie Cres. St Mic —5C 222
Leslie Pk. Rd. Croy —2D 13
Leslie Rd. Birch —3F 206
Leslie Rd. Gill —8D 80
Leslie Smith Dri. Fav —5G 187
(off South Rd.)
Leslie Smith Sq. SE18 —6C 50
Leslie Tew Ct. Tonb —2H 145
Lesney Farm Est. Eri —7E 52
Lesney Pk. Eri —6E 52
Lesney Pk. Rd. Eri —6E 52
Lessing St. SE23 —5B 54
Lessness Av. Bexh —7M 51
Lessness Heath. —5B 52 (3C 6)
Lessness Pk. Belv —5A 52
Lessness Rd. Belv —5B 52
Les Spickett Clo. Fav —6J 187
Lested La. Cha S —6L 139
Lester Rd. Chat —9D 80
Letchworth Av. Chat —2C 94
Letchworth Clo. Brom —8K 69
Letchworth Dri. Brom —8K 69
Le Temple Rd. Pad W —8N 147
Letter Box La. Sev —2K 131 (2D 25)
Lett's Green. —7H 101 (4B 14)
Levendale Rd. SE23 —7B 54
Leverholme Gdns. SE9 —9C 56
Lever St. EC1 —2C 5
Levett Clo. Isle G —2C 190
Lewd La. Smar —1K 221 (1C 38)
Lewes Rd. Brom —5N 69
Lewes Rd. Chel G —4A 34
Lewes Rd. E Grin & F Row —2A 34
Lewes Rd. F Row —3A 34
Lewing Clo. Orp —2G 84
Lewin Rd. Bexh —2N 57
Lewis Av. Gill —1L 95
Lewis Clo. Fav —5E 186
Lewis Ct. Afrd —2D 160
Lewis Ct. Grav —7E 62
Lewis Ct. Dri. Bou M —5E 138
Lewis Cres. Clift —2F 208
Lewis Gro. SE13 —1F 54
Lewisham. —1F 54 (4E 5)
Lewisham Cen. SE13 —1F 54
Lewisham High St. SE13 —4E 54 (4E 5)
Lewisham Hill. SE13 —3E 5
Lewisham Model Mkt. SE13 —2F 54
(off Lewisham High St.)
Lewisham Pk. SE13 —4F 54
Lewisham Rd. SE13 —3E 5
Lewisham Rd. Dover —1D 180 (1C 42)
Lewisham Way. SE4 & SE14 —3E 5
Lewis Rd. Grav —4E 76 (1A 16)
Lewis Rd. Sidc —8L 57
Lewis Rd. Swans —4L 61
Lewis Rd. Well —1L 57
Lewson Street. —3E 19
Lewson St. Rd. Tey —4M 223 (3E 19)
Leybank. Hild —3E 144
Leybourne. —8B 108 (4C 16)
Leybourne Clo. Brom —9K 69
Leybourne Clo. Chat —9D 94
Leybourne Dell. Bene —3A 38
Leybourne Dri. Mgte —3N 207
Leybourne Rd. Roch —4K 79
Leybourne Way. Lark —6C 108 (4C 16)
Leybourn Rd. Broad —2M 211
Leybridge Ct. SE12 —3K 55
Leyburn Ct. Tonb —4J 145
(off Portman Pk.)
Leyburne Rd. Dover —8L 181
Leycroft Clo. Cant —8L 167
Leycroft Gdns. Eri —8J 53
Leydenhatch La. Swan —4D 72 (1C 15)
Leyhill Clo. Swan —7F 72
Leyland Rd. SE12 —3K 55
Leysdown Av. Bexh —2D 58
Leysdown Coastal Park. —7N 203 (1B 20)
Leysdown-on-Sea. —6M 203 (1A 20)
Leysdown Rd. SE9 —7A 56
Leysdown Rd. E'chu —5D 202 (1E 19)
Leyton. —1E 5
Leyton Av. Gill —2H 95
Leyton Cross. —7H 59
Leyton Cross Rd. Dart —8G 58 (4C 7)
Leyton Orient F.C. —1E 5
Leyton Rd. E15 —1E 5
Leytonstone. —1E 5
Leytonstone Rd. E15 —1E 5
Leywood La. Meop —9H 91
Lezayre Rd. Orp —7H 85
Liberty Av. SW19 —1B 12
Libya Ter. Maid —2D 126
Lichfield Av. Cant —4A 172
Lichfield Clo. Gill —1N 95
Lichfield Ho. Maid —1H 139
Lichfield Rd. NW2 —1B 4
Lichlade Clo. Orp —5H 85
Liddell Gdns. NW10 —2A 4
Liddon Rd. Brom —6M 69
Lidham Hill. —4D 45
Lidsing. —1J 111 (3E 17)
Lidsing Rd. Boxl —6E 110 (4E 17)
Lidwells La. Goud —7H 185 (2C 37)
Liege Clo. Kem —2G 98
Liffler Rd. SE18 —5G 50
Lifstan Way. Sth S —1C 11
Lighthouse Rd. St Mb —9J 213
Lilac Cres. Roch —6J 79
Lilac Gdns. Croy —4D 82
Lilac Gdns. Swan —6E 72
Lilac Grn. E Mal —9E 108
Lilac Ho. SE4 —1D 54
Lilac Ho. S'ness —2C 218
Lilac Pl. Meop —9G 76
Lilac Rd. Roch —7J 79
Lila Pl. Swan —7F 72
Lilburne Gdns. SE9 —3A 56
Lilburne Rd. SE9 —3A 56
Lilford Rd. SE5 —3C 5
Lilian Barker Clo. SE12 —3K 55
Lilieburn. Leyb —8B 108
Lilk Hill. Bear —6L 127
Lillechurch Rd. High —6K 65 (4D 9)
Lilleshall Rd. Mord —2B 12
Lilley Cotts. Tud —7C 146
Lillian Rd. Ram —4K 211
Lillie Rd. SW6 —3A 4
Lillie Rd. Big H —6D 164
Lilliput Ct. SE12 —3L 55
Lilyvale. —9L 165 (2C 40)
Lilyvale Cotts. Bra L —9L 165
Lilyvale Rd. Bra L —9L 165
Lime Av. N'fleet —5C 62
Lime Clo. Afrd —7D 158
Lime Clo. Brom —7A 70
Lime Clo. Mard —2K 205
Lime Ct. SE9 —7D 56
Lime Ct. Gill —8M 95
Lime Cres. E Mal —2E 124
Lime Gro. Min S —7E 218
Lime Gro. Orp —3D 84
Lime Gro. Sidc —4H 57
Lime Gro. Sit —7H 99
Limeharbour. E14 —3E 5
Lime Hill Rd. Tun W —1G 156
Limehouse. —2E 5
Lime Kiln Rd. Cant —3M 171
(in two parts)
Limekiln Roundabout. Dover —6J 181
Limekiln St. Dover —7J 181
Lime Pit La. Sev —8D 102
Lime Rd. Eri —3A 52
Lime Rd. Swan —6E 72
Lime Row. Eri —3A 52
Limes Clo. Tent —7D 222
Limesford Rd. SE15 —2A 54
Limes Gro. SE13 —2F 54
Limes Gro. Hawkh —2K 191 (3D 37)
Limes Rd. Beck —5E 68
Limes Rd. Dover —3H 181
Limes Rd. Folk —5F 188
Limes Row. Farn —6D 84
Limes, The. Eden —6C 184
Limes, The. Kes —3A 84
Limes, The. Kgnt —4E 160
Limes, The. Old R —2D 47
Limestone Wlk. Eri —2M 51
Limetree Clo. Chat —3E 94
Lime Tree Clo. Tonb —5J 145
Lime Tree Gro. Croy —4C 82
Lime Tree Ter. SE6 —6C 54
Limetree Ter. Well —1J 57
Lime Tree Wlk. Sev —7J 119
Lime Tree Wlk. W Wick —5J 83
Lime Vs. Elham —6N 183
Limewood Rd. Eri —7D 52
Limpsfield. —2A 24
Limpsfield Chart. —2A 24
Limpsfield Rd. S Croy & Warl —3D 13
(in two parts)
Linches, The. Dover —1G 180
Linchmere Rd. SE12 —5J 55
Lincoln Av. Cant —3A 172
Lincoln Clo. Eri —9G 52
Lincoln Clo. Roch —6H 79
Lincoln Clo. Whits —2M 225
Lincoln Gdns. Birch —4E 206
Lincoln Grn. Rd. Orp —8H 71
Lincoln Rd. Eri —9G 53
(in two parts)
Lincoln Rd. Maid —9F 126
Lincoln Rd. Sidc —1K 71
Lincolnshire Ter. Dart —9D 60
Lincombe Rd. Brom —8J 55
Lindal Rd. SE4 —3C 54
Linden Av. Broad —8M 209
Linden Av. Dart —6K 59
Linden Av. H Bay —3F 194
Linden Av. Whits —4H 225
Linden Chase. Cant —1L 171 (4D 21)
Linden Chase. Sev —4J 119
Linden Clo. Orp —6J 85
Linden Clo. Pad W —9M 147
Linden Clo. Sit —8E 98
Linden Clo. Tun W —3G 156
Linden Clo. Wgte S —4K 207
Linden Ct. Sidc —9G 57
Linden Ct. Tonb —9H 133
Linden Cres. Folk —5K 189
Linden Dri. S'ness —5A 218
Lindenfield. Chst —5D 70
Linden Gdns. Tun W —4F 156
Linden Gro. SE15 —4D 5
Linden Gro. Cant —1L 171 (4D 21)
Linden Ho. Chat —7C 94
Linden Leas. W Wick —3G 82
Linden Pk. Rd. Tun W & TN2 —3G 156
Linden Rd. Afrd —8H 159
Linden Rd. Cox —4M 137
Linden Rd. Gill —7H 81
Linden Rd. Wgte S —3L 207
Lindens. Hythe —6K 197
Linden Sq. Sev —4F 118
Lindens, The. Ayle —9J 109
Lindens, The. New Ad —7F 82
Lindens, The. Tent —6C 222
Lindenthorpe Rd. Broad —7K 209 (1E 23)
Lindisfarne Clo. Grav —7K 63
Lindridge Clo. H Bay —7H 195
Lindridge La. S'hrst —6H 221 (4E 27)
Lind Rd. Sutt —2B 12
Lindsey Clo. Brom —6N 69
Lineacre Clo. Gill —5N 95
Lines Ter. Chat —8D 80
Linford. —3B 8
Linford Rd. Grays —3B 8
Lingards Rd. SE13 —2F 54
Lingey Clo. Sidc —7H 57
Lingfield. —1A 34
Lingfield Av. Dart —5B 60
Lingfield Cres. SE9 —2F 56
Lingfield Park. —1A 34
Lingfield Park Racecourse. —1A 34
Lingfield Rd. Bor G —2A 122
Lingfield Rd. Eden —7A 184 (4A 24)
Lingfield Rd. Grav —7G 63
Lingley Dri. Wain —2N 79
Ling Rd. Eri —6D 52
Lingwood. Bexh —9C 52
Linington Rd. Birch —5F 206
Linkfield. Hay —9K 69
Linkhill. —4N 215 (1C 45)
Link Hill La. Eger —4C 28
Link La. Cant —2N 171 (1D 31)
Link Rd. Broad —5K 209
Link Rd. Can I —2E 9
Link Rd. T Hill —5L 167 (3D 21)
Links Av. Mord —1B 12
Links Clo. H Bay —4M 195
Links Ct. Deal —1M 177
Links Cres. St Mar —2F 214
Linksfield Rd. Wgte S —4J 207
Links Rd. Deal —2M 177
Links Rd. W Wick —2F 82
Links, The. Adtn —8K 107
Links, The. Chat —3E 94
Links View. Dart —6K 59
Links View Rd. Croy —4D 82
Links Way. Beck —9D 68 (2E 13)
Linksway. Folk —4G 189 (2A 42)
Links Way. L'stne —3E 212
Linksway Clo. Folk —4H 189
Link, The. SE9 —8C 56
(off William Barefoot Dri.)
Link, The. Afrd —2C 160
Link, The. New Ash —3L 89
Link Way. Brom —1A 84
Linkway. Dit —9G 109
Linkway. Iwade —8B 198
Link Way. Tun W —6L 151
Linley Ho. Broad —6J 209
Linnet Av. Pad W —1M 153
Linnet Av. Whits —7D 224
Linslade Rd. Orp —7J 85
Linton. —7B 138 (3D 27)
Linton Clo. Well —8K 51
Linton Dann Clo. Hoo —7G 66
Linton Glade. Croy —9B 82
(in two parts)
Linton Gore. Cox —5A 138
Linton Hill. Lin —7B 138 (3D 27)
Linton Pk. Lin —8C 138
Linton Rd. Loose —6C 138 (3D 27)
Linton Simmonds Rd. Chatt —8C 66
Linwood Av. Roch —4J 79
Lionard Ho. Cant —1L 171 (4D 21)
Lion Clo. SE4 —4D 54
Lionel Gdns. SE9 —3N 55
Lionel Rd. SE9 —3N 55
Lionel Rd. Tonb —7G 145
Lion Field. Fav —5E 186
Lion Grn. Rd. Coul —4C 12
Lion Hill. Fob —2C 9
Lion Rd. Bexh —2N 57
Lions Clo. SE9 —8N 55
Lion's Rd. New R —3B 212
Lion Yd. Fav —6E 186
Lion Yd. Sit —7G 98
(off High St. Sittingbourne,)
Liphook Way. All —1N 125
Lipscombe Rd. Tun W —8K 151
Liptraps La. Tun W —7K 151 (1E 35)
(in two parts)

Maltings, The—Martindown Rd.

Maltings The. Weav —4H 127
Maltman's Hill. —1C 39
Malt M. Roch —7N 79
Malton M. SE18 —6G 51
Malton St. SE18 —6G 51
Malton Way. Tun W —7M 151
Malt Shovel Cotts. Eyns —4L 87
Malus Clo. Chat —1D 110
Malvern Av. Bexh —7N 51
Malvern Cotts. Kear —9D 178
Malvern Ho. Grav —4C 62
(off Laburnum Gro.)
Malvern Meadow. Temp E —8D 178
Malvern Pk. H Bay —3L 195
Malvern Rd. Afrd —6F 158
Malvern Rd. Dover —5H 181
Malvern Rd. Gill —1H 95
Malvern Rd. Orp —5K 85
Malvern Rd. Temp E —8D 178
Malvina Av. Grav —7G 63
Malyons Rd. SE13 —3E 54
Malyons Rd. Swan —3G 72
Malyons Ter. SE13 —3E 54
Mamignot Clo. Bear —4J 127
Manchester Clo. Chat —5F 94
Manchester Dri. Lgh S —1B 10
Manchester Rd. E14 —3E 5
Manciple Clo. Cant —3J 171
Mandeville Ct. Maid —4D 126
Mandeville Rd. Cant —9L 167
Mandeville St. E5 —1D 5
Manford Ind. Est. Eri —6J 53
Manger's La. Dover —2F 180
Mangers Pl. Dover —1F 180
Mangold Way. Eri —3M 51
Mangravet. —1F 138
Mangravet Av. Maid —1F 138
Manister Rd. SE2 —3J 51
Manitoba Gdns. Grn St —7H 85
Manitoba Ho. Dover —1H 181
(off Winnipeg Clo.)
Manley Clo. Whitf —6F 178
Manley Ho. Whitf —6F 178
Mannering Clo. River —1E 180
Manningham Ho. E Mal —3E 124
Manning Rd. Orp —8M 71
Mannock Ho. Cant —1A 172
Mannock Rd. Dart —1N 59
Manns Hill. Bos —3D 31
Mann Sq. Tonb —8K 145
Manor Av. Deal —6L 177
Manor Brook. SE3 —2K 55
Manor Clo. Bear —6L 127
Manor Clo. Cant —5J 171
Manor Clo. Cray —2E 58
Manor Clo. Deal —6K 177
Manor Clo. Grav —7N 63
Manor Clo. H Bay —1N 195
Manor Clo. Queen —9A 218
Manor Clo. Tun W —1E 156
Manor Clo. Wilm —8H 59
Manor Cotts. E Sut —8E 140
Manor Cotts. Langl —3M 139
Manor Ct. Bear —6L 127
Manor Ct. Bexh —3C 58
Manor Ct. Cant —3M 171
Manor Ct. Sole S —8J 77
Manor Ct. W Wick —2E 82
Manor Dri. Birch —5E 206
Manor Dri. Hart —9N 75
Manor Farm. F'ham —9N 73
Manor Farm Cotts. Sev —3G 121
Manorfield. Afrd —1C 160
Manor Field. Shorne —1C 78
Manorfields Clo. Chst —6H 71
Manor Forstal. New Ash —4M 89
Manor Gdns. Chat —8C 94
Manor Gro. Beck —5E 68
Manor Gro. Sit —8E 98
Manor Gro. Tonb —4J 145
Manor Ho. Fawk —4D 88
Manor Ho. Gill —6D 80
Manor Ho. Cotts. Bear —5M 127
(off Green, The)
Manor Ho. Dri. Maid —6A 126
Manor Ho. Gdns. Eden —6C 184
Manor La. SE13 & SE12 —3H 55 (4E 5)
Manor La. Fawk & Sev —1J 89 (2E 15)
Manor La. Hart —9N 75
Manor La. Roch —9K 79
Manor La. Ter. SE13 —2H 55
Manor Lea Rd. St N —9E 214
Manor Leaze. Sme —8L 165
Manor M. R'wld —4J 199
Manor Park. —1A 6
Manor Pk. SE13 —2G 55
Manor Pk. Chst —5F 70
Manor Pk. Eri —6H 53
(off Turpin La.)
Manor Pk. Tun W —2E 156
Manor Pk. Clo. W Wick —2E 82
Manor Park Country Park. —2N 123
Manor Pk. Pde. SE13 —2G 55
(off Lee High Rd.)
Manor Pk. Rd. NW10 —2A 4
Manor Pk. Rd. Chst —4E 70 (1B 14)
Manor Pk. Rd. W Wick —2E 82 (2E 13)
Manor Pl. Chst —5F 70
Manor Pl. Dart —6M 59
Mnr. Pound La. Bra L —6K 165 (1C 40)
Manor Rise. Bear —5L 127
Manor Rise. Dover —6F 180
Manor Rd. E15 —1E 5
Manor Rd. E16 & E15 —2E 5
Manor Rd. SE25 —1D 13
Manor Rd. Beck —5E 68 (1E 13)
Manor Rd. Bex —6C 58
Manor Rd. Broad —9K 209
Manor Rd. Chat —8C 80
Manor Rd. Dart —2F 58 (4C 7)
Manor Rd. Deal —6K 177 (3E 33)
Manor Rd. Dover —6F 180
Manor Rd. E'chu —2H 203
Manor Rd. Eden —6B 184
Manor Rd. Eri —6G 52 (3C 7)
Manor Rd. Folk —7J 189
Manor Rd. Grav —4G 63
Manor Rd. H Bay —1N 195
Manor Rd. Long —8B 76 (2A 16)
Manor Rd. Mils —8F 114 (4C 19)
Manor Rd. Mitc —1C 12
Manor Rd. Queen —9A 218
Manor Rd. Rich —4A 4
Manor Rd. Rust —1C 156
Manor Rd. Sidc —8J 57
Manor Rd. Sole S & Grav —8H 77
Manor Rd. S'boro —5E 150
Manor Rd. St N —8E 214 (2B 22)
Manor Rd. Sund —6M 117
Manor Rd. Swans —4K 61 (4E 7)
Manor Rd. Tats —8E 164
Manor Rd. Wall —2C 12
Manor Rd. W Wick —3E 82
Manor Rd. Whits —2J 225
Manor Row. Tent —8B 222
Manorside Clo. SE2 —4L 51
Manor St. Gill —6D 80
Manor View. Hart —9N 75
Manor Way. SE3 —2J 55
Manor Way. Afrd —6D 158
Manor Way. Beck —5D 68
Manor Way. Bex —6B 58
Manor Way. Bexh —1E 58
Manor Way. Brom —9A 70
Manor Way. E'chu —2H 203
Manor Way. Folk —7J 189
Manor Way. Grav —2N 61
Manor Way. Ley S —6M 203
Manor Way. Orp —7E 70
Manor Way. Rain —2C 7
Manor Way. Swans —2K 61
Manorway, The. Stan H —2C 8
Manover Ct. Fav —4F 186
Manse Field. Bra L —8K 165
Mansel Dri. Roch —1L 93
Mansell La. Sels —1A 42
Mansell St. E1 —2D 5
Mansen Rd. Grav —1J 77
Manse Pde. Swan —7H 73
Mansergh Clo. SE18 —7A 50
Manse Way. Swan —7H 73
Mansfield Clo. Orp —1M 85
Mansfield Ct. Bri —8H 173
Mansfield Rd. NW3 —1B 4
Mansfield Rd. Swan —2F 72
Mansfield Wlk. Maid —7B 126
Mansion Cotts. Maid —6H 127
Mansion Gdns. Whitf —9F 178
Mansion Ho. Clo. Bidd —7K 163
Mansion Row. Gill —6D 80
Mansion St. Mgte —2C 208
Manston. —3B 210 (2D 23)
Manston Airport. —2D 23
Manston Camping & Cvn. Pk. Mans —2A 210
Manston Ct. Rd. Mans —3A 210 (2D 23)
Manston Rd. Birch —7G 206 (2C 23)
Manston Rd. Mans —9M 207 (2D 23)
Mantelow Ct. Broad —2K 211
Manthorp Rd. SE18 —5E 50
Mantle Rd. SE4 —1B 54 (4E 5)
Mantles Hill. Ripp —3D 33
Manton Rd. SE2 —4J 51
Manwarings, The. Horsm —2C 198
Manwood Av. Cant —8M 167
Manwood Clo. Sit —9G 98
Manwood Rd. SE4 —3C 54 (4E 5)
Manwood Rd. S'wch —6M 217
Manwood St. E16 —1B 50
Mapesbury Rd. NW2 —1B 4
Maple Av. Gill —7H 81
Maple Av. Maid —3N 125
Maple Clo. Afrd —8C 158
Maple Clo. Lark —8E 108
Maple Clo. Orp —8F 70
Maple Clo. R Comn —8H 167
Maple Clo. Swan —5F 72
Maple Clo. Tun W —4G 156
Maple Cotts. Beth —3K 163
Maple Ct. SE6 —6E 54
Maple Ct. Grnh —5E 60
Maple Ct. Her —3K 169
Maple Cres. Sidc —4J 57
Mapledene. Chst —1E 70
Maple Dri. H'nge —7E 192
Maple Dri. St Mar —3E 214
Maple Ho. R Comn —8H 167
Maplehurst. Brom —5H 69
Maple Leaf Clo. Big H —4D 164
Maple Leaf Dri. Sidc —6H 57
Maple Rd. SE20 —1D 13
Maple Rd. Dart —7K 59
Maple Rd. Grav —9H 63
Maple Rd. Roch —6K 79
Maplescombe. —6C 88 (2D 15)
Maplescombe La. F'ham —4A 88 (2D 15)
Maplesden Clo. Maid —6K 125
Maples, The. Broad —9H 209
Maples, The. Long —5A 76
Maples, The. Min S —6J 219
Maple St. S'ness —3D 218
Maple Ter. Cant —2M 171
Mapleton Clo. Brom —9K 69
Mapleton Rd. W'ham & Eden —2B 24
Maple Way. Can I —2E 9
Maplin Ho. SE2 —2M 51
(off Wolvercote Rd.)
Maplins Clo. Rain —2B 96
Maplin Way. Sth S —1D 11
Maplin Way N. Sth S —1D 11
Mara Ct. Chat —2C 94
Maran Way. Eri —3M 51
Marathon Paddock. Gill —8G 81
Marble Arch. (Junct.) —2B 4
Marbrook Ct. SE12 —8M 55
Marcellina Way. Orp —4H 85
Marcet Rd. Dart —3K 59
Marcilly Rd. SW18 —4B 4
Marconi Rd. N'fleet —8C 62
Marcus Rd. Dart —5H 59
Mardale Clo. Gill —2C 96
Mardell Rd. Croy —8A 68
Marden. —2L 205 (4D 27)
Marden Av. Brom —9K 69
Marden Av. Ram —4F 210
Marden Beech. —1D 37
Marden Cres. Bex —3D 58
Marden Rd. C'brk —2D 37
Marden Rd. Roch —3N 79
Marden Rd. S'hrst —7H 221 (4E 27)
Marden's Hill. —3C 34
Mardens Hill. Crowb —3C 34
Marden Thorn. —1E 37
Mardol Rd. Kenn —5G 158
Marechal Niel Av. Sidc —8F 56
Marechal Niel Pde. Sidc —8F 56
(off Main Rd.)
Maresfield Clo. Dover —2G 181
Mare St. E8 —2D 5
Margaret Barr Row. Swans —5L 61
Margaret Ct. H Bay —3G 195
Margaret Gardner Dri. SE9 —7B 56
Margaret Rd. Bex —4M 57
Margaret St. Folk —6L 189
Margate. —3C 208 (1D 23)
Margate Clo. Gill —6H 81
Margate Hill. Acol —8G 207 (2C 23)
Margate Lighthous. —2C 208
Margate Rd. Broad —2E 23
Margate Rd. Broom —4J 195 (2E 21)
Margate Rd. H Bay —5K 195 (2E 21)
Margate Rd. Mgte —8E 208
Margate Windmill. —4E 208 (1E 23)
Margery St. WC1 —2C 5
Margetts La. Bur —3C 17
Margetts La. Burh —1H 109
Margetts Pl. Lwr U —1D 80
Marian Av. Min S —5H 219
Marian Sq. S'hrst —7K 221
Marigold Way. Croy —2A 82
Marilyn Cres. Birch —4G 207
Marina Clo. Brom —6K 69
Marina Ct. Deal —2N 177
Marina Dri. Dart —6A 60
Marina Dri. Min S —5H 219
Marina Dri. N'fleet —5E 62
Marina Dri. Well —9G 51
Marina Esplanade. Ram —6K 211
Marina Rd. Ram —5K 211
Marina, The. Deal —1N 177 (2E 33)
Marine Av. Dym —4E 182
Marine Av. Wclf S —1B 10
Marine Ct. Dover —5K 181
Marine Ct. Eri —7G 53
Marine Cres. Folk —7K 189
Marine Cres. Whits —2K 225
Marine Dri. SE18 —4B 50
Marine Dri. Broad —2L 209
Marine Dri. Mgte —3C 208 (1D 23)
Marine Gap. Whits —4E 224
Marine Gdns. Mgte —3C 208
Marine Pde. Dover —5K 181 (1D 43)
(in two parts)
Marine Pde. Folk —7K 189 (3A 42)
Marine Pde. Hythe —7K 197
Marine Pde. Lgh S —1A 10
Marine Pde. L'stne —4F 212 (2E 47)
Marine Pde. S'ness —2E 218 (4D 11)
Marine Pde. Sth S —1C 10
Marine Pde. Whits —2H 225 (2C 21)
Marine Pde. M. Folk —7L 189
Marine Point. Folk —8G 189
Marine Promenade. Folk —7K 189
Marine Rd. Walm —6N 177
Mariners Ct. Grnh —2H 61
Mariners, The. Roch —8M 79
Mariners Wlk. Eri —6G 53
Mariners Wlk. Oare —2F 186
Marine Ter. Folk —7L 189 (3A 42)
Marine Ter. Mgte —3B 208 (1D 23)
Marine Ter. Whits —4E 224
Marine Town. —3E 218 (4D 11)
Marine View. St Mi —3E 80
Marine Wlk. Folk —8H 189
Marine Wlk. S. Hythe —6K 197
Marion Clo. Chat —9D 94
Marion Cres. Maid —8E 126
Marion Cres. Orp —8J 71
Marischal Rd. SE13 —1G 54
Maritime Av. H Bay —3K 195
Maritime Clo. Grnh —3H 61
Maritime Clo. Roch —4A 80
Maritime Museum. —4N 177
Maritime Way. Chat —4D 80
Marjan Clo. Dover —3F 180
Mark Av. Ram —7F 210
Markbeech. —1B 34
Mark Clo. Bexh —8N 51
Mark Cross. —4E 35
Marke Clo. Kes —5A 84
Market All. Grav —4G 63
Market Bldgs. Afrd —8F 158
(off Godinton Rd.)
Market Bldgs. Maid —5C 126
Market Hill. SE18 —3C 50
Market Hill. Hythe —6K 197
Market La. Afrd —8F 158
(off Queen St.)
Market Meadow. Orp —7L 71
Market Pde. Sidc —9K 57
Market Pl. Aysm —2D 162 (2A 32)
Market Pl. Bexh —2B 58
Market Pl. Char —3K 175
Market Pl. Chat —8D 80
Market Pl. Dart —5M 59
Market Pl. Fav —5H 187
Market Pl. Folk —6K 189
Market Pl. Mgte —2C 208
(off Market St.)
Market Pl. S'hrst —6K 221
Market Pl. Tun W —3G 156
Market Rd. N7 —1C 5
Market Sq. Brom —5K 69 (1A 14)
Market Sq. Dover —5J 181
Market Sq. Tun W —1H 157
Market Sq. W'ham —8F 116 (2B 24)
Market St. SE18 —4C 50
Market St. Dart —5M 59 (4D 7)
Market St. Deal —4N 177
Market St. Dover —5J 181
Market St. Fav —5H 187
Market St. H Bay —2G 195
Market St. Maid —5C 126
Market St. Mgte —2C 208
Market St. S'wch —5L 217
(in two parts)
Market St. Tun W —3G 156
Market View. Aysm —2D 162
Market Way. Cant —9N 167
Market Way. W'ham —8F 116
Markham Cotts. Maid —2J 137
Markland Rd. Dover —5E 180
Mark La. Grav —5K 63
(in two parts)
Marks Sq. N'fleet —9E 62
Mark Way. Swan —8H 73
Marlborough Clo. Broad —1J 211
Marlborough Clo. L'stne —2E 212
Marlborough Clo. Orp —9H 71
Marlborough Clo. Tun W —1E 156
Marlborough Ct. Folk —7H 189
(off Earls Av.)
Marlborough Ct. Hythe —7L 197
Marlborough Ct. W'ham —9E 116
(off Croydon Rd.)
Marlborough Cres. Sev —6F 118
Marlborough Pde. Maid —7K 125
Marlborough Pk. Av. Sidc —5J 57
Marlborough Rd. N19 —1C 4
Marlborough Rd. Bexh —1M 57
Marlborough Rd. Brom —7M 69
Marlborough Rd. Dart —4K 59
Marlborough Rd. Deal —8K 177
Marlborough Rd. Dover —5E 180
Marlborough Rd. Gill —8E 80
Marlborough Rd. Mgte —4C 208
Marlborough Rd. Ram —6H 211
Marlborough St. Whits —8F 224
Marlborough Way. Kenn —3K 159
Marle Place Gardens. —2B 36
Marle Pl. Rd. Bchly —9N 153 (1B 36)
Marler Ho. Eri —9G 52
Marler Rd. SE23 —6B 54
Marler Rd. Folk —5E 188
Marley. —3E 31
(nr. Barham)
Marley. —2D 33
(nr. Eastry)
Marley Av. Bexh —6M 51
Marley Ct. Cant —7J 167
Marley La. Batt —4B 44
Marley La. Fin —2D 33
Marley La. Hoath —2A 22
Marley La. Kgtn —6A 162 (3E 31)
Marley Rd. H'shm —2N 141 (2B 28)
Marley Rd. Hoo —7G 67
Marley Way. Roch —1N 93
Marlhurst. Eden —3B 184
Marlings Clo. Chst —7G 71
Marlings Pk. Av. Chst —7G 71
Marling Way. Grav —2K 77
Marlow Clo. Whits —4K 225
Marlow Copse. Chat —1C 110
Marlowe Arc. Cant —2M 171 (1D 31)
Marlowe Av. Cant —2M 171
Marlowe Clo. Chst —2F 70
Marlowe Ct. Cant —1M 171 (4D 21)
(off King St.)
Marlowe Gdns. SE9 —4C 56
Marlowe Meadows. F'wch —7E 168
Marlowe Rd. Afrd —8F 158
(off Norwood Gdns.)
Marlowe Rd. Dover —1G 180
Marlowe Rd. Lark —7D 108
Marlowe Rd. Mgte —5G 208
Marlowes, The. Dart —2E 58
Marlow Ho. Birch —4G 206
(off Sutherland Dri.)
Marlow Rd. SE20 —1D 13
Marlpit. —6H 139
Marlpit Clo. Eden —3C 184
Marlpit Hill. —3B 184 (3B 24)
Marlpit La. Coul —4C 13
Marlwood Clo. Sidc —7G 56
Marmadon Rd. SE18 —4H 51
Marne Av. Well —1J 57
Marnock Rd. SE4 —3C 54
Maroons Way. SE6 —1D 68
Marquis Dri. Hem —8L 95
Marrabon Clo. Sidc —6J 57
Marr Clo. Min S —6G 219
Marriett Ho. SE6 —9F 54
Marriott Rd. Dart —5N 59
Marriotts Wharf. Grav —3G 62
Marrose Av. Ram —1F 210
Marsala Rd. SE13 —2E 54
Marsden Way. Orp —4H 85
Marshall Cres. Broad —9J 209
Marshall Cres. Queen —9A 218
Marshall Gdns. Hdlw —7D 134
Marshall Ho. Eri —2M 51
Marshall Rd. Gill —4M 95
Marshalls Gro. SE18 —4A 50
Marshalls Land. St Mic —4B 222
Marshall St. Folk —4K 189
Marsham Clo. Chst —1D 70
Marsham Clo. H'shm —2N 141
Marsham Cres. Cha S —7L 139
Marsham M. Cant —1A 172
(off Clement Clo.)
Marsham St. SW1 —3C 4
Marsham St. Maid —5D 126
Marsham Way. Hall —6E 92
Marshborough. —6F 216 (1C 33)
Marshborough Rd. M'boro & Wdboro —6E 216 (1C 33)
Marshbrook Clo. SE3 —1N 55
Marsh Cres. H Hals —1H 67
Marsh Cres. New R —3C 212
Marsh Farm Rd. Min —9M 205 (3C 23)
Marshfoot Rd. Grays —3A 8
Marshgate La. E15 —1E 5
Marshgate Path. SE18 —3E 50
Marsh Green. —4A 24
Marsh Grn. Rd. M Grn —9C 184 (1A 34)
Marsh Hill. E9 —1E 5
Marshlands. Dym —9A 182
Marshlands Clo. Dym —8A 182
Marshland View. Lwr Sto —7K 201
Marsh La. Cli —2C 176
Marsh La. Shol —4J 177
Marsh Quarter La. Sand —4L 215 (2C 45)
Marsh Rd. Hall —6E 92
Marsh Rd. Hams —8D 190 (3A 40)
Marsh Rd. Ruck —3A 40
Marshside. —2A 22
Marsh St. Dart —1A 60
(in two parts)
Marsh St. Strood —5M 79
Marsh View. Hythe —8D 196
Marsh Wall. E14 —3E 5
Marsh Way. Lark —6E 108
Marshwood Clo. Cant —8B 168
Marstan Clo. Upc —9H 223
Marston Clo. Chat —8B 94
Marston Dri. Maid —4E 126
Marston Wlk. Chat —8B 94
Martello Cotts. Hythe —7F 196
Martello Dri. Hythe —7G 196
Martello Ind. Est. Folk —5M 189
Martello Rd. Folk —5L 189
(Dover Rd.)
Martello Rd. Folk —8D 188
(West Rd.)
Martello Ter. S'gte —8F 188
Martello Tower. —4C 41
Martello Tower Number 24. —8B 182
Marten Rd. Folk —6H 189
Martens Av. Bexh —2C 58
Martens Clo. Bexh —2D 58
Martens La. H Hal —7N 193 (2C 39)
Martha Clo. Folk —4H 189
Martin. —2N 179 (4D 33)
Martin Bowes Rd. SE9 —1B 56
Martin Ct. Hem —8L 95
Martindale Av. Orp —6J 85
Martindale Clo. Cant —3N 171
Martin Dale Cres. Mart H —4D 33
(off Lucerne La.)
Martin Dene. Bexh —3A 58
Martindown Rd. Whits —7E 224

Martin Dri. Stone —4C 60
Martin Hardie Way. Tonb —2L 145
Martin Ho. Grav —8F 62
Martin Mill. —4D 33
Martin Rise. Bexh —3A 58
Martin Rd. Dart —8K 59
Martin Rd. Roch —4M 79
Martins Clo. High —7H 65
Martins Clo. Orp —6M 71
Martin's Clo. Ram —2G 211
Martins Clo. Tent —7D 222
Martins Clo. W Wick —3G 83
Martin's Dri. Leigh —8L 143
Martins La. E Peck —7K 135 (3B 26)
Martin Sq. Lark —8E 108
(in two parts)
Martin's Rd. Brom —5J 69
Martins Shaw. Chip —4D 118
Martins, The. H Hal —6M 193
Martin's Way. Hythe —8E 196
Martin Way. SW20 & Mord —1A 12
Marton Clo. SE6 —8D 54
Martyrs Field. —3L 171
Martyr's Field Rd. Cant —3L 171
Marvels Clo. SE12 —7L 55
Marvels La. SE12 —7L 55 (4A 6)
Marvillion Ct. E Peck —1L 147
Marwell. W'ham —8D 116
Marwell Clo. W Wick —3J 83
Marwood Clo. Well —1K 57
Mary Ann Cotts. Folk —4E 188
(off Ashley Av.)
Mary Bank. SE18 —4B 50
Mary Burrows Gdns. Kems —8B 104
Mary Day's. Goud —9K 185
Mary Dukes Pl. Maid —6E 126
Maryfield Clo. Bex —8F 58
Mary Grn. Wlk. Cant —9A 168
Maryland Ct. Gill —6A 96
Maryland Ct. Hythe —5L 197
Maryland Dri. Maid —7K 125
Maryland Gro. Cant —4A 172
Maryland Rd. Tun W —4K 157
Marylebone. —2C 4
Marylebone Flyover. (Junct.) —2B 4
Marylebone High St. W1 —2C 4
Marylebone Rd. NW1 —2B 4
Mary Magdalene Ho. Tonb —7H 145
Maryon Gro. SE7 —4A 50
Maryon Rd. SE7 —4A 50
Maryon Rd. SE18 —4A 50
Mary Rd. Deal —7K 177
Maryville. Well —9H 51
Mascalls. —1B 36
Mascall's Ct. La. Pad W —2N 153 (1B 36)
Mascall's Ct. Rd. Pad W —1M 153 (4B 26)
Mascalls Pk. Pad W —1L 153
Masefield Clo. Eri —8G 53
Masefield Dri. Cli —5M 65
Masefield Rd. Dart —3B 60
Masefield Rd. Lark —6D 108
Masefield Rd. N'fleet —8C 62
Masefield View. Orp —4E 84
Masefield Way. Tonb —7F 144
Mason Clo. Bexh —1C 58
Masons Hill. SE18 —4D 50
Masons Hill. Brom —6K 69 (1A 14)
Masons Rise. Broad —8L 209
Masons Rd. Dover —3G 180
Master Gunners Pl. SE18 —7A 50
Masters La. Birl —5N 107
Masthead Clo. Dart —2C 60
Mastlands Clo. SE18 —7C 50
Matfield. —6J 153 (1B 36)
Matfield Clo. Brom —8K 69
Matfield Cres. Maid —4F 126
Matfield Rd. Belv —6B 52
Matilda Clo. Gill B —2L 95
Matterdale Gdns. Barm —7J 125
Matthews Clo. Deal —4M 177
Matthews Ct. Gill —7G 80
Matthews La. Hdlw —3E 134 (3A 26)
Matthew's Pl. Dover —3H 181
Matthews Rd. H Bay —5D 194
Matthias Rd. N16 —1D 5
Mattinson Pl. W'hll —1B 28
Matts Hill Rd. H'lip —9N 95 (3A 18)
Maud Cashmore Way. SE18 —3B 50
Maude Rd. Swan —2H 73
Maudslay Rd. SE9 —1B 56
Maugham Ct. Whits —5F 224
Maunders Clo. Chat —3F 94
Maunsell Pl. Afrd —2H 161
Maureen Ct. Beck —5A 68
Maury Rd. N16 —1D 5
Mavelstone Clo. Brom —4A 70
Mavelstone Rd. Brom —4N 69
Maxey Rd. SE18 —4E 50
Maximfeldt Rd. Eri —5F 52
Maximilian Dri. Hall —7F 92
Maxim Rd. Dart —3F 58
Maxim Rd. Eri —4E 52
Maxine Gdns. Broad —8K 209
Maxted Ct. H Bay —3K 195
Maxted Street. —4D 31
Maxted St. S Min —4D 31
Maxton. —1C 42
Maxton Clo. Bear —4J 127
Maxton Ct. Dover —6F 180
Maxton Rd. Dover —6F 180
Maxwell Dri. Maid —3M 125
Maxwell Gdns. Orp —4H 85
Maxwell Pl. Deal —6M 177
Maxwell Rd. Bromp —7D 80
Maxwell Rd. Well —1H 57
May Av. N'fleet —6E 62
May Av. Orp —8K 71
May Av. Ind. Est. N'fleet —6E 62
(off May Av.)
Mayberry Ct. Beck —3C 68
Maybrook Ind. Est. Cant —8B 168
Maybury Av. Dart —6C 60
Maybury Clo. Orp —8D 70
Maycotts La. Matf —5J 153 (1B 36)
Mayday Gdns. SE3 —9A 50
Maydowns Rd. Ches —3M 225
Mayerne Rd. SE9 —3N 55
Mayers Rd. Walm —9K 177
Mayes Clo. Swan —7H 73
Mayeswood Rd. SE12 —9M 55
Mayfair. —2C 4
Mayfair. Roch —3N 79
Mayfair Av. Bexh —8M 51
Mayfair Av. Maid —9D 126
Mayfair Clo. Beck —4E 68
Mayfair Rd. Dart —3L 59
Mayfield. Bexh —1A 58
Mayfield Av. Dover —2G 181
Mayfield Av. Orp —2H 85
Mayfield Clo. Chat —1D 110
Mayfield Clo. Gill —1A 96
Mayfield Cotts. Bear —5M 127
Mayfield Ct. Dover —2G 181
Mayfield Gdns. Dover —2H 181
Mayfield La. Dur —4A 36
Mayfield Rd. W3 —2A 4
Mayfield Rd. Belv —4D 52
Mayfield Rd. Brom —8A 70
Mayfield Rd. Frant —3E 35
Mayfield Rd. Grav —5E 62
Mayfield Rd. H Bay —4H 195
Mayfield Rd. Lym —8D 204 (1E 41)
Mayfield Rd. Mark X —4E 35
Mayfield Rd. Roth —4D 35
Mayfield Rd. S Croy —3D 13
Mayfield Rd. Tun W —1F 156
Mayfield Rd. Whitf —7F 178
Mayfields. Swans —4L 61
Mayfly Clo. Orp —7M 71
Mayfly Dri. H'nge —8C 192
Mayford Clo. Beck —6A 68
Mayford Rd. Chat —9G 95
Mayforth Gdns. Ram —6F 210
Maygrove Rd. NW6 —1B 4
Mayhew Clo. Afrd —1E 160
Maylam Ct. Tonb —3J 145
Maylands Dri. Sidc —8M 57
Maymills Cotts. E'try —3J 183
Maynard. H Hal —7J 193
Maynard Av. Mgte —3N 207
Maynard Clo. Eri —7G 52
Maynard & Cotton's Spital. Cant
(off Hospital La.) —2M 171 (1D 31)
Maynard Pl. Chat —1G 95
Maynard Rd. Win I —3K 171
Maynards. Mard —3K 205
Mayor's La. Dart —9K 59
Mayor's Pl. Tent —8B 222
(off Woodbury Gdns.)
Mayow Rd. SE26 & SE23 —9A 54 (1D 13)
Maypits. Afrd —1D 160
May Pl. Sole S —8J 77
Mayplace Av. Dart —2H 59
Mayplace Clo. Bexh —1C 58
Mayplace La. SE18 —7D 50
Mayplace Rd. E. Bexh & Dart —1C 58 (4C 6)
Mayplace Rd. W. Bexh —2B 58 (4C 6)
Maypole. —6F 58
(nr. Bexley)
Maypole. —9M 195 (2A 22)
(nr. Herne Bay)
Maypole. —7B 86 (3C 14)
(nr. Orpington)
Maypole Cres. Eri —6L 53
Maypole La. Goud —8K 185 (2D 37)
Maypole La. Hoath —8M 195 (2A 22)
Maypole Rd. Ash W —2A 34
Maypole Rd. Cant —9M 195 (2E 21)
Maypole Rd. Grav —6L 63
Maypole Rd. Orp —6A 86 (2C 14)
May Rd. Dart —9N 59
May Rd. Gill —8F 80
May Rd. Roch —9N 79
May's Cotts. Maid —4L 137
Mays Hill Rd. Brom —5H 69
May's Rd. Ram —6G 211
May St. Cux —1F 92
Maystreet. H Bay —3N 195
(in two parts)
May St. Snod —2F 108
May Ter. Gill —5D 80
Maytham Rd. Rol —3K 213 (4B 38)
Mayton La. B Oak —2A 168 (3E 21)
Maytree Cotts. W'boro —4M 161
May Tree Ho. SE4 —1C 54
(off Wickham Rd.)
Maytum's Cotts. Lin —8A 138
Mayville Rd. Broad —7J 209
Mayweed Av. Chat —7B 94
Maywood Clo. Beck —3E 68
Maze Hill. SE10 & SE3 —3E 5
Mead Clo. Swan —8H 73
Mead Cres. Dart —6L 59
Meades Clo. Mard —2J 205
Meade, The. H'nge —8B 192
Meadfield Rd. Meop —3F 90
Mead Grn. Chat —8F 94
Meadow Av. Croy —9A 68
Meadow Bank. SE3 —1J 55
Meadow Bank. Leigh —6N 143
Meadow Bank. W Mal —1A 124
Meadow Bank Clo. W King —9F 88
Meadowbank Rd. Chat —8E 80
Meadowbrook. S'gte —7E 188
Meadowbrook Av. Gill —6H 81
Meadowbrook Clo. Kenn —4H 159
Meadowbrook Ct. S'gte —7E 188
Meadowbrook Rd. Kenn —4H 159
Meadow Clo. SE6 —1D 68
Meadow Clo. Bexh —3A 58
Meadow Clo. Bri —8H 173
Meadow Clo. Chat —6C 94
Meadow Clo. Chi —8M 175
Meadow Clo. Chst —1D 70
Meadow Clo. H Bay —3K 195
Meadow Clo. Iwade —8B 198
Meadow Clo. Sev —5H 119
Meadow Clo. Up H'lng —7C 92
Meadow Ct. Wnhgr —2C 196
Meadowcourt Rd. SE3 —2J 55
Meadow Cres. Up H'lng —7C 92
Meadowcroft. Brom —6B 70
Meadowdown. Weav —5H 127
Meadowdown Clo. Hem —7K 95
Meadow Dri. Ches —5M 225
Meadow Gro. S'ndge —9K 215
Meadow Hill Rd. Tun W —2H 157
Meadowlands. Seal —2N 119
Meadow La. Culv —1E 106
Meadow La. Eden —3B 184
Meadow La. New Ash —3M 89
Meadow Lawn. —7G 145
Meadow Rise. Iwade —8B 198
Meadow Rd. Afrd —7E 158
Meadow Rd. Brom —4H 69
Meadow Rd. Cant —9J 167
Meadow Rd. Grav —7F 62
Meadow Rd. Groom —6K 155
Meadow Rd. Mgte —2N 207
Meadow Rd. N'fleet —6B 62
Meadow Rd. Rust —1C 156 (2E 35)
Meadow Rd. S'boro —5F 150
Meadow Rd. Sturry —5E 168
Meadow Rd. Tonb —7G 145
Meadow Rd. Tun W —1G 157
Meadows Ct. Sidc —2K 71
Meadowside. SE9 —2M 55
Meadowside. Dart —6M 59
Meadows, The. Bidd —7K 163
Meadows, The. Hals —4A 102
Meadows, The. H Bay —5K 195
Meadows, The. Hild —3D 144
Meadows, The. Orp —7L 85
Meadows, The. Sit —9G 98
Meadows, The. Tovil —7B 126
Meadowsweet View. St Mi —2E 80
Meadow, The. Chst —2E 70
Meadow, The. Pem —6C 152
Meadow View. Hoth —4E 29
Meadow View. Orp —6L 71
Meadow View. Sev —9E 102
Meadow View. Sidc —5K 57
Meadowview Rd. SE6 —1C 68
Meadowview Rd. Bex —4N 57
Meadow View Rd. Bou M —5E 138
Meadow View Rd. S'wll —1D 220
Meadow Wlk. Dart —9K 59
Meadow Wlk. Maid —6E 126
Meadow Wlk. Snod —3D 108
Meadow Wlk. Whits —6E 224
Meadow Way. Dart —5C 60
Meadow Way. Mard —2L 205
Meadow Way. Orp —4C 84
Mead Rd. Chst —2E 70
Mead Rd. Dart —6L 59
Mead Rd. Eden —8D 184
Mead Rd. Folk —5K 189
Mead Rd. Grav —7G 62
Mead Rd. W'boro —2J 161 (1A 40)
Meads Av., The. Sit —4E 98
Meadside Clo. Beck —4B 68
Meadside Wlk. Chat —5C 94
Meads, The. C'brk —3D 37
Meads, The. Tun W —3J 157
Meads Way. St Mar —3D 214
Mead, The. Beck —4F 68
Mead, The. Leyb —8C 108
Mead, The. New Ash —3L 89
Mead, The. W Wick —2G 82
Mead Wlk. Afrd —1C 160
(in two parts)
Mead Wall. Cli —1A 176
Meadway. Beck —4F 68
Mead Way. Brom —9J 69 (2E 13)
Mead Way. Cant —1L 171 (4D 21)
Mead Way. Coul —4C 13
Mead Way. Croy —3B 82
Meadway. Dover —1C 180
Meadway. Hals —4A 102
Meadway. Hild —2E 144
Meadway, The. Orp —7K 85
Meadway, The. Sev —4G 119
Meath Clo. Orp —8K 71
Medbury Rd. Grav —6L 63
Medebourne Clo. SE3 —1K 55
Mede Ho. Brom —1L 69
Medfield St. SW15 —4A 4
Medhurst Row. —4B 24
Median Rd. E5 —1D 5
Medina Av. Whits —6D 224
Medina Ho. Eri —7F 52
Medina Rd. Dit —9G 109
Medina Rd. Tonb —1J 145
Medlar Clo. Bre —4B 114
Medlar Gro. Hem —7K 95
Medlar Ho. Sidc —8J 57
Medlars, The. Maid —3G 126
Medlars, The. Meop —9F 76
Medlar St. SE5 —3D 5
Medusa Rd. SE6 —4E 54
Medway Av. H Hals —1H 67
Medway Av. Yald —7D 136
Medway City Est. Roch —6B 80
Medway Clo. Sit —7E 98
Medway Enterprise Cen. Roch —4A 80
Medway Gdns. Chat —5C 80
Medway Heritage Centre. —7C 80
Medway Ho. Maid —9G 126
Medway Meadows. E Peck —1M 147
Medway Pl. Snod —1F 108
Medway Pl. Woul —7G 93
Medway Rd. Dart —1H 59
Medway Rd. Gill —5F 80 (1E 17)
(in two parts)
Medway Rd. S'ness —3C 218
Medway Rd. Tun W —9H 151
Medway St. Chat —7C 80 (1D 17)
Medway St. Maid —5C 126
Medway Ter. W'bury —2B 136
(off Maidstone Rd.)
Medway Trad. Est. Maid —6C 126
Medway Tunnel. Roch —4C 80
Medway Valley Pk., The. Roch —8K 79
Medway View. Gold G —2F 146
Medway View. Mid S —9K 201
Medway Vs. Maid —1M 137
Meehan Rd. G'stne —5F 212
Meehan Rd. S. G'stne —6F 212
Meerbrook Rd. SE3 —1M 55
Meeres Ct. La. Sit —6K 99
Meesons Clo. E'lng —1E 29
Meeting Ho. La. Chat —8C 80
Meeting St. Ram —5J 211
Megby Clo. Gill —5N 95
Meggett La. Alk —1B 42
Megone Clo. H'nge —8C 192
Megrims Hill. Sand —2J 215
Melanda Clo. Chst —1B 70
Melanie Clo. Bexh —8N 51
Melbourne Av. Dover —8G 179 (4C 33)
Melbourne Av. Ram —4E 210
Melbourne Clo. Orp —1G 85
Melbourne Ct. Grav —3G 62
Melbourne M. SE6 —5F 54
Melbourne Rd. Chat —9D 80
Melbury Clo. Chst —2B 70
Melbury M. New R —1D 212
Meldrum Clo. Orp —9L 71
Melfield Gdns. SE6 —9F 54
Melford Dri. Maid —5M 125
Melfort Rd. T Hth —1C 13
Meliot Rd. SE6 —7G 55
Mellanby Pl. Birch —5F 206
Melliker La. Meop —9E 76 (2A 16)
Melling St. SE18 —6G 51
Mellor Row. Kem —2G 98
Mells Cres. SE9 —9B 56
Melody Clo. Gill —7M 95
Melody Clo. Ward —4K 203
Melody Rd. Big H —6C 164
Melon La. Ivy —2D 47
Melrose Clo. SE12 —6K 55
Melrose Clo. Maid —1D 138
Melrose Cres. Orp —5F 84
Melrose Rd. Big H —4C 164
Melsetter Clo. Birch —4G 206
Melthorpe Gdns. SE3 —8A 50
Melton St. NW1 —2C 4
Melville Ct. Chat —6C 80
Melville Lea. Wdboro —7H 217
Melville Rd. Maid —6D 126
Melville Rd. Sidc —7L 57
Memel Pl. Ram —6H 211
Memess Path. SE18 —6C 50
Mendfield St. Fav —5G 186
Mendip. Afrd —6F 158
Mendip Rd. Bexh —8F 52
Mendip Wlk. Tun W —9K 151
Menin Rd. Kem —2G 98
Mentmore Ho. Ram —1G 210
Mentmore Rd. Ram —1G 210
Menzies Av. Walm —9L 177
Menzies Ct. Min S —7H 219
Meopham. —3F 90 (2B 16)
Meopham Cotts. Weald —5J 131
Meopham Green. —4F 90 (2B 16)
Meopham Station. —8F 76 (2A 16)
Meopham Windmill. —4E 90 (2A 16)
Mera Dri. Bexh —2B 58
Merantun Way. SW19 —1B 12
Merbury Clo. SE13 —3G 54
Merbury Rd. SE28 —2G 50
Mercator Rd. SE13 —2G 55
Mercer Dri. H'shm —6A 200
Mercers. Hawkh —6L 191
Mercers. L'tn G —2A 156
Mercers Clo. Pad W —9K 147
Mercers Pl. King H —7M 123
Mercer St. Tun W —9H 151
Mercer Way. Cha S —7L 139
Mercery La. Cant —2M 171 (1D 31)
Merchant Pl. Mard —3K 205
Merchants Way. Cant —3J 171
Merchiston Rd. SE6 —7G 54
Merchland Rd. SE9 —6E 56
Mercia Gro. SE13 —2F 54
Mercury Way. Roch —1L 93
Mercy Ter. SE13 —3E 54
Mere Clo. Orp —3C 84
Meredith M. SE4 —2C 54
Mere End. Croy —1A 82
Mere Ga. Mgte —4C 208
Meresborough. —6B 96 (2A 18)
Meresborough La. Gill —6C 96 (2A 18)
Meresborough Rd. Gill —8B 96 (3A 18)
Mere Side. Orp —3C 84
Meretone Clo. SE4 —2B 54
Merewood Clo. Brom —5C 70
Merewood Rd. Bexh —9D 52
Mereworth. —9J 123 (2B 26)
Mereworth Clo. Brom —8J 69
Mereworth Clo. Gill —9K 81
Mereworth Dri. SE18 —7D 50
Mereworth Rd. Maid —2B 26
Mereworth Rd. Tun W —8G 151
Mereworth Rd. W Peck —2G 134
Merganser Gdns. SE28 —3F 50
Meriden Clo. Brom —3N 69
Meridian Ct. Afrd —2C 160
Meridian Ct. Maid —5B 126
Meridian Pk. Roch —5B 80
Merifield Rd. SE9 —2M 55
Merino Pl. Sidc —4J 57
Merivale Gro. Chat —7E 94
Merland Rise. Eps & Tad —4A 12
Merleburgh Dri. Kem —3G 99
Merle Common. —3A 24
Merlewood. Sev —5J 119
Merlewood Dri. Chst —4B 70
Merlewood Pl. SE9 —4B 56
Merlin Av. Lark —8D 108
Merlin Clo. Sit —8H 99
Merlin Clo. Tonb —3L 145
Merlin Ct. Short —6J 69
Merlin Gdns. Brom —8K 55
Merlin Gro. Beck —7C 68
Merlin Rd. Roch —3L 79
Merlin Rd. Well —2J 57
Merlin Rd. N. Well —2J 57
Mermaid Clo. Chat —5D 94
Mermerus Gdns. Grav —9L 63
Merrals Wood Rd. Roch —7H 79
Merriams Farm Cotts. Leeds —9N 127
Merrilees Rd. Sidc —5G 56
Merrimans View. Chat —9F 80
Merriments Gardens. —2A 44
Merriments La. Hrst G —1B 44
Merrion Clo. Tun W —7H 151
Merrion Way. Tun W —7H 151
Merritt Rd. SE4 —3C 54
Merritt Rd. G'stne —7E 212
Merrow Way. New Ad —7F 82 (3E 13)
Merry Boys Cotts. Cli —5N 65
Merryboys Rd. Cli —5M 65 (4D 9)
Merrydown Way. Chst —4A 70
Merryfield Ct. Tonb —7H 145
Merryfield Ho. SE9 —8M 55
(off Grove Pk. Rd.)
Merryfields. Strood —3L 79
Merryfields Clo. Hart —7M 75
Merryfields Way. SE6 —5E 54
Merry Hill. —5H 91
Merryhills Clo. Big H —4D 164
Merryweather Clo. Dart —4N 59
Merrywood Gro. H Bay —5L 195
Mersey Rd. Tonb —2H 145
Mersham. —8M 161 (2B 40)
Merston Ct. High —1G 78
Merton. —1B 12
Merton Av. Hart —7L 75
Merton Cotts. Cant —5N 171
Merton Ct. Well —9K 51
Merton Gdns. Orp —8D 70
Merton High St. SW19 —1B 12
Merton La. Cant —6L 171 (2D 31)
Merton La. N. Cant —7N 171
Merton Park. —1B 12
Merton Rd. SW18 —4B 4
Merton Rd. SW19 —1B 12
Merton Rd. Bear —7J 127
Merttins Rd. SE15 & SE4 —3A 54 (4D 5)
Mervyn Av. SE9 —8E 56
Meryl Gdns. Walm —9M 177
Mesne Way. Shor —3G 102
Messent Rd. SE9 —3M 55
Messeter Pl. SE9 —4C 56
Metcalfe M. Cant —9A 168
Meteor Av. Whits —6D 224

Meteor Rd.—Monarch Rd.

Meteor Rd. W Mal —6L 123
Methuen Rd. Belv —4C 52
Methuen Rd. Bexh —2A 58
Metro Bus. Cen., The. Beck —2C 68
Metro Cen. Orp —9K 71
Metropole Arts Centre. —8H 189
(off Metropole Rd. E.)
Metropole Rd. E. Folk —8H 189
Metropole Rd. W. Folk —8H 189
Metropole, The. Folk —8H 189
Meverall Av. C'snd —7B 210 (2D 23)
Mews End. Big H —6D 164
Mewshurst. —4B 24
Mews, The. Hart —6L 75
Mews, The. Maid —4B 126
Mews, The. Pem —8B 152
Mews, The. Roch —5K 79
Mews, The. Sev —5K 119
(St John's)
Mews, The. Sev —6H 119
(Sevenoaks)
Mews, The. Sidc —9J 57
Mews, The. Sit —9G 98
Mews, The. Tun W —2H 157
Mews, The. Yald —7D 136
Meyer Rd. Eri —6E 52
Meyrick Rd. S'ness —2D 218
Miall Wlk. SE26 —9B 54
Micawber Clo. Chat —1D 110
Michael Av. Ram —4L 211
Michael Gdns. Grav —1K 77
Michael's Clo. SE13 —2H 55
Michaels La. Fawk & Sev —3H 89 (2E 15)
Micheldever Rd. SE12 —4J 55
Michele Cotts. High —7G 64
Michelle Gdns. Mgte —3M 207
Mickleburgh Av. H Bay —4J 195
Mickleburgh Hill. H Bay —3H 195 (2E 21)
Mickleham Clo. Orp —5H 71
Mickleham Rd. Orp —4H 71
Mickleham Way. New Ad —8G 82
Mid Comp Cotts. Platt —3E 122
Mid Comp Cotts. Sev —3E 122
Middelburg Sq. Folk —3A 42
Middleburg Ho. Folk —5D 188
Middleburg Sq. Folk —7K 189
Middle Clo. Gt Cha —9A 158
Middle Deal. —5M 177
Middle Deal Rd. Deal —5K 177 (2E 33)
Middlefield. Pem —6D 152
Middle Field. Tun W —1C 156
Middlefields. Croy —9B 82
Middlefields. Gill —3C 96
Middleham Ct. Dart —4B 60
(off Osbourne Rd.)
Middle Hill Rd. E Mal —2D 124
Middle La. Seal —3N 119
Middle Mead. Folk —4H 189
Middle Pk. Av. SE9 —4N 55 (4A 6)
Middle Quarter. —2C 38
Middle Rd. Bells Y —8N 157
Middle Roe. Afrd —8G 158
(off High St. Ashford,)
Middle Row. Fav —5H 187
Middlesex Rd. Maid —1G 139
Middle Stoke. —9K 201 (4A 10)
Middle St. Afrd —8F 158
(off Bank St.)
Middle St. Deal —4N 177
Middle St. Gill —6D 80
Middleton Av. Sidc —2K 71
Middleton Clo. Gill —7A 96
Middleton Ct. Sit —7F 98
Middleton Rd. Mord & Cars —2B 12
Middleton Way. SE13 —2G 55
Middletune Av. Sit —4F 98
Middle Wlk. Tun W —6L 151
Middle Wall. Whits —3F 224
Middle Way. Eri —3M 51
Middleway. Sit —8J 99
Middlings Rise. Sev —7G 119
Middlings, The. Sev —7G 119
Middlings Wood. Sev —7G 119
Midfield Av. Bexh —1D 58
Midfield Av. Swan —2H 73
Midfield Pl. Bexh —1D 58
Midfield Way. Orp —4K 71 (1B 14)
Midholm Rd. Croy —3B 82
Midhurst Ct. Maid —6D 126
Midhurst Hill. Bexh —4B 58
Mid Kent Bus. Pk. Maid —3M 125
Mid Kent Bus. Pk. Snod —3F 108
Mid Kent Shop. Cen., The. Maid —2N 125
Midland Rd. NW1 —2C 4
Midley Clo. Maid —2N 125
Midsummer Hill. Kenn —4H 159
Midsummer Rd. Snod —2C 108
Midway, The. Tun W —3D 156
Midwinter Clo. Well —1J 57
Mierscourt Clo. Gill —3C 96
Mierscourt Rd. Gill —7A 96 (3A 18)
(Meresborough Rd.)
Miers Ct. Rd. Gill —5A 96
(Nightingale Clo.)
Mike Spring Ct. Grav —9J 63
Milborough Cres. SE12 —4H 55
Milbourne Gro. Sit —4F 98
Milburn Rd. Gill —5F 80
Mildmay Gro. N1 —1D 5
Mildmay Pk. N1 —1D 5
Mildmay Pl. Shor —2G 102
Mildred Clo. Dart —4A 60
Mildred Cotts. Folk —4F 188
Mildred Rd. Eri —5F 52
Milebush. —4D 27
Milebush La. Mard —4D 27
Mile End. —2E 5
Mile End Green. —4K 75
Mile End Rd. E1 & E3 —2D 5
Mile La. Goud —7N 185 (2D 37)
Mile Oak. —1C 36
Mile Oak Rd. Bchly —5N 153 (1B 36)
Mile Oak Rd. Pad W —4C 26
Miles Ct. W'hm —2B 226
Miles Pl. Roch —9A 80
Milestone Clo. Folk —4G 189
Milestone Green. (Junct.) —4A 4
Milestone Rd. Dart —4B 60
Miles Way. Birch —4E 206
Mile Town. —2C 218 (4C 11)
Mile Town Ind. Pk. S'ness —3B 218
Milford Clo. SE2 —6N 51
Milford Clo. Maid —4N 125
Milford Gdns. Croy —8A 68
Milford Towers. SE6 —5E 54
Military Rd. Cant —1N 171 (4D 21)
Military Rd. Chat —8C 80
Military Rd. Dover —5J 181
Military Rd. Folk —6D 188 (2E 41)
Military Rd. Hythe —6H 197 (3D 41)
Military Rd. Ram —6J 211
Military Rd. Rye —3A 46
Milk Ho. Cotts. Siss —8C 220
Milking La. Kes —3A 14
Milking La. Orp —3A 100
Milk St. E16 —1D 50
Milk St. Brom —2L 69
Milkwood Rd. SE24 —4C 5
Millais Rd. Dover —3H 181
Millbank. SW1 —3C 5
Mill Bank. H'crn —2K 193 (4A 28)
Mill Bank. Lydd —3B 204
Millbank. —8M 195 (2A 22)
Millbank La. Old R —2C 47
Millbank Rd. Kgnt —4D 160 (1E 39)
Millbank Way. SE12 —3K 55
Mill Bay. Folk —6K 189
Millbro. Swan —4H 73
Millbrook. Hythe —5L 197
Millbrook. Leyb —9B 108
Millbrook Av. Well —2F 56
Millbrook Clo. Maid —8C 126
Millbrook Meadow. Afrd —9C 158
Mill Brook Rd. St M —7L 71 (1B 14)
Mill Bus. Pk., The. Hoth —3B 158
Mill Clo. Dover —2E 180
Mill Clo. Len —8D 200
Mill Clo. Roch —3M 79
Mill Clo. S'wch —4K 217
Mill Clo. Wickh —4A 22
Mill Corner. —3D 45
Mill Cotts. Ram —6G 211
Mill Cotts. Temp E —8C 178
Mill Ct. Hort K —5C 74
Mill Ct. Sit —8H 99
Mill Cres. Tonb —5J 145
Millcroft Ho. SE6 —9E 54
(off Melfield Gdns.)
Millcroft Rd. Cli —4C 176
Milldale Clo. Deal —6L 177
Millennium Experience Exhibition Site. —2E 5
Millen Rd. Sit —6F 98
Miller Av. Cant —2K 171
Miller Clo. Deal —2M 177
Miller Clo. Kem —3H 99
Miller Ct. Bexh —1C 58
Miller Ct. Min S —7H 219
Miller Rd. Grav —7M 63
Millers Ct. Whits —6F 224
Miller's Hill. Westf —4C 45
Millers La. Monk —2C 22
Millers Meadow Clo. SE12 —3J 55
Millers Wlk. Meop —3F 90
Millers Wharf. Maid —7A 126
Miller Way. Wain —2N 79
Mill Farm Cotts. Hoo —7F 66
Mill Field. Ah —5D 216
Millfield. Afrd —9B 158
Mill Field. Broad —8K 209
Mill Field. Folk —7J 189
Millfield. H'nge —6E 192
Millfield. H Hal —7J 193
Millfield. New Ash —3L 89
Millfield. Sit —8G 99
Millfield. St Mc —6J 213
Millfield Clo. H'nge —7D 192
Millfield Cotts. Orp —7K 71
Millfield Dri. N'fleet —7D 62
Millfield La. New Ash —3L 89
Millfield Mnr. Whits —4G 224
Millfield Rd. Fav —5J 187
Millfield Rd. Ram —1F 210
Millfield Rd. W King —7D 88
Millfields. Chat —9G 95
Millfields. S'wll —3D 220
Millfields Clo. St M —7K 71
Millfields Rd. E5 —1D 5
Mill Fields Rd. Hythe —6G 197
Mill Gdns. H Hal —7J 193
Mill Grn. E'try —3J 183
Mill Grn. Rd. Mitc —2B 12
Millhall. —8H 109
Millhall. Ayle —8H 109
Mill Hall Bus. Est. A'st —8H 109
Mill Hall Cen. Ayle —8H 109
Mill Hall Rd. Ayle —8H 109
Mill Hill. —7K 177 (3E 33)
Mill Hill. W3 —3A 4
Mill Hill. Deal —8K 177 (3E 33)
Mill Hill. Eden —7D 184 (4B 24)
Millhill. O'nge —9L 183
Mill Hill. Tovil —2D 27
Mill Hill La. Shorne —1B 78 (1C 16)
Mill Hill Rd. SW13 —3A 4
Mill Ho. Clo. Eyns —2M 87
Millhouse Dri. Ram —6N 205
Mill Ho. La. Adtn —7J 107
Mill La. NW6 —1B 4
Mill La. SE18 —5C 50
Mill La. B'hm —9D 162 (3A 32)
Mill La. Birch —5E 206
Mill La. Blue B —1A 110
Mill La. Blue H —3D 17
Mill La. Bon —2B 40
Mill La. Bri —9E 172 (2E 31)
Mill La. Cant —1M 171 (4D 21)
Mill La. C'lck —7C 174
Mill La. Chat —2F 94
Mill La. Chi —8L 175
Mill La. Cox —5A 138
Mill La. Dover —5K 181
Mill La. E'try —3J 183 (2C 33)
Mill La. Eyns —2M 87
Mill La. Frit —1A 38
Mill La. Grays —3E 7
Mill La. Harb —2J 171
Mill La. H'lip —5G 96 (2B 18)
Mill La. H'nge —8D 192 (1A 42)
Mill La. H Bay —6J 195 (2E 21)
Mill La. Hild —9B 132 (3D 25)
Mill La. Hoath —2A 22
Mill La. Hythe —5L 197
Mill La. I'hm —9N 195
Mill La. Igh —4K 121 (1E 25)
Mill La. Kenn —4A 30
Mill La. Lyn —3D 19
Mill La. Maid —3C 126
Mill La. Mgte —3C 208
Mill La. Non —2B 32
Mill La. N'brne —3D 33
Mill La. Orp —1C 100 (3A 14)
Mill La. Ors —2A 8
Mill La. Oxt —3A 24
Mill La. P'mrsh —3E 45
Mill La. Pres —3B 22
Mill La. Sev —3K 119
Mill La. S'wll —3D 220 (3B 32)
Mill La. Shor —1G 103
Mill La. Siss —8B 220 (2E 37)
Mill La. Smar —2J 221 (1B 38)
Mill La. Snod —2F 108
Mill La. S Min —4D 31
Mill La. Tent —6C 222
Mill La. Tonb —5J 145
Mill La. Under —5B 132 (3D 25)
Mill La. W'bury —9B 124
Mill La. W'ham —9E 116
Mill La. Wesm —4F 34
Mill La. Westf —4C 45
Mill La. Whitf —5F 178
Mill La. Worth —2D 33
Mill La. Yald —9E 136 (3C 27)
Mill La. N. H Bay —4J 195
Millmead Av. Mgte —4H 209
Millmead Gdns. Mgte —4H 209
Millmead Rd. Mgte —4F 208 (1E 23)
Mill Meads. —2E 5
Mill M. Deal —6L 177
Mill or Manor La. Holl —6G 128
Mill Pl. Chst —4D 70
Mill Pl. Dart —2H 59
Mill Pl. Fav —4H 187
Millpond Clo. Roch —4M 79
Mill Pond Clo. Sev —3L 119
Mill Pond Cotts. W'bury —1B 136
Millpond La. Tent —3B 38
Mill Pond Rd. Dart —4M 59 (4D 7)
Mill Rd. SE13 —1F 54
Mill Rd. Ave —2E 7
Mill Rd. B'le —9A 216 (1B 32)
Mill Rd. Beth —2K 163 (1D 39)
Mill Rd. Dart —9N 59
Mill Rd. Deal —6L 177 (3E 33)
Mill Rd. Dun G —2F 118
Mill Rd. Dym —8A 182 (1E 47)
Mill Rd. Eps —3A 12
Mill Rd. Eri —7D 52
Mill Rd. Gill —1E 17
Mill Rd. Hythe —6L 197
Mill Rd. Lydd —3D 204
Mill Rd. N'fleet —5D 62
Mill Rd. Roch —3M 79
Mill Rd. Sturry —7D 168 (4E 21)
Mill Rd. W'hm W —1A 32
Mill Row. Bex —5C 58
Mill Row. Birch —5E 206
Mills Clo. Min S —6G 219
Mills Cres. Seal —1N 119
Millside Ind. Est. Dart —2L 59
Mills Rd. Quar W —2J 125
Mills Ter. Chat —9D 80
Millstock Ter. Maid —7B 126
Mill Stone Clo. S Dar —5C 74
Mill Stone M. S Dar —4C 74
Millstone Rd. Deal —5L 177
Millstream Clo. A'st —3E 154
Millstream Clo. Fav —5G 186
Millstream Clo. Whits —4G 224
Mill Street. —2D 124 (1C 26)
Mill St. E Mal —2D 124 (1C 26)
Mill St. I Grn —4E 37
Mill St. Loose —3C 138 (2E 27)
Mill St. Maid —5C 126
Mill St. Sit —6F 98
Mill St. Snod —2F 108
Mill St. Temp E —8C 178
Mill St. W'ham —9F 116
Millstrood Rd. Whits —5G 224 (2C 21)
Mill Ter. Cha —7D 170
Mill Vale. Brom —5J 69
Mill View. Hdlw —7C 134
Mill View. W'boro —1K 161
Mill View. Wdchu —6B 226
Mill View Gdns. Croy —4A 82
Mill View Rd. H Bay —6H 195
Mill Wlk. Maid —6L 125
Millwall. —3E 5
Mill Wall. S'wch —6M 217
Millwall F.C. —3D 5
Mill Wall Pl. S'wch —6M 217
Mill Way. Sit —6F 98 (2C 19)
Millwood Rd. Orp —6L 71
Mill Yd., The. W Mal —1A 124
Milman Rd. NW6 —2A 4
Milne Gdns. SE9 —3A 56
Milne Ho. SE18 —4B 50
(off Ogilby St.)
Milne Memorial. —3B 34
Milner Clo. Evtn —2J 185
Milner Ct. Sturry —6E 168
Milner Cres. Aysm —2C 162
Milner La. Sturry —6E 168
Milne Rd. W'boro —1K 161
Milner Rd. Evtn —2J 185
Milner Rd. Gill —5G 81
Milner Rd. Sea —7C 224
Milner Wlk. Sidc —7F 56
Milroy Av. N'fleet —7D 62
Milstead. —8F 114 (4C 18)
Milstead Clo. Maid —4F 126
Milstead Clo. S'ness —5C 218
Milstead Cotts. Leeds —2B 140
Milton. —5J 63 (4B 8)
Milton Av. Badg M —1C 102
Milton Av. Cli —5M 65
Milton Av. Grav —6H 63
Milton Av. Mgte —4D 208
Milton Clo. Cant —4B 172
Milton Clo. Dover —9G 179
Milton Ct. Grav —6H 63
Milton Dri. Tun W —7K 151
Milton Gdns. Tonb —8F 144
Milton Hall Rd. Grav —6J 63
Milton Lodge. Sidc —9J 57
Milton Pl. Grav —4H 63
Milton Regis. —5F 98 (2C 18)
Milton Rd. Afrd —8E 158
Milton Rd. Belv —4B 52
Milton Rd. Cant —4N 171
Milton Rd. Dover —9G 179
Milton Rd. Dun G —3F 118
Milton Rd. Gill —8F 80
Milton Rd. Grav —4G 63 (4B 8)
(in two parts)
Milton Rd. Sit —7F 98 (3C 19)
Milton Rd. Swans —4L 61 (4A 8)
Milton Rd. Well —8H 51
Milton Rd. Wclf S —1B 10
Milton Sq. Mgte —4D 208
(off Shakespeare Rd.)
Milton St. Maid —7N 125
Milton St. Swans —4K 61 (4E 7)
Milverton Ho. SE6 —8B 54
Milverton Way. SE9 —9C 56
Milward Wlk. SE18 —6C 50
Mimms Ter. Pad W —8M 147
Mimosa Clo. Orp —3L 85
Minard Rd. SE6 —5H 55
(in two parts)
Mincers Clo. Chat —9F 94
Mineral St. SE18 —4G 50
Minerva Av. Dover —2H 181
Minerva Clo. Sidc —8G 57
Minerva Ho. Ram —5H 211
(off High St. Ramsgate,)
Minerva Rd. Roch —4L 79
Ministry Way. SE9 —7B 56
Minnis La. Dover —3A 180 (1B 42)
Minnis Rd. Birch —3C 206 (1C 22)
Minnis Ter. Dover —2F 180
Minnis, The. New Ash —4M 89
Minnis, The. S Min —4D 31
Minnis Way. Worth —9N 217
Minor Canon Row. Roch —7N 79
Minor Cen., The. Weav —4H 127
Minories. EC3 —2D 5
Minshaw Ct. Sidc —9J 57
Minshull Pl. Beck —3D 68
Minster. —8N 205 (2C 23)
(nr. Ramsgate)
Minster. —6L 219 (4D 11)
(nr. Sheerness)
Minster Abbey. —8N 205 (2C 23)
Minster Clo. Broad —2L 211
Minster Dri. H Bay —3E 194
Minster Dri. Min S —4J 219
Minster Rd. Acol —9G 207 (2C 23)
Minster Rd. Brom —3L 69
Minster Rd. Fav —5J 187
Minster Rd. Gill —9M 81
Minster Rd. Min S —6F 218 (4D 11)
Minster Rd. Ram —7F 210 (2E 23)
Minster Rd. Wgte S —3K 207 (1D 23)
Mintching Wood Rd. Mils —7G 114 (4C 19)
Minter Av. Dens —5B 192
Minter Clo. Dens —5B 192
Minterne Av. Sit —9E 98 (3C 18)
Minters Orchard. Platt —2A 122
Mintres Ind. Est. Deal —4M 177
Mint, The. Harb —1J 171
Miranda Ct. S'ness —3C 218
Miriam Rd. SE18 —5G 50
Mirror Path. SE9 —8M 55
Miskin Rd. Dart —5K 59
Miskin Rd. Hoo —8H 67
Miskin Way. Grav —2J 77
Misling La. S Min —4D 31
Missenden Ct. Folk —6K 189
(off Clarence St.)
Mistletoe Clo. Croy —2A 82
Mitcham. —1B 12
Mitcham La. SW16 —1C 12
Mitcham Rd. SW17 —1B 12
Mitcham Rd. Croy —2C 13
Mitcham Rd. Dym —7B 182
Mitchell Av. Chat —1C 94
Mitchell Av. N'fleet —7C 62
Mitchell Clo. SE2 —4L 51
Mitchell Clo. Belv —3D 52
Mitchell Clo. Dart —7M 59
Mitchell Clo. Len —7D 200
Mitchell Rd. Orp —5H 85
Mitchell Rd. W Mal —7L 123
Mitchell St. Folk —5D 188
Mitchell Wlk. Swans —5L 61
Mitchell Way. Brom —4K 69
Mitchem Clo. W King —8E 88
Mitchley Av. Purl & S Croy —3D 13
Mitchley Hill. S Croy —3D 13
Mitre Clo. Brom —5J 69
Mitre Ct. Tonb —5J 145
Mitre Rd. Roch —8M 79
Mittel Ct. Lydd —3B 204
Moat Clo. Chip —5C 118
Moat Clo. Orp —7H 85
Moat Ct. SE9 —4B 56
Moat Ct. Sidc —8H 57
Moat Croft. Well —1L 57
Moat Dri. Afrd —1B 160
Moat Farm. Tun W —6G 156
Moat Farm Clo. Folk —4J 189
Moat Farm Rd. Folk —4J 189
Moat Farm Rd. St Mh —3A 10
Moat Field Meadow. Kgnt —5F 160 (2A 40)
Moat La. Ah —5C 216 (4C 22)
Moat La. Cowd —8A 148 (1B 34)
Moat La. Eri —8H 53
Moat La. F'wch —8E 168 (4E 21)
Moat La. R Comn —7H 167
Moat La. Sed —4C 44
Moat Rd. E Grin —2A 34
Moat Rd. H'crn —3H 193 (4A 28)
Moat Sole. S'wch —5L 217 (4D 23)
Moat, The. Char —3K 175
Moat Way. Queen —7B 218
Mockbeggar. —8L 65 (4D 9)
Mockbeggar. R Min —4D 31
Mockbeggar La. Bidd —2A 38
Mockett Ct. Sit —7F 98
(off Hawthorn Rd.)
Mockett Dri. Broad —6K 209
Mockford All. Tent —8B 222
(off High St. Tenterden,)
Mock La. Afrd —3A 160 (1E 39)
Model Farm Clo. SE9 —8A 56
Modest Corner. —5E 150 (1E 35)
Moira Rd. SE9 —2B 56
Molash. —3A 30
Molash Rd. Orp —7M 71
Molehill Rd. Ches —6M 225 (2D 21)
Molescroft. SE9 —8E 56
Molescroft Way. Tonb —8F 144
Moles Mead. Eden —5C 184
Molesworth St. SE13 —1F 54 (4E 5)
Moliner Ct. Beck —3D 68
Molineux Rd. Min —7M 205
Molland Clo. Ah —4B 216
Molland La. Ah —5B 216 (4C 22)
(in two parts)
Molland Lea. Ah —4B 216
Molland Rd. Cant —4N 171
Mollison Dri. Wall —3C 13
Mollison Rise. Grav —1K 77
Molloy Rd. Shad —2E 39
Molyneux Ct. Tun W —1F 156
Molyneux Pk. Gdns. Tun W —1F 156
Molyneux Pk. Rd. Tun W —1E 156
Monarch Clo. Chat —5D 94
Monarch Clo. W Wick —5J 83
Monarch Hill. Up H'lng —7C 92
Monarch Rd. Belv —3B 52

Monastery St.—Nelgarde Rd.

Monastery St. Cant —2N 171 (1D 31)
Monckton's Dri. Maid —2B 126
Monckton's La. Maid —3B 126
Moncrif Clo. Bear —5L 127
Monds Cotts. Sund —6N 117
Mongeham Chu. Clo. Gt Mon —3D 33
Mongeham Rd. Deal —7H 177 (3D 33)
Monica James Ho. Sidc —8J 57
Monins Rd. Dover —5G 180
Monivea Rd. Beck —3C 68
Monkdown. Down —8K 127
Monkery La. C'lck —8A 174 (3E 29)
Monks Clo. SE2 —4M 51
Monks Clo. Cant —9N 167
Monk's Clo. Fav —4F 186
Monk's Hill. —1B 38
Monkshill Rd. Hern —3B 20
Monks La. Cous W —3B 36
Monks La. Eden —3A 24
Monks Orchard. —1B 82 (2E 13)
Monks Orchard. Dart —7L 59
Monks Orchard Rd. Beck —2D 82 (2E 13)
Monk St. SE18 —4C 50
Monks Wlk. Char —3K 175
Monks Wlk. S'fleet —2N 75
Monks Wlk. Tonb —7H 145
Monks Way. Beck —9D 68
Monks Way. Dover —1F 180
Monks Way. Orp —2E 84
Monkton. —6H 205 (2C 22)
Monkton Ct. La. Eyt —4L 185 (3C 32)
Monkton Gdns. Clift —2J 209
Monkton Mnr. Ram —2B 22
Monkton Pl. Ram —5H 211
Monkton Rd. Bor G —2M 121
Monkton Rd. Min —7J 205 (2C 22)
Monkton Rd. Well —9H 51
Monkton's Av. Maid —2B 126
Monkton St. Monk —6H 205 (2C 22)
Monkwood Clo. Roch —3M 93
Monmouth Clo. Gill —1N 95
Monmouth Clo. Well —2J 57
Monmouth St. WC2 —2C 5
Mons Ct. Kem —2G 98
Monson Colonnade. Tun W —1H 157 (off Monson Rd.)
Monson Ho. Tun W —1H 157
Monson Rd. Tun W —1H 157 (2E 35)
Monson Way. Tun W —1H 157
Mons Way. Brom —9A 70
Montacute Gdns. Tun W —3F 156
Montacute Rd. SE6 —5C 54
Montacute Rd. New Ad —9F 82
Montacute Rd. Tun W —4G 156 (2E 35)
Montague Av. SE4 —2C 54
Montague Ct. Folk —7H 189
Montague Ct. S'ness —3C 218
Montague Ct. Sidc —8J 57
Montague Pl. WC1 —2C 4
Montague Pl. Swan —7G 72
Montague Rd. Ram —4J 211
Montague St. H Bay —2F 194
Montague Ter. Brom —6J 69
Montargis Way. Crowb —4D 35
Montbelle Rd. SE9 —8D 56
Montbretia Clo. Orp —7L 71
Montcalm Clo. Brom —9K 69
Montcalm Ter. Dover —1H 181 (off Winnipeg Clo.)
Montefiore Av. Ram —3K 211 (2E 23)
Montefiore Cotts. Ram —4K 211
Monteith Clo. L'tn G —2A 156
Montem Rd. SE23 —5C 54
Monterey Clo. Bex —7D 58
Montfort Clo. Afrd —2D 160
Montfort Clo. Cant —7N 167
Montfort Rd. Chat —9B 94
Montfort Rd. Kems —8M 103
Montfort Rd. Roch —5L 79
Montgomery Av. Chat —4D 94
Montgomery Clo. Sidc —4H 57
Montgomery Cotts. Up H'lng —6C 92
Montgomery Rd. Gill —8F 80
Montgomery Rd. S Dar —4D 74
Montgomery Rd. Tun W —7H 151
Montgomery Way. Folk —3K 189
Montpelier Av. Bex —5M 57
Montpelier Av. Whits —8F 224
Montpelier Bus. Pk. Afrd —9D 158
Montpelier Ga. Maid —4M 125
Montpelier Row. SE3 —3E 5
Montreal Clo. Dover —1G 181
Montreal Rd. Sev —5F 118
Montreal Rd. Til —1F 62
Montrose Av. Sidc —5J 57
Montrose Av. Well —1F 56
Montrose Clo. Well —1H 57
Montrose Way. SE23 —6A 54
Monument Gdns. SE13 —3F 54
Monument Way. Afrd —3J 161
Monypenny. Rol —3K 213
Moon Ct. SE12 —2K 55
Moon Hill. S'wll —3D 220
Moon's Green. —2E 45
Moonstone Dri. Chat —9E 94
Moorcroft Gdns. Brom —8A 70
Moorden La. Chid C —6H 143 (4D 25)
Moordown. SE18 —8C 50
Moore Clo. Bztt —2C 47
Moore End. S'ness —3C 218
Moorehead Way. SE3 —1L 55
Mooreland Rd. Brom —3J 69
Moore Rd. Swans —4L 61
Moore's La. Beckl —3D 45
Moore St. Roch —4L 79
Moorfield. Cant —7M 167
Moorfield Rd. Orp —1J 85
Moorgate. EC2 —2D 5
Moorhen Clo. Eri —7J 53
Moor Hill. Hawkh —7K 191 (1B 44)
Moorhouse. —9B 116 (2A 24)
Moorhouse Bank. —2A 24
Moorhouse Rd. Oxt & W'ham —3A 24
Mooring Rd. Roch —2A 94
Moorings, The. Con —2E 19
Moorings, The. Sand —4J 215
Moorland Rd. S'wll —3C 220
Moorlands. —3C 34
Moor La. D'land & Eden —1A 34
Moor La. Chess —2A 12
Moor La. Ivy —2C 47
Moor La. Westf —4C 45
Moor La. Wdchu —9A 226 (3D 39)
Moor Pk. Clo. Gill —3C 96
Moor Rd. Sev —2J 119
Moor Rd. Westf —4C 45
Moorside Ct. Cant —1K 171
Moorside Rd. Brom —8H 55
Moorstock. —7J 215 (2C 41)
Moorstock La. S'ndge —8J 215 (2C 41)
Moor Street. —3D 96 (2A 18)
Moor St. Rain —3D 96 (2A 18)
Moor, The. —7K 191 (1B 44)
Moor, The. Hawkh —7K 191 (1B 44)
Moorwell Dri. S'wll —2C 220
Morants Ct. Rd. Dun G & Sev —9D 102 (4C 15)
Moray Av. Birch —3E 206
Mordaunt Av. Wgte S —3K 207
Morden. —1B 12
Morden Ct. Roch —8N 79
Morden Hall Rd. Mord —1B 12
Morden Park. —2B 12
Morden Rd. SW19 —1B 12
Morden Rd. Mitc —1B 12
Morden St. Roch —8N 79
Mordred Rd. SE6 —7H 55
Morehall. —2A 42
Morehall Av. Folk —5F 188
Moreland St. EC1 —2C 5
Morel Ct. Sev —4J 119
Morella Wlk. Len —7D 200
Morello Clo. Swan —7E 72
Morello Clo. Tey —2K 223
Moremead Rd. SE6 —9C 54
Morement Rd. Hoo —7G 66
Morena St. SE6 —5E 54
Moreton Almshouses. W'ham —8F 116
Moreton Clo. Swan —5F 72
Moreton Ct. Dart —1G 58
Moreton Ind. Est. Swan —7J 73
Morewood Clo. Sev —5G 119
Morewood Clo. Ind. Est. Sev —5H 119
Morgan Dri. Grnh —5E 60
Morgan Kirby Gdns. Shel L —1A 30
Morgan Rd. Brom —3K 69
Morgan Rd. Roch —4L 79
Morgan St. SE18 —3D 50
Morhen Clo. Snod —3C 108
Morland Av. Dart —3J 59
Morland Dri. Lam —2D 200
Morland Dri. Roch —3L 79
Morland Rd. SE20 —2A 68
Morland Rd. Croy —2D 13
Morley Clo. Orp —3D 84
Morley Ct. Short —7J 69
Morley Dri. Horsm —2C 198
Morley Hill. Stan H —1C 8
Morley Rd. SE13 —2F 54
Morley Rd. Chst —4E 70
Morley Rd. Tonb —6K 145
Morley's Rd. Weald —6K 131 (3D 25)
Morning Cross Cotts. Cli —4C 176
Morning La. E9 —1D 5
Mornington Av. Brom —6M 69
Mornington Clo. Big H —5D 164
Mornington Ct. Bex —6E 58
Morris Av. H Bay —3A 194
Morris Clo. Croy —8B 68
Morris Clo. E Mal —9D 108
Morris Clo. Orp —4G 84
Morris Ct. Clo. Bap —9L 99
Morris Gdns. Dart —3A 60
Morrison Rd. Folk —5L 189
Morris Rd. E14 —2E 5
Morry La. E Sut —9F 140 (3A 28)
Morse Ho. Sit —8K 99
Morston Gdns. SE9 —9B 56
Mortgramit Sq. SE18 —3C 50
Mortimer Clo. Afrd —2F 160
Mortimer Rd. NW10 —2A 4
Mortimer Rd. Big H —2B 164
Mortimer Rd. Dover —4L 181
Mortimer Rd. Eri —6E 52
Mortimer Rd. Orp —2J 85
Mortimers Av. Cli —5L 65
Mortimer St. W1 —2C 4
Mortimer St. H Bay —2G 194
Mortlake. —4A 4
Mortlake High St. SW14 —3A 4
Mortlake Rd. Rich —3A 4
Morvale Clo. Belv —4A 52
Morval Rd. SW2 —4C 5
Moselle Rd. Big H —6E 164
Mosquito Rd. W Mal —6L 123
Mossbank. Chat —8D 94
Mossdown Clo. Belv —4B 52
Moss End M. Ram —2J 211
Moss Gdns. S Croy —8A 82
Mosslea Rd. Brom —8N 69
Mosslea Rd. Orp —4E 84
Mossy Glade. Gill —5A 96
Mostyn Rd. Maid —5F 126
Mosul Way. Brom —9A 70
Mosyer Dri. Orp —3M 85
Mote Av. Maid —6E 126
Mote Rd. Maid —6D 126 (2E 27)
Mote Rd. S'brne & Ivy H —4F 132 (2E 25)
Mote, The. New Ash —3M 89
Motherwell Way. Grays —3E 7
Motney Hill. —1A 18
Motney Hill Rd. Gill —2A 18
Motspur Park. —2A 12
Motspur Pk. N Mald —2A 12
Mottingham. —7A 56 (4A 6)
Mottingham Gdns. SE9 —6N 55
Mottingham La. SE12 & SE9 —6M 55 (4A 6)
Mottingham Rd. SE9 —7A 56 (4A 6)
Mottins Hill. Crowb —4D 35
Mottisfont Rd. SE2 —3J 51
Mott's Down. —3C 35
Mott's Mill. —3D 35
Mouchotte Clo. Big H —2A 164
Moultain Hill. Swan —7H 73
Mound, The. SE9 —8C 56
Mountain Bungalows. Hams —9E 190
Mountain Clo. Wro —7M 105 (off West St.)
Mountain Street. —2B 30
Mountain St. Chi —9J 175 (2B 30)
Mt. Arlington. Short —5H 69 (off Park Hill Rd.)
Mount Av. Yald —7E 136
Mountbatten Av. Chat —4D 94
Mountbatten Av. High —9G 64
Mountbatten Clo. SE18 —6G 50
Mountbatten Gdns. Beck —7B 68
Mountbatten Way. Bra L —7K 165
Mt. Castle La. Len H —3C 29
Mt. Charles Wlk. Bri —9E 172
Mount Clo. Brom —4A 70
Mount Clo. Sev —5G 119
Mount Cotts. Bear —5L 127
Mount Ct. W Wick —3H 83
Mt. Culver Av. Sidc —2M 71
Mount Dri. Bear —5L 127
Mount Dri. Bexh —3N 57
Mt. Edgecombe Rd. Tun W —2G 156
Mt. Ephraim. Tun W —2F 156 (2E 35)
Mount Ephraim Gardens. —2L 165 (3B 20)
Mt. Ephraim Rd. Tun W —1G 157
Mount Farm. —3A 36
Mountfield. —3B 44
Mountfield. Bor G —2N 121
Mount Field. Fav —6F 186
Mount Field. Queen —7B 218
Mountfield Clo. Meop —9E 90
Mountfield Gdns. Tun W —2H 157
Mountfield Ind. Est. New R —3D 212
Mountfield La. M'fld —3A 44
Mountfield Pk. Tonb —7J 145
Mountfield Rd. New R —3D 212
Mountfield Rd. Tun W —2H 157
Mountfield Row. New R —3D 212
Mountfield Way. Orp —7L 71
Mountfield Way. Wgte S —5J 207
Mt. Green Av. C'snd —7B 210
Mountgrove Rd. N5 —1D 5
Mt. Harry Rd. Sev —5H 119 (2D 25)
Mount Hill. Knock —8J 101
Mounthurst Rd. Brom —1J 83
Mountjoy Clo. SE2 —2K 51
Mount La. Bear —5L 127
Mount La. H'lip —8F 96 (3A 18)
Mount Pleasant. —2C 23
Mt. Pleasant. Adgtn —2B 40
Mt. Pleasant. Ayle —7L 109
Mt. Pleasant. Big H —5D 164
Mt. Pleasant. Blean —5G 166
Mt. Pleasant. Chat —8E 80
Mt. Pleasant. Crowb —4D 35
Mt. Pleasant. Hild —1D 144
Mt. Pleasant. Lam —1A 200 (2B 36)
Mt. Pleasant. Oare —2F 186
Mt. Pleasant. Pad W —9L 147
Mt. Pleasant. Tent —7D 222
Mt. Pleasant Av. Tun W —2H 157
Mt. Pleasant Clo. Lym —7D 204
Mt. Pleasant Ct. Hild —1D 144
Mt. Pleasant Dri. Bear —4K 127
Mt. Pleasant La. Lam —1A 200 (2B 36)
Mt. Pleasant Pl. SE18 —4F 50
Mt. Pleasant Rd. SE13 —4E 54
Mt. Pleasant Rd. Dart —4N 59
Mt. Pleasant Rd. Folk —6K 189
Mt. Pleasant Rd. Tun W —2G 157 (2E 35)
Mt. Pleasant Rd. Weald —6J 131
Mt. Pleasant Wlk. Bex —3D 58
Mount Rd. Bexh —3M 57
Mount Rd. Cant —4B 172
Mount Rd. Chat —9C 80
Mount Rd. Dart —4G 59
Mount Rd. Dover —7F 180
Mount Rd. Roch —1L 93
Mounts Clo. Deal —5K 177
Mountsfield Clo. Maid —4A 126
Mountsfield Ct. SE13 —4G 54
Mounts Hill. Bene —3E 37
Mt. Sion. Tun W —3G 157
Mounts La. Rol —4L 213 (4B 38)
Mounts Rd. Grnh —3H 61 (4E 7)
Mount St. SE18 —4D 50
Mount St. Batt —4B 44
Mount St. Hythe —6K 197
Mount, The. Bexh —3C 58
Mount, The. Chat —8C 80
Mount, The. Fav —6F 186
Mount Top. R Min —7J 183 (1D 41)
Mountview. B'den —9C 98
Mt. View Rd. H Bay —5H 195
Mountview Rd. Orp —1J 85 (in two parts)
Mount Vs. Yald —7E 136
Movers Lane. (Junct.) —2B 6
Movers La. Bark —2B 6
Mowshurst. —3D 184
Moyes Clo. C'snd —7B 210
Moyle Clo. Gill —7N 95
Moyle Ct. Hythe —7K 197
Moyle Tower Rd. Hythe —7K 197
Mozart Ct. Chat —9B 80
Mucking. —2C 8
Muckingford. —3B 8
Muckingford Rd. W Til & Linf —3B 8
Mucking Wharf Rd. Stan H —2C 8
Muddy La. Sit —9J 99
Muggins La. Shorne —9A 64
Muirkirk Rd. SE6 —6F 54
Muir Rd. Maid —6D 126
Muir Rd. Ram —4K 211
Muir St. E16 —1A 50
Mulberry Clo. Hem —7K 95
Mulberry Clo. Meop —9G 76
Mulberry Clo. Ram —4K 211
Mulberry Clo. Tun W —5K 151
Mulberry Cotts. Old L —7L 175
Mulberry Ct. Cant —2M 171 (1D 31)
Mulberry Ct. L'stne —4F 212
Mulberry Ct. Maid —4E 126
Mulberry Dri. Purf —4N 53
Mulberry Fld. S'wch —5L 217
Mulberry Hill. Chi —8L 175 (2B 30)
Mulberry Ho. Short —5H 69
Mulberry Rd. N'fleet —8D 62
Mulberry Way. Belv —2D 52
Mulgrave Rd. Sutt —3B 12
Mullender Ct. Grav —6M 63
Multon Rd. W King —7E 88
Muncies M. SE6 —7F 54
Munday Works Est. Tonb —6J 145
Mundy Bois. —4C 29
Mundy Bois La. P'ley —4C 29
Mundy Bois Rd. Eger —4C 28
Munford Dri. Swans —5L 61
Mungo Pk. Rd. Grav —1J 77
Mungo Pk. Rd. Rain —1D 7
Mungo Pk. Way. Orp —1L 85
Munnery Way. Orp —4C 84
Munn's La. H'lip —5G 96 (2B 18)
Munsgore La. B'den —1N 113 (3B 18)
Munster Rd. SW6 —3B 4
Murchison Av. Bex —6M 57 (4B 6)
Murillo Rd. SE13 —2G 55
Murrain Dri. Down —8K 127
Murray Av. Brom —6L 69
Murray Bus. Cen. Orp —6K 71
Murray Ho. SE18 —4B 50 (off Rideout St.)
Murray Rd. Orp —6K 71
Murray Rd. Roch —3N 79
Murston. —7J 99
Murston Rd. Sit —8J 99 (3C 19)
Murthwaite Ct. Min S —7H 219
Murton. —2C 19
Murton Neale Clo. Hawkh —5L 191
Murton Pl. G'ney —3B 20
Muscovy Ho. Eri —2N 51 (off Kale Rd.)
Museum Av. Maid —4C 126
Museum of Artillery in the Rotunda. —5B 50
Museum Of Carriages. —6D 126
Museum Of Kent Life. —9A 110 (4D 17)
Museum St. Maid —5C 126
Musgrave Clo. Mans —9L 207
Musgrave Rd. Sit —5G 98
Musgrove. Afrd —1E 160
Musket La. Holl —7C 128 (2A 28) (in two parts)
Mussenden La. Hort K & Fawk —8C 74 (2E 15)
Mustang Rd. W Mal —6L 123
Mustards Rd. Ley S —6J 203
Mutrix Gdns. Mgte —2M 207
Mutrix Rd. Mgte —3N 207
Mutton Hill. D'land —1A 34
Mutton La. Osp —7E 186 (3A 20)
Mymms Clo. Ches —5L 225
Mynn Cres. Bear —5K 127
Myra St. SE2 —4J 51
Myron Pl. SE13 —1F 54
Myrtle Clo. Eri —7F 52
Myrtle Cotts. St Mic —4C 222
Myrtle Cres. Chat —6C 94
Myrtledene Rd. SE2 —5J 51
Myrtle Pl. Dart —5D 60
Myrtle Rd. Crowb —4C 35
Myrtle Rd. Croy —4D 82
Myrtle Rd. Dart —6L 59
Myrtle Rd. Folk —5L 189
Mystole La. Cha —9C 170 (2C 30)
Mystole La. Chi —8N 175

Naccolt. —4B 30
Naccolt Rd. Brook —4B 30
Nacholt Clo. Whits —3J 225
Nackington. —8N 171 (2D 31)
Nackington Ct. Cant —4A 172
Nackington Rd. Cant —9N 171 (2D 31)
Nagpur Ho. Maid —3H 139
Nag's Head. (Junct.) —1C 5
Nags Head La. Roch —8A 80
Nags Head La. Well —1K 57
Nailbourne Clo. Kgtn —3E 31
Nailbourne Ct. Lym —7D 204
Naildown Clo. Hythe —8A 188
Naildown Rd. Hythe —8A 188
Nairne Clo. Shad —2E 39
Namur Pl. B Hts —2L 181
Nansen Rd. Grav —9J 63
Napchester. —2H 179 (4C 33)
Napchester Rd. Whitf —5F 178 (4C 33)
Napier Clo. Sit —7D 98
Napier Ct. Maid —2C 126
Napier Gdns. Hythe —7K 197
Napier Rd. Belv —4A 52
Napier Rd. Broad —7J 209
Napier Rd. Brom —7L 69
Napier Rd. Dover —1G 181
Napier Rd. Gill —8G 80 (2E 17)
Napier Rd. N'fleet —6E 62
Napier Rd. Tun W —3K 157
Napleton Ct. Ram —6G 211
Napleton Rd. Fav —5G 186
Napleton Rd. Ram —6G 210
Napoleon Dri. Mard —3L 205
Napoleon Wlk. Len —7C 200
Napwood Clo. Gill —5N 95
Nares Rd. Gill —7N 95
Nargate Clo. L'brne —2M 173
Nargate St. L'brne —2L 173 (1A 32)
Narrabeen Rd. Folk —5E 188
Narrowbush La. Old R —2C 47
Narrow La. Warl —4D 13
Narrow Way. Brom —9A 70
Naseby Av. Folk —6D 188
Naseby Ct. Sidc —9H 57
Nash. —7L 83 (2A 14)
Nash Bank. Meop —5E 76 (1A 16)
Nash Clo. Chat —9F 94
Nash Ct. Cotts. Westw —1C 158
Nash Ct. Gdns. Mgte —5C 208
Nash Ct. Rd. Mgte —5D 208
Nash Croft. N'fleet —9D 62
Nashenden Farm La. Roch —2K 93
Nashenden La. Roch —1K 93
Nash Gdns. Broad —9M 209
Nash Grn. Brom —2K 69
Nash Hill. Lym —8D 204
Nash La. Kes —8K 83 (3E 13)
Nash La. Mgte —6D 208
Nash Rd. SE4 —2B 54
Nash Rd. Mgte —5C 208 (1D 23)
Nash Street. —5F 76 (1B 16)
Nash St. Meop —5F 76
Nasmyth Rd. Birch —3F 206
Nassau Path. SE28 —1L 51
Natal Rd. Chat —1D 94
Natal Rd. Dover —9H 179
Nathan Way. SE28 —4G 50 (3B 6)
National Maritime Museum. —3E 5
National Recreation Centre. —1D 13 (Crystal Palace)
Nativity Clo. Sit —7F 98
Nats La. Brook —4B 30
Nautilus Clo. Min S —7H 219
Nautilus Dri. Min S —7H 219
Naval Ter. S'ness —1B 218
Naval Wlk. Brom —5K 69
Nayland Ho. SE6 —9F 54
Naylands. Mgte —4B 208
Naylor's Cotts. Gill —1L 111
Neale St. Chat —1C 94
Neal Rd. W King —7E 88
Neal's Pl. Rd. Cant —9J 167
Neame Rd. Birch —4F 206
Neames Forstal. —1B 30
Neasden. —1A 4
Neasden Junction. (Junct.) —1A 4
Neasden La. NW10 —1A 4
Neasden La. N. NW10 —1A 4
Neason Ct. Folk —5M 189
Neason Way. Folk —5M 189
Neath Ct. Maid —9H 127
Neats Ct. Queen —9B 218
Neills Rd. Free H —3B 36
Neills Rd. Lam —3A 200
Nelgarde Rd. SE6 —5D 54

North Av.—Oakwood Gdns.

North Av. Ram —6H 211
North Av. Sth S —1C 10
N. Bank Clo. Roch —7K 79
Northbank Ho. Roch —6A 80
N. Barrack Rd. Walm —6N 177
N. Birkbeck Rd. E11 —1E 5
Northbourne. —2D 33
Northbourne. Brom —1K 83
Northbourne Av. Dover —4G 180
Northbourne Court. —2D 33
Northbourne Rd. Bett —2C 33
Northbourne Rd. Deal —6H 177
Northbourne Rd. E'try —4L 183
Northbourne Rd. E Stu —3D 33
Northbourne Rd. Gill —8L 81
Northbourne Rd. Gt Mon —2D 33
Northbourne Way. Clift —4J 209
Northbridge Street. —2A 44
Northbridge St. Rob —2A 44
Northbrooke. Afrd —7G 158
Northbrooke La. Afrd —7G 158
Northbrook Rd. SE13 —3H 55
Northbrook Rd. Ilf —1A 6
N. Camber Way. Dover —3N 181
North Cheam. —2B 12
N. Circular Rd. NW2 —2A 4
Northcliffe Gdns. Broad —6L 209
North Clo. Bexh —2M 57
North Clo. Folk —7D 188
North Clo. Bus. Pk. Folk —7D 188
Northcote Rd. SW11 —4B 4
Northcote Rd. Croy —2D 13
Northcote Rd. Deal —5N 177
Northcote Rd. Grav —6E 62
Northcote Rd. Kgdn —5N 199
Northcote Rd. Roch —5L 79 (1D 17)
Northcote Rd. Sidc —9G 57
Northcote Rd. Tonb —6H 145
North Ct. Deal —3M 177
North Ct. Maid —8D 126
N. Court Clo. W'hm —2B 226
N. Court La. Tilm —3C 33
N. Court Rd. W'hm —2B 226
North Cray. —1N 71 (1C 14)
N. Cray Rd. Sidc & Bex —2N 71 (1B 14)
North Cres. Cox —4A 138
N. Dane Way. Chat —4F 94 (2E 17)
Northdown. —4H 209 (1E 23)
Northdown. Afrd —6G 158
Northdown. Dod —1D 29
North Down. S'hrst —7J 221
Northdown. S'bry —2F 112
Northdown Av. Mgte —3F 208
Northdown Clo. Maid —2E 126
N. Down Clo. Pad W —9L 147
Northdown Hill. Broad —5H 209 (1E 23)
Northdown Ind. Pk. Broad —7J 209
Northdown Pk. Rd. Mgte —3F 208 (1E 23)
Northdown Rd. Kems —8M 103
Northdown Rd. Long —5K 75
Northdown Rd. Mgte —2D 208 (1D 23)
Northdown Rd. St Pet —7J 209 (1E 23)
Northdown Rd. Well —9K 51
N. Downs Bus. Pk. Hals —7D 102
N. Downs Clo. Old L —6K 175
N. Downs Cres. New Ad —9E 82
N. Downs Ho. Up H'lng —6C 92
N. Downs Rd. New Ad —9E 82
Northdown Trad. Est. Broad —6H 209
N. Down View. H'shm —6A 200
Northdown Way. Mgte —4G 209
(in two parts)
North Dri. Orp —5G 84
North Eastling. —1E 29
N. Eastling Rd. E'lng —4E 19
North Elham. —4E 31
N. Elham Hill. Elham —4E 31
North End. —7G 52 (3C 7)
North End. W14 —3B 4
N. End La. Orp —2C 100 (3A 14)
Northend Rd. Eri —7G 52 (3C 7)
Northend Trad. Est. Eri —8F 52
N. End Way. NW3 —1B 4
Northern By-Pass. Char —2K 175 (3D 29)
Northey Av. Sutt —3A 12
N. Farm Ind. Est. Tun W —6K 151
N. Farm La. Tun W —6K 151 (1E 35)
N. Farm Rd. Tun W —7J 151 (1E 35)
Northfield. Hart —6M 75
Northfield Av. Orp —9L 71
Northfield Clo. Brom —4A 70
Northfields. Maid —7K 125
Northfields. Speld —6A 150
Northfleet. —4A 62 (4A 8)
Northfleet Clo. Maid —4F 126
Northfleet Green. —1C 76 (1A 16)
Northfleet Grn. Rd. S'fleet —2B 76 (1A 16)
Northfleet Ind. Est. N'fleet —2M 61
N. Folly Rd. E Far —5K 137 (3D 27)
N. Foreland Av. Broad —6M 209
N. Foreland Hill. Broad —1E 23
N. Foreland Rd. Broad —6M 209 (1E 23)
Northgate. Cant —1N 171 (4D 21)
North Ga. Roch —6N 79 (1D 17)
N. Glade, The. Bex —6A 58
Northgrove Rd. Hawkh —5K 191
North Halling. —3E 92 (2C 17)
North Hill. Horn H —1B 8
N. Hill Rd. Hawkh —5H 191 (4D 37)
N. Holmes Rd. Cant —1N 171 (4D 21)
Northiam. —2D 45
Northiam Rd. B Oak —3D 45
Northiam Rd. Stapl —3C 44
North Kensington. —2A 4
N. Kent Av. N'fleet —4B 62
N. Kent Gro. SE18 —4B 50
Northlands Av. Orp —5G 84
North La. Cant —1M 171 (4D 21)
North La. Fav —5G 187 (3A 20)
North La. Guest —4D 45
North La. S'gte —8E 188
North La. S St —1B 30
North Lea. Deal —3M 177
North Leigh. —3A 12
North Leigh. S Min —4D 31
Northleigh Clo. Maid —2D 138
North Looe. —3A 12
North Lyminge. —7D 204 (1E 41)
N. Lyminge La. Lym —7D 204
North Meadow. Off —2J 123 (1B 26)
N. Military Rd. Dover —5H 181 (1C 43)
North Ockendon. —1E 7
Northolme Rise. Orp —3G 84
Northover. Brom —8J 55 (4E 5)
North Pk. SE9 —4B 56
North Pends. Kenn —4J 159
Northpoint Bus. Est. Roch —4B 80
N. Pole La. Kes —7J 83 (3E 13)
N. Pole Rd. W10 —2A 4
N. Pole Rd. E Mal & Barm —7D 124 (2C 26)
North Promenade. Deal —3N 177
N. Retail Pk. Folk —3H 189
N. Ridge Rd. Grav —8H 63
N. Riding. Hart —6C 76
North Rd. N7 —1C 5
North Rd. SE18 —4G 51
North Rd. Belv —3C 52
North Rd. Brom —4L 69
North Rd. Cha S —7M 139
North Rd. Chat —5D 80
North Rd. Cli —2C 176
North Rd. Dart —4G 59
North Rd. Dover —4H 181
North Rd. Folk —7C 188 (3E 41)
North Rd. Goud —8K 185 (2D 37)
North Rd. Hythe —5H 197 (3D 41)
North Rd. Kgdn —3N 199
North Rd. Queen —7A 218 (4C 11)
North Rd. Roth —4D 35
North Rd. S'wch B —1E 33
North Rd. S Ock & Upm —2E 7
North Rd. W Wick —2E 82
North Rd. W. Hythe —5H 197
North Sheen. —4A 4
North Shoebury. —1D 11
N. Shoebury Rd. Shoe —1D 11
Northside Rd. Brom —4K 69
North Sq. New Ash —3M 89
North Stifford. —2A 8
N. Stream. M'sde —2A 22
North Street. —4N 67 (4A 10)
North St. SW4 —4C 4
North St. Afrd —8G 158 (1A 40)
(in two parts)
North St. Barm —6J 125 (2D 27)
North St. Bexh —2B 58
North St. Bidd —2B 38
North St. Brom —4K 69
North St. Cars —2B 12
North St. Cowd —1B 34
North St. Dart —5L 59
North St. Deal —3N 177
North St. Dover —5G 181
North St. Folk —6L 189
North St. Grav —5G 63
North St. H'crn —3K 193 (4A 28)
North St. H Bay —2H 195
North St. New R —3B 212
North St. Sit —4F 98 (2C 19)
North St. Strood —5M 79 (1D 17)
North St. Sut V —9A 140 (3A 28)
North St. Tun W —2J 157
North Ter. Chatt —7C 66
N. Trade Rd. Batt —4A 44
N. Trench. Tonb —1J 145
(off Trench Rd.)
Northumberland Av. WC2 —2C 5
Northumberland Av. Gill —2B 96
Northumberland Av. Kenn —5H 159
Northumberland Av. Mgte —4G 208 (1E 23)
Northumberland Av. Well —1G 57
Northumberland Clo. Eri —7D 52
Northumberland Ct. Clift —2G 209
Northumberland Ct. Maid —1G 138
(off Northumberland Rd.)
Northumberland Gdns. Brom —7C 70
Northumberland Heath. —7D 52 (3C 7)
Northumberland Pk. Eri —7D 52
Northumberland Rd. Grav —3E 76
Northumberland Rd. Maid —1F 138 (2E 27)
Northumberland Way. Eri —8D 52
North View. Cha —8C 170
North View. Her —2L 169
North View. Maid —8E 126
Northview. Swan —5F 72
N. View Cotts. Maid —1N 137
N. View Rd. Sev —3K 119
North Vs. Cha —8C 170
North Wlk. New Ad —7E 82
(in two parts)
Northwall Ct. Deal —3M 177
Northwall M. Deal —3M 177
Northwall Rd. Deal —2K 177
(in two parts)
North Way. Bett —2D 33
North Way. Maid —2E 126
Northwick. —2D 9
Northwick Rd. Can I —2D 9
Northwold Rd. N16 & E5 —1D 5
Northwood. —1F 210 (2E 23)
Northwood Av. H Hals —1H 67
Northwood Dri. Sit —8J 99
Northwood Ho. H Bay —6E 194
Northwood Pl. Eri —3A 52
Northwood Rd. SE23 —6C 54
Northwood Rd. Ram —1G 210 (2E 23)
Northwood Rd. T Hth & SE19 —1C 13
Northwood Rd. Tonb —1H 145
Northwood Rd. Whits —3G 225 (2C 21)
North Woolwich. —2C 50 (2A 6)
North Woolwich Railway Museum. —2C 50 (3A 6)
N. Woolwich Rd. E16 —2A 6
Norton Ash. —3E 19
Norton Av. H Bay —7H 195
Norton Cotts. Beth —2J 163
Norton Cres. Tonb —9H 133
Norton Dri. Min —7M 205
Norton Green. —3B 18
Norton Gro. Chat —7B 94
Norton La. Beth —2J 163 (1D 39)
Norton Rd. Cha S —7M 139 (3A 28)
Norton Rd. Tey —4N 223 (4E 19)
Norton Rd. Tun W —5F 150
Nortons La. St Mic —2A 222 (2B 38)
Nortons Way. Five G —8F 146
Norvic Ho. Eri —7G 52
Norview Rd. Whits —6D 224
Norway Drove. St Mc —8K 199
Norway Ter. Maid —2D 126
Norwich Av. Tonb —2K 145
Norwich Clo. Roch —6H 79
Norwich Ho. Maid —1G 139
Norwich Pl. Bexh —2B 58
Norwood. —1D 13
Norwood Clo. Cli —4C 176
Norwood Ct. Dart —3A 60
(off Farnol Rd.)
Norwood Gdns. Afrd —8F 158
Norwood High St. SE27 —1C 13
Norwood La. Meop —8F 76 (2B 16)
Norwood La. Newch —4B 40
Norwood New Town. —1D 13
Norwood Rise. Min S —5K 219
Norwood Rd. SE27 & SE24 —4C 5
Norwood St. Afrd —8F 158
Norwood Wlk. Sit —6C 98
Norwood Wlk. E. Sit —6D 98
Norwood Wlk. W. Sit —5C 98
Notley St. Cant —1N 171
Notley Ter. Cant —1N 171 (4D 21)
(off Notley St.)
Nottidge Rd. Tun W —4D 156
Nottingham Av. Maid —1G 139
Nottingham Rd. Birch —6E 206
Nottingham Wlk. Roch —6H 79
Notting Hill. —2A 4
Notting Hill Ga. W11 —2B 4
Nouds Rd. Tey —4L 223 (3D 19)
Novar Clo. Orp —1H 85
Novar Rd. SE9 —6E 56
Nower, The. Chev —1H 117
Nower, The. W'ham —1B 24
Nuding Clo. SE13 —1D 54
Nuffield Rd. Swan —2H 73
Nugent Ind. Pk. Orp —7L 71
Nunhead. —4D 5
Nunhead La. SE15 —4D 5
Nunnery Fields. Cant —4N 171 (1D 31)
Nunnery La. Pens —6G 149 (1C 35)
Nunnery Rd. Cant —3M 171
Nunnington Clo. SE9 —8A 56
Nuralite Ind. Cen. High —5E 64
Nursery Av. Bear —6L 127
Nursery Av. Bexh —1A 58
Nursery Av. Croy —3A 82
Nursery Av. Maid —3M 125
Nursery Clo. Croy —3A 82
Nursery Clo. Dart —5C 60
Nursery Clo. Dens —5B 192
Nursery Clo. Orp —1H 85
Nursery Clo. Ram —5G 210
Nursery Clo. Sev —4K 119
Nursery Clo. S'ness —3E 218
Nursery Clo. Swan —5D 72
Nursery Clo. Tonb —3K 145
Nursery Clo. Whits —4J 225
Nursery Fields. Acol —8G 206
Nursery Fields. Hythe —6G 197
Nursery Gdns. Chst —2D 70
Nursery Gdns. Hoo —8H 67
Nursery Ind. Est. H Bay —4D 194
Nurserylands. H Bay —4G 194
Nursery La. Dens —5C 192
Nursery La. Shel L —1A 30
Nursery La. Whitf —6E 178 (4C 32)
Nursery Pl. Sev —4E 118
Nursery Rd. Dit —9G 109
Nursery Rd. Gill —3N 95
Nursery Rd. Meop —8F 76
Nursery Rd. Pad W —7L 147
Nursery Rd. Tun W —6H 151
Nursery, The. Eri —7G 52
Nursery Wlk. Cant —9L 167
Nurstead Av. Long —7C 76
Nurstead Chu. La. Meop —7E 76 (1A 16)
Nurstead La. Long —7C 76 (1A 16)
Nurstead Rd. Eri —7B 52
Nutberry Clo. Tey —2L 223
Nutfield Clo. Chat —3E 94
Nutfields. Igh —5H 121
Nutfields. Sit —8J 99
Nutfield Way. Orp —3D 84
Nuthatch. Long —6A 76
Nuthatch Gdns. SE28 —2F 50
Nutley Clo. Afrd —7G 159
Nutley Clo. Swan —4G 73
Nutmead Clo. Bex —6D 58
Nut Tree Clo. Orp —4M 85
Nutts Av. Ley S —6M 203
Nutts Cvn. Site. Ley S —7N 203
Nutwood Clo. Weav —5H 127
Nuxley Rd. Belv —6A 52 (3C 6)
Nyanza St. SE18 —6F 50
Nyon Gro. SE6 —7C 54

Oad Street. —1M 113 (3B 18)
Oak Apple Ct. SE12 —6K 55
Oakapple Ho. Maid —6L 125
Oakapple La. Barm —6K 125
Oak Av. Croy —3D 82
Oak Av. Gill —6K 81
Oak Av. Min S —6N 219
Oak Av. Sev —1J 131
Oak Bank. New Ad —7F 82
Oakbrook Clo. Brom —9L 55
Oak Caer. Bon —3B 40
Oak Clo. Dart —2G 58
Oak Cottage Clo. SE6 —6J 55
Oak Cotts. Bear —5M 127
(off Green, The)
Oak Cotts. Langl —5E 138
Oak Cotts. Leigh —6M 143
Oakdale La. Crock H —3A 24
Oakdale Rd. H Bay —3H 195
Oakdale Rd. Tun W —1F 156
Oakdene Av. Chst —1C 70
Oakdene Av. Eri —6D 52
Oakdene Rd. Orp —8H 71
Oakdene Rd. Ram —3G 210
Oakdene Rd. Sev —4H 119
Oak Dri. Bou B —3K 165
Oak Dri. H'nge —7D 192
Oak Dri. High —1F 78
Oak Dri. Lark —8E 108
Oak Dri. St Mar —3E 214
Oak End Clo. Tun W —4G 151
Oakenden La. Chid H —5C 148
Oakenden Rd. Ludd —2J 91 (2B 16)
Oakenholt Ho. SE2 —1M 51
Oakenpole. Afrd —1C 160
Oak Farm Gdns. H'crn —2L 193
Oak Farm La. Fair —3A 16
Oakfield. Hawkh —5K 191
Oakfield. Matf —6J 153
Oakfield Cotts. I Grn —4A 38
Oakfield Ct. Ram —4F 210
Oakfield Ct. Tun W —2J 157
Oakfield Ct. Rd. Tun W —2J 157
Oakfield Gdns. Beck —8E 68
Oakfield La. Dart —7F 58 (4C 7)
Oakfield La. Kes —5M 83
Oakfield Pk. Rd. Dart —7L 59
Oakfield Pl. Dart —7L 59
Oakfield Rd. SE20 —1D 13
Oakfield Rd. Croy —2D 13
Oakfield Rd. Eden —[illegible] 184
Oakfield Rd. Kenn —5H 159
Oakfield Rd. Orp —1J 85
Oakfields. Sev —8J 119
Oakfields. Sit —8D 98
Oak Gdns. Croy —3D 82
Oak Gro. Deal —3N 177
Oak Gro. Evtn —1J 185
Oak Gro. W Wick —2F 82
Oak Hall Pas. Hythe —6K 197
Oakham Clo. SE6 —7C 54
Oakham Dri. Brom —7J 69
Oak Hill. Sev —6H 119
Oak Hill. Wdboro —8G 217 (1C 33)
Oakhill Rd. Beck —5F 68
Oakhill Rd. Orp —2H 85
Oakhill Rd. Sev —6H 119
Oakhouse Rd. Bexh —3B 58
Oakhurst. —3D 25
Oakhurst Av. Bexh —7N 51
Oakhurst Clo. Chat —8C 94
Oakhurst Gdns. Bexh —7N 51
Oakington Av. Wemb —1A 4
Oakland Clo. Chat —8C 94
Oakland Ct. H Bay —2F 194
Oaklands. Afrd —9D 158
Oaklands. Beck —4E 68
Oaklands. C'brk —8D 176
Oaklands. Mer —8M 161
Oaklands Av. Broad —8J 209
Oaklands Av. Sidc —5H 57
Oaklands Av. W Wick —4E 82
Oaklands Clo. Bexh —3A 58
Oaklands Clo. Orp —9G 70
Oaklands Clo. W King —7E 88
Oaklands Cotts. Hythe —8F 196
Oaklands La. Big H —3A 164 (3A 14)
Oaklands Rd. Bexh —2A 58
Oaklands Rd. Brom —3H 69
Oaklands Rd. Dart —6C 60
Oaklands Rd. Groom —7J 155
Oaklands Rd. Hawkh —6L 191
Oaklands Rd. N'fleet —9E 62
Oaklands Way. Hild —2F 144
Oaklands Way. Sturry —4G 168
Oak La. H'crn —3L 193 (4A 28)
Oak La. Lydd —3B 204
Oak La. Min S —6M 219 (4E 11)
Oak La. Sev —2G 131 (2C 25)
Oak La. Upc —4E 96 (2A 18)
Oaklea Rd. Pad W —9L 147
Oakleigh Clo. Swan —6F 72
Oakleigh Clo. W'slde —9B 94
Oakleigh Gdns. Orp —5G 85
Oakleigh Ho. Afrd —1C 160
Oakleigh La. Bek —5G 173
Oakleigh Pk. Av. Chst —4C 70
Oakley Dri. SE6 —4G 54
Oakley Dri. SE9 —6F 56
Oakley Dri. Brom —4A 84
Oakley Pk. Bex —5L 57
Oakley Rd. Brom —4A 84 (2A 14)
Oakley Sq. NW1 —2C 4
Oakleys, The. S'wll —2C 220
Oakley St. SW3 —3B 4
Oak Lodge. Sev —6H 119
Oak Lodge Dri. W Wick —1E 82
Oak Lodge La. W'ham —7F 116
Oak Lodge Rd. New R —2C 212
Oakmead. Meop —3F 90
Oakmead. Tonb —1J 145
Oakmead Av. Brom —9K 69
Oakmere Rd. SE2 —6J 51
Oakmont Pl. Orp —2F 84
Oakridge. Broad —4L 209
Oak Ridge. Ruck —3A 40
Oakridge La. Brom —1G 69
Oakridge Rd. Brom —9G 55
Oak Rd. Eri —9H 53
Oak Rd. Five G —8G 146
Oak Rd. Grav —8H 63
Oak Rd. Grnh —4E 60
Oak Rd. N Hth —7D 52
Oak Rd. Orp —8J 85
Oak Rd. Roch —6J 79
Oak Rd. Sit —7K 99
Oak Rd. Tun W —7J 151
Oak Rd. W'ham —7F 116
Oaks Av. H Bay —5E 194
Oaks Bus. Village, The. Chat —1F 110
Oaks Dene. Chat —2C 110
Oaks Forstal. Sand —3L 215
Oakshade Rd. Brom —9G 55
Oakside Rd. Aysm —2C 162
Oaks Pk. R Comn —8H 167
Oak Sq. Sev —8K 119
Oaks Rd. Croy —5A 82 (2D 13)
Oaks Rd. Folk —5D 188
Oaks Rd. Tent —8C 222 (3C 38)
Oaks, The. SE18 —5E 50
Oaks, The. Ayle —9J 109
Oaks, The. Broad —6K 209
Oaks, The. Her —2L 169
Oaks, The. Smar —3J 221
Oaks, The. St N —8E 214
Oaks, The. Swan —5F 72
Oak St. Deal —4N 177
Oaks View. Hythe —8D 196
Oak Ter. Chat —9D 94
Oak Ter. Hawkh —5K 191
Oak Tree Av. Maid —1F 138
Oak Tree Clo. Mard —3L 205
Oak Tree Clo. Tun W —4G 157
Oak Tree Gdns. Brom —1L 69
Oak Tree Gro. Mgte —3M 207
Oaktree Ho. Sit —8J 99
(off Woodberry Dri.)
Oak Tree Rd. Afrd —1D 160
Oakum Ct. Chat —1E 94
Oakvale Clo. Dover —5G 180
Oak View. Eden —5B 184
Oakview Gro. Croy —2B 82
Oakview Rd. SE6 —1E 68
Oak Wlk. Hythe —6K 197
Oakway. Brom —5G 69
Oak Way. Croy —9A 68
Oakway Clo. Bex —4N 57
Oakways. SE9 —4D 56
Oakwood Av. Beck —5F 68 (1E 13)
Oakwood Av. Brom —6L 69
Oakwood Clo. Chst —2B 70
Oakwood Clo. Dart —6B 60
Oakwood Ct. Maid —6A 126
Oakwood Ct. Swan —5D 72
(off Lawn Clo.)
Oakwood Dri. Bexh —2E 58
Oakwood Dri. Sev —5J 119
Oakwood Dri. Whits —4J 225
Oakwood Gdns. Orp —3E 84

Oakwood Rise—Ottawa Way

Oakwood Rise. Long —6L 75
Oakwood Rise. Tun W —6L 151
Oakwood Rd. Maid —6N 125 (2D 27)
Oakwood Rd. Orp —3E 84
Oakwood Rd. Sturry —4F 168
Oare. —2F 186 (3A 20)
Oare Rd. Fav —2F 186 (3A 20)
Oasis, The. Brom —5M 69
Oast Clo. Tun W —7K 151
Oast Cotts. Cant —3L 171
Oast Cotts. Sev —4H 119
Oast Cotts. W'hm —3B 226
Oast Ct. Mgte —5D 208
Oast Ct. Sit —9F 98
Oast Ct. Yald —7D 136
Oasthouse Field. Ivy —2D 47
Oasthouse Way. Orp —7K 71
Oast La. Throw —2E 29
Oast La. Tonb —3G 144
Oast Meadow. W'boro —9K 159
Oast, The. Cant —4A 172
Oast View. Horsm —2C 198
Oastview. Rain —3C 96
Oast Way. Hart —9L 75
Oaten Hill. Cant —3N 171 (1D 31)
Oaten Hill Pl. Cant —3N 171 (1D 31)
Oates Clo. Brom —6G 69
Oatfield Clo. C'brk —7C 176
Oatfield Dri. C'brk —7C 176
Oatfield Rd. Orp —2H 85
Occupation La. SE18 —8D 50
Occupation Rd. Wye —2N 159
Ocean Clo. Birch —3G 207
Ocean Ter. Ley S —6J 203
Ocean Ter. Min S —5L 219
Ocean View. Broad —3L 211
Ocean View. H Bay —1M 195
Ocelot Ct. Chat —9E 80
Ockendon Rd. Upm —1E 7
Ockham. —2C 44
Ockham Dri. Orp —3J 71
Ockley. —4L 191
Ockley Ct. Sidc —8G 57
Ockley La. Hawkh —3L 191
Ockley Rd. Hawkh —5L 191
Octavia Ct. Chat —8E 94
Octavian Dri. Lymp —5B 196
Odiham Dri. Maid —2N 125
Odo Rd. Dover —4H 181
Offenham Rd. SE9 —9B 56
Offen's Dri. S'hrst —8J 221
Offham. —2J 123 (1B 26)
Offham Rd. W Mal —2L 123 (1B 26)
Officer's Rd. Chat —4E 80
Officers Ter. Chat —6C 80 (off Church La.)
Offley Clo. Mgte —4G 209
Offord Rd. N1 —1C 5
Ogilby St. SE18 —4B 50
Ogilvy Ct. Broad —6J 209
Okehampton Clo. Kenn —3K 159
Okehampton Cres. Well —8K 51 (3B 6)
Okemore Gdns. Orp —7L 71
Olantigh Ct. Birch —4F 206
Olantigh Rd. Wye —2N 159 (4B 30)
Olave Rd. Mgte —4E 208
Old Ash Clo. Kenn —5G 158
Old Ashford Rd. Char —3K 175
Old Ashford Rd. Len —7E 200 (2C 29)
Old Badgins Rd. Shel —1A 30
Old Bakery Clo. St Mar —2E 214
Old Barn Clo. Hem —5J 95
Old Barn Clo. Kems —8A 104
Old Barn Clo. Tonb —7F 144
Old Barn Rd. Leyb —8B 108
Old Barn Way. Bexh —2E 58
Old Bethnal Grn. Rd. E2 —2D 5
Old Bexley. —5C 58 (4C 6)
Old Bexley Bus. Pk. Bex —5C 58
Old Bexley La. Bex & Dart —7E 58 (4C 7) (in two parts)
Old Billet La. E'chu —3B 202
Old Boundary Rd. Wgte S —2L 207
Old Bri. Rd. Whits —4G 224 (2C 21)
Old Bromley Rd. Brom —1G 69
Old Brompton Rd. SW5 & SW7 —3B 4
Oldbury. —3H 121 (1E 25)
Oldbury. —4G 120
Oldbury Clo. Igh —4H 121
Oldbury Clo. Orp —7L 71
Oldbury Cotts. Sev —3H 121
Oldbury La. Igh —3H 121 (1E 25)
Oldbury Vs. Igh —4H 121
Old Carriage Way, The. Gill —7J 95
Old Carriageway, The. Sev —4D 118
Old Castle Wlk. Gill —7N 95
Old Chapel Rd. Swan —1D 86 (2C 15)
Old Charlton Rd. Dover —2J 181 (1C 43)
Old Chatham Rd. Blue B —3A 110 (4D 17)
Old Chatham Rd. S'lng —5B 110 (3D 17)
Oldchurch Ct. Maid —6B 126
Old Chu. Hill. Lang H —1B 8
Old Chu. La. NW9 —1A 4
Old Chu. La. E Peck —3K 135
Old Chu. Rd. Burh —9G 92 (3C 17)
Old Chu. Rd. Mere —3J 135 (in two parts)
Old Chu. Rd. Pem —4C 152 (1A 36)
Old Chu. Rd. Ton —2B 26
Old Coach Rd. Wro —5L 105
Old Cotts. Maid —7B 126
Old Cotts. Sev —4H 121
Old Coulsdon. —4C 13
Old Ct. Hill. Aysm —1F 162 (2B 32)
Old Courtyard, The. Brom —4L 69
Old Crossing Rd. Mgte —2N 207
Old Cryals. —1B 36
Old Dairy Clo. Ram —5K 211
Old Dartford Rd. F'ham —9N 73
Old Dover Rd. SE3 —3A 6
Old Dover Rd. Cant —3N 171 (1D 31)
Old Dover Rd. Cap F —3B 174 (2B 42)
Old Downs. Hart —8L 75
Old Dri. Maid —2C 138
Old Farley Rd. S Croy & Warl —3D 13
Old Farm Av. Sidc —6F 56
Old Farm Clo. Whits —7E 224
Old Farm Gdns. Swan —6G 72
Old Farm Rd. Birch —4C 206
Old Farm Rd. E. Sidc —7J 57
Old Farm Rd. W. Sidc —7H 57
Old Ferry Rd. Iwade —7C 198 (1C 19)
Oldfield Clo. Brom —7B 70
Oldfield Clo. Gill —3N 95
Oldfield Clo. Maid —8H 127
Oldfield Rd. Bexh —9N 51
Oldfield Rd. Brom —7B 70
Oldfields Rd. Sutt —2B 12
Old Fold. Ches —5L 225
Old Folkestone Rd. Dover —8F 180
Old Ford. —2E 5
Old Ford. (Junct.) —2E 5
Old Ford Rd. E2 & E3 —2D 5
Old Forge La. S Grn —6H 113 (4B 18)
Old Forge Way. Sidc —9K 57
Old Gdns. Clo. Tun W —5H 157
Old Garden, The. Sev —5E 118
Old Ga. Rd. Fav —5F 186
Old Grn. Rd. Broad —6K 209
Old Grn. Rd. Mgte —4G 208
Old Hadlow Rd. Tonb —3L 145
Old Hall Dri. C'snd —7A 210
Old Ham La. Len —9B 200 (3C 28)
Old Harrow La. W'ham —1E 116
Oldhawe Hill. H Bay —7K 195
Old Hay. Bchly —1C 36
Old High St., The. Folk —6K 189
Old Hill. Chst —4C 70 (1A 14)
Old Hill. Orp —7F 84 (3B 14)
Old Hockley Rd. Stal —2E 29
Old Homesdale Rd. Brom —7M 69
Old Hook Rd. Min S —9N 219
Oldhouse La. B'lnd —2C 46
Old Ho. La. Ford —1K 155 (2D 35)
Old Ho. La. H'lip —7G 96 (3B 18)
Old Kent Rd. SE1 & SE15 —3D 5
Old Kent Rd. Pad W —9L 147
Old Kingsdown Clo. Broad —1J 211
Old Lain. H'shm —6A 200
Old La. Igh —5H 121
Old La. St Jhn —4D 35
Old La. Tats —8D 164 (1A 24)
Old Laundry, The. Chst —4E 70
Old Lenham Rd. Wich & Dod —2C 29
Old Lodge La. Purl —3C 13
Old London Rd. Badg M —9A 86 (3C 14)
Old London Rd. Eps —4A 12
Old London Rd. Hythe —6F 196
Old London Rd. Knock —6N 101 (4C 14)
Old London Rd. Sidc —3B 72
Old London Rd. Tonb —4J 145
Old London Rd. Wro —6M 105 (4A 16)
Old Loose Clo. Loose —4C 138
Old Loose Hill. Loose —4C 138 (3D 27)
Old Maidstone Rd. Sidc —3A 72 (1C 14)
Old Malden. —2A 12
Old Malden La. Wor Pk —2A 12
Old Manor Cotts. Bear —5M 127 (off Green, The)
Old Mnr. Dri. Grav —6H 63
Old Mnr. Way. Bexh —9E 52
Old Mnr. Way. Chst —1B 70
Old Marylebone Rd. NW1 —2B 4
Old Mead. Folk —4G 189
Old Mill Clo. Eyns —2M 87
Old Mill Cotts. Holl —8B 128
Old Mill La. Ayle —7N 109
Old Mill Rd. SE18 —6F 50
Old Mill Rd. Holl —9B 128 (2A 28)
Old Oak Common. —2A 4
Old Oak Comn. La. NW10 & W3 —2A 4
Old Oak La. NW10 —2A 4
Old Oak Rd. W3 —2A 4
Old Oast Bus. Cen., The. Ayle —9L 109
Old Orchard. Afrd —1B 160
Old Orchard. Charc —4H 143
Old Orchard. Sand —3J 215
Old Orchard La. Leyb —9B 108
Old Orchard, The. Rain —2C 96
Old Otford Rd. Sev —8J 103 (in two parts)
Old Pal. Rd. Pat —7H 173 (2E 31)
Old Park. —8F 178
Old Pk. Av. Cant —9B 168
Old Pk. Av. Dover —1F 180
Old Pk. Clo. Whitf —9F 178
Old Pk. Ct. Cant —9B 168
Old Pk. Hill. Dover —1F 180
Old Pk. Rd. SE2 —5J 51
Old Pk. Rd. Dover —2G 180
Old Parsonage Ct. W Mal —2A 124
Old Parsonage Yd., The. Hort K —7C 74
Old Pattens La. Roch —9A 80
Old Perry St. Chst —2G 70
Old Perry St. N'fleet —7D 62
Old Polhill. Sev —5D 102
Old Pond Rd. Afrd —9D 158
Old Rectory Clo. H'nge —8D 192
Old Regent Dri. Rol —3J 213
Old Rd. SE13 —2H 55
Old Rd. Chat —8C 80
Old Rd. Dart —3E 58 (4C 7)
Old Rd. E Peck —1L 147 (3B 26)
Old Rd. Elham —7N 183 (1E 41)
Old Rd. Sarre —2B 22
Old Rd. W'bury —1N 135 (2B 26)
Old Rd. E. Grav —6G 63 (4B 8)
Old Rd. W. Grav —6E 62 (4A 8)
Old Roman Rd. Mart H —4D 33
Old Romney. —2D 47
Old Royal Observatory. —3E 5
Oldroyd Ho. Cant —1K 171
Old Ruttington La. Cant —1N 171 (4D 21)
Old Ryarsh La. W Mal —9N 107
Old Saltwood La. Salt —4J 197
Old School Clo. Beck —5B 68
Old School Clo. Burh —1K 109
Old School Clo. Len —8E 200
Old School Ct. Chatt —9C 66
Old School Ct. Eger —4C 29
Old School Ct. Folk —7H 189
Old School Ct. Sev —4K 119
Old School Gdns. Mgte —4E 208
Old School Ho. Eden —6C 184
Old Schoolhouse La. Old R —2D 47
Old School La. Rya —6L 107
Old School M. Cha —8C 170
Old Soar Manor. —8A 122
Old Soar Rd. Plax —9A 122 (2A 26)
Oldstairs Rd. Kgdn —7M 199 (4E 33)
Old Station Rd. Wadh —3A 36
Oldstead Rd. Brom —9F 54
Old St. EC1 —2D 5
Old Street. (Junct.) —2D 5
Old Surrenden Mnr. Rd. Beth —2K 163 (1D 39)
Old Tannery Clo. Tent —8A 222
Old Terry's Lodge Rd. Sev —7F 104 (4E 15)
Old Tovil Rd. Maid —7C 126 (2D 27)
Old Town. SW4 —4C 4
Old Town. Croy —2C 13
Old Town Gaol. —4J 181
Old Trafford Clo. Maid —3M 125
Old Tree. —2A 22
Old Tree La. Bou M —5F 138 (3E 27)
Old Tree Rd. Hoath —9M 195 (2A 22)
Old Tye Av. Big H —4E 164
Old Valley Rd. B'hm —8D 162
Old Vicarage, The. Wdboro —7H 217
Old Vinters Rd. Maid —5E 126
Old Wlk., The. Otf —8K 103
Old Watling St. Grav —1F 76
Old Watling St. Roch —4F 78 (1C 17)
Old Way. App —1B 46
Old Well Ct. Maid —7B 126
Old Wives Lees. —6K 175 (2B 30)
Old Yews, The. Long —6A 76
Oleander Clo. Orp —6F 84
Olive Gro. Ram —4K 211
Oliver Clo. Chat —1E 94
Oliver Ct. SE18 —4E 50
Oliver Cres. F'ham —1N 87
Olive Rd. Dart —6L 59
Oliver Rd. E10 —1E 5
Oliver Rd. Grays —3E 7
Oliver Rd. S'hrst —7J 221
Oliver Rd. Swan —6E 72
Olivers Cotts. Bear —5M 127
Olivers Mill. New Ash —3L 89
Oliver Twist Clo. Roch —8M 79
Olivine Clo. Chat —2D 110
Olliffe Clo. Chat —9C 94
Olron Cres. Bexh —3M 57
Olven Rd. SE18 —6E 50
Olyffe Av. Well —8J 51
Olyffe Dri. Beck —4F 68 (in two parts)
Olympia. —3B 4
Omer Av. Clift —3G 209
O'Neill Path. SE18 —6C 50
One Tree Hill. Stan H & Bas —1C 8
One Tree Hill. —1C 132
Ongley La. Bidd —7H 163 (2A 38)
Onslow Cres. Chst —4D 70
Onslow Dri. Sidc —7M 57
Onslow Rd. Roch —9A 80
Onslow Sq. SW7 —3B 4
Ontario Way. Dover —1G 181
Opal Grn. Chat —9E 94
Openshaw Rd. SE2 —4K 51
Orache Dri. Weav —4H 127
Orange Ct. La. Orp —9C 84
Orangery La. SE9 —3B 56
Orange St. Cant —2M 171 (1D 31)
Orange Ter. Roch —7A 80
Orbital One. Dart —7B 60
Orbital One Ind. Est. Dart —7A 60
Orbital Pk. W'boro —3K 161
Orbit Clo. Chat —2D 110
Orchard Av. Ayle —9J 109
Orchard Av. Belv —6N 51
Orchard Av. Croy —2B 82 (2E 13)
Orchard Av. Dart —5J 59
Orchard Av. Deal —5L 177
Orchard Av. Grav —1G 76
Orchard Av. Roch —3A 79
Orchard Bank. Cha S —7L 139
Orchard Bus. Cen. SE26 —1C 68
Orchard Bus. Cen. All —1N 125
Orchard Bus. Cen. Tonb —6L 145
Orchard Bus. Cen. Tun W —6K 151
Orchard Bus. Pk. Five G —9H 147
Orchard Cvn. Pk. Burm —3C 182
Orchard Clo. Bexh —8N 51
Orchard Clo. Cant —7M 167
Orchard Clo. Cox —5N 137
Orchard Clo. Eden —5B 184
Orchard Clo. Horsm —2B 198
Orchard Clo. Langl —4A 140
Orchard Clo. L'brne —3L 173
Orchard Clo. Long —5A 76
Orchard Clo. Maid —6D 126
Orchard Clo. Mer —9M 161
Orchard Clo. Min —6M 205
Orchard Clo. Ram —1F 210
Orchard Clo. Sev —2K 119
Orchard Clo. Whitf —5E 178
Orchard Clo. Whits —2H 225
Orchard Clo. W'hm —3B 226
Orchard Cotts. Bou B —3K 165
Orchard Cotts. Maid —9L 125
Orchard Ct. Bene —3A 38
Orchard Ct. H Bay —6G 195
Orchard Cres. Horsm —2C 198
Orchard Dri. Afrd —6D 158
Orchard Dri. Dover —1D 180
Orchard Dri. Eden —5B 184
Orchard Dri. Hythe —7J 197
Orchard Dri. Meop —8E 76
Orchard Dri. N'tn —6J 97
Orchard Dri. Tonb —2L 145
Orchard Dri. Weav —6H 127
Orchard Dri. Wye —3N 159
Orchard Field. Beth —2J 163
Orchard Fields. Hythe —2D 41
Orchard Flats. Cant —3C 172
Orchard Gdns. Mgte —2M 207
Orchard Glade. H'crn —3L 193
Orchard Grn. Orp —3G 85
Orchard Gro. Croy —1B 82
Orchard Gro. Dit —8F 108
Orchard Gro. Min S —6K 219
Orchard Gro. Orp —3H 85
Orchard Heights. Afrd —5D 158
Orchard Hill. Dart —3F 58
Orchard Ho. E'try —2K 183
Orchard Ho. Eri —8G 52
Orchard Ind. Est. Maid —5J 139
Orchard La. C'lck —7D 174
Orchard La. Kenn —4K 159
Orchard La. St N —9E 214 (2B 22)
Orchard Lea. Hild —2F 144
Orchard Lea. S'fleet —1M 75
Orchard M. Deal —5N 177
Orchard Pk. Homes. H Bay —3L 195
Orchard Pl. Fav —5H 187
Orchard Pl. Maid —6B 126
Orchard Pl. Orp —6L 71
Orchard Pl. Sit —8H 99
Orchard Pl. Sund —6N 117
Orchard Rise. Croy —2B 82
Orchard Rise. Groom —7J 155
Orchard Rise E. Sidc —3H 57
Orchard Rise W. Sidc —3G 56
Orchard Rd. SE18 —4F 50
Orchard Rd. Belv —4B 52
Orchard Rd. Brom —4M 69
Orchard Rd. E Peck —1M 147
Orchard Rd. E'try —2K 183
Orchard Rd. Farn —6D 84
Orchard Rd. H Bay —4G 195
Orchard Rd. L'stne —3F 212
Orchard Rd. Mgte —3M 207
Orchard Rd. N'fleet —7B 62
Orchard Rd. Otf —7G 102
Orchard Rd. Prat B —1L 101
Orchard Rd. Sev —4F 118
Orchard Rd. Sidc —9G 57
Orchard Rd. St Mar —2F 214
Orchard Rd. St Mic —4B 222
Orchard Rd. Swans —3L 61
Orchard Rd. Well —1K 57
Orchard Row. H Bay —7H 195
Orchards, The. Dart —4M 59
Orchards, The. Elham —7N 183
Orchard St. Cant —1L 171 (4D 21)
Orchard St. Dart —4M 59
Orchard St. Gill —4A 96
Orchard St. Maid —6D 126
Orchard, The. Bear —5L 127
Orchard, The. Dun G —3F 118
Orchard, The. Swan —5E 72
Orchard Theatre, Dartford. —4M 59
Orchard Valley. —5H 197
Orchard Valley. Hythe —6H 197
Orchard View. Ah —5E 216
Orchard View. Tey —1K 223
Orchard Vs. Chat —9C 80
Orchard Vs. Sturry —6E 168
Orchard Way. C'brk —8B 176
Orchard Way. Croy & Beck —1B 82 (2E 13)
Orchard Way. Dart —8L 59
Orchard Way. E'chu —7C 202
Orchard Way. Horsm —3C 198
Orchard Way. Kems —8A 104
Orchard Way. Snod —3D 108
Orchid Clo. Roch —6G 78
Orchidhurst Tun W —7K 151
Orchid Pk. Roch —9A 80
Orchids, The. Mer —8M 161
Ordnance Cres. SE10 —3E 5
Ordnance Rd. SE18 —6C 50
Ordnance Rd. Grav —4H 63
Ordnance St. Chat —9B 80
Ordnance Ter. Chat —8B 80
Oregon Sq. Orp —2F 84
Orford Ct. Dart —4B 60 (off Osbourne Rd.)
Orford Rd. SE6 —8E 54
Organ Crossroads. (Junct.) —3A 12
Orgarswick Av. Dym —8A 182
Orgarswick Way. Dym —8B 182
Oriel Ho. Roch —7N 79
Oriel Rd. Afrd —6D 158
Orient Pl. Cant —1M 171
Oriole Way. Lark —8D 108
Orion Rd. Roch —4N 93
Orion Way. W'boro —1J 161
Orissa Rd. SE18 —5G 50
Orlestone. —3E 39
Orlestone Gdns. Orp —6N 85
Orlick Rd. Grav —6N 63
Ormonde Av. Orp —3E 84
Ormonde Ct. Hythe —7K 197
Ormonde Rd. Folk —5L 189
Ormonde Rd. Hythe —7K 197
Ormsby Grn. Gill —8A 96
Orpines, The. W'bury —1D 136
Orpington. —2J 85 (2B 14)
Orpington By-Pass. Orp —3K 85
Orpington By-Pass Rd. Orp & Bad M —9B 86 (3C 14)
Orpington Retail Pk. Orp —7L 71
Orpington Rd. Chst —6G 71 (1B 14)
Orsett. —2A 8
Orsett Heath. —2B 8
Orsett Rd. Grays —3A 8
Orsett Rd. Ors & Stan H —2B 8
Orwell Clo. Lark —7D 108
Orwell Ho. Maid —9H 127
Orwell Spike. W Mal —4M 123
Osberton Rd. SE12 —3K 55
Osborne Clo. Beck —7B 68
Osborne Gdns. H Bay —2L 195
Osborne Rd. Belv —5A 52
Osborne Rd. Broad —9K 209 (2E 23)
Osborne Rd. W'boro —9J 159
Osborne Ter. Mgte —4D 208
Osborn La. SE23 —5B 54
Osborn Ter. SE3 —2J 55
Osbourn Av. Wgte S —3K 207
Osbourne Dri. Det —8M 111
Osbourne Rd. Dart —4B 60
Osbourne Rd. Gill —7G 80
Osbourne Rd. Kgdn —3M 199
Oscar Rd. Broad —9M 209
Osgood Av. Orp —6H 85
Osgood Gdns. Orp —6H 85
Osier Field. Kenn —3J 159
Osier Rd. Tey —1M 223 (3E 19)
Oslac Rd. SE6 —1E 68
Osmers Hill. Spar G —3A 36
Osney Ho. SE2 —2M 51
Osney Way. Grav —7L 63
Osprey Clo. Whits —6E 224
Osprey Ct. Beck —3D 68
Osprey Ct. Dover —2G 181
Osprey Ct. Sit —8H 99
Osprey Wlk. Lark —9D 108
Ospringe. —6E 186 (3A 20)
Ospringe Pl. Fav —6F 186
Ospringe Pl. Tun W —8M 151
Ospringe Rd. Fav —6E 186 (3A 20)
Ospringe St. Fav —6E 186 (3A 20)
Ostend Ct. Kem —2G 98
Osterberg Rd. Dart —2N 59
Osterley Clo. Orp —4J 71
Ostlers Clo. Snod —2E 108
Ostlers Ct. High —7G 64
Ostlers La. Sarre —2B 22
Oswald Pl. Dover —2G 180
Oswald Rd. Dover —2G 180
Osward. Croy —9C 82
Otford. —7J 103 (4D 15)
Otford Clo. Bex —4C 58
Otford Clo. Brom —6C 70
Otford Cres. SE4 —4C 54
Otford La. Hals —3A 102 (3C 14)
Otford Rd. Sev —1J 119 (1D 25)
Otham. —1L 139 (2E 27)
Otham Clo. Cant —7N 167
Otham Hole. —2M 139 (2A 28)
Otham La. Bear —7M 127 (2A 28)
Otham St. Otham & Bear —1L 139 (2E 27)
Otlinge Clo. Orp —7M 71
Ottawa Cres. Dover —1H 181
Ottawa Way. Dover —1G 181 (off Selkirk Rd.)

Otterbourne Pl.—Parsonage Clo.

Otterbourne Pl. *Maid* —8H **127**
Otterden Clo. *Afrd* —3D **160**
Otterden Clo. *Orp* —4G **84**
Otterden Rd. *E'ing* —2D **29**
Otterden St. *SE6* —9D **54**
Otterham Quay. —1D 96 (2A 18)
Otterham Quay La. *Rain* —3D **96** (2A **18**)
Otteridge Rd. *Bear* —6K **127**
Otterpool La. *Lymp* —3C **41**
Otters Clo. *Orp* —7M **71**
Ottinge. —9L 183 (1E 41)
Otway St. *Chat* —9D **80**
Otway St. *Gill* —6G **80**
Otway Ter. *Chat* —9D **80**
Our Lady's Flats. *Eyt* —3J **185**
Outdoor Pursuits Centre. —3D **35**
Out Elmstead. —6C 162 (3A 32)
Out Elmstead La. *B'hm* —6C **162** (3A **32**)
Outram Rd. *Croy* —2D **13**
Outwood La. *Tad & Coul* —4B **12**
Oval Cricket Ground, The. —3C **5**
Oval Rd. N. *Dag* —2C **6**
Oval, The. *Dym* —6C **182**
Oval, The. *Long* —6B **76**
Oval, The. *Sidc* —5J **57**
Ovenden Rd. *Sund* —2M **117** (1B **24**)
Overbrae. *Beck* —1D **68**
Overbury Av. *Beck* —6E **68**
Overcliffe. *Grav* —4F **62** (4A **8**)
Overcliff Rd. *SE13* —1D **54**
Overcourt Clo. *Sidc* —4K **57**
Overdale. *Weald* —6J **131**
Overdown Rd. *SE6* —9D **54**
Overhill Way. *Beck* —8G **68**
Overland La. *Shtng* —4B **22**
Overmead. *Sidc* —5F **56**
Overmead. *Swan* —8F **72**
Over Minnis. *New Ash* —4M **89**
Oversland. —1B 30
Overstand Clo. *Beck* —8D **68**
Overstone Gdns. *Croy* —1C **82**
Overton Rd. *SE2* —3L **51**
Overton Rd. E. *SE2* —3M **51**
Overy St. *Dart* —4M **59** (4D **7**)
Owen Clo. *SE28* —1L **51**
Owen Clo. *E Mal* —1D **124**
Owenite St. *SE2* —4K **51**
Owen's Clo. *Hythe* —8B **188**
Owen Sq. *Walm* —8L **177**
Owens Way. *SE23* —5B **54**
Owletts. —6L **77** (1B **16**)
*Owletts All. Tonb —6H **145***
(off High St. Tonbridge,)
Owl House Gardens. —2B **36**
Owl's Hatch Rd. *H Bay* —6E **194**
Oxenbridge La. *E'ham* —2A **44**
Oxenden Cres. *W'hm* —2B **226**
Oxenden Pk. Dri. *H Bay* —3F **194**
Oxenden Rd. *S'gte* —7E **188** (3A **42**)
Oxenden St. *H Bay* —2F **194**
Oxenden Way. *B'hm* —8D **162**
Oxenden Wood Rd. *Orp* —8L **85**
Oxenhill Rd. *Kems* —8M **103**
Oxenhoath Rd. *Hdlw* —4B **134** (3A **26**)
Oxen Lease. *Afrd* —1C **160**
Oxenturn Rd. *Wye* —3M **159** (4B **30**)
Oxestall's Rd. *SE8* —3E **5**
Oxfield. *Eden* —4D **184**
Oxford Clo. *Grav* —7L **63**
Oxford Clo. *Whits* —4F **224**
Oxford Ct. *Cant* —3M **171**
Oxford M. *Bex* —5B **58**
Oxford Rd. *Cant* —4M **171**
Oxford Rd. *Gill* —9G **80**
Oxford Rd. *Maid* —9G **127**
Oxford Rd. *Sidc* —1K **71**
Oxford St. *W1* —2B **4**
Oxford St. *Mgte* —4D **208**
Oxford St. *Snod* —2E **108**
Oxford St. *Whits* —4F **224** (2C **21**)
Oxford Ter. *Folk* —7K **189**
Oxgate La. *NW2* —1A **4**
Oxhawth Cres. *Brom* —8C **70**
Ox La. *St Mic* —5C **222** (3C **38**)
Ox Lea. *L'tn G* —2A **156**
Oxleas Clo. *Well* —9F **50**
Oxley's Green. —3A 44
Oxley Shaw La. *Leyb* —9B **108**
Oxlip Clo. *Croy* —2A **82**
Oxlow La. *Dag* —1C **6**
Oxney Clo. *Birch* —4E **206**
Ox Rd. *W'mre* —4E **31**
Oxted. —2A 24
Oyster Clo. *H Bay* —4C **194**
Oyster Clo. *Sit* —5F **98**
Oysters, The. *Whits* —2G **224**

Packer Pl. *Chat* —3D **94**
Packers La. *Ram* —5J **211**
Packham Clo. *Orp* —3L **85**
Packham Rd. *N'fleet* —8E **62**
Packhorse Rd. *Sev* —5D **118**
Packmores Rd. *SE9* —3F **56**
Padbrook La. *Pres* —3B **22**
Paddenswick Rd. *W6* —3A **4**
Paddington. —2B 4
Paddlesworth. —1B 108 (3C 16)
Paddlesworth Rd. *Snod* —1A **108** (3C **16**)
Paddock. —8B 174 (3E 29)
Paddock Clo. *SE3* —1K **55**
Paddock Clo. *SE26* —9A **54**
Paddock Clo. *Farn* —5D **84**
Paddock Clo. *Folk* —6F **188**
Paddock Clo. *Ford* —9J **149**
Paddock Clo. *Lydd* —3B **204**
Paddock Clo. *Platt* —3B **122**
Paddock Clo. *Shol* —5J **177**
Paddock Clo. *S Dar* —4C **74**
Paddock Cotts. *Woul* —6G **93**
Paddock Rd. *Afrd* —2C **160**
Paddock Rd. *Bexh* —2N **57**
Paddock Rd. *Birch* —4F **206**
Paddocks Clo. *Orp* —3M **85**
Paddocks, The. *Broad* —6K **209**
Paddocks, The. *Cowd* —1B **34**
Paddocks, The. *Gt Cha* —9A **158**
Paddocks, The. *Hem* —6K **95**
Paddocks, The. *H Bay* —2M **195**
Paddocks, The. *New Ad* —6D **82**
Paddocks, The. *Sev* —6L **119**
Paddocks, The. *Wemb* —1A **4**
Paddock, The. *Cant* —2A **172**
Paddock, The. *Chat* —8C **80**
Paddock, The. *Dover* —4J **181**
Paddock, The. *Hdlw* —7D **134**
Paddock, The. *Meop* —3E **106**
Paddock, The. *Pem* —8B **152**
Paddock, The. *W'ham* —8E **116**
Paddock View. *Whits* —6F **224**
Paddock Way. *Chst* —3F **70**
Paddock Wood. —8M 147 (4B 26)
*Paddock Wood Bus. Cen. Pad W —8M **147***
(off Commercial Rd.)
Paddock Wood Ind. Est. *Pad W* —8L **147**
Pad's Hill. *Maid* —5D **126**
Padsole La. *Maid* —5D **126**
*Padstow Mnr. Gill —6F **80***
(off Arden St.)
Padwell Cotts. *Gt Cha* —1A **160**
Padwell La. *Gt Cha* —1A **160**
Paffard Clo. *Sturry* —4E **168**
Page Clo. *Bean* —8J **61**
Page Cres. *Eri* —7G **53**
Page Heath La. *Brom* —6N **69** (1A **14**)
Page Heath Vs. *Brom* —6N **69**
Pagehurst Rd. *S'hrst* —1E **37**
Page Pl. *Folk* —3K **189**
Paget Gdns. *Chst* —4D **70**
Paget Rise. *SE18* —6C **50**
Paget Row. *Gill* —7F **80**
Paget St. *Gill* —7E **80**
Paget Ter. *SE18* —6D **50**
Pagitt St. *Chat* —1B **94**
Paiges Farm Clo. *Weald* —6K **131**
Paine Av. *Lydd* —3C **204**
Painesfield Clo. *Burm* —3B **182**
Pains Hill. —3A 24
Pains Hill. *Oxt* —3A **24**
Painters Ash La. *N'fleet* —8C **62**
Painter's Forstal. —4E 19
Painter's Forstal Rd. *P For* —9C **186** (4E **19**)
Palace Av. *Maid* —5D **126** (2E **27**)
Palace Clo. *Whits* —3K **225**
Palace Ct. *Chat* —1G **95**
Palace Gdns. Ter. *W8* —2B **4**
Palace Ga. *W8* —3B **4**
Palace Grn. *Croy* —8C **82**
Palace Gro. *Brom* —4L **69**
Palace Ind. Est. *Maid* —4J **139**
Palace Rd. *Brom* —4L **69**
Palace Rd. *W'ham* —3C **116**
Palace St. *Cant* —1M **171** (1D **31**)
Palace View. *SE12* —7K **55**
Palace View. *Brom* —6L **69**
(in two parts)
Palace View. *Croy* —5C **82**
Palermo Rd. *NW10* —2A **4**
Palesgate La. *Crowb* —4D **35**
Palewell Clo. *Orp* —5K **71**
Pallant Way. *Orp* —4C **84**
Pallett Way. *SE18* —8A **50**
Pall Mall. *SW1* —2C **4**
Palmar Cres. *Bexh* —1B **58**
Palmar Rd. *Bexh* —9B **52**
Palmars Cross Hill. *R Comn* —1G **171** (4D **21**)
Palmarsh. —8E 196 (3D 41)
Palmarsh Av. *Hythe* —8D **196**
Palmarsh Clo. *Orp* —7M **71**
Palmarsh Cres. *Hythe* —9E **196**
(in two parts)
Palm Av. *Sidc* —2M **71**
Palm Bay Av. *Mgte* —2G **208** (1E **23**)
Palm Bay Gdns. *Clift* —2G **208**
Palmbeach Av. *Hythe* —8D **196**
Palm Cotts. *Maid* —4H **138**
*Palm Ct. Wgte S —2K **207***
(off Rowena Rd.)
Palmeira Rd. *Bexh* —1M **57**
Palmer Av. *Grav* —9J **63**
Palmer Clo. *H Bay* —7J **195**
Palmer Clo. *W Wick* —3G **83**
Palmer Cres. *Mgte* —5G **209**
Palmer Rd. *Maid* —3A **126**
Palmer Rd. *W'hm* —2B **226**
Palmers Av. *Grays* —3A **8**
Palmers Brook. *Hdlw* —6E **134**
Palmer's Green. —1C 36
Palmers Grn. La. *Pad W* —1C **36**
Palmer's Hill. —1J 189
Palmers Orchard. *Shor* —2G **103**
Palmerston Av. *Broad* —1M **211**
Palmerston Av. *Walm* —7M **177**
Palmerston Ct. *Walm* —8N **177**
Palmerston Cres. *SE18* —6E **50**
Palmerston Rd. *Chat* —3C **94**
Palmerston Rd. *Orp* —6E **84**
Palmerston St. *Folk* —5K **189**
Palmerston Wlk. *Sit* —7K **99**
Palmstead. —4E 31
Palmstead Rd. *Bos* —4E **31**
Palm Tree Clo. *Eyt* —4L **185**
Palm Tree Way. *Lym* —7C **204**
Palting Rd. *Folk* —7H **189**
Pampisford Rd. *Purl & S Croy* —3C **13**
Pancras Rd. *NW1* —2C **4**
Panfield Rd. *SE2* —3J **51**
Pankhurst Rd. *Hoo* —7G **66**
Pannell Rd. *Isle G* —2B **190**
Panteny La. *Bap* —9M **99** (3D **19**)
Panter's. *Swan* —3G **73**
Pantiles, The. *Bexh* —7A **52**
Pantiles, The. *Brom* —6A **70**
Pantiles, The. *Tun W* —3G **156**
Pantiles, The. —2E **35**
Panton Clo. *Chat* —7F **94**
Papillons Wlk. *SE3* —1K **55**
Papion Gro. *Chat* —9B **94**
Papworth Clo. *Folk* —4G **189**
Papyrus Way. *Lark* —6F **108**
Parade Rd. *S'gte* —8F **188**
Parade, The. *Birch* —4C **206** (1C **22**)
Parade, The. *Broad* —9M **209**
Parade, The. *Cant* —2M **171** (1D **31**)
Parade, The. *Cli* —5M **65**
Parade, The. *Dart* —3G **58**
Parade, The. *E'try* —3L **183**
Parade, The. *Folk* —6L **189**
Parade, The. *Grav* —7J **63**
Parade, The. *G'stne* —7F **212** (3E **47**)
Parade, The. *Kems* —8M **103**
Parade, The. *Mgte* —2C **208** (1D **23**)
Parade, The. *Meop* —1F **90**
Parade, The. *S'hrst* —8K **221**
Parade, The. *Swans* —3M **61**
Parade, The. *W'boro* —4K **161**
Paradise. *Ram* —5H **211**
Paradise Pl. *SE18* —4A **50**
Paradise Row. *S'wch* —5L **217**
Paragon. *Ram* —7H **211** (2E **23**)
*Paragon Ct. Mgte —2D **208***
(off Fort Paragon)
Paragon Promenade. *Ram* —7H **211**
Paragon St. *Ram* —7H **211**
Paraker La. *Hythe* —7B **188**
Paraker Way. *Hythe* —8B **188**
Paramour Street. —3C 22
Paramour St. *Ah* —3C **22**
Paraside Pl. *SE18* —4A **50**
Parbury Rd. *SE23* —4B **54**
Parchmore Rd. *T Hth* —1C **13**
Pardoner Clo. *Cant* —3J **171**
Pardoners Way. *Dover* —1F **180**
Parfitt Way. *Dover* —2G **181**
Parham Clo. *Cant* —9A **168**
Parham Rd. *Cant* —9A **168**
Parham Rd. *Chat* —1C **94**
Parish Ga. Dri. *Sidc* —4G **56**
Parish La. *SE20* —2A **68** (1D **13**)
Parish M. *SE20* —3A **68**
Parish Rd. *Cha* —7C **170** (2C **31**)
Parish Rd. *Min S* —7H **219**
Parish Wharf Pl. *SE18* —4A **50**
Park App. *Well* —2K **57**
Park Av. *Birch* —5E **206**
Park Av. *Broad* —2J **211**
Park Av. *Brom* —2J **69**
Park Av. *Deal* —5L **177** (2E **33**)
Park Av. *Dover* —3J **181** (1C **43**)
Park Av. *Eden* —5B **184**
Park Av. *Farn* —4B **84**
Park Av. *Gill* —1G **95**
Park Av. *Grav* —6H **63**
Park Av. *Hild* —2F **144**
Park Av. *Ley S* —7M **203**
Park Av. *Lin* —6B **138**
Park Av. *Maid* —3E **126**
Park Av. *N'fleet* —6D **62**
Park Av. *Orp* —3J **85**
Park Av. *Queen* —8C **218**
Park Av. *Sit* —9F **98**
Park Av. *W Wick* —3F **82**
Park Av. *Whits* —2G **225**
Park Av. Holiday Village. *Ley S* —7M **203**
Park Barn Rd. *Broom* —3D **140** (2A **28**)
Park Chase. *Broad* —2J **211**
Park Clo. *Mgte* —4H **209**
Park Corner. —9L 155 (2D 35)
Park Corner Cotts. *Bra L* —6L **165**
Park Corner Rd. *Grav* —8N **61**
Park Corner Rd. *S'fleet* —9M **61** (1A **16**)
Park Cotts. *Hdlw* —6E **134**
Park Cotts. *Hawkh* —5L **191**
Park Cotts. *Ram* —2J **211**
Park Ct. *Fav* —5J **187**
Park Ct. *Sturry* —5E **168**
Park Ct. *Tun W* —9G **151**
Park Cres. *W1* —2C **4**
Park Cres. *Chat* —3C **94**
Park Cres. *Eri* —6D **52**
Park Cres. Rd. *Eri* —6E **52**
Park Cres. Rd. *Mgte* —3E **208**
Parkcroft Rd. *SE12* —5J **55**
Parkdale Rd. *SE18* —5G **50**
Park Dri. *SE7* —6A **50**
Park Dri. *Hoth* —4E **29**
(in two parts)
Park Dri. *Long* —6L **75**
Park Dri. *Sit* —1E **114**
Park End. *Brom* —4J **69**
Parker Clo. *E16* —1A **50**
Parker Clo. *Gill* —6A **96**
Parker Clo. *Hams* —8D **190**
Parker's Farm Rd. *Ors* —1A **8**
Parker's Green. —1A 146 (3A 26)
Parker St. *E16* —1A **50**
Park Farm. —5G 160 (2A 40)
Park Farm. *Dit* —1F **124**
Pk. Farm Bungalows. *T Hill* —5L **167**
Park Farm Clo. *Folk* —3J **189**
Park Farm Clo. *Shad* —2E **39**
Park Farm Clo. *T Hill* —5L **167**
Park Farm Ind. Est. *Folk* —3H **189**
Park Farm Rd. *Brom* —4N **69**
Park Farm Rd. *Folk* —3H **189** (2A **42**)
Park Farm Rd. *Rya* —6K **107**
Park Farm Rd. *Upm* —1D **7**
Parkfield. *Folk* —5J **189**
Parkfield. *Hart* —7L **75**
Parkfield. *Sev* —5M **119**
Parkfield Rd. *Gill* —1B **96**
Parkfields. *Croy* —2C **82**
Parkfields. *Roch* —5G **79** (1C **17**)
Parkfield Way. *Brom* —9B **70**
Park Gdns. *Eri* —4E **52**
Park Gate. —4E 31
(nr. Elham)
Parkgate. —3B 38
(nr. Tenterden)
Park Ga. *SE3* —1J **55**
Park Ga. *Broad* —2K **211**
Park Ga. *Elham* —4E **31**
Parkgate Rd. *SW11* —3B **4**
Parkgate Rd. *Orp* —5C **86** (2C **15**)
Parkgate Rd. *Wall* —2C **12**
Park Grange Gdns. *Sev* —9K **119**
Park Gro. *Bexh* —2D **58**
Park Gro. *Brom* —4L **69**
Park Hall Rd. *SE21* —4D **5**
Parkham Ct. *Short* —5H **69**
Park Hill. *Brom* —7A **70**
Park Hill. *Cars* —3B **12**
Park Hill. *Meop* —7D **76** (1A **16**)
Park Hill Rd. *NW3* —1B **4**
Parkhill Rd. *Bex* —5A **58** (4C **6**)
Park Hill Rd. *Brom* —5H **69**
Park Hill Rd. *Croy* —2D **13**
Park Hill Rd. *Off* —8M **103**
Park Hill Rd. *Sidc* —8G **56**
Park Ho. *Maid* —3E **126**
Park Ho. *Sev* —4K **119**
Park Ho. Gdns. *Tun W* —4G **150**
Parkhurst Gdns. *Bex* —5B **58**
Parkhurst Rd. *N7* —1C **5**
Parkhurst Rd. *Bex* —5B **58**
Parkland Clo. *Sev* —2K **131**
Parkland Ct. *Broad* —7K **209**
Park La. *W1* —2B **4**
Park La. *Asht* —4A **12**
Park La. *Birch* —5F **206** (1C **23**)
Park La. *Bis* —2E **31**
Park La. *Bou M* —6G **138** (3E **27**)
Park La. *Cars* —2C **12**
Park La. *C'brk & Hawkh* —3D **37**
Park La. *Croy* —2D **13**
Park La. *Elham* —6N **183** (4E **31**)
Park La. *Gt Cha* —1D **39**
Park La. *Kems* —9A **104**
Park La. *Maid* —2C **126**
Park La. *Mgte* —3D **208**
Park La. *Seal* —3A **120**
Park La. *Sev* —6K **119** (1D **25**)
Park La. *Swan* —5K **73**
Park La. *What* —3B **44**
Park La. *W'hll* —1B **28**
Park Langley. —7F 68 (1E 13)
Park Mall. *Afrd* —8F **158**
Park Mnr. *Gill* —7F **80**
Park Mead. *Sidc* —3K **57**
Park M. *Chst* —2D **70**
Park M. *Dover* —4J **181**
Park Pale. *Roch* —4D **78**
Park Pde. *NW10* —2A **4**
Park Pde. *Dym* —8B **182**
Park Pl. *Afrd* —2F **160**
Park Pl. *Grav* —4H **63**
Park Pl. *H Bay* —7H **195**
Park Pl. *Mgte* —3C **208**
Park Pl. *Sev* —5E **118**
Park Pl. *W'boro* —1K **161**
Park Rise. *SE23* —6B **54**
Park Rise Rd. *SE23* —6B **54**
Park Rd. *NW1* —2B **4**
Park Rd. *SE25* —1D **13**
Park Rd. *Adtn* —8G **107**
Park Rd. *Bans* —4B **12**
Park Rd. *Beck* —3C **68**
Park Rd. *Birch* —5G **206** (1D **23**)
Park Rd. *Broad* —7M **209**
Park Rd. *Brom* —4L **69**
Park Rd. *Chst* —2D **70** (1A **14**)
Park Rd. *Crow* —4A **24**
Park Rd. *Dart* —5A **60** (4D **7**)
Park Rd. *Dover* —2G **181**
Park Rd. *E Grin* —2A **34**
Park Rd. *E Peck* —3K **135** (2B **26**)
Park Rd. *Fav* —6H **187**
Park Rd. *Folk* —5E **188**
Park Rd. *Grav* —6G **62**
Park Rd. *Hdlw* —4B **134** (2A **26**)
Park Rd. *H Bay* —3G **194**
Park Rd. *Hythe* —7J **197**
Park Rd. *Kenl* —4C **13**
Park Rd. *Kenn* —4H **159**
Park Rd. *King T* —1A **12**
Park Rd. *Leyb* —7B **108** (4C **16**)
Park Rd. *L'stne* —4F **212**
Park Rd. *Mard* —1E **37**
Park Rd. *Mgte* —3E **208**
Park Rd. *Orp* —8L **71**
Park Rd. *Pres* —3B **22**
Park Rd. *Queen* —7A **218** (4C **11**)
Park Rd. *Ram* —5H **211**
Park Rd. *S'ness* —3E **218**
Park Rd. *Sit* —9F **98** (3C **19**)
Park Rd. *S'boro* —4G **150**
Park Rd. *Swan* —6G **72**
Park Rd. *Swans* —4L **61**
Park Rd. *Temp E* —8C **178**
Park Rd. *Tun W* —9H **151**
Park Rd. *Warl* —3E **13**
Park Rd. *W Mal* —4B **16**
Park Rd. N. *Afrd* —7F **158**
Park Royal. —2A 4
Park Royal Junction. (Junct.) —2A **4**
Park Royal Rd. *NW10* —2A **4**
Parkside. *SW19* —4A **4**
Parkside. *Cli* —6M **65**
Parkside. *Hals* —4A **102**
Parkside. *Sidc* —7K **57**
Parkside Av. *Bexh* —9E **52** (3C **7**)
Parkside Av. *Brom* —7A **70**
Parkside Av. *Til* —3B **8**
Parkside Ct. *Tent* —9A **222**
Parkside Cross. *Bexh* —9F **52**
Parkside Lodge. *Belv* —5D **52**
Parkside Rd. *Belv* —4C **52**
Park St. *SW8* —3C **5**
Park St. *W1* —2B **4**
Park St. *Afrd* —8F **158**
(in three parts)
Park St. *Deal* —4N **177** (2E **33**)
Park St. *Dover* —4J **181** (1C **43**)
Park St. *Lydd* —3B **204**
Park St. *Tun W* —2J **157**
Park Ter. *Grnh* —3J **61**
Park Ter. *Sund* —6M **117**
Park Ter. *Wdboro* —7H **217**
Park, The. *Sidc* —1J **71**
Park Vale. *Kenn* —4H **159**
Parkview. *Eri* —3M **51**
Park View. *Folk* —4L **189**
Park View. *Hods* —9B **90**
Park View. *Sturry* —5E **168**
Park View Clo. *Eden* —5B **184**
Park View Clo. *Good* —2B **32**
Park View Clo. *Maid* —8H **127**
Park View Rise. *Non* —2B **32**
Parkview Rd. *SE9* —6D **56**
Park View Rd. *Well* —1L **57** (4B **6**)
Park View Ter. *Tent* —8B **222**
Park Vs. *Hdlw* —7E **134**
Parkway. *NW1* —2C **4**
Park Way. *Bex* —8F **58**
Park Way. *Cox* —5N **137**
Parkway. *Eri* —3N **51**
Park Way. *Maid* —8E **126**
Parkway. *New Ad* —9E **82** (3E **13**)
Parkway. *Tonb* —2K **145**
Parkway, The. *Birch* —4G **206**
Park Wood. —3J 139 (3E 27)
(nr. Maidstone)
Park Wood. —6N 95 (2A 18)
(nr. Rainham)
Parkwood. *Beck* —3D **68**
Parkwood Clo. *Broad* —2J **211**
Park Wood Clo. *Kgnt* —4F **160**
Parkwood Clo. *Tun W* —8J **151**
Park Wood Grn. Shop. Cen. *Gill* —6N **95**
Park Wood La. *S'hrst* —9N **221** (1A **38**)
Park Wood Pde. *Maid* —3J **139**
Park Wood Rd. *Bex* —5A **58**
Park Wood Rd. *Cant* —7J **167**
Parkwood Rd. *Tats* —9E **164**
Park Wood Trad. Est. *Maid* —4K **139**
Parnell Rd. *E3* —2E **5**
Paroma Rd. *Belv* —3B **52**
Parr Av. *Gill* —6G **81**
Parrock Av. *Grav* —6H **63**
Parrock Farm. —9J 63
Parrock La. *Cole H & Up Har* —3B **34**
Parrock Rd. *Grav* —6H **63** (4B **8**)
Parrock St. *Grav* —4G **63** (4B **8**)
Parrock, The. *Grav* —6H **63**
Parrs Head M. *Roch* —6N **79**
Parry Pl. *SE18* —4D **50**
Parsley Gdns. *Croy* —2A **82**
Parsloes Av. *Dag* —1B **6**
Parsonage Chase. *Min S* —7G **219**
Parsonage Clo. *Tun W* —9B **150**

Parsonage Cotts.—Pikefields

Parsonage Cotts. *Wdboro* —7G **216**
Parsonage Ct. *W Mal* —1A **124**
Parsonage Farm. —4E **31**
Parsonage Fields. *Monk* —2C **22**
Parsonage La. *Bob* —3A **98** (2C **18**)
Parsonage La. *Bre* —5A **114**
Parsonage La. *Lam* —1D **200** (2B **36**)
Parsonage La. *Roch* —3N **79**
Parsonage La. *Sidc* —9A **58** (1C **14**)
Parsonage La. *S at H* —2B **74**
Parsonage La. *Westf* —4C **45**
Parsonage Manorway. *Belv* —6B **52** (3C **6**)
Parsonage Rd. *H Bay* —4H **195**
Parsonage Rd. *Tun W* —9B **150**
Parsonage Stocks Rd. *Throw* —2E **29**
Parsonage, The. St Mc —7J 213
(off High St. St Margaret's At Cliffe,)
Parsonage Vs. *Chu H* —7B **180**
Parsons Green. —3B 4
Parson's Grn. La. *SW6* —3B **4**
Parsons La. *Dart* —8J **59** (4D **7**)
Parsons La. *Stans* —1L **105**
Parsons Mead. *Croy* —2C **13**
Parsons Way. *Dover* —1F **180**
Partridge Av. *Lark* —7D **108**
Partridge Dri. *Orp* —4E **84**
Partridge Grn. *SE9* —8C **56**
Partridge La. *Fav* —4H **187**
Partridge Rd. *Sidc* —9G **56**
Partridges La. *Wadh* —3A **36**
Pascoe Rd. *SE13* —3G **54**
Pashley Manor. —1A **44**
Pashley Rd. *Tic* —4C **36**
Pasley Rd. *Gill* —6D **80**
Pasley Rd. E. *Chat* —5E **80**
Pasley Rd. N. *Chat* —5E **80**
Pasley Rd. W. *Chat* —5D **80**
Passage, The. Mgte —2D 208
(off Zion Pl.)
Passey Pl. *SE9* —4B **56**
Passfields. *SE6* —8F **54**
Paston Cres. *SE12* —5L **55**
Pasture Rd. *SE6* —6J **55**
Pasture, The. *Kenn* —4H **159** (4A **30**)
Patch, The. *Sev* —4F **118**
Patchways. *Newch* —4B **40**
Pathway, The. *Broad* —8M **209**
Patience Cotts. *Weald* —6J **131**
Patmos Rd. *SW9* —3C **5**
Patricia Ct. *Chst* —4F **70**
Patricia Ct. *Well* —7K **51**
Patricia Way. *Pys R* —1G **211**
Patrixbourne. —7G 173 (2E 31)
Patrixbourne Av. *Gill* —1M **95**
Patrixbourne Rd. *Bri* —8H **173** (2E **31**)
Patrol Pl. *SE6* —4E **54**
Pattenden Gdns. *E Peck* —9M **135**
Pattenden La. *Mard* —1J **205** (4D **27**)
Pattenden Rd. *SE6* —6C **54**
Pattens Gdns. *Roch* —1A **94**
Pattens La. *Chat* —1A **94**
Pattens La. *Roch* —2D **17**
Pattens Pl. *Roch* —1A **94**
Patterdale Clo. *Brom* —2J **69**
Patterdale Rd. *Dart* —6D **60**
Patterson Clo. *Deal* —6K **177**
Patterson Ct. *Dart* —3A **60**
Pattison Farm Clo. *Adgtn* —2B **40**
Pattison Wlk. *SE18* —5E **50**
Paulinus Clo. *Orp* —5L **71**
Paul's Pl. *Dover* —3H **181**
Paul St. *EC2* —2D **5**
Pavement, The. *St Mic* —4C **222**
Pavilion Clo. *Deal* —2M **177**
Pavilion Ct. *Folk* —7L **189**
Pavilion Dri. *Kem* —2G **98**
Pavilion Gdns. *Sev* —6J **119**
Pavilion La. *Mere* —9M **123**
Pavilion Meadow. *Dover* —9D **178**
Pavilion Rd. *Folk* —5K **189** (2A **42**)
Pavings, The. *Holl* —7E **128**
Pavilion, The. *Tonb* —6H **145**
Pawsons Rd. *Croy* —2D **13**
Paxton Ct. SE26 —9B 54
(off Adamsrill Rd.)
Paxton Rd. *SE23* —8B **54**
Paxton Rd. *Brom* —3K **69**
Payden Street. —2C 29
Payden St. *Wich & War S* —2D **29**
Payers Pk. *Folk* —6K **189**
Paygate Rd. *Sed* —4C **44**
Paynell Ct. *SE3* —1H **55**
Paynes Cotts. *Sev* —9E **102**
Paynesfield Rd. *Tats* —9C **164**
Payne's La. *Maid* —1D **138**
Pay St. *Dens* —5B **192** (1A **42**)
Payton Clo. *Mgte* —7E **208**
Payton M. *Cant* —1A **172**
Peace Cotts. *Maid* —9M **137**
Peace St. *SE18* —6C **50**
Peach Croft. *N'fleet* —8C **62**
Peacock M. *Maid* —5B **126**
Peacock St. *Grav* —5H **63**
Peafield Wood Rd. *Blad* —4E **31**
Peak Dri. *E'try* —2K **183**
Pea La. *Upm* —1E **7**
Peal Clo. *Hoo* —8H **67**
Peal Ter. *Tonb* —3L **145**
Pean Ct. Rd. *Whits* —3C **21**
Pean Hill. *Whits* —1D **166** (3C **21**)
Peareswood Rd. *Eri* —8G **52**
Pearfield Rd. *SE23* —8B **54**
Pearmain Wlk. Cant —3B 172
(off Fiesta Way)
Pearman Clo. *Gill* —2C **96**
Pearse Pl. *Lam* —2D **200**
Pearsons Cotts. *Whits* —3F **224**
Pearson's Green. —1C 36
Pearson's Grn. Rd. *Bchly* —1C **36**
Pearson's Way. *Broad* —6J **209**
Pearson Way. *Dart* —7N **59**
Pear Tree All. Sit —6F 98
(off St Paul's St.)
Pear Tree Av. *C'brk* —9D **176**
Pear Tree Av. *Dit* —9G **109**
Pear Tree Clo. *Broad* —9G **209**
Peartree Clo. *Eri* —8E **52**
Pear Tree Clo. *Swan* —5E **72**
Pear Tree Ho. *SE4* —2C **54**
Pear Tree La. *Dym* —6C **182**
Pear Tree La. *Hem* —3H **95**
Pear Tree La. *H'std* —2E **17**
Pear Tree La. *Maid* —2E **138**
Peartree La. *Shorne* —3C **78** (1C **16**)
Peartree Pl. *High* —1F **78**
Peartree Rd. *H Bay* —5J **195**
Pear Tree Row. *Langl* —3L **139**
Pear Tree Wlk. *N'tn* —6J **97**
Pease Hill. *As* —7L **89** (3A **16**)
Peasley La. *Goud* —2C **37**
Peasmarsh. —3E 45
Peatfield Clo. *Sidc* —8G **57**
Peat Way. *Isle G* —2A **190**
Peckham. —3D 5
Peckham Bush. —8K 135 (3B 26)
Peckham Clo. *Roch* —4N **79**
Peckham Ct. *E Peck* —1L **147**
Peckham High St. *SE15* —3D **5**
Peckham Hill St. *SE15* —3D **5**
Peckham Hurst. —1E 134
Peckham Hurst Rd. *Rough* —2D **134**
Peckham Hurst Rd. *W Peck* —2A **26**
Peckham Pk. Rd. *SE15* —3D **5**
Peckham Rd. *SE5 & SE15* —3D **5**
Peckham Rye. *SE15 & SE22* —4D **5**
(in two parts)
Peckham Wlk. Av. *Plax* —1K **133**
Pedding Hill. *W'hm* —1D **226** (4B **22**)
Pedham Pl. Ind. Est. *Swan* —9H **73**
Pedlinge. —4E 196 (3D 41)
Peel Dri. *Sit* —7K **99**
Peel Rd. *Orp* —6E **84**
Peel St. *Maid* —3D **126**
Peel St. Hedges. *Maid* —2D **126**
Peene. —3B 188 (2E 41)
Peene Cotts. *Peene* —2B **188**
Peening Quarter. —1E 45
Peens La. *Bou M* —8F **138** (3E **27**)
Pegasus Ct. *Grav* —8H **63**
Peggoty Clo. *High* —1F **78**
Pegley Gdns. *SE12* —7K **55**
Pegwell. —7E 210 (2E 23)
Pegwell Av. *Ram* —7E **210**
Pegwell Bay Cvn. Pk. *Ram* —7E **210**
Pegwell Clo. *Ram* —7E **210**
Pegwell Ct. *Ram* —7F **210**
Pegwell Rd. *Ram* —7E **210** (2E **23**)
Pegwell St. *SE18* —7G **50**
Pelham Cotts. *Bex* —6C **58**
Pelham Ct. *Sidc* —8J **57**
Pelham Gdns. *Folk* —7G **188**
Pelham Pl. Est. *Swan* —8H **73**
Pelham Rd. *Bexh* —1B **58**
Pelham Rd. *Grav* —6E **62** (4A **8**)
Pelham Rd. S. *Grav* —6E **62** (4A **8**)
Pelham St. *SW7* —3B **4**
Pelham Ter. *Grav* —5E **62**
Pelican Clo. *Roch* —6G **78**
Pelican Ct. *W'bury* —1C **136**
Pelinore Rd. *SE6* —7H **55**
Pell Green. —3B 36
Pell Grn. *Spar G* —3B **36**
Pellipar Gdns. *SE18* —5B **50**
Pells La. *W King* —3G **104** (3E **15**)
Pemberton Ct. *S'gte* —8B **188**
Pemberton Gdns. *Swan* —6F **72**
Pemberton Rd. *Afrd* —8H **159**
Pemberton Sq. *Roch* —4N **79**
Pemble Rd. *Five G* —8F **146**
Pembles Cross. —4C 28
Pembridge Rd. *W11* —2B **4**
Pembridge Vs. *W11 & W2* —2B **4**
Pembroke. *Chat* —4D **80**
Pembroke Av. *Mgte* —2N **207**
Pembroke Ct. *Folk* —5L **189**
Pembroke Ct. Ram —5J 211
(off Hardres St.)
Pembroke Gdns. *Gill* —7A **96**
Pembroke M. *New R* —1D **212**
Pembroke M. *Sev* —7J **119**
Pembroke Pl. *S at H* —4B **74**
Pembroke Rd. *W8* —3B **4**
Pembroke Rd. *Brom* —5M **69**
Pembroke Rd. *Chat* —1E **17**
Pembroke Rd. *Cox* —5M **137**
Pembroke Rd. *Eri* —5D **52** (3C **7**)
Pembroke Rd. *Sev* —7J **119** (2D **25**)
Pembroke Rd. *Tonb* —6F **144**
Pembury. —8C 152 (1A 36)
Pembury By-Pass. *Pem* —1A **36**
Pembury Clo. *Brom* —1J **83**
Pembury Clo. *Pem* —7C **152**
Pembury Ct. Sit —7F 98
(off Pembury St.)
Pembury Cres. *Sidc* —7N **57**
Pembury Gdns. *Maid* —6A **126**
Pembury Grange. *Tun W* —8N **151**
Pembury Gro. *Tonb* —7J **145**
(in two parts)
Pembury Hall Rd. *Tud & Pem* —3B **152** (1A **36**)
Pembury Northern By-Pass. *Pem* —7A **152** (1A **36**)
Pembury Rd. *E5* —1D **5**
Pembury Rd. *Bexh* —7N **51**
Pembury Rd. *Tonb* —7H **145** (4E **25**)
Pembury Rd. *Tun W* —1J **157** (2E **35**)
Pembury St. *Sit* —7F **98**
Pembury Walks. *Tonb* —4N **151** (1A **36**)
Pembury Way. *Gill* —1A **96**
Penberth Rd. *SE6* —7F **54**
Pencester Ct. *Dover* —4K **181**
Pencester Rd. *Dover* —4J **181** (1C **43**)
Pencroft Dri. *Dart* —5K **59**
Penda Rd. *Eri* —7C **52**
Pendennis Rd. *Orp* —3L **85**
Pendennis Rd. *Sev* —5J **119**
Penderel Ct. Tent —7C 222
(off Ashford Rd.)
Penderel M. *Tent* —7C **222**
Penderry Rise. *SE6* —7G **54**
Pendragon Rd. *Brom* —8J **55**
Pendrell St. *SE18* —6F **50**
Penenden. *New Ash* —3M **89**
Penenden Ct. *Maid* —2E **126**
Penenden Heath. —2F 126 (1E 27)
Penenden Heath Rd. *Maid* —2F **126** (1E **27**)
Penenden St. *Maid* —3D **126**
Penerley Rd. *SE6* —6E **54**
Penfield La. *Rod* —7H **115**
Penfold Clo. *Chat* —4E **94**
Penfold Clo. *Maid* —3H **139**
Penfold Gdns. *S'wll* —2C **220**
Penfold Hill. *Leeds* —9D **128** (2A **28**)
Penfold La. *Bex* —7M **57**
(in two parts)
Penfold Rd. *Folk* —5L **189**
Penfolds Clo. *Tonb* —2J **145**
Penfold Way. *Maid* —2C **138**
Penford Gdns. *SE9* —1N **55**
Pengarth Rd. *Bex* —3M **57**
Penge. —1D 13
Penge High St. *SE20* —3A **68**
Penge La. *SE20* —3A **68**
Penge Rd. *SE25 & SE20* —1D **13**
Penguin Clo. *Roch* —6H **79**
Penhill Rd. *Bex* —4L **57** (4B **6**)
Penhurst. —4A 44
Penhurst Clo. *Weav* —4J **127**
Penhurst La. *P'hst* —4A **44**
Penhurst Place. —2J **149**
Penlee Clo. *Eden* —5C **184**
Penlee Point. *Kenn* —5H **159**
Penmon Rd. *SE2* —3J **51**
Pennant Rd. *Roch* —4N **93**
Penn Clo. *Sit* —9J **99**
Penney Clo. *Dart* —5L **59**
Penn Gdns. *Chst* —5D **70**
Penn Hill. *Afrd* —3C **160**
Pennine Wlk. *Tun W* —9K **151**
Pennine Way. *Afrd* —6F **158**
Pennine Way. *Bexh* —8F **52**
Pennine Way. *Down* —8K **127**
Pennine Way. *N'fleet* —8D **62**
Pennington Clo. *W'bre* —4H **169**
Pennington Mnr. *Tun W* —4G **150**
Pennington Pl. *Tun W* —4H **151**
Pennington Rd. *Tun W* —4F **150**
Pennington Way. *SE12* —7L **55**
Pennis La. *Fawk* —9K **75**
Penn La. *Bex* —3M **57**
Penn's Yd. *Pem* —8B **152**
Pennycroft. *Croy* —9B **82**
Pennyfields. *C'brk* —8D **176**
Pennypot. —7G 197
Pennypot Ind. Est. *Hythe* —7G **197**
Penny Pot La. *Sole S* —3C **30**
Penpool La. *Well* —1K **57**
Penrith Clo. *Beck* —4E **68**
Penrose Ct. *Hythe* —7K **197**
Penruddocke Ho. *Tonb* —3J **145**
Penryn Mnr. Gill —6F 80
(off Skinner St.)
Pensand Ho. *Hythe* —7L **197**
Penshurst. —2J 149 (1D 35)
Penshurst Av. *Sidc* —4J **57**
Penshurst Clo. *Cant* —8N **167**
Penshurst Clo. *Gill* —1A **96**
Penshurst Clo. *Long* —5C **76**
Penshurst Clo. *W King* —7E **88**
Penshurst Gdns. *Clift* —3K **209**
Penshurst Grn. *Brom* —8J **69**
Penshurst Place. —4D **25**
Penshurst Rise. *Fav* —4F **186**
Penshurst Rd. *Bexh* —8A **52**
Penshurst Rd. *Bidb* —3L **149** (1D **35**)
Penshurst Rd. *Pens* —9H **143** (4D **25**)
Penshurst Rd. *Ram* —5K **211**
Penshurst Rd. *Speld* —6M **149** (1D **35**)
Penshurst Vineyards. —4G **148** (1C **35**)
Penshurst Wlk. *Brom* —8J **69**
Penshurst Way. *Orp* —7L **71**
Penstocks, The. *Maid* —7A **126**
Pentagon Cen. *Chat* —8C **80**
Penton Ho. *SE2* —1M **51**
Penton St. *N1* —2C **5**
Pentonville Rd. *N1* —2C **5**
Pentvale Clo. *Folk* —5G **189**
Pen Way. *Tonb* —2L **145**
Penwith Rd. *SW18* —4B **4**
Pepingstraw Clo. *Off* —2J **123**
Pepper All. *Maid* —1B **126**
Pepper Hill. —8B 62
Pepperhill. *N'fleet* —8B **62**
Pepperhill La. *N'fleet* —7B **62**
Peppermead Sq. *SE13* —3D **54**
Pepys Av. *S'ness* —2C **218** (4C **11**)
Pepys Clo. *Dart* —2A **60**
Pepys Clo. *N'fleet* —8C **62**
Pepys Rise. *Orp* —2H **85**
Pepys Rd. *SE14* —1A **54** (3D **5**)
Pepy's Way. *Roch* —5K **79**
Perch La. *Lam* —2B **36**
Percival Rd. *Orp* —3D **84**
Percival St. *EC1* —2C **5**
Percival Ter. *Dover* —5G **181**
Percy Av. *Broad* —4K **209**
Percy Rd. *SE20* —4A **68**
Percy Rd. *Bexh* —9N **51**
Percy Rd. *Broad* —8K **209**
Percy Rd. *Clift* —2E **208**
Percy Rd. *Ram* —4H **211**
Peregrine Ct. *Well* —8H **51**
Peregrine Dri. *Sit* —8H **99**
Peregrine Gdns. *Croy* —3B **82**
Peregrine Rd. *King H* —7M **123**
Peri Ct. *Cant* —4L **171**
Perie Row. Gill —6D 80
(off Middle St.)
Perimeter Rd. *Lark* —7G **108**
Periton Rd. *SE9* —2N **55**
Periwinkle Clo. *Sit* —6F **98**
Perkins Av. *Mgte* —5D **208**
Perkins Clo. *Grnh* —3F **60**
Perks Clo. *SE3* —1H **55**
Perpins Rd. *SE9* —4G **56**
Perran Clo. *Hart* —7M **75**
Perries Mead. *Folk* —4H **189**
Perrott St. *SE18* —4E **50**
Perry. —4B 22
Perryfield St. *Maid* —3C **126**
Perry Gro. *Dart* —2A **60**
Perry Hall Clo. *Orp* —1J **85**
Perry Hall Rd. *Orp* —9H **71** (2B **14**)
Perry Hill. *SE6* —8C **54** (4E **5**)
Perry Hill. *Cli* —4N **65** (4D **9**)
Perry Rise. *SE23* —8B **54** (4E **5**)
Perry Rd. *W'hm* —4B **22**
Perrys La. *Prat B* —4K **101** (3B **14**)
Perry Street. —6E 62 (4A 8)
Perry St. *Chat* —9B **80**
Perry St. *Chst* —3F **70** (1B **14**)
Perry St. *Dart* —2F **58** (4C **7**)
Perry St. *Maid* —3C **126**
Perry St. *N'fleet* —6E **62** (4A **8**)
Perry St. Gdns. *Chst* —2G **71**
Perry St. Shaw. *Chst* —3G **71**
Perry Vale. *SE23* —7A **54** (4D **5**)
Perrywood. —2A 30
Persant Rd. *SE6* —7H **55**
Perth Gdns. *Sit* —7D **98**
Perth Rd. *Beck* —5F **68**
Perth Way. *Dover* —1H **181**
Pescot Av. *Long* —6N **75**
Pested. —3A 30
Pested Bars Rd. *Bou M* —3F **138** (2E **27**)
Pested La. *C'lck* —6E **174** (3A **30**)
Petchell M. Cant —9A 168
(off Teddington Clo.)
Peterborough Gdns. *Roch* —6G **79**
Peters Clo. *Well* —9G **51**
Petersfield. *Pem* —7D **152**
Petersfield Dri. *Meop* —1E **106**
Peter's Green. —2B 44
Petersham Dri. *Orp* —5H **71**
Petersham Gdns. *Orp* —5H **71**
Peterstone Rd. *SE2* —3K **51**
Peter St. *Deal* —3N **177**
Peter St. *Dover* —4H **181**
Peter St. *Folk* —6L **189**
Peter St. *Grav* —5G **63**
Peters Works. *Woul* —8G **92**
Petfield Clo. *Min S* —6K **219**
Petham. —3D 31
Petham Grn. *Gill* —9M **81**
Petherton Rd. *N5* —1D **5**
Petley Ct. Almshouses. Tonb —7H 145
(off Pembury Rd.)
Pett Bottom. —2E 31
Pett Bottom Rd. *Bos* —3E **31**
Pett Bottom Rd. *Bri* —9D **172** (3E **31**)
Petten Clo. *Orp* —2M **85**
Petten Gro. *Orp* —2L **85**
Petteridge. —8L 153 (1B 36)
Petteridge La. *Matf & Brchly* —8K **153** (1B **36**)
Pettfield Hill Rd. *Stal* —2E **29**
Pett Hill. *Bri* —9E **172** (2E **31**)
Pettings. —8A 90 (3A 16)
Petttits Row. *Fav* —5F **186**
Pett La. *Char* —2K **175** (3D **29**)
Pett La. *I'ham* —4E **45**
Pett La. *S'bry* —2J **113** (3B **18**)
Pett Level Rd. *W'sea B* —4A **46**
Pettman Clo. *H Bay* —4G **195**
Pettman Cres. *SE28* —3F **50** (3B **6**)
Pettmans M. *Whits* —4E **224**
Petts Cres. *Min* —8M **205**
Petts La. *W'hm* —1A **226**
Pett St. *SE18* —4A **50**
Petts Wood. —8E 70 (2B 14)
Petts Wood Rd. *Orp* —8E **70** (2B **14**)
Petworth Rd. *Bexh* —3B **58**
Peverel Dri. *Bear* —5J **127**
Peverel Grn. *Gill* —7N **95**
Peverell Rd. *Dover* —9G **178**
Peveril Ct. Dart —4B 60
(off Clifton Wlk.)
Pharos, The. —4L **181**
Pheasant La. *Maid* —1E **138** (2E **27**)
Pheasant Rd. *Chat* —1F **94**
Pheasants' Hall Rd. *Kgtn* —3E **31**
Phelps Clo. *W King* —7E **88**
Philimore Clo. *SE18* —5G **51**
Philip Av. *Swan* —7E **72**
Philip Corby Clo. *Clift* —3F **208**
Philip Gdns. *Croy* —3C **82**
Philipot Path. *SE9* —4B **56**
Philippa Gdns. *SE9* —3N **55**
Philippa Ho. *Folk* —5M **189**
Philippine Village Craft Centre. —2B **46**
Philip Rd. *Folk* —5E **188**
Phillippa Ct. *Mil R* —4F **98**
Phillips Clo. *Dart* —4J **59**
Phillips Ct. *Gill* —1L **95**
Phillips Rd. *Birch* —5F **206**
Philpots La. *Hild* —2L **143**
Philpots La. *Leigh* —3D **25**
Phineas Pett Rd. *SE9* —1A **56**
Phoebeth Rd. *SE4* —3D **54**
Phoenix Cen. *Brom* —7L **69**
Phoenix Clo. *W Wick* —3G **83**
Phoenix Cotts. W'bury —2B 136
(off Maidstone Rd.)
Phoenix Dri. *Kes* —5N **83**
Phoenix Dri. *W'bury* —1C **136**
Phoenix Ind. Est. *Strood* —5A **80**
Phoenix Pk. Bus. Cen. *Maid* —4J **139**
Phoenix Pl. *Dart* —5L **59**
Phoenix Rd. *Chat* —9E **94**
Phoenix Wharf. *Roch* —5A **80**
Picardy Manorway. *Belv* —3C **52** (3C **6**)
Picardy Rd. *Belv* —5B **52** (3C **6**)
Picardy St. *Belv* —3B **52** (3C **6**)
Piccadilly. *W1* —2C **4**
Pickelden La. *Mys* —8M **175** (2C **30**)
Pickering Ct. Dart —4B 60
(off Osbourne Rd.)
Pickering St. *Maid* —3D **138**
Pickford Clo. *Bexh* —9N **51**
Pickford La. *Bexh* —1N **57** (3C **6**)
Pickford Rd. *Bexh* —1N **57**
Pickhurst Grn. *Brom* —1J **83**
Pickhurst La. *W Wick & Brom* —8H **69** (2E **13**)
Pickhurst Mead. *Brom* —1J **83**
Pickhurst Pk. *Brom* —9H **69**
Pickhurst Rise. *W Wick* —2G **82**
Pickle's Way. *Cli* —2B **176**
Pickmoss La. *Otf* —7H **103**
Pickneybush La. *St Mm & Newch* —1D **47**
Pickwick Cres. *Roch* —1N **93**
Pickwick Gdns. *N'fleet* —8C **62**
Pickwick Ho. *Grav* —8C **62**
Pickwick Way. *Chst* —2E **70**
Picton Rd. *Ram* —6G **211**
Piedmont Rd. *SE18* —5F **50**
Pie Factory Rd. *F'hm* —3B **32**
Pier App. *Broad* —9M **209**
Pier App. Rd. *Gill* —5G **80**
Pier Av. *H Bay* —2F **194**
Pier Av. *Whits* —2J **225**
Pierce Mill Rd. *Gold G* —2G **146**
Pierce Mill Rd. *Hdlw* —3B **26**
Pier Chine. *H Bay* —3F **194**
Piermont Pl. *Brom* —5A **70**
Pier Pde. E16 —1C 50
(off Pier Rd.)
Pier Pl. *Roch* —1D **80**
Pierpoint Rd. *Whits* —6F **224**
Pierremont Av. *Broad* —9L **209**
Pier Rd. *E6* —3A **6**
Pier Rd. *E16* —2B **50**
Pier Rd. *Eri* —6F **52**
(in two parts)
Pier Rd. *Gill* —5G **80** (1E **17**)
Pier Rd. *Grnh* —2H **61**
Pier Rd. *N'fleet* —4E **62**
Pier Rd. *Queen* —6A **218**
Pier Rd. Ind. Est. *Gill* —5G **80**
Pier, The. *Whtf* —5E **178**
Pier Way. *SE28* —3F **50**
Pigdown La. *Hever* —1B **34**
Pigeon Hoo La. *Tent* —3C **39**
Pigeon La. *H Bay* —5H **195**
Pigsdean Rd. *Ludd* —1N **91**
Pigs Pass. *Hawkh* —5L **191**
Pigtail Corner. —4E 11
Pike Clo. *Brom* —1L **69**
Pike Clo. *Folk* —4G **189**
Pikefields. *Gill* —1M **95**

Pikefish La.—Pound Rd.

Pikefish La. *Pad W* —4C **26**
Pike La. *Upm* —1E **7**
Pike Rd. *Eyt* —2L **185** (3C **32**)
Pikes La. *Crow* —4A **24**
Pikethorne. *SE23* —7A **54**
Pikey La. *E Mal* —4B **124** (1C **26**)
Pilckelden La. *Chi* —8M **175**
Pilckem Clo. *Cant* —1C **172**
Pile La. *S'hrst* —7L **221** (1E **37**)
Pilgrim Cotts. *Up H'lng* —6C **92**
Pilgrims Ct. *Char* —3K **175**
Pilgrim's Ct. *Dart* —3A **60**
Pilgrims Lakes. *H'shm* —2N **141**
Pilgrims La. *Chi* —7M **175**
Pilgrims La. *N Stif* —2E **7**
Pilgrims La. *Sea* —8D **224**
Pilgrims La. *T'sey & W'ham* —5A **116** (2A **24**)
Pilgrim Spring. *Folk* —3J **189**
Pilgrims Rd. *Swans* —2L **61**
Pilgrims View. *Grnh* —4J **61**
Pilgrims View. *S'lng* —7B **110**
Pilgrims View. *Snod* —2D **108**
Pilgrims Way. *Ayle* —3D **17**
Pilgrims Way. *Bou L* —4A **30**
Pilgrims Way. *Boxl & Holl* —6E **110** (4E **17**)
Pilgrims Way. *Burh* —3L **109**
Pilgrims Way. *Cant* —3A **172**
(in three parts)
Pilgrim's Way. *Char* —2L **175** (3D **29**)
Pilgrims Way. *Cha H* —5B **170**
Pilgrims Way. *Cux* —9G **79** (3C **16**)
Pilgrims Way. *Dart* —6A **60**
Pilgrims Way. *Dover* —1E **180**
Pilgrims Way. *E Bra & Stow* —1C **40**
Pilgrims Way. *H'shm* —2B **28**
Pilgrims Way. *Sev* —4A **16**
Pilgrims Way. *Sund & Sev* —7L **103** (4D **15**)
Pilgrims Way. *Tros* —3A **16**
Pilgrims Way. *Up H'lng & Cux* —8B **92**
(in two parts)
Pilgrims Way. *W'ham & Sund* —5C **116** (2A **24**)
Pilgrims Way. *Wro* —7G **105**
Pilgrims Way Cotts. *Kems* —8A **104**
Pilgrims Way E. *Otf* —6K **103** (4D **15**)
Pilgrims Way W. *Sev & Otf* —7E **102** (4C **15**)
Pilkington Rd. *Orp* —3E **84**
Pillar Box La. *Hdlw* —3C **134**
Pillar Box Rd. *Sev* —4E **120** (1E **25**)
Pilot Rd. *Roch* —3N **93**
Pilots Av. *Deal* —6K **177**
Pilot's Farm Rd. *Lwr Har* —3D **31**
Pilots Pl. *Grav* —4H **63**
Pimlico. —3C 4
Pimlico Rd. *SW1* —3C **4**
Pimpernal Clo. *Bear* —5L **127**
Pimpernel Way. *Chat* —7B **94**
Pimps Ct. Cotts. *Maid* —2B **138**
Pinchbeck Rd. *Orp* —7H **85**
Pincott Pl. *SE4* —2A **54**
Pincott Rd. *Bexh* —3B **58**
Pincroft Wood. *Long* —6B **76**
Pinden. —5J 75
Pine Av. *Grav* —6J **63**
Pine Av. *W Wick* —2E **82**
Pine Clo. *Lark* —8E **108**
Pine Clo. *Swan* —7G **73**
Pine Coombe. *Croy* —5A **82**
Pine Cotts. *All* —1B **126**
Pine Cotts. *Elham* —6N **183**
Pinecrest Gdns. *Orp* —5D **84**
Pinecroft Ct. *Well* —7J **51**
Pine Glade. *Orp* —5B **84**
Pine Gro. *Eden* —5B **184**
Pine Gro. *Hem* —5K **95**
Pine Gro. *Maid* —3E **126**
Pineham. —5J 179 (4C 33)
Pineham Rd. *Dover* —5H **179** (4C **33**)
Pine Ho. *Chat* —6C **94**
Pinehurst. *Sev* —3M **119**
Pinehurst Wlk. *Orp* —2F **84**
Pine Lodge. *Maid* —6N **125**
Pine Lodge Cvn. Pk. *Holl* —7B **128**
Pine Lodge Ct. *Deal* —5L **177**
Pine Needle La. *Sev* —5J **119**
Pine Pl. *Tovil* —8B **126**
Pine Ridge. *Tonb* —1H **145**
Pine Rise. *Meop* —9F **76**
Pine Rd. *Roch* —6K **79**
Pinesfield La. *Tros* —3G **107** (3B **16**)
Pines Garden, The. —8L **213**
Pineside Rd. *L'brne* —2K **173**
Pines Rd. *Brom* —5A **70** (1A **14**)
Pines, The. *Up Harb* —1E **170**
Pines, The. —1E **43**
Pine, The. *Broad* —9H **209**
Pine Tree Av. *Cant* —9L **167**
Pinetree Clo. *Whits* —2H **225**
Pine Tree La. *Ivy H* —7G **121** (2E **25**)
Pine Tree Lodge. *Short* —7J **69**
Pine View. *Platt* —2B **122**
Pine Wlk. *H Bay* —2M **195**
Pine Way. *Folk* —4D **188**
Pinewood Av. *Sev* —3L **119**
Pinewood Av. *Sidc* —6G **56**
Pinewood Clo. *Croy* —4B **82**
Pinewood Clo. *Orp* —2F **84**
Pinewood Clo. *Pad W* —9L **147**
Pinewood Clo. *Ram* —3G **210**
Pinewood Ct. *Tun W* —5G **150**
Pinewood Dri. *Chat* —2G **110**
Pinewood Dri. *Orp* —6G **84**
Pinewood Gdns. *Tun W* —5G **150**
Pinewood Rd. *SE2* —6M **51**
Pinewood Rd. *Brom* —7K **69**
Pinewood Rd. *Tun W* —9K **151**
Pin Hill. *Cant* —3M **171** (1D **31**)
Pink All. Tun W —3G ***156***
(off Pantiles, The)
Pinkham. *E Peck* —2M **147**
Pinkham Gdns. *E Peck* —2M **147**
Pink's Hill. *Swan* —8F **72**
Pinnacle Hill. *Bexh* —2C **58**
Pinnacle Hill N. *Bexh* —2C **58**
Pinnacles Clo. *Tonb* —2J **145**
Pinnell Rd. *SE9* —2N **55**
Pinners Hill. *Non* —2B **32**
Pinners La. *Non* —2B **32**
Pinnock La. *S'hrst* —1E **37**
Pinnocks Av. *Grav* —6G **62**
Pintail Clo. *Isle G* —2C **190**
Pintails, The. *St Mi* —3E **80**
Pintail Way. *H Bay* —5K **195**
Pinto Way. *SE3* —2L **55**
Pioneer Pl. *Croy* —9D **82**
Pioneer Rd. *Dover* —1F **180**
Pioneer Way. *Swan* —6F **72**
Pipers Clo. *Lym* —7C **204**
Piper's Cotts. *Maid* —4B **138**
Piper's Gdns. *Croy* —1B **82**
Piper's Grn. Rd. *Bras* —2B **24**
Pipers La. *Bras* —9J **117**
Pippin Clo. *Cox* —6M **137**
Pippin Clo. *Croy* —2C **82**
Pippin Clo. *Sit* —5E **98**
Pippin Rd. *E Peck* —1L **147**
Pippins, The. *Meop* —9F **76**
Pippin Way. *King H* —7M **123**
Pippon Croft. *Hem* —5K **95**
Pipsden. —4E 37
Pirbright Clo. *Chat* —9G **95**
Pirbright Cres. *New Ad* —7F **82**
Pirrip Clo. *Grav* —6L **63**
Pitfield. *Hart* —7M **75**
Pitfield Cres. *SE28* —1J **51**
Pitfield Dri. *Meop* —4E **90**
Pitfield St. *N1* —2D **5**
Pitfold Clo. *SE12* —4L **55**
Pitfold Rd. *SE12* —4K **55**
Pit La. *Eden* —3C **184**
Pitsea Hall La. *Pits* —1D **9**
Pitstock Rd. *Rod* —7J **115** (4C **19**)
Pittlesden. *Tent* —8B **222**
Pittlesden Pl. *Tent* —8B **222**
Pittock Ho. *Deal* —7L **177**
Pitt Rd. *Kgswd* —5B **140** (3A **28**)
Pitt Rd. *Maid* —8M **125**
Pitt Rd. *Orp* —5E **84**
Pittsmead Av. *Brom* —1K **83**
Pittswood. —8N 133 (3A 26)
Pittswood. *Hdlw* —8A **134**
Pittswood Cotts. *Hdlw* —8N **133**
Pivington La. *Eger* —4C **29**
Pixot Hill. *Bchly* —5N **153** (1B **36**)
Pix's Cotts. *Rol* —3L **213**
Pix's La. *Rol* —3K **213** (4B **38**)
Pixton Way. *Croy* —9B **82**
Pizien Well. —1M 135 (2B 26)
Pizien Well Rd. *W'bury* —2M **135** (2B **26**)
Place Farm Av. *Orp* —2F **84**
Placehouse La. *Coul* —4C **13**
Place La. *H'lip* —6F **96** (2A **18**)
Place La. *Wdchu* —7C **226** (3D **39**)
Place, The. W Vil —3A ***32***
(off Nethersole Rd.)
Plain Rd. *Folk* —7G **189**
Plain Rd. *Mard* —4K **205** (1D **37**)
Plain Rd. *Sme* —8K **165** (1C **40**)
Plains Av. *Maid* —8E **126**
Plains of Waterloo. *Ram* —5J **211**
Plain, The. *Goud* —8K **185**
Plaistow. —3K 69 (1E 13)
Plaistow Gro. *Brom* —3L **69**
Plaistow La. *Brom* —3K **69** (1A **14**)
(in two parts)
Plaistow Rd. *E15* —2E **5**
Plaistow Sq. *Maid* —3F **126**
Plane Av. *N'fleet* —5C **62**
Plane Ho. *Short* —5H **69**
Plane Wlk. *Tonb* —9J **133**
Plantation Clo. *Hoth* —4E **29**
Plantation Dri. *Orp* —2M **85**
Plantation La. *Bear* —5K **127**
Plantation Rd. *Ches* —3M **225**
Plantation Rd. *Eri* —8H **53**
Plantation Rd. *Fav* —5G **186**
Plantation Rd. *Gill* —6K **81**
Plantation Rd. *Swan* —3H **73**
Plantin Ho. *Afrd* —7G **159**
Plashet. —1A 6
Plashet Gro. *E6* —2A **6**
Plashet Rd. *E13* —2A **6**
Plassy Rd. *SE6* —5E **54**
Platt. —2B 122
Platt Comn. *Platt* —2B **122**
Platters Farm Lodge. *Gill* —4N **95**
Platters, The. *Gill* —3M **95**
Plat, The. *Eden* —6D **184**
Platt Ho. La. *Fair* —4B **106** (3A **16**)
Platt Ind. Est. *Platt* —1A **122**
Platt's Heath. —3B 28
Platts La. *NW3* —1B **4**
Platt, The. —3E 35
Platt, The. *Sut V* —9A **140**
Plaw Hatch La. *Sharp* —3A **34**
Plawsfield Rd. *Beck* —4A **68**
Plaxdale Grn. Rd. *Stans* —4K **105** (3E **15**)
Plaxtol. —9L 121 (2A 26)
Plaxtol Clo. *Brom* —4M **69**
Plaxtol La. *Plax* —9J **121** (2E **25**)
Plaxtol Rd. *Eri* —7B **52**
Plaxtol Spoute. —9N 121
Playden. —3A 46
Playden La. *Iden* —3A **46**
Playgreen Way. *SE6* —8D **54**
Playground Clo. *Beck* —5A **68**
Playing Fields. S'wch —7K ***217***
(off Poulders Gdns.)
Playstool Clo. *N'tn* —5K **97**
Playstool Rd. *N'tn* —5J **97**
Pleasance Rd. *Orp* —5K **71**
Pleasance Rd. Cen. *Lydd S* —4E **47**
Pleasance Rd. N. *Lydd S* —9A **212**
Pleasance Rd. S. *Lydd S* —4E **47**
Pleasant Courts. *Det* —9K **111**
Pleasant Gro. *Croy* —4C **82**
Pleasant Pl. *Min S* —6F **218**
Pleasant Row. *Chat* —6D **80**
Pleasant Row. *Roch* —7N **79**
Pleasant Valley La. *Maid* —4M **137**
Pleasant View. *Eri* —5F **52**
Pleasant View Pl. *Orp* —6D **84**
Pleasure Ho. Rd. *Sut V* —9C **140** (3A **28**)
Pleasure Pit Rd. *Asht* —4A **12**
Plenty Brook Rd. *H Bay* —4G **194**
Pleydell Cres. *Sturry* —4E **168**
Pleydell Gdns. *Folk* —7K **189**
Plimsoll Av. *Folk* —3K **189**
Plomley Clo. *Gill* —7N **95**
Plough Cotts. *Langl* —6N **139**
Plough Ct. *H Bay* —5L **195**
Plough Hill. *Chu H* —8B **180** (2B **42**)
Plough Hill. *Crou* —5M **121**
Plough Hill. *Igh* —2A **26**
Plough La. *SW19 & SW17* —1B **12**
Plough La. *Purl* —3C **13**
Plough La. *Up Harb* —1E **170**
Plough La. *Wall* —2C **13**
Plough La. *Whits* —2M **225**
Ploughmans Way. *Chat* —1D **110**
Ploughmans Way. *Gill* —5A **96**
Plough Rd. *SW11* —4B **4**
Plough Rd. *D'land* —1A **34**
Plough Rd. *Min S* —6N **219** (4E **11**)
Plough Wlk. *Eden* —4C **184**
Plough Way. *SE16* —3D **5**
Plough Wents Rd. *Cha S* —6J **139** (3E **27**)
Plover Clo. *Chat* —1G **110**
Plover Clo. *Eden* —4C **184**
Plover Rd. *Lark* —8D **108**
Plowenders Clo. *Adtn* —8J **107**
Pluckley. —4D 29
Pluckley Clo. *Gill* —9M **81**
Pluckley Gdns. *Clift* —3J **209**
Pluckley Rd. *Beth* —1J **163** (1D **39**)
Pluckley Rd. *Char* —4J **175** (4D **29**)
Pluckley Rd. *P'ley* —4D **29**
Pluckley Rd. *Smar* —2L **221** (1C **38**)
Pluckley Thorne. —4C 29
Pluck's Gutter. —3B 22
Plug La. *Meop* —6J **91** (2B **16**)
Plumford. —4A 20
Plumford Rd. *Osp* —9E **186** (4A **20**)
Plum La. *SE18* —7D **50**
Plummer La. *Tent* —9A **222**
Plummers Croft. *Dun G* —3F **118**
Plumpton Wlk. *Cant* —1A **172**
Plumpton Wlk. *Maid* —2J **139**
Plumpudding La. *Dar* —3B **20**
Plumstead. —4F 50 (3B 6)
Plumstead Common. —6F 50 (3B 6)
Plumstead Comn. Rd. *SE18* —6D **50** (3A **6**)
Plumstead High St. *SE18* —4F **50** (3B **6**)
Plumstead Rd. *SE18* —4D **50** (3A **6**)
Plumstone Rd. *Monk* —9E **206** (2C **22**)
Plum Tree Cotts. *Hawkh* —7J **191**
Plumtree Gdns. *Birch* —4E **206**
Plum Tree Gdns. *Wdchu* —8C **226**
Plumtree Green. —4A 28
Plumtree Gro. *Hem* —7K **95**
Plumtree Rd. *H'crn* —1H **193** (4A **28**)
Plum Tree Rd. *Yel* —2D **112** (3A **18**)
Plumtrees. *Maid* —7L **125**
Plurenden Rd. *H Hal* —7N **193** (2D **39**)
Plymouth Dri. *Sev* —6K **119**
Plymouth Pk. *Sev* —6K **119**
Plymouth Rd. *Brom* —4L **69**
Plympton Clo. *Belv* —3N **51**
Plymstock Rd. *Well* —7L **51**
Poachers Clo. *Chat* —6F **94**
Pochard Clo. *St Mi* —3E **80**
Podkin Wood. *Chat* —2C **110**
Podlinge La. *H'lgh* —4C **31**
Poets' Corner. *Mgte* —4D **208**
Poets Wlk. *Walm* —9L **177**
Point Rd. *Can I* —2A **10**
Poldark Ct. Ram —5K ***211***
(off Victoria Pde.)
Polebrook Rd. *SE3* —1M **55**
Pole Cat All. *Brom* —3J **83**
Polecroft La. *SE6* —7C **54**
Polesden Rd. *Tun W* —3K **157**
Polesteeple Hill. *Big H* —5D **164** (4A **14**)
Poles, The. *Upc* —7H **223**
Polhill. *Hals* —6D **102** (4C **15**)
Polhill Dri. *Chat* —9C **94**
Police Sta. Rd. *W Mal* —1A **124**
Pollard Clo. *Afrd* —1D **160**
Pollards Wood Hill. *Oxt* —2A **24**
Pollards Wood Rd. *Oxt* —3A **24**
Pollard Wlk. *Sidc* —2L **71**
Polley Clo. *Pem* —7C **152**
Pollyhaugh. *Eyns* —4M **87**
Polo Way. *Ches* —4M **225**
Polperro Clo. *Orp* —9H **71**
Polsted Rd. *SE6* —5C **54**
Polthorne Gro. *SE18* —4F **50**
Polytechnic St. *SE18* —4C **50**
Pomeroy St. *SE15* —3D **5**
Pomfret Ho. *Cha* —9D **170**
Pomfret Rd. *Cha* —9D **170**
Pommeus La. *Deal* —3D **33**
Poncia Rd. *Afrd* —2E **160**
Pond Cottage La. *W Wick* —2D **82**
Pond Cotts. *H Bay* —5L **195**
Pond Dri. *Sit* —9H **99**
Pond Farm Rd. *B'den* —2A **114** (3B **18**)
Pond Farm Rd. *Huc* —9F **112** (4A **18**)
Pondfield La. *Shorne* —3C **78**
Pondfield Rd. *Brom* —2H **83**
Pondfield Rd. *Orp* —4D **84**
Pond Hill. *Adm* —2A **32**
Pond Hill. *Cli* —2C **176**
Pond Hill Rd. *Folk* —6C **188** (2E **41**)
Pondicherry All. S'wch —5M ***217***
(off Up. Strand St.)
Pond La. *Aysm* —4B **162**
Pond La. *Ivy H* —7E **120** (2E **25**)
Pond La. *Sev* —7E **120**
Pond La. *St Mc* —4D **33**
Pond La. *Wom* —3A **32**
Pond Path. *Chst* —2D **70**
Pond Rd. *SE3* —1J **55**
Pond St. *NW3* —1B **4**
Pondtail. —1B 34
Pondwood Rise. *Orp* —1G **84**
Pontefract Rd. *Brom* —1J **69**
Pontoise Clo. *Sev* —4G **119**
Pont St. *SW1* —3B **4**
Pony Cart La. *S Min* —4D **31**
Pooh Bridge. —3B **34**
Pook La. *Bidd* —1B **38**
Pool Clo. *Beck* —1D **68**
Pool Ct. *SE6* —7D **54**
Poole St. *N1* —2D **5**
Poona Rd. *Tun W* —3H **157**
Poorhole La. *Broad* —8F **208** (1E **23**)
Pootings. —3B 24
Pootings Rd. *Four E* —3B **24**
Poot La. *Upc* —6H **223** (1B **18**)
Pope Dri. *S'hrst* —7J **221**
Pope Ho. La. *St Mic* —3C **222**
Pope Rd. *Brom* —8N **69**
Popes Gro. *Croy* —4C **82**
Popes La. *W5* —3A **4**
Popes La. *Oxt* —3A **24**
Popes La. *Sturry* —4D **168** (3E **21**)
Pope St. *Godm* —3B **30**
Pope St. *Maid* —7N **125**
Poplar. —2E 5
Poplar Av. *Grav* —9H **63**
Poplar Av. *Orp* —3D **84**
Poplar Clo. *Afrd* —7D **158**
Poplar Clo. *Roch* —7K **79**
Poplar Dri. *Evtn* —1J **185**
Poplar Dri. *H Bay* —5D **194**
Poplar Gro. *Maid* —4M **125**
Poplar High St. *E14* —2E **5**
Poplar Ho. SE4 —2C ***54***
(off Wickham Rd.)
Poplar Ho. S'ness —2C ***218***
(off Pepys Av.)
Poplar La. *Lydd* —2C **204**
Poplar Mt. *Belv* —4C **52**
Poplar Pl. *SE28* —1L **51**
Poplar Rd. *Broad* —7J **209**
Poplar Rd. *Ram* —5H **211**
Poplar Rd. *Roch* —7J **79**
Poplar Rd. *Wit* —2E **45**
Poplars Clo. *Long* —6B **76**
Poplars, The. *Beth* —2K **163**
Poplars, The. *Her* —2L **169**
Poplar View. *Bou B* —3H **165**
Poplar Wlk. *Meop* —9G **76**
Poplicans Rd. *Cux* —9F **78**
Poppinghole La. *Rob* —3B **44**
Poppy Clo. *Gill* —7H **81**
Poppy Clo. *Maid* —6A **126**
Popsal La. *W'hm* —4C **226** (1B **32**)
Porchester Clo. *Hart* —7M **75**
Porchester Clo. *Maid* —2D **138**
Porchester Mead. *Beck* —2D **68**
Porchester Rd. *W2* —2B **4**
Porchfield Clo. *Grav* —7H **63**
Porcupine Clo. *SE9* —7A **56**
Porrington Clo. *Chst* —4C **70**
Porson Ct. *SE13* —1E **54**
Port Av. *Grnh* —4H **61**
Port Clo. *Chat* —8E **94**
Porter Clo. *Min S* —6H **219**
Porters Av. *Dag* —1B **6**
Porters Clo. *Matf* —8L **153**
Porter's La. *Osp* —9E **186** (4A **20**)
Porters Wlk. *Langl* —4A **140**
Porters Wood. *Matf* —8K **153**
Porthcawe Rd. *SE26* —9B **54**
Port Hill. *Prat B* —3K **101** (3B **14**)
Porthkerry Av. *Well* —2J **57**
Portland Av. *Grav* —7G **63**
Portland Av. *Sidc* —4J **57**
Portland Av. *Sit* —7K **99**
Portland Clo. *Hythe* —6J **197**
Portland Clo. *Kenn* —3F **158**
Portland Clo. *Tonb* —9K **133**
Portland Ct. Hythe —6J ***197***
(off Portland Clo.)
Portland Ct. *Ram* —5J **211**
Portland Cres. *SE9* —7A **56**
Portland Pl. *W1* —2C **4**
Portland Pl. *Snod* —2E **108**
Portland Rd. *SE9* —7A **56**
Portland Rd. *SE25* —1D **13**
Portland Rd. *Brom* —9M **55**
Portland Rd. *Gill* —6H **81**
Portland Rd. *Grav* —6G **63**
Portland Rd. *Hythe* —6J **197** (3D **41**)
Portland Rd. *Woul* —7G **92**
Portland St. *Chat* —1E **94**
Portland Ter. *S'ness* —2D **218**
Port Lympne Zoo. —3C **41**
Portman Clo. *Bex* —6F **58**
Portman Clo. *Bexh* —1N **57**
Portman Pk. *Tonb* —4J **145**
Portman Sq. *W1* —2B **4**
Portmeadow Wlk. *SE2* —2M **51**
Portnalls Rd. *Coul* —4C **12**
Portobello Ct. *Deal* —3N **177**
Portobello Pde. *W King* —9G **88**
Port Rise. *Chat* —9C **80**
Portsdown Clo. *Maid* —7M **125**
Portsmouth Clo. *Roch* —6H **79**
Port Victoria Rd. *Isle G* —3C **190**
Portway. *E15* —2E **5**
Port Way. *Cli* —5A **66**
Portway. *Whits* —5E **224**
Portway Rd. *Cli* —6M **65**
Post Barn Rd. *Chat* —1C **94**
Postern La. *Tonb* —5K **145**
Post La. *Hythe* —6J **197**
Post La. *Sole S* —7H **77**
Postley Commercial Cen. *Maid* —7D **126**
Postley Ind. Cen. *Maid* —8D **126**
Postley Rd. *Maid* —8D **126**
Postling. —2D 41
Postling. *Afrd* —9C **158**
Postling Green. —3B 40
Postling Rd. *Folk* —4E **188**
Postmill Clo. *Croy* —4A **82**
Postmill Dri. *Maid* —8C **126**
Post Office Rd. *Hawkh* —5K **191**
Potash La. *Platt* —3B **122** (1A **26**)
Potman's Heath. —2E 45
Potten Street. —6C 214 (2B 22)
Potten St. *St N* —6C **214**
Potten St. Rd. *St N* —6C **214** (2B **22**)
Potters Clo. *Afrd* —4C **158**
Potters Clo. *Croy* —2B **82**
Potters Corner. —4C 158 (4E 29)
Potter's Forstal. —4C 28
Potters La. *Hawkh* —1K **191** (3D **37**)
Potter St. *S'wch* —5M **217**
Pottery La. *Brede* —4C **45**
Pottery Rd. *Bex* —7D **58**
Pottery Rd. *Hoo* —8G **66**
Potyn Ho. *Roch* —8N **79**
Poulders Gdns. *S'wch* —7K **217**
(in two parts)
Poulders Rd. *S'wch* —6K **217**
Poulsen Ct. *Sit* —8J **99**
Poulters Wood. *Kes* —6N **83**
Poulton Clo. *Dover* —4D **180** (1C **42**)
Poulton Clo. Bus. Pk. *Dover* —3D **180**
Poulton La. *Ah* —5B **216**
Pound Bank Clo. *W King* —9F **88**
Pound Clo. *Orp* —3F **84**
Pound Ct. *Afrd* —6E **160**
Pound Ct. Dri. *Orp* —3F **84**
Poundfield Rd. *Sand* —3K **215**
Poundfield Wlk. *Afrd* —1B **160**
Pound Grn. *Bex* —5B **58**
Pound Ho. *Afrd* —1F **160**
Pound Ho. Hdlw —8D ***134***
(off Maidstone Rd.)
Poundhurst Rd. *Hams* —3A **40**
Pound La. *NW10* —1A **4**
Pound La. *Bra L* —9L **165** (1C **40**)
Pound La. *Cant* —1M **171** (4D **21**)
Pound La. *Elham* —7N **183**
Pound La. *Eps* —3A **12**
Pound La. *Kgnt* —4D **160** (2E **39**)
Pound La. *Knock* —6M **101** (4B **14**)
Pound La. *Mol* —3A **30**
Pound La. *Sev* —6K **119**
Pound Pl. *SE9* —4C **56**
Pound Rd. *E Peck* —9K **135** (3B **26**)

Poundsbridge—Queens Rd.

Poundsbridge. —6L 149 (1D 35)
Poundsbridge Hill. Ford —8L 149 (1D 35)
Poundsbridge La. Pens —4L 149 (1D 35)
Pound St. Cars —2B 12
Pound, The. E Peck —1L 147
Pound Way. Chst —3E 70
Pound Way. Folk —7K 189
Pounsley Rd. Dun G —3F 118
Pout Rd. Snod —3D 108
Poverest. —7J 71 (2B 14)
Poverest Rd. Orp —8H 71 (2B 14)
Povey Av. Wain —2N 79
Powder Mill Clo. Tun W —6J 151
Powdermill La. Batt —4B 44
Powder Mill La. Dart —7M 59
Powder Mill La. Leigh —5A 144 (4D 25) (in two parts)
Powdermill La. Sed —4C 44
Powder Mill La. Tun W —7G 151 (1E 35)
Powder Mills. —5D 144 (4E 25)
Powell Clo. Ayle —7L 109
Powell Cotton Dri. Birch —5G 206
Powell Cotton Museum. —6G 207
Power Ind. Est. Eri —8H 53
Powerscroft Rd. E5 —1D 5
Powerscroft Rd. Sidc —2L 71
Power Sta. Rd. Min S —5F 218
Powis St. SE18 —3C 50
Powlett Rd. Roch —3N 79
Powster Rd. Brom —1K 69
Powys Clo. Bexh —6M 51
Poynders Rd. SW4 —4C 4
Poynings Clo. Orp —3L 85
Poyntell Cres. Chst —4F 70
Poyntell Rd. S'hrst —7K 221
Poynters La. Shoe —1D 11
Praed St. W2 —2B 4
Pragnell Rd. SE12 —7L 55
Prall's La. Matf —4K 153
Pratling Street. —7N 109 (4D 17)
Pratling St. Ayle —7M 109 (4D 17)
Pratt's Bottom. —1L 101 (3B 14)
Pratt's Bottom. (Junct.) —9L 85 (3B 14)
Pratt St. NW1 —2C 4
Prebend St. N1 —2D 5
Precincts, The. Cant —1N 171 (4D 21)
Precinct, The. Roch —7N 79
Precinct Toy Collection, The. —5M 217 (off Harnet St.)
Premier Pde. Ayle —9J 109
Prendergast Rd. SE3 —1H 55
Prentis Clo. Sit —6D 98
Prentis Quay. Sit —6F 98
Prescott Av. Orp —9D 70
Prescott Clo. Gus —7K 179
Prescott Ho. New R —2B 212
Prestbury Sq. SE9 —9B 56
Prestedge Av. Ram —2J 211
Preston. —6H 187 (3A 20)
Preston Av. Fav —7J 187
Preston Av. Gill —2H 95
Preston Ct. Sidc —9H 57 (off Crescent, The)
Preston Dri. Bexh —8M 51
Preston Gro. Fav —6H 187
Preston Hall Gdns. Ward —4J 203
Preston Hill. W'hm —1C 226 (4B 22)
Preston La. Fav —6G 187 (in two parts)
Preston La. Tent —8F 222 (3C 39)
Preston La. W'hm —4B 22
Preston Malthouse. Fav —6H 187
Preston Pde. Sea —6A 224
Preston Pk. Fav —6H 187
Preston Rd. Mans —1B 210 (2D 23)
Preston Rd. N'fleet —6D 62
Preston Rd. Pres —3B 22
Preston Rd. Tonb —6G 145
Preston Rd. W'hm —1C 226 (4B 22)
Prestons Rd. Brom —4K 83 (2E 13)
Preston St. Fav —6G 187 (3A 20)
Preston Way. Gill —1M 95
Prestwood Clo. SE18 —7J 51
Pretoria Ho. Eri —7F 52
Pretoria Ho. Maid —3H 139
Pretoria Rd. Cant —2A 172
Pretoria Rd. Chat —1C 94
Pretoria Rd. Gill —9G 80
Prettymans La. Eden —3F 184 (4B 24)
Price's Av. Mgte —3E 208
Price's Av. Ram —6G 210
Prices Cotts. Cli —5N 65
Prickley Wood. Brom —2J 83
Pridmore Rd. Snod —2D 108
Priest Av. Cant —2J 171
Priestfield. Roch —2D 17
Priestfield Rd. SE23 —8B 54
Priestfield Rd. Gill —7H 81
Priest Fields. H Bay —2N 195
Priestfields. Roch —9M 79
Priestlands Pk. Rd. Sidc —8H 57
Priestley Dri. Lark —6D 108
Priestley Dri. Tonb —9K 133
Priestly Hill. Elham —4E 31
Priests Bri. SW14 & SW15 —4A 4
Priest Wlk. Grav —7M 63
Priest Wlk. Whits —2L 225
Priestwood. —6H 91 (2B 16)
Priestwood Green. —6H 91 (2B 16)
Priestwood Rd. Meop —7G 91 (3B 16)
Primmers Grn. Spar G —3A 36
Primmett Clo. W King —7E 88
Primrose Av. Gill —6L 95
Primrose Clo. SE6 —1F 68
Primrose Clo. Chat —4B 94
Primrose Cotts. Maid —9L 127
Primrose Cotts. Cvn. Pk. Whits —6H 225
Primrose Dri. Dit —9H 109
Primrose Dri. Kgnt —5F 160
Primrose Hill. —2B 4
Primrose Hill. Cha H —3A 170 (1C 30)
Primrose Hill Rd. NW3 —1B 4
Primrose La. Bre —5B 114 (3C 18)
Primrose La Croy —2A 82
Primrose Pl. Dover —3G 180
Primrose Rd. Dover —3F 180
Primrose Rd. Up H'ing —6C 92
Primrose Ter. Grav —6H 63
Primrose Way. Ches —4L 225
Primrose Way. C'snd —7A 210
Prince Albert Rd. NW8 & NW1 —2B 4
Prince Andrew Rd. Broad —6J 209
Prince Arthur Rd. Gill —6E 80 (1E 17)
Prince Charles Av. Chat —7E 94 (3E 17)
Prince Charles Av. Min S —6K 219
Prince Charles Av. Ors —2B 8
Prince Charles Av. Sit —9J 99
Prince Charles Av. S Dar —5D 74
Prince Charles Rd. SE3 —3E 5
Prince Charles Rd. Broad —6J 209
Prince Consort Dri. Chst —4F 70
Prince Edward's Promenade. Ram —7F 210
Prince Henry Rd. SE7 —7A 50
Prince Imperial Rd. SE18 —8B 50
Prince Imperial Rd. Chst —4D 70 (1A 14)
Prince John Rd. SE9 —3A 56
Prince of Wales Dri. SW11 —3B 4
Prince of Wales Residential Mobile Home Pk. Hythe —8F 196
Prince of Wales Rd. NW5 —1C 4
Prince of Wales Rd. SE3 —3E 5
Prince of Wales Roundabout. Dover —6J 181
Prince of Wales Ter. Deal —5N 177 (2E 33)
Prince Regent La. E13 & E16 —2A 6
Prince Rupert Rd. SE9 —2B 56
Princes Av. Chat —8D 94 (3E 17)
Princes Av. Dart —6B 60
Princes Av. Min S —5L 219
Princes Av. Orp —8G 70
Prince's Av. Ram —3F 210
Princes Clo. Birch —4C 206
Princes Clo. Sidc —8M 57
Princes Cres. Mgte —3D 208
Prince's Gdns. Mgte —3G 208
Princes Pde. Hythe —7L 197 (3E 41)
Princes Park. —5E 94 (3E 17)
Prince's Plain. Brom —1A 84
Princes Rd. SE20 —2A 68
Princes Rd. Dart —4H 59 (4D 7)
Princes Rd. Grav —8H 63
Prince's Rd. Ram —4H 211 (2E 23)
Princes Rd. S'wch B —4D 23
Princes Rd. Swan —3H 73
Princes Road Interchange. (Junct.) —6B 60 (4D 7)
Princess Anne Rd. Broad —6J 209
Princess Clo. Whits —2L 225
Princesses Pde. Dart —3F 58 (off Waterside)
Princess Margaret Av. Clift —3H 209 (1E 23)
Princess Margaret Av. Ram —3E 210
Princess Margaret Rd. Linf & E Til —3B 8
Princess Mary Av. Chat —5E 80
Princess Of Wales Royal Regiments & Museum. —4K 181
Princess Pde. Orp —4C 84
Princess Rd. Whits —2L 225
Princes St. Folk —5L 189
Princes St. Bexh —1A 58
Princes St. Deal —3N 177
Princes St. Dover —5J 181
Princes St. Grav —4G 62 (in two parts)
Princes St. Maid —4D 126
Princes St. Mgte —3D 208
Prince's St. Ram —6J 211
Prince's St. Roch —8N 79
Princes St. Tun W —2J 157
Princes Ter. Hythe —7G 196
Princes View. Dart —6A 60
Princes Vs. Mard —2L 205
Prince's Wlk. Clift —2J 209
Princes Way. Cant —1K 171
Princes Way. Det —9K 111
Princes Way. W Wick —5J 83
Princethorpe Rd. SE26 —9A 54
Prince William Ct. Deal —3N 177
Printstile. —1D 35
Prinys Dri. Gill —7M 95
Prioress Rd. Cant —2K 171
Prioress Wlk. Dover —1F 180
Prior Rd. G'stne —7A 212
Priors Dean Clo. Barm —8J 125
Priorsford Av. Orp —7J 71
Priors Ga. Roch —7N 79
Priors Heath. —3C 37
Prior's Lees. Folk —7K 189
Prior's Way. Cowd —1B 34
Priory Av. Orp —9F 70
Priory Clo. Beck —6B 68
Priory Clo. Broad —1K 211
Priory Clo. Chst —4B 70
Priory Clo. Dart —3L 59
Priory Clo. E Far —9M 125
Priory Clo. New R —3A 212
Priory Ct. Dart —4L 59
Priory Ct. Gill —1K 95
Priory Dri. SE2 —5M 51
Priory Fields. Eyns —3N 87
Priory Gdns. Dart —3L 59
Priory Gdns. Folk —7K 189
Priory Ga. Maid —4D 126
Priory Ga. Rd. Dover —4H 181
Priory Gro. Dit —9H 109
Priory Gro. Dover —4H 181
Priory Gro. Tonb —7H 145
Priory Hill. Dart —4L 59
Priory Hill. Dover —4H 181
Priory Hill Holiday Camp. Ley S —7N 203
Priory La. SW15 —4A 4
Priory La. Eyns —2N 87
Priory La. H Bay —4H 195
Priory La. S'ndge —6K 215 (2C 41)
Priory Leas. SE9 —6A 56
Priory of St Jacob. Cant —4L 171
Priory Pk. SE3 —1J 55
Priory Pl. Dart —4L 59
Priory Pl. Dover —4J 181
Priory Pl. Fav —3G 186
Priory Rd. NW6 —2B 4
Priory Rd. Bils —3B 40
Priory Rd. Dart —2L 59 (in two parts)
Priory Rd. Dover —4J 181 (1C 43)
Priory Rd. Fav —4F 186 (3A 20)
Priory Rd. F Row —3A 34
Priory Rd. Gill —1K 95
Priory Rd. Maid —6D 126
Priory Rd. Ram —6H 211
Priory Rd. Roch —6L 79 (1D 17)
Priory Rd. Sutt —2A 12
Priory Rd. Tonb —7H 145 (4E 25)
Priory Row. Fav —4G 186 (3A 20)
Priory Shop. Cen. Dart —4L 59
Priory Sta. App. Rd. Dover —4H 181
Priory St. Dover —4J 181 (1C 43)
Priory St. Tonb —7H 145
Priory, The. SE3 —2J 55
Priory, The. E Far —9N 125
Priory Wlk. Tonb —7H 145
Priory Way. Tent —8D 222 (in two parts)
Pristling La. S'hrst —1E 37
Pritchard's Rd. E2 —2D 5
Procter Rd. Lydd —2C 204
Progress Est., The. Maid —3K 139
Promenade. Birch —3E 206
Promenade. Deal —1N 177
Promenade. Dover —5K 181
Promenade. Mgte —2C 208
Promenade. Walm —7N 177
Promenade. Whits —2H 225 (in three parts)
Promenade, The. Broad —1M 211
Promenade, The. Ley S —6M 203
Promenade, The. Mgte —2E 208
Proscect Ter. Elham —6N 183
Prospect Av. Roch —4M 79
Prospect Clo. Belv —4B 52
Prospect Clo. Wgte S —4K 207
Prospect Corner. Lydd —3C 204 (off Queens Rd.)
Prospect Cotts. Beth —2K 163
Prospect Cotts. S'wll —3C 220
Prospect Gdns. Min —6M 205
Prospect Gro. Grav —5J 63
Prospect Hill. H Bay —2H 195
Prospect M. Hythe —6K 197
Prospect Pk. S'boro —5F 150
Prospect Pl. App —8C 190
Prospect Pl. Broad —9M 209
Prospect Pl. Brom —6L 69
Prospect Pl. Cant —3N 171
Prospect Pl. Dart —4M 59
Prospect Pl. Dover —3G 180
Prospect Pl. Grav —5J 63 (in two parts)
Prospect Pl. Maid —6B 126
Prospect Pl. Roch —1L 93
Prospect Pl. St N —9D 214
Prospect Rd. Birch —4E 206 (1C 22)
Prospect Rd. Broad —9M 209
Prospect Rd. Hythe —6J 197 (3E 41)
Prospect Rd. Min —7M 205
Prospect Rd. S'gte —8D 188
Prospect Rd. Sev —5K 119
Prospect Rd. S'boro —5F 150
Prospect Rd. Tun W —2H 157 (2E 35)
Prospect Row. Chat —9D 80
Prospect Row. Gill —6D 80
Prospect Ter. Ram —6J 211
Prospect, The. Broad —9M 209 (off Parade, The)
Prospect Vale. SE18 —4A 50
Prospect Way. Bra L —7K 165
Provender La. Osp —3E 19
Provender Way. Weav —4H 127
Providence Cotts. Gill —2K 111
Providence Cotts. High —2F 78
Providence La. Hythe —6K 197 (off Dental St.)
Providence Pl. Woul —7G 93
Providence Row. Cant —4L 171
Providence St. Afrd —1G 160
Providence St. Grnh —3G 61
Prudence Cotts. Weald —6J 131
Prudhoe Ct. Dart —4B 60 (off Osbourne Rd.)
Puckle La. Cant —4N 171
Puddingcake La. Rol —1N 213
Pudding La. Ah —5C 216
Pudding La. Maid —5C 126
Pudding La. Seal —3N 119
Pudding Rd. Rain —3B 96
Puddledock. —2F 72 (3B 24)
Puddledock La. Dart —1F 72 (1C 15)
Puddledock La. W'ham —3B 24
Puffin Clo. Beck —8A 68
Puffin Rd. Isle G —3C 190
Pullington Cotts. Bene —3A 38
Pullman Clo. Ram —3G 211
Pullman Pl. SE9 —3A 56
Pulton Ho. SE4 —2B 54 (off Turnham Rd.)
Pump Clo. Leyb —9B 108
Pump La. Gill —2M 95 (2A 18) (in two parts)
Pump La. Mgte —3D 208
Pump La. Orp —6C 86
Pump St. Horn H —2B 8
Punch Croft. New Ash —4L 89
Purbeck Rd. Chat —1B 94
Purcell Av. Tonb —1M 145
Purchas Ct. Cant —7J 167
Purelake M. SE13 —1G 54 (off Marischal Rd.)
Purfleet. —3D 7
Purfleet By-Pass. Purf —3D 7
Purfleet Ind. Pk. Ave —2N 53
Purfleet Rd. Ave —3D 7
Purland Rd. SE28 —2H 51
Purley. —3C 13
Purley Cross. (Junct.) —3C 13
Purley Downs Rd. Purl & S Croy —3D 13
Purley Way. Croy & Kenl —2C 13
Purneys Rd. SE9 —2N 55
Purrett Rd. SE18 —5H 51
Purser Way. Gill —5F 80
Putney. —4B 4
Putney Bri. SW15 & SW6 —4B 4
Putney Bri. Rd. SW15 & SW18 —4B 4
Putney Heath. —4A 4
Putney Heath. SW15 —4A 4
Putney High St. SW15 —4A 4
Putney Hill. SW15 —4A 4
Puttenden Rd. S'brne —4M 133 (3A 26)
Puttney Dri. Kem —3H 99
Pychers Pl. Pem —8C 152
Pye All. La. Whits —9F 224
Pye All. Rd. York —3C 21
Pye Corner. —3B 28
Pym Ho. Char —3L 175
Pym Orchard. Bras —6L 117
Pynham Clo. SE2 —3K 51
Pyott M. Cant —1A 172
Pyrus Clo. Chat —2E 110
Pyson's Rd. Ram —2G 210 (2E 23)
Pyson's Rd. Ind. Est. Broad —1H 211

Quadbrook. —3B 34
Quadrant, The. Bexh —7M 51
Quaggy Wlk. SE3 —2K 55
Quain Ct. Folk —7J 189
Quaker Clo. Sev —5L 119
Quaker Dri. C'brk —6D 176
Quaker La. C'brk —6D 176 (2E 37)
Quakers Clo. Hart —6L 75
Quakers Hall La. Sev —4K 119 (1D 25)
Quantock Clo. Tun W —9K 151
Quantock Dri. Afrd —7F 158
Quantock Gdns. Ram —1F 210
Quantock Rd. Bexh —9F 52
Quarries, The. —4F 138
Quarries, The. Bou M —4F 138 (3E 27)
Quarrington La. W Bra —1B 40
Quarry Av. Hythe —5J 197
Quarry Bank. Tonb —8G 144
Quarry Cotts. Langl —4E 138
Quarry Cotts. Sev —5H 119
Quarry Farm Rural Experience. —2B 44
Quarry Gdns. Tonb —7G 145
Quarry Hill. Sev —5L 119
Quarry Hill Pde. Tonb —7H 145
Quarry Hill Rd. Bor G —3M 121 (1A 26)
Quarry Hill Rd. Tonb —9G 145 (4E 25) (in two parts)
Quarry La. Hythe —5J 197
Quarry Rise. Tonb —8G 145
Quarry Rd. Maid —7D 126
Quarry Rd. Tun W —9H 151 (1E 35)
Quarry Sq. Maid —4D 126
Quarry View. Afrd —2B 160
Quarry Wlk. Hythe —8A 188
Quarry Wood. Adgtn —2B 40
Quarry Wood Ind. Est. Ayle —1J 125
Quarter, The. —4C 28
Quay La. Fav —4H 187 (3A 20)
Quay La. Grnh —2H 61
Quay La. S'wch —5M 217
Quayside. Chat —4E 80
Quay, The. Rye —3A 46
Quay, The. S'wch —5M 217 (4D 23)
Quebec Av. W'ham —8F 116
Quebec Cotts. W'ham —9F 116
Quebec House. —8F 116 (2B 24)
Quebec Sq. W'ham —8F 116
Quebec Ter. Dover —1G 181 (off Winnipeg Clo.)
Queen Anne Av. Brom —6J 69 (1E 13)
Queen Anne Rd. Maid —5D 126
Queen Anne's Ga. Bexh —1M 57
Queen Bertha Rd. Ram —6G 210
Queen Bertha's Av. Birch —3H 207
Queenborough. —7B 218 (4C 11)
Queenborough Bus. Cen. Queen —9B 218
Queenborough Dri. Min S —5J 219
Queenborough Gdns. Chst —2F 70
Queenborough Rd. Min S —7C 218 (4D 11)
Queen Ct. Roch —8N 79
Queendown Av. Gill —6N 95
Queen Elizabeth Av. Mgte —4H 209 (1E 23)
Queen Elizabeth Pl. Til —2F 62
Queen Elizabeth Rd. Dover —4L 181
Queen Elizabeth's Dri. New Ad —9G 82
Queen Elizabeth II Bri. Dart & Grays —1D 60
Queen Elizabeth Sq. Maid —2G 138
Queen Mother Ct., The. Roch —8M 79
Queens Arms Yd. Mgte —2C 208 (off Market St.)
Queen's Av. Birch —4C 206
Queen's Av. Broad —7M 209
Queens Av. Cant —1K 171
Queens Av. Dover —5E 180
Queens Av. Folk —5B 188
Queens Av. H Bay —2L 195
Queen's Av. Maid —4A 126
Queen's Av. Mgte —4C 208 (1D 23)
Queen's Av. Ram —4F 210
Queen's Av. Snod —2E 108
Queensbridge Dri. H Bay —2D 194
Queensbridge Rd. E8 & E2 —1D 5
Queen's Ct. Afrd —7G 158
Queen's Ct. Eden —6D 184
Queens Ct. Hawkh —5L 191
Queen's Ct. H Bay —3H 195
Queens Ct. Hythe —7J 197 (off Albert Ct.)
Queens Ct. Mgte —2E 208
Queenscroft Rd. SE9 —3N 55
Queensdown. —8L 207
Queensdown Rd. Kgdn —5M 199
Queensdown Rd. Wdchu —7L 207
Queens Dri. W3 —2A 4
Queens Dri. Sev —2K 119
Queen's Farm Rd. Shorne —7C 64 (4C 8)
Queen's Gdns. Broad —1M 211
Queens Gdns. Dart —6B 60
Queens Gdns. Dover —4J 181
Queens Gdns. H Bay —2G 195
Queen's Gdns. Mgte —2E 208
Queen's Gdns. Tun W —8H 151
Queens Ga. SW7 —3B 4
Queensgate Gdns. Chst —4F 70
Queen's Ga. Rd. Ram —5G 211 (2E 23)
Queens Ho. Maid —6M 125
Queensland Ho. E16 —1C 50 (off Rymill St.)
Queens Mead Rd. Brom —5J 69 (1E 13)
Queens M. Deal —4N 177
Queen's Pde. Clift —2E 208 (1E 23)
Queens Pde. S'ness —4B 218
Queens Park Rangers F.C. —2A 4
Queens Pas. Chst —2D 70
Queens Ride. SW13 & SW15 —4A 4
Queen's Rise. R'wld —4J 199
Queens Rd. SE15 & SE14 —3D 5
Queens Rd. SW19 —1B 12
Queen's Rd. Ah —4C 216 (4C 22)
Queens Rd. Afrd —7G 159
Queens Rd. Aysm —2D 162
Queens Rd. Beck —5B 68
Queen's Rd. Broad —9L 209 (2E 23)
Queens Rd. Brom —5K 69
Queens Rd. Chat —1G 94
Queens Rd. Chst —2D 70
Queens Rd. Crowb —4C 35
Queens Rd. Croy —2C 13
Queen's Rd. Eri —6F 52 (3C 7)
Queens Rd. Fav —5F 186
Queens Rd. Gill —8F 80
Queens Rd. Grav —8H 63
Queen's Rd. Hawkh —5L 191 (4E 37)
Queen's Rd. King T —1A 12
Queen's Rd. L'stne —3D 212
Queens Rd. Lydd —3C 204 (3D 47)
Queen's Rd. Maid —6M 125 (2D 27)
Queens Rd. Min S —5L 219
Queen's Rd. Ram —5K 211
Queen's Rd. Rich —4A 4
Queen's Rd. Snod —2E 108
Queen's Rd. Tun W —9G 151 (1E 35)
Queen's Rd. Well —9K 51
Queens Rd. Wgte S —3L 207

Renault Clo.—Romily Gdns.

Renault Clo. H Bay —3B 194
Rendezvous St. Folk —6K 189
Rendezvous, The. Mgte —2C 208
Rennell St. SE13 —1F 54
Rennets Clo. SE9 —3G 56
Rennets Wood Rd. SE9 —3F 56
Renown Rd. Chat —9F 94
Renshaw Clo. Belv —6A 52
Rentain Rd. Cha —8D 170
Renton Dri. Orp —1M 85
Renwick Rd. Bark —2B 6
Replingham Rd. SW18 —4B 4
Repository Rd. SE18 —6B 50 (3A 6)
Repton Clo. Broad —7K 209
Repton Ct. Beck —4E 68
Repton Mnr. Rd. Afrd —7E 158
Repton Rd. Orp —4J 85
Repton Way. Chat —7C 94
Reservoir Cotts. Up H'lng —7C 92
Reservoir Rd. Whits —3G 224
Resolution Clo. Chat —6D 94
Resolution Wlk. SE18 —3B 50
Restavon Cvn. Site. Berr G —7D 100
Restharrow. Shel L —1A 30
Restharrow Rd. Weav —5H 127
Restons Cres. SE9 —4F 56
Retreat Cvn. Pk., The. Nett —2B 136
Retreat Club & Cvn. Pk., The. E'chu —2E 202
Retreat, The. Birch —3G 206
Retreat, The. Orp —7K 85
Retreat, The. Ram —4F 210
Retreat, The. Sev —6J 119
Revell Rise. SE18 —6H 51
Revelon Rd. SE4 —2B 54
Revenge Rd. Chat —1F 110
Reventlow Rd. SE9 —6E 56
Reynard Clo. SE4 —1B 54
Reynard Clo. Brom —6C 70
Reynolds Clo. H Bay —3J 195
Reynolds Clo. Tonb —1L 145
Reynolds Fields. High —7G 65
Reynolds La. Tun W —7F 150 (1E 35)
Rhee Wall. Bztt & Old R —2C 47
Rheims Ct. Cant —1K 171
Rheims Way. Cant —1K 171 (1D 31)
Rhodaus Clo. Cant —3M 171 (1D 31)
Rhodaus Town. Cant —3M 171 (1D 31)
Rhode Common. —1B 30
Rhode Ct. Sit —6D 98
Rhodes Gdns. Broad —7L 209
Rhodes Minnis. —9H 183 (1D 41)
Rhode St. Chat —8D 80
Rhodeswell Rd. E14 —2E 5
Rhodewood Clo. Down —8K 127
Rhododendron Av. Meop —8F 90
Ribblesdale Rd. Dart —6C 60
Ribston Clo. Brom —2B 84
Ribston Gdns. Pad W —8K 147
Ricardo Path. SE28 —1L 51
Riccards La. What —4B 44
Rice Pde. Orp —8F 70
Richard Clo. SE18 —4A 50
Richard Ct. Mgte —3F 208
Richards Clo. Chid C —5G 143
Richardson Clo. Grnh —3F 60
Richardson Rd. Tun W —8G 151
Richardson Way. C'snd —6A 210
Richard St. Chat —8C 80
Richard St. Roch —9N 79
Richborough Bus. Pk. S'wch —3M 217
Richborough Castle. —1K 217 (3D 23)
Richborough Clo. Orp —7M 71
Richborough Dri. Strood —3L 79
Richborough Port. —3D 23
Richborough Rd. Cant —1J 217
(in two parts)
Richborough Rd. S'wch —3C 23
Richborough Rd. Wgte S —4L 207
Richborough Roman Amphitheatre. —4D 23
Richdore Rd. Walt —3C 31
Rich Ind. Est. Dart —3G 58
Richmer Rd. Eri —7H 53
Richmond Av. Mgte —4F 208
Richmond Clo. Big H —7B 164
Richmond Clo. Chat —7E 94
Richmond Clo. Upnor —3C 80
Richmond Ct. Dover —3J 181
Richmond Dri. Grav —7K 63
Richmond Dri. H Bay —3M 195
Richmond Dri. New R —1C 212
Richmond Dri. Sit —4F 98
Richmond Gdns. Cant —9J 167
Richmond Pde. Roch —9A 80
Richmond Pl. SE18 —4E 50
Richmond Rd. E8 —1D 5
Richmond Rd. Gill —6F 80 (1E 17)
Richmond Rd. Ram —6H 211
Richmond Rd. Whits —4K 225
Richmond St. Folk —5D 188
Richmond St. H Bay —2G 194
Richmond St. S'ness —2E 218 (4D 11)
Richmond Way. Maid —9D 126
Richmount Gdns. SE3 —1K 55
Rickard M. Lam —2D 200
Ricketts Hill Rd. Tats —6D 164 (4A 14)
Rickyard Path. SE9 —2A 56
Riddlesdale Av. Tun W —8G 151
Riddlesdown. —3D 13
Riddlesdown Rd. Purl —3D 13
Riddles Rd. Sit —8D 98 (3C 18)
Riddons Rd. SE12 —8M 55
Rideout St. SE18 —4B 50
Rider Clo. Sidc —4G 56
Ridge Av. Dart —4G 58
Ridgebrook Rd. SE3 —1N 55
Ridgecroft Clo. Bex —6D 58
Ridgelands. Bidb —2C 150
Ridge La. Meop —8F 90
Ridgemount Av. Croy —2A 82
Ridge Rd. Sutt —2B 12
Ridge Row. —3B 192 (1A 42)
Ridge, The. Bex —5A 58
Ridge, The. Groom —7H 155
Ridge, The. Kenn —4J 159
Ridge, The. Orp —3F 84
Ridge, The. Wold & Warl —2A 24
Ridgeway. Brom —3K 83
Ridge Way. Cray —4G 58
Ridge Way. Dart —1E 74
Ridge Way. Eden —3C 184
Ridgeway. Hawkh —7H 191
Ridgeway. Lymp —5B 196
Ridgeway. Pem —7C 152
Ridgeway. Whits —4K 225
Ridgeway Av. Grav —8G 63
Ridgeway Bungalows. Shorne —3D 78
Ridgeway Cliff. H Bay —2D 194
Ridgeway Cres. Orp —4G 84
Ridgeway Cres. Tonb —3K 145
Ridgeway Cres. Gdns. Orp —4G 85
Ridgeway Dri. Brom —9L 55
Ridgeway E. Sidc —3H 57
Ridgewaye, The. Tun W —5G 151
Ridgeway Rd. H Bay —8H 195 (2E 21)
Ridgeway Ter. Bra L —8H 165
Ridgeway, The. Bou B —3K 165
Ridgeway, The. Broad —1K 211
Ridgeway, The. Chat —4B 94 (2D 17)
Ridgeway, The. Gill —6F 80
Ridgeway, The. Mgte —4F 208
Ridgeway, The. River —2D 180
Ridgeway, The. Shorne —3C 78 (1C 16)
Ridgeway, The. Sme —8H 165 (1B 40)
Ridgeway, The. Tonb —2J 145 (4E 25)
Ridgeway, The. Wclf S —1B 10
Ridgeway Wlk. H Bay —8H 195
Ridgeway W. Sidc —3G 57
Ridgewell Clo. SE26 —9C 54
Ridgewood. Long —5B 76
Ridgway. SW19 —1A 12
Ridgway. Maid —7M 125
Ridgy Field Clo. Wro —8N 105
Ridham Av. Kem —2G 99 (2C 19)
Riding Hill. Kenn —4G 159
Riding La. Hild —1D 144 (3E 25)
Riding Pk. Hild —9D 132
Ridings, The. Big H —5E 164
Ridings, The. Cant —1A 172
Ridings, The. Ches —4M 225
Ridings, The. Clift —2J 209
Ridings, The. Pad W —8M 147
Ridings, The. Tun W —8M 151
Ridlands La. Oxt —2A 24
Ridley. —7A 90 (3A 16)
Ridley Clo. H Bay —7H 195
Ridley Rd. Brom —6J 69
Ridley Rd. Roch —8M 79
Ridley Rd. Well —8K 51
Riefield Rd. SE9 —2E 56 (4B 6)
Rigden Rd. Afrd —2F 160
Rigden's Ct. Sit —6F 98
Riggs Way. Wro —7M 105
Rigshill Rd. O'den —2D 29
Riley Av. H Bay —3A 194
Ring Clo. Brom —3L 69
Ringden Av. Pad W —1K 153
Ringers Rd. Brom —6K 69
Ringle Grn. Sand —3L 215
Ringlestone. —2B 126 (1D 27)
Ringlestone Cres. Maid —1C 126
Ringlestone Rd. H'shm —4K 129 (1B 28)
Ringmer Way. Brom —8A 70
Ringold Av. Ram —4E 210
Ringshall Rd. Orp —6J 71
Rings Hill. Hild —1B 144 (3D 25)
Ringsloe Ct. Birch —3C 206
(off Parade, The)
Ringstead Rd. SE6 —5E 54
Ringwold Clo. Beck —3B 68
Ringwood Av. Orp —1L 101
Ringwood Clo. Cant —8L 167
Ringwood Clo. Gill —3N 95
Ringwood Rd. Maid —9F 126
Ringwould. —4J 199 (3E 33)
Ringwould Rd. Dover & R'wld —5H 199 (4D 33)
Ringwould Rd. Kgdn —4K 199 (3E 33)
Ripley Clo. Brom —8B 70
Ripley Clo. New Ad —7F 82
Ripley Rd. Belv —4B 52
Ripley Rd. W'boro —1L 161
Ripleys Museum of Rural Life. —3A 44
Ripon Av. Gill —2K 95
Ripon Clo. Gill —9N 81
Ripon Rd. SE18 —6D 50
Ripper's Cross. —1D 39
Rippersley Rd. Well —8J 51
Ripple. —3D 33
Ripple La. Crun —3B 30
Ripple Rd. Bark & Dag —2B 6
Ripple Rd. Gt Mon —3H 199 (3D 33)
Ripple Road Junction. (Junct.) —2B 6
Rippolson Rd. SE18 —5H 51
Ripton Cotts. Tstn —1E 136
Risborough La. Folk —7D 188 (2E 41)
(in two parts)
Risborough Way. Folk —5E 188 (2A 42)
Risden La. Hawkh —8N 191 (1B 44)
Risdon Clo. Sturry —5E 168
Risedale Rd. Bexh —1D 58
Riseden. —2C 37
(nr. Kilndown)
Riseden. —4A 36
(nr. Wadhurst)
Riseden Rd. Wadh —4A 36
Riseldine Rd. SE23 —4B 54
Rise, The. Afrd —2C 160
Rise, The. Bex —5L 57
Rise, The. B'den —9C 98
Rise, The. Dart —2G 59
Rise, The. Grav —9K 63
Rise, The. Hem —8K 95
Rise, The. Kgdn —4M 199 (3E 33)
Rise, The. Min S —7D 218
Rise, The. Roch —9A 80
Rise, The. Sev —1K 131
Rise, The. St Mb —7L 213
Rising Rd. Afrd —9E 158
Ritch Rd. Snod —2C 108
Ritter St. SE18 —6C 50
River. —1D 180 (1C 42)
River Clo. E Far —1M 137
River Ct. Cha —7D 170
River Ct. Dover —2E 180
River Ct. Sev —4F 118
Riverdale. SE13 —1F 54
Riverdale. Dover —1E 180
Riverdale Est. Tonb —7K 145
Riverdale Rd. SE18 —5H 51
Riverdale Rd. Bex —5A 58
Riverdale Rd. Eri —5C 52
River Dri. Dover —2E 180
River Dri. Roch —5J 79
River Gro. Pk. Beck —4C 68
River Hall Rd. Bidd —6N 163 (2B 38)
Riverhead. —4F 118 (1C 25)
Riverhead Clo. Maid —3A 126
Riverhead Clo. Mgte —4F 208
Riverhead Clo. Sit —8D 98
River Hill. Sev & TN15 —3L 131 (2D 25)
Riverhill House Gardens. —4M 131 (2D 25)
River Lawn Rd. Tonb —6H 145
River Meadow. Dover —1E 180
River Pde. Riv —4F 118
River Pk. Gdns. Brom —3G 69
River Pk. View. Orp —1K 85
River Rd. Bark —2B 6
Rivers Clo. W'bury —1C 136
Rivers Ct. Min —8N 205
Riversdale. N'fleet —8D 62
Riversdale Rd. Afrd —2G 160
Riversdale Rd. Ram —3E 210
Riverside. Cha —7C 170
Riverside. Eden —6C 184
Riverside. Eyns —3L 87 (2D 15)
Riverside Bus. Pk. Afrd —8H 159
Riverside Cvn. Pk. E Far —9L 125
Riverside Clo. Bri —8H 173
Riverside Clo. Kgnt —6E 160
Riverside Clo. Orp —5L 71
Riverside Cotts. Cha —7C 170
Riverside Country Park. —7M 81
Riverside Ct. SE3 —2J 55
Riverside Ct. Cant —1M 171 (4D 21)
Riverside Ct. Eden —7D 184
Riverside Ct. Tonb —6J 145
Riverside Est. Roch —6B 80
Riverside Ind. Est. Cant —8A 168
Riverside Ind. Est. Dart —3M 59
Riverside Ind. Est. W Hyt —7C 196
Riverside M. Bri —8H 173
Riverside Retail Pk. Sev —1K 119
Riverside Rd. Sidc —8N 57
Riverside View. Ayle —8M 109
Riverside Wlk. W Wick —2E 82
Riverside Way. Dart —3M 59
Rivers Rd. Tey —2L 223
River St. Dover —1D 180
River St. Gill —6D 80
Rivers Wlk. Len —7D 200
Riverview. Afrd —9C 158
River View. Dart —2A 60
(off Henderson Dri.)
River View. Gill —9N 81
River View. Grays —3A 8
River View. Maid —7C 126
River View. Queen —9A 218
River View. Sturry —4E 168
Riverview Park. —9L 63 (1B 16)
Riverview Pk. SE6 —7D 54
Riverview Rd. Grnh —3G 61
River Wlk. Tonb —6H 145
(in two parts)
River Way. Lark —6E 108
River Wharf Bus. Pk. Belv —1E 52
Riverwood La. Chst —4F 70
Riviera Ct. S'gte —8E 188
Riviera, The. S'gte —8F 188
Roach St. Roch —5L 79
Road of Remembrance. Folk —7K 189 (3A 42)
Roan Ct. Roch —4K 79
Roberton Dri. Brom —4M 69
Robertsbridge. —3A 44
Robertsbridge Aeronautical Museum. —2A 44
Roberts Clo. SE9 —6F 56
Roberts Clo. Orp —8L 71
Roberts Clo. Sit —4E 98
Roberts M. Orp —2J 85
Roberts Orchard Rd. Maid —6K 125
Roberts Rd. Belv —5B 52
Roberts Rd. Gill —3A 96
Roberts Rd. G'stne —7F 212
Roberts Rd. Sea —7B 224
Roberts Rd. Snod —2D 108
Robert St. E16 —1D 50
Robert St. NW1 —2C 4
Robert St. SE18 —5F 50
(in two parts)
Robert St. Deal —3N 177
Robeshaw. Mils —8F 114
Robhurst. —3D 39
Robina Av. Grav —5C 62
Robina Clo. Bexh —2M 57
Robina Ct. Swan —7H 73
Robin Hill Dri. Chst —2A 70
Robin Hood. (Junct.) —4A 4
Robin Hood Grn. Orp —8J 71
Robin Hood La. Bexh —3N 57
Robin Hood La. Lydd —4C 204 (3D 47)
Robin Hood La. W'slde —9C 94 (3D 17)
Robin Hood La. Lwr. W'slde —9B 94
Robin Hood La. Up. Blue B —1A 110
Robin Hood Way. SW15 & SW20 —1A 12
Robin La. Lydd —3C 204
Robins Av. Len —8D 200
Robin's Clo. Hythe —9A 180 196
Robins Clo. Len —8D 200
Robins Ct. SE12 —8M 55
Robin's Ct. Beck —5G 68
Robins Gro. W Wick —4K 83
Robin Way. Orp —6K 71
Robinwood Dri. Seal —1N 119
Robson Av. NW10 —2A 4
Robson Dri. Ayle —8H 109
Robson Dri. Hoo —8G 66
Robson Rd. SE27 —4C 5
Robus Clo. Lym —7D 204
Robus Ter. Lym —7D 204
Robyns Croft. N'fleet —9D 62
Robyns Way. Eden —7D 184
Robyns Way. Sev —4G 119
Rocfort Rd. Snod —2E 108 (3C 17)
Rochdale Rd. SE2 —5K 51
Rochdale Rd. Tun W —9J 151
Rochester. —6N 79 (1D 17)
Rochester Airport. —2D 17
Rochester Av. Brom —5L 69 (1A 14)
Rochester Av. Cant —3A 172
Rochester Av. Roch —8N 79
Rochester Castle. —6N 79 (1D 17)
Rochester Cathedral. —6N 79
Rochester Clo. SE3 —1M 55
Rochester Clo. Sidc —4K 57
Rochester Ct. Cant —4A 172
Rochester Ct. Roch —4B 80
Rochester Cres. Hoo —7G 67
Rochester Dri. Bex —4A 58
Rochester Ga. Roch —7A 80
Rochester Guildhall Museum. —6N 79
(off High St.)
Rochester Ho. Maid —1G 138
Rochester Rd. Ayle —7L 109 (4D 17)
Rochester Rd. Burh —8H 93 (3D 17)
Rochester Rd. Cux —2F 92 (2C 17)
(in two parts)
Rochester Rd. Dart —5A 60
Rochester Rd. Grav —5K 63 (4B 8)
Rochester Rd. Roch & Chat —5N 93 (2D 17)
Rochester Rd. Tonb —3K 145
Rochester Rd. Woul —6G 93 (2C 17)
Rochester Row. SW1 —3C 4
Rochester St. Chat —1B 94
Rochester Vistor Information Cen. —6N 79
Rochester Way. SE3 & SE9 —1M 55 (4A 6)
Rochester Way. Dart —5E 58 (4C 7)
Rochester Way Relief Rd. SE3 & SE9 —3A 6
Rock Av. Gill —8F 80 (2E 17)
Rockbourne M. SE23 —6A 54
Rockbourne Rd. SE23 —6A 54
Rockdale. Sev —7J 119
Rockdale Gdns. Sev —7J 119
Rockdale Pleasance. Sev —8J 119
Rockdale Rd. Sev —7K 119
Rockfield Rd. Oxt —2A 24
Rock Hill. Orp —7C 86 (3C 14)
Rock Hill. Stapl —3C 44
Rock Hill Rd. Eger —4C 28
Rockingham Pl. H Bay —5J 195
Rockmount Rd. SE18 —5H 51
Rock Rd. Bor G —2M 121 (1A 26)
Rock Rd. Maid —2D 126
Rock Rd. Sit —8F 98
Rockrobin. —3A 36
Rocks Clo. E Mal —3E 124
Rocks Hill. Frit —2E 37
Rocks Hill. Rob —2B 44
Rock's Hill. Westf —4C 45
Rocks La. SW13 —4A 4
Rocks Rd., The. E Mal —3E 124 (1C 27)
Rockstone Way. Ram —3E 210
Rock Villa Rd. Tun W —1G 157
Rocky Bourne Rd. Adgtn —2B 40
Rocky Hill. Maid —5B 126
Rocky Hill Ter. Maid —5B 126
Rocque La. SE3 —1J 55
Rodmell Rd. Tun W —3G 157
Rodmer Clo. Min S —4K 219
Rodmersham. —2L 115 (3C 19)
Rodmersham Green. —3J 115 (3C 19)
Rodmersham Grn. Rod —3J 115 (3C 19)
Rodney Av. Tonb —3L 145
Rodney Gdns. W Wick —5K 83
Rodney Rd. SE17 —3D 5
Rodney St. Ram —6H 211
Rodway Rd. Brom —4L 69
Roebourne Way. E16 —1C 50
Roebuck Rd. Fav —5E 186
Roebuck Rd. Roch —7N 79
Roedean Clo. Orp —5K 85
Roedean Rd. Tun W —4G 157
Roehampton. —4A 4
Roehampton Clo. Grav —5K 63
Roehampton Dri. Chst —2E 70
Roehampton High St. SW15 —4A 4
Roehampton La. SW15 —4A 4
Roehampton Lane. (Junct.) —4A 4
Roehampton Vale. SW15 —4A 4
Roethorne Gdns. Tent —7C 222
Roffen Rd. Roch —1N 93
Rogers Ct. Swan —7H 73
Rogersmead. Tent —8A 222
Rogers Rough Rd. Kiln —3C 37
Rogers Wood La. Fawk —5G 89 (2E 15)
Rogues Hill. Pens —2J 149 (1D 35)
Rojack Rd. SE23 —6A 54
Rokell Ho. Beck —1E 68
(off Beckenham Hill Rd.)
Rokesby Clo. Well —9F 50
Rokesley Rd. Dover —8G 178
Rolfe La. New R —1C 212 (2E 47)
Rolinsden Way. Kes —6N 83
Rolleston Av. Orp —9D 70
Rolleston Clo. Orp —1D 84
Rollo Rd. Swan —3G 72
Roll's Av. E'chu —7A 202
Rolls Rd. SE1 —3D 5
Rolvenden. —3J 213 (4B 38)
Rolvenden Av. Gill —9M 81
Rolvenden Dri. Sit —6C 98
Rolvenden Gdns. Brom —3N 69
Rolvenden Hill. Rol —1M 213 (3B 38)
Rolvenden Layne. —4B 38
Rolvenden Rd. Bene —3A 38
Rolvenden Rd. Tent —8A 222 (3B 38)
Rolvenden Rd. Wain —2N 79
Roly Eckhoff Ho. Dover —1G 181
Roman Amphitheatre. —2K 217
Roman Clo. Blue B —1A 110
Roman Clo. Deal —4L 177
Roman Ct. Bor G —1M 121
Roman Heights. Maid —3F 126
Romanhurst Av. Brom —7H 69
Romanhurst Gdns. Brom —7H 69
Roman Museum. —2N 171
(off Butchery La.)
Roman Painted House. —5J 181
(off New St.)
Roman Rd. E2 & E3 —2D 5
Roman Rd. Adgtn —2B 40
Roman Rd. Afrd —7K 161 (2A 40)
Roman Rd. Dover —2J 181 (1C 43)
Roman Rd. E Stu —1H 179 (3C 33)
Roman Rd. Fav —5G 187 (3A 20)
Roman Rd. M Grn —4B 24
Roman Rd. N'fleet —8B 62
Roman Rd. Ram —2F 210
Roman Rd. Snod —2D 108
Roman Sq. SE28 —1J 51
Roman Sq. Sit —8G 98
Roman Villa Rd. Dart —1C 74 (1E 15)
Roman Way. Croy —2C 13
Roman Way. Dart —3F 58
Roman Way. Evtn —1J 185
Roman Way. Folk —5C 188
Roman Way. Kgnt —5F 160 (2A 40)
Roman Way. Roch —8K 79
Roman Way. St Mc —8J 213
Romany Ct. Chat —1G 94
Romany Rise. Orp —2E 84
Romany Rd. Gill —1L 95
Romborough Gdns. SE13 —3F 54
Romborough Way. SE13 —3F 54
Romden. —3N 221 (1C 38)
Romden Rd. Smar —4L 221 (1C 38)
Rome Rd. New R —3B 212
Romero Sq. SE3 —2M 55
Rome Ter. Chat —8C 80
Romford. —7E 152 (1B 36)
Romford Rd. E15, E7 & E12 —1E 5
Romford Rd. Ave —2D 7
Romford Rd. Pem —7D 152 (1A 36)
Romily Gdns. Ram —2G 211

Romney Av.—Ryland Ct.

Romney Av. Folk —6F 188 (2A 42)
Romney Clo. Bear —6K 127
Romney Clo. Birch —4F 206
Romney Ct. Sit —6E 98
Romney Dri. Brom —3N 69
Romney Gdns. Bexh —8A 52
Romney, Hythe & Dymchurch Railway. —3D 212 (3E 47)
Romney Marsh Ho. Dym —8B 182
Romney Marsh Rd. Afrd (in two parts) —5E 160 (1A 40)
Romney Pl. Maid —5D 126
Romney Rd. SE10 —3E 5
Romney Rd. Chat —6E 94
Romney Rd. Hams —8D 190
Romney Rd. Lydd —1D 204 (3D 47)
Romney Rd. N'fleet —8D 62
Romney Rd. W'boro —9J 159
Romney Sands Holiday Village. G'stne —8E 212
Romney Street. —3A 104 (3D 15)
Romney St. Knat —2A 104 (3D 15)
Romney Toy & Model Museum, The. —3F 212 (2E 47)
Romney Way. Hythe —7G 196
Romney Way. Tonb —2L 145
Romsey Clo. Orp —5D 84
Romsey Clo. Roch —4J 79
Romsey Clo. W'boro —9L 159
Rom Valley Way. Romf —1C 7
Ronald Clo. Beck —8C 68
Ronalds Ct. Sit —7H 99
Ronalds Rd. Brom —4K 69
Ronaldstone Rd. Sidc —4G 57
Ronfearn Av. Orp —8M 71
Ronley Ct. Sev —3K 119 (off Hillingdon Av.)
Ronver Rd. SE12 —6J 55
Roodlands La. Four E —4B 24
Rookdean. Chip —4D 118
Rookery Clo. Bre —4B 114 (in two parts)
Rookery Clo. Kenn —3H 159
Rookery Cres. Cli —2C 176
Rookery Dri. Chst —4C 70
Rookery Gdns. St M —8L 71
Rookery Hill. Corr —2C 9
Rookery La. Brom —9N 69
Rookery Lodge. Cli —3C 176
Rookery Rd. Orp —1B 100 (3A 14)
Rookesley Rd. Orp —1M 85
Rook La. Bob —6N 97 (2B 18)
Rookley Clo. Tun W —3K 157
Rooks Hill. Under —3C 132
Roonagh Ct. Sit —9F 98
Roopers. Speld —7A 150
Roosevelt Av. Chat —4C 94
Roosevelt Rd. Dover —1G 180
Rooting Street. —4D 29
Ropemakers Ct. Chat —2D 94
Roper Clo. Cant —1L 171
Roper Clo. Gill —8M 95
Roper Rd. Cant —1L 171 (4D 21)
Roper Rd. Tey —1L 223
Roper's Ga. Tun W —4E 156
Roper's Grn. La. H Hals —5K 67
Roper's La. High H —4E 9
Roper's La. Hoo —5J 67
Roper St. SE9 —3B 56
Rope Wlk. Chat —7C 80
Ropewalk. C'brk —7C 176
Rope Wlk. M. S'wch —5L 217
Rope Wlk., The. Sand —3K 215
Rope Yd. Rails. SE18 —3D 50
Roseacre. —5K 127 (2E 27)
Roseacre Clo. Cant —1L 171
Roseacre Ct. Mgte —3J 209
Roseacre Gdns. Bear —5K 127
Roseacre La. Bear —6K 127 (2E 27)
Rose Acre Rd. L'brne —3L 173
Roseacre Rd. Well —1K 57
Rose Av. Grav —6K 63
Rosebank Wlk. SE18 —4A 50
Roseberry Gdns. Dart —5K 59
Roseberry Gdns. Orp —4G 84
Rosebery Av. EC1 —2C 5
Rosebery Av. H Bay —2M 195
Rosebery Av. Ram —3K 211
Rosebery Av. Sidc —5G 56
Rosebery Clo. Sit —7L 99
Rosebery Ct. N'fleet —6E 62
Rosebery Rd. Chat —1B 94
Rosebery Rd. Gill —5G 80
Rose Cottage. H Bay —4L 195
Rose Cotts. Loose —3C 138 (off Old Loose Hill)
Rose Cotts. Roch —4F 78
Rosecroft Clo. Big H —6F 164
Rosecroft Clo. Orp —9L 71
Rosecroft Pk. L'tn G —1A 156
Rose Dale. Orp —3D 84
Rosedale Clo. SE2 —3K 51
Rosedale Clo. Dart —5B 60
Rosedale Rd. Mgte —4E 208
Rosedene Ct. Dart —5K 59
Rosefield. Sev —6H 119
Rose Gdns. Birch —5E 206
Rose Gdns. Eyt —4L 185
Rose Gdns. H Bay —3K 195
Rose Gdns. Min —7M 205
Rosegarth. Grav —4D 76
Rosehill. —2B 12
Rose Hill. Chill —2B 32
Rose Hill. Ram —6J 211
Rose Hill. Stne —2A 46
Rose Hill. Sutt —2B 12
Rosehill Rd. Big H —5C 164
Rose Hill Roundabout. (Junct.) —2B 12
Rosehill Wlk. Tun W —2G 156
Roseholme. Maid —7A 126
Roselands. Walm —9M 177
Roselands Gdns. Cant —9K 167
Rose La. Bis —2E 31
Rose La. Cant —2M 171 (1D 31)
Rose La. Len H —3C 29
Roselawn Gdns. Mgte —3N 207
Roselea Av. H Bay —4G 195
Roseleigh Av. Maid —5N 125
Roseleigh Rd. Sit —1E 114
Rosemary Av. Broad —2K 211
Rosemary Av. Min S —6E 218
Rosemary Clo. Chat —7C 94
Rosemary Gdns. Broad —2K 211
Rosemary Gdns. Whits —5J 225
Rosemary La. Cant —2M 171 (1D 31)
Rosemary La. Hods —9C 90 (3A 16)
Rosemary La. Smar —4B 28
Rosemary La. Tic —3C 37
Rosemary Rd. Bear —6K 127
Rosemary Rd. E Mal —9D 108
Rosemary Rd. Well —8H 51
Rosemead Gdns. H'crn —2J 193
Rosemount Clo. Loose —4C 138
Rosemount Ct. Roch —3L 79
Rosemount Dri. Brom —7B 70
Rosemount Point. SE23 —8A 54
Rosendale Rd. SE21 —4D 5
Roseneath Clo. Orp —8L 85
Rosenthal Rd. SE6 —4E 54
Rosenthorpe Rd. SE15 —3A 54
Rosery, The. Croy —9A 68
Rose St. N'fleet —4A 62
Rose St. Roch —9A 80
Rose St. S'ness —2C 218
Rose St. Tonb —7J 145
Rose Ter. Fav —7H 187 (off Canterbury Rd.)
Rosetower Ct. Broad —5K 209
Roseveare Rd. SE12 —9M 55
Rose Vs. Afrd —1F 160 (off Lwr. Denmark Rd.)
Rose Vs. Dart —5B 60
Rose Vs. New R —3C 212
Rose Wlk. W Wick —3F 82
Rose Way. SE12 —3K 55
Rosewood. Dart —9F 58
Rosewood Clo. Sidc —8L 57
Rosewood Ct. Brom —4M 69
Rose Yd. Maid —5D 126
Rosher Ho. Grav —4E 62
Rosherville. —4D 62 (4A 8)
Rosherville Way. Grav —5D 62
Rosiers Ct. Cant —1L 171
Roslin Way. Brom —1K 69
Ross Ct. Afrd —3E 160
Rossdale. Tun W —9K 151
Rossendale Ct. Folk —5L 189 (off Dover Rd.)
Rossendale Gdns. Folk —5L 189
Rossendale Rd. Folk —5L 189
Rossetti Rd. Birch —3E 206
Ross Gdns. R Comn —8G 167
Rossland Clo. Bexh —3C 58
Rossland Rd. Ram —4E 210
Rosslare Clo. W'ham —7F 116
Rosslyn Clo. W Wick —4J 83
Rosslyn Grn. Maid —4M 125
Rosslyn Hill. NW3 —1B 4
Rossmore Rd. NW1 —2B 4
Ross Rd. Dart —4H 59
Ross St. Roch —8A 80
Ross Way. SE9 —1A 56
Ross Way. Folk —7E 188
Rothbrook Dri. Kenn —3G 158
Rothbury Rd. E9 —1E 5
Rotherfield. —4D 35
Rotherfield Rd. Crowb —4D 35
Rotherhithe. —3D 5
Rotherhithe New Rd. SE16 —3D 5
Rother Ho. Maid —9G 127
Rothermere Clo. Bene —3A 38
Rother Rd. Tonb —2H 145
Rother Vale. Chat —8F 94
Rother Valley Railway Museum. —3A 44
Rothesay Ct. SE12 —8L 55
Rothley Clo. Tent —7C 222
Rothsay Ct. Ram —3K 211
Rouge La. Grav —5G 63
Rough Common. —8H 167 (4D 21)
Rough Comn. Rd. R Comn —1G 171 (4D 21)
Roughetts Rd. Rya —6L 107 (4B 16)
Roughway. —2A 134 (2A 26)
Roughway La. D Grn & Rough —2N 133 (2A 26)
Round Ash Way. Hart —9L 75
Roundel Clo. SE4 —2C 54
Roundel Clo. Tey —2L 223
Roundell Way. Mard —3K 205
Roundels, The. Lyn —4H 223
Roundel, The. Sit —9G 98
Round Green. —2D 37
Round Grn. La. C'brk —2D 37
Round Gro. Croy —1A 82
Roundhay. Leyb —9B 108
Roundhay Clo. SE23 —7A 54
Roundhill Rd. Tun W —4K 157
Roundlyn Gdns. St M —7K 71
Roundshaw. —3C 13
Round Street. —7J 77 (1B 16)
Round St. Sole S —6H 77 (1B 16)
Roundtable Rd. Brom —8J 55
Roundway. Big H —4C 164
Roundwell. Bear —5N 127 (2A 28)
Roundwood. Chst —5D 70
Roundwood Rd. NW10 —1A 4
Rover Rd. Chat —9E 94
Rowan Clo. Afrd —8C 158
Rowan Clo. Meop —9G 76
Rowan Clo. Pad W —1L 153
Rowan Clo. S'le —1B 32
Rowan Clo. Sturry —5E 168
Rowan Cres. Dart —6K 59
Rowan Ho. Hay —5H 69
Rowan Ho. Maid —6L 125
Rowan Ho. S'ness —2C 218 (off Pepys Av.)
Rowan Ho. Sidc —8H 57
Rowan Lea. Chat —3E 94
Rowan Rd. SW16 —1C 12
Rowan Rd. Bexh —1N 57
Rowan Rd. Swan —6E 72
Rowans Clo. Long —5K 75
Rowan Shaw. Tonb —1K 145
Rowans, The. Min S —5J 219
Rowan Tree Rd. Tun W —4E 156
Rowan Wlk. Brom —4B 84
Rowan Wlk. Chat —9B 80
Rowanwood Av. Sidc —6J 57
Rowbrocke Clo. Gill —8N 95
Rowden Rd. Beck —4B 68
Rowdow. Otf —7L 103 (4D 15)
Rowdow La. Sev & Knat —4L 103 (3D 15)
Rowdown Cres. New Ad —9G 83
Rowena Rd. Wgte S —2K 207
Rowe Pl. Eccl —4K 109
Rowetts Way. E'chu —5C 202 (1E 19)
Rowfield. Eden —4D 184
Rowhill Rd. Swan & Dart —2G 73
Rowland Av. Gill —1H 95
Rowland Clo. Maid —6B 126
Rowland Cotts. Lymp —5A 196
Rowland Cres. H Bay —2M 195
Rowland Dri. H Bay —5D 194
Rowlatt Clo. Dart —9K 59
Rowlatt Rd. Dart —9K 59
Rowley Av. Sidc —5K 57
Rowley Rd. Ors —2B 8
Rowling Street. —2A 40
Rowman Ct. Broad —8L 209
Rowntree Path. SE28 —1K 51
Row, The. Eden —3B 184
Row, The. Elham —7N 183 (4E 31)
Row, The. New Ash —3M 89
Rowton Rd. SE18 —7E 50
Rowzill Rd. Swan —2G 72
Roxborough Rd. Wgte S —2L 207
Roxley Rd. SE13 —4E 54
Roxton Gdns. Croy —6D 82
Royal Albert Way. E16 —2A 6
Royal Artillery Museum. —5B 50 (3A 6)
Royal Artillery Way. Sth S —1C 11
Royal Av. Tonb —7J 145
Royal Av. Whits —8E 224
Royal British Legion Village. —9K 109 (1D 27)
Royal Chase. Tun W —1F 156
Royal Clo. Broad —9K 209
Royal Ct. S'ness —2D 218
Royal Cres. Mgte —3B 208
Royal Cres. Ram —7H 211
Royal Docks Rd. E6 & Bark —2A 6
Royal Eagle Clo. Roch —5B 80
Royal Engineers Museum. —5E 80 (1E 17)
Royal Engineers Rd. S'lng —9B 110
Royal Engineers Way. Maid —1D 27
Royal Esplanade. Mgte —2L 207 (1D 23)
Royal Esplanade. Ram —7F 210
Royal Herbert Pavilions. SE18 —8B 50
Royal Hill. SE10 —3E 5
Royal Hospital Rd. SW3 —3B 4
Royal Military Av. Folk —6D 188 (2E 41)
Royal Military Rd. Hythe —7A 196
Royal Military Rd. W'sea —4A 46
Royal Mint St. E1 —2D 5
Royal Museum & Art Gallery, The. —2M 171
Royal Oak Hill. Knock —9H 101
Royal Oak Rd. Bexh —3A 58
Royal Oak Ter. Grav —6H 63 (off Constitution Hill)
Royal Pde. SE3 —3E 5
Royal Pde. Chst —3E 70 (1B 14)
Royal Pde. Ram —7J 211 (2E 23)
Royal Pde. M. Chst —3E 70 (off Royal Pde.)
Royal Pier M. Grav —4G 63
Royal Pier Rd. Grav —4G 63
Royal Rd. Dart —1A 74
Royal Rd. Ram —6H 211 (2E 23)
Royal Rd. S'ness —2D 218
Royal Rd. Sidc —8M 57
Royal St George's Golf Course. —4D 23
Royal Sovereign Av. Chat —5E 80
Royal Star Arc. Maid —5C 126
Royal Tunbridge Wells. —1G 157 (2E 35)
Royal Tunbridge Wells Bus. Pk. Tun W —5L 151
Royal Victoria Pl. Dover —4J 181 (off High St. Dover,)
Royal Victoria Pl. Tun W —1H 157
Royal W. Kent Av. Tonb —3K 145
Royal West Kent Regiment Museum. —4C 126
Roydene Rd. SE18 —6G 50
Roydon Hall Rd. E Peck —3K 135 (3B 26)
Royds Rd. W'boro —3H 161
Royston Gdns. St Mc —7J 213
Royston Rd. SE20 —4A 68
Royston Rd. Bear —6K 127
Royston Rd. Dart —4G 58
Roystons Clo. Gill —1B 96
Roystons, The. Surb —2A 12
Royton Av. Len —7E 200
Rubens St. SE6 —7C 54
Rubery Drove. R'boro —3C 23
Ruckholt Rd. E10 —1E 5
Ruckinge. —3A 40
Ruckinge Rd. Bils —3A 40
Ruckinge Rd. Hams —8D 190 (3A 40)
Ruckinge Way. Gill —9M 81
Ruck La. Horsm —2C 36
Ruddstreet Clo. SE18 —4D 50
Rudge Clo. Chat —9G 94
Rudgwick Ct. SE18 —4A 50 (off Woodville St.)
Rudland Rd. Bexh —1C 58
Ruffets Wood. Grav —2H 77
Rugby Clo. Broad —8K 209
Rugby Clo. Chat —7C 94
Rugby Gdns. Afrd —1G 160
Rugby Rd. Dover —6F 180
Ruggles Clo. H Hals —2H 67
Ruins Barn Rd. Tun —6D 114
Rule Ct. S'ness —4C 218 (4C 18)
Rumania Wlk. Grav —8L 63
Rumfields Rd. Broad —9G 209 (2E 23)
Rumstead La. S'bry —8E 112 (4A 18)
Rumstead Rd. S'bry —6F 112 (4A 18)
Rumwood Ct. Langl —3M 139
Runcie Ho. Cant —3M 171 (1D 31) (off Station Rd. E.)
Runcie Pl. Cant —1K 171
Runciman Clo. Orp —1L 101
Runham La. H'shm —6N 141 (3B 28)
Running Horse Roundabout. S'lng —9B 110
Runnymede Ct. Dart —6C 60
Runnymede Gdns. Maid —9D 126
Rural Ter. Wye —2M 159
Rural Vale. N'fleet —5D 62
Ruscombe Clo. Tun W —4F 150
Rusham Rd. Shtng —1D 226 (4B 22)
Rushbrook. P'ley —4D 29
Rushbrook Rd. SE9 —7E 56
Rush Clo. Chat —8D 94
Rush Clo. Dym —9A 182
Rushdean Rd. Roch —7H 79
Rushdene. SE2 —3M 51 (in two parts)
Rushdene Wlk. Big H —5D 164
Rushenden. —9A 218 (1C 19)
Rushenden Ct. Queen —9A 218
Rushenden Rd. Queen —9A 218 (1C 19)
Rushet Rd. Orp —5K 71
Rushett. —3A 24
Rushett La. Nor —3E 19
Rushetts. L'tn G —1N 155
Rushetts Rd. W King —8E 88
Rushey Grn. SE6 —5E 54 (4E 5)
Rushey Mead. SE4 —3D 54
Rushford Clo. H'crn —3K 193
Rushford Rd. SE4 —4C 54
Rushgrove St. SE18 —4B 50
Rushley Clo. Kes —5N 83
Rushlye Clo. Bells Y —8M 157
Rushmead Clo. Cant —9K 167
Rushmead Dri. Maid —1D 138
Rushmere Ct. Igh —2K 121
Rushmore Clo. Brom —6A 70
Rushmore Hill. Orp & Knock —9L 85 (3B 14)
Rushymead. Kems —9A 104
Ruskin Av. Well —1J 57
Ruskin Clo. E Mal —1D 124
Ruskin Dri. Orp —4G 84
Ruskin Dri. Well —1J 57
Ruskin Gro. Dart —4A 60
Ruskin Gro. Well —9J 51
Ruskin Rd. Belv —4B 52
Ruskin Rd. Cars —2B 12
Ruskin Ter. Dover —1G 181
Ruskin Wlk. Brom —9B 70
Rusland Av. Orp —4F 84
Rusling Rd. Bor G —2N 121
Russell Clo. Beck —6F 68
Russell Clo. Bexh —2B 58
Russell Clo. Dart —2H 59
Russell Clo. Sit —8D 98
Russell Ct. Chat —9E 80
Russell Courtyard. Chst —4C 70
Russell Dri. Whits —3M 225
Russell Pl. Oare —1F 186
Russell Pl. S at H —4A 74
Russell Rd. Ayle —3A 110
Russell Rd. Folk —5K 189
Russell Rd. Grav —4J 63
Russell's Av. Gill —3C 96
Russell Sq. Long —6K 75
Russell St. WC1 —2C 5
Russell St. Dover —5K 181
Russell St. S'ness —2C 218
Russell Ter. Hort K —7C 74
Russet Av. Fav —7J 187
Russet Clo. Roch —4J 79
Russet Ct. Cox —5N 137
Russet Dri. Croy —2B 82
Russets, The. Ches —4M 225
Russets, The. Maid —4M 125
Russets, The. Meop —9F 76
Russett Clo. Ayle —1J 125
Russett Clo. Orp —6K 85
Russett Rd. Cant —3B 172
Russett Rd. E Peck —1L 147
Russett Way. Swan —5E 72
Russet Way. King H —7L 123
Rusthall. —1C 156 (2E 35)
Rusthall Grange. Tun W —1D 156
Rusthall Pk. Tun W —1D 156 (in two parts)
Rusthall Pl. Tun W —2D 156
Rusthall Rd. Tun W —1C 156 (2E 35)
Ruston Rd. SE18 —3A 50
Rustwick. Tun W —1D 156
Rutherford Rd. Kenn —5F 158
Rutherford Way. Tonb —9K 133
Rutherglen Rd. SE2 —6J 51
Ruth Ho. Maid —4B 126
Rutland Av. Mgte —3F 208
Rutland Av. Sidc —5J 57
Rutland Clo. Bex —7M 57
Rutland Clo. Dart —5L 59
Rutland Cotts. Leeds —3A 140
Rutland Ct. SE9 —7E 56
Rutland Ct. Chst —4C 70
Rutland Gdns. Birch —4E 206
Rutland Gdns. Clift —3G 208
Rutland Ga. Belv —5C 52
Rutland Ga. Brom —7J 69
Rutland Ho. Cant —3N 171 (1D 31)
Rutland Pk. SE6 —7C 54
Rutland Pl. Gill —8M 95
Rutland Rd. Cant —3C 172
Rutland Rd. Dover —1G 180
Rutland Wlk. SE6 —7C 54
Rutland Way. Maid —9H 127
Rutland Way. Orp —9L 71
Ruxley. —3N 71 (1C 14)
Ruxley Clo. Sidc —2M 71
Ruxley Corner Ind. Est. Sidc —2M 71
Ruxley La. Eps —3A 12
Ruxton Clo. Swan —6F 72
Ruxton Ct. Swan —6F 72
Ryan Clo. SE3 —2M 55
Ryarsh. —6L 107 (4B 16)
Ryarsh Cres. Orp —5G 85
Ryarsh La. W Mal —9N 107
Ryarsh Rd. Birl —5N 107 (3B 16)
Rycault Clo. Maid —6B 126
Rycaut Clo. Gill —8N 95
Rycroft La. Sev —3F 130 (2C 25)
Rydal Av. Ram —5E 210
Rydal Clo. Tun W —9E 150
Rydal Dri. Bexh —8B 52
Rydal Dri. Tun W —9E 150
Rydal Dri. W Wick —3H 83
Rydal Ho. Maid —1G 139
Ryde Clo. Chat —3E 94
Rydens Ho. SE9 —8M 55
Ryder Clo. Brom —1L 69
Ryders. L'tn G —2A 156
Ryder's Av. Wgte S —3J 207
Ryde St. Cant —1L 171
Rydons Clo. SE9 —1A 56
Rye. —3A 46
Rye Clo. Bex —4C 58
Rye Ct. Afrd —2B 160
Rye Cres. Orp —2L 85
Ryecroft Rd. SE13 —3F 54
Ryecroft Rd. Orp —9F 70
Ryecroft Rd. Otf —7H 103
Rye Field. Orp —2M 85
Rye Foreign. —3E 45
Ryegrass Clo. Chat —5F 94
Rye Harbour. —4A 46
Rye Hill. P'den —3A 46
Ryelands Cres. SE12 —4M 55
Rye La. SE15 —3D 5
Rye La. Dun G & Otf —2G 118 (1C 25)
Rye Rd. SE15 —2A 54
Rye Rd. B'Ind —2C 46 (in two parts)
Rye Rd. Hawkh —5L 191 (4E 37)
Rye Rd. Rye F —3E 45
Rye Rd. Sand —1H 215 (1C 45)
Rye Rd. Wit —2A 46
Rye Wlk. H Bay —5K 195
Ryewood Cotts. Dun G —2G 118
Ryland Ct. Folk —6L 189 (off Ryland Pl.)

Ryland Pl.—St Matthew's Dri.

Ryland Pl. Folk —6L 189
Rylands Rd. Kenn —4H 159
Rymers Clo. Tun W —7K 151
Rymill St. E16 —1C 50
Rype Clo. Lydd —4C 204
(in two parts)
Rysted La. W'ham —8E 116
Ryswick M. New R —1D 212

Sabre Ct. Gill B —2K 95
Sackett's Gap. Clift —2G 209
Sacketts Hill. Broad —7F 208
Sackville Av. Brom —2K 83
Sackville Clo. Hoth —4E 29
Sackville Clo. Sev —4J 119
Sackville College. —2A 34
Sackville Cres. Afrd —8E 158
Sackville Rd. Dart —7M 59
Saddington St. Grav —5G 63
Saddlers Clo. Weav —4H 127
Saddlers Hill. Good —2B 32
Saddlers M. Ches —4M 225
Saddler's Pk. Eyns —4L 87
Saddlers Wall La. B'lnd —2B 46
Saddlers Way. Afrd —5F 160
Saddleton Gro. Whits —5F 224
Saddleton Rd. Whits —5F 224
Sadlers Clo. Chat —9A 94
Saffron's Pl. Folk —6L 189
Saffron Way. Chat —6C 94
Saffron Way. Sit —4G 99 (2C 19)
Sahara Clo. Farn —6F 84
Sail Field Ct. Chat —5C 80
Sail Lofts, The. Whits —3F 224
Sailmakers Ct. Chat —1E 94
St Agnes Gdns. S'ness —3D 218
St Aidan's Way. Grav —8K 63
St Albans Clo. Gill —5H 81
St Alban's Clo. Grav —8J 63
St Albans Downs Rd. Non —3B 32
St Alban's Gdns. Grav —8J 63
St Alban's Rd. Dart —4N 59
St Albans Rd. Her —2K 169
St Alban's Rd. Roch —6H 79
St Alban Wlk. Chat —9B 80
St Alphege Clo. Whits —6D 224
St Alphege La. Cant —1M 171 (4D 21)
St Alphege Rd. Dover —3H 181
St Ambrose Grn. Wye —2M 159
St Amunds Clo. SE6 —9D 54
St Andrews. Folk —6L 189
St Andrew's Clo. Barm —7L 125
St Andrews Clo. Cant —3L 171 (1D 31)
St Andrew's Clo. H Bay —3H 195
St Andrew's Clo. Mgte —6D 208
St Andrew's Clo. Pad W —9M 147
St Andrew's Clo. Whits —6G 224
St Andrews Ct. Grav —4G 63
(off Queen St.)
St Andrews Ct. Swan —6F 72
St Andrews Ct. Tun W —5G 150
St Andrew's Dri. Orp —9K 71
St Andrews Gdns. Dover —2G 180
St Andrew's Gdns. S'wll —2D 220
St Andrews Ho. Maid —6L 125
St Andrews Lees. S'wch —6M 217
St Andrew's Pk. Rd. Tun W —5G 150
St Andrew's Rd. Deal —4M 177
St Andrews Rd. Gill —5G 80
St Andrew's Rd. Grav —5G 63
St Andrew's Rd. L'stne —3E 212 (2E 47)
St Andrew's Rd. Maid —7L 125
St Andrew's Rd. Pad W —9M 147
St Andrew's Rd. Sidc —8M 57
St Andrew's Rd. Til —1E 62 (3A 8)
St Andrew's Wlk. Allh —4L 201
St Andrews Way. Tilm —3C 33
St Andrew Ter. Dover —2F 180
St Anne Ct. Maid —5B 126
St Anne's Ct. H Bay —2F 194
St Anne's Ct. W Wick —5H 83
St Anne's Dri. H Bay —3E 194
St Anne's Gdns. Mgte —5D 208
St Anne's Rd. Afrd —2D 160
St Anne's Rd. Whits —2H 225 (2C 21)
St Ann's Green. —4D 27
St Ann's Grn. La. Mard —4D 27
St Ann's Hill. SW18 —4B 4
St Ann's Rd. Dym —8A 182
St Ann's Rd. Fav —6F 186
St Anns Way. Berr G —7D 100
St Anthony's Way. Mgte —4G 208
St Asaph Ho. Maid —1G 139
St Asaph Rd. SE4 —1A 54 (4D 5)
St Aubyn's Clo. Orp —4H 85
St Aubyn's Gdns. Orp —3H 85
St Audrey Av. Bexh —9B 52
St Augustine's Abbey. —2A 172 (1D 31)
St Augustine's Av. Brom —8A 70
St Augustine's Av. Mgte —5D 208
St Augustines Bus. Pk. Whits —3N 225
St Augustine's Ct. Cant —2A 172
St Augustine's Cres. Whits —2M 225
St Augustine's Pk. Ram —6G 210
St Augustine's Rd. Belv —4A 52 (3C 6)
St Augustine's Rd. Cant —3A 172
St Augustine's Rd. Deal —6J 177
St Augustine's Rd. Ram
—7H 211 (2E 23)
St Barnabas Clo. All —1N 125
St Barnabas Clo. Afrd —2D 160
St Barnabas Clo. Beck —5F 68
St Barnabas Clo. Gill —9G 81
St Barnabas Clo. Tun W —9H 151
St Barnabas Rd. Sutt —2B 12
St Bartholomews. S'wch —6M 217
St Bartholomews La. Roch —8B 80
St Bartholomews Ter. Roch —8B 80
St Bart's Rd. S'wch —6L 217 (1D 33)
St Benedict Rd. Snod —3C 108
St Benedict's Av. Grav —8K 63
St Benedict's Lawn. Ram —7H 211
St Benets Ct. Tent —7C 222
St Benet's Rd. Wgte S —4K 207
St Benets Way. Tent —7C 222
St Benjamins Dri. Prat B —9L 85
St Bernards Rd. Tonb —1J 145
St Blaise Av. Brom —5L 69 (1A 14)
St Botolph Rd. Grav —8C 62
St Botolph's Av. Sev —6H 119
St Botolph's Rd. Sev —6J 119 (2D 25)
St Brides Clo. Eri —2M 51
St Catherine's. Old R —2D 47
(off Swamp Rd.)
St Catherines Ct. Ram —3J 211
St Catherine's Dri. Fav —6H 187
St Catherine's Gro. Mans —3B 210
St Catherines Hospital. Roch —8A 80
St Chad's Dri. Grav —8K 63
St Chads Rd. Til —3B 8
St Christopher Clo. Mgte —5H 209
St Christopher's Grn. Broad —8K 209
St Clare Rd. Walm —9M 177 (3E 33)
St Clements. S'wch —6M 217
St Clements Clo. Ley S —6J 203
St Clement's Clo. N'fleet —8E 62
St Clements Ct. Broad —8J 209
St Clements Ct. Folk —6M 189
St Clement's Ct. H Bay —4H 195
St Clements Ho. Roch —7A 80
St Clements Rd. Ward —5K 203
St Clements Rd. Wgte S —2K 207
St Clere Hill Rd. W King —3F 104 (3E 15)
St Columba's Clo. Grav —8J 63
St Cosmus Clo. C'lck —8D 174
St Crispin's Rd. Wgte S —4K 207
St David's Av. Dover —8F 180
St David's Bri. C'brk —8D 176 (3E 37)
St David's Clo. Birch —3G 207
St David's Clo. W Wick —1E 82
St David's Clo. Whits —6G 225
St David's Cres. Grav —9J 63
St David's Rd. Allh —4L 201
St David's Rd. Deal —4M 177
St David's Rd. Ram —3K 211
St Davids Rd. Swan —2G 72 (1C 15)
St David's Rd. Tun W —8H 151
St Denys Rd. H'nge —7D 192
St Dunstan's. —1K 171
St Dunstan's. (Junct.) —3B 12
St Dunstans Av. W3 —2A 4
St Dunstans Clo. Cant —1L 171
St Dunstan's Dri. Grav —8K 63
St Dunstan's Hill. Sutt —3B 12
St Dunstan's La. Beck —9F 68
St Dunstan's Rd. Mgte —3E 208
St Dunstan's St. Cant —1L 171 (4D 21)
St Dunstan's Ter. Cant —1L 171
St Dunstan's Wlk. C'brk —8D 176
St Eanswythe's Way. Folk —6K 189
St Edith Cotts. Sev —7H 105
St Edith's Farm Cotts. Kems —9B 104
St Edith's Rd. Kems —8A 104 (4D 15)
St Edmunds Clo. Eri —2M 51
St Edmund's Ct. W King —9F 88
St Edmunds Rd. Cant —2M 171 (1D 31)
St Edmund's Rd. Dart —2A 60
St Edmund's Rd. Deal —6H 177
St Edmunds Wlk. Dover —4J 181
(off Priory Rd.)
St Edmunds Way. Gill —2C 96
St Faith's La. Bear —5L 127
St Faith's St. Maid —5C 126
St Fidelis Rd. Eri —5E 52
St Fillans Rd. SE6 —6F 54
St Francis Av. Grav —9K 63
St Francis Clo. Deal —6J 177
St Francis Clo. Mgte —5H 209
St Francis Clo. Orp —9G 71
St Francis Rd. Eri —4E 52
St Francis Rd. Folk —5F 188
St Francis Rd. Meop —8G 91
St Georges Av. E'chu —6C 202
St George's Av. H Bay —3D 194
St George's Av. S'ness —4C 218 (4C 11)
St Georges Bus. Cen. Afrd —8D 158
St George's Cen. Cant
—2N 171 (1D 31)
St George's Cen. Grav —4G 62
St Georges Clo. Whits —6G 225
St Georges Ct. Dover —2F 180
St Georges Ct. S'ness —4C 218
St Georges Ct. Wro —7M 105
St George's Cres. Dover —7G 180
St George's Cres. Grav —9J 63
St Georges Dri. SW1 —3C 4
St George's La. Cant —2M 171 (1D 31)
St George's Lees. S'wch —6M 217
(in two parts)
St George's M. Tonb —7H 145
St George's Pk. Tun W —5F 156
St George's Pas. Deal —4N 177
St George's Pl. Cant —2N 171 (1D 31)
St George's Pl. Hythe —8E 196
St Georges Pl. St Mc —7J 213
St Georges Rd. SE1 —3C 5
St George's Rd. Beck —4E 68
St George's Rd. Broad —9L 209
St George's Rd. Brom —5B 70
(in two parts)
St George's Rd. Deal —4M 177
St Georges Rd. Folk —5F 188
St George's Rd. Gill —6F 80
St George's Rd. Orp —9F 70
St George's Rd. Ram —4K 211
St George's Rd. S'wch —6M 217 (1D 33)
St George's Rd. Sev —4J 119
St George's Rd. Sidc —2M 71
St Georges Rd. Swan —7G 72
St George's Rd. W. Brom —5A 70
St Georges Sq. Afrd —8F 158
(off Gilbert Rd.)
St Georges Sq. Grav —4G 62
St Georges Sq. Long —6L 75
St George's Sq. Maid —6A 126
St George's St. Cant —2N 171 (1D 31)
St George's Ter. Cant —2N 171 (1D 31)
St George's Ter. H Bay —2E 194
St George's Wlk. Allh —4L 201
St German's Rd. SE23 —6B 54
St Giles Clo. Dover —7G 180
St Giles Clo. Orp —6F 84
St Giles Rd. Dover —7G 180
St Giles Wlk. Dover —7G 180
St Gregory's Clo. Deal —6J 177
St Gregory's Ct. Cant —1A 172
St Gregory's Ct. Grav —7K 63
St Gregory's Cres. Grav —7K 63
St Gregory's Rd. Cant —1A 172
St Helens Cotts. Maid —9J 125
St Helens La. E Far —9J 125 (2D 27)
St Helens Rd. Cli —3C 176
St Helen's Rd. Eri —2M 51
St Helen's Rd. S'ness —3E 218 (4D 11)
St Helier. —2B 12
St Helier Av. Mord —2B 12
St Helier's Clo. Maid —7M 125
St Hilda Rd. Folk —5E 188
St Hildas. Plax —9M 121
St Hildas Rd. Hythe —7J 197
St Hilda's Way. Grav —9J 63
St Jacob's Pl. Cant —4K 171
St James Av. Beck —6B 68
St James Av. Broad —8J 209
St Jame's Av. Ram —2F 210
St James Clo. SE18 —5E 50
St James Clo. E Mal —1D 124
St James Clo. Isle G —2C 190
St James Clo. Tonb —9K 133
St James Clo. Ward —4K 203
St James Ct. Grnh —4E 60
St James Ct. Tun W —1H 157
St James Gdns. Whits —5F 224
St James La. Dover —5K 181
St James La. Grnh —6E 60 (4E 7)
St James Oak. Grav —5F 62
St James Pk. Tun W —9J 151
St James Pk. Rd. Mgte —3M 207
St James Pl. Dart —4L 59
St James Rd. Isle G —3C 190
St James Rd. Kgdn —4N 199
St James Rd. Sev —4J 119
St James' Rd. Tun W —9J 151
St James's. —2C 4
St James's Av. Beck —6B 68
St James's Av. Grav —5F 62
St James's Dri. SW17 —4B 4
St James Sq. Long —6L 75
St James's Rd. SE1 & SE16 —3D 5
St James's Rd. Croy —2C 13
St James's Rd. Grav —4F 62
St James's St. SW1 —2C 4
St James's St. Grav —4F 62
St James's Ter. Birch —3G 207
(in two parts)
St James St. Dover —5K 181
St James Way. Sidc —1N 71
St Jean's Rd. Wgte S —4K 207
St John Fisher Rd. Eri —3M 51
St Johns. —3E 5
(nr. Lewisham)
St John's. —8G 150 (1E 35)
(nr. Tunbridge Wells)
St Johns. —4K 119 (1D 25)
(nr. Sevenoaks)
St John's Av. Ram —3D 210
St John's Av. Sit —8J 99
St John's Chu. Rd. Folk —5J 189
St John's Clo. Dens —5C 192
St John's Clo. Hart —8M 75
St John's Clo. High —9G 65
St John's Cotts. Beth —2J 163
St John's Ct. Cant —2M 171 (1D 31)
St John's Ct. Eri —5E 52
St John's Ct. Sev —4K 119
St Johns Cres. T Hill —4K 167
St John's Gro. N19 —1C 4
St John's Hill. SW11 —4B 4
St John's Hill. Sev —3K 119 (1D 25)
St John's Jerusalem. —3B 74
St John's Jerusalem Garden.
—3B 74 (1D 15)
St Johns La. Afrd —8G 158
St John's La. Cant —2M 171 (1D 31)
St John's La. Hart —9M 75
St Johns Pde. Sidc —9K 57
(off Sidcup High St.)
St John's Pk. Tun W —6G 150
St John's Pl. Cant —1N 171
St Johns Rise. Berr G —7D 100
St John's Rd. Crowb —4C 35
St John's Rd. Dart —5C 60
St John's Rd. Dover —5H 181
St Johns Rd. Evtn —1J 185
St John's Rd. Eri —5E 52
St John's Rd. Fav —6H 187
St John's Rd. Gill —9F 80
St John's Rd. Grav —5J 63
St John's Rd. High —9G 65
St Johns Rd. Hoo —7G 67
St John's Rd. Hythe —5H 197
St John's Rd. Mgte —3D 208
St John's Rd. New R —3B 212
St John's Rd. Orp —9F 70
St John's Rd. Sev —3J 119
St John's Rd. Sidc —9K 57
St John's Rd. Tun W —6G 150 (1E 35)
St John's Rd. Well —1K 57
St John's Rd. Whits —3M 225 (2D 21)
St John's St. Folk —6K 189
St John's St. Mgte —3D 208
St John's Ter. SE18 —6E 50
St John's Ter. Folk —5K 189
(off St John's Chu. Rd.)
St John St. EC1 —2C 5
St John's Way. Dens —5B 192
St Johns Way. Roch —1L 93
(in two parts)
St John's Wood. —2B 4
St John's Wood Rd. NW8 —2B 4
St Joseph's Clo. Orp —4H 85
St Joseph's Vale. SE3 —1G 55
St Julians Rd. Sev —2D 25
St Julian's Rd. Under —3M 131
St Julien Av. Cant —1C 172
St Justin Clo. St P —6M 71
St Katherine Rd. Min S —5F 218
St Katherine's La. Snod
—3D 108 (3C 16)
St Katherine's Rd. Eri —2M 51
St Keverne Rd. SE9 —9A 56
St Kilda Rd. Orp —2H 85
St Laurence Av. Maid —1M 125
St Laurence Clo. Orp —6M 71
St Lawrence. —5G 210 (2E 23)
St Lawrence Av. Bidb —3D 150
St Lawrence Av. Ram —6F 210
St Lawrence Clo. Bap —9L 99
St Lawrence Clo. Cant —4A 172
St Lawrence Ct. Cant —4A 172
St Lawrence Ct. Ram —5F 210
St Lawrence Forstal. Cant —4A 172
St Lawrence Ind. Est. Ram —4F 210
St Lawrence Pk. Rd. Ram
—5G 210 (2E 23)
St Lawrence Rd. Cant —4A 172 (1D 31)
St Lawrence Ter. Dover —1G 181
(off Montreal Clo.)
St Leonards Av. Chat —1C 94
St Leonard's Clo. Deal —6L 177
St Leonard's Clo. Well —1J 57
St Leonard's Ct. Hythe —7J 197
(off St Leonard's Rd.)
St Leonard's Rise. Orp —5G 84
St Leonards Rd. All —1N 125
St Leonard's Rd. Deal —6L 177 (3E 33)
St Leonard's Rd. Hythe —7J 197 (3D 41)
St Leonard's Street. —3N 123
St Leonard's St. W Mal
—3M 123 (1B 26)
St Louis Gro. H Bay —3D 194
St Lukes Av. Maid —4E 126
St Luke's Av. Ram —4H 211 (2E 23)
St Luke's Clo. Dart —1E 74
St Luke's Clo. Swan —5E 72
St Luke's Clo. Wgte S —3K 207
St Lukes Clo. Whits —6G 224
St Lukes Rd. Maid —4E 126
St Luke's Rd. Ram —4J 211
St Luke's Rd. Tun W —8H 151
St Lukes Wlk. H'nge —8B 192
St Luke's Way. Allh —4L 201
St Magnus Clo. Birch —3E 206
St Magnus Ct. Birch —3F 206
St Malo Ct. Folk —7J 189
(off Manor Rd.)
St Margarets. —3E 74
St Margaret's at Cliffe.
—7J 213 (4E 33)
St Margarets Av. Berr G —7D 100
St Margaret's Av. Sidc —8F 56
St Margarets Bank. Roch —8A 80
St Margarets Banks. Roch —7A 80
St Margaret's Clo. Maid —7M 125
St Margaret's Clo. Orp —5K 85
St Margarets Clo. Sea —7C 224
St Margarets Ct. Folk —6H 189
St Margaret's Ct. H Hals —2H 67
St Margaret's Cres. Grav —8K 63
St Margarets Dri. Gill —6M 95
St Margarets Dri. Walm —9L 177
St Margaret's Gro. SE18 —6E 50
St Margaret's M. Roch —7N 79
St Margaret's Pas. SE13 —1H 55
St Margaret's Rd. SE4 —2C 54
St Margarets Rd. N'fleet —6D 62
St Margarets Rd. S Dar & Grn St
—3E 74 (1E 15)
St Margaret's Rd. St Mc —8K 213
St Margarets Rd. St Mb —7K 199
St Margaret's Rd. Wgte S —4K 207
St Margarets Rd. Wdchu —8L 207
St Margaret's St. Cant
—2M 171 (1D 31)
St Margaret's St. Roch —8M 79 (2D 17)
St Margaret's Ter. SE18 —5E 50
St Margaret St. SW1 —3C 5
St Mark's Av. N'fleet —5D 62
St Marks Clo. Folk —6D 188
St Mark's Clo. N'tn —4L 97
St Mark's Clo. Whits —5G 225
St Marks Ct. Eccl —4K 109
St Mark's Ho. Gill —7F 80
St Mark's Rd. W10 —2A 4
St Mark's Rd. Brom —6L 69
St Marks Rd. Mitc —1B 12
St Mark's Rd. Tun W —5F 156 (2E 35)
St Martin's. —2A 172
St Martin's Av. Cant —2A 172
St Martin's Cvn. & Camp Site. Cant
—2D 172
St Martin's Clo. Cant —2A 172
St Martin's Clo. Det —9K 111
St Martin's Clo. Dover —7G 180
St Martin's Clo. Eri —2M 51
St Martin's Clo. N'tn —4L 97
St Martin's Ct. Cant —2A 172
St Martin's Dri. Eyns —4L 87
St Martins Gdns. Dover —5H 181
(off Clarendon Rd.)
St Martin's Hill. Cant —2A 172 (1E 31)
St Martins La. WC2 —2C 5
St Martins Meadow. Bras —5L 117
St Martin's Path. Dover —6H 181
St Martin's Pl. Cant —2A 172
St Martin's Plain. —5B 188
St Martin's Rd. Dart —4N 59
St Martin's Rd. Deal —6J 177
St Martins Rd. Folk —5D 188
St Martin's Rd. Gus —9K 179
St Martin's Rd. New R —3C 212
St Martin's Steps. Dover —6H 181
St Martin's Ter. Cant —2A 172
St Martin's View. H Bay —7H 195
St Mary Cray. —7L 71 (1B 14)
St Mary Hoo. —3A 10
St Mary in the Marsh.
—2A 214 (2E 47)
St Mary's Av. Brom —6H 69
St Mary's Av. Mgte —4H 209
St Mary's Bay. —2E 214 (2E 47)
St Mary's Clo. E'try —3L 183
St Mary's Clo. Grav —7H 63
St Mary's Clo. Hams —7D 190
St Mary's Clo. Non —2B 32
St Mary's Clo. Orp —5K 71
St Mary's Clo. Platt —2B 122
St Mary's Clo. Wdboro —8G 216
St Mary's Ct. St Mil —2L 171 (1D 31)
St Mary's Ct. W Mal —1N 123
St Mary's Dri. Sev —5F 118
St Mary's Gdns. Chat —5E 80
St Mary's Gdns. Ups —3A 22
St Mary's Ga. S'wch —5M 217
St Mary's Grn. Big H —6C 164
St Mary's Grn. Kenn —3J 159
St Mary's Gro. Big H —6C 164
St Mary's Gro. Sea —7A 224
St Mary's Gro. Tilm —3C 33
St Mary's-in-Castro Saxon Church.
—4L 181
St Mary's Island. —3E 80 (1E 17)
St Mary's La. Speld —6A 150
St Mary's La. Upm & Brtwd —1D 7
St Mary's Meadow. W'hm —2B 226
St Mary's Pas. Dover —4J 181
St Mary's Pl. SE9 —4C 56
St Mary's Pl. W'hm —2B 226
St Marys Platt. —1A 26
St Mary's Rd. SW19 —1B 12
St Mary's Rd. Bex —6D 58
St Mary's Rd. Broad —9M 209
St Mary's Rd. Elham —7N 183
St Mary's Rd. Fav —6H 187
St Mary's Rd. Gill —6F 80
St Mary's Rd. Grnh —3E 60
St Mary's Rd. Min —7M 205
St Mary's Rd. New R —1C 212 (2E 47)
St Mary's Rd. Pat —7G 173
St Mary's Rd. Roch —5M 79
St Mary's Rd. St Mm & Dym
—8A 182 (1E 47)
St Mary's Rd. Swan —7E 72
St Mary's Rd. Tonb —8H 145
St Mary's Rd. Walm —9M 177
St Mary's Rd. W Hyt —7C 196
St Mary's Rd. Wro —7N 105
St Mary's St. Cant —2M 171 (1D 31)
St Mary St. SE18 —4B 50
St Mary's View. N'tn —4L 97
St Mary's Wlk. Burh —1K 109
St Mary's Way. Long —6L 75
St Matthew's Clo. N'tn —4L 97
St Matthew's Dri. Brom —6B 70

School Hill—Shepherdswell Rd.

School Hill. Bod —4C 31
School Hill. Chi —8J 175 (2B 30)
School Hill. Lam —2D 200 (2B 36)
School Ho. La. Horsm —2F 198 (1C 37)
School La. Bap —8L 99 (3D 19)
School La. Bean —9J 61 (1E 15)
School La. Bek —6H 173 (2E 31)
School La. Blean —4G 167
School La. B'den —7A 98 (3B 18)
School La. Bou B —3J 165 (2D 29)
School La. F'wch —7F 168
School La. Good —2B 32
School La. Hdlw —7D 134
School La. H Bay —7H 195 (2E 21)
School La. High —1G 78 (1C 17)
School La. Hoath —9M 195 (2A 22)
School La. Hort K —7C 74 (1E 15)
School La. I'hm —1A 32
School La. Iwade —1A 98 (2B 18)
(in two parts)
School La. Knat —3E 15
School La. Lwr Hal —8L 223 (2B 18)
School La. Lwr Har —2D 31
School La. Maid —8H 127
School La. Meop —9F 90
School La. N'tn —4K 97 (2B 18)
School La. Ors —2B 8
School La. Peas —3E 45
School La. Plax —1L 133 (2A 26)
School La. P'den —3A 46
School La. Ram —5J 211
School La. Seal —3N 119 (1D 25)
School La. S'ness —2B 218
School La. S'le & Ah —1B 32
School La. S'hrst —8K 221
School La. St Jhn —4C 35
School La. Sut V —9A 140
School La. Swan —4J 73 (1D 15)
School La. Tros —5F 106 (4A 16)
School La. Well —1K 57
School La. W King —3E 104
School La. W Sto —3B 22
School La. W'hm —3B 226
School La. Woul —2C 17
School Path. L'brne —3L 173
School Rise. Tun W —4F 156
School Rd. Acr —5A 192 (1A 42)
School Rd. App —4D 39
School Rd. Ah —4B 216
School Rd. Beth —3J 163 (2D 39)
School Rd. Char —2K 175 (3D 29)
School Rd. Chst —4E 70
School Rd. Fav —6F 186
School Rd. Goud —7L 185 (2D 37)
School Rd. Grav —8H 63
School Rd. Hoth —4E 29
School Rd. Hythe —3D 41
School Rd. Salt —4J 197
School Rd. S'wch —5L 217
School Rd. Sit —8J 99
School Rd. St Mm —2A 214 (2E 47)
School Rd. Tilm —3C 32
School Rd. Woul —6G 93
School Ter. Hawkh —5K 191
School View. Sit —2D 114
School Vs. Nett —3B 136
School Wlk. Eyt —3C 32
Schooner Ct. Dart —2C 60
Schreiber M. Gill —7G 81
Scimitar Clo. Gill B —2K 95
Scocles Rd. Min S —8J 219 (1D 19)
Scoggers Hill. Wint —1B 30
Scords La. Toy —3B 24
Scotby Av. Chat —7E 94
Scotch House. (Junct.) —3B 4
Scotland La. Cob —6L 77
Scotney Castle. —4F 200 (3C 36)
Scotney Clo. Farn —5C 84
Scotsdale Clo. Orp —7G 71
Scotsdale Rd. SE12 —3L 55
Scotshall La. Warl —4E 13
Scott Av. Gill —3C 96
Scott Clo. Dit —1G 124
Scott Cres. Eri —8G 52
Scotteswood Av. Chat —1C 94
Scott Ho. Belv —5A 52
(off Albert Rd.)
Scotton St. Wye —2N 159 (4B 30)
Scott Rd. Grav —1J 77
Scott Rd. Tonb —7F 144
Scotts Av. Brom —5G 69
Scott's La. Brom —6G 68 (1E 13)
Scotts Pas. SE18 —4D 50
Scotts Rd. Brom —3K 69
Scott's Ter. Chat —9C 80
Scott St. Maid —3C 126
Scotts Way. Sev —4F 118
Scotts Way. Tun W —5E 156
Scraces Cotts. Maid —9L 125
Scragged Oak. —3N 111
Scragged Oak Cvn. Pk. Det —7L 111
Scragged Oak Rd. Det —8L 111 (4A 18)
Scragged Oak Rd. Huc —1E 128
Scrapsgate. —3J 219 (4D 11)
Scrapsgate Rd. Min S —6H 219 (4D 11)
Scratchers La. Fawk —3D 88 (2E 15)
Scratton Fields. Sole S —8J 77
Scratton Rd. Sth S —1B 10
Screaming All. Ram —7H 211
Scrooby St. SE6 —4E 54
Scrubbs La. NW10 —2A 4
Scrubbs La. Maid —5A 126
Scudders Hill. Fawk —9H 75 (2E 15)
Sea App. Broad —9M 209
Sea App. Ward —4J 203
Seabourne Clo. Dym —9A 182
Seabourne Way. Dym —9A 182
Seabrook. —9B 188
Seabrook Ct. S'gte —8B 188
Seabrook Dri. W Wick —3H 83
Seabrook Gdns. Hythe —9A 188
Seabrook Gro. Hythe —9A 188
Seabrook Rd. Hythe —6L 197 (3E 41)
Seabrook Rd. Tonb —4G 144
Seabrook Vale. Hythe —7B 188
Seacliff Cvn. Pk. Min S —5M 219
Seacourt Rd. SE2 —2M 51
Seacroft Rd. Broad —3L 211
Seadown Clo. Hythe —7A 188
Seafield Ho. New R —3B 212
Seafield Rd. Broad —9K 209
Seafield Rd. Ram —5G 210
Seafield Rd. Whits —2K 225
Seaford Ct. Roch —8M 79
Seafront. Allh —2K 201
Seager Rd. Fav —3F 186
Seager Rd. S'ness —2F 218
Seagull Rd. Roch —6G 79
Seal. —3N 119 (1D 25)
Sealand Ct. Roch —8M 79
Seal Chart. —5C 120 (2E 25)
Seal Dri. Seal —3N 119
Seal Hollow Rd. Sev —6K 119 (2D 25)
Sea Life Centre. —1C 10
Seal Rd. Sev —3K 119 (1D 25)
Seamark Clo. Monk —2C 22
Seamark Rd. B End —9D 206
Seamark Rd. Monk —2C 22
Seamew Ct. Roch —5G 79
Seapoint Rd. Broad —1M 211
Sea Rd. Hythe —6M 197
(in three parts)
Sea Rd. Kgdn —3M 199
(in two parts)
Sea Rd. Wgte S —3G 207 (1C 23)
Sea Rd. W'sea B —4A 46
Seasalter. —6C 224 (2C 20)
Seasalter Beach. Sea —6C 224
Seasalter Clo. Ward —4K 203
Seasalter La. Sea —9B 224 (3C 20)
Seasalter Rd. G'ney —3B 20
Seaside Av. Min S —4K 219
Sea St. H Bay —4C 194 (2D 21)
Sea St. St Mc —7K 213 (4E 33)
Sea St. Whits —3F 224 (2C 21)
Seathorpe Av. Min S —5K 219
Seaths Corner. W'hm —3B 226
Seaton Av. Hythe —5J 197
Seaton Rd. Dart —5H 59
Seaton Rd. Gill —9H 81
Seaton Rd. Well —7L 51
Seaton Rd. Wickh —4A 22
Seaview. Isle G —3C 190
Sea View Av. Birch —3D 206
Seaview Av. Ley S —7N 203
Seaview Cvn. & Chalet Pk. Whits —1N 225
Sea View Clo. Cap F —3B 174
Seaview Ct. Broad —1M 211
(off W. Cliff Rd.)
Sea View Gdns. Ward —5K 203
Sea View Heights. Birch —3C 206
(off Ethelbert Rd.)
Seaview Holiday Camp. Ley S —5K 203
Sea View Rd. Birch —3D 206
Sea View Rd. Broad —7L 209
Seaview Rd. Can I —2A 10
Sea View Rd. C'snd —6B 210
Seaview Rd. Gill —8F 80
Seaview Rd. G'stne —8E 212
Sea View Rd. H Bay —2K 195 (1E 21)
Sea View Rd. St Mb —9J 213
Sea View Sq. H Bay —2G 194
Sea View Ter. Dover —2F 180
Sea View Ter. Mgte —3A 208
Sea View Ter. S'gte —8D 188
Seaville Dri. H Bay —2M 195
Sea Wlk. S'gte —8E 188
Sea Wall. Dym —8B 182
Sea Wall. Whits —3F 224
Seaway Cotts. Whits —4E 224
Seaway Cres. St Mar —2E 214
Seaway Gdns. St Mar —2E 214
(in two parts)
Seaway Rd. St Mar —2E 214
Second Av. Broad —3L 209
Second Av. Chat —2E 94
Second Av. Clift —2F 208
Second Av. E'chu —3E 202
Second Av. Gill —9H 81
Second Av. S'ness —3C 218
Secretan Rd. Roch —2M 93
Sedcombe Clo. Sidc —9K 57
Sedgebrook Rd. SE3 —1N 55
Sedge Cres. Chat —7B 94
Sedgehill Rd. SE6 —9D 54
Sedgemere Rd. SE2 —3L 51
Sedgeway. SE6 —6J 55
Sedgewood Clo. Brom —1J 83
Sedlescombe. —4C 44
Sedlescombe Organic Vineyard. —3B 44
Sedley. S'fleet —2N 75
Sedley Clo. Ayle —8K 109
Sedley Clo. Cli —6N 65
Sedley Clo. Gill —8M 95
Seed. —1D 29
Seed Rd. Dod & Newn —1D 29
Seeshill Clo. Whits —5G 225
Sefton Clo. Orp —7H 71
Sefton Rd. Chat —5F 94
Sefton Rd. Orp —7H 71
Segal Clo. SE23 —5B 54
Segrave Cres. Folk —5M 189
Segrave Rd. Folk —6M 189
Selah Dri. Swan —4D 72
Selborne Av. Bex —6N 57
Selborne Rd. Mgte —4F 208
Selborne Rd. Sidc —9K 57
Selbourne Clo. Long —6C 76
Selbourne Rd. Gill —5G 80
Selbourne Ter. Dover —5H 181
Selbourne Wlk. Maid —2J 139
Selby Clo. Chst —2C 70
Selby Clo. H Bay —3K 195
Selby Rd. Maid —4J 139
Selby's Cotts. Hild —3D 144
Selgrove. —4A 20
Selhurst. —2D 13
Selhurst Rd. SE25 —2D 13
Selkirk Dri. Eri —8F 52
Selkirk Rd. Dover —1G 181
Sellbourne Pk. Frant —9J 157
Sellindge. —8K 215 (2C 41)
Sellindge Clo. Beck —3C 68
Selling. —1B 30
Selling Ct. Sell —1B 30
Sellinge Grn. Gill —9M 81
Selling Rd. Fav —7J 187 (4A 20)
Selling Rd. Old L —6K 175 (2B 30)
Selling Rd. Sell —1A 30
Selsdon. —3D 13
Selsdon Pk. Rd. S Croy —9A 82 (3D 13)
Selsdon Rd. S Croy —2D 13
Selsea Av. H Bay —2E 194
Selsey Cres. Well —8M 51
Selson. —2J 183 (2C 33)
Selson Rd. E'try —1H 183 (2C 32)
Selstead Clo. Gill —2M 95
Selsted. —4A 32
Selway Ct. Deal —7L 177
Selwood Clo. Min S —6F 218
Selworthy Rd. SE6 —8C 54
Selwyn Ct. SE3 —1J 55
Selwyn Ct. Broad —8K 209
Selwyn Cres. Well —1K 57
Selwyn Dri. Broad —8K 209
Selwyn Pl. Orp —6K 71
Semaphore Rd. Birch —3E 206
Semple Clo. Min —6N 205
Semple Gdns. Chat —9B 80
Senacre La. Maid —2H 139
Senacres Cotts. Maid —2J 139
Senacre Sq. Maid —1J 139
Senacre Wood. —2H 139
Senator Wlk. SE28 —3F 50
Sene Pk. Hythe —5L 197
Senlac Clo. Ram —6F 210
Senlac Rd. SE12 —6L 55
Sennen Wlk. SE9 —8A 56
Sennocke Ct. Sev —7J 119
Sequoia Gdns. Orp —1H 85
Serene Ct. Broad —9M 209
Serene Pl. Broad —9M 209
(off Serene Ct.)
Sermon Dri. Swan —6D 72
Serpentine Ct. Sev —4L 119
Serpentine Rd. Sev —5K 119
Serviden Dri. Brom —4N 69
Sessions Ho. Sq. Maid —4C 126
Setterfield Ho. Hythe —6L 197
Setterfield Rd. Mgte —4D 208
Settington Av. Chat —2F 94
Sevastapol Pl. Cant —1C 172
Sevenacre Rd. Fav —4G 186
Seven Acres. New Ash —4L 89
Seven Acres. Swan —9E 72
Seven Mile La. Wro H, Sev & Mere —1E 122 (1A 26)
(in two parts)
Sevenoaks. —7K 119 (2D 25)
Sevenoaks Bus. Cen. Sev —3K 119
Sevenoaks By-Pass. Sev —5D 118 (2C 25)
Sevenoaks Clo. Bexh —2C 58
Sevenoaks Common. —2J 131 (2D 25)
Sevenoaks Museum & Art Gallery.
(off Buckhurst La.) —7K 119 (2D 25)
Sevenoaks Museum & Library. —7K 119
Sevenoaks Rd. SE4 —4B 54
Sevenoaks Rd. Bor G —2L 121
Sevenoaks Rd. Grn St & Hals —6H 85 (2B 14)
Sevenoaks Rd. Igh —5F 120 (2E 25)
(in two parts)
Sevenoaks Rd. Otf —4D 15
Sevenoaks Rd. Sev —8H 85
Sevenoaks Way. Orp —1B 14
Sevenoaks Way. Sidc & Orp —3L 71
Sevenoaks Way Ind. Est. Orp —6L 71
Sevenoaks Weald. —6J 131 (3D 25)
Sevenoaks Wildfowl Reserve. —3G 119
Seven Post All. S'wch —5M 217
(off St Peter's St.)
Seven Sisters Rd. N7, N4 & N15 —1C 5
Seven Stones Dri. Broad —3L 211
Severn Clo. Tonb —2J 145
Severn Rd. Chat —6F 94
Sevington. —3M 161 (1A 40)
Sevington La. Afrd & Svgtn —2A 40
Sevington La. W'boro —1K 161 (2A 40)
Sevington Pk. Maid —2C 138
Seward Rd. Beck —5A 68
Sewardstone Rd. E2 —2D 5
Sewell Clo. Birch —5F 206
Sewell Rd. SE2 —3J 51
Sexburga Dri. Min S —4J 219
Sextant Pk. Roch —6B 80
Seymour Av. Mgte —2L 207
Seymour Av. Whits —4G 225
Seymour Clo. H Bay —6J 195
Seymour Dri. Brom —2B 84
Seymour Gdns. SE4 —1B 54
Seymour Pl. W1 —2B 4
Seymour Pl. Cant —3L 171
Seymour Rd. Chat —9E 80
Seymour Rd. N'fleet —6E 62
Seymour Rd. Rain —3E 96 (2A 18)
Seymour Rd. St Mc —9J 199
Seymour's Cotts. Leeds —2A 140
Seymour St. W1 —2B 4
Seymour Wlk. Swans —5L 61
Shab Hall Cotts. Sev —9D 102
Shacklands Rd. Badg M —2C 102
Shacklands Rd. Sev —3C 15
Shackleton Clo. Chat —5E 94
Shacklewell. —1D 5
Shacklewell La. E8 —1D 5
Shades, The. Roch —5F 78
Shadoxhurst. —2E 39
Shadoxhurst Rd. Wdchu —3D 39
Shadwell. —2D 5
Shaftesbury Av. W1 & WC2 —2C 4
Shaftesbury Av. Folk —4D 188 (2A 42)
Shaftesbury Clo. E Mal —9D 108
Shaftesbury Ct. Walm —8N 177
Shaftesbury Dri. Maid —5N 125
Shaftesbury La. Dart —2B 60
Shaftesbury Rd. Beck —5C 68
Shaftesbury Rd. Cant —8L 167
Shaftesbury Rd. Her —2K 169
Shaftesbury Rd. Tun W —8G 151
Shaftesbury Rd. Whits —4F 224
Shaftsbury Ct. Eri —8G 52
(off Selkirk Dri.)
Shaftsbury St. Ram —5K 211
Shah Pl. Ram —5H 211
Shakespeare Pas. Mgte —3B 208
Shakespeare Rd. Bexh —8N 51
Shakespeare Rd. Birch —3E 206
Shakespeare Rd. Dart —2A 60
Shakespeare Rd. Dover —6G 180
Shakespeare Rd. Gill —8F 80
Shakespeare Rd. Mgte —4D 208
Shakespeare Rd. Sit —7H 99
Shakespeare Rd. Tonb —7F 144
Shakespeare Ter. Folk —7J 189
Shalford Clo. Orp —5E 84
Shalloak Rd. B Oak —6C 168 (3E 21)
Shallons Rd. SE9 —9D 56
Shallows Rd. Broad —7G 209
Shalmsford Ct. Cha —8B 170
Shalmsford Rd. Chi —6M 175 (2C 30)
Shalmsford Street. —8B 170 (2C 30)
Shalmsford St. Cha —8A 170 (2C 30)
Shambles, The. Sev —7K 119
Shamel Bus. Cen. Roch —5N 79
Shamley Rd. Chat —9G 94
Shamrock Av. Whits —6D 224
Shamrock Rd. Grav —5K 63
Shandon Clo. Tun W —1J 157
Shanklin Clo. Chat —3F 94
Shannon Corner. (Junct.) —1A 12
Shannon Way. Beck —2E 68
Shapland Clo. H Bay —4K 195
Shardeloes Rd. SE14 —1B 54 (3E 5)
Share & Coulter Rd. Ches —4M 225
Sharfleet Dri. Roch —5F 78
Sharland Rd. Grav —7H 63
Sharman Ct. Sidc —9J 57
Sharnal La. Snod —3E 108
Sharnal Street. —4K 67 (4E 9)
Sharnal St. H Hals —4K 67
Sharnbrooke Clo. Well —1L 57
Sharon Cres. Chat —7C 94
Sharp's Field. H'crn —3M 193
Sharp Way. Dart —1N 59
Sharsted Hill. Newn —1D 29
Sharsted Way. Bear —4L 127
Sharsted Way. Hem —8K 95 (3E 17)
Shatterling. —1F 226 (4B 22)
Shawbrooke Rd. SE9 —3M 55
Shaw Clo. SE28 —1K 51
Shaw Clo. Cli —5M 65
Shaw Cross Kenn —5H 159
Shawdon Av. S'wch B —1E 33
Shawfield Pk. Brom —5N 69
Shaw Ho. E16 —1C 50
(off Claremont St.)
Shaw Ho. Belv —5A 52
(off Albert Rd.)
Shaw Path. Brom —8J 55
Shaw Rd. Brom —8J 55
Shaw Rd. Tats —8C 164
Shawstead Rd. Gill —4F 94 (2E 17)
Shaws Way. Roch —9N 79
Shaws Wood. Roch —3M 79
Shaw, The. Tun W —3J 157
Shaxton Cres. New Ad —9F 82
Sheafe Dri. C'brk —7C 176
Sheal's Ct. Maid —7D 126
Sheal's Cres. Maid —7D 126 (2E 27)
Shearers Clo. Weav —5H 127
Shearman Rd. SE3 —2J 55
Shears Grn. Ct. Grav —7F 62
Shearwater. Long —6A 76
Shearwater. Maid —4M 125
Shearwater Av. Whits —6E 224
Shearwater Clo. Roch —5G 78
Shearwater Ct. S'ness —4B 218
Shearwater Ho. St Mar —3F 214
Shear Way. Burm —2B 182 (3C 41)
Shearway Rd. Folk —3F 188
Shearwood Cres. Dart —1G 59
Sheen Comn. Dri. Rich —4A 4
Sheen Ct. Mgte —3C 208
Sheen La. SW14 —4A 4
Sheen Rd. Orp —7H 71
Sheen Rd. Rich —4A 4
Sheepbarn La. Warl —3E 13
Sheepcote La. Orp & Swan —8A 72 (2C 14)
Sheepfold La. Kgnt —6G 161 (2A 40)
Sheephurst La. Mard —4C 27
Sheep Plain. Crowb —4C 35
Sheepstreet La. Tic —1A 44
Sheerness. —2D 218 (4D 11)
Sheerness Harbour Est. S'ness —1A 218
Sheerness Heritage Centre. —2D 218
(off Rose St.)
Sheerness Rd. Lwr Hal —8M 223 (2B 18)
Sheerstone. Iwade —8B 198
Sheerwater Rd. Pres —3B 22
Sheerways. Fav —5E 186
Sheet Glass Rd. Queen —9B 218
Sheet Hill. —7M 121 (2A 26)
Sheet Hill. Plax —7K 121 (2E 25)
Sheffield Rd. Tun W —4F 150
Sheilings, The. Seal —2N 119
Shelbourne Pl. Beck —3D 68
Shelbury Clo. Sidc —9J 57
Sheldon Clo. SE12 —3L 55
Sheldon Clo. Aysm —1D 162
Sheldon Dri. Gill —3B 96
(in two parts)
Sheldon Rd. Bexh —8A 52
Sheldon Way. Lark —7E 108
Sheldrake Clo. E16 —1B 50
Sheldwich. —1A 30
Sheldwich Clo. Afrd —3D 160
Sheldwich Lees. —1A 30
Sheldwich Ter. Brom —9A 70
Shellbank La. Dart —1E 15
Shellbank La. Grn St —2G 75
Shell Clo. Brom —9A 70
Shelldrake Clo. Isle G —3C 190
Shelley Av. Cant —9B 168
Shelley Clo. Orp —4G 85
Shelley Dri. Well —8G 51
Shelley Rd. Maid —7N 125
Shelley Rd. Mgte —7B 208
Shelleys La. Knock —7H 101 (4B 14)
Shell Grotto. —3D 208
Shellness Rd. Ley S —7N 203 (1A 20)
Shellons St. Folk —6K 189 (3A 42)
Shell Rd. SE13 —1E 54
Shelton Clo. Tonb —2J 145
Shelvingford Farm Rd. Hoath —2A 22
Shelvin La. Woot —4A 32
Shenden Clo. Sev —9K 119
Shenden Way. Sev —1K 131
Shenley Gro. S'lng —8C 110
Shenley Rd. Dart —4A 60
Shenley Rd. H'crn —1B 38
Shenstone Clo. Dart —2E 58
Shepherd Cotts. C'brk —7C 176
Shepherd Dri. W'boro —1L 161
Shepherdess Wlk. N1 —2D 5
Shepherds Bush. —2A 4
Shepherd's Bush Grn. W12 —3A 4
Shepherd's Bush Rd. W6 —3A 4
Shepherd's Clo. Orp —4H 85
Shepherd's Clo. Rd. Bri —2E 31
Shepherds Ga. Cant —1M 171
Shepherds Ga. Hem —6J 95
Shepherdsgate Dri. H Bay —7H 195
Shepherds Ga. Dri. Weav —4H 127
Shepherds Grn. Chst —3F 70
Shepherdsgrove La. Hamm —1A 34
Shepherd's Hill. Cole H —3B 34
Shepherd's La. Dart —6H 59 (4D 7)
Shepherds Lea. SE9 —2E 56
Shepherd St. N'fleet —5C 62
Shepherds Wlk. Ches —5L 225
Shepherds Wlk. Hythe —8F 196
Shepherds Wlk. Tun W —1K 157
Shepherds Way. Ches —5L 225
Shepherds Way. Langl —4A 140
Shepherds Way. Lwr Sto —8K 201
Shepherds Way. S Croy —8A 82
Shepherdswell. —2C 220 (4B 32)
Shepherdswell Rd. Col —4E 220 (4B 32)

Shepherdswell Rd.—Snodland Rd.

Shepherdswell Rd. Eyt —1E 220 (3B 32)
Shepherds Well Rd. W Grn —1A 220 (3A 32)
Shepperton Clo. Chat —7F 94
Shepperton Rd. N1 —2D 5
Shepperton Rd. Orp —9E 70
Sheppey Beach Vs. Ley S —6N 203
Sheppey Clo. Birch —4F 206
Sheppey Clo. Eri —7J 53
Sheppey Holiday Camp. Ley S —6L 203
Sheppey Rd. Maid —1C 138
Sheppey St. S'ness —2B 218
Sheppey View. Whits —7E 224
Sheppey Way. Bob —6B 98 (2C 18)
Sheppey Way. Iwade & Min S —9E 218 (1C 19)
Sheppy Ct. Min S —5E 218
Sheppy Pl. Grav —5G 62
Shepway. —9G 126 (2E 27)
Shepway. Kenn —5J 159
Shepway Clo. Folk —5K 189
Shepway Ct. Maid —9F 126
Sherard Rd. SE9 —3A 56 (4A 6)
Sheraton Ct. Chat —1C 110
Sherborne Clo. Tun W —3K 157
Sherborne Rd. Orp —8H 71
Sherbourne Clo. W King —7E 88
Sherbourne Dri. Maid —7M 125
Sherbourne Dri. Strood —3L 79
Sherbrooke Clo. Bexh —2B 58
Sherenden La. Mard —1D 37
Sherenden Pk. Gold G —2F 146
(in two parts)
Sherenden Rd. Tud —9C 146 (4A 26)
Sherfield Rd. Grays —3A 8
Sheridan Clo. Chat —4F 94
Sheridan Clo. Maid —1B 126
Sheridan Clo. Swan —7G 72
Sheridan Ct. Dart —2A 60
Sheridan Ct. Hild —3F 144
Sheridan Ct. Roch —1L 93
Sheridan Cres. Chst —5D 70
Sheridan Lodge. Brom —7M 69
(off Homesdale Rd.)
Sheridan Rd. Belv —4B 52
Sheridan Rd. Bexh —1N 57
Sheridan Rd. Dover —1G 180
Sheridan Way. Beck —4C 68
Sheriff Dri. Chat —9D 94
Sheriffs Ct. La. Min —2C 22
Sheriff's La. Roth —4E 35
Sherlies Av. Orp —3G 84
Shermanbury Pl. Eri —7G 52
Sherman Clo. Gill —2L 95
Sherman Rd. Brom —4K 69
Shernden La. M Grn —9C 184 (4B 24)
Shernolds. Maid —1E 138
Sheron Clo. Deal —5K 177
Sherriffs Ct. La. Ram —8J 205
Sherway Clo. H'crn —3M 193
Sherway Rd. H'crn —4B 28
Sherwood Av. Chat —9D 94
Sherwood Av. Whits —7E 224
Sherwood Clo. Bex —4L 57
Sherwood Clo. Fav —3F 186
Sherwood Clo. H Bay —5K 195
Sherwood Clo. Kenn —3H 159
Sherwood Clo. Whits —7E 224
Sherwood Cotts. Tun W —8L 151
Sherwood Ct. Wgte S —2K 207
Sherwood Gdns. Ram —3J 211
Sherwood Ho. Chat —8C 94
Sherwood Park. —8L 151 (1A 36)
Sherwood Pk. Av. Sidc —5J 57
Sherwood Pk. Rd. Mitc —1C 12
Sherwood Rd. Birch —6E 206
Sherwood Rd. Tun W —8K 151
Sherwood Rd. Well —9G 50
Sherwood Way. Tun W —8K 151
Sherwood Way. W Wick —3F 82
Shieldhall St. SE2 —4L 51
Shifford Path. SE23 —8A 54
Shillingheld Clo. Bear —4J 127
Shinecroft. Otf —7H 103
(off Rye La.)
Shingle Barn La. W Far —5G 136 (3C 27)
Shinglewell Rd. Eri —7B 52
Shipbourne. —3J 133 (2E 25)
Shipbourne Rd. Tonb & Ship —4J 145 (4E 25)
Ship Clo. Dym —7B 182
Shipfield Clo. Tats —9C 164
Ship & Half Moon Pas. SE18 —3D 50
Ship Hill. Tats —9C 164 (1A 24)
Ship La. Ave & Purf —2E 7
Ship La. Roch —8B 80
Ship La. Swan & S at H —4L 73 (1D 15)
Shipley Ct. Maid —5D 126
Shipley Hills Rd. Meop —3C 90 (2A 16)
Shipley Mill Clo. Kgnt —5G 160
Shipman Av. Cant —2J 171
Shipman Rd. SE23 —7A 54
Shipman's Way. Dover —1F 180
Ship St. E Grin —2A 34
Ship St. Folk —6K 189
Shipwrights Av. Chat —2D 94
Ship Yd. Ah —5C 216
Shirebrook Rd. SE3 —1N 55
Shire Ct. Eri —3M 51
Shirehall Rd. Dart —1K 73 (1D 15)
Shire La. Kes & Orp —8B 84 (3A 14)
(in two parts)
Shire La. Orp —6G 85
Shire La. Stal —2D 29
Shires, The. Pad W —8M 147
Shireway Clo. Folk —4G 189
Shirkoak. —2D 39
Shirland Rd. W9 —2B 4
Shirley. —3A 82 (2D 13)
Shirley Av. Bex —5M 57
Shirley Av. Chat —6A 94
Shirley Av. Croy —2A 82
Shirley Av. Ram —2J 211
Shirley Chu. Rd. Croy —4A 82 (2D 13)
Shirley Clo. Dart —2K 59
Shirley Clo. Grav —6N 63
Shirley Cotts. Tun W —9G 151
Shirley Ct. Maid —3H 139
Shirley Cres. Beck —7B 68
Shirley Gdns. Tun W —1C 156
Shirley Gro. Tun W —9C 150
Shirley Hills Rd. Croy —6A 82 (2D 13)
Shirley Oaks. —2A 82 (2D 13)
Shirley Oaks Rd. Croy —2A 82
Shirley Rd. Croy —2D 13
Shirley Rd. Sidc —8G 57
Shirley Towermill. —2D 13
Shirley Way. Bear —6K 127
Shirley Way. Croy —4B 82 (2E 13)
Shoebury Comn. Rd. Shoe —1D 11
Shoeburyness. —1D 11
Sholden. —4J 177 (2D 33)
Sholden Back. Deal —6H 177
Sholden Gdns. Orp —8L 71
Sholden New Rd. Shol —4J 177 (2D 33)
Sholden Rd. Roch —3N 79
Shooters Hill. —8C 50 (3A 6)
Shooter's Hill. SE18 & Well —8C 50 (3A 6)
Shooter's Hill. Dover —3H 181
Shooters Hill. Eyt —3K 185 (3C 32)
Shooters Hill Rd. SE3 & SE18 —8A 50 (3E 5)
Shoot Up Hill. NW2 —1B 4
Shore Clo. H Bay —4C 194
Shore Ct. Birch —3C 206
(off Ethelbert Rd.)
Shoreditch. —2D 5
Shoreditch High St. E1 —2D 5
Shorefield Rd. Wclf S —1B 10
Shorefields. Rain —1C 96
Shoregate La. Upc —1B 18
Shoreham. —2G 103 (3C 15)
Shoreham Clo. Bex —6M 57
Shoreham La. Ewh G —3C 44
Shoreham La. Hals —3A 102 (3C 14)
Shoreham La. Orp —7B 86 (3C 14)
Shoreham La. Sev —4G 118
Shoreham La. St Mic —4B 222 (3C 38)
Shoreham Pl. Shor —3H 103
Shoreham Rd. Eyns —7K 87 (3D 15)
Shoreham Rd. Orp —4K 71
Shoreham Rd. Shor —2J 103 (3D 15)
Shoreham Wlk. Maid —1J 139
Shoreham Way. Brom —9K 69
Shorehill La. Knat —7N 103
Shore, The. N'fleet —3C 62
(in two parts)
Shorland Ct. Roch —8M 79
Shorncliffe Cres. Folk —6E 188
Shorncliffe Ind. Est. Folk —6E 188
Shorncliffe Rd. Folk —6E 188 (2A 42)
Shorndean St. SE6 —6F 54
Shorne. —1C 78 (1C 16)
Shorne Clo. Orp —7M 71
Shorne Clo. Sidc —4K 57
Shornefield Clo. Brom —6C 70
Shorne Ifield Rd. Shorne —2M 77 (1B 16)
Shornells Way. SE2 —5L 51
Shorne Ridgeway. —3C 78 (1C 16)
Shorne Wood Country Park. —3N 77
Shortlands. —5H 69 (1E 13)
Shortlands Clo. Belv —3A 52
Shortlands Gdns. Brom —5H 69
Shortlands Grn. Maid —3J 139
Shortlands Gro. Brom —6G 69
Shortlands Rd. Brom —6G 69 (1E 13)
Shortlands Rd. Sit —7H 99
Short La. Alk —1B 42
Short La. Bchly —1C 36
Short La. Gill —6K 81
Short La. Oxt —3A 24
Short La. Sev —5H 121
Short La. Snar —1C 46
Short Path. SE18 —6D 50
Short's Prospect. E'chu —8A 202
Short St. Chat —9E 80
Short St. Chill —2B 32
Short St. S'wch —5M 217
Short St. S'ness —2C 218
Shorts Way. Roch —9L 79 (2D 17)
Short Way. SE9 —1A 56
Shottendane Rd. Birch —6J 207 (1C 23)
Shottenden. —2B 30
Shottenden Rd. Bad —2A 30
Shottenden Rd. Gill —5G 80
Shottenden Rd. Shott —2A 30
Shottery Clo. SE9 —8A 56
Shover's Green. —4B 36
Showfields Rd. Tun W —4F 156
Shrapnel Clo. SE18 —7A 50
Shrapnel Rd. SE9 —1B 56
Shrewsbury La. SE18 —8D 50
Shrewsbury Rd. Beck —6B 68
Shrimp Brand Cotts. Grav —1F 76
Shrimpton Clo. Old L —2B 30
Shroffold Rd. Brom —9H 55
Shropshire Ter. Maid —1H 139
Shrubbery Rd. Grav —6G 63
Shrubbery Rd. S Dar —4D 74 (1E 15)
Shrubbery, The. B'hm —7C 162
Shrubbery, The. Walm —9M 177
Shrubcote. Tent —8D 222
Shrub Hill Rd. Ches —6M 225
Shrublands Av. Croy —4D 82
Shrublands Ct. Tonb —5K 145
Shrublands Ct. Tun W —1J 157
Shrubsall Clo. SE9 —6A 56
Shrubsole Av. S'ness —3D 218
Shrubsole Dri. S'lng —7C 110
Shuart La. St N —8E 214 (2B 22)
(in two parts)
Shurland Av. Ley S —7N 203
Shurland Av. Min S —6J 219
Shurland Av. Sit —1G 114
Shurland Cvn. Pk. E'chu —3D 202
Shurlock Av. Swan —5E 72
Shurlock Dri. Orp —5E 84
Shuttle Clo. Bidd —7L 163
Shuttle Clo. Sidc —5H 57
Shuttlemead. Bex —5A 58
Shuttle Rd. Broad —8M 209
Shuttle Rd. Dart —1H 59
Shuttlesfield. —1E 41
Shuttlesfield La. O'nge —1E 41
Sibert's Clo. S'wll —3E 220
Sibertswold. —2C 220 (4B 32)
Sibley Clo. Bexh —3N 57
Sibthorpe Rd. SE12 —4L 55
Sidcup. —9J 57 (4B 6)
Sidcup By-Pass. Chst & Sidc —8F 56 (1B 14)
Sidcup High St. Sidc —9J 57
Sidcup Hill. Sidc —9K 57 (1B 14)
Sidcup Hill Gdns. Sidc —1L 71
Sidcup Pl. Sidc —1J 71
Sidcup Rd. SE12 & SE9 —4M 55 (4A 6)
Sidcup Technical Cen. Sidc —2M 71
Siddons Rd. SE23 —7B 54
Side Hills. Dent —3A 32
Sidewood Rd. SE9 —6F 56
Sidings, The. Lym —7D 204
Sidmouth Ct. Dart —6B 60
(off Churchill Clo.)
Sidmouth Rd. NW2 —1A 4
Sidmouth Rd. Orp —8K 71
(in two parts)
Sidmouth Rd. Well —7L 51
Sidmouth St. WC1 —2C 5
Sidney. Sidc —2K 71
Sidney Clo. Tun W —5E 156
Sidney Gdns. Otf —8K 103
Sidney Rd. Beck —5B 68
Sidney Rd. Gill —5F 80
Sidney Rd. Roch —1L 93
Sidney St. E1 —2D 5
Sidney St. Folk —5L 189
Sidney St. Maid —7N 125
Signal Ct. Gill —2B 96
Silchester Ct. Maid —2F 126
Silecroft Ct. Afrd —9C 158
Silecroft Rd. Bexh —8B 52
Silk Clo. SE12 —3K 55
Silk Mills Clo. Sev —3K 119
Silvanus Ho. Ram —5H 211
(off High St. Ramsgate,)
Silver Av. Birch —5G 206
Silverbank. Chat —5D 94
Silver Birch Av. Meop —1E 106
Silver Birch Clo. SE28 —1J 51
Silver Birch Clo. Dart —9F 58
Silver Birches. Chat —8D 94
Silver Birches. Min S —3H 219
Silver Birch Gro. Kgnt —5F 160
Silver Clo. Tonb —9H 145
Silverdale. SE26 —9A 54
Silverdale. Hart —7M 75
Silverdale. Maid —7K 125
Silverdale Av. Min S —6H 219
Silverdale Dri. SE9 —7A 56
Silverdale Dri. Gill —4B 96
Silverdale Gro. Sit —8D 98
Silverdale La. Tun W —7H 151
Silverdale Rd. Bexh —9C 52
Silverdale Rd. Pet W —7E 70
Silverdale Rd. Ram —7E 210
Silverdale Rd. St P —6J 71
Silverdale Rd. Tun W —8H 151 (1E 35)
Silverden La. Sand —4H 215 (2C 44)
Silver Hill. —7A 128 (2B 44)
Silver Hill. Chat —9C 80
Silverhill. Hrst G —2B 44
Silver Hill. Roch —1K 93
Silver Hill. Tent —6C 222
Silver Hill Gdns. Chat —9C 80
Silver Hill Gdns. W'boro —9L 159
Silver Hill Rd. W'boro —9L 159 (1A 40)
Silverhurst Dri. Tonb —1J 145
Silverlands Rd. Lym —7C 204
Silverland St. E16 —1B 50
Silver La. W Wick —3G 82
Silvermere Rd. SE6 —5E 54
Silver Rd. Grav —7K 63
Silverspot Clo. Rain —4B 96
Silver Spring Clo. Eri —6C 52
Silverstead La. W'ham —3F 116 (1B 24)
Silvers, The. Broad —9G 208
Silver Street. —5A 114 (3B 18)
Silver St. SE13 —1E 54
Silver St. Bre —5A 114 (3B 18)
Silver St. Deal —3N 177
Silverthorne Rd. SW8 —3C 4
Silvertown. —3A 6
Silvertown Way. E16 —2E 5
Silver Tree Clo. Chat —1D 110
Silverweed Rd. Chat —7B 94
Silverwood Clo. Beck —3D 68
Silverwood Clo. Croy —9C 82
Silwood Clo. Tun W —8L 151
Simmonds Ct. Rust —1B 156
Simmonds Dri. Hart —8N 75
Simmonds La. Otham —2L 139
Simmonds Rd. Win I —3L 171 (1D 31)
Simmons Rd. SE18 —5D 50
Simnel Rd. SE12 —5L 55
Simon Av. Clift —3H 209
Simone Clo. Brom —4A 70
Simone Weil Av. Afrd —6E 158 (1A 40)
Simon's Av. Afrd —2D 160
Simpson Rd. Sit —6D 98
Simpson Rd. Snod —4E 108
Simpsons Rd. Brom —6K 69
Sims Wlk. SE3 —2J 55
Sinclair Clo. Gill —7A 96
Sinclair Way. Dart —9D 60
Sincoe Ter. Dover —1G 181
(off Toronto Clo.)
Sindal Shaw Ho. Chat —7B 94
Sindals La. Chat —1H 111
Singapore Dri. Gill —7D 80
Singer Av. H Bay —3C 194
Singledge Av. Whitf —7E 178
Singledge La. Col —2A 178 (4B 32)
Singles Cross La. Knock & Sev —5L 101 (3B 14)
Singles Cross La. Sev —3B 14
Single Street. —6D 100 (4A 14)
Single St. Berr G —6D 100 (4A 14)
Singleton. —2B 160 (1E 39)
Singleton Cen., The. Afrd —1B 160
Singleton Clo. Min —7M 205
Singleton Hill. Afrd —2A 160 (1E 39)
Singleton Rd. Gt Cha —9A 158
Singlewell. —1H 77 (1B 16)
Singlewell Rd. Grav —7G 62 (4B 8)
Sinkhurst Green. —1A 38
Sion Hill. Ram —6J 211
Sion Pas. Ram —6J 211
(off Sion Hill)
Sion Wlk. Tun W —3G 157
(off Mt. Sion)
Sirdar Strand. Grav —1L 77
Sir David's Pk. Tun W —5E 150
Sir Evelyn Rd. Roch —2M 93
Sir Hawkins Way. Chat —3C 80
Sir John Moore Av. Hythe —6H 197
Sir John Moore Ct. S'gte —8E 188
Sir Thomas Longley Rd. Roch —6B 80
Siskin Clo. H'nge —8A 192
Siskin Gdns. Pad W —1M 153
Siskin Wlk. Lark —8D 108
Sissinghurst. —8C 220 (2E 37)
Sissinghurst Castle. —2A 38
Sissinghurst Castle Garden. —7F 220
Sissinghurst Clo. Brom —1H 69
Sissinghurst Dri. Maid —5M 125
Sissinghurst Rd. Bidd —8H 163 (2A 38)
Sissinghurst Rd. Siss —9A 220 (2E 37)
Site of Battle of Hastings 1066. —4B 44
Sittingbourne. —7G 98 (3C 19)
Sittingbourne Ind. Est. Sit —6G 98
Sittingbourne & Kemsley Light Railway. —6F 98 (2C 19)
Sittingbourne Rd. Det & S'bry —8N 111 (4A 18)
Sittingbourne Rd. Maid —4E 126 (1E 27)
(in two parts)
Siviter Way. Dag —1C 6
Siward Rd. Brom —6L 69
Six Bells La. Sev —8K 119
Six Bells Pk. Wdchu —6B 226
Six Fields Path. Tent —8C 222
Sixmile. —4D 31
Sixth Av. E'chu —3G 202
Skeete. —1D 41
Skeete Rd. Lym —8A 204 (1D 41)
Skeet Hill La. Orp —3N 85 (2C 14)
Skene Clo. Gill —2C 96
Skeynes Rd. Eden —6B 184
Skibbs La. Orp —6N 85 (2C 14)
Skid Hill La. Warl —3E 13
Skinner Rd. Lydd —3C 204 (3D 47)
Skinners All. Whits —4F 224
(off King Edward St.)
Skinners Clo. Eccl —4L 109
Skinners Gdns. Siss —8C 220
Skinner's La. Eden —4D 184
Skinner's Ter. Tonb —7H 145
Skinner St. EC1 —2C 5
Skinner St. Chat —9C 80
Skinner St. Gill —7F 80
(in two parts)
Skinners Way. Langl —4A 140
Skinney La. Hort K —6D 74 (1E 15)
Skippers Clo. Grnh —3H 61
Skipton Ho. SE4 —2B 54
Skua Ct. Roch —5G 79
Skye Clo. Maid —1D 138
Slade. —2D 29
Sladebrook Rd. SE3 —1N 55
Slade Clo. Chat —9E 94
Sladedale Rd. SE18 —5G 50
Slade Gdns. Eri —8G 53
Slade Green. —8H 53 (3D 7)
Slade Grn. Rd. Eri —6J 53 (3D 7)
Slade Rd. War S & Dod —2D 29
Slades Clo. Ches —5L 225
Slades Dri. Chst —9E 56
Slade, The. SE18 —6G 50 (3B 6)
Slade, The. Lam —4C 200 (3B 36)
Slade, The. Tonb —5H 145
Slagrove Pl. SE13 —3D 54
Slaithwaite Rd. SE13 —2F 54
Slaney Rd. S'hrst —7K 221
Slatin Rd. Roch —4M 79
Sleepers Stile Rd. Free H —3B 36
Sleigh Rd. Sturry —5E 168
Slicketts Hill. Chat —8D 80
Slines New Rd. Wold —4D 13
Slines Oak Rd. Wold & Warl —4E 13
Slip La. Alk —1B 42
Slip Mill Rd. Hawkh —5J 191 (4D 37)
Slip Pas. Dover —5J 181
Slip, The. W'ham —8E 116
Slipway Rd. S'ness —1A 218
Sloane Gdns. Orp —4E 84
Sloane Sq. Long —6L 75
Sloane St. SW1 —3B 4
Sloane Wlk. Croy —9C 68
Sloe La. Broad —8F 208
Slough Rd. Mils —6H 115 (4C 19)
Smacks All. Fav —4H 187
Smallbridge Rd. Horsm —6H 185 (2C 37)
Small Grains. Fawk —4H 89
Small Hythe. —4C 38
Smallhythe Place. —4C 38
Smallhythe Rd. Tent —3C 38
Small Profits. Yald —4D 136 (3C 26)
Smarden. —3K 221 (1C 38)
Smarden Bell. —1H 221 (1B 38)
Smarden Clo. Belv —5B 52
Smarden Gro. SE9 —9B 56
Smarden Rd. Bidd —2B 38
Smarden Rd. H'crn —4M 193 (1B 38)
Smarden Rd. Smar & P'ley —4C 29
Smarts Cotts. Bear —5M 127
Smart's Hill. —1D 35
Smarts Hill. Pens —5H 149 (1D 35)
Smarts Rd. Grav —7H 63
Smeed Clo. Sit —7J 99
Smeed Dean Cen. Sit —7H 99
Smeeth. —9H 165 (2B 40)
Smetham Gdns. Roch —3M 79
Smitham Bottom La. Purl —3C 12
Smitham Downs Rd. Purl —3C 13
Smithers Clo. Hdlw —7D 134
Smithers Ct. E Peck —9M 135
Smithers La. E Peck —9M 135
Smithfield Rd. Isle G —3D 190
Smithies Rd. SE2 —4K 51
Smith Rd. Chat —8E 94
Smiths Est. S'lng —7B 110
Smith's Hill. W Far —4F 136 (3C 27)
Smith's Hospital Almshouses. Cant —2A 172
Smiths La. Crock H —3B 24
Smiths Orchard. Bre —5A 114
Smith St. Roch —6L 79
Smith St. Shoe —1D 11
Smithy Dri. Kgnt —5G 160
Smugglers. Hawkh —6L 191
Smugglers Wlk. Grnh —3H 61
Smugglers Way. Birch —3F 206
Smythe Clo. Tun W —3E 150
Smythe Rd. S at H —3M 74
Snag La. Cud —2F 100 (3B 14)
Snagshall. —2C 44
Snake Hill. E Grn —3D 35
Snakes Hill. Tilm —3C 33
Snakes Hill. W'hm W —1B 32
Snargate. —1C 46
Snargate La. Snar —2C 46
Snargate St. Dover —6J 181 (1C 43)
Snatts Hill. Oxt —2A 24
Snave. —1C 47
Snelgrove Ho. Dover —4J 181
Snell Gdns. H Bay —5C 194
Snelling Av. N'fleet —7D 62
Snipe Clo. Eri —7J 53
Snipe Clo. Pem —6D 152
Snipe Ct. Roch —5G 79
Snipeshill. —8K 99 (3D 19)
Snoad Hill. —1D 39
Snoad La. Mard —1E 37
Snode Hill. Dent —4A 32
Snodhurst Av. Chat —6B 94
Snodhurst Ho. Chat —4C 94
Snodland. —2E 108 (3C 17)
Snodland By-Pass. Snod —5D 108 (3C 17)
Snodland Clo. Orp —1C 100
Snodland Rd. Birl —4A 108 (3C 16)

Snoll Hatch—Spring Shaw Rd.

Snoll Hatch. —2K 147
Snoll Hatch Rd. E Peck
—2K 147 (3B 26)
Snowbell Rd. Kgnt —5F 160
Snowdon Av. Maid —4E 126
Snowdon Clo. Chat —4E 94
Snowdon Pde. Maid —4F 126
Snowdown. —4E 162 (3B 32)
Snowdown Cvn. Site. Snow —3E 162
Snowdown Clo. SE20 —4A 68
Snowdown Ct. Aysm —2D 162
Snowdrop Clo. Folk —3J 189
Snughorne La. Smar —1B 38
Sobraon Way. Cant —1C 172
Socket La. Hay —9L 69
Soho. —2C 4
Solefields. Sev —9K 119
(off Solefields Rd.)
Solefields Rd. Sev —1J 131 (2D 25)
Solent Gdns. Chat —3E 94
Soleoak Dri. Sev —9J 119
Soleshill Farm Cotts. Chi —8H 175
Soleshill Rd. Shott —8H 175 (2B 30)
Sole Street. —8J 77 (2B 16)
Sole St. Crun —3B 30
Sole St. Grav —8J 77
Sole St. Meop & Grav —2B 16
Sole St. Sole S —8J 77
Soloman Ho. Deal —7L 177
Solomon Rd. Gill —2B 96
Solomons La. Fav —5H 187
Solomon's La. M'fld —4B 44
Solomon's Rd. Chat —8C 80
Somerden Rd. Orp —1M 85
Somerfield Barn Ct. S'ndge —9J 215
Somerfield Clo. Maid —5A 126
Somerfield La. Maid —4A 126
Somerfield Rd. Maid —5A 126
Somerhill. —9M 145
Somerhill Av. Sidc —5K 57
Somerhill Rd. Tonb —7K 145
Somerhill Rd. Well —9K 51
Somerset Av. Well —2H 57
Somerset Clo. Chat —3F 94
Somerset Clo. Sit —7D 98
Somerset Clo. Whits —6D 224
Somerset Ct. Broad —9K 209
Somerset Ct. Walm —7L 177
Somerset Rd. Afrd —8G 158 (1A 40)
Somerset Rd. Cant —2C 172
Somerset Rd. Dart —4J 59
Somerset Rd. Folk —5E 188 (2A 42)
Somerset Rd. Maid —9F 126
Somerset Rd. Orp —1J 85
Somerset Rd. Tun W —8G 150
Somerset Rd. Walm —7M 177
Somersham Rd. Bexh —9N 51
Somers Town. —2C 4
Somertrees Av. SE12 —7L 55
Somerville Gdns. Tun W —1F 156
Somerville Rd. SE20 —3A 68
Somerville Rd. Dart —4N 59
Somme Ct. Cant —1C 172
Sommerville Clo. Fav —5J 187
Somner Clo. Cant —1K 171
Somner Wlk. Maid —4J 139
Somnes Av. Can I —1E 9
Sondes Clo. H Bay —5H 195
Sondes Rd. Deal —5N 177 (2E 33)
Sonnet Wlk. Big H —6B 164
Soper's La. Hawkh —3H 191
Sophurst Wood La. Matf
—9H 153 (1B 36)
Sopwith Clo. Big H —4D 164
Sorrel Bank. Croy —9B 82
Sorrel Clo. SE28 —1J 51
Sorrell Clo. Eden —4D 184
Sorrell Rd. Chat —7B 94
Sorrells, The. Stan H —2C 8
Sorrel Way. N'fleet —9D 62
Sortmill Rd. Snod —3F 108
Sotherton. W'boro —2J 161
Souberg Clo. Deal —2M 177
Sounds Lodge. Swan —9D 72
South Acton. —3A 4
South Alkham. —1B 42
Southall Clo. Min —6N 205
Southampton Rd. NW5 —1B 4
Southampton Row. WC1 —2C 5
Southampton Way. SE5 —3D 5
South Ashford. —1F 160 (1A 40)
S. Ash Rd. As —1J 105 (3E 15)
S. Audley St. W1 —2C 4
South Av. Gill —1K 95
South Av. Sit —8H 99 (3C 19)
South Av. Snow —4E 162
S. Aylesford Retail Pk. Ayle —1J 125
South Bank. Cli —3M 65
South Bank. S'hrst —9J 221
South Bank. Sut V —9A 140
South Bank. W'ham —8F 116
S. Barham Rd. B'hm —9C 162 (4E 31)
South Beddington. —3C 12
South Benfleet. —1E 9
Southborough. —9A 70 (2A 14)
(nr. Bromley)
Southborough. —4E 150 (1E 35)
(nr. Royal Tunbridge Wells)
Southborough Ct. Tun W —5F 150
Southborough La. Brom —8A 70 (2A 14)
Southborough Rd. Brom —6A 70 (2A 14)
Southbourne. Afrd —4C 160
Southbourne. Brom —1K 83
Southbourne Gdns. SE12 —3L 55
Southbourne Gro. Chat —7D 94
Southbourne Gro. Wclf S —1B 10
S. Bourne Rd. Folk —6L 189
Southbridge Rd. Croy —2D 13
Southbrook M. SE12 —4J 55
Southbrook Rd. SE12 —4J 55 (4E 5)
S. Bush La. Gill —6D 96 (2A 18)
S. Camber Way. Dover —4N 181
S. Canterbury Rd. Cant —4N 171 (1D 31)
Southchurch. —1C 11
Southchurch Av. Sth S —1C 10
Southchurch Boulevd. Sth S —1C 11
Southchurch Hall. —1C 10
Southchurch Rd. Sth S —1C 10
S. Cliff Pde. Broad —3L 211
South Clo. Bexh —2M 57
South Clo. Cant —2N 171 (1D 31)
South Ct. Deal —4N 177
South Ct. Maid —8D 126
S. Court Dri. W'hm —3B 226
South Cres. Cox —5N 137
Southcroft Av. Well —1G 57
Southcroft Av. W Wick —3F 82
Southcroft Rd. SW17 & SW16 —1C 12
Southcroft Rd. Orp —4G 84
S. Croxted Rd. SE21 —4D 5
South Croydon. —3D 13
S. Dagenham Rd. Dag & Rain —1C 7
South Darenth. —4C 74 (1E 15)
Southdene. Hals —4A 102
Southdown Rd. Min S —6F 218
South Dri. Orp —6G 84
S. Eastern Rd. Ram —6G 211 (2E 23)
S. Eastern Rd. Roch —5N 79
S. Eden Pk. Rd. Beck —9E 68 (2E 13)
Southenay La. S'ndge —6H 215 (2C 40)
Southend. —9G 54 (1E 13)
South End. Croy —2D 13
Southend Clo. SE9 —4D 56
Southend Cres. SE9 —4D 56 (4A 6)
Southend La. SE26 & SE6
—9C 54 (1E 13)
Southend-on-Sea. —1C 10
Southend Pier. —1C 10
S. End Rd. NW3 —1B 4
Southend Rd. Beck —4D 68 (1E 13)
Southend Rd. Corr —1C 9
Southend Rd. Grays —3A 8
S. End Rd. Rain & Horn —2C 7
Southernden. —4B 28
Southernden Rd. H'crn —4B 28
Southern Pl. Swan —7E 72
Southernwood Rise. Folk —7F 188
Southey St. SE20 —3A 68
Southey Way. Lark —6D 108
Southfield La. Eger —3D 29
Southfield Rd. W4 —3A 4
Southfield Rd. Chst —6J 71
Southfield Rd. Tun W —8G 150
Southfields. —4B 4
Southfields. Roch —9M 79
Southfields. Speld —7A 150
Southfields. Swan —3F 72
Southfield Shaw. Meop —1G 106
Southfields Rd. W King —8F 88
Southfields Way. Tun W —6H 151
Southfleet. —1N 75 (1A 16)
Southfleet Av. Long —5A 76
Southfleet Rd. Bean —9J 61 (1E 15)
Southfleet Rd. N'fleet —6E 62
Southfleet Rd. Orp —4G 84
Southfleet Rd. Swans —5M 61 (4A 8)
South Foreland Lighthouse. —1E 43
Southgate Rd. N1 —2D 5
Southgate Rd. Tent —8D 222
S. Gipsy Rd. Well —1M 57
S. Glade, The. Bex —6A 58
S. Goodwin Ct. Deal —2N 177
South Green. —5J 113 (3B 18)
South Grn. La. S'bry —3H 113 (3B 18)
South Gro. Tun W —3G 157
South Hackney. —2D 5
S. Hall Clo. F'ham —1N 87
South Hampstead. —1B 4
South Hill. Chst —2B 70
South Hill. H'lgh —4C 30
South Hill. Horn H —2B 8
South Hill. Lang H —1B 8
S. Hill Rd. Brom —6H 69
S. Hill Rd. Grav —6H 63
South Hornchurch. —2C 7
Southill Ct. Hay —8J 69
Southill Rd. Chat —9C 80
Southill Rd. Chst —3A 70
South Kensington. —3B 4
S. Kent Av. N'fleet —4B 62
South Lambeth. —3C 5
S. Lambeth Rd. SW8 —3C 5
Southland Rd. SE18 —7H 51
Southlands Av. Orp —5F 84
Southlands Gro. Brom —6A 70
Southlands Rd. Brom —7N 69 (1A 14)
South La. N Mald —1A 12
South La. Sut V —9A 140 (3A 28)
South La. W. N Mald —1A 12
South Lea. Kgnt —6E 160
Southlees La. S Grn —7H 113 (4B 18)
South Lodge. Whits —2G 225
S. Lodge Av. Mitc —1C 13
S. Lodge Clo. Whits —2G 225
S. Lodge Hill. S Min —4E 31
S. Lodge Rd. S Min —4D 31
Southmead Clo. Folk —5G 189
S. Military Rd. Dover —7H 181 (1C 43)
South Motto. Kgnt —5F 160
South Norwood. —1D 13
South Norwood Country Park. —1D 13
S. Norwood Hill. SE25 —1D 13
South Ockendon. —2E 7
South of England Farm Park. —8E 226
South of England Rare Breeds Centre.
—3D 39
Southold Rise. SE9 —8B 56
Southover. Brom —1K 69
South Pde. W4 —3A 4
South Pk. Sev —7J 119
South Pk. Bus. Village. Maid —8D 126
South Pk. Ct. Beck —3D 68
South Pk. Cres. SE6 —6J 55
S. Park Dri. Ilf & Bark —1B 6
S. Park Hill Rd. S Croy —2D 13
South Pk. Rd. Maid —8E 126
Southport Rd. SE18 —4F 50
South Promenade. Deal —4N 177
S. Rise Way. SE18 —4F 50
South Rd. SE23 —7A 54
South Rd. Chat —5E 80
(Officers' Rd.)
South Rd. Chat —5D 80
(Wood St.)
South Rd. Dover —4G 181
South Rd. Eri —7G 52
South Rd. Fav —5G 186 (3A 20)
South Rd. Folk —8C 188
South Rd. H Bay —3H 195
South Rd. Hythe —7K 197 (3E 41)
South Rd. Kgdn —4N 199
South Rd. Mard —2M 205
South Rd. S Ock —2E 7
Southsea Av. Min S —3J 219
Southsea Dri. H Bay —3E 194
South Side. Til —2D 62
Southside Comn. SW19 —1A 12
S. Side Three Rd. Chat —4E 80
Southspring. Sidc —5F 56
South Stifford. —3A 8
South Stour. —2A 40
S. Stour Av. Afrd —1G 160
South Street. —7E 90 (3B 16)
(nr. Meopham)
South Street. —4E 112 (3A 18)
(nr. Stockbury)
South Street. —1C 116 (1A 24)
(nr. Westerham Hill)
South Street. —6J 225 (2D 21)
(nr. Whitstable)
South St. Barm —8J 125 (2D 27)
South St. Bou B —9N 187 (4B 20)
South St. Brom —5K 69
South St. Cant —8B 168
South St. Deal —4N 177
South St. Eps —3A 12
South St. Folk —6L 189
South St. Grav —5G 63
South St. Lydd —3C 204
South St. Meop —7E 90 (3A 16)
South St. Queen —7A 218
South St. Roth —4D 35
South St. Whits —5J 225 (2D 21)
South St. Rd. S'bry —3C 112 (3A 18)
South Tankerton. —4J 225
South Trench. Tonb —2J 145
S. Undercliff. Rye —3A 46
South View. Bear —5M 127
South View. Brom —5M 69
South View. Her —3K 169
S. View Clo. Bex —4A 58
S. View Clo. Swan —7H 73
Southview Gdns. S'ness —4D 218
Southview Rd. Brom —9G 55
Southview Rd. Crowb —4C 35
S. View Rd. Dart —8L 59
S. View Rd. Spar G —3A 36
S. View Rd. Tun W —6H 151
S. View Rd. Whits —7F 224
Southviews. S Croy —9A 82
S. View Ter. Goud —8K 185
South Wlk. W Wick —4H 83
South Wall. Deal —2K 177 (2E 33)
Southwall Rd. Deal —4L 177 (2E 33)
Southwark. —2C 5
Southwark Bri. SE1 —2D 5
Southwark Bri. Rd. SE1 —3C 5
Southwark Pk. Rd. SE16 —3D 5
Southwark Pl. Brom —6B 70
Southwark Rd. Roch —6H 79
Southwark St. SE1 —2C 5
Southwater Clo. Beck —3E 68
South Way. Croy —4B 82
South Way. Hay —1K 83
South Way. Wemb —1A 4
South Ways. Sut V —9A 140
Southwell Rd. Roch —6G 79
South Willesborough. —2J 161 (1A 40)
South Wimbledon. —1B 12
Southwold Pl. Wgte S —4K 207
Southwold Rd. Bex —4C 58
Southwood. Maid —7K 125
Southwood Av. Tun W —8G 151
Southwood Clo. Brom —7B 70
S. Woodford to Barking Relief Rd. E11,
E12 & Bark —1A 6
Southwood Gdns. Ram —5F 210
Southwood Rd. SE9 —7D 56 (4A 6)
Southwood Rd. SE28 —1K 51
Southwood Rd. Ram —5G 210
Southwood Rd. Tun W —9B 150
Southwood Rd. Whits —3K 225
Soval. —6B 180
Sovereign Boulevd. Chat —1H 95
Sovereign Ct. Roch —6G 78
Sovereign Ct. S at H —4A 74
(off Barton Rd.)
Sovereigns, The. Maid —5A 126
Sovereigns Way. Mard —2J 205
Sovereign Way. Tonb —6J 145
Sowell St. Broad —8K 209 (1E 23)
Sowerby Clo. SE9 —3B 56
Spade La. H'lip —6E 96 (2A 18)
Spa Esplanade. H Bay —2D 194
Spa Hill. SE19 —1D 13
Spa Ind. Pk. Tun W —6L 151
Spalding Ho. SE4 —2B 54
Spaniards Rd. NW3 —1B 4
Spanton Cres. Hythe —5H 197
Sparepenny La. Eyns —3L 87 (2D 15)
Sparkes. Sidc —1K 71
Sparkeswood. —3K 213
Sparkeswood Av. Rol —2K 213
Sparkeswood Clo. Rol —3K 213
Sparrow Castle. Mgte —4D 208
Sparrow Dri. Orp —2E 84
Sparrow's Green. —3B 36
Sparrows Grn. Rd. Wadh —3A 36
Sparrow's Herne. Bas —1C 9
Sparrows La. SE9 —5E 56
Spa Valley Railway. —6K 155 (2D 35)
Speakman Ho. SE4 —1B 54
(off Arica Rd.)
Spearhead Rd. Maid —2C 126
Spearman St. SE18 —6C 50
Spectrum Bus. Cen. Roch —4B 80
Spectrum Bus. Est. Maid —4J 139
Spectrum W. Maid —1A 126
Speedgate Hill. Fawk —3G 88 (2E 15)
Speedwell Av. Chat —7B 94
Speedwell Clo. Eden —4D 184
Speedwell Clo. Gill —7H 81
Speedwell Clo. Weav —5H 127
Speke Hill. SE9 —8B 56
Speke Rd. Broad —7J 209
Spekes Rd. Hem —5L 95
Spelders Hill. Brook —1B 40
Speldhurst. —6A 150 (1D 35)
Speldhurst Clo. Afrd —4C 160
Speldhurst Clo. Brom —8K 69
Speldhurst Ct. Maid —5A 126
Speldhurst Gdns. Clift —2K 209
Speldhurst Hill. Speld —7A 150 (1D 35)
Speldhurst Rd. L'tn G —2M 155 (2D 35)
Speldhurst Rd. Tun W —6D 150 (1E 35)
Spelmonden Rd. Horsm
—4B 198 (2C 36)
Spencer Clo. Chat —6D 94
Spencer Clo. Orp —3G 85
Spencer Ct. Farn —6E 84
Spencer Ct. S'gte —8C 188
Spencer Flats. Chat —3E 94
Spencer Gdns. SE9 —3B 56
Spencer Ho. Folk —6F 188
(off Coolinge La.)
Spencer M. Tun W —3G 157
(off Berkeley Rd.)
Spencer Pk. SW18 —4B 4
Spencer Rd. Birch —3E 206
Spencer Rd. Brom —3J 69
Spencers Cotts. Bor G —2N 121
Spencer Sq. Ram —6H 211
Spencer St. EC1 —2C 5
Spencer St. Grav —5F 62
Spencer St. Ram —6H 211
Spencer Way. Maid —1H 139
Spendiff. —4B 66 (4D 9)
Spenlow Dri. Chat —1D 110
Spenny La. Mard —4C 27
Spenser Rd. H Bay —3F 194 (2E 21)
Speranza St. SE18 —5H 51
Speyside. Tonb —2H 145
Spicers Ct. Hythe —7K 197
Spicer's Pl. Wickh —4A 22
Spielman Rd. Dart —2N 59
Spiers, The. Gill —7M 81
Spillett Clo. Fav —6F 186
Spillway, The. Maid —7A 126
Spindle Clo. SE18 —3A 50
Spindle Glade. Maid —4F 126
Spindlewood Clo. Chat —8E 94
Spinel Clo. SE18 —5H 51
Spinnaker Ct. Roch —2N 93
Spinners Clo. Bidd —7L 163
Spinney Clo. Clift —4J 209
Spinney La. Aysm —4B 162 (3A 32)
(in two parts)
Spinney Oak. Brom —5A 70
Spinneys, The. Brom —4B 70
Spinney, The. Afrd —7C 158
Spinney, The. Dover —2D 180
Spinney, The. Maid —7E 126
Spinney, The. Sidc —1N 71
Spinney, The. Swan —5F 72
Spinney, The. Tonb —8G 144
Spinney Way. Cud —2F 100
Spire Av. Whits —5H 225
Spire Clo. Grav —6G 63
Spires, The. Cant —1M 171
Spires, The. Dart —7L 59
Spires, The. Maid —5A 126
Spires, The. Roch —7H 79
Spitalfield La. New R —3A 212
Spitalfields. —2D 5
Spitals Cross. —4C 184 (4B 24)
Spitals Cross Estate. —4D 184
Spital St. Dart —4L 59
Spitfire Clo. Chat —5E 94
Spitfire & Hurricane Pavilion.
—9M 207 (2D 23)
Spitfire Rd. W Mal —6L 123
Spivers Garden. —4A 198
Split Ho. Dover —3F 180
Split La. S Min —3D 31
Spode La. Cowd —1B 34
Sponden La. Sand —1J 215
(in two parts)
Spongs La. Siss —7C 220 (2E 37)
Sportsbank St. SE6 —5F 54
Sportsfield. Maid —4E 126
Sportsmans Cotts. King H —4N 123
Spot Farm Cotts. Maid —1N 139
Spothouse La. Wdchu —6F 226 (3E 39)
Spot La. Down —7J 127 (2E 27)
(in three parts)
Spout Hill. Croy —6D 82 (2E 13)
Spout Hill. Roth —4E 35
Spout La. Bchly —9N 153 (1B 36)
Spout La. Crock H —3B 24
Spratling La. Ram —3D 210 (2D 23)
Spratling St. Mans —3B 210 (2D 23)
Spray Hill. Lam —2D 200 (3B 36)
Spray's La. Sed —4C 44
Spray St. SE18 —4D 50
Sprig, The. Bear —5K 127
Springbank Rd. SE13 —4G 55
Springbourne Ct. Beck —4F 68
(in two parts)
Spring Cotts. Hams —8C 190
Springcroft. Hart —9N 75
Spring Cross. New Ash —4N 89
Springett Almshouses. Hawkh —7J 191
Springett Clo. Eccl —4K 109
Springetts Hill. —3B 124
Springett Way. Cox —4A 138
Springfarm Rd. Bztt —1C 47
Springfield Av. Maid —2C 126
Springfield Av. Swan —7G 73
Springfield Clo. Ram —2J 211
Springfield Cotts. Bek —4F 172
Springfield Gdns. Brom —7B 70
Springfield Gdns. W Wick —3E 82
Springfield Ind. Est. Hawkh —4K 191
Springfield Pas. Hythe —6J 197
Springfield Rd. Bexh —2C 58
Springfield Rd. Brom —7B 70
Springfield Rd. Clift —2J 209 (1E 23)
Springfield Rd. Dover —2G 181
Springfield Rd. Eden —6B 184
Springfield Rd. Gill —6H 81
Springfield Rd. Groom —6K 155
Springfield Rd. Lark —7D 108
Springfield Rd. Sit —6E 98
Springfield Rd. Tun W —5F 150
Springfield Rd. Well —1K 57
Springfield Ter. Chat —8C 80
Springfield Ter. S'ndge —9K 215
Springfield Wlk. Orp —2G 84
(off Andover Rd.)
Springfield Way. Hythe —8B 188
Spring Gdns. Big H —6C 164
Spring Gdns. Cant —3L 171 (1D 31)
Spring Gdns. Orp —7K 85
Spring Gdns. Tun W —1B 156
Spring Gro. Grav —6G 63
Springhead. Tun W —9K 151
Springhead Enterprise Pk. N'fleet
—6A 62
Springhead Rd. Eri —6G 53
Springhead Rd. Fav —3G 187
Spring Head Rd. Kems —8N 103
Springhead Rd. N'fleet —7B 62 (4A 8)
Spring Hill. Ford —8H 149 (1D 35)
Spring Hollow. St Mar —2F 214
Springholm Clo. Big H —6C 164
Spring Ho. Flats. Hythe —6K 197
(off Dental St.)
Springhouse La. Corr —2C 9
Springhouse Rd. Corr —2C 8
Springhurst Clo. Croy —5C 82
Spring La. SE25 —2D 13
Spring La. Bidb —3C 150
Spring La. Cant —2A 172
Spring La. F'wch —7F 168
Spring La. Hythe —7A 188
Spring La. Igh —4H 121 (1E 25)
Spring La. Oxt —3A 24
Spring Park. —4D 82 (2E 13)
Spring Pk. Av. Croy —3A 82
Springpark Dri. Beck —6F 68
Spring Pk. Rd. Croy —3A 82
Springrice Rd. SE13 —4G 54
Springshaw Clo. Sev —5E 118
Springshaw Ct. Tun W —8K 151
Spring Shaw Rd. Orp —4J 71

Springside Ter.—Stockbury Valley

Springside Ter. Lym —8D 204
Spring St. W2 —2B 4
Spring St. Eps —3A 12
Spring Vale. Bexh —2C 58
Springvale. Gill —5M 95 (2A 18)
Spring Vale. Grnh —4J 61
Springvale. Iwade —8B 198
Spring Vale. Maid —5B 126
Spring Vale Clo. Swan —4G 73
Springvale Ct. N'fleet —7B 62
Spring Vale N. Dart —5L 59
Spring Vale S. Dart —5L 59
Springvale Way. St P —6L 71
Spring Wlk. Whits —6E 224
Springwater Clo. SE18 —8C 50
Springwell Rd. Tonb —7H 145
Springwood Clo. Afrd —7C 158
Springwood Clo. Maid —6K 125
Springwood Ct. New R —3C 212
Springwood Dri. Afrd —7B 158
Springwood Pk. Tonb —7K 133
Springwood Rd. Barm —6L 125
Sprivers Garden. —1C 36
Sprotlands Av. W'boro —9K 159
Sprotshill Clo. Sit —5F 98
Spruce Clo. Lark —8E 108
Sprucedale Clo. Swan —5F 72
Sprucedale Gdns. Croy —5A 82
Spruce Pk. Short —7J 69
Spruce Rd. Big H —4D 164
Sprules Rd. SE4 —1B 54
Spurgeon's Cotts. Langl —6B 138
Spurrell Av. Bex —9E 58
Spur Rd. Orp —3J 85 (2B 14)
Spurway. Bear —5K 127
Spurway, The. Tun W —3D 156
Sqaure Hill. Maid —5E 126
Square Hill Rd. Maid —6E 126 (2E 27)
Square, The. Birch —4F 206
Square, The. Chi —8J 175
Square, The. Cowd —1B 34
Square, The. Elham —7N 183
Square, The. Hdlw —8D 134
Square, The. Hunt —9H 137
Square, The. Kem —2G 99
Square, The. Leigh —6N 143
Square, The. Len —7E 200 (2C 28)
Square, The. Sev —4F 118
Square, The. Swan —6E 72
Square, The. Tats —8C 164
Square, The. Wadh —4B 36
Square, The. W'hm —3B 226
Squeeze Gut All. Whits —3F 224 (off Island Wall)
Squerryes Court. —2B 24
Squerryes Mede. W'ham —9E 116
Squids Ga. C'lck —3E 29
Squire Av. Cant —2J 171
Squires Clo. Roch —5F 78
Squires Ct. E'chu —5D 202
Squires Field. Hex —4G 73
Squires Way. Dart —9E 58
Squires Way. Dover —1F 180
Squires Wood Dri. Chst —3A 70
Squirrels Drey. Short —5H 69 (off Park Hill Rd.)
Squirrels, The. SE13 —1G 54
Squirrel Way. Tun W —9L 151
Stable Clo. Chat —6F 94
Stable Cotts. Maid —1N 137
Stable Ct. Fav —6H 187 (off Station Rd.)
Stable Ct. Sev —8K 119
Stabledene Way. Pem —8C 152
Stable Mead. Folk —4G 189
Stables End. Orp —4E 84
Stace Clo. Tent —7D 222
Stacey Clo. Grav —1K 77
Stacey Rd. Tonb —3F 144
Staceys St. Maid —4C 126
Stackfield. Eden —4D 184
Stacklands Clo. W King —7E 88
Stack La. Hart —8M 75
Stack La. Hort K —1E 15
Stack Rd. Hort K —7D 74
Stade St. Hythe —7K 197 (3E 41)
Stade, The. Folk —6L 189
Stadium Rd. SE18 —7B 50
Stadium Way. Dart —3F 58
Staffa Rd. Maid —1D 138
Staffhurst Wood La. Eden —3A 24
Stafford Clo. Afrd —8D 158
Stafford Clo. Grnh —3F 60
Stafford Rd. Sidc —9G 57
Stafford Rd. Tonb —5H 145
Stafford Rd. Tun W —1L 157
Stafford Rd. Wall & Croy —3C 12
Staffordshire St. Ram —5J 211
Stafford St. Gill —7E 80
Stafford Way. Sev —9K 119
Stag Lane. (Junct.) —4A 4
Stag Rd. Chat —6F 94
Stag Rd. Tun W —6K 151
Stagshaw Clo. Maid —7D 126
Stainer Rd. Tonb —1L 145
Staines Pl. Broad —8M 209
Staines Pl. Cant —2M 171 (1D 31)
Staines Wlk. Sidc —2L 71
Stainmore Clo. Chst —4F 70
Stainton Rd. SE6 —4G 54
Stairfoot La. Chip —4D 118
Stair Rd. Tonb —3M 145
Stake La. Hall —5E 92
Staleys Rd. Bor G —2L 121
Stalham Ct. Hem —7L 95
Stalin Av. Chat —3E 94
Stalisfield Green. —2D 29
Stalisfield Pl. Dow —1C 100
Stalisfield Rd. Char & Stal —3D 29
Stalisfield Rd. Hock —2E 29
Stallions Green. —6B 134 (3A 26)
Stambourne Way. W Wick —3F 82
Stamford Brook Rd. W6 —3A 4
Stamford Dri. Brom —7J 69
Stamford Rd. N1 —1D 5
Stamford St. SE1 —2C 5
Stampers, The. Maid —7A 126
Stanbridge Rd. Eden —5B 184
Stanbrook Rd. SE2 —2K 51
Stanbrook Rd. Grav —6E 62
Stanbury Cres. Folk —4M 189
Stancomb Av. Ram —7G 211
Standard Av. H Bay —3B 194
Standard Ind. Est. E16 —2B 50
Standard La. Beth —2D 39
Standard Quay. Fav —4H 187
Standard Rd. Belv —5B 52
Standard Rd. Bexh —2N 57
Standard Rd. Orp —1C 100
Standard Sq. Fav —4H 187
Standen. —1B 38
Standen Clo. Gill —7A 96
Standen La. H'nge —7F 192 (1A 42)
Standen Street. —4A 38
Standen St. I Grn —4A 38
Standen St. Tun W —9G 150
Standlake Point. SE23 —8A 54
Staner Ct. Ram —4E 210
Stane Way. SE18 —7A 50
Stanford. —2D 41
Stanford Dri. Maid —6N 125
Stanford La. Hdlw —3B 26
Stanford-Le-Hope. —2C 8
Stanford Rd. Grays & Stan H —3A 8
Stanford Rd. Hdlw —6G 134
Stanford Way. Cux —1G 92
Stangate Rd. Birl —2N 107 (3B 16)
Stangrove Ct. Eden —6C 184
Stangrove Lodge. Eden —6C 184
Stangrove Pde. Eden —6C 184
Stangrove Rd. Eden —6C 184 (4B 24)
Stanham Pl. Dart —2H 59
Stanham Rd. Dart —3K 59
Stanham Rd. Pem —8D 152
Stanhill Cotts. Dart —3E 72
Stanhope. —3D 160 (1E 39)
Stanhope Av. Brom —2J 83
Stanhope Av. Sit —8G 99 (3C 19)
Stanhope Clo. Maid —2B 126
Stanhope Gdns. SW7 —3B 4
Stanhope Gro. Beck —8C 68
Stanhope Rd. Afrd —3C 160 (1E 39)
Stanhope Rd. Bexh —9N 51
Stanhope Rd. Deal —4N 177
Stanhope Rd. Dover —2H 181
Stanhope Rd. Roch —5L 79
Stanhope Rd. Sidc —9J 57
Stanhope Rd. Swans —4M 61 (4A 8)
Stanhope Rd. Tun W —9J 151
Stanhope Sq. Afrd —3D 160
Stanhope Vs. Afrd —3E 160
Stanhope Way. Sev —4E 118
Stan La. W Peck —1F 134 (2A 26)
Stanley Av. Beck —6F 68
Stanley Av. Min S —5L 219
Stanley Av. Queen —8B 218
Stanley Clo. Dym —9E 182
Stanley Clo. Grnh —3E 60
Stanley Clo. S'hrst —7H 221
Stanley Cotts. Grn St —1E 74
Stanley Cres. Grav —1J 77
Stanley Gdns. H Bay —3G 195
Stanley Pk. Rd. Cars & Wall —3B 12
Stanley Pl. Broad —9L 209
Stanley Pl. Ram —4J 211
Stanley Rd. Broad —7L 209
Stanley Rd. Brom —7M 69
Stanley Rd. Chat —5F 94
Stanley Rd. Clift —2E 208
Stanley Rd. Deal —5N 177
Stanley Rd. Folk —5E 188
Stanley Rd. Gill —6F 80
Stanley Rd. Grays —3A 8
Stanley Rd. H Bay —3G 195
Stanley Rd. Mard —3L 205
Stanley Rd. N'fleet —6D 62
Stanley Rd. Orp —2J 85
Stanley Rd. Ram —4H 211
Stanley Rd. Sidc —8J 57
Stanley Rd. Swans —4M 61
Stanley Rd. Tun W —9H 151
Stanley Rd. Whits —6F 224
Stanley Sykes Clo. Mgte —5F 208
Stanley Way. Orp —8K 71
Stanmore Ct. Cant —3A 172
Stanmore Rd. Belv —4D 52
Stanmore Ter. Beck —5D 68
Stansfeld Rd. E16 —2A 6
Stanstead Clo. Brom —9J 69
Stanstead Gro. SE6 —6C 54
Stanstead Rd. SE23 & SE6 —6A 54 (4D 5)
Stansted. —1M 105 (3A 16)
Stansted Clo. Maid —2N 125
Stansted Cres. Bex —6M 57
Stansted Hill. Sev —3A 16
Stansted Hill. Stans —1M 105
Stansted La. Sev —1H 105 (3E 15)
Stanton Clo. Orp —1L 85
Stanton Rd. SE26 —9C 54
Stanton Sq. SE26 —9C 54
Stanton Way. SE26 —9C 54
Stanyhurst. SE23 —6B 54
Staple. —1B 32
Staple Clo. Bex —8E 58
Staple Clo. Sit —6F 98
Staplecross. —3B 44
Staplecross Rd. Bdm —2C 44
Staple Dri. S'hrst —7K 221
Stapleford Ct. Sev —6G 119
Staplehurst. —8K 221 (1E 37)
Staplehurst Av. Broad —2L 211
Staplehurst Gdns. Clift —2J 209
Staplehurst Rd. SE13 —3H 55
Staplehurst Rd. Cars —3B 12
Staplehurst Rd. Frit —1A 38
Staplehurst Rd. Gill —9L 81
Staplehurst Rd. Sit —7D 98 (2C 18)
Staplehurst Rd. S'hrst —4D 27
Staple La. Hythe —2D 41
Staple Rd. W'hm —3C 226 (1B 32)
Staplers Ct. Maid —1E 126
Staples, The. Swan —4J 73
Staplestreet. —1J 165 (3B 20)
Staplestreet Rd. Bou B —1J 165 (3B 20)
Stapleton Rd. Bexh —7A 52
Stapleton Rd. Orp —4H 85
Staple Vineyard. —1B 32
Stapley Rd. Belv —5B 52
Starboard Av. Grnh —4H 61
Starborough Rd. M Grn —4A 24
Star Hill. Dart —3F 58
Star Hill. Roch —7A 80 (1D 17)
Star Hill Rd. Dun G —7A 102 (4C 14)
Star La. Folk —4D 188
Star La. Gill —3J 95 (2E 17)
Star La. Gt W —1D 11
Star La. Mgte —8E 208 (1E 23)
Star La. Orp —7L 71 (1B 14)
Starle Clo. Cant —1A 172
Starling Clo. Long —6A 76
Starling M. SE28 —2F 50
Star Mill Ct. Chat —1G 95
Star Mill La. Chat —1G 95
Starnes Ct. Maid —4D 126
Star Rd. Afrd —8H 159
Starr's Green. —4B 44
Starts Clo. Orp —4C 84
Starts Hill Av. Farn —5D 84
Starts Hill Rd. Orp —4C 84 (2A 14)
Starvecrow La. Peas —3D 45
Starvenden La. Siss —6A 220
State Farm Av. Orp —5D 84
Statenborough. —1L 183 (1C 33)
Statenborough La. E'try —1K 183 (2C 33)
Stathers, The. Sole S —7J 77
Station App. SE3 —1L 55
Station App. SE26 —1C 68
Station App. B'hurst —9D 52
Station App. Beck —4D 68
Station App. Bek —6H 173
Station App. Bex —5B 58
Station App. Bexh —9N 51
Station App. Birch —4E 206 (1C 22)
Station App. Bor G —9E 106
Station App. Brom —6K 69
Station App. Chels —6K 85
Station App. Chi —8L 175
Station App. Chst —4C 70 (Chislehurst)
Station App. Chst —2A 70 (Elmstead Woods)
Station App. Dart —4G 58 (Crayford)
Station App. Dart —4M 59 (Dartford)
Station App. Eden —5C 184
Station App. Folk —5L 189
Station App. Hall —6E 92
Station App. Hay —2K 83 (2A 14)
Station App. L'stne —4D 212
Station App. Maid —6C 126
Station App. Mart M —4D 33
Station App. Meop —8F 76
Station App. Min —8N 205 (2C 23)
Station App. Orp —3H 85
Station App. Oxt —2A 24
Station App. Pad W —8M 147
Station App. S'hrst —6J 221
Station App. St M —7K 71
Station App. Swan —7F 72
Station App. Tun W —2G 157
Station App. Well —9J 51 (in two parts)
Station App. W Wick —1F 82
Station App. N. Sidc —7J 57
Station App. Rd. Ram —4H 211
Station App. Rd. Til —2F 62
Station Chine. H Bay —3F 194
Station Clo. H'crn —3L 193
Station Cotts. Orp —3H 85
Station Ct. Bor G —1M 121 (off Station App.)
Station Dri. Walm —9K 177
Station Est. Beck —6A 68
Station Hill. Brom —3K 83 (2E 13)
Station Hill. Chid C —6G 143 (4D 25)
Station Hill. E Far —1L 137 (2D 27)
Station Hill Cotts. Maid —1M 137
Station La. Horn —1D 7
Station Pde. Birch —4E 206
Station Pde. Eri —9F 52
Station Pde. Sev —6H 119
Station Pde. Sidc —7J 57
Station Rd. NW10 —2A 4
Station Rd. SE13 —1F 54
Station Rd. SW13 —3A 4
Station Rd. Adm —2A 32
Station Rd. App —1B 46
Station Rd. Afrd —9G 158 (1A 40)
Station Rd. Belv —3B 52
Station Rd. Bexh —1N 57
Station Rd. Birch —4F 206 (1C 23)
Station Rd. Bor G —2M 121 (1A 26)
Station Rd. Bras —5K 117 (2B 24)
Station Rd. Bri —9E 172 (2E 31)
Station Rd. Brom —4K 69
Station Rd. Char —3K 175 (3D 29)
Station Rd. Cha —2C 31
Station Rd. Cli —4C 176 (4D 9)
Station Rd. Cray —5G 58 (4C 7)
Station Rd. Crow & Ling —4A 24
Station Rd. Cux —1G 92 (2C 17)
Station Rd. Dit —9G 109 (4C 17)
Station Rd. Dun G —2F 118 (1C 25)
Station Rd. Dym —8A 182
Station Rd. E Grin —2A 34
Station Rd. E Til —3B 8
Station Rd. Eden —4C 184 (4B 24)
Station Rd. Eri —5F 52
Station Rd. Eyns —5L 87 (2D 15)
Station Rd. Fav —6H 187 (3A 20)
Station Rd. Folk —5F 188
Station Rd. Goud —9H 185 (2C 37)
Station Rd. Grnh —3G 61 (4E 7) (in two parts)
Station Rd. Groom —6K 155 (2D 35)
Station Rd. Hals —2A 102 (3C 14)
Station Rd. H'shm —2M 141
Station Rd. H'crn —3L 193 (4A 28)
Station Rd. H Bay —3F 194 (2E 21)
Station Rd. Hoth —4E 29
Station Rd. Hrst G —2A 44
Station Rd. Hythe —6L 197 (3E 41)
Station Rd. Lgh S —1B 10
Station Rd. Len —8D 200
Station Rd. Ling —1A 34
Station Rd. Long —6L 75
Station Rd. Lydd —2C 204 (3D 47)
Station Rd. Lym —8D 204 (1E 41)
Station Rd. Maid —4C 126
Station Rd. Mgte —3B 208
Station Rd. Meop —8F 76 (1A 16)
Station Rd. Min —8N 205 (2C 23)
Station Rd. Nett —6A 136 (3C 26)
Station Rd. N'tn —5K 97
Station Rd. New R —3C 212 (2E 47)
Station Rd. N'fleet —4A 62
Station Rd. N'iam —2D 45
Station Rd. Orp —3H 85 (2B 14)
Station Rd. Otf —7J 103 (4D 15)
Station Rd. Pad W —8L 147 (4B 26)
Station Rd. Pat —7G 173 (2E 31)
Station Rd. P'ley —1D 39
Station Rd. Rain —3B 96 (2A 18)
Station Rd. Rob —3A 44
Station Rd. Roth —4D 35
Station Rd. St Mc —9H 199 (4D 33)
Station Rd. St P —7L 71 (1B 14)
Station Rd. S'wll —2C 220
Station Rd. Shor —3H 103 (3D 15)
Station Rd. Short —5H 69 (1E 13)
Station Rd. Sidc —7J 57 (4B 6)
Station Rd. Sme —2B 40
Station Rd. Sth S —1C 11
Station Rd. S'fleet —9M 61
Station Rd. S'hrst —6K 221 (4E 27)
Station Rd. Strood —4M 79 (1D 17)
Station Rd. Sutt —3B 12
Station Rd. S at H —5B 74 (1D 15)
Station Rd. Swan —7F 72
Station Rd. Tent —8B 222
Station Rd. Tey —3K 223 (3D 19)
Station Rd. Tun W —1H 157
Station Rd. Upm —1E 7
Station Rd. Wadh —3A 36
Station Rd. Walm —9K 177 (3E 33)
Station Rd. Wclf S —1B 10
Station Rd. Wgte S —2K 207
Station Rd. W Wick —2F 82 (2E 13)
Station Rd. Whits —3G 224
Station Rd. With —9C 154 (2C 34)
Station Rd. W'sea —4A 46
Station Rd. E. Cant —3M 171 (1D 31)
Station Rd. E. Oxt —2A 24
Station Rd. N. Belv —3C 52
Station Rd. W. Cant —1L 171 (4D 21)
Station Rd. W. Oxt —2A 24
Station Row. Tey —1L 223
Station Sq. Pet W —8E 70
Station St. E16 —1D 50
Station St. Sit —7F 98
Station Way. Sutt —3B 12
Station Yd. Sev —6H 119
Staveley Rd. W4 —3A 4
Staverton Rd. NW2 —1A 4
Steadman Clo. High —8G 65
Steam Packet Cotts. Cant —1M 171 (4D 21)
Stede Hill. H'shm —5N 129 (2B 28) (in two parts)
Stede Quarter. —2B 38
Stedman Clo. Bex —8F 58
Steed Clo. H Bay —7J 195
Steeds Clo. Kgnt —7E 160
Steeds La. Kgnt —8E 160 (2A 40)
Steel Cross. —4D 35
Steele Av. Grnh —3F 60
Steele's La. Meop —5E 90
Steele St. Roch —4L 79
Steele Wlk. Eri —7C 52
Steelfield Ind. Est. Gill —5J 81
Steep Clo. Orp —7H 85
Steeple Heights Dri. Big H —5D 164
Steerforth Clo. Roch —1N 93
Stella Clo. Mard —3L 205
Stelling Minnis. —4D 31
Stelling Minnis Windmill. —4D 31
Stelling Rd. Eri —7E 52
Stembridge Rd. SE20 —1D 13
Stembrook. Dover —4J 181
Stembrook Ct. Dover —4K 181
Stenning Ct. Tonb —3J 145 (off Uridge Cres.)
Stephen Clo. Broad —9L 209
Stephen Clo. Orp —4H 85
Stephen Ct. Folk —6K 189 (off Foord Rd.)
Stephen Rd. Bexh —1D 58
Stephens Clo. Fav —4F 186
Stephen's Clo. Mgte —4N 207
Stephen's Clo. Ram —4G 211
Stephens Ct. SE4 —1B 54
Stephenson Rd. Cant —8M 167
Stephenson St. E16 —2E 5
Stephens Pl. Maid —8B 126
Stephen's Rd. Tun W —8G 151
Stepney. —2D 5
Stepneyford La. Bene —3A 38
Stepney Grn. E1 —2D 5
Stepney Way. E1 —2D 5
Steps Hill Rd. S'bry —4E 112 (3A 18)
Step Style. Sit —9J 99
Sterling Av. Maid —4N 125
Sterling Clo. Broad —8J 209
Sterling Rd. Queen —7B 218
Sterling Rd. Sit —1E 114
Sterndale Rd. Dart —5N 59
Sternhold Av. SW2 —4C 5
Steucers La. SE23 —6B 54
Stevannie Ct. Belv —5B 52
Steve Biko La. SE6 —9D 54
Stevedale Rd. Well —9L 51
Steven Ct. Ram —7F 210
Stevens Clo. Beck —2D 68
Stevens Clo. Bex —9E 58
Stevens Clo. Dart —1E 74
Stevens Clo. Eger —4C 29
Stevens Clo. Snod —2E 108
Steven's Crouch. —4A 44
Stevenson Clo. Eri —7J 53
Stevenson Clo. Maid —6C 126
Stevenson Way. Lark —6D 108
Stevens Rd. Eccl —4K 109
Stewart Clo. Chst —1D 70
Stewart Ho. Chatt —7B 66
Stewart Rd. Tun W —7J 151
Steyne Rd. W3 —2A 4
Steyning Gro. SE9 —9B 56
Steynton Av. Bex —7M 57
Stickens La. E Mal —3C 124 (1C 26)
Stickfast La. Bob —1A 98 (2B 18)
Stickfast La. Sut V —4A 28
Stick Hill. —1B 34
Stickland Rd. Belv —4B 52
Stifford Clays Rd. Grays —2A 8
Stifford Hill. S Ock & N Stif —2E 7
Stifford Rd. S Ock —2E 7
Stiff Street. —3N 113 (3B 18)
Stilebridge. —4D 27
Stilebridge La. Mard —4D 27 (in two parts)
Stiles Clo. Brom —9B 70
Stiles Clo. Eri —5C 52
Stiles Clo. Folk —4G 189
Still La. Tun W —4F 150
Stillness Rd. SE23 —4B 54
Stirling Clo. Gill —7A 96
Stirling Clo. Roch —9L 79
Stirling Dri. Orp —6K 85
Stirling Rd. Afrd —2H 161
Stirling Rd. W Mal —6L 123
Stirling Way. Ram —3D 210
Stisted Way. Eger —4C 29
Stites Hill Rd. Cat —4C 13
Stoats Nest Rd. Coul —3C 13
Stockbury. —2G 112 (3B 18)
Stockbury Dri. Maid —2A 126
Stockbury Gdns. Clift —3J 209
Stockbury Valley. S'bry —5E 112 (3A 18)

Sunnyside Rd.—Terrace, The

Sunnyside Rd. Tun W —1C 156
Sunnyside View. Meop —4F 90
Sunnyside Vs. Afrd —9A 158
Sunray Av. SE24 —4D 5
Sunray Av. Brom —9A 70
Sunray Av. Whits —6D 224
Sunrise Cotts. Sev —4G 118
Sun Rd. Swans —4M 61
Sunset Clo. E'chu —2E 202
Sunset Clo. Eri —7J 53
Sunset Clo. Whits —7E 224
Sunset Rd. SE28 —1J 51
Sun St. EC2 —2D 5
Sun St. Cant —2M 171 (1D 31)
Sun Ter. Chat —7E 94
Superabbey Est. Ayle —8M 109
Superior Dri. Grn St —7H 85
Surbiton Hill Pk. Surb —2A 12
Surf Cres. E'chu —2E 202
Surrenden Pk. P'ley —4D 29
Surrenden Rd. Folk —5F 188
Surrenden Rd. S'hrst —8J 221
Surrey Canal Rd. SE15 & SE14 —3D 5
Surrey Clo. Tun W —5F 156
Surrey Gdns. Birch —4E 206
Surrey Rd. SE15 —3A 54
Surrey Rd. Cant —3C 172
Surrey Rd. Clift —2F 208
Surrey Rd. Maid —9G 126
Surrey Rd. W Wick —2E 82
Susan's Hill. Wdchu —6A 226 (3D 39)
Susans La. Upc —6K 223 (1B 18)
Susan Wood. Chst —4C 70
Sussex Av. Afrd —7F 158
Sussex Av. Cant —3B 172
Sussex Av. Mgte —4D 208
Sussex Border Path. Hawkh —6H 191
Sussex Clo. H Bay —4C 194
Sussex Clo. Tun W —4J 157
Sussex Dri. Chat —7D 94
Sussex Gdns. W2 —2B 4
Sussex Gdns. Birch —4E 206
Sussex Gdns. H Bay —3C 194
Sussex Gdns. Wgte S —2L 207
Sussex M. Tun W —3G 156
Sussex Pl. W2 —2B 4
Sussex Pl. Eri —7C 52
Sussex Rd. Dart —5A 60
Sussex Rd. Eri —7C 52
Sussex Rd. Folk —5K 189
Sussex Rd. Maid —8G 126
Sussex Rd. New R —3B 212 (2D 47)
(in two parts)
Sussex Rd. Orp —9L 71
Sussex Rd. Sidc —1K 71
Sussex Rd. Tonb —7G 144
Sussex Rd. W Wick —2E 82
Sussex St. Ram —5J 211
Sussex Wlk. Cant —3C 172
Sutcliffe Rd. SE18 —6G 51
Sutcliffe Rd. Well —9L 51
Sutherland Av. W9 —2B 4
Sutherland Av. Big H —5D 164
Sutherland Av. Orp —9H 71
Sutherland Av. Well —2G 56
Sutherland Clo. Grav —7N 63
Sutherland Clo. Grnh —3F 60
Sutherland Clo. Hythe —6H 197
Sutherland Dri. Birch —4G 206
Sutherland Gdns. Gill —5A 96
Sutherland Rd. Belv —3B 52
Sutherland Rd. Deal —4M 177
Sutherland Rd. Tun W —2H 157
Sutton. —3D 33
(nr. East Studdal)
Sutton. —2B 12
(nr. Ewell)
Sutton at Hone. —3B 74 (1D 15)
Sutton Baron Rd. B'den
—2A 114 (3B 18)
Sutton Clo. Beck —4E 68
Sutton Clo. Folk —4G 188
Sutton Clo. Rain —3C 96
Sutton Comn. Rd. Sutt —2B 12
Sutton Ct. Mard —3K 205
Sutton Ct. Rd. W4 —3A 4
Sutton Forge. Mard —3L 205
Sutton La. R'wld —3J 199 (3D 33)
Sutton La. Sutt & Bans —3B 12
Sutton Pk. Rd. Sutt —3B 12
Sutton Rd. Deal —3D 33
Sutton Rd. Her —2K 169
Sutton Rd. Maid —9E 126 (2E 27)
Sutton Rd. Sth S —1C 10
Suttons Av. Horn —1D 7
Suttons La. Horn —1D 7
Sutton St. Bear —6N 127
Sutton Valence. —9A 140 (3A 28)
Sutton Valence Hill. Sut V —9A 140
Swadelands Clo. Len —7D 200
Swaffield Rd. Sev —4K 119
Swaile's Green. —3B 44
Swain Clo. Roch —4K 79
Swain Rd. Gill —5L 95
Swain Rd. St Mic —4C 222 (3C 38)
Swaisland Dri. Cray —3G 58
Swaisland Rd. Dart —4J 59
Swakeley Wlk. Whits —2M 225
Swale Av. Queen —9A 218
Swale Av. S'ness —3C 218
Swalecliffe. —3M 225 (2D 21)
Swalecliffe Av. H Bay —3C 194
Swalecliffe Ct. Dri. Whits —3M 225
Swalecliffe Rd. Belv —5C 52
Swalecliffe Rd. Whits —3K 225
Swale Clo. H Bay —4H 195
Swaledale Rd. Dart —6C 60
Swale Ho. Sit —7H 99
Swale Rd. Dart —2H 59
Swallands Rd. SE6 —8D 54
(in two parts)
Swallow Av. Whits —7D 224
Swallow Clo. Eri —8F 52
Swallow Clo. Grnh —3F 60
Swallow Clo. Mgte —5A 208
Swallow Ct. SE12 —5K 55
Swallow Ct. Dover —2G 181
(off Maresfield Clo.)
Swallowdale. S Croy —9A 82
Swallow Dri. Tun W —8M 151
Swallowfield. W'boro —2J 161
Swallowfields. N'fleet —8D 62
Swallow Rise. Chat —6D 94
Swallow Rd. Lark —8D 108
Swallowtail Clo. Orp —7M 71
Swamp Rd. Old R —2D 47
Swanbridge Rd. Bexh —8B 52
Swan Bus. Pk. Dart —2L 59
Swan Clo. Orp —6J 71
Swan Clo. Sit —7J 99
Swan Cotts. Wit —2E 45
Swandon Way. SW18 —4B 4
Swanfield Rd. Whits —5F 224
Swan Grn. S'ndge —8K 215
Swanland Dri. Tonb —8F 144
Swan La. Dart —5G 58 (4C 7)
Swan La. Eden —3C 184 (4B 24)
Swan La. Goud —2D 37
Swan La. P'ley —4D 29
Swan La. S'ndge —8K 215 (2C 41)
Swanley. —7G 72 (1C 15)
Swanley By-Pass. Sidc & Swan
—4C 72 (1C 14)
Swanley Cen. Swan —6F 72
Swanley Interchange. (Junct.)
—8J 73 (2D 15)
Swanley La. Swan —6G 72 (1C 15)
Swanley Rd. Well —8L 51
Swanley Village. —4J 73 (1D 15)
Swanley Village Rd. Swan
—4J 73 (1D 15)
Swanmead Way. Tonb —5K 145
Swan Ridge. Eden —3D 184
Swanscombe. —3M 61 (4A 8)
Swanscombe Bus. Cen. Swans —3L 61
Swanscombe St. Swans —5L 61 (4A 8)
Swanstree Av. Sit —9J 99
Swan St. W Mal —1A 124 (1C 26)
Swan St. Wit —2E 45
Swan, The. (Junct.) —3F 82 (2E 13)
Swanton. —2B 26
Swanton La. Lyd —4B 32
Swanton La. Sturry —1H 173 (4E 21)
Swanton Mill. —2A 40
Swanton Rd. Eri —7C 52
Swanton Rd. W Peck —1F 134 (2A 26)
Swanton Street. —7N 113 (4B 18)
Swanton Valley. —9F 122
Swanton Valley La. W Peck
—1C 134 (2A 26)
Swanzy Rd. Sev —2K 119
Sward Rd. Orp —9J 71
Swarling Hill Rd. P'hm —2D 31
Swattenden La. C'brk —3E 37
Swaylands Rd. Belv —6B 52
Swaynesland Rd. Eden —3A 24
Swaynes Way. E'try —3K 183
Sweechbridge Rd. H Bay
—4N 195 (2A 22)
Sweechgate. B Oak —4C 168 (3E 21)
Sweeps Hill Clo. Pem —7C 152
Sweeps La. Orp —8M 71 (2B 14)
Sweetbriar La. Evtn —1J 185
Sweethaws La. Crowb —4C 35
Sweetings La. Free H —3B 36
Sweetlands La. S'hrst —6L 221 (4E 27)
Sweetlove Pl. W'hm —2B 226
Sweets La. E Mal —5E 124 (2C 27)
Swetenham Wlk. SE18 —5E 50
Sweyne Rd. Swans —4L 61
Sweyn Rd. Clift —2E 208 (1E 23)
Swievelands Rd. Big H —7B 164
Swift Clo. Lark —8E 108
Swift Ct. Seal —3A 120
Swift Cres. Chat —5E 94 (2E 17)
Swiftsden. —1A 44
Swiftsden Way. Brom —2H 69
Swift's Green. —4B 28
Swifts View. C'brk —6D 176
Swiller's La. Shorne —1C 78
Swinburne Av. Broad —1L 211
Swinford Gdns. Mgte —5G 209
Swingate Av. Cli —2C 176
Swingate Clo. Chat —9E 94
Swingate La. SE18 —6G 51 (3B 6)
Swingfield Minnis. —1D 192 (1A 42)
Swingfield Street. —1A 42
Swinton Av. Chatt —7C 66
Swires Shaw. Kes —5N 83
Swiss Cottage. (Junct.) —1B 4
Swithland Gdns. SE9 —9C 56
Sycamore Av. Aysm —2C 162
Sycamore Av. Sidc —4H 57
Sycamore Clo. SE9 —7A 56
Sycamore Clo. Broad —9G 209
Sycamore Clo. Dym —7B 182
Sycamore Clo. Grav —5J 63
Sycamore Clo. H Bay —2K 195
Sycamore Clo. Hythe —7F 196
Sycamore Clo. Lydd —2C 204
Sycamore Clo. Mgte —6C 208
Sycamore Cotts. Pem —8B 152
Sycamore Ct. Eri —5E 52
(off Sandcliff Rd.)
Sycamore Ct. Grnh —5E 60
Sycamore Cres. Maid —4N 125
Sycamore Dri. Ayle —9J 109
Sycamore Dri. Swan —6F 72
Sycamore Gdns. Dym —7B 182
Sycamore Gdns. Pad W —1L 153
Sycamore Gro. SE6 —4F 54
Sycamore Ho. Brom —5H 69
Sycamore Ho. S'ness —2C 218
(off Rose St.)
Sycamore Lodge. Orp —3H 85
Sycamore M. Eri —5E 52
(off St John's Rd.)
Sycamore Rd. Dart —6L 59
Sycamore Rd. Roch —7J 79
Sycamores, The. Her —3K 169
Sychem La. Five G —1F 152 (4B 26)
Sychem Pl. Five G —8F 146
Sydcot Dri. Deal —2N 177
Sydenham. —1D 13
Sydenham Cotts. SE12 —7M 55
Sydenham Hill. SE26 & SE23 —1D 13
Sydenham Rd. SE26 —1A 68 (1D 13)
Sydenham Rd. Croy —2D 13
Sydenham Rd. Deal —3N 177
Sydenham St. Whits —3F 224
Sydney Av. Sit —7D 98
Sydney Cooper Clo. R Comn —9H 167
Sydney Rd. SE2 —3L 51
Sydney Rd. Bexh —2M 57
Sydney Rd. Chat —9D 80
Sydney Rd. Ram —4K 211
Sydney Rd. Sidc —9G 57
Sydney Rd. Walm —9K 177
Sydney Rd. Whits —5G 224
Sydney St. SW3 —3B 4
Sydney St. Afrd —1F 160
Sylewood Clo. Roch —3M 93
Sylvan Glade. Chat —2D 110
Sylvan Hill. SE19 —1D 13
Sylvan Rd. Gill —3M 95
Sylvan Wlk. Brom —6A 70
Sylvan Way. W Wick —5H 83
Sylvester Av. Chst —2B 70
Sylvestre Clo. Hall —7E 92
Sylvestres. Riv —3F 118
Symmonds Dri. Sit —5J 99
Symonds Clo. W King —6E 88
Symonds La. Yald —9C 136 (3C 26)
Symonds Rd. Cli —2L 65
Symons Av. Chat —1C 94
Syndale Pl. Ram —5K 211
Syon Lodge. SE12 —5K 55
Syringa Ho. SE4 —1C 54
Tabret Clo. Kenn —4H 159
Tack M. SE4 —1D 54
Tadburn Grn. Chat —7E 94
Taddington. W'slde —3D 17
Taddington Wood La. Chat —9B 94
Taddy Gdns. Mgte —5G 209
Tadworth Rd. Kenn —5H 159
Taillour Clo. Kem —4G 99
Tail Race, The. Maid —7B 126
Tainter Rd. Hdlw —7D 134
Talavera Rd. Cant —2B 172
Talbot Av. H Bay —4C 194
Talbot Pk. Tun W —9K 151
Talbot Rd. Hawkh —7K 191 (1B 44)
Talbot Rd. Maid —3N 125
Talbot Rd. Mgte —3F 208
Talgarth Rd. W. W14 —3A 4
Tall Elms Clo. Brom —8J 69
Tallents Clo. S at H —3B 74
Tall Trees Clo. Kgswd —6F 140
Tally Ho Rd. Stu X —7A 160 (2E 39)
Tally Rd. Oxt —3A 24
Tamar Dri. Roch —6K 79
Tamar Ho. Maid —9H 127
Tamarind Clo. Hem —7K 95
Tamar Rd. Tonb —2H 145
Tamar St. SE7 —4A 50
Tame La. Burm —3C 40
Tamesis Strand. Grav —1K 77
Tamley La. H'lgh —4C 30
Tams Gdns. Min S —6L 219
Tamworth La. Mitc —1C 12
Tamworth Rd. Croy —2C 13
Tandridge Dri. Orp —2F 84
Tandridge Pl. Orp —2F 84
Tanfield Av. NW2 —1A 4
Tangier Clo. B Hts —1K 181
Tangier La. Tun W —7G 157
Tangleberry Clo. Brom —7B 70
Tanglewood Clo. Gill —5M 95
Tanglewood Ct. St M —6L 71
Tangmere Clo. Gill —7J 81
Tanhouse La. Peas —3E 45
Tanhouse Rd. Oxt —3A 24
Tanhurst Wlk. SE2 —3M 51
Tanker Hill. Gill —5N 95
Tankerton. —3J 225 (2D 21)
Tankerton Cir. Whits —2H 225
Tankerton Ct. Whits —2J 225
Tankerton M. Whits —2G 225
Tankerton Rd. Whits —2G 225 (2C 21)
Tank Hill Rd. Purf —2D 7
Tanner's Hill. Hythe —4K 197 (3E 41)
Tanners Hill Gdns. Hythe —5K 197
Tanners Mead. Eden —6C 184
Tanners St. Fav —5G 186 (3A 20)
Tannery Clo. Beck —7A 68
Tannery Ct. Sit —6F 98
(off kings Mill Clo.)
Tannery La. Afrd —8G 158
Tannery Rd. Tonb —6J 145
Tannery Rd. Ind. Est. Tonb —6J 145
Tannery Wharf Rd. Tonb —6J 145
Tannsfeld Rd. SE26 —1A 68
Tanyard. Sand —3K 215
Tanyard Cotts. Shorne —3C 78
Tanyard Hill. Shorne —2C 78 (1C 16)
Tanyard La. Bex —5B 58
Tanyard La. Tun W —5F 150
Tanyard La. W'sea —4A 46
Tanyard, The. C'brk —8D 176
Tapleys Hill. Lwr Har —2D 31
Tapsell's La. Dur —3A 36
Tara Ct. Beck —5E 68
Target Bus. Cen. Maid —4K 139
Target Firs. Temp E —8C 178
Tarling Clo. Sidc —8K 57
Tarnwood Pk. SE9 —6B 56
Tar Path. Deal —4M 177
Tarpot La. Ruck —3A 40
Tarragon Gro. SE26 —2A 68
Tartane La. Dym —7B 182
Tasker Clo. Bear —6L 127
Tassell Clo. E Mal —9E 108
Tassell's Wlk. Whits —2M 225
Taswell Clo. Dover —4K 181
Taswell Rd. Gill —2C 96
Taswell St. Dover —4K 181
Tate Rd. E16 —1B 50
(in two parts)
Tate Rd. Sutt —2B 12
Tates. Hawkh —6L 191
Tates Orchard. Long —9M 75
Tatler Clo. Chat —9G 94
Tatnell Rd. SE23 —4B 54
Tatsfield. —9C 164 (1A 24)
Tatsfield Clo. Gill —1K 95
Tatsfield Green. —9E 164 (1A 24)
Tatsfield La. Tats —9F 164
Tatsfield La. W'ham —1A 24
Tattenham Corner. —4A 12
Tattenham Corner Rd. Eps —4A 12
Tattenham Cres. Eps —4A 12
Tattenham Way. Tad —4B 12
Tattersall Clo. SE9 —3A 56
Tattersall Gdns. Lgh S —1A 10
Tattlebury Rd. H'crn —4A 28
Taunton Clo. Bexh —9E 52
Taunton Clo. Maid —2J 139
Taunton Rd. SE12 —3H 55
Taunton Rd. N'fleet —3N 61
Taunton Vale. Grav —8J 63
Tavern Clo. Bor G —2M 121
Taverners Rd. Gill —4N 95
Tavernors La. Dover —5J 181
Tavistock Clo. Chat —1C 110
Tavistock Clo. Gill —4A 96
Tavistock Clo. Sit —7E 98
Tavistock Pl. WC1 —2C 5
Tavistock Rd. Brom —7J 69
Tavistock Rd. Ram —3J 211
Tavistock Rd. Well —8L 51
Tavistock Sq. WC1 —2C 4
Tavy Bri. SE2 —2L 51
Tavy Bri. Cen. SE2 —2L 51
Tay Clo. Chat —6E 94
Taylor Clo. H'shm —2M 141
Taylor Clo. Orp —5H 85
Taylor Rd. Folk —5E 188
Taylor Rd. Lydd S —8A 212
Taylor Rd. Min —7M 205
Taylor Row. Dart —8K 59
Taylors Bldgs. SE18 —4D 50
Taylors Clo. Sidc —8H 57
Taylors Clo. St Mar —3E 214
Taylors Hill. Chi —8J 175 (2B 30)
Taylor's La. High —8G 64 (1C 17)
Taylor's La. Roch —5M 79
Taylors La. St Mar —3D 214
Taylor's La. Tros —4E 106 (3A 16)
Taylor St. Tun W —6F 150
Taylors Yd. Wye —2M 159
Taywood Clo. W'boro —9K 159
Tea Garden La. Tun W —4B 156 (2E 35)
Teal Av. Orp —7M 71
Teal Clo. Isle G —3C 190
Teal Cres. St Mi —3E 80
Teapot La. Ayle —8J 109
Teardrop Ind. Est. Swan —8J 73
Teasaucer. Tovil —2D 27
Teasaucer Hill. Maid —9C 126
Teasel Clo. Croy —2A 82
Teasel Clo. Weav —5J 127
Teasel Rd. Chat —7C 94
Teasley Mead. —2C 35
Tebbs Way. Igh —6J 121
Teddars Leas Rd. Etch —2E 41
Tedder Av. Chat —4D 94
Tedder Rd. S Croy —8A 82
Tedder Rd. Tun W —7H 151
Teddington Clo. Cant —9A 168
Teelin Clo. St Mar —2E 214
Teesdale Rd. Dart —6C 60
Tees Ho. Maid —2H 139
Teeswater Ct. Eri —3M 51
Teignmouth Rd. Well —9L 51
Telegraph Hill. —5N 99
Telegraph Hill. High —2G 78 (1C 17)
Telegraph Hill Ind. Est. Ram —2C 23
Telegraph Rd. Deal —8L 177
Teleman Sq. SE3 —2L 55
Telescope All. S'ness —2E 218
Telford Ct. Folk —5L 189
Telford Ct. H Bay —5D 194
Telford M. H Bay —2F 194
(off Telford St.)
Telford Rd. SE9 —7F 56
Telford St. H Bay —2F 194
Telham Av. Ram —4F 210
Tellson Av. SE18 —8A 50
Telscombe Clo. Orp —3G 85
Telston La. Off —8F 102
(in two parts)
Temeriare Mnr. Gill —6D 80
(off Middle St.)
Temperance Row. Woul —7G 92
Tempest Rd. W Mal —6L 123
Templar Dri. Grav —1F 76
Templar Rd. Temp E —8C 178
Templars Ct. Dart —3A 60
Templars Ct. Eden —4C 184
Templar St. Dover —4H 181
Temple Av. Croy —3C 82
Temple Clo. SE28 —3E 50
Temple Clo. Temp E —7C 178
Temple Ct. Cant —1K 171
Temple Ct. Maid —5C 126
Temple Ewell. —8C 178 (4C 32)
Temple Gdns. Roch —6K 79
Temple Gdns. Sit —9J 99
Temple Hill. —3N 59 (4D 7)
Temple Hill. Dart —4N 59 (4D 7)
Temple Hill Sq. Dart —3N 59 (4D 7)
Temple Ind. Est. Roch —6M 79
Temple Manor. —6L 79
Temple M. Cant —2M 171 (1D 31)
(off Stour St.)
Temple Mills. —1E 5
Temple Mills La. E15 —1E 5
Temple Rd. Big H —5D 164
Temple Rd. Cant —1K 171
Temple Rd. Eps —3A 12
Temple Side. Temp E —8C 178
Temple St. Roch —5L 79
Temple Way. E Mal —1D 124
Temple Way. Worth —2D 33
Ten Acre Ct. H'shm —3M 141
Ten Acre Way. Rain —1D 96
Tenby Rd. Well —8M 51
Tennison Rd. SE25 —2D 13
Tennyson Av. Cant —8C 168
Tennyson Av. Cli —6M 65
Tennyson Clo. Well —8G 51
Tennyson Gdns. Aysm —1D 162
Tennyson Ho. Belv —5A 52
(off Albert Rd.)
Tennyson Pl. Folk —4L 189
Tennyson Rd. SE20 —3A 68
Tennyson Rd. Afrd —3E 160
Tennyson Rd. Dart —3A 60
Tennyson Rd. Gill —9F 80
Tennyson Wlk. N'fleet —8C 62
Ten Perch Rd. Win —4K 171
Tensing Av. N'fleet —8D 62
Tenterden. —8B 222 (3C 38)
Tenterden Clo. SE9 —9B 56
Tenterden Clo. SE12 —9A 56
Tenterden & District Museum.
—7B 222 (3C 38)
Tenterden Dri. Cant —7M 167
Tenterden Rd. App —4D 39
Tenterden Rd. Bidd —8L 163 (2B 38)
(in two parts)
Tenterden Rd. Chat —6E 94
Tenterden Rd. Rol —2J 213 (4B 38)
Tenterden Vineyard. —4C 38
Tenterden Way. Mgte —4G 208
Tent Peg La. Pet W —8E 70
Terence Clo. Chat —1D 94
Terence Clo. Grav —6L 63
Terence Ct. Belv —6A 52
(off Charton Clo.)
Terminus Dri. H Bay —2L 195
Terminus Rd. Maid —7L 125
Tern Cres. Roch —6G 79
Terrace Rd. Evtn —2J 185
Terrace Rd. Maid —5B 126
Terrace Rd. Sit —8J 99
Terraces, The. Dart —5C 60
Terrace St. Grav —4G 63
(in two parts)
Terrace, The. SW13 —3A 4
Terrace, The. Bri —8H 173
Terrace, The. Cant —8M 167
Terrace, The. Chat —5C 80

Terrace, The—Tradescant Dri.

Terrace, The. Grav —4G 63 (4B 8)
(in three parts)
Terrace, The. Hdlw —8D 134
Terrace, The. Lydd —2C 204
Terrace, The. Roch —7N 79
Terrace, The. Sev —4E 118
Terrace, The. S'wll —2C 220
Terrence Ct. Belv —6A 52
(off Charton Clo.)
Terry's La. Whits —3F 224
Terry's Lodge Rd. Wro —5H 105 (3E 15)
Terry's Yd. Maid —5D 126
Terry Wlk. Leyb —8C 108
Test Ho. Maid —9H 127
Teston. —9E 124 (2C 27)
Teston Corner. —7F 124
Teston La. Tstn —1F 136 (2C 27)
Teston Rd. Off —1E 122 (1B 26)
Teston Rd. W'bury —6B 124
Teston Rd. W Mal —1A 26
Teston Rd. Wro —1E 122
Tetty Way. Brom —5K 69
Teviot Clo. Well —8K 51
Tewson Rd. SE18 —5G 51
Teynham. —1L 223 (3D 19)
Teynham Clo. Clift —3K 209
Teynham Ct. Beck —6F 68
Teynham Dri. Whits —3H 225
Teynham Grn. Brom —8K 69
Teynham Grn. Gill —8K 81
Teynham Rd. Whits —3H 225 (2C 21)
Teynham Street. —2E 19
Thackeray Rd. Lark —7D 108
Thames Av. Gill —3A 96
Thames Av. H Hals —1H 67
Thames Av. S'ness —3C 218
Thames Barrier Visitor Centre. —3A 6
Thames Ct. Ley S —6M 203
Thames Dri. Lgh S —1A 10
Thames Flood Barrier. —3A 6
Thames Ga. Dart —3A 60
Thames Haven. —2D 9
Thames Ho. Maid —9G 126
Thameside Ind. Est. E16 —2A 50
Thameside Ind. Est. Eri —6K 53
Thamesmead. —2J 51 (2B 6)
Thamesmead Central. —1J 51
Thamesmead East. —2B 52
Thamesmead South. —2M 51
Thamesmead South West. —2H 51
Thamesmead West. —3F 50
Thamesport. —4B 10
Thames Rd. Bark —2B 6
Thames Rd. Dart —9G 53 (3C 7)
Thames Rd. Tonb —2H 145
Thames Ter. Cli —2C 176
Thames View. Cli —6N 65
Thames Way. Grav —6C 62 (4A 8)
(in two parts)
Thanet Clo. Broad —8M 209
Thanet Dri. Kes —4N 83
Thanet Gdns. Folk —5M 189
Thanet Ho. Grav —6E 62
Thanet Ho. Maid —3J 139
Thanet Pl. Broad —7M 209
Thanet Pl. Gdns. Broad —7M 209
Thanet Rd. Bex —5B 58
Thanet Rd. Broad —9M 209
Thanet Rd. Eri —7F 52
Thanet Rd. Gill —7M 95
Thanet Rd. Mgte —3D 208
Thanet Rd. Ram —5K 211 (2E 23)
Thanet Rd. Wgte S —2J 207
Thanet View. Eyt —3J 185
Thanet Way. Good —7N 187 (3B 20)
Thanet Way. H Bay —5A 194 (2E 21)
Thanet Way. St N —7A 124
Thanet Way. Whits —9C 224
Thanet Way. York —2C 20
Thanet Way Retail Pk. Ches —4L 225
Thanington Ct. Cant —4J 171
Thanington Rd. Cant —4J 171 (1D 31)
Thanington Without. —4J 171 (1D 31)
Thatch Barn Rd. H'crn —2L 193
Thatcher Ct. Dart —5L 59
Thatcher Rd. S'hrst —7J 221
Thatcher's La. Cli —3C 176
(in two parts)
Thatchers, The. Maid —5M 125
Thaxted Rd. SE9 —7E 56
Thayers Farm Rd. Beck —4B 68
Theatre Sq. Tent —8B 222
Theatre St. Hythe —6K 197
Theberton St. N1 —2C 5
Thelma Clo. Grav —1L 77
Theobalds. Hawkh —5K 191
Theobalds Clo. Kems —9A 104
Theobalds Rd. WC1 —2C 5
Theodore Clo. Tun W —7L 151
Theodore Ct. SE13 —4G 54
Theodore Pl. Gill —7F 80
Theodore Rd. SE13 —4G 54
Theresa Rd. Hythe —7J 197
Thesiger Rd. SE20 —3A 68 (1D 13)
Thicket Rd. SE20 —1D 13
Thicketts. Sev —5K 119
Third Av. Chat —2F 94
Third Av. Clift —2F 208
Third Av. E'chu —2E 202
Third Av. Gill —9H 81
Third Av. N'fleet —6D 62
Third St. L'tn G —2N 155
Thirlemere Rd. Tun W —9D 150
Thirlmere. Kenn —4H 159
Thirlmere Av. Ram —5E 210
Thirlmere Clo. Gill —7K 81
Thirlmere Clo. Wain —3N 79
Thirlmere Gdns. Aysm —1D 162
Thirlmere Rise. Brom —2J 69
Thirlmere Rd. Bexh —8D 52
Thirsk Ho. Maid —2J 139
(off Fontwell Clo.)
Thirza Rd. Dart —4N 59
Thistlebank. Chat —8D 94
Thistlebrook. SE2 —2L 51
Thistle Ct. Dart —6B 60
(off Churchill Clo.)
Thistledown. Grav —2J 77
Thistledown. Weav —5J 127
Thistledown Clo. Hem —7K 95
Thistlemead. Chst —5D 70
Thistle Rd. Grav —5K 63
Thistle Wlk. Sit —6J 99
Thomas Dinwiddy Rd. SE12 —7L 55
Thomas Dri. Grav —7J 63
Thomas La. SE6 —5D 54
Thomas More St. E1 —2D 5
Thomas Rd. Fav —5G 187
Thomas Rd. Sit —7J 99
Thomas's Av. Grav —6G 62
Thomas St. SE18 —4D 50
Thomas St. Roch —9N 79
Thomas St. Tun W —9G 150
Thomas Wyatt Way. Wro —7M 105
Thompson Clo. Folk —4H 189
Thompson Clo. Rain —3C 96
Thompson Clo. Walm —1L 199
Thomson Clo. Snod —1E 108
Thong. —2M 77 (1B 16)
Thong La. Bor G —3L 121
Thong La. Grav —9L 63 (1B 16)
Thong La. Sev —1A 26
Thorden Wood Rd. T Hill —3D 21
Thorn Clo. Brom —9C 70
Thorn Clo. Chat —1A 110
Thorndale Clo. Chat —6A 94
Thornden Clo. H Bay —5B 194
Thornden Ct. Cant —7J 167
Thornden La. Rol —1D 45
Thornden Wood Rd. H Bay —9B 194
Thornden Wood Rd. T Hill —1K 167
Thorndike Clo. Chat —3C 94
Thorndike Ho. Chat —3C 94
Thorndike Rd. Burm —3B 182
Thorndon Clo. Orp —5H 71
Thorndon Rd. Orp —5H 71
Thorndyke Way. Wro —7M 105
Thornebridge Rd. Deal —7K 177
Thorne Clo. Eri —6C 52
Thorne Est., The. P'ley —4D 29
Thorne Rd. Min —7M 205
Thornes Clo. Beck —6F 68
Thornet Wood Rd. Brom —6C 70
Thorney Bay Rd. Can I —2E 9
Thorney Croft Clo. Kgswd —6F 140
Thorneycroft Rd. Stal —2D 29
Thornfield Gdns. Tun W —9M 151
Thornford Rd. SE13 —3F 54
Thorn Gdns. Ram —3J 211
Thornham Rd. Gill —9M 81
Thorn Hill. Ram —2D 23
Thornhill Av. SE18 —7G 51 (3B 6)
Thornhill Pl. Maid —3D 126
Thornhill Rd. N1 —1C 5
Thorn Hill Rd. Ward —3J 203
Thornhurst. H Bay —3L 195
Thorn La. S Min —4D 31
Thornlea. Afrd —8C 158
Thorn Rd. Mard —3L 205 (1D 37)
Thornsbeach Rd. SE6 —6F 54
Thorns Meadow. Bras —5L 117
Thornton Av. SW2 —4C 4
Thornton Clo. W'boro —9L 159
Thornton Dene. Beck —5D 68
Thornton Heath. —1C 13
Thornton Heath Pond. (Junct.) —2C 13
Thornton La. E'try —4H 183
Thornton La. Tilm & E'try —2C 32
Thornton Rd. SW12 —4C 4
Thornton Rd. Belv —4C 52
Thornton Rd. Brom —1K 69
Thornton Rd. Croy & T Hth —2C 13
Thorn Wlk. Sit —6K 99
Thornwood Rd. SE13 —3H 55
Thorold Rd. Chat —9E 80
Thorpe Av. Tonb —2J 145
Thorpe Bay. —1C 11
Thorpe Clo. Orp —3G 84
Thorpe Esplanade. Sth S —1C 11
Thorpe Hall Av. Sth S —1C 11
Thorpe Wlk. Gill —8M 95
Thorton's La. Dover —5K 181
(off Townwall St.)
Thrale Rd. SW16 —1C 12
Thrale Way. Gill —7A 96
Thread La. Dunk —2L 165 (4B 20)
Three Chimneys. —2A 38
Three Colts La. E2 —2D 5
Three Corners. Bexh —9C 52
Three Elm La. Gold G —1A 146 (3A 26)
Three Fields Path. Tent —9B 222
Three Gates Rd. Fawk —4F 88 (2E 15)
Three Kings Yd. S'wch —5M 217
Three Leg Cross. —4C 36
Three Oaks La. Wadh —3A 36
Three Post La. Hythe —6K 197
Three Trees. —2L 139
Three Ways. Tonb —7J 145
Threshers Dri. Weav —4G 127
Thriffwood. SE26 —8A 54
Thrift La. Cud —8G 100
Thrift, The. Bean —8J 61
Thriftwood Cvn. Pk. Stans —4K 105
Throwley. —2E 29
Throwley Clo. SE2 —3L 51
Throwley Dri. H Bay —3D 194
Throwley Forstal. —2E 29
Throwley Rd. Throw —2E 29
Throwley Way. Sutt —2B 12
Thrupp Paddock. Broad —4L 209
Thrush Clo. Chat —4E 94
Thruxted La. Cha —8A 170 (2C 30)
Thundersland Rd. H Bay —4J 195
(in two parts)
Thurbarn Rd. SE6 —1E 68
Thurlestone Ct. Maid —3C 126
Thurlow Av. H Bay —2K 195
Thurlow Pk. Rd. SE21 —4C 5
Thurlow St. SE17 —3D 5
Thurnham. —1N 127 (1A 28)
Thurnham La. Bear —4L 127 (1A 28)
Thurrock Commercial Cen. Ave —2N 53
Thurrock Lakeside. —3E 7
Thurrock Museum. —3A 8
Thursland Rd. Sidc —1N 71
Thursley Cres. New Ad —8G 82
Thursley Rd. SE9 —8B 56
Thurston Dri. Roch —5H 79
Thurston Ind. Est. SE13 —1E 54
Thurston Park. —4G 225
Thurston Pk. Whits —4G 225
Thurston Rd. SE13 —1E 54 (3E 5)
Thwaite Clo. Eri —6D 52
Thyer Clo. Orp —5E 84
Tibbenham Pl. SE6 —7D 54
Tibbet's Corner. (Junct.) —4A 4
Tibbet's Ride. SW15 —4A 4
Tibb's Ct. La. Bchly —7L 153 (1B 36)
Tiber Clo. Folk —5C 188
Ticehurst. —4C 36
Ticehurst Clo. Orp —3J 71
Ticehurst Rd. SE23 —7B 54
Ticehurst Rd. Hrst G —1A 44
Tichborne Clo. Maid —3N 125
Tickenhurst. —2C 32
Tickford Clo. SE2 —2L 51
Tickham. —3D 19
Tickham La. Lyn —4D 19
Tickner's La. Bztt —2C 47
Tiddymotts La. Goud —8K 185
Tidebrook. —4A 36
Tideswell Rd. Croy —4D 82
Tideway, The. Roch —4N 93 (2D 17)
Tidford Rd. Well —9H 51
Tiepigs La. W Wick & Brom —3H 83 (2E 13)
Tiger La. Brom —7L 69
Tilbrook Rd. SE3 —1M 55
Tilbury. —1F 62 (4B 8)
Tilbury Clo. Orp —5K 71
Tilbury Fort. —2H 63 (4B 8)
Tilbury Pl. Walm —9L 177
Tilbury Rd. Gill —1C 96
Tilden Chapel La. Smar —1B 38
Tilden Clo. H Hal —7J 193
Tilden Cotts. H'crn —1L 193
Tilden Gill Rd. Tent —8D 222
Tilden La. H'crn —4A 28
Tilden La. Mard —4D 27
Tilebarn Corner. Tonb —3L 145
Tile Farm Rd. Orp —4F 84
Tile Fields. Holl —7F 128
Tile Ho., The. Hythe —6K 197
(off Mount St.)
Tilehurst Point. SE2 —2M 51
Tile Kiln Hill. Blean —6H 167 (3D 21)
Tile Kiln La. Bex —7D 58 (4C 7)
(in two parts)
Tile Kiln La. Folk —4F 188 (2A 42)
Tile Kiln Rd. Kenn —3G 159
Tile Lodge Rd. Char H —3D 29
Tilford Av. New Ad —9F 82
Tilghman Way. Snod —1F 108
Tillard Clo. P'hm —3D 31
Till Av. F'ham —1N 87
Tillery La. B'lnd —2C 46
Tilley Clo. Hoo —8G 67
Tillingbourne Grn. Orp —7J 71
Tilmans Mead. F'ham —1A 88
Tilmanstone. —3C 33
Tilsden La. C'brk —9E 176 (3E 37)
Tilton Rd. Bor G —2M 121
Tilt Yd. App. SE9 —4B 56
Timberbank. Chat —5D 94
Timber Bank. Meop —3E 106
Timber Clo. Chst —5C 70
Timbercroft La. SE18 —6G 50 (3B 6)
Timberden Bottom. —1F 102 (3C 15)
Timbertop Rd. Big H —6C 164
Timber Tops. Chat —2G 111
Timeball Tower. —5N 177
(off Victoria Pde.)
Timothy Clo. Bexh —3N 57
Timothy Ho. Eri —2N 51
(off Kale Rd.)
Timperley Clo. Shol —4K 177
Tina Gdns. Broad —7L 209
Tinker Pot La. W King —5B 104 (3D 15)
Tinkerpot Rise. W King —5C 104
Tinker's All. Chat —5C 80
Tinkers La. Tic —4C 36
Tintagel Gdns. Roch —5K 79
Tintagel Mnr. Gill —6F 80
Tintagel Rd. Orp —3L 85
Tintern Rd. Maid —3N 125
Tippens Clo. C'brk —8D 176
Tippledore La. Broad —8J 209
Titchfield Clo. Maid —2J 139
Titchfield Rd. Maid —2J 139
Tithe Barn La. Afrd —1B 160 (1E 39)
Tithepit Shaw La. Warl —4D 13
Titmuss Av. SE28 —1K 51
Titsey. —2A 24
Titsey Hill. T'sey —2A 24
Titsey Place. —2A 24
Titsey Rd. Oxt —2A 24
Tiverton Dri. SE9 —6E 56
Tiverton Rd. NW10 —2A 4
Tivoli Brooks. Mgte —4C 208
Tivoli Gdns. SE18 —4A 50
Tivoli Gdns. Grav —6G 63
Tivoli Pk. Av. Mgte —4B 208 (1D 23)
Tivoli Rd. Mgte —5C 208 (1D 23)
Toad Rock. —1D 156
Tobruk Way. Chat —5C 94
Toby Gdns. Hdlw —8D 134
Toby Rd. Lydd S —8A 212
Tockwith Ct. Sev —5L 119
Todd Cres. Kem —3H 99
Toddington Cres. Chat —1A 110
Toke Clo. Gt Cha —9A 158
Tokyngton. —1A 4
Tolcairn Ct. Belv —5B 52
Toledo Paddock. Gill —7G 81
Tolgate La. Roch —5M 79
Tolhurst. —4B 36
Tolhurst Rd. Five G —8F 146
Tollemache Clo. Mans —9L 207
Tollgate. Deal —6K 177
Tollgate Clo. Whits —5E 224
Tollgate M. Bor G —2N 121
Tollgate Pl. H'crn —3M 193
Tollgate Rd. E16 & E6 —2A 6
Tollgate Rd. Dart —5D 60
Tollgate Way. S'lng —7B 110
Tollington Pk. N4 —1C 5
Tollington Rd. N7 —1C 5
Tollington Way. N7 —1C 5
Toll La. Char —3M 175 (3E 29)
Tollwood Rd. Crowb —4D 35
Tolputt Ct. Folk —5L 189
Tolsey Mead. Bor G —1N 121
Tolsford Clo. Etch —2E 41
Tolsford Clo. Folk —5D 188
Tolworth. —2A 12
Tolworth Junction (Toby Jug). (Junct.) —2A 12
Tolworth Rise N. Surb —2A 12
Tolworth Rise S. Surb —2A 12
Tombridge Chambers. Tonb —7H 145
Tom Coombs Clo. SE9 —2A 56
Tom Cribb Rd. SE28 —3E 50
Tom Joyce Clo. Snod —3D 108
Tomlin Clo. S'hrst —7J 221
Tomlin Gdns. Mgte —6G 209
Tompset's Bank. —3A 34
Tomson's Pas. Ram —5H 211
Tonbridge. —6H 145 (4E 25)
Tonbridge By-Pass. Sev & Tonb —6N 131 (3D 25)
Tonbridge Castle. —5H 145 (4E 25)
Tonbridge Ct. Maid —6N 125
Tonbridge Ind. Est. Tonb —6K 145
Tonbridge Rd. Barm —2D 27
Tonbridge Rd. Bough B —5C 142 (4C 24)
Tonbridge Rd. E Peck —3H 147 (3B 26)
Tonbridge Rd. Hdlw —9A 134 (3A 26)
Tonbridge Rd. Hild —1C 144 (3E 25)
Tonbridge Rd. Igh —6J 121
Tonbridge Rd. Ivy H —8J 121 (2E 25)
Tonbridge Rd. Maid —6B 126 (2B 26)
Tonbridge Rd. Mere —2J 135
Tonbridge Rd. Pem —5N 151 (1A 36)
Tonbridge Rd. Sev —9K 119 (2D 25)
Tonbridge Rd. S'brne —4J 133 (3E 25)
Tonbridge Rd. Tstn & W'bury —2B 26
Tonbridge Rd. W'bury & Barm —1D 136
Tonford La. Harb —3F 170
(in two parts)
Tong. —4A 28
Tonge. —8N 99 (3D 19)
Tonge Clo. Beck —8D 68
Tonge Corner. —4N 99 (2D 19)
Tonge Rd. Sit —7J 99 (3C 19)
Tonge Vs. Beck —8D 68
Tong Green. —2E 29
Tong La. Lam —2C 36
Tong Rd. Bchly —9N 153 (1B 36)
Tongswood Dri. Hawkh —6N 191 (4E 37)
Tontine St. Folk —6K 189 (2A 42)
Tookey Rd. New R —3C 212
Tooley St. SE1 —2D 5
Tooley St. N'fleet —5C 62
Tooting. —1B 12
Tooting Bec. —4B 4
Tooting Bec Gdns. SW16 —1C 12
Tooting Bec Rd. SW17 & SW16 —4C 4
Tooting Graveney. —1B 12
Tooting High St. SW17 —1B 12
Tootswood Rd. Brom —8H 69
Topcliffe Dri. Farn —5F 84
Top Dartford Rd. Swan & Dart —3G 73 (1C 15)
Topley Dri. H Hals —2H 67
Topley St. SE9 —2M 55
Top Pk. Beck —8H 69
Top Rd. Stne —2A 46
Torbay. E Peck —2N 147
Torbrook Clo. Bex —4N 57
Tormore Pk. Deal —6K 177
Tormount Rd. SE18 —6G 50
Toronto Clo. Dover —1G 181
Toronto Rd. Gill —8H 81
Torrens Wlk. Grav —1K 77
Torriano Av. NW5 —1C 4
Torridon Rd. SE6 & SE13 —5G 55 (4E 5)
Torrington Clo. Mere —9J 123
Torrington Pl. WC1 —2C 4
Torrington Rd. Afrd —1F 160
Tor Rd. Well —8L 51
Torr Rd. SE20 —3A 68
Torver Way. Orp —3F 84
Tothill St. Min —2C 23
Totnes Rd. Well —7K 51
Tottenham Ct. Rd. W1 —2C 4
Tournay Clo. Afrd —1D 160
Tourney Clo. Hythe —5A 196
Tourney Rd. Lydd —4B 204 (3D 47)
Tourtel Rd. Cant —1N 171 (4D 21)
Tovil. —7B 126 (2D 27)
Tovil Grn. Maid —7B 126
Tovil Grn. Bus. Pk. Tovil —8A 126
Tovil Hill. Maid —8B 126 (2D 27)
Tovil Rd. Maid —7C 126 (2D 27)
Tower Bri. SE1 —2D 5
Tower Bri. Rd. SE1 —3D 5
Tower Bungalows. Birch —3F 206
Tower Clo. Grav —1K 77
Tower Clo. Orp —3H 85
Tower Ct. S'gte —8E 188
Tower Croft. Eyns —3M 87
Tower Est. Dym —5D 182
Tower Gdns. Bear —5L 127
Tower Gdns. Hythe —7K 197
Tower Hamlets. —4G 181 (1C 43)
Tower Hamlets Rd. Dover —4H 181 (1C 43)
Tower Hamlets St. Dover —4H 181
Tower Hill. (Junct.) —2D 5
Tower Hill. Dover —4H 181
Tower Hill. Off —3J 123
Tower Hill. Whits —2G 225 (2C 21)
Tower Ind. Est. Wro —5K 105
Tower La. Bear —5K 127
Tower Pde. Whits —2G 224 (2C 21)
Tower Rd. Belv —4D 52
Tower Rd. Bexh —2B 58
Tower Rd. Dart —4K 59
Tower Rd. Orp —3H 85 (2B 14)
Tower Rd. Whits —3G 225
Tower St. Dover —4H 181 (1C 43)
Tower St. Rye —3A 46
Towers View. Kenn —3G 159
Towers Wood. S Dar —4D 74
Tower View. Croy —1B 82
Tower View. King H —5N 123 (1B 26)
Tower Way. Cant —2M 171 (1D 31)
Town Acres. Tonb —3J 145
Towncourt Cres. Orp —8E 70
Towncourt La. Orp —9F 70 (2B 14)
Townfield Corner. Grav —6H 63
Towngate Wood Pk. Tonb —9B 133
Town Hill. Bri —8E 172 (2E 31)
Town Hill. Lam —3C 200 (3B 36)
Town Hill. Ling —1A 34
Town Hill. W Mal —9A 108 (4C 16)
Town Hill Clo. W Mal —9A 108
Townland Clo. Bidd —8L 163
Townland Green. —7B 226 (3D 39)
Town La. Cha H —4C 170 (1C 31)
Townley Rd. Bexh —3A 58 (4C 6)
Townley St. Ram —6H 211
Town Lock Ho. Tonb —5J 145
Townmead Rd. SW6 —3B 4
Town Rd. Cli —9L 65 (4D 9)
Town Rd. P'hm —3D 31
Town Row. —4E 35
Townsend. Sidc —2K 71
Townsend Farm Rd. St Mc —7J 213
Townsend Rd. Snod —1C 108
Townsend Ter. Dover —7G 180
Townshend Clo. Sidc —2K 71
Townshend Rd. Chst —1D 70
Town Sq. Eri —6F 52
Town Wlk. Folk —7K 189
Townwall St. Dover —5K 181 (1D 43)
Toy & Model Museum. —2C 36
Toynbec Clo. Chst —9D 56
Toy's Hill. —3B 24
Toy's Hill. Four E —3B 24
Tracies, The. N'tn —5L 97
Tradescant Dri. Meop —9G 76

Trafalgar Av.—Up. Stone St.

Trafalgar Av. SE15 —3D 5
Trafalgar Clo. Woul —6G 92
Trafalgar Ct. Eri —7G 53
(off Frobisher Rd.)
Trafalgar Pl. Min S —6J 219
Trafalgar Rd. SE10 —3E 5
Trafalgar Rd. Dart —7M 59
Trafalgar Rd. Grav —5F 62
Trafalgar Rd. St Mc —8J 199
Trafalgar Rd. Wdchu —8L 207
Trafalgar Sq. WC2 —2C 4
Trafalgar St. Gill —7F 80
Tram Rd., The. Folk —6L 189 (2A 42)
Tranquil Rise. Eri —5F 52
Tranquil Vale. SE3 —3E 5
Transfesa Rd. Pad W —7M 147
Transmere Clo. Orp —9E 70
Transmere Rd. Orp —9E 70
Transom Ho. Roch —2N 93
Transport Museum. —8F 178
Trapfield Clo. Bear —5M 127
Trapfield La. Bear —5M 127
(in two parts)
Trapham Rd. Maid —4A 126
Traps La. N Mald —1A 12
Travers Gdns. Bre —5A 114
Travers Rd. Deal —5K 177
Travertine Rd. Chat —1E 110
Treasury View. I'hm —1A 32
Trebble Rd. Swans —4L 61
Trebilco Clo. Tun W —7K 151
Treblers Rd. Crowb —4D 35
Tredegar Rd. E3 —2E 5
Tredegar Rd. Dart —7H 59
Tredwell Clo. Brom —7A 70
Treebourne Rd. Big H —6C 164
Tree La. Plax —9L 121 (2A 26)
Treetops. Grav —1G 77
Tree Tops. Tonb —8H 145
Treetops Clo. SE2 —5N 51
Treewall Gdns. Brom —9L 55
Trefoil Ho. Eri —2N 51
(off Kale Rd.)
Trefor Jones Ct. Dover —2G 180
Trelawn Cres. Chat —9E 94
Trellyn Clo. Maid —7K 125
Trenchard Clo. W'boro —1K 161
Trench Rd. Tonb —1H 145
Trench Wood. —1H 145 (3E 25)
Trentham Dri. Orp —7J 71
Trenton Clo. Maid —2M 125
Trent Rd. Chat —6E 94
Tresco Clo. Brom —2H 69
Tressillian Cres. SE4 —1D 54
Tressillian Rd. SE4 —2C 54
Trevale Rd. Roch —2M 93
Trevelyan Clo. Dart —2N 59
Trevenna Ho. SE23 —8A 54
(off Dacres Rd.)
Trevino Dri. Chat —8C 94
Treviso Rd. SE23 —7A 54
Trevithick Dri. Dart —2N 59
Trevor Clo. Brom —1J 83
Trevthick Dri. Dart —4D 7
Trewin Clo. Ayle —8H 109
Trewsbury Ho. SE2 —1M 51
Trewsbury Rd. SE26 —1A 68
Tribune Ct. S'ness —4C 218
Tribune Dri. Sit —5G 98
Trident Clo. Roch —5B 80
Trigg Gro. Afrd —8G 158
Triggs Row. Tey —2L 223
Trilby Rd. SE23 —7A 54
Trimworth Rd. Folk —5F 188
Trinity Clo. SE13 —2G 54
Trinity Clo. Brom —2A 84
Trinity Clo. Tun W —1K 157
Trinity Ct. Ayle —7L 109
Trinity Ct. Dart —6B 60
(off Churchill Clo.)
Trinity Ct. Deal —6K 177
Trinity Ct. Mgte —2D 208
Trinity Cres. Folk —7H 189
Trinity Gdns. Dart —4L 59
Trinity Gdns. Folk —7J 189
Trinity Hill. Mgte —2D 208 (1D 23)
Trinity Homes. Deal —9M 177
Trinity Pl. Bexh —2A 58
Trinity Pl. Deal —6K 177
Trinity Pl. Ram —5K 211
Trinity Pl. S'ness —2D 218
Trinity Rd. SW18 & SW17 —4B 4
Trinity Rd. Folk —7H 189
Trinity Rd. Gill —6F 80
(in two parts)
Trinity Rd. Grav —5H 63
Trinity Rd. Kenn —4F 158 (4A 30)
(in two parts)
Trinity Rd. S'ness —2D 218 (4D 11)
Trinity Rd. Sit —4G 98
Trinity Sq. Broad —6K 209
Trinity Sq. Mgte —2D 208 (1D 23)
Trinity Trad. Est. Sit —5G 99
Tristan Gdns. Tun W —1C 156
Tristan Sq. SE3 —1H 55
Tristram Rd. Brom —9J 55
Tritton Clo. Kenn —3K 159
Tritton Fields. Kenn —3J 159
Tritton Gdns. Dym —6C 182
Tritton La. New R —3C 212
Trivett Clo. Grnh —3G 60
Troodos Hill. Maid —1C 126
Trosley Av. Grav —7G 62
Trosley Country Park. —3F 106
Trosley Rd. Belv —6B 52
Trottiscliffe. —5F 106 (3B 16)
Trottiscliffe Rd. Adtn —7H 107 (4B 16)
Trotts Hall Gdns. Sit —8G 99
Trotts La. W'ham —9E 116
Trotwood Clo. Chat —2D 110
Trotwood Pl. Broad —9M 209
(off John St.)
Troubridge Clo. W'boro —2L 161
Troughton M. Mgte —4B 208
Troutbeck Ho. Dit —9G 108
Trove Ct. Ram —5K 211
(off Newcastle Hill)
Troy Ct. SE18 —4D 50
Troys Mead. Holl —7F 128
Troy St. SE18 —4D 50
Troy Town. —4A 24
(nr. Edenbridge)
Troy Town. —8A 80
(nr. Rochester)
Troy Town La. Brook —4B 30
Trubridge Rd. Hoo —8G 67
Trueman Clo. Blean —4G 166
Truggers La. Chid H —4B 148 (1C 34)
Trumpet Ho. Afrd —1F 160
Trundley's Rd. SE8 —3D 5
Trunks All. Swan —5C 72
Truro Clo. Gill —9N 81
Truro Ho. Maid —1G 139
Truro Rd. Grav —8J 63
Truro Rd. Ram —5K 211
Truro Wlk. Tonb —2K 145
Trycewell La. Igh —3K 121
Tryon. Sidc —2K 71
Tuam Rd. SE18 —6F 50
Tubbenden Clo. Orp —4G 84
Tubbenden Dri. Orp —5F 84
Tubbenden La. Orp —5F 84 (2B 14)
Tubbenden La. S. Orp —6F 84
Tubbs Rd. NW10 —2A 4
Tubs Hill. Sev —6J 119
Tubs Hill Ho. Sev —6H 119
Tubs Hill Pde. Sev —6H 119
Tubslake. —3E 37
Tudeley. —7B 146 (4A 26)
Tudeley Hale. —4A 26
Tudeley La. Tonb —8J 145 (4E 25)
(in two parts)
Tudor Av. Dym —6C 182
Tudor Av. Maid —3E 126
Tudor Byway. Kenn —4H 159
Tudor Clo. Birch —3G 207
Tudor Clo. Chst —4B 70
Tudor Clo. Dart —4J 59
Tudor Clo. N'fleet —6D 62
Tudor Cotts. Maid —4B 138
Tudor Ct. SE9 —2A 56
Tudor Ct. Big H —5E 164
Tudor Ct. Cant —7J 167
Tudor Ct. Crock —1D 86
Tudor Ct. Sidc —8J 57
Tudor Ct. Tun W —5E 156
Tudor Ct. Whits —2J 225
Tudor Cres. Otf —7K 103
Tudor Dri. King T —1A 12
Tudor Dri. Mord —2A 12
Tudor Dri. Otf —7K 103
Tudor End. Kenn —5H 159
Tudor Gdns. NW9 —1A 4
Tudor Gdns. W Wick —4F 82
Tudor Gro. Chatt —9C 66
Tudor Gro. Gill —3A 96
Tudor Ho. Deal —5K 177
Tudor House Museum. —2D 208
Tudor Rd. Beck —6F 68
Tudor Rd. Cant —3L 171
Tudor Rd. Folk —5D 188
Tudor Rd. Kenn —5H 159
Tudor Wlk. Bex —4N 57
Tudor Way. Orp —9F 70 (2B 14)
Tudway Rd. SE3 —1L 55
Tuesnoad. —1C 39
Tufa Clo. Chat —1E 110
Tuffs Cotts. Mid S —8K 201
Tufnail Rd. Dart —4M 59
Tufnell Park. —1C 4
Tufton Rd. Afrd —8H 159
Tufton Rd. Gill —2B 96
Tufton Rd. Hoth —4E 29
Tufton St. Afrd —8F 158
Tufton St. Maid —5D 126
Tufton Wlk. Afrd —8F 158
Tugboat St. SE28 —2G 50
Tugela St. SE6 —7C 54
Tugmutton Clo. Orp —5D 84
Tulip Clo. Croy —2A 82
Tulip Tree Clo. Tonb —7G 145
Tulse Clo. Beck —6F 68
Tulse Hill. —4C 5
Tulse Hill. SW2 —4C 5
Tumbledown Hill. Westw —4E 29
Tumblefield Rd. Stans —1M 105 (3A 16)
Tumblers Hill. Sut V —9B 140
Tunbridge Hill. —5M 67 (4A 10)
Tunbridge Wells. —1G 157 (2E 35)
Tunbridge Wells Museum & Art Gallery.
(off Mt. Pleasant Rd.) —1H 157
Tunbridge Wells Rd. Mark X —3E 35
Tunbridge Wells Rd. Tic —4B 36
Tunbury Av. Chat —8C 94
Tunbury Av. S. Chat —1C 110
Tunis Ct. Cant —1C 172
Tunis Rd. Broad —8M 209
Tunnel App. SE16 —3D 5
Tunnel Av. SE10 —3E 5
(in two parts)
Tunnel Rd. Tun W —1H 157
Tunstall. —3C 18
Tunstall Clo. Orp —5G 84
Tunstall Rd. Bre —3C 18
Tunstall Rd. Cant —7N 167
Tunstall Rd. Tun —2E 114
Tunstock Way. Belv —3A 52
Tupman Clo. Roch —8M 79
Turgis Clo. Langl —4A 140
Turketel Rd. Folk —6G 189
Turkey Ct. Maid —6F 126
Turks Hill. W'wd —3E 31
Turmine Ct. Min S —7H 219
Turnagain La. Cant —2M 171 (1D 31)
Turnberry Way. Orp —2F 84
Turnbull Clo. Grnh —5E 60
Turnden. —8B 176 (3E 37)
Turnden Gdns. Clift —3J 209
Turnden Rd. C'brk —9A 176 (3D 37)
Turner Av. C'brk —9D 176
Turner Clo. Kem —3G 99
Turner Ct. Dart —3K 59
Turner Ct. Folk —6F 188
Turner Ct. Mgte —3E 208
Turner Rd. Bean —8H 61
Turner Rd. Big H —2B 164
Turner Rd. Tonb —2L 145
Turners Av. Tent —7B 222
Turners Clo. S'ness —3D 218
Turners Ct. W King —8E 88
Turners Gdns. Sev —1K 131
Turner's Green. —3A 36
Turners Grn. Rd. Spar G —3A 36
Turners Meadow Way. Beck —4C 68
Turners Oak. New Ash —4L 89
Turners Pl. S Dar —4C 74
Turner St. Cli —3C 176
Turner St. Ram —6J 211
Turney Rd. SE21 —4D 5
Turnham Green. —3A 4
Turnham Grn. Ter. W4 —3A 4
Turnham Rd. SE4 —3B 54
Turnpike Clo. Hythe —6H 197
Turnpike Ct. Bexh —2M 57
Turnpike Dri. Orp —9L 85
Turnpike Hill. Hythe —5H 197
Turnpike La. W Til —3B 8
Turnstone. Long —6N 75
Turnstone Ct. St Mar —3E 214
(off Cedar Cres.)
Turnstone Rd. Chat —9F 94
Turnstones Ct. Wgte S —2J 207
(off Westgate Bay Av.)
Turnstones, The. Grav —7J 63
Turpington Clo. Brom —9A 70
Turpington La. Brom —1A 84 (2A 14)
Turpin La. Eri —6H 53
Tuscan Dri. Chat —1F 110
Tuscan Rd. SE18 —5F 50
Tutsham Farm. W Far —2F 136
Tutsham Way. Pad W —9K 147
Tutt Hill. —4E 29
Tuxford Rd. Tun W —9B 150
Tweed Rd. Tonb —2J 145
Tweed Ter. Hythe —6H 197
Tweedy Rd. Brom —4K 69 (1E 13)
Twelve Acres. —8H 109
Twelve Acres. W'boro —1J 161
Twelve Oaks. —3A 44
20/20 Ind. Est. All —1N 125
Twigg Clo. Eri —7F 52
Twisden Rd. E Mal —1D 124
Twiss Av. Hythe —6L 197
Twiss Gro. Hythe —6L 197
Twiss Rd. Hythe —6L 197 (3E 41)
Twistleton Ct. Dart —4L 59
Twitham. —4F 226 (1B 32)
Twitton. —7F 102 (4C 15)
Twitton La. Otf —6E 102 (4C 15)
Twitton Meadows. Otf —7F 102
Twitton Stream Cotts. Otf —7F 102
Two Chimneys Cvn. Pk. Birch —6J 207
Twogates Hill Cli & High
—8K 65 (4D 9)
Two Post All. Roch —6N 79
Twydall. —9L 81 (2E 17)
Twydall Grn. Gill —9L 81
Twydall La. Gill —1L 95
Twyford Abbey Rd. NW10 —2A 4
Twyford Av. W3 —2A 4
Twyford Clo. Gill —1C 96
Twyford Ct. Maid —3G 126
Twyford Rd. Hdlw —7D 134
Twyne Clo. Sturry —5F 168
Twysden Cotts. Sand —4J 215
Tydeman Rd. Bear —7J 127
Tydemans Av. Ches —4L 225
Tye La. Orp —6E 84
Tyeshurst Clo. SE2 —5N 51
Tyland Barn. —7B 110 (4D 17)
Tyland Cotts. S'lng —7B 110
Tyland La. S'lng —7B 110 (4D 17)
Tyler Clo. Cant —8M 167
Tyler Clo. E Mal —1D 124
Tyler Dri. Gill —7A 96 (3A 18)
Tyler Gro. Dart —2N 59
Tyler Hill. —5L 167 (3D 21)
Tyler Hill Rd. Blean & T Hill
—5G 167 (3D 21)
Tylers Grn. Rd. Swan —9D 72 (2C 15)
Tyler Way. Whits —2N 225
Tyler Way Ind. Est. Whits —2N 225
Tylney Rd. E7 —1A 6
Tylney Rd. Brom —5N 69 (1A 14)
Tyndale Pk. H Bay —3J 195
Tyndall Rd. Well —1H 57
Tyne Clo. Chat —6F 94
Tynedale Clo. Dart —6D 60
Tyne Ho. Maid —2H 139
Tynemouth Rd. SE18 —5G 51
Tyne Rd. Tonb —2H 145
Typhoon Rd. W Mal —6L 123
Tyrell Ho. Beck —1E 68
(off Beckenham Hill Rd.)
Tyrols Rd. SE23 —6A 54
Tyron Way. Sidc —9G 57
Tyrrell Av. Well —3J 57
Tyrwhitt Rd. SE4 —1D 54
Tysoe Ct. Min S —7H 219
Tyson Av. Mgte —2M 207
Tyson Rd. Folk —4L 189

Uckfield La. Hever —4B 24
Uckfield Rd. Crowb —4C 35
Uden Rd. Dym —9D 182
Udimore. —4E 45
Udimore Rd. B Oak & Rye —4D 45
Ufton Clo. Maid —8H 127
Ufton La. Sit —9F 98 (3C 19)
Ulcombe. —9H 141 (3B 28)
Ulcombe Gdns. Cant —8N 167
Ulcombe Hill. Ulc —9H 141 (3B 28)
Ulcombe Rd. H'crn —1K 193 (4A 28)
Ulcombe Rd. Langl —5A 140 (3A 28)
Ulley Cottage. Kenn —3J 159
(off Ulley Rd.)
Ulley Rd. Kenn —3H 159 (4A 30)
Ullswater Clo. Brom —3H 69
Ullswater Gdns. Aysm —1D 162
Ullswater Ho. Maid —1G 139
Ulster Rd. Mgte —5D 208
Ulundi Pl. Woul —6G 93
Undercliff. Maid —6C 126
Undercliff. S'gte —8E 188
Undercliffe Rd. Kgdn —4N 199 (3E 33)
Undercliff Rd. SE13 —1D 54
Underdown Av. Chat —2C 94
Underdown La. H Bay —4G 195
Underdown Pas. Cant —3L 171
Underdown Rd. Dover —5G 181
Underground Rd. H Bay —3G 195
Underhill Cotts. Peene —3B 188
Underhill Rd. Folk —6B 188
Underling Green. —4D 27
Underling La. Mard —4D 27
Underriver. —3B 132 (2D 25)
Underriver Ho. Rd. Under
—5C 132 (3E 25)
Undershaw Rd. Brom —8J 55
Undertrees Farm Rd. Stod —3A 22
Underwood. H'nge —6E 192
Underwood. New Ad —6F 82
Underwood Clo. Cant —5N 171
Underwood Clo. Kenn —4H 159
Underwood Clo. Maid —7C 126
Underwood Gdns. Folk —8F 188
Underwood, The. SE9 —8B 56
Unicorn Wlk. Grnh —3F 60
Unicumes La. Maid —7N 125
Union Cres. Mgte —3D 208
Union Pk. Bus. Cen. Maid —4J 139
Union Pl. Cant —1N 171
Union Pl. Chat —8D 80
Union Rd. Bri —9E 172 (2E 31)
Union Rd. Brom —8N 69
Union Rd. Deal —4M 177
Union Rd. Min S —5K 219 (4D 11)
Union Rd. Ram —4K 211
Union Row. Mgte —3D 208
Union Sq. Broad —9M 209
Union Sq. Tun W —3F 156
Union Street. —4C 37
Union St. SE1 —3C 5
Union St. Cant —1N 171 (4D 21)
Union St. Chat —8D 80
Union St. Dover —6J 181 (1C 43)
Union St. Fav —5G 187
Union St. Flim —4C 37
Union St. Maid —5D 126
Union St. Ram —5J 211
Union St. Roch —7N 79
Union St. S'ness —2B 218
Unity Clo. New Ad —9E 82
Unity Pl. Ram —5K 211
Unity St. S'ness —2E 218
Unity St. Sit —8F 98
University Gdns. Bex —5A 58
University Pl. Eri —7D 52
University Rd. Cant —8K 167
University Way. Dart —2K 59 (4D 7)
Unwin Clo. Ayle —7L 109
Upbury Way. Chat —8D 80
Upchat Rd. Chatt —9B 66
Upchat Rd. Upnor & C'den —1D 17
Upchurch. —8H 223 (2B 18)
Upchurch Wlk. Mgte —4J 209
Updale Rd. Sidc —9H 57
Uphill. H'nge —8D 192
Upland Rd. Bexh —1A 58
Uplands. Beck —5D 68
Uplands. Cant —7M 167
Uplands Clo. Roch —6H 79
Uplands Clo. Sev —5G 118
Uplands Rd. Orp —2K 85
Uplands Way. Min S —7D 218
Uplands Way. Sev —5G 118
Uplees Rd. Oare —1E 186 (2E 19)
Upminster. —1E 7
Upminster Rd. Horn & Upm —1D 7
Upminster Rd. N. Rain —2D 7
Upminster Rd. S. Rain —2C 7
Upney La. Bark —1B 6
Upnor Castle. —2C 80 (1D 17)
Upnor Rd. Lwr U —1D 17
Upnor Rd. Upnor & Lwr U —4A 80
(in two parts)
Up. Abbey Rd. Belv —4A 52
Up. Approach Rd. Broad —1L 211
Up. Austin Lodge Rd. Eyns
—5L 87 (2D 15)
Upper Av. Grav —4D 76
Up. Barn Hill. Hunt —5J 137 (3D 27)
Up. Beulah Hill. SE19 —1D 13
Up. Brents. Fav —4H 187
Up. Bridge St. Cant —2N 171 (1D 31)
Up. Bridge St. Wye —2M 159 (4B 30)
Up. Britton Pl. Gill —7E 80
Up. Brockley Rd. SE4 —1C 54
Upper Bush. —1D 92
Up. Bush Rd. Cux —1D 92
Up. Chantry Ct. Cant —3N 171 (1D 31)
Up. Chantry La. Cant —3N 171 (1D 31)
Up. Church Hill. Grnh —3E 60
Up. Clapton Rd. E5 —1D 5
Up. Corniche. S'gte —8C 188
Up. Cumberland Wlk. Tun W —4G 157
(in two parts)
Up. Dane Rd. Mgte —4E 208 (1E 23)
Upper Deal. —6J 177 (2E 33)
Up. Denmark Rd. Afrd —1F 160
Upper Dri. Big H —6C 164
Up. Dumpton Pk. Ram —4J 211
Up. Dunstan Rd. Tun W —8H 151
Up. East Rd. Chat —4E 80
Upper Elmers End. —8C 68 (2E 13)
Up. Elmers End Rd. Beck
—7B 68 (1E 13)
Upper Eythorne. —4K 185
Up. Fant Rd. Maid —7N 125 (2D 27)
Up. Field Rd. Sit —6J 99
Up. Free Down. H Bay —5H 195
Upper Goldstone. —1D 216 (3C 22)
Up. Gore La. E'try —3J 183
Up. Green La. S'brne —3K 133
Up. Green Rd. S'brne —3J 133 (2E 25)
Up. Green W. Mitc —1B 12
Up. Grosvenor Rd. Tun W
—1G 157 (1E 35)
Up. Grosvenor St. W1 —2C 4
Upper Grounds. Hoath —2A 22
Upper Gro. Mgte —3D 208
Up. Grove Rd. Belv —7B 206
Upper Hale. Birch —7B 206
Upper Halling. —6C 92 (2C 16)
Upper Harbledown. —1E 170 (4C 21)
Upper Hardres Court. —3D 31
Upper Hartfield. —3B 34
Upper Hayesden. —9C 144 (4E 25)
Up. Hayesden La. Tonb
—9D 144 (4E 25)
Up. High St. Eps —3A 12
Up. Holly Hill Rd. Belv —5C 52
Up. Hunton Hill. E Far —6L 137 (3D 27)
Upper Lake. Batt —4B 44
Up. Luton Rd. Chat —9F 80 (2E 17)
Up. Malthouse Hill. Hythe —6J 197
Upper Mill. W'bury —9B 124
Up. Mulgrave Rd. Sutt —3B 12
Upper Nellington. L'tn G —1B 156
Up. North St. E14 —2E 5
Upper Norwood. —1D 13
Upper Olantigh. Wye —3B 30
Up. Park Rd. Belv —4C 52 (3C 6)
Up. Park Rd. Brom —4L 69
Upper Profit. L'tn G —2A 156
Up. Queens Rd. Afrd —7F 158
Up. Rainham Rd. Horn —1C 7
Up. Richmond Rd. SW15 —4A 4
Up. Richmond Rd. W. Rich & SW14
—4A 4
Upper Rd. E13 —2E 5
Upper Rd. Dover —3K 181 (1D 43)
Upper Rd. Maid —7E 126
Upper Rd. St Mc —9H 213
Upper Rodmersham. —4L 115 (3D 19)
Upper Ruxley. —3A 72
Up. St Ann's Rd. Fav —6F 186
Up. Selsdon Rd. S Croy —3D 13
Up. Sheridan Rd. Belv —4B 52
Upper Shirley. —5A 82 (2D 13)
Up. Shirley Rd. Croy —4A 82 (2D 13)
Up. Spring La. Igh —4N 121
Up. Stephens. L'tn G —2A 156
Up. Stone St. Maid —6D 126 (2E 27)

Up. Strand St.—Walden Rd.

Up. Strand St. S'wch —5M 217 (4D 23)
Upper St. N1 —2C 5
Upper St. Holl —6G 129 (2B 28)
Upper St. Kgdn —4M 199 (3E 33)
Upper St. Leeds —4B 140 (2A 28)
Upper St. Tilm —3C 33
Upper St. Tun W —1D 156
(in two parts)
Upper St. N. New Ash —3M 89
(off Row, The)
Upper St. S. New Ash —3M 89
(off Row, The)
Upper Sydenham. —1D 13
Up. Thames St. EC4 —2C 5
Upperton Rd. Sidc —1H 71
Upper Tooting. —1B 12
Up. Tooting Rd. SW17 —1B 12
Upper Upnor. —2C 80 (1D 17)
Up. Vicarage Rd. Kenn —3H 159 (4A 30)
Upper Walmer. —9K 177
Up. Wickham La. Well —1K 57 (3B 6)
Upstreet. —3A 22
Upton. —3M 57
(nr. Bexleyheath)
Upton. —9K 209 (2E 23)
(nr. Broadstairs)
Upton Clo. Bex —4A 58
Upton Clo. Folk —4G 189
Upton Ct. S'wll —3D 220
Upton La. E7 —1A 6
Upton Park. —2A 6
Upton Quarry. L'tn G —2N 155
Upton Rd. SE18 —6E 50
Upton Rd. Bexh & Bex —2N 57 (4C 6)
Upton Rd. Broad —8K 209
Upton Rd. S. Bex —4A 58
Upton's. H'crn —2K 193
Upton Vs. Bexh —2N 57
Upton Wood. —4B 32
Upwood Rd. SE12 —4K 55
Uridge Cres. Tonb —3J 145
Uridge Rd. Tonb —3J 145
Urquhart Clo. Chat —6D 94
Urquhart Ct. Beck —3C 68
Ursula Lodges. Sidc —1K 71
Ursuline Dri. Wgte S —4J 207
Urswick Rd. E9 —1D 5
Usborne Clo. S'hrst —8J 221
Utility Cotts. Seal —2N 119
Uxbridge Rd. W3 —2A 4
Uxbridge Rd. W12 —2A 4

Valan Leas. Brom —6H 69
Vale Av. S'boro —5F 150
Vale Av. Tun W —2G 157
Valebrook Clo. Folk —6C 188
Vale Clo. Orp —5C 84
Vale Ct. Tun W —4G 150
Vale Dri. Chat —6A 94
Valence Av. Dag —1B 6
Valence Ho. Maid —1F 138
Valence Rd. Eri —7E 52
Valence View. Frit —1A 38
Valenciennes Rd. Sit —8F 98
Valentine Av. Bex —7N 57
Valentine Clo. Gill B —2K 95
Valentine Ct. SE23 —7A 54
(in two parts)
Valentine Dri. H Hals —1H 67
Valentine Rd. Maid —1H 139
Vale of Heath. —1B 4
Vale Pl. Ram —6H 211
Valerian Clo. Chat —8B 94
Vale Rise. Tonb —6K 145 (4E 25)
Vale Rd. Broad —9K 209
Vale Rd. Brom —4C 70
Vale Rd. Dart —6J 59
Vale Rd. Hawkh —4K 191
Vale Rd. Loose —4B 138
Vale Rd. N'fleet —5C 62 (4A 8)
Vale Rd. Ram —6G 211
Vale Rd. S'boro —4F 150
Vale Rd. Sutt —3D 33
Vale Rd. Tonb —6H 145 (4E 25)
Vale Rd. Tun W —2G 157 (2E 35)
Vale Rd. Whits —5F 224
Vale Sq. Ram —6H 211
Valestone Clo. Hythe —7B 188
Valeswood Rd. Brom —1J 69
Vale, The. NW11 —1A 4
Vale, The. W3 —2A 4
Vale, The. Broad —9K 209 (2E 23)
Vale, The. Croy —3A 82
Vale View. St Mc —6J 213
Vale View Rd. Aysm —2C 162
Vale View Rd. Dover —5G 180
Valiant Rd. Chat —9F 94
Valkyrie Av. Whits —6D 224
Valkyrie Rd. Wclf S —1B 10
Vallance Rd. E2 & E1 —2D 5
Vallance, The. Lyn —3D 19
Valley Clo. Dart —4G 59
Valley Dri. Grav —9J 63 (1B 16)
Valley Dri. Hdlw —6E 134
Valley Dri. Maid —3C 138
Valley Dri. Sev —8J 119
Valley Forge Clo. Tonb —3M 145
Valley Gdns. Grnh —4H 61
Valley La. Meop —9F 90
Valley Rise. Chat —1C 110
Valley Rd. SW16 —1C 13
Valley Rd. B'hm —6C 162 (3A 32)
Valley Rd. Belv —4C 52
Valley Rd. Cant —4L 171
Valley Rd. Dart —4G 59
Valley Rd. Dover —1D 180
Valley Rd. Elham —6N 183 (4E 31)
Valley Rd. Eri —4E 52
Valley Rd. Fawk —2G 89 (2E 15)
Valley Rd. Gill —8H 81
Valley Rd. Kenl —4D 13
Valley Rd. Mgte —8B 208 (2D 23)
Valley Rd. Orp —4K 71
Valley Rd. S'gte —7E 188
Valley Rd. Short —5H 69 (1E 13)
Valley, The. —2D 29
Valley, The. Cox —5A 138
Valley View. Big H —6C 164
Valley View. Eyt —3K 185
Valley View. Grnh —4H 61
Valley View. Tun W —4G 151
Valley View Rd. Roch —1M 93
Valley View Ter. F'ham —2N 87
Valley Wlk. Hythe —8B 188
(in two parts)
Valliers Wood Rd. Sidc —6F 56
Vambery Rd. SE18 —6E 50
Vanbrugh Hill. SE10 & SE3 —3E 5
Vanbrugh Pk. SE3 —3E 5
Vanburgh Clo. Orp —2G 84
Vancouver Dri. Gill —2M 95
Vancouver Rd. SE23 —7B 54
Vancouver Rd. Dover —1H 181
Vandyke Cross. SE9 —3A 56
Vanessa Clo. Belv —5B 52
Vanessa Wlk. Grav —1L 77
Vanessa Way. Bex —8E 58
Vange Cott. M. Roch —8M 79
Vanity Farm Holiday Camp. Ley S —7L 203
Vanity La. Lint —3D 27
Vanity La. Lin —7A 138
Vanity Rd. Ley S —7L 203
Vanoc Gdns. Brom —9K 55
Vanquisher Wlk. Grav —8L 63
Varne Pl. Folk —5M 189
Varne Rd. Folk —6M 189
Varnes St. Eccl —4K 109
Vaughan Av. Tonb —1L 145
Vaughan Dri. Kem —3G 99
Vaughan Rd. Well —9H 51
Vauxhall. —3C 5
Vauxhall Av. Cant —8B 168
Vauxhall Av. H Bay —4B 194
Vauxhall Bri. SW1 & SE1 —3C 5
Vauxhall Bri. Rd. SW1 —3C 4
Vauxhall Clo. N'fleet —5E 62
Vauxhall Cres. Cant —8B 168
Vauxhall Cres. Snod —4D 108
Vauxhall Cross. (Junct.) —3C 5
Vauxhall Gdns. Tonb —8J 145
Vauxhall Ind. Est. Cant —7B 168
Vauxhall Ind. Rd. Cant —7C 168
Vauxhall La. Tonb —8J 145
Vauxhall La. Tun W —3F 150 (1E 35)
(in two parts)
Vauxhall Pl. Dart —5M 59
Vauxhall Rd. Cant —7B 168 (4E 21)
Vectis Dri. Sit —3G 98
Veda Rd. SE13 —2D 54
Vehicle Collection. —4B 38
Veitch Gro. W'ham —8F 116
Veles Rd. Snod —2D 108
Venners Clo. Bexh —9F 52
Ventnor Clo. Chat —3F 94
Ventnor La. Mgte —3D 208
Venture Clo. Bex —5N 57
Venture Clo. Dym —6C 182
Venture Ct. SE12 —5K 55
Venus Rd. SE18 —3B 50
Verdant Ct. SE6 —5H 55
(off Verdant La.)
Verdant La. SE6 —5H 55 (4E 5)
Verdayne Av. Croy —3A 82
Verdun Rd. SE18 —6J 51
Vere Rd. Broad —9L 209
Vereth Rd. Ram —6H 211
Veritas Ho. Sidc —7J 57
(off Station Rd.)
Vermont Rd. Tun W —1C 156
Vernham Rd. SE18 —6E 50
Vernon Clo. Orp —6K 71
Vernon Clo. W King —9F 88
Vernon Pl. WC1 —2C 5
Vernon Pl. Cant —3N 171 (1D 31)
Vernon Pl. Deal —2N 177
Vernon Rd. Swans —4M 61
Vernon Rd. Tun W —8J 151
Veroan Rd. Bexh —9N 51
Verona Gdns. Grav —9K 63
Verona Ho. Eri —7G 52
Veronica Ho. SE4 —1C 54
Vershall La. Elham —4E 31
Verwood Clo. Cant —9L 167
Veryan Clo. Orp —7L 71
Vesper Ct. Smar —3K 221
Vesper La. Smar —3K 221
Vesta Rd. SE4 —3E 5
Vestey Ct. Wgte S —2K 207
Vestris Rd. SE23 —7A 54
Vestry Cotts. Long —7B 76
Vestry Cotts. Sev —1K 119
Vestry Ind. Est. Sev —1K 119
Vestry Rd. Sev —1J 119
Vevey St. SE6 —7C 54
Viaduct Clo. Ram —4G 211
Viaduct Ter. Hams —8C 190
Viaduct Ter. S Dar —5C 74
Viaduct, The. Dover —7J 181 (1C 43)
Vian St. SE13 —1E 54
Via Romana. Grav —6N 63
Viburnum Clo. Afrd —8C 158
Vicarage Clo. Ayle —7K 109
Vicarage Clo. Eri —6D 52
Vicarage Clo. Hall —6E 92
Vicarage Clo. Up Stok —9H 201
Vicarage Ct. Beck —6B 68
Vicarage Ct. Grav —6M 63
Vicarage Ct. N'tn —4K 97
Vicarage Cres. SW11 —3B 4
Vicarage Cres. Mgte —4D 208
Vicarage Dri. Beck —4D 68
Vicarage Dri. N'fleet —4B 62
Vicarage Garden. Monk —2C 22
Vicarage Gdns. W'hm —3B 226
Vicarage Hill. Ben —1E 9
Vicarage Hill. P'hm —3D 31
Vicarage Hill. W'ham —8F 116 (2B 24)
Vicarage La. E15 —1E 5
Vicarage La. Afrd —8G 158
Vicarage La. Blean —5G 167
Vicarage La. Char H —3D 29
Vicarage La. Dun G —1E 118
Vicarage La. E Far —2L 137 (2D 27)
Vicarage La. Elham —7N 183 (1E 41)
Vicarage La. Fav —9E 186 (4A 20)
Vicarage La. Grav —7M 63 (4B 8)
Vicarage La. Hoo —8H 67 (1E 17)
Vicarage La. Lwr Hal —9M 223 (2B 18)
Vicarage La. Non —2B 32
Vicarage La. S'wch —5L 217
Vicarage La. Sell —1A 30
Vicarage La. Shol —5J 177
Vicarage La. St Mc —7J 213
Vicarage La. Tilm —3C 33
Vicarage La. Up Stok —9H 201
Vicarage La. Westf —4C 45
Vicarage Pk. SE18 —5E 50
Vicarage Pl. Mgte —4D 208
Vicarage Rd. SE18 —5E 50
Vicarage Rd. Bex —6C 58 (4C 6)
Vicarage Rd. Gill —7F 80
Vicarage Rd. Hall —2C 16
Vicarage Rd. Min S —5L 219
Vicarage Rd. S'gte —8F 188
Vicarage Rd. Sit —5E 98 (2C 19)
Vicarage Rd. Strood —4M 79
Vicarage Rd. Tun W —4F 150
Vicarage Rd. Yald —7D 136 (3C 27)
Vicarage Row. High —9G 64
Vicarage St. Broad —8H 209 (1E 23)
Vicarage St. Fav —4H 187
Vicar's Hill. SE13 —2E 54
Vicary Way. Maid —4A 126
Vickers Clo. H'nge —8C 192
Vickers Rd. Eri —5E 52
V.I. Components Ind. Est. Eri —5F 52
Victor Av. Clift —3H 209
Victoria Av. Broad —5J 209
Victoria Av. Cant —2L 171
Victoria Av. Grav —5G 62
Victoria Av. Hythe —6J 197
Victoria Av. Mgte —4F 208
Victoria Av. St Mb —7L 213
Victoria Av. Sth S —1B 10
Victoria Av. Wgte S —4L 207
Victoria Clo. Chat —9A 94
Victoria Clo. Eden —7C 184
Victoria Ct. Maid —6B 126
Victoria Cres. Afrd —9F 158
Victoria Cres. Dover —4H 181
Victoria Dock Rd. E16 —2E 5
Victoria Dri. SW19 —4B 4
Victoria Dri. H Bay —2D 194
Victoria Dri. King H —8L 123
Victoria Dri. S Dar —5D 74
Victoria Embkmt. SW1, WC2 & EC4 —3C 5
Victoria Gdns. Big H —3C 164
Victoria Gro. Folk —6K 189
Victoria Gro. Hythe —9B 188
Victoria Gro. Tun W —2F 156
Victoria Hill Rd. Swan —4G 73
Victoria M. Deal —4M 177
Victoria M. Dover —3G 181
(off Victoria St.)
Victoria M. Folk —7J 189
(off Christ Chu. Rd.)
Victoriana Museum. —4N 177
(off High St. Deal,)
Victoria Pde. Broad —1M 211
Victoria Pde. Deal —5N 177
Victoria Pde. Maid —4C 126
Victoria Pde. Ram —5K 211 (2E 23)
Victoria Pk. Dover —4K 181
Victoria Pk. H Bay —2G 195
Victoria Pk. Ind. Est. Dart —3M 59
Victoria Pk. M. Dover —4K 181
(off Victoria Pk.)
Victoria Pk. Rd. E9 —2D 5
Victoria Pl. Fav —5G 187
Victoria Pl. Salt —4J 197
Victoria Rd. NW10 —2A 4
Victoria Rd. W3 —2A 4
Victoria Rd. Afrd —9F 158
Victoria Rd. Bexh —2B 58
Victoria Rd. Broad —7J 209
Victoria Rd. Brom —8N 69
Victoria Rd. Cant —3L 171
Victoria Rd. Cap F —2B 174
Victoria Rd. Chat —1E 94
Victoria Rd. Chst —1C 70
Victoria Rd. Dart —3L 59 (4D 7)
Victoria Rd. Deal —5N 177 (2E 33)
Victoria Rd. Eden —7C 184
Victoria Rd. Eri —6F 52
(in two parts)
Victoria Rd. Flete —8B 208
Victoria Rd. Folk —6J 189
Victoria Rd. Gold G —2E 146 (3A 26)
Victoria Rd. Hythe —7K 197
Victoria Rd. Kgdn —6L 199
(in two parts)
Victoria Rd. L'stne —4F 212
Victoria Rd. Mgte —4D 208 (1D 23)
Victoria Rd. N'fleet —6E 62
Victoria Rd. Ram —5K 211 (2E 23)
Victoria Rd. Sev —7J 119
Victoria Rd. Sidc —8H 57
Victoria Rd. Sit —7E 98
Victoria Rd. S'boro —5E 150 (1E 35)
Victoria Rd. Tun W —1H 157
Victoria Rd. W'slde —9A 94
(in two parts)
Victoria Rd. Ind. Est. Afrd —9F 158
Victoria Rd. W. L'stne —4F 212
Victoria Row. Cant —1N 171 (4D 21)
Victoria Scott Ct. Dart —1F 58
Victoria St. SW1 —3C 4
Victoria St. Belv —5A 52
Victoria St. Dover —3G 181
Victoria St. Eccl —4K 109
Victoria St. Gill —7F 80
Victoria St. Maid —6B 126
Victoria St. Roch —7A 80 (1D 17)
Victoria St. S'ness —3C 218
Victoria St. Strood —5M 79
Victoria St. Whits —3F 224
Victoria Ter. Hythe —9B 188
Victoria Ter. Roch —1L 93
Victor Rd. SE20 —3A 68
Victory Cotts. Weald —6K 131
Victory Ct. Eri —7G 53
(off Frobisher Rd.)
Victory Mnr. Gill —5D 80
Victory Pk. Roch —5B 80
Victory Rd. St Mc —9H 199
Victory St. S'ness —2C 218
Victory Way Dart —2C 60
Vidgeon Av. Hoo —7F 66
View Clo. Big H —4C 164
Viewfield Rd. Bex —6L 57
Viewland Rd. SE18 —5H 51
Viewlands Av. W'ham —2G 117
View Rd. Cli —6L 65 (4D 9)
View, The. SE2 —5N 51
Vigar Pl. Folk —4H 189
Vigilant Way. Grav —1L 77 (1B 16)
Vigo Hill. Tros —4D 106 (3A 16)
Vigo Rd. Bre —5M 113 (3B 18)
Vigo Rd. Fair —2A 106
Vigo Rd. Sev —3A 16
Vigo Ter. Tey —3J 223
Vigo Village. —2F 106 (3B 16)
Viking Clo. Birch —3C 206
Viking Clo. Roch —7K 79
Viking Ct. Broad —1M 211
Viking Ct. Mgte —3E 208
Viking Rd. N'fleet —8B 62
Viking Way. Eri —3D 52
Viking Way. W King —6E 88
Villa Clo. Grav —7N 63
Villa Ct. Dart —7M 59
Villacourt Rd. SE18 —7J 51
Village Ct. SE3 —1H 55
(off Hurren Clo.)
Village Grn. Av. Big H —5E 164
Village Grn. Rd. Dart —2H 59
Village Grn. Way. Big H —5E 164
Village St. Ewh G —2C 44
Village, The. SE7 —3A 6
Village Way. SE21 —4D 5
Village Way. Beck —5D 68 (1E 13)
Village Way. Hams —8D 190
Villa Rd. High —1F 78 (1C 17)
Villas Rd. SE18 —5E 50
(in three parts)
Villas, The. Her —2M 169
Villiers Ct. Dover —5H 181
Villiers Ho. Broad —6M 209
Villiers Rd. Beck —5A 68
Villiers Rd. Cant —1C 172
Vincent Clo. Broad —1G 210
Vincent Clo. Brom —7L 69
Vincent Clo. S'gte —7E 188
Vincent Clo. Sidc —6G 56
Vincent Ct. S'ness —3D 218
Vincent Gdns. S'ness —3D 218
Vincent Rd. SE18 —4D 50
Vincent Rd. Ayle —3N 109
Vincent Rd. Mgte —9A 208 (2D 23)
Vincent Rd. Sit —8K 99
Vincent Sq. Big H —3B 164
Vincers Cotts. Bra L —8K 165
Vine Av. Sev —6J 119
Vine Clo. Ram —2J 211
Vine Ct. W'bury —9C 124
Vine Ct. Rd. Sev —6K 119
Vinehall Rd. M'fld —3B 44
Vinehall Street. —3B 44
Vine Lands. Lydd —3B 204
Vine Lodge. Sev —6K 119
Vine Lodge Ct. Sev —6K 119
Vineries, The. SE6 —6D 54
Vineries, The. Gill —7H 81
Vine Rd. Orp —7H 85
Viners Clo. Sit —1F 114
Vines La. Hild —7C 132 (3E 25)
Vines La. Roch —7N 79 (1D 17)
Vine, The. Sev —6J 119
Vine Way. S'hrst —8J 221
Vineyard Clo. SE6 —6D 54
Vineyard Cres. Gill —2D 96
Vineyard La. Tic —4B 36
Viney Bank. Croy —9C 82
Viney Cotts. Leeds —2B 140
Viney Rd. SE13 —1E 54
Vineys Gdns. Tent —6D 222
Vinson Clo. G'ney —3B 20
Vinson Clo. Orp —2J 85
Vinten Clo. H Bay —7J 195
Vinters Park. —1E 27
Vinters Rd. Maid —4E 126
Vintners Ct. Weav —5H 127
Vintners Way. Weav —5H 127
Viola Av. SE2 —4K 51
Violet Av. Ram —2G 210
Violet Clo. Chat —2D 110
Violet Rd. E3 —2E 5
Virginia Rd. Gill —5F 80
Virginia Rd. T Hth —1C 13
Virginia Rd. Whits —5J 225
Virginia Wlk. Grav —2J 77
Virgins La. Batt —4B 44
Vista, The. SE9 —5A 56
Vista, The. Sidc —1H 71
Vixen Clo. Chat —5F 94
Vlissingen Dri. Deal —2M 177
Voce Rd. SE18 —7F 50
Volante Dri. Sit —4F 98
Vulcan Clo. Chat —4E 94
Vulcan Clo. Whits —6E 224
Vulcan Cotts. Lydd —3C 204
(off Queens Rd.)
Vyne, The. Bexh —1C 58
Vyvyan Cotts. I Grn —4A 38

Wacher Clo. Cant —9M 167
Wadard Ter. Swan —8K 73
Wadden Hall. P'hm —3D 31
Waddon. —2C 13
Waddon New Rd. Croy —2C 13
Waddon Rd. Croy —2C 13
Waddon Way. Croy —3C 13
Wade Av. Orp —1M 85
Wades Clo. St Mm —2A 214
Wadeville Clo. Belv —6B 52
Wadham Pl. Sit —9J 99
Wadhurst. —3A 36
Wadhurst Rd. Frant —3E 35
Wadhurst Rd. Mark X —4E 35
Wadlands Rd. Cli —3C 176
Waghorn Rd. Snod —2E 108
Waghorn St. Chat —1E 94
Wagoners Clo. Weav —5H 127
Wagon La. Pad W —6N 147 (4B 26)
Wagstaff La. Bidd —2B 38
Wagtail Way. Orp —7M 71
Waid Clo. Dart —4N 59
Wain Ct. Min S —7H 219
Wainhouse Clo. Eden —4D 184
Wainscott. —2A 80 (1D 17)
Wainscott Eastern By-Pass. Wain —2A 80 (1D 17)
Wainscott Northern By-Pass. Strood & Wain —4E 78 (1C 17)
Wainscott Rd. Wain —2A 80 (1D 17)
Wainscott Wlk. Wain —1A 80
Wainwright Pl. Afrd —1H 161
Waite Davies Rd. SE12 —5J 55
Wakefield Clo. Roch —6H 79
Wakefield Rd. Grnh —3J 61
Wakefield St. Grav —4G 62
Wakefield Wlk. Hythe —7K 197
Wakefield Way. Hythe —7J 197
Wakehurst Clo. Cox —5M 137
Wakeley Rd. Rain —2C 96
Wakelin Ho. SE23 —5B 54
Wakely Clo. Big H —6C 164
Wakering Rd. Shoe —1D 11
Wakering Rd. Sth S —1C 11
Wake Rd. Roch —3N 93
Walcheren Clo. Deal —1M 177
Waldair Ct. E16 —2D 50
Waldeck Rd. Dart —5N 59
Waldegrave Rd. Brom —7A 70
Walden Av. Chst —9B 56
Walden Clo. Belv —5A 52
Waldenhurst Rd. Orp —1M 85
Walden Pde. Chst —2B 70
(in two parts)
Walden Rd. Chst —2B 70

Waldens Clo.—Webb's All.

Waldens Clo. *Orp* —1M **85**
Waldens Rd. *Orp* —1N **85** (2B **14**)
Waldens, The. *Kgswd* —6G **140**
Walder Chain. *B'hm* —3A **32**
Waldershare Av. *S'wch B* —1E **33**
Waldershare Rd. *Ashl* —3C **33**
Walderslade. —8D 94 (3D 17)
Walderslade Bottom. —8D 94
Walderslade Cen. *Chat* —8D **94**
Walderslade Rd. *Chat* —3C **94** (2D **17**)
Walderslade Village By-Pass. *Chat* —9C **94**
Walderslade Woods. *Chat* —8A **94** (3D **17**)
Waldo Ind. Est. *Brom* —6N **69**
Waldo Rd. *Brom* —6N **69**
Waldram Pk. Rd. *SE23* —6A **54** (4D **5**)
Waldrist Way. *Eri* —2A **52**
Waldron Dri. *Maid* —3C **138**
Waldron Gdns. *Brom* —6G **69**
Waldron Rd. *Broad* —2M **211**
Walerand Rd. *SE13* —1F **54**
Wales Farm Rd. *W3* —2A **4**
Walham Green. —3B 4
Walkden Rd. *Chst* —1C **70**
Walker Clo. *SE18* —4E **50**
Walker Clo. *Dart* —1G **58**
Walker Pl. *Igh* —3K **121**
Walker Way. *Birch* —3C **206**
Walkhurst Rd. *Bene* —3A **38**
Walkley Rd. *Dart* —3J **59**
Walks, The. *Groom* —5K **155**
Walk, The. *Kgswd* —6G **140**
Wallace Clo. *Tun W* —5G **157**
Wallace Gdns. *Swans* —4L **61**
Wallace M. *Folk* —4K **189**
Wallace Rd. *Roch* —3B **94**
Wallace Way. *Broad* —9J **209**
Wallbridge La. *Gill* —1F **96** (2A **18**)
Wallbutton Rd. *SE4* —1B **54**
Wall Clo. *Hoo* —6G **66**
Wallcrouch. —4B 36
Wallend. —2A 6
(nr. Barking)
Wall End. —3A 22
(nr. Upstreet)
Waller Rd. *G'stne* —7A **212**
Wallers. *New Ash* —4M **89**
Wallers *Speld* —7A **150**
Wallers Cotts. *Maid* —4K **137**
Wallers Rd. *Fav* —6E **186**
Walleys Clo. *Gill* —2D **96**
Wall Hill. —2A 34
Wall Hill Rd. *Ash W & F Row* —2A **34**
Wallhouse Rd. *Eri* —7J **53**
Wallington. —3C 12
Wallington Green. (Junct.) —2C **12**
Wallis Av. *Maid* —3H **139** (2E **27**)
Wallis Clo. *Dart* —8G **59**
Wallis Field. *Groom* —7J **155**
Wallis Pk. *N'fleet* —3A **62**
Wallis Rd. *Afrd* —8H **159**
Wall Rd. *Afrd* —7F **158**
Wall, The. *Sit* —6F **98**
Wallwood Rd. *Ram* —4K **211**
Walmer. —9L 177 (3E 33)
Walmer Castle. —9N **177** (3E **33**)
Walmer Castle Rd. *Walm* —9M **177**
Walmer Clo. *Farn* —5F **84**
Walmer Ct. *Maid* —4D **126**
Walmer Ct. *Walm* —9L **177**
Walmer Gdns. *Deal* —8K **177**
Walmer Gdns. *Ram* —7B **210**
Walmer Gdns. *Sit* —6E **98**
Walmer Rd. *Whits* —5G **224**
Walmers Av. *High* —9E **64**
Walmer Ter. *SE18* —4E **50**
Walmer Way. *Deal* —8K **177**
Walmer Way. *Folk* —6F **188**
Walm La. *NW2* —1A **4**
*Walmsley Ho. Folk —5L **189***
(off Princess St.)
Walmsley Rd. *Broad* —8K **209**
Walner Gdns. *New R* —2C **212**
Walner La. *New R* —2C **212**
Walnut Clo. *Chat* —3E **94**
Walnut Clo. *Eyns* —4L **87**
Walnut Clo. *Kenn* —4H **159**
Walnut Clo. *Pad W* —9M **147**
Walnut Hill Rd. *Grav* —6D **76** (1A **16**)
Walnut Ridge. *Adgtn* —2B **40**
Walnut Row. *Dit* —1F **124**
Walnuts Rd. *Orp* —2J **85**
Walnuts, The. *Orp* —2J **85**
Walnut Tree Av. *Dart* —7M **59**
Walnut Tree Av. *Maid* —3D **138**
Walnut Tree Clo. *Birch* —4F **206**
Walnut Tree Clo. *Chst* —4F **70**
Walnut Tree Clo. *Yald* —7D **136**
Walnut Tree Cottage. *Yald* —7D **136**
Walnut Tree Cotts. *Maid* —3D **138**
Walnut Tree Ct. *Lark* —9F **108**
Walnut Tree Dri. *Sit* —7E **98**
Walnut Tree La. *Maid* —3D **138**
Walnut Tree La. *W'bre* —4J **169**
Walnut Tree Rd. *Dag* —1C **6**
Walnut Tree Rd. *Eri* —5F **52**
Walnut Tree Way. *Meop* —9F **76**
Walnut Way. *Swan* —5E **72**
Walnut Way. *Tun W* —6K **151**
Walpole Clo. *E Mal* —1D **124**
Walpole Pl. *SE18* —4D **50**
Walpole Rd. *Brom* —8N **69**
Walpole Rd. *Marg* —2D **208**
Walsby Dri. *Kem* —3H **99**
Walsham Ho. *Maid* —3D **126**
Walsham Rd. *Chat* —1C **110**
Walshes Rd. *Crowb* —4D **35**
Walsingham Clo. *Gill* —8N **95**
Walsingham Ho. *Maid* —3D **126**
Walsingham Pk. *Chst* —5F **70**
Walsingham Rd. *Orp* —4K **71**
Walsingham Wlk. *Belv* —6B **52**
Walter Burke Av. *Woul* —6G **92**
Walter's Farm Rd. *Tonb* —6J **145**
Walter's Green. —8F 148 (1C 35)
Walters Grn. Rd. *Ford* —8F **148**
Walters Grn. Rd. *Pens* —1C **35**
Walters Rd. *Hoo* —7H **67**
Walters Way. *SE23* —4A **54**
Walters Yd. *Brom* —5K **69**
Walterton Rd. *W9* —2B **4**
Waltham. —3C 31
Waltham Clo. *Clift* —3J **209**
Waltham Clo. *Dart* —4H **59**
Waltham Clo. *Orp* —2M **85**
Waltham Clo. *W'boro* —8L **159**
Waltham Rd. *Gill* —9L **81**
Waltham Rd. *Walt* —3C **31**
Walton Cotts. *E'try* —2L **183**
Walton Gdns. *Folk* —4K **189**
Walton Grn. *New Ad* —9E **82**
Walton Hall Farm Museum. —2B **8**
Walton Mnr. Clo. *Folk* —3K **189**
Walton Rd. *Folk* —5K **189**
Walton Rd. *Sidc* —8K **57**
Walton Rd. *Tonb* —1M **145**
Walton's Hall Rd. *Stan H* —3B **8**
Walworth. —3D 5
Walworth Rd. *SE17* —3C **5**
Walwyn Av. *Brom* —6N **69**
Wanden. —4C 28
Wanden La. *Eger* —4C **28**
Wandle Ho. *Brom* —1G **68**
Wandle Rd. *Mord* —1B **12**
Wandsworth. —4B 4
Wandsworth Bri. *SW6 & SW18* —4B **4**
Wandsworth Bri. Rd. *SW6* —3B **4**
Wandsworth Gyratory. (Junct.) —4B **4**
Wandsworth High St. *SW18* —4B **4**
Wandsworth Rd. *SW8* —4C **4**
Wansbury Way. *Swan* —8L **73**
Wanshurst Green. —4E 27
Wanstead Clo. *Brom* —5M **69**
Wanstead Rd. *Brom* —5M **69**
Wansum Ct. *St N* —8E **214**
Wansunt Rd. *Bex* —6D **58**
Wantage Rd. *SE12* —3J **55**
Wantsum Clo. *H Bay* —2N **195**
Wantsume Lees. *S'wch* —4K **217**
Wantsum M. *S'wch* —5L **217**
Wantsum Way. *St N* —8D **214** (2B **22**)
Wapping. —2D 5
Wapping High St. *E1* —2D **5**
Wapping La. *E1* —2D **5**
Wapping Way. *E1* —2D **5**
Wapses Roundabout. (Junct.) —4D **13**
Warbler's Clo. *Roch* —5L **79**
Ward Clo. *Eri* —6E **52**
Warden. —4K 203 (1A 20)
Warden Bay Cvn. Pk. *Ley S* —6K **203**
Warden Bay Holiday Camp. *Ley S* —6K **203**
Warden Bay Rd. *Ley S* —5K **203** (1A **20**)
Warden Clo. *Maid* —5N **125**
Warden Ct. *Dover* —3H **181**
Warden Ct. *Maid* —5A **126**
Warden Mill Clo. *W'bury* —1C **136**
Warden Rd. *E'chu* —5C **202** (1E **19**)
Warden Rd. *Roch* —9N **79**
Wardens Field Clo. *Grn St* —7H **85**
Warden Spring Cvn. Pk. *Min S* —3J **203**
*Warden Ter. W'bury —2B **136***
(off Maidstone Rd.)
Warden View Gdns. *Ley S* —7J **203**
Warde's. *Yald* —6D **136**
Warde's Cotts. *Maid* —9L **127**
Wardona Ho. *Swans* —4M **61**
Wardour Clo. *Broad* —9M **209**
*Wardour Ct. Dart —4B **60***
(off Bow Arrow La.)
Wardour St. *W1* —2C **4**
Wardsbrook Rd. *Tic* —4C **36**
Wards Hill Rd. *Min S* —4J **219** (4D **11**)
Ward's La. *Wallc* —4B **36**
Wardwell La. *Lwr Hal* —4L **97** (2B **18**)
Ware. —3B 22
Wareham Wlk. *Bene* —3A **38**
Warehorne. —9A 190 (3E 39)
Warehorne Rd. *Hams* —8C **190** (3E **39**)
Warehorn Rd. *Ah* —3C **22**
Warepoint Dri. *SE28* —2F **50**
Ware Street. —4K 127 (1E 27)
Ware St. *Weav* —1E **27**
Warham Rd. *Otf* —7J **103**
Warham Rd. *S Croy* —2C **13**
Waring Clo. *Orp* —7H **85**
Waring Dri. *Orp* —7H **85**
Waring Rd. *Sidc* —2L **71**
Warland Rd. *SE18* —7F **50**
Warland Rd. *W King* —9F **88**
Warlingham. —4D 13
Warlingham Clo. *Gill* —2C **96**
Warmlake. —7A 140 (3A 28)
Warmlake Ind. Est. *Sut V* —7A **140**
Warmlake Rd. *Cha S* —7L **139** (3E **27**)
Warne Pl. *Sidc* —4K **57**
Warner Pl. *E2* —2D **5**
Warner Rd. *Brom* —3J **69**
Warner St. *Chat* —9C **80**
Warnett Ct. *Snod* —1E **108**
Warnford Gdns. *Maid* —9D **126**
Warnford Rd. *Orp* —6H **85**
Warre Av. *Ram* —7G **210**
Warren Av. *Brom* —3H **69** (1E **13**)
Warren Av. *Orp* —6H **85**
Warren Av. *S Croy* —8A **82**
Warren Camp Site, The. *Folk* —4A **174**
Warren Clo. *Bexh* —3B **58**
Warren Clo. *Folk* —5M **189**
Warren Clo. *Sit* —9J **99**
Warren Ct. *Beck* —3D **68**
Warren Ct. *Sev* —6K **119**
Warren Dri. *Broad* —8J **209**
Warren Dri. *Orp* —6K **85**
Warren Dri., The. *Wgte S* —4J **207**
Warren Farm La. *E Grn* —9A **156**
Warren Gdns. *Orp* —6J **85**
*Warren Hastings Ct. Grav —4E **62***
(off Pier Rd.)
Warren La. *SE18* —3D **50**
Warren La. *Afrd* —6E **158**
Warren La. *Ewe M* —1B **42**
Warren La. *Grays* —3E **7**
Warren La. *H'lip* —8E **96** (3A **18**)
Warren La. *Oxt* —3A **24**
Warren Retail Pk., The. *Afrd* —6F **158**
Warren Ridge. *Frant* —3E **35**
Warren Rd. *E10* —1E **5**
Warren Rd. *Bexh* —3B **58**
Warren Rd. *Blue B* —2A **110**
Warren Rd. *Blue H* —3D **17**
Warren Rd. *Brom* —3K **83** (2A **14**)
Warren Rd. *Chels* —6H **85** (2B **14**)
Warren Rd. *Dart* —8M **59**
Warren Rd. *Folk* —5M **189**
Warren Rd. *L'stne* —3E **212**
Warren Rd. *Ludd* —9A **78** (2C **16**)
Warren Rd. *Purl* —3C **13**
Warren Rd. *Sidc* —8L **57**
Warren Rd. *S'fleet* —1A **76** (1A **16**)
Warrens, The. *Hart* —9M **75**
Warren Street. —2D 29
Warren St. *Len* —2D **29**
Warren St. Rd. *Char* —3D **29**
Warren, The. —5E 158
Warren, The. *Bra L* —8K **165**
Warren, The. *Grav* —9K **63**
Warren, The. *Pens* —2H **149**
Warren, The. *Whits* —7E **224**
Warren View. *Afrd* —6D **158**
Warren View. *Shorne* —1C **78**
Warren Wood Clo. *Brom* —3J **83**
Warren Wood Rd. *Roch* —4N **93**
Warrington Rd. *Pad W* —9L **147**
Warrior Av. *Grav* —9H **63**
Warsop Trad. Est. *Eden* —7D **184**
Warspite Rd. *SE18* —3A **50**
Warten Rd. *Ram* —3K **211**
Warwick. *Sidc* —1K **71**
Warwick Av. *W9* —2B **4**
Warwick Clo. *Bex* —5A **58**
Warwick Clo. *Orp* —4J **85**
Warwick Ct. *Brom* —5H **69**
Warwick Ct. *Eri* —7G **52**
Warwick Ct. *Sev* —7J **119**
Warwick Cres. *Roch* —1K **93**
Warwick Cres. *Sit* —6D **98**
Warwick Dri. *Ram* —7F **210**
Warwick Gdns. *W14* —3B **4**
Warwick Gdns. *Meop* —3F **90**
Warwick Ho. *Swan* —7F **72**
Warwick La. *Rain & Upm* —2D **7**
Warwick Pk. *Tun W* —3G **156** (2E **35**)
Warwick Pl. *Maid* —5B **126**
Warwick Pl. *N'fleet* —3A **62**
Warwick Rd. *W14 & SW5* —3B **4**
Warwick Rd. *Cant* —2B **172**
Warwick Rd. *Clift* —3F **208**
Warwick Rd. *Kenn* —5J **159**
Warwick Rd. *Sidc* —1K **71**
Warwick Rd. *Tun W* —3G **157**
Warwick Rd. *Walm* —8N **177**
Warwick Rd. *Well* —1L **57**
Warwick Rd. *Whits* —3F **224**
Warwick Ter. *SE18* —6F **50** (3B **6**)
Warwick Way. *SW1* —3C **4**
Washford Farm Rd. *Afrd* —4C **160**
Washingstool Hill. *E Grn* —8C **156** (2E **35**)
Washington Clo. *Dover* —1G **180**
Washington Ho. *Maid* —3H **139**
Washington La. *Old R* —2C **47**
Washneys Rd. *Orp* —5J **101** (3B **14**)
Washpond La. *Warl* —4E **13**
Wassall La. *Rol* —1D **45**
Wass Drove. *Ware* —3B **22**
Wastdale Rd. *SE23* —6A **54**
Watchester Av. *Ram* —7G **211**
Watchester La. *Min* —8M **205** (2C **23**)
Watchgate. —1D 74
Watchgate. *Dart* —1D **74**
Waterbank Rd. *SE6* —8E **54**
Waterbrook. —4L 161 (1A 40)
Waterbrook Av. *Afrd* —4K **161** (1A **40**)
Watercress Clo. *Sev* —2K **119**
Watercress Dri. *Sev* —2K **119**
Watercress La. *Afrd* —1D **160**
Watercroft Rd. *Hals* —1A **102** (3C **14**)
Waterdale Rd. *SE2* —6J **51**
Waterdales. *N'fleet* —6C **62**
Waterden Rd. *E15* —1E **5**
Waterditch La. *Len* —2D **29**
Waterdown Rd. *Tun W* —4D **156**
Water End. *Temp E* —8B **178**
Waterer Ho. *SE6* —9F **54**
Waterfall La. *Hoth* —4E **29**
Water Farm. *Elham* —7N **183**
Waterfield. *Tun W* —6G **156**
Waterfield Clo. *SE28* —1K **51**
Waterfield Clo. *Belv* —3B **52**
Waterfield Gdns. *SE28* —1K **51**
Waterham. —3B 20
Waterham Rd. *Hern* —3B **20**
Waterhead Clo. *Eri* —7F **52**
Wateringbury. —1C 136 (2C 26)
Wateringbury Clo. *Orp* —6K **71**
Wateringbury Rd. *E Mal* —7D **124** (2C **26**)
Waterlakes. *Eden* —7C **184**
Water La. *E15* —1E **5**
Water La. *Cant* —2M **171** (1D **31**)
Water La. *Eden* —4A **24**
*Water La. Fav —5G **186***
(off West St.)
Water La. *H'shm* —2J **141**
Water La. *Hawkh* —1M **191** (3E **37**)
Water La. *H'crn* —4H **193** (1A **38**)
Water La. *Hunt* —9H **137**
Water La. *Ilf* —1B **6**
Water La. *Kgswd* —6H **141**
Water La. *Maid* —5D **126**
Water La. *Osp* —8D **186** (4E **19**)
Water La. *Shor* —3G **102**
Water La. *Sidc* —8A **58**
(in two parts)
Water La. *Smar* —1H **221** (1B **38**)
Water La. *Sturry* —6E **168** (4E **21**)
Water La. *T'hm* —5N **127** (2A **28**)
Water La. *W'ham* —9F **116**
Water La. *W Mal* —1A **124** (1C **26**)
Waterlock Cotts. *W'hm* —3B **226**
Waterloo Bri. *SE1* —2C **5**
Waterloo Cotts. *Bri* —8H **173**
Waterloo Cres. *Dover* —6J **181**
Waterloo Hill. *Min S* —6K **219**
Waterloo Mans. *Dover* —5J **181**
Waterloo Pl. *Ram* —5K **211**
Waterloo Pl. *Tonb* —7H **145**
Waterloo Rd. *SE1* —3C **5**
Waterloo Rd. *C'brk* —7D **176** (2E **37**)
Waterloo Rd. *Eps* —3A **12**
Waterloo Rd. *Folk* —6D **188**
Waterloo Rd. *Gill* —8F **80**
Waterloo Rd. *Sit* —6E **98**
Waterloo Rd. *Tonb* —7H **145**
Waterloo Rd. *Whits* —3F **224**
Waterloo St. *Grav* —5H **63**
Waterloo St. *Maid* —6D **126**
Waterloo Ter. *S'ndge* —8J **215**
Waterlow Rd. *Maid* —3D **126**
Waterlow Rd. *Meop* —3D **106** (3A **16**)
Waterman Ho. *Afrd* —1F **160**
Waterman Quarter. —1A 38
Waterman's La. *Pad W* —2M **153** (1B **36**)
Watermead Clo. *Afrd* —2D **160**
Watermeadow Clo. *Hem* —5J **95**
Watermeadows. *F'wch* —7E **168**
Watermead Rd. *SE6* —9F **54**
Watermill Clo. *Maid* —4M **125**
Water Mill Clo. *Roch* —4N **79**
Watermill La. *Pett & I'ham* —4E **45**
Water Mill Way. *S Dar* —5B **74**
Watermint Clo. *Orp* —7M **71**
Waters Edge. *Maid* —7C **126**
Waterside. —4A 24
Waterside. *Beck* —4C **68**
Waterside. *Dart* —3F **58**
Waterside. *Maid* —4C **126**
Waterside. *W'boro* —1K **161**
Waterside Ct. *Hythe* —6J **197**
Waterside Ct. *Leyb* —7C **108**
Waterside Ct. *Roch* —5B **80**
Waterside Dri. *Wgte S* —2L **207**
Waterside La. *Gill* —5J **81**
Waterside M. *W'bury* —2B **136**
Waterside View. *Ward* —4K **203**
Water Slippe. *Hdlw* —7C **134**
Waters Pl. *Hem* —5K **95**
Waters Rd. *SE6* —8H **55**
Waterstone Pl. *Fav* —6E **186**
Water St. *Deal* —3N **177**
Waterton. *Swan* —7E **72**
Waterton Av. *Grav* —5K **63**
Waterworks Cotts. *Bear* —2J **127**
Waterworks Cotts. *Boxl* —7F **110**
Water Works Cotts. *Roch* —3L **93**
Waterworks Hill. *Mart* —2N **179** (4D **33**)
Waterworks La. *Mart* —2N **179**
Waterworks Vs. *Sev* —8J **119**
Watery La. *Kems* —3C **120** (1E **25**)
Watery La. *P'hm* —2D **31**
Watery La. *Sidc* —2K **71** (1B **14**)
Watery La. *Westw* —2A **158** (4E **29**)
Watkin Rd. *Folk* —5J **189**
Watkins. *Sidc* —1K **71**
Watkins Clo. *S'hrst* —6J **221**
Watling Av. *Chat* —1G **95**
Watling Pl. *Sit* —8H **99**
Watlings Clo. *Croy* —9B **68**
Watling St. *Bexh* —2C **58** (4C **7**)
Watling St. *Cant* —2M **171** (1D **31**)
Watling St. *Chat* —1G **95** (2E **17**)
Watling St. *Cob & Strd* —1C **16**
Watling St. *Dart & Grav* —5A **60** (4D **7**)
Watlington Gro. *SE26* —1B **68**
Watney's Rd. *Mitc* —2C **12**
Watson Av. *Chat* —6A **94**
Watsons Clo. *Afrd* —2G **158**
Watsons Hill. *Sit* —6F **98**
Watts Almshouses. *Roch* —8N **79**
Watts Av. *Roch* —8N **79** (2D **17**)
Watts Bri. Rd. *Eri* —6G **52**
Watts Clo. *Snod* —2F **108**
Watts Cotts. *Kenn* —3G **159**
Watt's Cross. —9B 132 (3D 25)
Watt's Cross Rd. *Hild* —1B **144** (3D **25**)
Watts La. *Chst* —4D **70** (1A **14**)
Watts' Pal. La. *B Oak* —3C **45**
Watts' St. *Chat* —9B **80**
Wat Tyler Rd. *SE10* —3E **5**
Wat Tyler Way. *Maid* —5D **126** (2E **27**)
Wauchope Rd. *Sea* —7B **224**
Wave Crest. *Whits* —4E **224**
Wavell Dri. *Sidc* —4G **57**
Waveney Ho. *Maid* —9H **127**
Waveney Rd. *Tonb* —2H **145**
Waverley Av. *Min S* —5J **219**
Waverley Clo. *Brom* —8N **69**
Waverley Clo. *Chat* —9G **95**
Waverley Clo. *Cox* —6N **137**
Waverley Cres. *SE18* —5F **50** (3B **6**)
Waverley Dri. *Tun W* —8M **151**
Waverley Rd. *SE18* —5F **50**
Waverley Rd. *Mgte* —2N **207**
Way. —2D 23
Wayborough Hill. *Min* —2C **23**
Wayfares. *S'wch* —7L **217**
Wayfield. —2D 17
Wayfield Link. *SE9* —4F **56**
Wayfield Rd. *Chat* —5C **94** (2D **17**)
Way Hill. *Min* —2D **23**
Waylands. *Bear* —5L **127**
Waylands. *Swan* —7G **72**
Waylands Clo. *Knock* —6N **101**
Waylands Mead. *Beck* —4E **68**
Wayne Clo. *Broad* —8J **209**
Wayne Clo. *Orp* —4H **85**
Wayne Ct. *Roch* —2A **80**
Wayside. *New Ad* —7E **82**
Wayside. *St Mic* —5C **222**
Wayside Av. *Tent* —4C **222**
Wayside Dri. *Eden* —4D **184**
*Wayside Flats. St Mic —5C **222***
(off Ashford Rd.)
Wayside Gro. *SE9* —9B **56**
Wayville Rd. *Dart* —5B **60**
Way Volante. *Grav* —9K **63**
Weald Clo. *Brom* —3A **84**
Weald Clo. *Grav* —3D **76**
Weald Clo. *Maid* —2F **138**
Weald Clo. *Weald* —6K **131**
Weald Ct. *Hild* —1D **144**
Weald Ct. *Sit* —9E **98**
Wealden Av. *Tent* —5C **222**
Wealden Clo. *Hild* —2E **144**
Wealden Ct. *Chat* —9E **80**
Wealden Forest Pk. *H Bay* —3E **21**
Wealden Pl. *Sev* —3J **119**
Wealden View. *Goud* —8K **185**
Wealden View. *H'crn* —2J **193**
Wealden Way. *Quar W* —2J **125**
Wealdhurst Pk. *St Pet* —8H **209**
Weald Rd. *Sev* —2J **131** (2D **25**)
Weald, The. *Afrd* —7G **158**
Weald, The. *Chst* —2B **70**
Weald View. *Bchly* —1C **36**
Weald View Rd. *Tonb* —8H **145**
Wear Bay Cres. *Folk* —5M **189**
Wear Bay Rd. *Folk* —6M **189** (2A **42**)
Weardale Av. *Dart* —7C **60**
Weardale Rd. *SE13* —2G **55**
Weare Rd. *Tun W* —6J **151**
Wearside Rd. *SE13* —2E **54**
Weatherly Clo. *Roch* —8N **79**
Weatherly Dri. *Broad* —2K **211**
Weavering. —1E 27
Weavering Clo. *Roch* —2M **79**
Weavering Cotts. *Weav* —6H **127**
Weavering Street. —4J 127
Weavering St. *Weav* —6H **127** (2E **27**)
Weavers Clo. *Grav* —6F **62**
Weavers Clo. *S'hrst* —7K **221**
Weavers La. *Sev* —3K **119**
Weavers Orchard. *S'fleet* —2N **75**
Weavers, The. *Bidd* —8L **163**
Weavers, The. *Maid* —5M **125**
Weavers Way. *Afrd* —2C **160**
Weavers Way. *Dover* —1F **180**
Webb Clo. *Folk* —4G **188**
Webb Clo. *Hoo* —7G **66**
Webber Clo. *Eri* —7J **53**
Webb's All. *Sev* —7K **119**

West St.—Willow Tree Clo.

West St. S'ness —2B 218
West St. Sit —7F 98 (3C 19)
(in two parts)
West St. Sth S —1B 10
West St. Sutt —2B 12
West St. W Mal —1N 123 (1B 26)
West St. Wro —7M 105
West St. Yald & Hunt —8F 136
West Ter. Folk —7K 189
West Ter. Sidc —6G 57
West Thurrock. —3E 7
W. Thurrock Way. W Thur —3E 7
West Tilbury. —3B 8
West View. Folk —3K 189
W. View Cotts. Cha S —6M 139
W. View Rd. Crock —9E 72
W. View Rd. Dart —4N 59
W. View Rd. Swan —7H 73
West Wlk. Maid —6M 125
Westway. SW20 —1A 12
Westway. W12 —2A 4
Westway. Cox —5N 137
West Way. Croy —3B 82
Westway. Orp —8F 70
Westway. Pem —7C 152
West Way. W Wick —9G 69
West Way Gdns. Croy —3A 82
Westways. Eden —5C 184
Westways. W'ham —8E 116
Westwell. —4E 29
Westwell Clo. Orp —2M 85
Westwell Ct. Tent —8A 222
Westwell La. C'ick —9A 174
Westwell La. Char —4M 175 (3E 29)
Westwell La. Hoth —4E 29
Westwell La. Westw —1B 158 (4E 29)
(in two parts)
Westwell Leacon. —4D 29
West Wickham. —2F 82 (2E 13)
West Wing Rd. Dover —3K 181
Westwood. —9F 208 (1E 23)
Westwood Clo. Brom —6N 69
Westwood Court. —9H 187
Westwood Hill. SE26 —1D 13
Westwood Ind. Est. Mgte —7E 208
Westwood La. Sidc —3J 57
Westwood La. Well —1H 57 (4B 6)
Westwood Pl. Fav —7H 187
Westwood Retail Pk. Broad —8F 208
Westwood Rd. Broad —9F 208 (2E 23)
Westwood Rd. E Peck —1K 147
Westwood Rd. Maid —1D 138
Westwood Rd. S'fleet —3L 75 (1E 15)
Westwood Rd. Tun W —9B 150
W. Wood Rd. Yel —3D 112 (3A 18)
W. Woodside. Bex —6N 57
Westwood Wlk. N'tn —4K 97
Westwood Way. Sev —4G 119
West Yoke. —4L 89 (2E 15)
West Yoke. As —2E 15
West Yoke. New Ash —3K 89
W. Yoke Rd. New Ash —4L 89 (2A 16)
Wetham Green. —6J 223 (1B 18)
Wetheral Dri. Chat —7E 94
Wetsted La. Swan —1H 87
Weybridge Clo. Chat —7F 94
Weyburn Dri. Ram —3E 210
Wey Clo. Chat —6F 94
Weyhill Clo. Maid —3F 126
Weymouth Clo. Folk —4D 188
Weymouth Rd. Folk —5D 188
Weymouth St. W1 —2C 4
Weymouth Ter. Folk —4D 188
Wey St. Snave & Ruck —4A 40
Wharfdale Rd. N1 —2C 5
Wharfedale Rd. Dart —6C 60
Wharfedale Rd. Mgte —4E 208
Wharf La. Cli —2C 176
Wharf Rd. Fob —2C 8
Wharf Rd. Grav —4K 63
Wharf Rd. Maid —7B 126
Wharf Way. Sit —6G 99
Wharncliffe Rd. SE25 —1D 13
Wharnecliffe. Grnh —4H 61
Wharton Gdns. W'boro —1J 161
Wharton Rd. Brom —4L 69
Whatcote Cotts. Platt —2B 122
Whateley Rd. SE20 —3A 68
Whatlington. —4B 44
Whatlington Rd. Batt —4B 44
Whatman Clo. Maid —3F 126
Whatman Rd. SE23 —5A 54
Whatmer Clo. Sturry —5F 168
Whatsole Street. —4C 31
Whatsole St. H'lgh —4C 31
Wheatcroft Clo. Murs —7J 99
Wheatcroft Gro. Gill —4B 96
Wheatear Way. Chat —4E 94
Wheatfield. Leyb —9C 108
Wheatfield Clo. C'brk —7C 176
Wheatfield Dri. C'brk —7C 176
Wheatfield Lea. C'brk —7C 176
Wheatfields. Chat —9G 95
Wheatfields. Weav —5G 127
Wheatfield Way. C'brk —7C 176
Wheatley Clo. Grnh —3G 60
Wheatley Rd. Ram —3G 210
Wheatley Rd. Whits —3G 224
Wheatley Ter. Rd. Eri —6G 53
Wheatsheaf Clo. Bou B —3K 165
Wheatsheaf Clo. Maid —9E 126
Wheatsheaf Farm Rd. Huc & Bic —9H 113 (1B 28)
Wheatsheaf Gdns. S'ness —3C 218
Wheatsheaf Hill. Hals —9A 86
Wheatsheaf Way. Tonb —1K 145
Wheelbarrow Pk. Est. Mard —2J 205
Wheelbarrow Town. —4D 31
Wheeler Rd. Char —2K 175
Wheeler's La. Lin —8A 138 (3D 27)
Wheelers, The. Gill —5L 95
Wheeler St. H'crn —3L 193 (4A 28)
Wheeler St. Maid —4D 126
Wheeler St. Hedges. Maid —3E 126
Wheel La. Westf —4C 45
Wheelwrights, The. H'shm —2M 141
Wheelwrights Way. E'try —3K 183
Whenman Av. Bex —7D 58
Whetsted. —7J 147 (4B 26)
Whetsted Rd. Five G —8G 147 (4B 26)
(in two parts)
Whetynton Clo. Roch —6B 80
Whiffen's Av. Chat —7C 80
Whiffen's Av. W. Chat —7C 80
Whigham Clo. Afrd —1B 160
Whimbrel Clo. Sit —3G 98
Whimbrel Grn. Lark —8D 108
Whimbrels, The. St Mi —3E 80
Whimbrel Wlk. Chat —1F 110
Whinchat Rd. SE28 —3F 50
Whinfell Av. Ram —5D 210
Whinfell Way. Grav —9L 63
Whinless Rd. Dover —4F 180
Whinyates Rd. SE9 —1A 56
Whippendell Clo. Orp —4K 71
Whippendell Way. Orp —4K 71
Whistler Rd. Tonb —9K 133
Whiston Rd. E2 —2D 5
Whitbread Rd. SE4 —2B 54
Whitburn Rd. SE13 —2E 54
Whitby Clo. Big H —7B 164
Whitby Clo. Grnh —3G 60
Whitby Rd. SE18 —4B 50
Whitby Rd. Folk —5D 188
Whitby Ter. Dover —1G 181
(off Toronto Clo.)
Whitchurch Clo. Maid —5B 126
Whitcombe Clo. Chat —9F 94
Whiteacre Dri. Deal —1L 199
Whiteacre La. Walt —3C 31
White Av. N'fleet —8E 62
Whitebeam Av. Brom —1C 84
Whitebeam Dri. Cox —5M 137
White Bear Pas. Tun W —3G 156
Whitebine Gdns. E Peck —1M 147
Whitebread La. Beckl —2D 45
Whitechapel. —2D 5
Whitechapel Rd. E1 —2D 5
White City. —2A 4
White City. (Junct.) —2A 4
White Cliffs. Folk —7K 189
White Cliffs Bus. Pk. Whitf —7F 178
White Cliffs Experience, The. —5J 181
(off Market Sq.)
White Cliffs Pk. Cap F —2D 174
(in two parts)
Whitecliff Way. Folk —5M 189
White Cottage Rd. Tonb —1J 145
White Cotts. S'lng —9B 110
White Ct. S'gte —8E 188
Whitecroft. Swan —5F 72
Whitecroft Clo. Beck —7G 68
Whitecroft Way. Beck —8F 68
Whitedyke Rd. Snod —9B 92
Whitefield Clo. Orp —6L 71
Whitefield Rd. Tun W —8G 150
Whitefoot La. Brom —9F 54 (1E 13)
Whitefoot Ter. Brom —8J 55
White Friars. Sev —9H 119
Whitefriars Meadow. S'wch —6L 217
Whitefriars Shop. Cen. Cant —2M 171 (1D 31)
Whitefriars Way. S'wch —5L 217
White Ga. Roch —3K 79
Whitegate Clo. Tun W —6G 150
Whitegate Ct. Gill —6N 95
Whitegates. Hythe —7K 197
Whitegates Av. W King —7E 88
Whitegates La. Wadh —3A 36
Whitehall. —3G 210
Whitehall. SW1 —2C 5
Whitehall. B'lnd —2C 46
Whitehall Bri. Rd. Cant —1L 171 (1D 31)
Whitehall Clo. Cant —2L 171 (1D 31)
Whitehall Dri. Kgswd —6F 140
Whitehall Gdns. Cant —1L 171 (1D 31)
Whitehall La. Eri —9G 53 (3C 7)
Whitehall La. T'hm —2C 128
Whitehall Pde. Grav —8J 63
Whitehall Rd. Brom —8N 69
Whitehall Rd. Cant —3J 171 (1D 31)
(in two parts)
Whitehall Rd. Ram —4F 210
Whitehall Rd. Sit —9F 98
Whitehall Rd. T'hm —2C 128
Whitehall Way. S'ndge —8K 215
White Hart Clo. Sev —1K 131
White Hart La. SW13 —3A 4
White Hart Mans. Mgte —2C 208
(off Parade, The)
White Hart Pde. Riv —4F 118
White Hart Rd. SE18 —4G 51
White Hart Rd. Orp —1J 85
White Hart Slip. Brom —5K 69
White Hart Wood. Sev —2K 131
Whitehaven Clo. Brom —7K 69
Whitehead Clo. Dart —8K 59
Whiteheads La. Bear —5L 127
Whitehill. —9E 186 (4A 20)
Whitehill. Wro —7A 106
White Hill Clo. Lwr Har —2D 31
Whitehill La. Grav —8H 63 (4B 8)
Whitehill Rd. Crowb —4C 35
Whitehill Rd. Dart —3H 59
White Hill Rd. Det —1N 111 (3A 18)
Whitehill Rd. Grav —7H 63 (4B 8)
Whitehill Rd. Long —5K 75 (1E 15)
Whitehill Rd. Meop —3G 90 (2B 16)
White Horse Hill. C'lck & Bou A —3A 30
Whitehorse Hill. Chat —9E 80
White Horse Hill. Chst —9C 56 (1A 14)
White Horse Hill. H'nge —9E 192 (2A 42)
White Horse La. E1 —2D 5
Whitehorse La. SE25 —1D 13
White Horse La. Cant —2M 171 (1D 31)
White Horse La. Otham —2K 139 (2E 27)
White Horse La. R Min —8H 183 (1D 41)
Whitehorse Rd. Croy & T Hth —2D 13
White Horse Rd. Meop —1H 107 (3B 16)
White House. Non —2B 32
Whitehouse Clo. Hoo —9H 67
Whitehouse Cres. Burh —2L 109
Whitehouse Drove. S'wch —3C 23
White Ho. La. Weald —3G 131
White Ho. Rd. Sev —2C 25
White Ho. Rd. Weald —4G 130
Whitelake Rd. Tonb —2J 145
White La. Oxt —2A 24
White Leaves Rise. Cux —1F 92
Whitelocks Clo. Kgtn —3E 31
White Lodge. Sev —1H 131
White Lodge. Tun W —1J 157
White Lodge Clo. Sev —5J 119
Whitemarsh Ct. Whits —3G 224
Whitenbrook. Hythe —8A 188
Whiteness Grn. Broad —4K 209
Whiteness Rd. Broad —4L 209 (1E 23)
White Oak Clo. Tonb —7H 145
Whiteoak Ct. Chst —2C 70
White Oak Ct. Swan —6F 72
White Oak Dri. Beck —5F 68
White Oak Gdns. Sidc —5H 57
White Oak Sq. Swan —6F 72
(off London Rd.)
White Post. —7E 148 (1C 35)
Whitepost Gdns. Ah —5D 216
White Post Hill. F'ham —1A 88
Whitepost La. Culv —9E 90 (3A 16)
White Post La. Meop —7G 76 (1B 16)
White Rd. Chat —2D 94
White Rock Ct. Maid —6B 126
White Rock Pl. Maid —6B 126
Whites Clo. Grnh —4J 61
Whites Dri. Brom —9J 69
Whites Hill. Tilm —3C 33
White's La. Hawkh —5L 191 (4E 37)
White's Meadow. Brom —7C 70
Whitewall Cen. Roch —4A 80
Whitewall Rd. Roch —4A 80
Whitewall Way. Roch —5A 80
Whiteway Rd. Queen —6A 218 (4C 11)
Whitewebbs Way. Orp —4H 71
Whitewell La. C'brk —6D 176 (2E 37)
Whitewood Cotts. Tats —8C 164
White Wood Rd. E'try —4K 183
Whitfeld Rd. Afrd —1F 160
Whitfield. —6F 178 (4C 33)
Whitfield Av. Broad —6J 209
Whitfield Av. Dover —2G 180 (1C 43)
Whitfield Cotts. Afrd —1G 160
Whitfield Hill. Dover —9D 178 (1C 42)
(in two parts)
Whitfield Rd. Bexh —7A 52
Whitfield Roundabout. Whitf —7F 178
Whitgift Ct. Cant —1K 171
Whiting Cres. Fav —4E 186
Whitley Row. —2C 130 (2C 24)
Whitley Wlk. Whitf —6G 178
Whitmore Rd. Beck —6C 68
Whitmore St. Maid —7N 125
Whitney Wlk. Sidc —2N 71
Whitstable. —3F 224 (2C 21)
Whitstable Clo. Beck —4C 68
Whitstable Museum & Art Gallery. —4F 224
(off Oxford St.)
Whitstable Rd. Blean —7H 167 (4D 21)
Whitstable Rd. Cant —9K 167
Whitstable Rd. Fav —5J 187 (3A 20)
Whitstable Rd. Good —6M 187 (3B 20)
Whitstable Rd. H Bay —4A 194 (2D 21)
Whitstable Vistor Information Cen. —4F 224
Whittaker St. Chat —8D 80
Whittington Ter. S'wll —3C 220
Whitworth Rd. SE18 —7C 50
Whitworth Rd. SE25 —1D 13
Whybornes Chase. Min S —5K 219
Whybourne Crest. Tun W —4J 157
Whydown Hill. Sed —4C 44
Whytecliffs. Broad —2L 211
Whyteleafe. —4D 13
Whyteleafe Hill. Whyt —4D 13
Whyteleafe Rd. Cat —4D 13
Wichling. —1C 29
Wichling Clo. Cant —8N 167
Wichling Clo. Orp —2M 85
Wickenden Cres. W'boro —1L 161
Wickenden Rd. Sev —4K 119
Wicken Ho. Maid —5B 126
Wicken La. Char —4M 175 (3E 29)
(in two parts)
Wickens Cvn. Site. Dun G —1H 119
Wickens Meadow. Dun G —1G 119
Wickens Pl. W Mal —1A 124
Wickets, The. Weald —6K 131
Wickets, The. W'boro —2K 161
Wicket, The. Croy —6D 82
Wickham Av. Croy —3B 82
Wickham Av. Ram —4L 211
Wickhambreaux. —9N 169 (4A 22)
Wickham Chase. W Wick —2G 82
Wickham Clo. N'tn —5K 97
Wickham Ct. La. Wickh —7M 169 (4A 22)
Wickham Ct. Rd. W Wick —3F 82 (2E 13)
Wickham Cres. W Wick —3F 82
Wickham Field. Otf —7G 102
Wickham Gdns. SE4 —1C 54
Wickham Gdns. Tun W —9D 150
Wickham La. SE2 & Well —5J 51 (3B 6)
Wickham La. I'hm —9N 169 (4A 22)
Wickham Pl. Len —7E 200
Wickham Rd. SE4 —2C 54 (4E 5)
Wickham Rd. Beck —5E 68 (1E 13)
Wickham Rd. Croy —3A 82 (2D 13)
Wickham Rd. Wickh —1N 173 (4A 22)
Wickham Rock La. W'sea —4E 45
Wickham St. Roch —9A 80
Wickham St. Well —9G 51 (3B 6)
Wickhams Way. Hart —8M 75
Wickham Way. Beck —7F 68 (1E 13)
Wickhurst. —3D 25
Wickhurst Rd. Weald —4G 130
Wick La. E3 —2E 5
Wick La. W Grn —3A 32
Wick Rd. E9 —1D 5
Wicks Clo. SE9 —9N 55
Wicksteed Clo. Bex —8E 58
Widbury. L'tn G —2N 155
Widecombe Rd. SE9 —8A 56
Wide Way. Mitc —1C 12
Widgeon Rd. Eri —7J 53
Widgeon Rd. Roch —6H 79
Widmore. —6M 69 (1A 14)
Widmore Green. —4M 69
Widmore Lodge Rd. Brom —5N 69
Widmore Rd. Brom —5K 69 (1A 14)
Widred Rd. Dover —4H 181
Wierton. —3E 27
Wierton Hill. Bou M —3E 27
Wierton Rd. Bou M —7H 139 (3E 27)
Wife of Bath Hill. Cant —2J 171
Wigeon Path. SE28 —3F 50
Wigmore. —7L 95 (3E 17)
Wigmore Cotts. Eyt —3K 185
Wigmore La. Eyt —3K 185 (3C 32)
Wigmore Rd. Gill —7L 95 (2E 17)
(in two parts)
Wigmore St. W1 —2C 4
Wigwam Paddocks. Birch —3F 206
Wihtred Rd. Bap —9L 99
Wilberforce Rd. Cox —5A 138
Wilberforce Rd. S'gte —8E 188
Wilberforce Way. Grav —1J 77
Wilbrough Rd. Birch —4F 206
Wilcox Clo. Aysm —2B 162
Wildage. S Min —4E 31
Wilden Pk. Rd. S'hrst —1D 37
Wildernesse. —4M 119 (1D 25)
Wildernesse Av. Sev —4M 119
Wildernesse Mt. Sev —4L 119
Wilderness Hill. Mgte —3E 208
Wilderness Rd. Chst —3D 70
Wilde Rd. Eri —7C 52
Wilderwick Rd. Ling & E Grin —1A 34
Wildfell Clo. Chat —2F 110
Wildfell Rd. SE6 —5E 54
Wildish Rd. Fav —4E 186
Wildman Clo. Gill —8N 95
Wildwood Clo. SE12 —5J 55
Wildwood Clo. Kgswd —6G 140
Wildwood Glade. Hem —7L 95
Wildwood Rd. Sturry —5E 168
Wiles Av. New R —3C 212
Wiles Ho. New R —3C 212
Wilfred Rd. Ram —5G 211
Wilfred St. Grav —4G 63
Wilgate Green. —1E 29
Wilgate Grn. Rd. Throw —1E 29
Wilkes Rd. Broad —1J 211
Wilkie Rd. Birch —3F 206
Wilkinson Clo. Dart —2N 59
Wilkins Way. Bras —6K 117
Wilks Av. Dart —7N 59
Wilks Clo. Rain —1D 112
Wilks Gdns. Croy —2B 82
Will Adams Ct. Gill —6F 80
Willard's Hill. —2A 44
Will Crooks Gdns. SE9 —2N 55
Willement Rd. Fav —5F 186
Willenhall Rd. SE18 —5D 50
Willersley Av. Orp —4F 84
Willersley Av. Sidc —6H 57
Willersley Clo. Sidc —6H 57
Willesborough. —1L 161 (1A 40)
Willesborough Ct. W'boro —8M 159
Willesborough Ind. Pk. W'boro —9L 159
Willesborough Lees. —9L 159 (1A 40)
Willesborough Rd. Kenn —5K 159 (4A 30)
Willesborough Windmill. —9L 159 (1A 40)
Willesden. —1A 4
Willesden Green. —1A 4
Willesden La. NW2 & NW6 —1A 4
Willesley Gdns. C'brk —6D 176
Willett Clo. Orp —9G 70
Willetts Hill. Monk —6H 205 (2C 22)
Willetts La. Blac —1D 154
Willett Way. Orp —8F 70
William Av. Folk —4H 189 (2A 42)
William Av. Mgte —5G 209
William Baker Ho. Roy B —1K 125
William Barefoot Dri. SE9 —9C 56 (1A 14)
William Clo. SE13 —1F 54
William Cory Promenade. Eri —5F 52
William Gibbs Ct. Fav —5H 187
William Ho. Grav —5G 62
William Judge Clo. Tent —8E 222
William Luck Clo. E Peck —1K 147
William Nash Ct. St M —6L 71
William Pit Av. Deal —4L 177
William Pitt Clo. Hythe —6L 197
William Pl. St M —7L 71
William Rd. Afrd —1F 160
William Rd. Cux —1G 92
William Smith Ho. Belv —3B 52
(off Ambrooke Rd.)
Williamson Rd. Lydd S —8A 212
William St. Fav —5H 187
William St. Gill —2C 96
William St. Grav —5G 63
William St. H Bay —3G 195
William St. Sit —8F 98
William St. Tun W —9G 150
William St. Whits —3F 224
Willingdon. Afrd —4C 160
Willingdon Pl. Walm —9M 177
Willington. —9H 127 (2E 27)
Willington Grn. Maid —1H 139
Willington St. Maid —6J 127 (2E 27)
Willis Cotts. Gill —2K 111
Willis Ct. Min S —7G 219
Willis Rd. Eri —4E 52
Willop Way. Dym —4E 182
Willoughby Ct. Cant —2M 171 (1D 31)
Willow Av. Broad —9H 209
Willow Av. Fav —5E 186
Willow Av. Sidc —4J 57
Willow Av. Swan —7G 73
Willowbank Clo. St Mar —2F 214
Willowbank Dri. H Hals —1H 67
Willow Brook Rd. SE15 —3D 5
Willowby Gdns. Gill —7A 96
Willow Clo. SE6 —6J 55
Willow Clo. Bex —4A 58
Willow Clo. Brom —8B 70
Willow Clo. Cant —9N 167
Willow Clo. Hythe —7F 196
Willow Clo. Mgte —3G 209
Willow Clo. Orp —1K 85
Willow Cottage. Hall —5E 92
Willow Ct. Broad —8K 209
Willow Ct. Folk —7E 188
Willow Ct. Maid —2D 138
Willow Cres. Five G —8F 146
Willow Cres. S'hrst —6K 221
Willow Dri. Hams —8D 190
Willow Dri. St Mar —3E 214
Willow Grange. Hoo —9G 67
Willow Grange. Sidc —8K 57
Willow Gro. Chst —2C 70
Willow Ho. Brom —5H 69
Willow Ho. Chat —7C 94
Willow Ho. Maid —6L 125
Willow Ho. S'ness —2C 218
(off Hope St.)
Willow Ho. Sit —8J 99
Willow Ind. Est. Iwade —6B 198
Willow Industries. S'lng —7C 110
Willow La. Pad W —4C 26
Willow Lea. Tonb —9J 133
Willowmead. Leyb —8C 108
Willow Pk. Otf —8G 103
Willow Rise. Down —8J 127
Willow Rd. Dart —6K 59
Willow Rd. Eri —8H 53
Willow Rd. Gt Mon —3D 33
Willow Rd. Lark —7D 108
Willow Rd. Roch —6J 79
Willow Rd. Whits —8E 224
Willows Ct. Cant —7J 167
Willowside. Snod —1E 108
Willow's, The. Afrd —7C 158
Willows, The. Beck —4D 68
Willows, The. Bidd —7L 163
Willows, The. Gill —1A 96
Willows, The. Kem —2G 98
Willows, The. Min S —3J 219
Willows, The. N'tn —5K 97
Willow Ter. Eyns —3M 87
Willow Tree Clo. H Bay —2L 195
Willow Tree Clo. W'boro —9K 159

HOSPITALS, HEALTH CENTRES and HOSPICES
covered by this atlas
with their map square reference

N.B. Where Hospitals, Health Centres and Hospices are not named on the map, the reference given is for the road in which they are situated.

ALEXANDRA BUPA HOSPITAL, THE
—2D **110**
Impton La., Chatham, Kent. ME5 9PG
Tel: (01634) 687 166

ALL SAINTS HOSPITAL —1D **94**
Magpie Hall Rd., Chatham,
Kent. ME4 5NG
Tel: (01634) 407311

Ashford Mental Health Centre —8F **158**
1 Elwick Rd., Ashford, Kent. TN23 1PD
Tel: (01233) 643407

Aylesham Health Centre —2C **162**
Boulevard Courrieres, Aylesham,
Kent. CT3 3DY
Tel: (01304) 840474

BECKENHAM HOSPITAL —5C **68**
379 Croydon Rd., Beckenham,
Kent. BR3 3QL
Tel: 020 8289 6600

BELVEDERE PRIVATE CLINIC —5L **51**
Knee Hill, Abbey Wood,
London. SE2 0AT
Tel: 020 8311 4464

BENENDEN HOSPITAL —3A **38**
Goddards Green Rd., Benenden,
Cranbrook, Kent. TN17 4AX
Tel: (01580) 240333

BETHLEM ROYAL HOSPITAL, THE
—1D **82**
Monks Orchard Rd., Eden Park,
Beckenham, Kent. BR3 3BX
Tel: 020 8777 6611

BEXLEY HOSPITAL —7F **58**
Old Bexley La., Bexley,
Kent. DA5 2BW
Tel: (01322) 526282

BLACKHEATH HOSPITAL —1J **55**
40-42 Lee Ter., Blackheath,
London. SE3 9UD
Tel: 020 8318 7722

Broadstairs Health Centre —9L **209**
The Broadway, Broadstairs,
Kent. CT10 3JB
Tel: (01843) 602654

BROMLEY HOSPITAL —7L **69**
Cromwell Av., Bromley, Kent. BR2 9AJ
Tel: 020 8289 7000

BUCKLAND HOSPITAL —3F **180**
Coombe Valley Rd., Buckland,
Dover, Kent. CT17 0HD
Tel: (01304) 201624

Canterbury Health Centre —3N **171**
Old Dover Rd., Canterbury,
Kent. CT1 3JB
Tel: (01227) 454435

Castlewood Therapy Centre —8C **50**
25 Shooter's Hill, London. SE18 4LG
Tel: 020 8856 4970

Central Lewisham Health Centre —4E **54**
410 Lewisham High St.,
London. SE13 6LL
Tel: 020 8690 9723

Chatham Mental Health Centre —1C **94**
Throwley Ho., 49 Maidstone Rd.,
Chatham, Kent. ME4 6DP
Tel: (01634) 845678

CHAUCER HOSPITAL, THE —6N **171**
Nackington Rd., Canterbury,
Kent. CT4 7AR
Tel: (01227) 455466

CHELSFIELD PARK HOSPITAL —6N **85**
Bucks Cross Rd., Chelsfield,
Orpington, Kent. BR6 7RG
Tel: (01689) 877855

Dartford East Health Centre —5B **60**
Pilgrims Way, Dartford, Kent. DA1 1QY
Tel: (01322) 274211

Dartford West Health Centre —4K **59**
17-19 Tower Rd., Dartford,
Kent. DA1 2HA
Tel: (01322) 622500

Deal Mental Health Centre —5L **177**
Bowling Grn. La., Deal,
Kent. CT14 9HF
Tel: (01304) 865464

Demelza House Childrens Hospice —5A **98**
Rook La., Bobbing, Sittingbourne,
Kent. ME9 8DZ
Tel: (01795) 843843

Dover Health Centre —4J **181**
Maison Dieu Rd., Dover,
Kent. CT16 1RH
Tel: (01304) 865500

Downham Health Centre —9J **55**
24 Churchdown, Downham,
Bromley, Kent. BR1 5PT
Tel: 020 8695 6644

EASTRY HOSPITAL —3K **183**
Mill La., Eastry, Sandwich,
Kent. CT13 0JU
Tel: (01304) 614110

EDENBRIDGE & DISTRICT WAR
MEMORIAL HOSPITAL —8C **184**
Mill Hill, Edenbridge, Kent. TN8 5DA
Tel: (01732) 863164

ERITH & DISTRICT HOSPITAL —6E **52**
Park Cres., Erith, Kent. DA8 3EE
Tel: 020 8302 2678

Erith Health Centre —6G **52**
2 Queen's St., Erith, Kent. DA8 1TT
Tel: (01322) 336661

FARNBOROUGH HOSPITAL —5C **84**
Farnborough Comn., Locksbottom,
Orpington, Kent. BR6 8ND
Tel: (01689) 814000

FAVERSHAM COTTAGE HOSPITAL
—5G **187**
Bank St., Faversham, Kent. ME13 8PS
Tel: (01795) 536621

Faversham Health Centre —5G **187**
Faversham Cottage Hospital,
Bank St., Faversham,
Kent. ME13 8QR
Tel: (01795) 536621

FAWKHAM MANOR HOSPITAL —2J **89**
Manor La., Fawkham,
Longfield, Kent. DA3 8ND
Tel: (01474) 879900

Folkestone Health Centre —6K **189**
15 Dover Rd., Folkestone,
Kent. CT20 1JY
Tel: (01303) 228888

GOLDIE LEIGH HOSPITAL —6L **51**
Bostall House, Lodge Hill,
Abbey Wood, London. SE2 0AY
Tel: 020 8319 7111

GRAVESEND & NORTH KENT HOSPITAL
—4F **62**
Bath St., Gravesend, Kent. DA11 0DG
Tel: (01474) 564333

Greenwich & Bexley Cottage Hospice
—5L **51**
185 Bostall Hill, Abbey Wood,
London. SE2 0QX
Tel: 020 8312 2244

HAWKHURST COTTAGE HOSPITAL
—5H **191**
High St., Hawkhurst, Kent. TN18 4PU
Tel: (01580) 753345

HAYES GROVE PRIORY HOSPITAL
—3K **83**
Prestons Rd., Hayes, Bromley,
Kent. BR2 7AS
Tel: 020 8462 7722

Heart of Kent Hospice —1K **125**
Preston Hall, Royal British Legion Village,
Aylesford, Kent. ME20 7NJ
Tel: (01622) 792200

HOMOEOPATHIC HOSPITAL —2G **156**
Church Rd., Tunbridge Wells,
Kent. TN1 1JU
Tel: (01892) 542977

Honor Oak Health Centre —2B **54**
20 Turnham Rd., London. SE4 2LA
Tel: 020 7639 8811

Hospice in the Weald —5D **152**
Maidstone Rd., Pembury, Kent. TN2 4TA

Jenner Health Centre —6B **54**
201 Stanstead Rd., London. SE23 1HU
Tel: 020 7771 4110

JOYCE GREEN HOSPITAL —9N **53**
Joyce Green La., Dartford,
Kent. DA1 5PL
Tel: (01322) 227242

Kennard Street Health Centre —1B **50**
1 Kennard St., North Woolwich,
London. E16 2HR
Tel: 020 7445 7150

KENT & CANTERBURY HOSPITAL
—5N **171**
Ethelbert Rd., Canterbury, Kent. CT1 3NG
Tel: (01227) 766877

KENT & SUSSEX HOSPITAL —1G **156**
Mount Ephraim, Tunbridge Wells,
Kent. TN4 8AT
Tel: (01892) 526111

KENT COUNTY OPHTHALMIC &
AURAL HOSPITAL —5D **126**
Church St., Maidstone, Kent. ME14 1DT
Tel: (01622) 673444

KEYCOL HOSPITAL —5N **97**
Keycol Hill, Bobbing, Sittingbourne,
Kent. ME9 8NG
Tel: (01795) 842222

Kingswood Mental Health Centre —5E **126**
180 Union St., Maidstone,
Kent. ME14 1EY
Tel: (01622) 673358

Lakeside Health Centre —2M **51**
Tavy Bri., Thamesmead,
London. SE2 9UQ
Tel: 020 8310 3281

Lee Health Centre —3J **55**
2 Handen Rd., London. SE12 8NE
Tel: 020 8318 4431

LEWISHAM HOSPITAL —3E **54**
Lewisham High St., Lewisham,
London. SE13 6LH
Tel: 020 8333 3000

Lions Hospice, The —9E **62**
Coldharbour Rd., Northfleet,
Gravesend, Kent. DA11 7HQ
Tel: (01474) 320007

LIVINGSTONE HOSPITAL —5N **59**
East Hill, Dartford, Kent. DA1 1SA
Tel: (01322) 622222

Lordswood Health Centre —9F **94**
Sultan Rd., Lordswood,
Chatham, Kent. ME5 8TJ
Tel: (01634) 660441

MAIDSTONE HOSPITAL, THE —5L **125**
Hermitage La., Maidstone,
Kent. ME16 9QQ
Tel: (01622) 729000

Marvels Lane Health Centre —7L **55**
37 Marvels La., Grove Park,
London. SE12 9PN
Tel: 020 8857 0042

MEDWAY HOSPITAL —8E **80**
Windmill La., Gillingham, Kent. ME7 5NY
Tel: (01634) 830000

MEMORIAL HOSPITAL —9C **50**
Shooters Hill, Woolwich,
London. SE18 3RZ
Tel: 020 8856 5511

NUNNERY FIELDS HOSPITAL —4M **171**
Nunnery Fields, Canterbury,
Kent. CT1 3LP
Tel: (01227) 766877

ORPINGTON HOSPITAL —5J **85**
Sevenoaks Rd., Orpington,
Kent. BR6 9JU
Tel: (01689) 815000

Parkwood Health Centre —6N **95**
Long Catlis Rd., Parkwood,
Rainham, Kent. ME8 9PR
Tel: (01634) 234400

PEMBURY HOSPITAL —6A **152**
Tonbridge Rd., Pembury,
Tunbridge Wells, Kent. TN2 4QJ
Tel: (01892) 823535

Pilgrims Hospice in Canterbury —1K **171**
56 London Rd., Canterbury,
Kent. CT2 8JY
Tel: (01227) 457766

Pilgrims Hospice Thanet —6D **208**
Ramsgate Rd., Margate,
Kent. CT9 4AD
Tel: (01843) 230277

Plumstead Health Centre —5G **51**
Tewson Rd., Plumstead,
London. SE18 1BH
Tel: 020 8855 9341

PRESTON HALL DAY HOSPITAL —9K **109**
London Rd., Aylesford,
Maidstone, Kent. ME20 7NJ
Tel: (01622) 710161

PRIORITY HOUSE —5M **125**
Hermitage La., Maidstone,
Kent. ME16 9PH
Tel: (01622) 725000

QUEEN ELIZABETH HOSPITAL —7A **50**
Stadium Rd., Woolwich,
London. SE18 4QH
Tel: 020 8856 5533

QUEEN ELIZABETH THE QUEEN MOTHER
HOSPITAL —5D **208**
St Peter's Rd., Margate,
Kent. CT9 4AN
Tel: (01843) 225544

QUEEN MARY'S HOSPITAL —2J **71**
Frognal Av., Sidcup,
Kent. DA14 6LT
Tel: 020 8302 2678

QUEEN VICTORIA MEMORIAL HOSPITAL
—3J **195**
King Edward Av., Herne Bay,
Kent. CT6 6EB
Tel: (01227) 373246

Rainham Health Centre —2A **96**
Holding St., Rainham, Kent. ME8 7JP
Tel: (01634) 374041

Rochester Health Centre —9A **80**
Delce Rd., Rochester, Kent. ME1 2EL
Tel: (01634) 401111

ROYAL VICTORIA HOSPITAL —5J **189**
Radnor Park Av., Folkestone,
Kent. CT19 5BN
Tel: (01303) 850202

ST BARTHOLOMEW'S HOSPITAL —8B **80**
New Rd., Rochester,
Kent. ME1 1DS
Tel: (01634) 402030

St Johns Health Centre —5K **119**
St Johns Rd., Sevenoaks,
Kent. TN13 3LR
Tel: (01732) 743222

St Mark's Health Centre —6D **50**
24 Wrottesley Rd., Plumstead,
London. SE18 3EP
Tel: 020 8317 3540

ST MARTIN'S HOSPITAL —2C **172**
Littlebourne Rd., Canterbury,
Kent. CT1 1TD
Tel: (01227) 459371

ST SAVIOUR'S BUPA HOSPITAL
—6N **197**
73 Seabrook Rd., Hythe,
Kent. CT21 5QW
Tel: (01303) 265581

SEVENOAKS HOSPITAL —3K **119**
Hospital Rd., Sevenoaks,
Kent. TN13 3PG
Tel: (01732) 455155

Sheerness Health Centre —2D **218**
7-10 Trinity Rd., Sheerness,
Kent. ME12 2PJ
Tel: (01795) 580528

SHEPPEY COMMUNITY HOSPITAL
—5L **219**
Wards Hill Rd., Minster,
Sheppey, Kent. ME12 2NL
Tel: (01795) 872116

Shepway Mental Health Centre —5J **189**
2-4 Radnor Park Av., Folkestone,
Kent. CT19 5BW
Tel: (01303) 222424

Sidcup Health Centre —9J **57**
43 Granville Rd., Sidcup,
Kent. DA14 4TA
Tel: 020 8302 7811

SITTINGBOURNE MEMORIAL HOSPITAL
—8G **98**
Bell Rd., Sittingbourne, Kent. ME10 4DT
Tel: (01795) 418300

SLOANE HOSPITAL, THE —4G **69**
125-133 Albemarle Rd., Beckenham,
Kent. BR3 5HS
Tel: 020 8466 6911

SOMERFIELD HOSPITAL —4A **126**
71 London Rd., Maidstone,
Kent. ME16 0DU
Tel: (01622) 686581

South Lewisham Health Centre —9F **54**
50 Conisborough Cres.,
London. SE6 2SP
Tel: 020 8698 8921

STONE HOUSE HOSPITAL —4C **60**
Cotton La., Dartford,
Kent. DA2 6AU
Tel: (01322) 227211

SUNDRIDGE HOSPITAL —9N **117**
Church Rd., Sundridge,
Sevenoaks, Kent. TN14 6AU
Tel: (01959) 562841

Sydenham Green Health Centre —9B **54**
26 Holmshaw Clo.,
London. SE26 4TH
Tel: 020 8778 1333

TONBRIDGE COTTAGE HOSPITAL
—9J **145**
Vauxhall La., Tonbridge,
Kent. TN11 0NE
Tel: (01732) 353653

TUNBRIDGE WELLS BUPA HOSPITAL,
THE —2K **155**
Fordcombe Rd., Fordcombe,
Tunbridge Wells, Kent. TN3 0RD
Tel: (01892) 740047

TUNBRIDGE WELLS NUFFIELD
HOSPITAL, THE —2J **157**
Kingswood Rd., Tunbridge Wells,
Kent. TN2 4UL
Tel: (01892) 531111

UPTON ROAD DAY HOSPITAL —2N **57**
14 Upton Rd., Bexleyheath,
Kent. DA6 8LQ
Tel: 020 8301 7900

VICTORIA HOSPITAL —5L **177**
London Rd., Deal, Kent. CT14 9UA
Tel: (01304) 865400

WESTERN AVENUE DAY HOSPITAL
—7E **158**
King's Av., Ashford, Kent. TN23 1LX
Tel: (01233) 623321

WEST HILL HOSPITAL —4L **59**
West Hill, Dartford, Kent. DA1 2HF
Tel: (01322) 223223

WEST VIEW HOSPITAL —9A **222**
Plummer La., Tenterden,
Kent. TN30 6TX
Tel: (01580) 763677

WHITSTABLE & TANKERTON HOSPITAL
—3J **225**
Northwood Rd., Whitstable,
Kent. CT5 2HN
Tel: (01227) 272225

Whitstable Health Centre —3G **224**
Harbour St., Whitstable,
Kent. CT5 1BZ
Tel: (01227) 263844

WILLIAM HARVEY HOSPITAL —9N **159**
Kennington Rd., Willesbrough,
Ashford, Kent. TN24 0LZ
Tel: (01233) 633331

Wisdom Hospice —1A **94**
High Banks, Rochester,
Kent. ME1 1NU
Tel: (01634) 830456

Woodlands Health Centre —8L **147**
Allington Rd., Paddock Wood,
Kent. TN12 6AX
Tel: (01732) 833331

Woodside Mental Health Centre —4A **126**
89 London Rd., Maidstone,
Kent. ME16 0EB
Tel: (01622) 756077

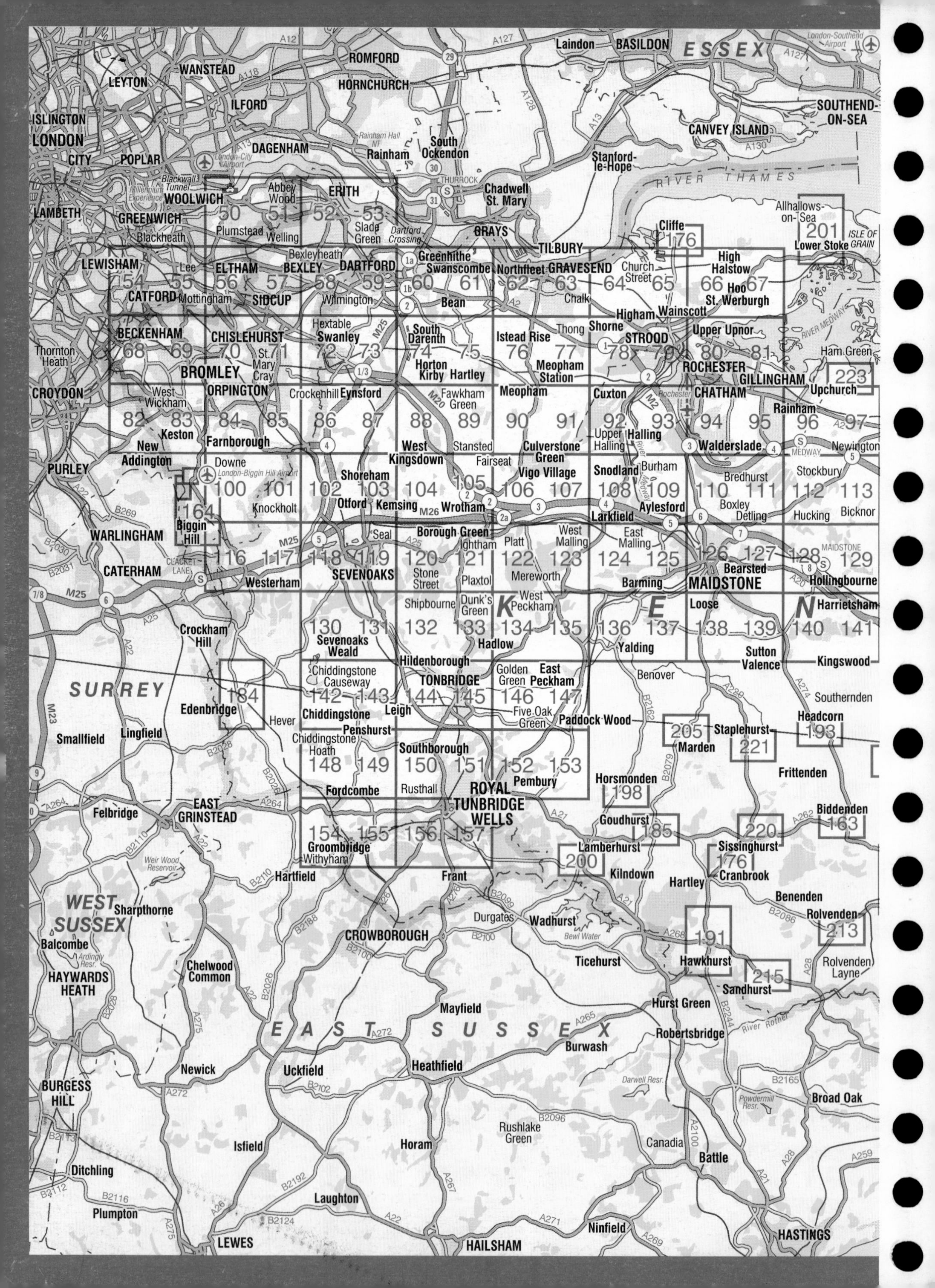

Laindon
BASILDON
ESSEX
London-Southend Airport
A127
A12
ROMFORD
WANSTEAD
LEYTON
HORNCHURCH
ILFORD
SOUTHEND-ON-SEA
ISLINGTON
LONDON
CANVEY ISLAND
DAGENHAM
Rainham Hall NT
South Ockendon
Rainham
CITY
POPLAR
A13
A130
London-City Airport
Stanford-le-Hope
THURROCK
RIVER THAMES
Blackwall Tunnel
Millennium Experience
WOOLWICH
Abbey Wood
ERITH
Chadwell St. Mary
LAMBETH
GREENWICH
50
51
52
53
Allhallows-on-Sea
Plumstead
Welling
Slade Green
Dartford Crossing
GRAYS
Cliffe
176
201
Blackheath
ISLE OF GRAIN
Bexleyheath
Greenhithe
TILBURY
High Halstow
Lower Stoke
LEWISHAM
Lee
ELTHAM
BEXLEY
DARTFORD
Swanscombe
Northfleet
GRAVESEND
Church Street
54
55
56
57
58
59
60
61
62
63
64
65
66
67
Hoo
CATFORD
Mottingham
SIDCUP
Wilmington
Bean
Chalk
St. Werburgh
Higham
Wainscott
Hextable
South Darenth
Istead Rise
Thong
Shorne
STROOD
Upper Upnor
BECKENHAM
CHISLEHURST
Swanley
M25
RIVER MEDWAY
Thornton Heath
68
69
70
71
72
73
74
75
76
77
78
79
80
81
Ham Green
St. Mary Cray
Horton Kirby
Hartley
Meopham Station
ROCHESTER
GILLINGHAM
223
BROMLEY
CROYDON
West Wickham
ORPINGTON
Crockenhill
Eynsford
Fawkham Green
Meopham
Cuxton
Rochester
CHATHAM
Upchurch
M20
M2
Rainham
82
83
84
85
86
87
88
89
90
91
92
93
94
95
96
97
Keston
New Addington
Farnborough
West Kingsdown
Stansted
Culverstone Green
Upper Halling
Halling
Walderslade
Newington
PURLEY
Downe
London-Biggin Hill Airport
Shoreham
Fairseat
Vigo Village
Snodland
Burham
Bredhurst
Stockbury
100
101
102
103
104
105
106
107
108
109
110
111
112
113
Knockholt
Otford
Kemsing
M26
Wrotham
Larkfield
Aylesford
Boxley
Detling
Hucking
Bicknor
164
Biggin Hill
WARLINGHAM
Seal
Borough Green
Ightham
Platt
West Malling
East Malling
CATERHAM
Clacket Lane
116
117
118
119
120
121
122
123
124
125
126
127
128
129
Westerham
SEVENOAKS
Stone Street
Plaxtol
Mereworth
Barming
Bearsted
MAIDSTONE
Hollingbourne
M25
Shipbourne
Dunk's Green
K
West Peckham
E
Loose
N
Harrietsham
Crockham Hill
130
131
132
133
134
135
136
137
138
139
140
141
Sevenoaks Weald
Hadlow
Yalding
Sutton Valence
Kingswood
Hildenborough
Chiddingstone Causeway
TONBRIDGE
Golden Green
East Peckham
Benover
SURREY
184
142
143
144
145
146
147
Southernden
Edenbridge
Chiddingstone
Leigh
Five Oak Green
Headcorn
Hever
Penshurst
Paddock Wood
205
Marden
Staplehurst
221
193
Smallfield
Lingfield
Chiddingstone Hoath
Southborough
148
149
150
151
152
153
Frittenden
Fordcombe
Rusthall
ROYAL TUNBRIDGE WELLS
Pembury
Horsmonden
198
Biddenden
Felbridge
EAST GRINSTEAD
Goudhurst
185
220
163
154
155
156
157
Lamberhurst
Sissinghurst
Groombridge
Withyham
200
176
Weir Wood Reservoir
Hartfield
Frant
Kilndown
Hartley
Cranbrook
WEST SUSSEX
Sharpthorne
Benenden
Rolvenden
Durgates
Wadhurst
Bewl Water
191
213
Balcombe
Ardingly Resr.
CROWBOROUGH
Chelwood Common
Ticehurst
Hawkhurst
Rolvenden Layne
HAYWARDS HEATH
215
Sandhurst
Hurst Green
Mayfield
River Rother
EAST SUSSEX
Robertsbridge
Burwash
Newick
Uckfield
Heathfield
Darwell Resr.
BURGESS HILL
Powdermill Resr.
Broad Oak
Rushlake Green
Isfield
Horam
Canadia
Battle
Ditchling
Laughton
Plumpton
Ninfield
HASTINGS
LEWES
HAILSHAM